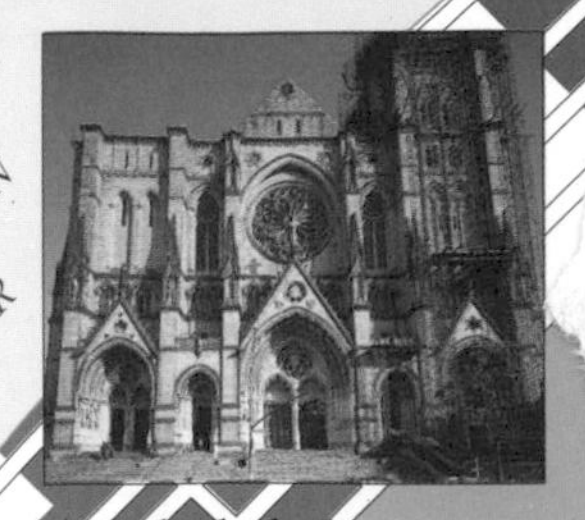

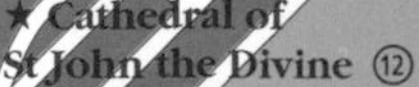

★ Cathedral of St John the Divine ⑫
Siehe S. 224 f

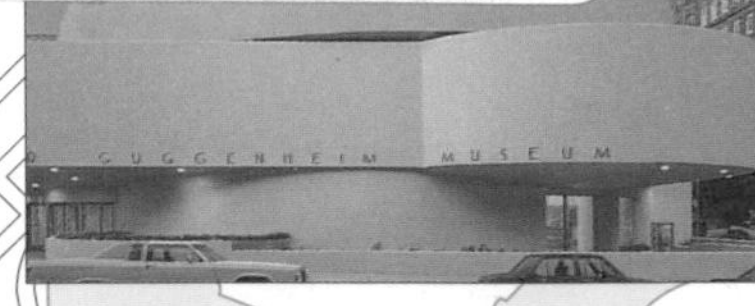

★ Solomon R Guggenheim Museum ⑪
Siehe S. 186 f

★ Metropolitan Museum ⑩
Siehe S. 188 ff

★ United Nations ⑧
Siehe S. 158 ff

★ St Patrick's Cathedral ⑤
Siehe S. 176 f

0 Kilometer 2

0 Meilen 1

★ Grand Central Terminal ⑥
Siehe S. 154 f

Weitere Highlights

- **★ Cloisters** *Siehe S. 234 ff*
- **★ Botanical Garden** *Siehe S. 240 f*
- **★ International Wildlife Conservation Park** *Siehe S. 242 f*
- **★ Brooklyn Museum** *Siehe S. 248 ff*

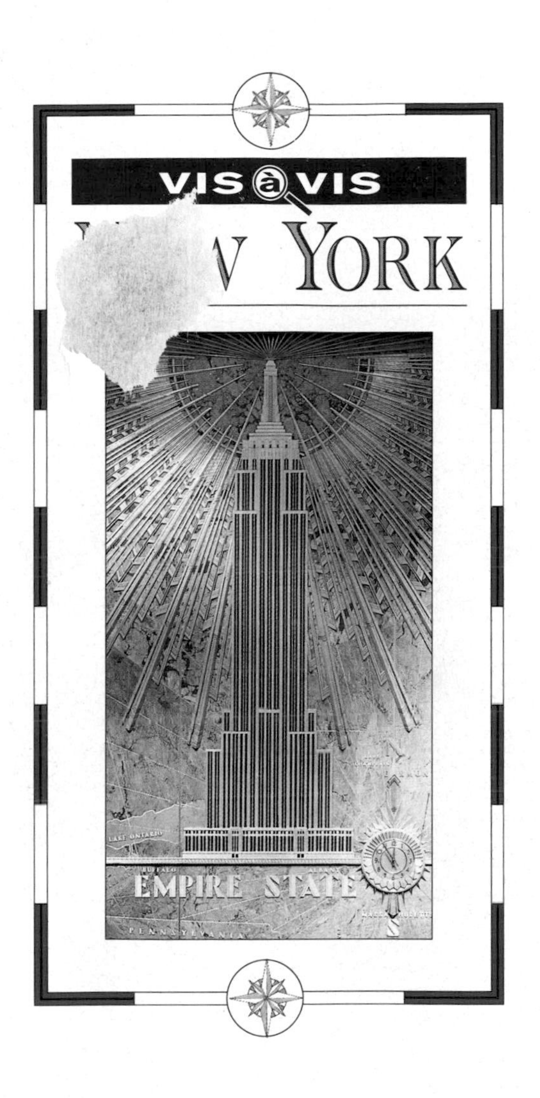
VIS à VIS
YORK
EMPIRE STATE

GE

NEW YORK

RV VERLAG

EIN DORLING KINDERSLEY BUCH

TEXTE
Lester Brooks, Patricia Brooks, Susan Farewell

FOTOGRAFIEN
Max Alexander, Dave King, Michael Moran

ILLUSTRATIONEN
Richard Draper, Robbie Polley, Hamish Simpson

KARTOGRAPHIE
Dorling Kindersley Cartography

REDAKTION UND GESTALTUNG
Dorling Kindersley Ltd.

Titel der englischen Originalausgabe:
Eyewitness Travel Guide New York
Zuerst erschienen 1993 in Großbritannien
bei Dorling Kindersley Limited

Hergestellt mit Unterstützung von Websters
International Publishers

ÜBERSETZUNG Cornell Erhardt, Stefan Röhrig u. a.
für GAIA Text, München
REDAKTION Eckard Schuster; Armin Sinnwell,
Prisma Verlag GmbH, München
SATZ UND PRODUKTION GAIA Text, München
LITHOGRAPHIE Colourscan, Singapur
DRUCK Graphicom, Italien

ISBN 3-89480-902-7

4 5 6 7 8 01 00 99 98 97

Für Hinweise, Verbesserungsvorschläge und Korrekturen ist der Verlag dankbar. Bitte richten Sie Ihr Schreiben an:
RV Reise- und Verkehrsverlag
Neumarkter Straße 18
81673 München

INHALT

Baseball-Star Babe Ruth (1895–1948)

Skyline des südlichen Manhattan

Führer durch die Stadtteile

Vesuvio Bakery, SoHo

Trump Tower, Upper Midtown

The New York City Ballet

Schlepper im North Wind Undersea Institute Museum

Zu Gast in New York

Bagel aus einem New Yorker *Deli*

Grund-informationen

Solomon R Guggenheim Museum, Upper East Side

WIE BENUTZE ICH DIESES BUCH?

Dieser Reiseführer soll Ihren New York-Besuch zu einem Erlebnis machen, das durch keinerlei praktische Probleme getrübt wird. Der Einleitungsabschnitt *New York stellt sich vor* erläutert die geographische Lage, stellt das moderne New York in einen historischen Zusammenhang und beschreibt die Höhepunkte des New Yorker Veranstaltungskalenders. *New York im Überblick* faßt alles Sehens- und Erlebenswerte thematisch zusammen. Der *Führer durch die Stadtteile* begleitet zu den interessantesten Sehenswürdigkeiten. Diese werden anhand von Karten, Fotografien und anschaulichen Illustrationen erläutert. Fünf Spaziergänge führen Sie auch zu versteckteren Orten New Yorks.

Zu Gast in New York enthält alles über Einkaufen, Essen, Ausgehen und Übernachten. Und die *Grundinformationen* am Ende des Buches helfen beim ersten Zurechtfinden.

Führer durch die Stadtteile

New York ist in diesem Führer in 15 attraktive Stadtteile gegliedert. Jedes entsprechende Buchkapitel beginnt mit einem Kurzporträt, das den Charakter und die Geschichte eines Viertels anreißt und alle Sehenswürdigkeiten auflistet. Diese sind mit Nummern versehen, die mit denen auf der Stadtteil- und Detailkarte sowie in den darauf folgenden Erläuterungen identisch sind.

1 Die Stadtteilkarte

Sie zeigt im Überblick den jeweils besprochenen Stadtteil. Die Sehenswürdigkeiten sind durchnumeriert, ferner sind Subway-Stationen, Hubschrauberlandeplätze und Anlegestellen verzeichnet.

2 Die Detailkarte

Auf der Detailkarte ist der farblich hervorgehobene Kern der Stadtteilkarte aus der Vogelperspektive zu sehen. Die Sehenswürdigkeiten sind zur raschen Orientierung kurz erläutert.

Fotografien der Fassaden und prägnanter Details helfen bei der Lokalisierung.

Eine **Orientierungskarte** zeigt die Lage des Stadtteils, in dem man sich befindet. Der Ausschnitt der *Detailkarte* ist rot gehalten.

Die **Farbkodierung** jeder Seite erleichtert das Auffinden von Stadtteilen.

Sehenswürdigkeiten auf einen Blick führt das Wichtigste auf: historisch oder architektonisch bedeutende Straßen und Bauten, Kirchen, Museen und Galerien, Monumente, Parks und Plätze.

Die **Straßenzüge,** die auf der *Detailkarte* dargestellt werden, sind rot eingefärbt.

Nummern im schwarzen Kreis – sie sind im ganzen Kapitel identisch – bezeichnen die Sehenswürdigkeiten im jeweiligen Stadtteilkapitel.

Anfahrtstips erläutern, wie man mit öffentlichen Verkehrsmitteln hinkommt.

Sterne markieren Sehenswürdigkeiten, die man nicht auslassen sollte.

Die **Routenempfehlung** schlägt eine Strecke vor, die durch die interessantesten Straßen eines Stadtteils führt.

New York im Überblick
Jede Karte dieses Abschnitts behandelt ein besonderes Thema: *Museen, Architektur, Das multikulturelle New York, Berühmte New Yorker.* Die wichtigsten Highlights sind hier, weitere auf den darauf folgenden Seiten angeführt. Dort finden sich auch die Seitenverweise auf den *Führer durch die Stadtteile.*

Jeder **Stadtteil** ist mit einer Farbkodierung versehen.

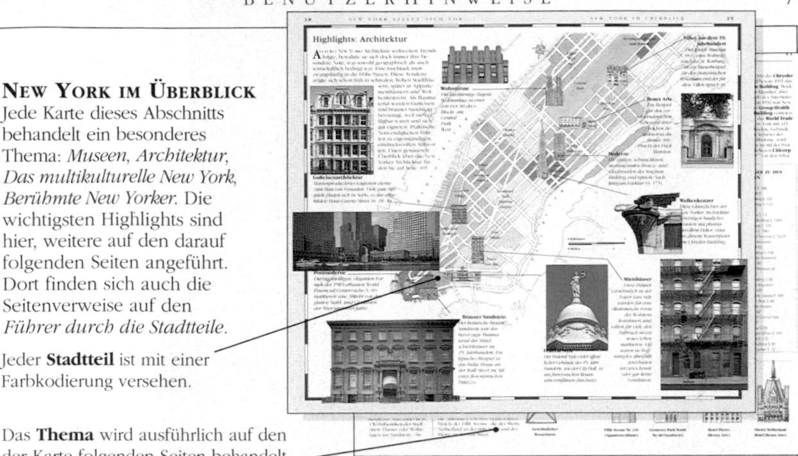

Das **Thema** wird ausführlich auf den der Karte folgenden Seiten behandelt.

3 Detaillierte Informationen über die Sehenswürdigkeiten *bieten die darauf folgenden Seiten. Die Reihenfolge entspricht der Numerierung der Stadtteil- und Detailkarte. Praktische Informationen ergänzen die Beschreibungen.*

Praktische Informationen
Jeder Eintrag hilft bei der Planung eines Besuchs. Die Symbole werden auf der hinteren Umschlagklappe erklärt.

Kartenkoordination der Sehenswürdigkeit im Kartenteil

Adresse

Nummer

Trump Tower ❷

725 5th Ave. **Karte** 12 F3.
832-2000. 5th Ave-53rd St.
Gartenebene, Läden Mo–Sa 10–18 Uhr. **Gebäude** Tägl 8–22 Uhr.
Eintritt frei. Siehe **Einkaufen** S. 311.
Konzerte.

Öffnungszeiten

Serviceleistungen/ Einrichtungen

Telefonnummer

Subway-Station

4 New Yorks Hauptsehenswürdigkeiten *Diesen werden zwei oder mehr Seiten in den entsprechenden Stadtteilkapiteln gewidmet. Wichtige Gebäude sind im Aufriß dargestellt; Etagenpläne von Museen erleichtern das Auffinden von Kunstwerken.*

Die **Infobox** enthält die praktischen Informationen, die für einen Besuch hilfreich sind.

Ein Foto der **Fassade** jeder Hauptsehenswürdigkeit dient der Orientierung.

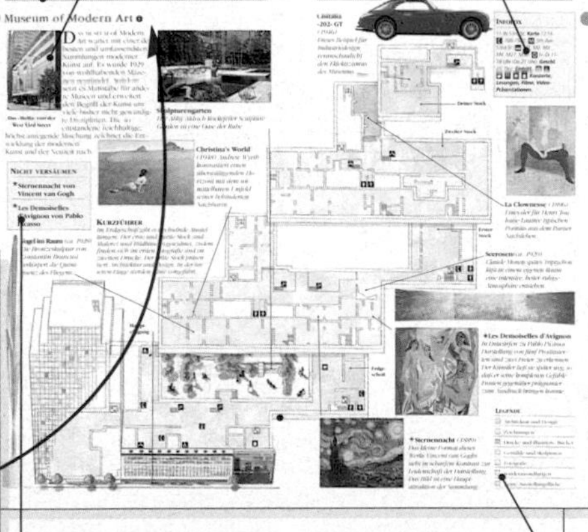

Sterne kennzeichnen die interessantesten architektonischen Details eines Gebäudes und die wichtigsten Kunstwerke oder Ausstellungsstücke im Gebäude selbst.

Eine farbige **Legende** hilft Ihnen durch die Sammlung.

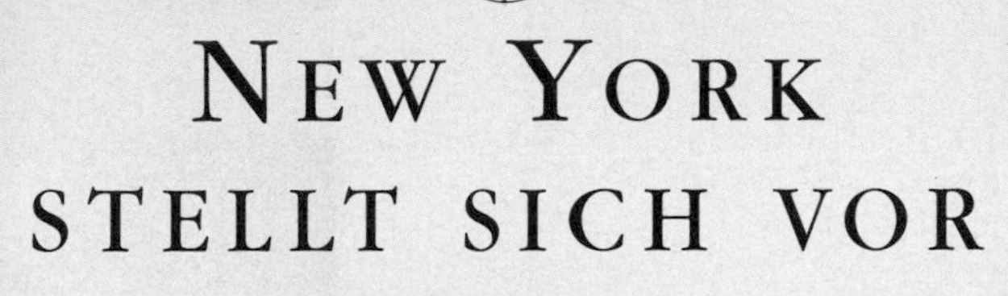

NEW YORK STELLT SICH VOR

New York auf der Karte

New York mit seinen sieben Millionen Einwohnern nimmt 780 Quadratkilometer ein. Die Stadt ist Namensgeber für den Staat New York, dessen Hauptstadt, Albany, 251 Kilometer nördlich liegt. New York ist auch ein guter Ausgangspunkt, um die historischen Städte Boston oder Philadelphia oder auch die Niagara Falls zu besuchen.

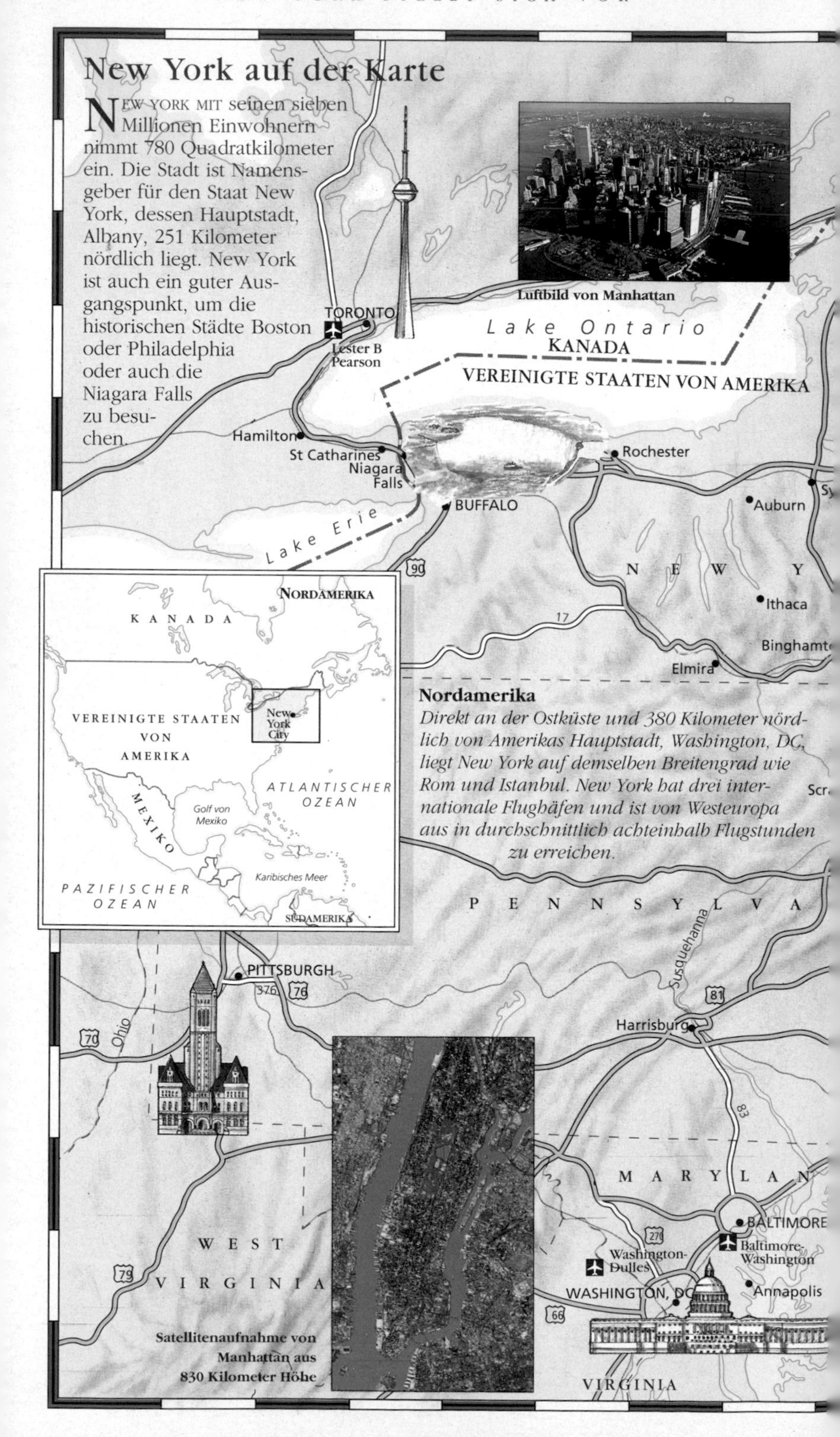

Luftbild von Manhattan

Nordamerika

Direkt an der Ostküste und 380 Kilometer nördlich von Amerikas Hauptstadt, Washington, DC, liegt New York auf demselben Breitengrad wie Rom und Istanbul. New York hat drei internationale Flughäfen und ist von Westeuropa aus in durchschnittlich achteinhalb Flugstunden zu erreichen.

Satellitenaufnahme von Manhattan aus 830 Kilometer Höhe

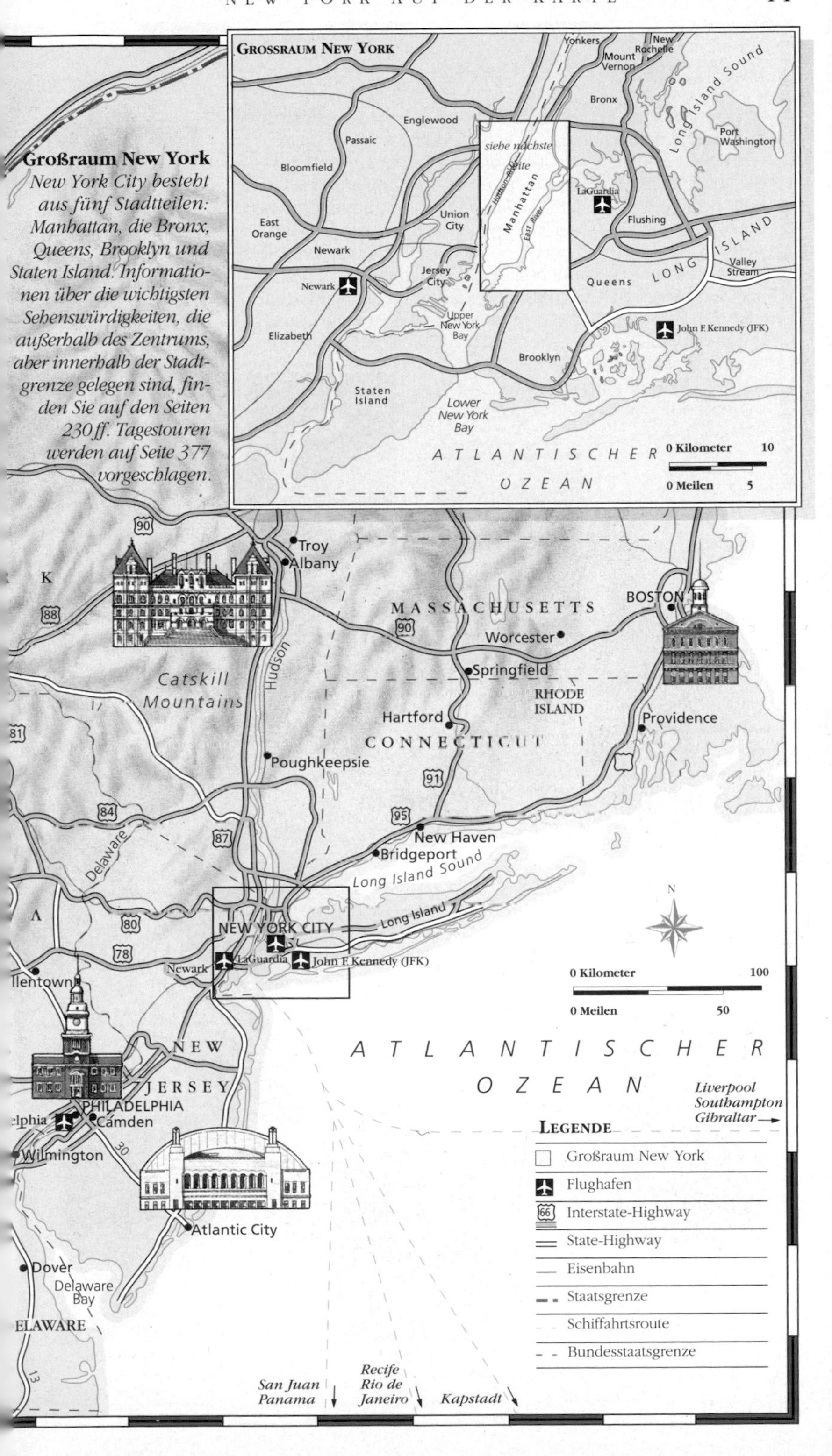

Großraum New York

New York City besteht aus fünf Stadtteilen: Manhattan, die Bronx, Queens, Brooklyn und Staten Island. Informationen über die wichtigsten Sehenswürdigkeiten, die außerhalb des Zentrums, aber innerhalb der Stadtgrenze gelegen sind, finden Sie auf den Seiten 230 ff. Tagestouren werden auf Seite 377 vorgeschlagen.

Manhattan

DIE MEISTEN DER in diesem Buch beschriebenen Sehenswürdigkeiten liegen in einem von 15 Bezirken Manhattans, von denen jedem ein Abschnitt dieses Buches gewidmet ist. Bei knapper Zeit läßt sich die Stadtbesichtigung auf ein oder zwei Bezirke beschränken. Viele der ältesten und modernsten Gebäude stehen in Lower Manhattan. Hier können Sie die Staten Island Ferry besteigen und die atemberaubende Skyline New Yorks und die Statue of Liberty betrachten. Der Theater- und der Midtown District haben die glitzernde Einkaufswelt der Fifth Avenue, zahlreiche Museen und Veranstaltungsorte sowie die Wolkenkratzer, wie z.B. das Chrysler Building, zu bieten. Die Museumsmeile der Upper East Side ist ein Kultur-Eldorado, und der angrenzende Central Park lädt zur Erholung ein.

SEITEN 138–147
Kartenteil
Karten 8, 11/12

SEITEN 128–137
Kartenteil
Karten 7/8

SEITEN 106–113
Kartenteil
Karten 3/4

SEITEN 100–105
Kartenteil
Karte 4

SEITEN 64–79
Kartenteil
Karten 1/2

SEITEN 80–91
Kartenteil
Karten 1/2

SEITEN 92–99
Kartenteil
Karten 4, 5

HUDSON RIVER

Chelsea und Garment District

Greenwich Village

SoHo und TriBeCa

Lower East Side

Seaport und Civic Center

Lower Manhattan

SEITEN 208–217
Kartenteil
Karten 11/12, 15/16

SEITEN 218–229
Kartenteil
Karten 19/20

SEITEN 202–207
Kartenteil
Karten 12, 16

SEITEN 180–201
Kartenteil
Karten 12/13, 16/17

SEITEN 164–179
Kartenteil
Karten 12, 13/14

SEITEN 148–163
Kartenteil
Karten 9, 12, 13

SEITEN 114–119
Kartenteil
Karten 4, 5

SEITEN 120–127
Kartenteil
Karten 8, 9

0 Kilometer 2
0 Meilen 1

OR HUDSON'S RIVER
EAST RIVER
The WALLABOUT BAY
Salt Meadows
Red Hook

DIE GESCHICHTE DER STADT

DIE ENTDECKUNG des New Yorker Naturhafens durch Giovanni da Verrazano vor fast 500 Jahren weckte schnell das Interesse der europäischen Nationen an diesem Teil der Neuen Welt. 1621 gründeten die Holländer dort ihre Kolonie Neu-Amsterdam, die sie 1664 an England verloren. Die Siedlung wurde in New York umbenannt, und dieser Name blieb auch erhalten, nachdem die Engländer 1783 als Ergebnis des Amerikanischen Unabhängigkeitskrieges die Kolonie aufgeben mußten.

Muschelumhang eines Indianerhäuptlings

DIE STADT WÄCHST

Im Laufe des 19. Jahrhunderts vergrößerte sich die Stadt stetig, und der Seehafen gewann zusehends an Bedeutung. Zahlreiche Betriebe wurden gegründet, Handel und Wohlstand blühten. Der Zusammenschluß von Manhattan und vier anderen Gemeinden machte New York 1898 zur zweitgrößten Stadt der Welt. Von 1800 bis 1900 wuchs die Bevölkerungszahl von 79 216 auf 3 Millionen an. New York wurde Amerikas Kultur- und Unterhaltungsmekka und zugleich das Geschäftszentrum des Landes.

DER SCHMELZTIEGEL

Tausende von Immigranten ließen die Stadt weiter wachsen; viele lebten wegen akuter Überbevölkerung in Slums. Doch das Gemisch der verschiedenen Kulturen bereicherte die Stadt und wurde ihr Markenzeichen – heute sprechen 7 Millionen Einwohner 80 Sprachen. Die ständig steigende Einwohnerzahl ließ die Häuser Manhattans in den Himmel wachsen. New York hat gute wie schlechte Zeiten erlebt, blieb aber stets eine der lebendigsten Städte der Welt. Die folgenden Seiten zeigen wichtige Kapitel der Geschichte New Yorks.

Eine Urkunde (1664) von Peter Stuyvesant, dem letzten holländischen Gouverneur Neu-Amsterdams

Das südliche Manhattan und ein Teil von Brooklyn (1767)

Die Anfänge von New York

Indianermaske aus Schalen

ALS DIE HOLLÄNDISCHE Westindische Kompanie 1625 ihre Pelzhändlerkolonie Neu-Amsterdam gründete, war das Gebiet des heutigen Manhattan von Indianern besiedeltes Waldland. Die neuen Siedler bauten ihre Häuser aufs Geratewohl, was man noch heute an der unregelmäßigen Straßenführung in Lower Manhattan erkennen kann. Der Broadway (holländisch: Breede Wegh) war einst ein indianischer Pfad, Harlem behielt seinen holländischen Namen. Unter Peter Stuyvesant erhielt die Kolonie eine Verwaltung, erbrachte aber dennoch nicht den erhofften Gewinn, und so überließen die Holländer 1664 den Engländern die Stadt, die sie in New York umtauften.

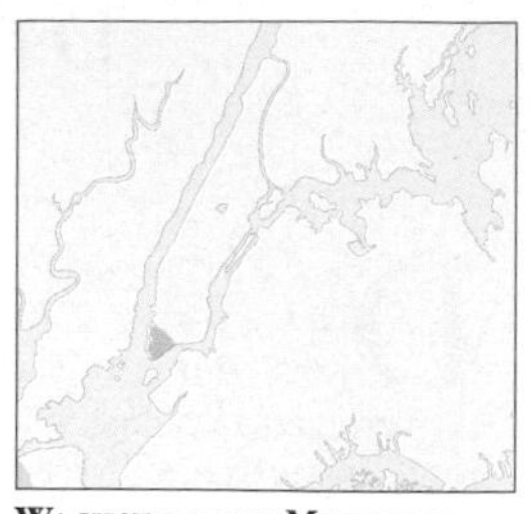

WACHSTUM DER METROPOLE

1664 *Heute*

Siegel der Neu-Niederlande
Biberpelz und Wampum (indianisches Muschelgeld) waren Zahlungsmittel in der Kolonie Neu-Niederlande.

Die ersten New Yorker
Algonquin-Indianer waren die ersten Bewohner Manhattans.

Irokesischer Topf
Die Irokesen suchten häufig die Gegend des heutigen Manhattan auf.

ERSTE ANSICHT MANHATTANS (1626)
Die Südspitze Manhattans glich einer holländischen Stadt (mit Windmühle). Das abgebildete Fort war damals noch nicht erbaut.

Holländische Schiffe

Indianisches Kanu

Indianisches Dorf
In solchen Langhäusern lebten die Algonquin-Indianer.

ZEITSKALA

1524 Giovanni da Verrazano erreicht den New Yorker Hafen

1600

1609 Henry Hudson befährt den Hudson River auf der Suche nach der Nordwestpassage

1620

1624 Erste ständige Handelsniederlassung der Holländer

1625 Die ersten Sklaven werden aus Afrika nach Amerika verschleppt

1626 Peter Minuit kauft Manhattan von den Indianern

1640

1643–45 Gefechte mit den Indianern enden mit einem vorläufigen Friedensvertrag

1647 Peter Stuyvesant wird Gouverneur der Kolonie

1653 Ein Schutzwall gegen Indianer wird gebaut; die angrenzende Straße erhält den Namen Wall Street

1654 Ankunft der ersten jüdischen Siedler

Delfter Keramik
Siedler brachten diese berühmten Keramikartikel mit Zinnglasur aus Holland mit.

Holzkonstruktion des *Tiger*

Wegweiser zum holländischen New York

Diese Überreste des 1613 ausgebrannten holländischen Schiffes *Tiger* (1916 ausgegraben) sind die ältesten handwerklichen Zeugnisse aus dieser Zeit und jetzt im Museum of the City of New York *(S. 197)* zu sehen. Im gleichen Museum, in der Morris-Jumel Mansion *(S. 233)* und im Van Cortlandt House Museum *(S. 238)* werden niederländische Keramik, Fliesen und Möbel gezeigt.

Silhouette von Manhattan
Am Strand (jetzt Whitehall Street) stand einst das erste Ziegelhaus der Stadt.

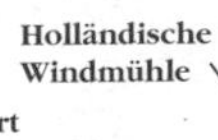

Der Kauf von Manhattan
1626 kaufte Peter Minuit den Indianern die Insel für Schmuck im Wert von 24 Dollar ab.

Peter Stuyvesant
Der letzte holländische Gouverneur erließ drakonische Gesetze. So mußten alle Wirtshäuser um 21 Uhr schließen.

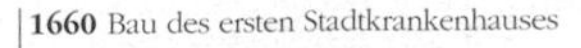

1660 Bau des ersten Stadtkrankenhauses

1664 Britische Truppen vertreiben die Holländer kampflos und ändern den Namen in New York

1676 Errichtung eines Großdocks am East River

1698 Weihung der Trinity Church

1660 | 1680 | 1700

Übergabe Neu-Amsterdams an Großbritannien

Um 1680 New York erhält das Exklusivrecht, Getreide zu verarbeiten und zu verladen

1683 Erste Stadturkunde von New York

1689 Der Kaufmann Jacob Leisler führt die Steuerrebellion an und herrscht zwei Jahre über die Stadt

1693 92 Kanonen werden zum Schutz der Stadt installiert; der Bereich wird als Battery bekannt

1691 Leisler wird wegen Verrats zum Tode verurteilt

New York zur Kolonialzeit

Ein Gentleman aus der Kolonialzeit

UNTER BRITISCHER HERRSCHAFT nahm New York einen raschen Aufschwung, die Bevölkerung wuchs rapide. Getreideverarbeitung und Schiffbau waren die Haupterwerbszweige. In dieser Phase der Kolonialzeit bildete sich eine gesellschaftliche Elite heraus, für deren Häuser edle Möbel und Silberwaren gefertigt wurden. In seiner über einhundertjährigen Herrschaft zeigte England jedoch mehr Interesse am Profit als am Wohlergehen seiner Kolonie. Drückende Steuern erzeugten Haß und Bereitschaft zu Rebellion, auch wenn – gerade in New York – die Loyalitäten unterschiedlich waren. Kurz vor der Revolution war New York mit 20 000 Einwohnern die zweitgrößte Stadt der 13 Kolonien.

Kolonialgeld

WACHSTUM DER METROPOLE

1760 | Heute

Straßenszene der Kolonialzeit
Damals konnten Schweine und Hunde auf New Yorks Straßen frei herumlaufen.

Kas
Kiefernholzschrank im holländischen Stil (um 1720) aus dem New Yorker Hudson River Valley.

Schiffahrt
Der Handel mit Westindien und England ließ New York reich werden. In manchen Jahren legten 200 Schiffe an.

ZEITSKALA

1702 Lord Cornbury wird zum Gouverneur berufen; er trägt oft Frauenkleider

1711 Am Ende der Wall Street entsteht ein Sklavenmarkt

1720 Die erste Werft nimmt ihren Betrieb auf

1700 | 1710 | 1720 | 1730

1710 Der Irokesenhäuptling Hendrick besucht England

1732 Eröffnung des ersten städtischen Theaters

1725 *New York Gazette,* die erste New Yorker Zeitung, erscheint

Captain Kidd
Der englische Seeräuber William Kidd war ein geachteter Bürger. Er half beim Bau der Trinity Church (siehe S. 68).

VAN CORTLANDT HOUSE
Frederick Van Cortlandt erbaute 1748 dieses georgianische Haus auf einer Weizenplantage im Gebiet der heutigen Bronx. Heute ein Museum (siehe S. 238), *zeigt es die damalige Lebensweise einer reichen holländisch-englischen Familie.*

Westsalon

WEGWEISER ZUR KOLONIALZEIT

Häuser der Kolonialzeit können in der historischen Richmond Town auf Staten Island *(siehe S. 252)* auch von innen besichtigt werden. Das Museum of the City of New York *(siehe S. 197)* zeigt edle Silberarbeiten und Möbel.

Laden in Richmond Town

Küche der Kolonialzeit
Statt Fleisch gab es oft weißen Käse (»weißes Fleisch«). Holländische Waffeln waren beliebt. Frische Früchte waren eine Seltenheit, man behalf sich jedoch mit eingemachtem Obst.

Babyflasche aus Zinn

Käseform

Waffeleisen

Steinmetzarbeiten
Über jedem Fenster der Vorderfront befindet sich ein steinernes Konterfei.

Stielgabel für eingemachtes Obst

1733 Bowling Green wird der erste Stadtpark; erste Fähren nach Brooklyn

1734 John Peter Zengers Verleumdungsprozeß wirft die Pressefreiheit zurück

1740

1741 Ein Sklavenaufstand führt zur Hysterie. 31 Sklaven werden hingerichtet, 150 eingekerkert

King's College

1750

1754 Beginn des Krieges gegen Franzosen und Indianer; Gründung des King's College (heute Columbia University)

1759 Bau des ersten Gefängnisses

1760

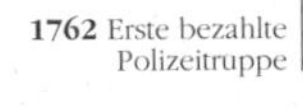

1762 Erste bezahlte Polizeitruppe

1763 Ende des Krieges; die Briten kontrollieren Nordamerika

Britischer Soldat

New York zur Revolutionszeit

George Washington, General der Aufständischen

Der amerikanische Unabhängigkeitskrieg brachte für das von amerikanischen Truppen besetzte New York viel Leid mit sich: Schützengräben, Beschießung durch die britischen Truppen, wiederholte Feuersbrünste. Trotzdem spielten die mehrheitlich königstreuen Bürger weiterhin Cricket, besuchten Pferderennen und Bälle. Nach der Einnahme durch die Briten (1776) strömten Königstreue aus anderen Staaten in die Stadt. Amerikanische Truppen kehrten erst nach dem Friedensvertrag von 1783 nach Manhattan zurück.

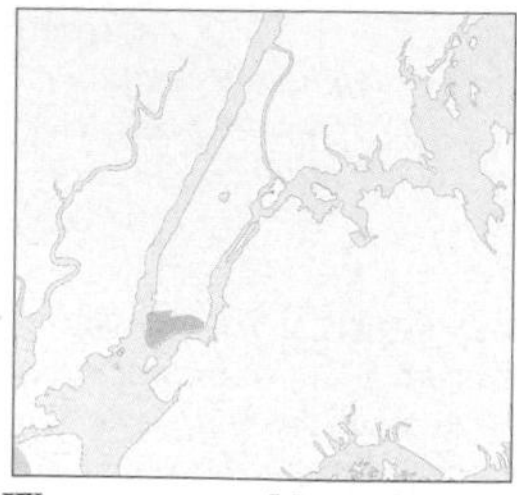

Wachstum der Metropole

1776 Heute

Provianttasche
Während des Unabhängigkeitskrieges trugen die amerikanischen Soldaten solche Provianttaschen.

Amerikanischer Soldat

Kampfanzug
Die amerikanischen Truppen trugen blaue, die Briten rote Uniformen.

Britischer Soldat

Der König stürzt
New Yorker stürzten die Statue Georgs III. in Bowling Green um und schmolzen sie zu Munition ein.

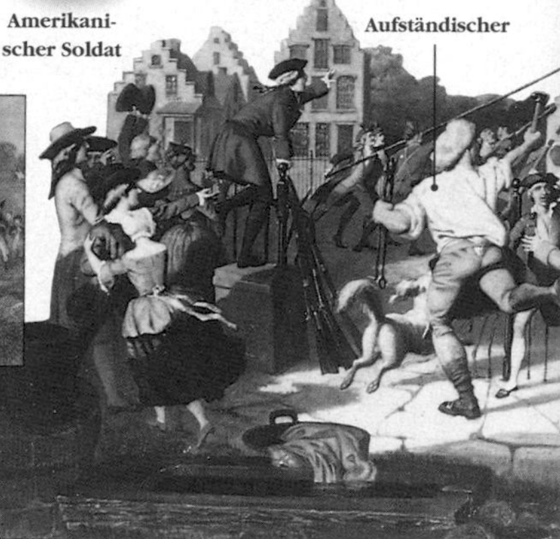
Aufständischer

Die Schlacht von Harlem Heights
Washington gewann die Schlacht am 16. September 1776, mußte die Stadt jedoch den Briten überlassen.

Tod eines Patrioten
1776 wurde Nathan Hale, der hinter den britischen Linien agierte, gefaßt und ohne Prozeß als Spion gehängt.

Zeitskala

1765 Der britische *Stamp Act* erregt den Protest der New Yorker; Gründung der *Sons of Liberty*

1766 Vollendung der St Paul's Chapel; der *Stamp Act* wird zurückgezogen; Statue Georgs III. im Bowling Green errichtet

1767 Der *Townshend Act* bringt der Stadt neue Lasten; nach Protesten wird er zurückgezogen

1770 Die *Sons of Liberty* liefern den Briten die *Battle of Golden Hill*

1774 Steuerrebellen kippen Tee in den New Yorker Hafen

1776 Beginn des Krieges; im Hafen von New York sammeln sich 500 Schiffe unter General Howe

1760 | 1770 | 1780

St Paul's Chapel

General William Howe, Oberkommandeur der britischen Truppen

Lederner Löscheimer

Feueralarm

Feuersbrünste waren immer eine Gefahr, aber sie häuften sich während des Krieges und zerstörten beinahe die Stadt. Am 21. September 1776 vernichtete eine Feuersbrunst die Trinity Church und 1000 Häuser.

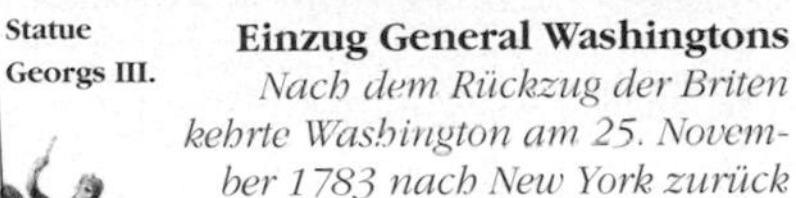

Einzug General Washingtons

Nach dem Rückzug der Briten kehrte Washington am 25. November 1783 nach New York zurück und wurde als Held umjubelt.

Flaggen der Revolution

Washington führte die kontinentale Flagge, mit einem Streifen für jede der 13 Kolonien und dem Union Jack in der Ecke. Das Sternenbanner wurde 1777 offizielle Flagge.

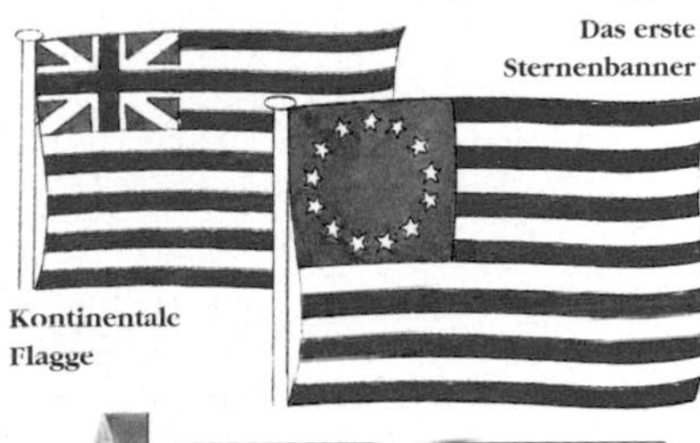

Das erste Sternenbanner

Kontinentale Flagge

Statue Georgs III.

Jubelnde Patrioten

Wegweiser zur Revolutionszeit

1776 diente die Morris-Jumel Mansion im oberen Manhattan *(siehe S. 233)* George Washington als Hauptquartier. Er schlief auch im Van Cortlandt House *(siehe S. 19, S. 238)*. Später verabschiedete er seine Offiziere in Fraunces Tavern *(siehe S. 76)*.

Morris-Jumel Mansion

1783 Pariser Vertrag unterzeichnet; USA erhalten Unabhängigkeit; die Briten räumen New York

1784 Die *Bank of New York* wird eingetragen

1785 New York wird Hauptstadt der USA

1789 In der Federal Hall wird George Washington als erster Präsident vereidigt

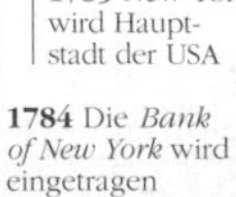

Washingtons Amtseinführung

1790

1790 Hauptstadt der USA nach Philadelphia verlegt

1791 New York Hospital als erstes Krankenhaus eröffnet

1792 Bau des Tontine Coffee House – erster Sitz der Börse

1794 Bellevue Hospital am East River eröffnet

1800

1801 Alexander Hamilton gründet die *New York Post*

1804 Vizepräsident Aaron Burr erschießt seinen politischen Rivalen Alexander Hamilton in einem Duell

New York im 19. Jahrhundert

Gouverneur De Witt Clinton

Als grösste Stadt der USA und wegen des herausragenden Seehafens wurde New York zunehmend wohlhabender. Die Hafennähe begünstigte die Güterproduktion; Unternehmer wie John Jacob Astor scheffelten Millionen. Die Reichen zogen uptown in die Außenbezirke; der öffentliche Nahverkehr wurde ausgebaut. Aber mit dem schnellen Wachstum kamen auch die Großstadtprobleme: Feuersbrünste, Seuchen, Geldmangel. Immer mehr Immigranten trafen ein, und durch die Überbevölkerung wuchsen die Slums. 1846 war jeder siebente New Yorker verarmt.

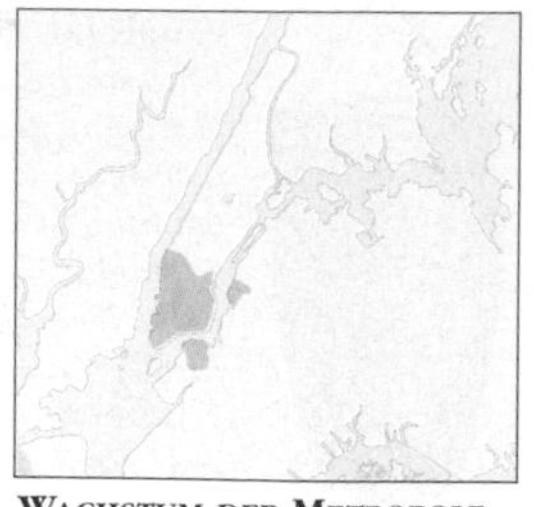

Wachstum der Metropole

1840 | *Heute*

Musiknoten
Der New Yorker Stephen Foster schrieb viele beliebte Balladen wie Jeanie With the Light Brown Hair.

Das Croton Distributing Reservoir wurde 1842 für die Frischwasserversorgung errichtet. Zuvor waren die New Yorker auf abgefülltes Wasser angewiesen.

Fitneß
Sportstätten wie Dr. Richs Institut für Leibeserziehung entstanden in den 30er und 40er Jahren.

Omnibus
Der von Pferden gezogene Omnibus (seit 1832) war bis zum Ersten Weltkrieg öffentliches Verkehrsmittel in New York.

Zeitskala

1805 Erstmals kostenlose öffentliche Schulen in New York

1807 Robert Fulton betreibt auf dem Hudson River das erste Dampfschiff

1810

1811 Der Randel-Plan etabliert für Manhattan das Schachbrettmuster nördlich der 14th Street

1812–14 Krieg von 1812; Briten blockieren New Yorker Hafen

Die Constitution, *berühmtestes Schiff im Krieg von 1812*

1820

1822 Gelbfieberepidemie; Massenflucht nach Greenwich Village

1823 New York wird (vor Boston und Philadelphia) größte Stadt des Landes

1827 In New York wird die Sklaverei abgeschafft

1830

1835 Schlimmste Feuersbrunst der Stadtgeschichte

1837 Der New Yorker Samuel Morse telegraphiert als erster

Brauner Sandstein
In der ersten Jahrhunderthälfte entstanden viele Reihenhäuser aus braunem Sandstein. Die Treppe führt zum Salon; im Erdgeschoß wohnte das Hauspersonal.

Der **Crystal Palace** war eine für die Weltausstellung von 1853 errichtete Halle aus Eisen und Glas.

NEW YORK IM JAHR 1855
An der Stelle von Crystal Palace und Croton Distributing Reservoir, südlich der 42nd Street, befinden sich heute die Public Library und der Bryant Park.

DER NEW YORKER HAFEN

Im frühen 19. Jahrhundert wuchs die Bedeutung New Yorks als Hafenstadt rapide. 1807 startete Robert Fulton sein erstes Dampfschiff, die *Clermont*. Mit Dampfschiffen dauerte es nur noch 72 Stunden bis Albany, der Hauptstadt des Staates und dem Tor zum Westen. Der Handel mit dem Westen mittels Dampfschiff und Lastkahn und mit der übrigen Welt mittels Klippern brachte vielen New Yorkern Wohlstand.

Das Dampfschiff *Clermont*

Der Crystal Palace in Flammen
Am 5. Oktober 1858 brannte die New Yorker Ausstellungshalle nieder – wie schon ihre Londoner Vorläuferin.

Festliche Eröffnung des Grand Canal
Schiffskonvois im New Yorker Hafen feierten 1825 die Eröffnung des Erie-Kanals. Der Kanal verband die Großen Seen mit der Hauptstadt Albany am Hudson River und somit den New Yorker Hafen mit dem Mittelwesten. Für New York brachte dies große Profite.

1840

1842 Bau des Croton Reservoirs

Früher Baseballspieler

1845 Erster Baseballverein, die New York Knickerbockers, eingetragen

1849 Rebellion am Astor Place; Goldrausch: Segelschiffe fahren nach Kalifornien

1850

1851 Ersterscheinung der *New York Times*

1853 Erste Weltausstellung in New York

Klipper-Schiffskarte

1857 Wirtschaftliche Depression

1858 Vaux und Olmsted entwerfen den Central Park; Gründung von Macy's

1860

1861 Beginn des Bürgerkrieges

1863 Die *Draft Riots* dauern vier Tage; viele Tote

1865 Abraham Lincoln in der City Hall aufgebahrt

Menschen im Central Park

Die Epoche der Extravaganzen

Industriemagnat Andrew Carnegie

New Yorks Wirtschaftsbosse wurden immer reicher; für die Stadt begann eine goldene Zeit, in der prächtige Bauten entstanden. Millionen flossen in die Künste; das Metropolitan Museum, die Public Library und die Carnegie Hall wurden gegründet. Neben Luxushotels wie dem Plaza und dem Waldorf-Astoria entstanden elegante Kaufhäuser für die Reichen. Schillernde Figuren wie William »Boss« Tweed – der ungekrönte König der Korruption – und Zirkusdirektor Phineas T. Barnum hatten ihre große Zeit.

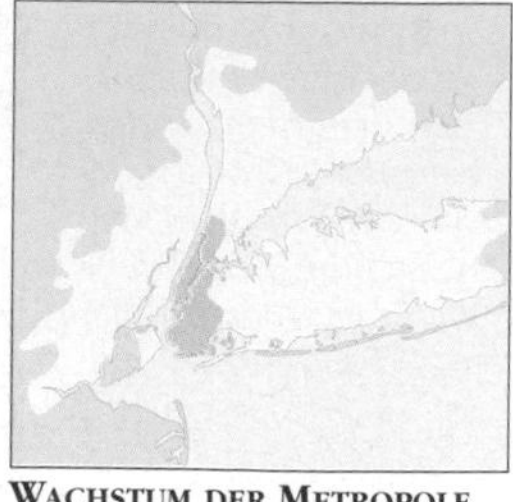

Wachstum der Metropole

1890   Heute

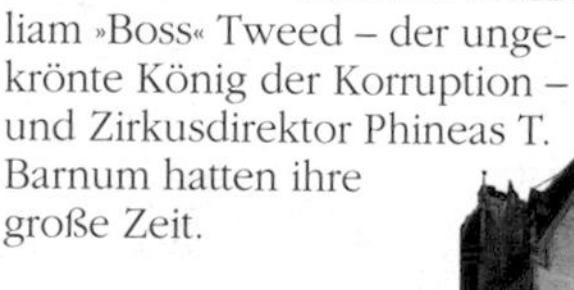

Parkblick
Das Dakota (1880) war das erste große Luxus-Appartementhaus an der Upper West Side (siehe S. 216).

Palastleben
Herrenhäuser säumten die Fifth Avenue. Bei seiner Erbauung (1882) lag W. K. Vanderbilts im italienischen Stil errichteter Palast am nördlichen Ende der Fifth Avenue (Nr. 660).

BATHING SUITS.
A GREAT SPECIALTY AT
LORD & TAYLOR'S, Broadway and 20th Street, N. Y.
CHEAPEST AND BEST QUALITY OF BATHING SUITS IN THE CITY.

Stadt der Mode
Lord & Taylor richteten am Broadway ein Modehaus ein; die Sixth Avenue zwischen 14th und 23rd Street war als Fashion Row *bekannt.*

Die Hochbahn
Um 1875 verkehrten in der 2nd, 3rd, 6th und 9th Avenue Züge auf hoch errichteten Trassen. Sie waren schnell, aber auch laut und umweltfeindlich.

Zeitskala

1867 Prospect Park in Brooklyn vollendet

1868 Erste Hochbahn auf der Greenwich Street

1870 J. D. Rockefeller gründet Standard Oil

1871 Das erste Grand Central Depot an der 42nd Street eröffnet; »Boss« Tweed verhaftet

1877 A. G. Bell präsentiert in New York das Telefon

1865 — 1870 — 1875

1869 Erstes Appartementhaus an der 18th Street; Finanzkrise (»Schwarzer Freitag«) an der Wall Street

Innenansicht der Börse

1872 Bloomingdale's eröffnet

1873 Bankenkrach: Panik an der Börse

1879 St Patrick's Cathedral vollendet; erste städtische Telefonzentrale in der Nassau Street

Mark Twains Geburtstagsfeier
Mark Twain, dessen Roman Das vergoldete Zeitalter *(1873) den dekadenten Lebensstil der New Yorker beschreibt, feierte bei Delmonico's seinen Geburtstag.*

Wegweiser zur Epoche der Extravaganzen

Das Goldene Zimmer in den Henry Villard Houses *(S. 174)* ist ein beredter Zeuge dieser Epoche. Dieses frühere Musikzimmer dient heute als Teesalon. Auch das Museum of the City of New York *(S. 197)* zeigt zwei Zimmer aus jener Zeit.

Der Tweed Ring
William »Boss« Tweed führte die herrschende Tammany-Hall-Fraktion an. Er entwendete Millionensummen aus dem Stadtsäckel.

Nast's Karikatur von »Boss« Tweed

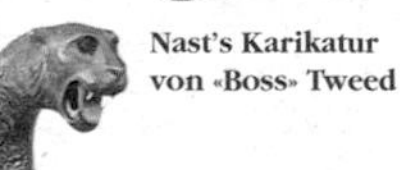

Tammany Tiger
»Boss« Tweeds Spazierstock (im Museum of the City of New York). Der Goldgriff stellt einen Tammany-Tiger dar.

Ländliche Fifth Avenue
Das Gemälde von Ralph Blakelock zeigt eine Barackensiedlung an der 86th Street – heute eine der teuersten Gegenden.

1880 Erstmals Obst und Fleisch in Konservendosen; Metropolitan Museum of Art eröffnet; elektrische Straßenbeleuchtung

1883 Die Metropolitan Opera am Broadway eröffnet; Brooklyn Bridge vollendet

1886 Enthüllung der Freiheitsstatue

1891 Eröffnung der Carnegie Hall

1880 | 1885 | 1890

1888 22 Menschen kommen bei einem Schneesturm ums Leben (56 cm Schnee)

1890 Erste Kinematographen in New York

Feuerwerk über der Brooklyn Bridge (1883)

1892 Baubeginn der Cathedral of St John the Divine; Ellis Island eröffnet

New York um die Jahrhundertwende

Pferdekarosse

UM 1900 WAR New York das Industriezentrum Amerikas. 70% aller Firmen hatten hier ihren Sitz, zwei Drittel aller Importwaren erreichten die USA über den New Yorker Hafen. Die Reichen wurden reicher, die Armen ärmer. In den Slums griffen Seuchen um sich, aber die Immigranten behielten dort ihren Lebensstil bei. 1900 wurde die Internationale Frauengewerkschaft der Textilarbeiterinnen gegründet, um für Frauen und Kinder zu kämpfen, die für geringen Lohn gefährliche Arbeiten leisteten. Aber erst nach dem Brand in der Hemdenfabrik Triangle (1911) kam es zu Reformen.

WACHSTUM DER METROPOLE

1914 *Heute*

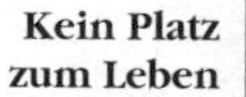

Porträt der Armut

Die Lower East Side war der dichtestbesiedelte Ort der Welt (Bevölkerungsdichte fast fünfmal so hoch wie im übrigen New York).

Kein Platz zum Leben

Viele Mietshäuser waren überfüllt, oft fehlten Fenster, Luftschächte und notwendige sanitäre Anlagen.

WEGWEISER ZUR ZEIT DER JAHRHUNDERTWENDE

Im Lower East Side Tenement Museum *(siehe S. 97)* wird das Leben in den Mietshäusern gezeigt.

Schneiderschere

Sitzbadewanne

Im Ausbeutungsbetrieb

In engen Werkstätten des Textilviertels wurde bei schlechter Bezahlung in langen Schichten gearbeitet – wie in der Fabrik von Moe Levy im Jahr 1912.

Straßenbahnen auf dem Broadway

ZEITSKALA

1895 Das Olympia Theater ist das erste am Broadway

1898 Fünf Stadtgemeinden vereinigen sich zur zweitgrößten Stadt der Welt

1901 Kaufhaus Macy's am Broadway eingeweiht

1895

1900

1896 In einer Bäckerei an der Clinton Street gibt es die ersten *Bagel*

1897 Das Waldorf-Astoria als größtes Hotel der Welt eröffnet

1900 Mit einem Silberspaten eröffnet Bürgermeister Robert Van Wyck die Bauarbeiten zur ersten U-Bahn-Linie der Stadt

1903 Lyceum Theater eröffnet – das älteste noch heute bestehende Broadway-Theater

FLATIRON BUILDING
Am Madison Square (Schnittpunkt von Broadway, Fifth Avenue und 23rd Street) entstand 1902 einer der ersten Wolkenkratzer (21stöckig, Grundriß dreieckig). Man nannte ihn das Flatiron Building (»Bügeleisen-Haus«, siehe S. 125).

Festmahl im Sattel
Dekadente Partys war man in New York gewöhnt, aber das Essen zu Pferde, das C. K. G. Billing in Sherry's Restaurant gab, war 1903 Stadtgespräch.

Plaza Promenade
Der Abschnitt der Fifth Avenue vor dem Plaza Hotel galt als eleganteste Promenade der Stadt.

Elegante Mode
Der Bekleidungsstil um 1900 war steif, mit Reifröcken und Turnüren. Erst später wurde er weniger förmlich und praktischer.

1906 Der Architekt Stanford White wird im Madison Square Garden, den er 1890 selbst entwarf, erschossen

1909 Wilbur Wright fliegt erstmals über New York

1910 Pennsylvania Station eingeweiht

1913 Woolworth Building ist das höchste Gebäude der Welt; neuer Grand Central Terminal und Harlems Apollo Theater eröffnet

1905 | **1910**

1905 Die Staten-Island-Fähre nimmt den Betrieb auf

1907 Erste Taxis mit Taxameter; erste *Ziegfeld Follies*

1911 Bei Großfeuer in der Hemdenfabrik Triangle 146 Arbeiter getötet; die New York Public Library wird eröffnet

Woolworth Building

Zwischen den Weltkriegen

Eintrittskarte in den Cotton Club

DIE 20ER JAHRE standen für New York im Zeichen der Lebensfreude. Leitfigur war Bürgermeister Jimmy Walker, der diversen Revuegirls seine Aufwartung machte und in illegalen Bars verkehrte. Mit dem Börsenkrach von 1929 endete diese Zeit. 1932 trat Walker wegen Korruption zurück, ein Viertel aller New Yorker war arbeitslos. Mit Bürgermeister Fiorello La Guardia (1933) begann ein neuer Aufschwung.

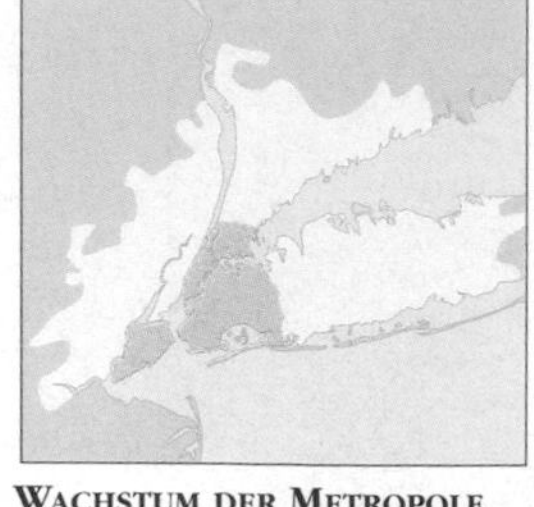

WACHSTUM DER METROPOLE

1933 *Heute*

Exotische Kostüme
Revuegirls waren eine Hauptattraktion im Cotton Club.

DER COTTON CLUB
Dieser Nightclub in Harlem bot den besten Jazz in New York; Bandleader waren Duke Ellington, später Cab Calloway. Die Leute strömten aus der ganzen Stadt hierher.

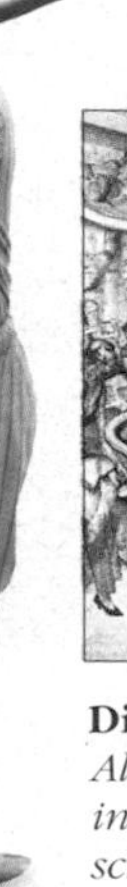

Die Prohibition umgehen
Alkohol war verboten, wurde aber in halböffentlichen illegalen Kaschemmen verkauft.

Home-Run-König
1927 erzielte Baseball-Star Babe Ruth sagenhafte 60 home runs *für die »Yankees«. Deren Stadion* (siehe S. 239) *galt nun als »das von Ruth erbaute Haus«.*

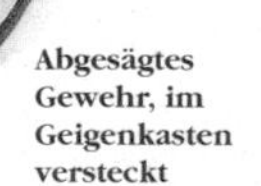

Abgesägtes Gewehr, im Geigenkasten versteckt

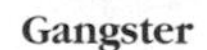

Gangster
Dutch Schultz war Boß eines illegalen Alkoholschmuggelrings.

ZEITSKALA

1918 Ende des Ersten Weltkrieges

1919 Mit dem Alkoholverbot beginnt die Prohibitionszeit

1920 Frauenwahlrecht in den USA

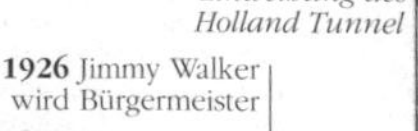

1926 Jimmy Walker wird Bürgermeister

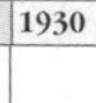

Einweihung des Holland Tunnel

1931 Der Welt höchstes Gebäude: Empire State Building

1920 **1925** **1930**

1924 In Harlem wird der Autor James Baldwin geboren

1925 Erstausgabe von *The New Yorker*

1927 Lindbergh fliegt über den Atlantik; erster Tonfilm: *The Jazz Singer*, Holland Tunnel eröffnet

1929 Börsenkrach: Beginn der Großen Depression

1930 Chrysler Building fertiggestellt

Magnet Harlem
Schwarze Musiker wie Cab Calloway hatten Auftrittsverbot in vielen Downtown-Clubs – ihr Reich war der Cotton Club.

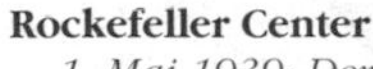

Broadway-Melodien
Am Broadway blühte das Musical; die 20er Jahre erlebten einen Premierenrekord.

Die Grosse Depression

Die *Roaring Twenties* endeten mit dem Börsenkrach vom 29. Oktober 1929. New York traf es hart: Im Central Park wurden Wohnzelte errichtet; Tausende waren arbeitslos. Die Künste jedoch wurden durch das Programm der Works Projects Administration (WPA) gefördert: In der ganzen Stadt entstanden Graffiti und andere Kunst.

1931: Warten auf Sozialhilfe

Frühstückskarte

Lindberghs Flugzeug, *Spirit of St Louis*

Lindberghs Flug
Lindberghs Atlantikflug (1927) wurde von den New Yorkern auf vielfache Weise gefeiert, etwa mit einem Frühstück ihm zu Ehren.

Rockefeller Center
1. Mai 1939: Der Millionär John D. Rockefeller legt letzte Hand an bei der feierlichen Eröffnung des Rockefeller Center.

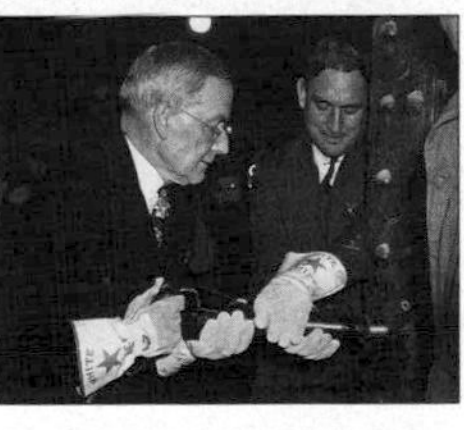

Massenereignis
45 Millionen Menschen besuchten 1939 die New Yorker Weltausstellung.

1933 Prohibition aufgehoben; Fiorello LaGuardia wird für drei Amtsperioden Bürgermeister

1940 Eröffnung des Queens-Midtown-Tunnels

1942 Verdunkelung des Times Square im Zweiten Weltkrieg; Idlewild International Airport eröffnet (jetzt John F. Kennedy Airport)

1935 | 1940 | 1945

1936 Robert Moses übernimmt die Parkverwaltung; neue Parks entstehen

1939 Rockefeller Center vollendet

1941 USA treten in den Zweiten Weltkrieg ein

1944 Adam Clayton Powell, ein Führer der Schwarzen, in den Congress gewählt

New York seit 1945

NACH DEM ZWEITEN WELTKRIEG hat New York seine besten und schlechtesten Zeiten erlebt. Die Finanzhaupstadt der Welt ging in den 70er Jahren fast bankrott. In den 80er Jahren wurden an der Wall Street Spitzenwerte notiert, die Stadt erlebte aber auch den schlimmsten Börsenkrach seit 1929. In jüngster Zeit machen der Stadt Rassenkonflikte, Wohnungsnot und Verbrechen vermehrt zu schaffen. Und doch bleibt New York kultureller und finanzieller Dreh- und Angelpunkt der USA. Neue Gebäude schießen in die Höhe; viele ältere – wie die Grand Central Station – werden restauriert.

1967 Das Hippie-Musical *Hair* wird uraufgeführt und später vom Biltmore Theater übernommen

1971 Retrospektive des Popkünstlers Andy Warhol im Whitney Museum

1953 Merce Cunningham gründet die Dance Company

1963 Abbruch der Pennsylvania Station

1966 Streiks bei Zeitungen und Verkehrsbetrieben

1970 John Lindsays zweite Amtszeit als Bürgermeister

1959 Eröffnung des Guggenheim Museum

1945 Ende des Zweiten Weltkriegs

1946 UN-Hauptquartier in New York eingerichtet

1954 Schließung von Ellis Island

1945	1950	1955	1960	1965	1970
Bürgermeister:	**IMPELLITERI**	**WAGNER**	**WAGNER**	**LINDSAY**	**LINDSAY**
1945	1950	1955	1960	1965	1970

1964 New Yorker Weltausstellung; Rassenkonflikte in Harlem und Bedford-Stuyvesant; die Verrazano Narrows Bridge verbindet Brooklyn mit Staten Island; Auftritt der Beatles im Shea Stadium

The Beatles

1947 Jackie Robinson, erster schwarzer Baseballspieler in der Oberliga, unterzeichnet bei den *Brooklyn Dodgers*

Souvenirtuch

1968 20 000 Anti-Establishment-Hippies demonstrieren im Central Park; studentische Sit-ins an der Columbia University

Andy Warhol mit den Schauspielerinnen Candy Darling und Ultra Violet

Donald Trump

1975 Ein Bundesdarlehen rettet New York vor dem Bankrott

1977 25stündiger Stromausfall in New York

1981 New Yorks Zahlungsfähigkeit wiederhergestellt

1983 Wirtschaftsboom: Grundstückspreise schnellen in die Höhe; Immobilienkönig Donald Trump, Symbolfigur der »Yuppies« der 80er Jahre, errichtet den Trump Tower

1987 Börsenkrach

1988 Ein Viertel aller New Yorker lebt unter der Armutsgrenze

1990 David Dinkins wird der erste schwarze Bürgermeister von New York; Ellis Island wird als Einwanderungsmuseum wiedereröffnet

1993 Rudolph Giuliani löst Dinkins als Bürgermeister ab

1975	1980	1985	1990	1995
BEAME	**KOCH**	**KOCH**	**DINKINS**	**GIULIANI**
1975	1980	1985	1990	1995

973 Fertigellung des 'orld Trade enter

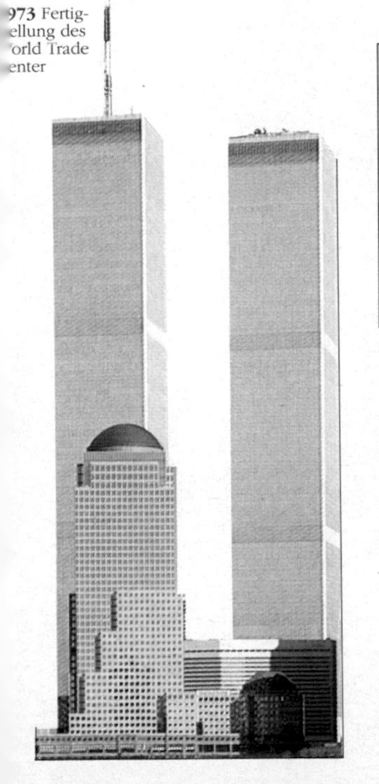

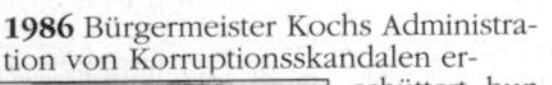

1986 Bürgermeister Kochs Administration von Korruptionsskandalen erschüttert; hundertjähriges Jubiläum der Statue of Liberty

1995 Die renovierten Chelsea Piers werden als riesiger Sport- und Unterhaltungskomplex wiedereröffnet *(siehe Seite 136)*

ONE WAY

New York im Überblick

Der Führer durch die Stadtteile beschreibt rund 300 Sehenswürdigkeiten – von der Börse *(siehe S. 70f)* bis zu den Erdbeerfeldern im Central Park *(siehe S. 206)*, von den Synagogen bis zu den Wolkenkratzern. Auf den folgenden 16 Seiten werden die interessantesten Sehenswürdigkeiten kurz vorgestellt: Museen und Architektur, Menschen und Kulturen, die diese einmalige Stadt geprägt haben. Bei jeder Sehenswürdigkeit finden Sie einen Querverweis zu der entsprechenden ausführlichen Beschreibung. Hier zunächst die zehn wichtigsten Attraktionen:

New Yorks wichtigste Sehenswürdigkeiten

Ellis Island
Siehe S. 78f

Empire State Building
Siehe S. 134f

South Street Seaport
Siehe S. 84

Rockefeller Center
Siehe S. 142

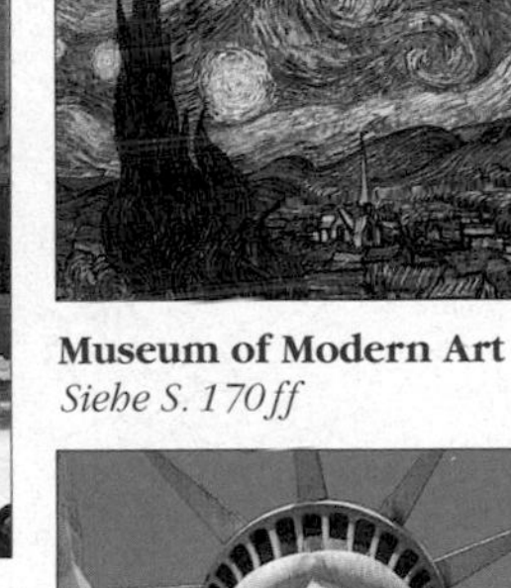

Museum of Modern Art
Siehe S. 170ff

Central Park
Siehe S. 202ff

Statue of Liberty
Siehe S. 74f

Metropolitan Museum of Art
Siehe S. 188ff

Brooklyn Bridge
Siehe S. 86ff

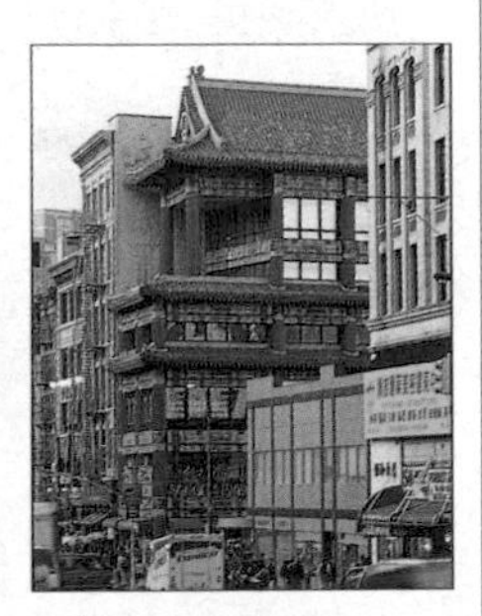

Chinatown
Siehe S. 96

Der nie abreißende Verkehrsstrom auf der Park Avenue

Highlights: Museen

New Yorks Museen reichen vom unermeßlichen Metropolitan Museum bis zur kleinen, privaten Sammlung des Finanziers J. Pierpont Morgan. Viele Museen präsentieren New Yorks kulturelles Erbe und vermitteln den Besuchern ein Bild der Menschen und Ereignisse, die New York zu dem machten, was es heute ist. Die Karte zeigt einige Highlights, die ab Seite 36 ausführlicher vorgestellt werden.

Museum of Modern Art
Der Welt umfassendste Sammlung moderner Kunst – mit Juwelen wie Picassos Ziege (1950).

***Intrepid* Sea-Air-Space Museum**
Das Marinemuseum auf einem Flugzeugträger im Hudson River veranschaulicht auch die Geschichte der Luftfahrt und der Unterwasserforschung.

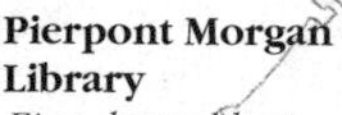

Pierpont Morgan Library
Eine der weltbesten Sammlungen von Handschriften, Drucken und Büchern – darunter diese französische Bibel von 1230.

Old Merchant's House
Gut erhaltenes Haus eines reichen Kaufmanns (um 1820).

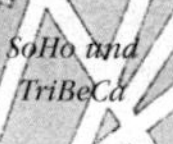

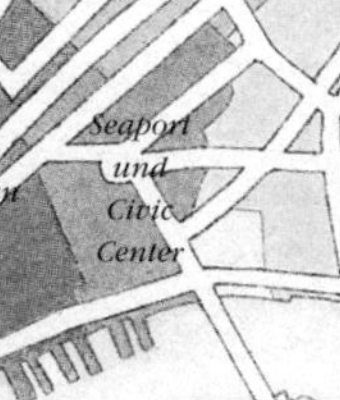

Ellis Island
Das Museum führt die Schicksale von Millionen Immigranten vor Augen.

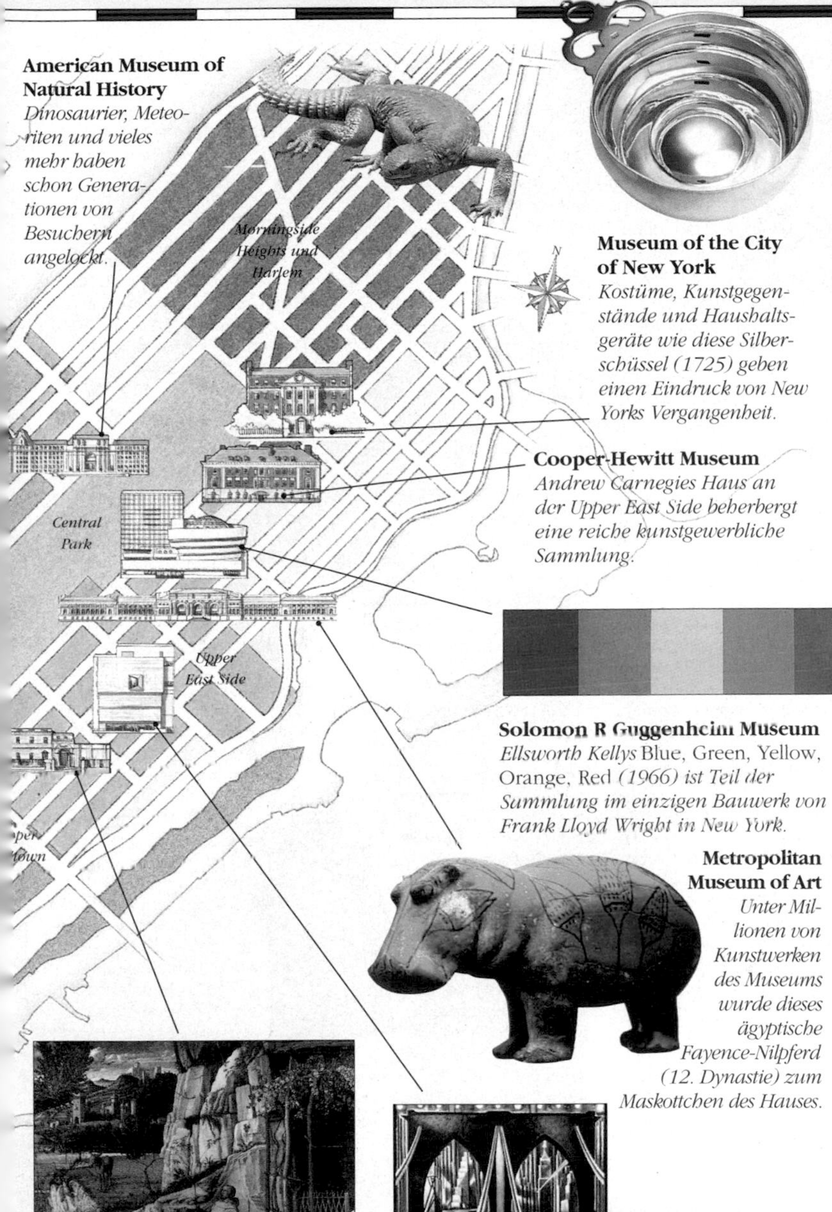

American Museum of Natural History
Dinosaurier, Meteoriten und vieles mehr haben schon Generationen von Besuchern angelockt.

Museum of the City of New York
Kostüme, Kunstgegenstände und Haushaltsgeräte wie diese Silberschüssel (1725) geben einen Eindruck von New Yorks Vergangenheit.

Cooper-Hewitt Museum
Andrew Carnegies Haus an der Upper East Side beherbergt eine reiche kunstgewerbliche Sammlung.

Solomon R Guggenheim Museum
Ellsworth Kellys Blue, Green, Yellow, Orange, Red *(1966) ist Teil der Sammlung im einzigen Bauwerk von Frank Lloyd Wright in New York.*

Metropolitan Museum of Art
Unter Millionen von Kunstwerken des Museums wurde dieses ägyptische Fayence-Nilpferd (12. Dynastie) zum Maskottchen des Hauses.

Frick Collection
Die Sammlung des Eisenbahnmagnaten Henry Clay Frick (19. Jh.) wird in seinem einstigen Haus gezeigt, darunter Die Verzückung des hl. Franziskus *von Giovanni Bellini (um 1480).*

Whitney Museum of American Art
Unter den vielen New-York-Ansichten dieser ungewöhnlichen Sammlung ist Brooklyn Bridge. Variation on an Old Theme *von Joseph Stella (1939) eine der besten.*

Überblick: New Yorker Museen

Tabakdose aus Richmond Town

In den New Yorker Museen kann man getrost einen ganzen Monat verbringen, und auch das reicht noch nicht aus. Allein in Manhattan gibt es über 60 Museen, und noch einmal halb soviel in den anderen Stadtteilen. New York kann sich diesbezüglich mit jeder anderen Weltstadt messen: Das Angebot reicht von Werken alter Meister über Dampfmaschinen, Dinosaurier, Puppen, tibetanische Gobelins bis hin zu afrikanischen Masken. Einige Museen sind montags oder an einem weiteren Tag geschlossen, viele haben an einem oder zwei Abenden längere Öffnungszeiten (teilweise freier Eintritt). Nicht alle Museen verlangen Eintritt, aber eine Spende ist immer willkommen.

Malerei und Plastik

New York ist bekannt für seine Kunstmuseen. Das **Metropolitan Museum of Art** besitzt eine umfangreiche Sammlung amerikanischer Kunst, daneben weltberühmte Meisterwerke. Die Nebenstelle **Cloisters** (in Upper Manhattan) zeigt Kunst und Architektur des Mittelalters, die **Frick Collection** eine herrliche Auswahl alter Meister. Weltbekannte Impressionisten und moderne Malerei sind im **Museum of Modern Art (MoMA)** ausgestellt. Auch das **Whitney Museum of American Art** und das **Solomon R. Guggenheim Museum** sind auf die Moderne spezialisiert – die Whitney-Biennale ist die bedeutendste Gemeinschaftsausstellung zeitgenössischer Künstler. Das **New Museum of Contemporary Art** hat sich der experimentellen Kunst verschrieben, das **Museum of American Folk Art** zeigt Werke von Hobbymalern. Die **National Academy of Design** präsentiert eine Sammlung von Kunstwerken des 19. und 20. Jahrhunderts (dabei handelt es sich um Schenkungen der Mitglieder). Das **Studio Museum** in Harlem stellt die Werke schwarzer Künstler aus.

Handwerk und Design

Wenn Sie sich für Textilien, Porzellan und Glas, Stickereien, Spitzen, Tapeten und Drucke interessieren, sollten Sie das **Cooper-Hewitt Museum** besuchen, die kunstgewerbliche Abteilung der Washingtoner Smithsonian Institution. Die Design-Abteilung des **MoMA** ist ebenso bekannt wie dessen Gemäldesammlung; sie zeigt die Entwicklung des Design etwa bei Uhren und Couchbetten. Das **American Craft Museum** präsentiert Kunsthandwerk unserer Zeit, von Möbeln bis zu Glaswaren; das **Museum of American Folk Art** stellt Volkstümliches vor, etwa Daunendecken oder Rohrstöcke. Schönes Silber hat das **Museum of the City of New York**; das **Museum of the American Indian** zeigt die Kunst der Ureinwohner.

Das Königreich des Friedens **von Edward Hicks (um 1840), Brooklyn Museum**

Druck und Fotografie

Das kleine, aber ausgezeichnete **International Center of Photography** ist das einzige reine Fotomuseum in New York. Sammlungen gibt es aber auch im **Metropolitan Museum of Art** und im **MoMA**, viele Beispiele der frühen Fotografie im **Museum of the City of New York** und in **Ellis Island**.

Drucke und Zeichnungen großer Buchillustratoren, wie Kate Greenaway und John Tenniel, werden in der **Pierpont Morgan Library** ausgestellt. Das **Cooper-Hewitt Museum** zeigt Beispiele kunsthandwerklicher Drucke.

Möbel und Kostüme

Die alljährliche Ausstellung des Kleidungsmuseums im **Metropolitan Museum of Art** lohnt den Besuch, ebenso dessen amerikanischer Flügel mit 24 original möblierten Zimmern, die die Lebensweise in verschiedenen Perioden von 1640 bis ins 20. Jahrhundert festhalten. Speziell auf New York bezogen sind ähnliche Meublements (ab der holländischen Periode im 17. Jahrhundert) im **Museum of the City of New York**.

Puppe aus Maisschoten, American Museum of Natural History

Einige Häuser sind ebenfalls als Museen eingerichtet und zeigen den Möbelstil im alten New York. Das **Old Merchant's House**, ein gut erhaltenes Wohnhaus aus der Zeit um 1820, wurde 98 Jahre lang von einer Familie bewohnt. **Gracie Mansion**, die Residenz des Bürgermeisters, gehörte einem reichen Reeder (1799) und ist periodisch zur Besichtigung freigegeben. Auch das **Geburtshaus von Theodore Roosevelt**, dem 26. Präsidenten der USA, und das **Abigail Adams Smith Museum** (Teil eines Grundbesitzes aus dem 18. Jahrhundert) sind zu besichtigen.

Geschichte

Handflächenpistole, Police Academy Museum

Amerikanische Geschichte wird in der **Federal Hall** lebendig, auf deren Balkon der erste Präsident, George Washington, im April 1789 seinen Amtseid leistete. Das Gebäude ist heute ein Museum für Verfassungsgeschichte. Das **Fraunces Tavern Museum** zeigt die Geschichte des kolonialen New York. Auf dem restaurierten **Ellis Island** und im **Lower East Side Tenement Museum** werden die Mühsalen der Immigranten deutlich. Heldentum und Tragödien spiegeln das **New York City Fire Museum** und das **Police Academy Museum** wider, und das **South Street Seaport Museum** gibt Einblick in die frühe Schiffahrtsgeschichte.

Technologie und Naturkunde

Bongas, American Museum of Natural History

Technische Museen zeigen Exponate aus dem Reich der Natur wie auch der Raumfahrttechnik. Das **American Museum of Natural History** hat riesige Sammlungen zu Flora, Fauna und Kulturen aus der ganzen Welt, außerdem gehört dazu das Hayden Planetarium mit sensationellen Laserstrahldarbietungen. Das ***Intrepid* Sea-Air-Space Museum** dokumentiert Technik, insbesondere Rüstungstechnik.

Wenn Sie eine klassische Lucille-Ball-Komödie oder die erste Mondlandung versäumt haben, dann können Sie all das und vieles andere noch im **Museum of Television and Radio** nachholen.

Die Kunst anderer Völker

Ägyptische Mumie, Brooklyn Museum

Verschiedene Spezialsammlungen befassen sich mit der Kunst anderer Völker. Die **Asia Society** und die **Japan Society** zeigen ostasiatische Kunst. Das **Jewish Museum** hat umfangreiche Sammlungen von Judaica und bringt wechselnde Ausstellungen zu diesem Thema. Der puertorikanischen Kunst ist **El Museo del Barrio** gewidmet, das auch präkolumbische Kunst präsentiert. Eindrucksvoll informiert das **Schomburg Center for Research in Black Culture** über afroamerikanische Kunst und Geschichte. Ausgezeichnet sind die multikulturellen Ausstellungen im **Metropolitan Museum of Art** – vom alten Ägypten bis zum zeitgenössischen Afrika.

Bibliotheken

New Yorks bedeutende Bibliotheken wie die **Pierpont Morgan Library** bieten ausgezeichnete Kunstsammlungen und die Möglichkeit, in seltene Bücher hineinzuschauen. Die **New York Public Library** besitzt Manuskripte vieler bedeutender Werke der Literatur.

Ausserhalb Manhattans

Einen Besuch lohnt das **Brooklyn Museum** mit 1,5 Millionen Gemälden. Das **American Museum of the Moving Image** in Queens hat einzigartiges Material zur Geschichte des Films. Etwas Besonderes ist das **Jacques Marchais Center of Tibetan Art** auf Staten Island. Dort ist auch **Historic Richmond Town** zu finden, ein originalgetreu wiederhergestelltes Dorf aus der Zeit kurz nach 1600.

Wegweiser zu den Museen

Highlights: Architektur

Auch wo New Yorks Architektur weltweiten Trends folgte, bewahrte sie sich doch immer ihre besondere Note, was sowohl geographisch als auch wirtschaftlich bedingt war. Eine Inselstadt muß zwangsläufig in die Höhe bauen. Diese Tendenz zeigte sich schon früh in schmalen, hohen Stadthäusern, später in Appartementhäusern und Wolkenkratzern. Als Baumaterial wurden Gußeisen und brauner Sandstein bevorzugt, weil sie verfügbar waren und sich gut eigneten. Praktische Notwendigkeiten führten zu eigenständigen, eindrucksvollen Antworten. Einen genaueren Überblick über die New Yorker Architektur finden Sie auf Seite 40 f.

Gußeisenarchitektur
Massenproduziertes Gußeisen diente zum Bau von Fassaden. Viele gute Beispiele finden sich in SoHo, so das abgebildete Haus Greene Street Nr. 28-30.

Wohntürme
Die zweitürmige Majestic-Wohnanlage ist einer von vier Art-deco-Blocks am Central Park West.

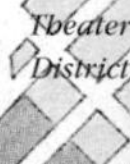

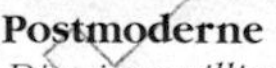

Postmoderne
Die eigenwilligen, eleganten Formen des 1985 erbauten World Financial Center (siehe S. 69) *markieren eine Abkehr von den glatten Stahl- und Glaskästen der 50er und 60er Jahre.*

Brauner Sandstein
Der heimische braune Sandstein war das bevorzugte Baumaterial der Mittelschichthäuser im 19. Jahrhundert. Ein typisches Beispiel ist das India House an der Wall Street im Stil eines florentinischen Palazzo.

Villen aus dem 19. Jahrhundert
Das Jewish Museum (S. 184), einst Wohnsitz von Felix M. Warburg, ist ein Musterbeispiel für den französischen Renaissancestil, der für diese Villen typisch ist.

Beaux Arts
Ein Beispiel für den verschwenderischen Lebensstil ihrer reichen Bewohner ist die Beaux-Arts-Pracht der Frick Mansion.

Moderne
Die glatten, schmucklosen, monumentalen Bronze- und Glasfassaden des Seagram Building sind typische Nachkriegsarchitektur (S. 173).

Wolkenkratzer
Diese Glanzlichter der New Yorker Architektur vereinigen bauliches Können mit phantasievollem Dekor, etwa bei diesem Wasserspeier am Chrysler Building.

Federal Style
Der Federal Style vieler öffentlicher Gebäude des 19. Jahrhunderts, wie der City Hall, ist mit französischen Renaissanceeinflüssen durchsetzt.

Mietshäuser
Diese Häuser, vornehmlich in der Lower East Side, wurden für eine ökonomische Form des Wohnens konstruiert und sollten für viele den Aufbruch in ein neues Leben markieren. Oft waren sie hoffnungslos überfüllt und hatten unzureichende oder gar keine Ventilation.

Überblick: New Yorker Architektur

Portal im Federal Style

ZWEIHUNDERT JAHRE LANG bezog New York seine architektonischen Anregungen aus Europa. Heute sind in Manhattan keine Bauten der holländischen Zeit mehr erhalten; die meisten fielen der Feuersbrunst von 1776 zum Opfer oder wurden im frühen 19. Jahrhundert abgerissen. Im 18. und 19. Jahrhundert folgte New York ganz der Entwicklung der europäischen Architektur. Erst mit dem Beginn der Gußeisenarchitektur in der Mitte des 19. Jahrhunderts, mit Art deco und den immer höher aufstrebenden Wolkenkratzern fand New York seinen eigenen Stil.

Federal Style

DIESE AMERIKANISCHE Variante des klassizistischen Adam-Style prägte die ersten Jahrzehnte der jungen Nation: rechteckige, ein- bis zweistöckige Gebäude mit niedrigem Dach, Balustraden und Zierelementen. **City Hall** (1811, John McComb Jr. und Joseph François Mangin) ist eine Verschmelzung von Federal Style und französischen Renaissanceeinflüssen. Auch die restaurierten Lagerhäuser von **Schermerhorn Row** (ca. 1812) im Hafenbezirk sind im Federal Style errichtet.

Brauner Sandstein

DER IM NAHEN TAL des Connecticut River und am Hackensack River (New Jersey) reichlich vorhandene, billige braune Sandstein war im

Typisches Sandsteinhaus mit Treppe zum Haupteingang

19. Jahrhundert bevorzugtes Baumaterial. Man findet in allen Wohnbezirken der Stadt kleinere Häuser oder Wohnanlagen aus Sandstein – besonders schöne Beispiele gibt es in **Chelsea**. Aufgrund der beengten Verhältnisse waren diese Gebäude sehr schmal und zugleich sehr lang. Ein typisches Sandsteinhaus hat einen Treppenaufgang zum Haupteingang, den sogenannten *Stoop*. Eine weitere Treppe führt hinab zum Souterrain, wo früher das Dienstpersonal untergebracht war.

Mietskasernen

DIESE WOHNBLOCKS wurden ab 1840 bis zum Ersten Weltkrieg für die Massen von Einwanderern errichtet. Die fünfstöckigen Blocks von 30 Meter Länge und acht Meter Breite waren teilweise fensterlos, dadurch sehr finster und durch winzige Luftschächte nur ungenügend belüftet. Die kleinen Appartements hießen *Railroad Flats*, weil sie an Bahnwaggons erinnerten. Später legte man Luftschächte zwischen den Gebäuden an, die jedoch die Ausbreitung von Feuer begünstigten. Im **Lower East Side Tenement Museum** sind Modelle der alten Mietswohnungen zu sehen.

Gusseisen-Architektur

GUSSEISEN, eine amerikanische Neuerung des 19. Jahrhunderts für den Hausbau, war billiger als Stein oder Backstein und erlaubte die Vorfertigung von Fassaden und Ornamenten in der Gießerei. Heute hat New York die meisten ganz oder teilweise aus Gußeisen gefertigten Fassaden der Welt. Die schönsten (um 1870) sind im **SoHo Cast-Iron Historic District** zu finden.

Originale Gußeisenfassade in Green Street Nr. 72–76, SoHo

Beaux Arts

VON DIESER FRANZÖSISCHEN Schule der Architektur waren öffentliche Gebäude und luxuriöse Privatresidenzen während New Yorks goldenem Zeitalter (1880-1920) geprägt. Aus dieser Ära stammten viele von New Yorks prominenten Architekten, einschließlich Richard Morris Hunt (**Carnegie Hall**, 1891; **Metropolitan Museum**, 1895), 1845 der erste amerikanische Architekt, der in Paris studierte; Cass Gilbert (**Custom House**, 1907; **New**

Wassertankverkleidungen

Einige besonders reizvolle Formen in der New Yorker Silhouette sind nichts weiter als Verkleidungen der so wichtigen – oft häßlichen – Wassertanks auf der Dachspitze der Gebäude. Mit verzierten Kuppeln und Türmchen zauberten findige Architekten wahre Schlößchen an den Himmel. Als leicht zu erkennende Beispiele gelten die Aufbauten von zwei benachbarten Hotels der Fifth Avenue: die des Sherry Netherland an der 60th Street und des Pierre an der 61st Street.

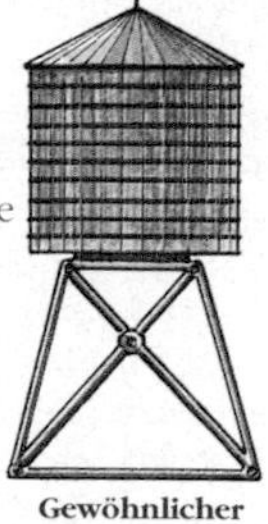

Gewöhnlicher Wasserturm

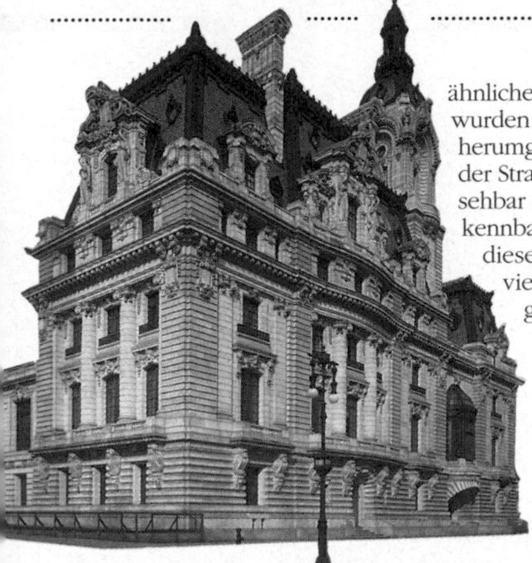
Residenz von Cornelius Vanderbilt II (1843–99) im Beaux-Arts-Stil (inzwischen abgerissen)

York Life Insurance Building, 1928; **US Courthouse,** 1936); das Team Warren & Wetmore (**Grand Central Terminal,** 1913; **Helmsley Building,** 1929); Carrère & Hastings (**New York Public Library,** 1911; **Frick Mansion,** 1914) sowie das berühmte Architektenbüro McKim, Mead & White (**Villard Houses,** 1884; **United States General Post Office,** 1913; **Municipal Building,** 1914).

Appartementhäuser

Mit der raschen Bevölkerungszunahme wurde der Wohnraum knapp. Für die meisten New Yorker wurde ein Eigenheim in Manhattan zu teuer, so daß auch die Reicheren dem Trend zu Mehrfamilienhäusern folgten. 1884 begann mit Henry Hardenberghs Dakota *(siehe S. 216)*, einer der ersten Luxuswohnanlagen, der Bauboom der Jahrhundertwende an der Upper West Side. Viele Gebäude hatten schloß- oder châteauähnlichen Charakter und wurden um Innenhöfe herumgebaut, die von der Straße aus nicht einsehbar sind. Zum unverkennbaren Wahrzeichen dieser Ära sind die vier **Twin Towers** geworden, die 1929–31, auf dem Höhepunkt des Art deco, am Central Park West entstanden: das Eldorado, das Century, das San Remo und das Majestic.

Wolkenkratzer

In Chicago wurde der Wolkenkratzer geboren, aber in New York hat er sich am eindrucksvollsten weiterentwikkelt. 1902 erbaute der aus Chicago stammende D. Burnham das **Flatiron Building** (91 Meter hoch); Skeptiker sagten seinen Einsturz voraus. 1913 erreichte das **Woolworth Building** schon 241 Meter. Nun wurde vorgeschrieben, daß die oberen Gebäudeabschnitte zurückversetzt sein mußten, damit das Sonnenlicht noch die Straße erreichte. Dies kam dem Art deco entgegen. Höchstes Gebäude der Welt wurde 1930 das **Chrysler Building** und bereits 1931 das **Empire State Building**. Beide sind Art-deco-Klassiker, aber im Wettbewerb des »Internationalen Stils« von 1932 war New York mit dem **Group Health Insurance Building** vertreten.

Zur Zeit ist das **World Trade Center** in New York mit 411 Metern das höchste Gebäude. Es gilt als ein Vertreter der »Glaskasten«-Moderne, wird aber von dem im Stil der Postmoderne errichteten **Citicorp Center** (1977) in den Schatten gestellt.

Art-deco-Muster an der Spitze des Chrysler Building

Wegweiser zu den Gebäuden

Carnegie Hall *S. 146*
Chelsea *S. 128 ff*
Chrysler Building *S. 153*
Citicorp Center *S. 175*
City Hall *S. 90*
Custom House *S. 73*
Empire State Building *S. 134 f*
Flatiron Building *S. 125*
Frick Mansion *S. 194 f*
Grand Central Terminal *S. 154 ff*
Group Health Insurance Building *S. 145*
Helmsley Building *S. 156*
Lower East Side Tenement Museum *S. 97*
Metropolitan Museum of Art *S. 188 ff*
Municipal Building *S. 85*
New York Life Insurance Building *S. 124*
New York Public Library *S. 144*
Schermerhorn Row *S. 84*
SoHo Cast-Iron Historic District *S. 102*
Twin Towers of Central Park West *S. 212*
US Courthouse *S. 85*
US General Post Office *S. 133*
Villard Houses *S. 174*
Woolworth Building *S. 91*
World Trade Center *S. 72*

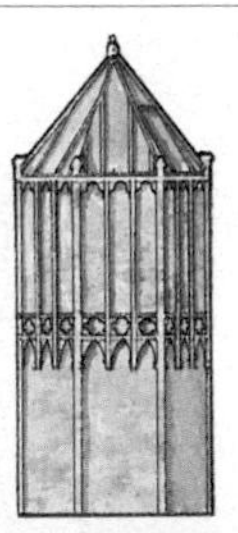
Fifth Avenue Nr. 245 (Appartementhaus)

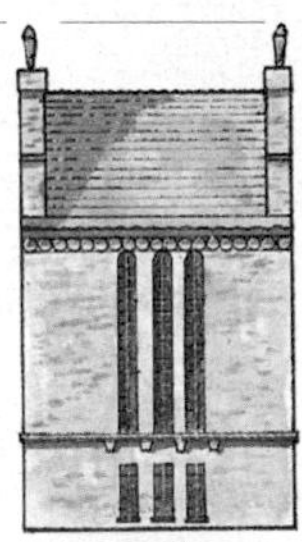
Gramercy Park North Nr. 60 (Sandstein)

Hotel Pierre (Beaux Arts)

Sherry Netherland Hotel (Beaux Arts)

Multikulturelles New York

AN JEDER ECKE von New York, selbst im hektischen Zentrum, wo die Hochhäuser stehen, finden Sie die vielfältigen ethnischen Traditionen der Stadt vor. Eine Busfahrt führt den Besucher von Madras nach Moskau, von Hongkong nach Haiti. Die Hauptwelle der Einwanderer traf zwischen 1880 und 1910 ein (etwa 17 Millionen Menschen). Aber auch in den 80er Jahren wanderten etwa eine Million Menschen ein, vor allem aus der Karibik und aus Asien. Sie alle haben ihren Platz in den Gemeinden ihrer Landsleute gefunden. Das ganze Jahr über wird in New York irgendein Fest gefeiert. Mehr über Volksfeste und Umzüge finden Sie auf den Seiten 50 ff.

Hell's Kitchen

Hier ließ sich die irische Gemeinde zuerst nieder. Heute wird die Fifth Avenue alljährlich am 17. März anläßlich des St Patrick's Day grün dekoriert.

Little Ukraine

Am 17. Mai werden am Taras Sevchenko Place Gottesdienste abgehalten, um die Bekehrung der Ukrainer zum Christentum zu feiern.

Little Korea

Unweit des Herald Square hat sich eine kleine koreanische Gemeinde niedergelassen.

Little Italy

Im September versammelt sich die italienische Gemeinde zehn Tage lang im Gebiet der Mulberry Street, um auf den Straßen die Festa di San Gennaro zu feiern.

HUD
Theater District
Chelsea und Garment District
Gramercy und Flatiron District
Greenwich Village
SoHo und TriBeCa
East Village
Seaport und Civic Center
Lower East Side
Lower Manhattan

Chinatown

Jedes Jahr gegen Ende Januar herrscht in der Mott Street fröhliches Treiben, wenn die Chinesen ihr Neujahrsfest feiern.

Lower East Side

Die Synagogen um Rivington Street spiegeln das religiöse Leben dieses alten jüdischen Viertels.

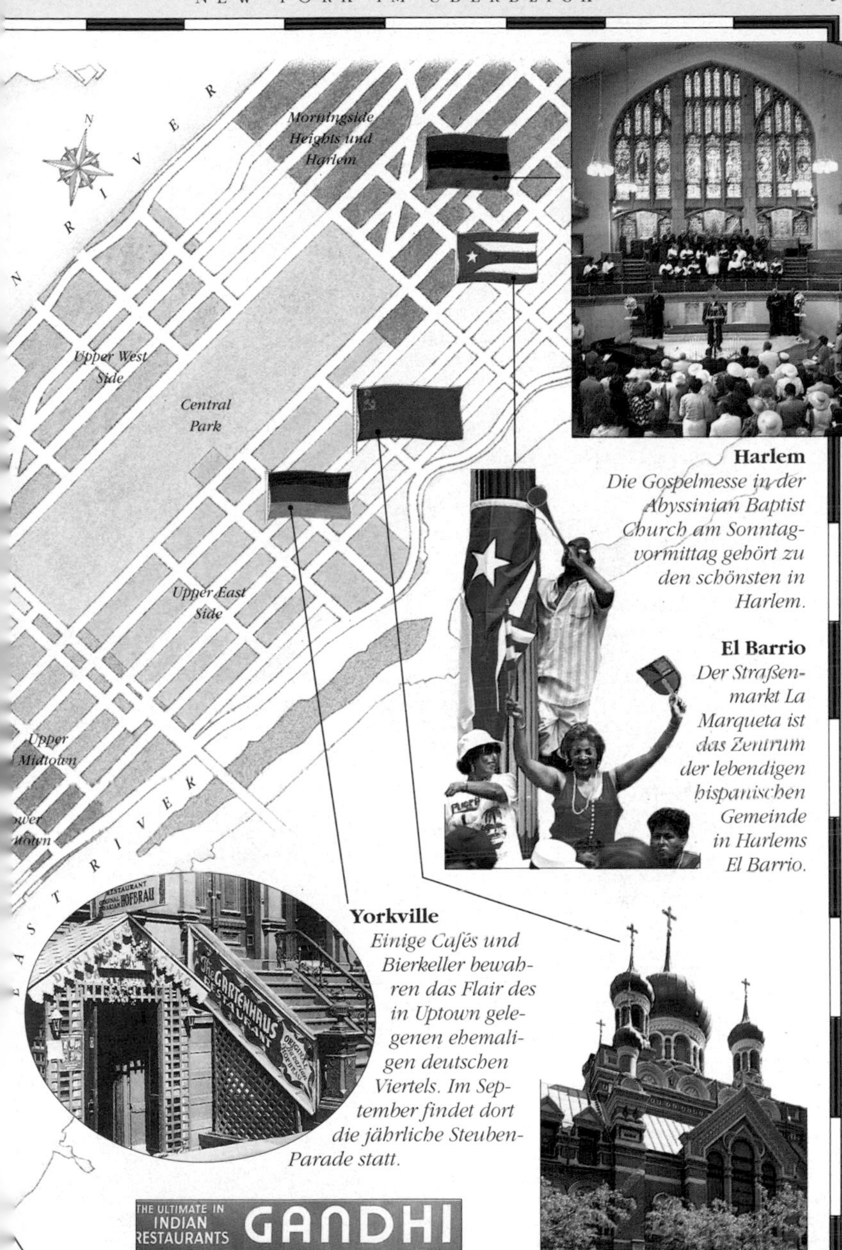

Harlem
Die Gospelmesse in der Abyssinian Baptist Church am Sonntagvormittag gehört zu den schönsten in Harlem.

El Barrio
Der Straßenmarkt La Marqueta ist das Zentrum der lebendigen hispanischen Gemeinde in Harlems El Barrio.

Yorkville
Einige Cafés und Bierkeller bewahren das Flair des in Uptown gelegenen ehemaligen deutschen Viertels. Im September findet dort die jährliche Steuben-Parade statt.

Upper East Side
Die prächtige St Nicholas Russian Orthodox Cathedral an der East 97th Street gehört der verstreuten weißrussischen Gemeinde. Sonntags findet die Messe in russischer Sprache statt.

Little India
Die Restaurants an der East 6th Street vermitteln indische Atmosphäre.

Überblick: New Yorks kulturelle Vielfalt

Mosaikfenster im Cotton Club

Auch die gebürtigen New Yorker haben letztlich Vorfahren aus anderen Ländern. Im 17. Jahrhundert siedelten hier Holländer und Engländer; sie errichteten Handelsniederlassungen in der Neuen Welt. Bald wurde Amerika zum Symbol der Hoffnung für die Entrechteten ganz Europas; mittellos und mit geringen Sprachkenntnissen überquerten sie den Atlantik. Der Kartoffelmangel um 1840 trieb die ersten irischen Einwanderer nach Amerika; es folgten Deutsche und andere, die durch die industrielle Revolution entwurzelt wurden. Die Ankömmlinge haben sich über ganz New York verteilt; inzwischen sind dort ungefähr 80 Sprachen heimisch geworden.

Türkische Einwanderer auf dem Idlewild Airport, 1963

Die Juden

Seit 1654 besteht in New York eine jüdische Gemeinde. Die erste Synagoge, Shearith Israel, wurde von Flüchtlingen aus Brasilien gebaut und dient noch heute der Gemeinde. Diese ersten Siedler waren sephardische Juden spanischen Ursprungs, unter ihnen die prominente Familie Baruch. Es folgten deutsche Juden, die sich erfolgreich im Einzelhandel betätigten, darunter etwa die Gebrüder Straus. Verfolgungen in Rußland führten zu der Masseneinwanderung, die kurz vor 1900 einsetzte. Bei Ausbruch des Ersten Weltkriegs lebten etwa 600 000 Juden an der Lower East Side. Heute ist dieses Viertel eher hispanisch als jüdisch geprägt, aber manches erinnert noch an seine einstige Bedeutung.

Die Deutschen

Die ersten Deutschen ließen sich im 18. Jahrhundert in New York nieder. Seit den Tagen Peter Zengers *(siehe S. 19)* setzt sich die deutsche Gemeinde in New York für die Meinungsfreiheit ein. Ihr entstammen auch Industriemagnaten wie John Jacob Astor, der erste Millionär der Stadt.

Die Italiener

Italiener kamen erstmals 1830–50 in die Stadt, vor allem aus Norditalien nach dem Scheitern der dortigen Revolution. 1870–80 trieb die Armut in Süditalien viele weitere Italiener über den Atlantik. Sie wurden eine starke politische Kraft; ein Exponent war Fiorello LaGuardia, einer der hervorragendsten Bürgermeister von New York.

Die Chinesen

Relativ spät kamen die Chinesen nach New York. 1880 lebten ganze 700 in der Mott Street. Um 1940 waren sie die am schnellsten wachsende, sozial mobilste ethnische Gruppe, die die Grenzen von Chinatown bald überwand und in Brooklyn und Queens neue Chinesenviertel entstehen ließ. Das früher abgeschlossene Chinatown wird heute stark von Touristen frequentiert, die die Straßen, Märkte und Restaurants erkunden.

Buddhistischer Tempel in Chinatown *(siehe S. 96f)*

Die Hispano-Amerikaner

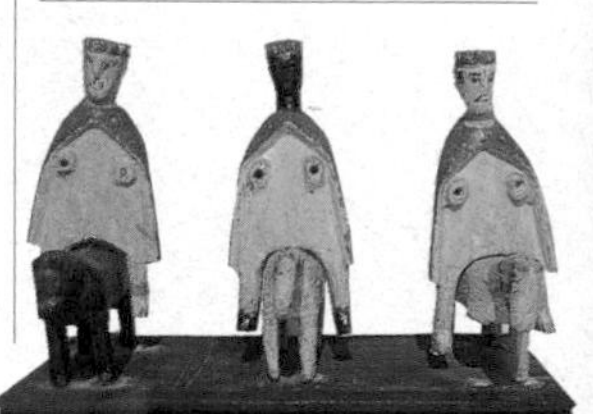

Heiligenfiguren im Museo del Barrio *(siehe S. 229)*

Schon 1838 lebten Puertoricaner in New York, aber erst nach dem Zweiten Weltkrieg kamen sie in großer Zahl auf der Suche nach Arbeit. Die meisten wohnen in El Barrio, dem früheren Spanish Harlem. Flüchtlinge der Mittelschicht aus Fidel Castros Kuba leben jetzt oft außerhalb New Yorks, üben aber großen Einfluß aus. Die dominikanische und die kolumbianische Gemeinde haben ihr Zentrum in Washington Heights.

Die Iren

Iren trafen erstmals 1840–50 in New York ein und hatten ein schweres Los. Vom Verhungern bedroht, leisteten sie harte Arbeit, um den Slums in Five Points und Hell's Kitchen zu entkommen; dabei halfen sie beim Aufbau der modernen Stadt. Viele traten in die Polizei oder die Feuerwehr ein und arbeiteten sich zu wichtigen Stellungen hoch. Andere waren als Geschäftsleute erfolgreich. Die irischen Bars sind Sammelpunkte für die verstreut lebende irische Gemeinde New Yorks.

Die Afro-Amerikaner

Harlem, wohl die bekannteste schwarze Großstadtgemeinde der westlichen Welt, lockt den Besucher vor allem mit seinen Gospels und dem einzigartigen *Soul Food.* Viele Afro-Amerikaner stammen von Sklaven ab, die auf den Südstaaten-Plantagen arbeiten mußten. Mit der Befreiung um 1860 begann die Wanderung in die großen Städte des Nordens, die in den 20er Jahren ihren Höhepunkt erreichte: Damals wuchs die schwarze Bevölkerung von 83 000 auf 204 000 an, Harlem wurde Zentrum der Renaissance der schwarzen Kultur *(siehe S. 28f).*

Bei der Parade zum griechischen Unabhängigkeitstag

Der Schmelztiegel

Andere ethnische Gruppen lassen sich nicht so ohne weiteres eingrenzen, sind aber doch leicht zu finden. Zentrum der Ukrainer ist St George's Ukrainian Catholic Church in East Village (East 7th Street). Little India erkennt man an den Restaurants in der East 6th Street. Viele Obst- und Gemüseläden in Manhattan gehören Koreanern, die im übrigen meist in Flushing wohnen. New Yorks religiöse Vielfalt zeigt sich im Islamic Center am Riverside Drive, in der Russian Orthodox Cathedral an der East 97th Street *(siehe S. 197)* und dem neuen Islamic Cultural Center an der 96th Street mit der ersten großen Moschee New Yorks.

Die äusseren Bezirke

Der internationalste Bezirk ist Brooklyn. Besonders rasch wächst die karibische Bevölkerung wegen der Einwanderer aus Jamaika und Haiti. Die westindische Gemeinde konzentriert sich um den Eastern Parkway zwischen Grand Army Plaza und Utica Avenue, wo im September die exotische Parade zum West India Day stattfindet. Neue jüdische Emigranten aus Rußland haben Brighton Beach in ein »Little Odessa by the Sea« verwandelt. Skandinavier und Libanesen haben sich in Bay Ridge, die Finnen in Sunset Park niedergelassen. Borough Park und Williamsburg sind das Revier der orthodoxen Juden, Midwood hat einen eher israelischen Akzent. Italiener leben in Bensonhurst; Greenpoint ist polnisch geprägt, und in der Atlantic Avenue ist die größte arabische Gemeinde in den USA beheimatet.

Die Iren sind mit als erste über den Harlem River nach Bronx vorgestoßen. Japanische Geschäftsleute fühlen sich im exklusiven Riverdale am wohlsten. Astoria, Queens, ist eines der markantesten ethnischen Viertel: Hier trifft man die größte griechische Gemeinde außerhalb Griechenlands an. In Jackson Heights gibt es ein großes lateinamerikanisches Viertel, wo unter anderen 300 000 Kolumbianer wohnen. Hier und im benachbarten Flushing trifft man auch viele Inder. Flushing ist jedoch vor allem das Zentrum der Orientalen: Die Bahnlinie dorthin heißt im Volksmund »Orient-Express«.

New Yorker Polizei: Sammelbecken der Iren

Einwanderer, die sich einen Namen machten *Siehe auch S. 46ff.*

Die Jahreszahl gibt jeweils das Datum der Ankunft in New York an.

1893 Irving Berlin (Rußland), Musiker

1894 Al Jolson (Litauen), Sänger

1896 Samuel Goldwyn (Polen), Filmmogul

1902 Joe Hill (Schweden), Gewerkschaftaktivist

1903 Frank Capra (Italien), Regisseur

1904 Hyman Rickover (Rußland), Entwickler des Atom-U-Boots

1906 »Lucky« Luciano (Italien), Gangster (abgeschoben 1946)

1908 Bob Hope (England), Komiker

1909 Lee Strasberg (Österreich), Theaterintendant

1912 Claudette Colbert (Frankreich), Schauspielerin

1913 Rudolph Valentino (Italien), Schauspieler

1921 Bela Lugosi (Ungarn), *Dracula*-Darsteller

1923 Isaac Asimov (Rußland), Wissenschaftler und Schriftsteller

1933 Albert Einstein (Deutschland), Wissenschaftler

1934 George Balanchine (Rußland), Choreograph

1938 von-Trapp-Familie (Österreich), Sänger

1890 | 1895 | 1900 | 1905 | 1910 | 1915 | 1920 | 1925 | 1930 | 1935 | 1940

Sie lebten in New York

FAST ALLE NEW YORKER stammen letztlich von Einwanderern ab, wenn man nur weit genug zurückgeht. Viele der berühmtesten New Yorker sind sogar selbst erst eingewandert; sie suchten hier schöpferische Freiheit oder flohen vor der Repression im eigenen Land. So wurden einige der bedeutendsten Akzente im sozialen und kulturellen Leben New Yorks oft von Immigranten der ersten Generation oder gar von Besuchern gesetzt.

George Balanchine *(1904–83)*
Der aus Rußland ausgewanderte Choreograph prägte das New York City Ballet.

Dylan Thomas *(1914–53)*
Der walisische Dichter trank sich buchstäblich zu Tode. Er war Stammgast im White Horse Tavern in Greenwich Village.

Marcel Duchamp *(1887–1968)*
Der französische Dadaist erkletterte 1917 aus Protest gegen Amerikas Eintritt in den Weltkrieg den Washington Square Arch.

Giuseppe Garibaldi *(1807–82)*
In Greenwich Village steht ein Denkmal zu Ehren des italienischen Freiheitskämpfers. Er lebte vier Jahre auf Staten Island im Exil, bevor er Italien einigte.

Irving Berlin *(1888–1989)*
Als Israel Baline in Sibirien geboren, wuchs er an der Lower East Side auf und komponierte White Christmas.

Isaac Bashevis Singer *(1904–91)* *Viele Jahre lebte der jüdisch-polnische Autor in der West 86th Street.*

John Audubon *(1785–1851)* *Amerikas berühmtester Vogelkundler wuchs in Frankreich auf. In New York wohnte er in Washington Heights.*

Marcus Garvey *(1887–1940)* *Der einflußreiche Repräsentant der Schwarzen stammte aus Jamaika. Er wohnte in den 20er Jahren in Harlem.*

John Lennon *(1940–80)* *Mit seiner Frau Yoko Ono ließ sich der Musiker aus Liverpool an der Upper West Side nieder.*

Harry Houdini *(1874–1926)* *Der Entfesselungskünstler aus Ungarn sah in einer Vision seinen Tod voraus. In Tränen verließ er sein New Yorker Haus.*

Andrew Carnegie *(1835–1918)* *Das Haus des schottischen Industriellen und Mäzens beherbergt heute das Cooper-Hewitt Museum* (siehe S. 184).

Sarah Bernhardt *(1844–1923)* *Die französische Schauspielerin besuchte in New York oft die Little Church Around the Corner* (siehe S.127).

Jacob Riis *(1849–1914)* *Der dänische Immigrant schlief in Hauseingängen, bevor sein Buch* How the ther Half Lives *dazu bei- ug, die Verwahrlosung auf w Yorks Straßen zu lindern.*

Berühmte Persönlichkeiten

NEW YORK HAT in diesem Jahrhundert viele Künstler hervorgebracht. Hier begann die Pop Art, Manhattan ist das Weltzentrum für moderne Kunst. Die alternativen Autoren der 50er und 60er Jahre – bekannt als Beat Generation – ließen sich von den Jazzclubs inspirieren. Und auch einige große Finanz- und Wirtschaftsbosse haben sich in der Finanzhauptstadt der Welt niedergelassen.

Autoren

Der Autor James Baldwin

DIE AMERIKANISCHE LITERATUR wurde in New York geboren. 1791 erschien *Eine wahre Geschichte* von Susanna Rowson, eine New Yorker Geschichte über Verführung und 50 Jahre lang Bestseller.

Amerikas erster professioneller Autor, Charles Brockden Brown (1771–1824), kam 1791 nach New York. Edgar Allen Poe (1809–1849), der Pionier der modernen Detektivgeschichte, erweiterte das Thriller-Genre. Henry James (1843–1916) schrieb *Die Damen aus Boston* (1886) und wurde der Meister des psychologischen Romans. Die mit ihm befreundete Edith Wharton (1861–1937) verfaßte berühmte satirische Romane über die amerikanische Gesellschaft.

Die 1809 erschienene Satire *Eine Geschichte New Yorks* von Washington Irving (1783–1859) verhalf der amerikanischen Literatur endgültig zu Weltgeltung; sie brachte ihm 2000 Dollar. »Gotham« steht in diesem Werk für New York und »Knickerbockers« für deren Bewohner. Irving und James Fenimore Cooper (1789–1851), der die Western-Romane etablierte, gründeten die Knickerbocker Group der amerikanischen Schriftsteller. Greenwich Village zog schon immer Autoren an, so auch Herman Melville (1819–91), dessen Meisterwerk *Moby Dick* (1851) zunächst keinen Erfolg hatte. Jack Kerouac (1922–69), Allen Ginsberg und William Burroughs besuchten die Columbia University und trafen sich im Greenwich Village.

Dylan Thomas (1914–53) setzte im Chelsea Hotel seinem Leben ein Ende *(siehe S.137)*.

Nathanael West (1902–40) arbeitete im Gramercy Park Hotel, Dashiell Hammett schrieb dort *Der Malteser Falke*. James Baldwin (1924–87), in Harlem geboren, schrieb nach seiner Rückkehr aus Europa *Eine andere Welt* (1963).

Künstler

AMERIKAS ERSTE WICHTIGE Künstlerbewegung war die New Yorker Schule abstrakter Expressionisten, begründet von Hans Hofmann (1880–1966), Franz Kline und Willem de Kooning, der in Amerika zunächst Anstreicher war. Weitere Vertreter dieses Stils waren Adolph Gottlieb, Mark Rothko (1903–70) und Jackson Pollock (1912–56). Pollock, Kline und de Kooning hatten ihre Ateliers an der Lower East Side.

Pop Art begann in den 60er Jahren in New York mit Roy Lichtenstein und

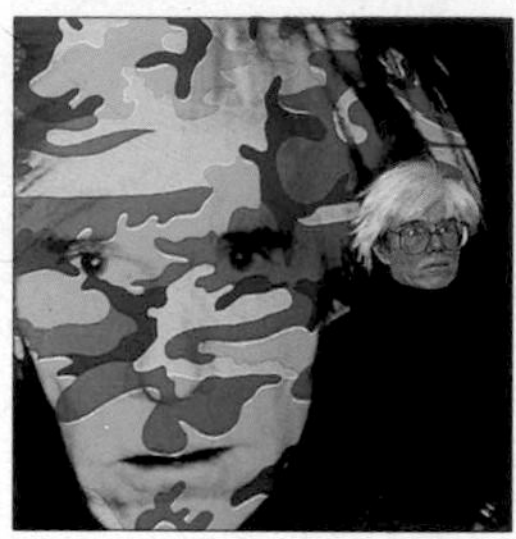

Pop-Art-Künstler Andy Warhol

Andy Warhol (1926–87), der am Union Square Nr. 37 Kultfilme drehte. Keith Haring (1958–90) war ein kreativer Graffiti-Künstler, dessen Werk jetzt als Pop Art große Beachtung findet.

Robert Mapplethorpe (1946–89) wurde durch seine Homosexuellenfotos bekannt; heute hat ihm Jeff Koons als Enfant terrible der Künstlergemeinde den Rang abgelaufen. Die illusionistischen Wandgemälde von Richard Haas beleben viele Mauern der Stadt.

Schauspieler

DER BRITISCHE SCHAUSPIELER Charles Macready verursachte 1849 einen Tumult, als er die Amerikaner vulgär nannte. Eine wütende Menge stürmte das Astor Place Opera House, wo Macready den Macbeth spielte; im Kugelhagel der Polizei wurden 22 Demonstranten getötet. 1927 mußte Mae West (1893–1980) wegen einer anzüglichen Vorstellung in ihrer Broadway-Show zehn Tage im Arbeitshaus verbringen und 500 Dollar Strafe zahlen.

Marc Blitzsteins radikale proletarische Oper *The Cradle Will Rock* in der Inszenierung von Orson Welles und John Houseman wurde von der

Vaudeville-Star Mae West

Bühne verbannt; die Schauspieler besorgten sich Karten für ein anderes Theater und sangen aus dem Zuschauerraum.

Das Musical war New Yorks wichtigster Beitrag zum Theater. Florenz Ziegfelds (1869–1932) *Follies* wurde von 1907 bis 1931 ununterbrochen gespielt. Mit *Oklahoma* begann am Broadway 1943 die Musical-Ära von Richard Rodgers (1902–79) und Oscar Hammerstein Jr. (1895–1960).

In der MacDougal Street Nr. 33 spielten die Provincetown Players als erstes Off-Broadway-Theater Eugene O'Neills (1888–1953) *Jenseits vom Horizont*. Ihm folgte als amerikanischer Erneuerer der Bühne Edward Albee mit dem berühmten Stück *Wer hat Angst vor Virgina Woolf?* (1962).

Musiker und Tänzer

Leonard Bernstein (1918–90) steht in der langen Reihe der großen Dirigenten an der New York Philharmonic, darunter Bruno Walter (1876 1962), Arturo Toscanini (1867–1957) und Leopold Stokowski (1882–1977). Maria Callas (1923–77) wurde in New York geboren, ging später aber nach Europa.

In der Carnegie Hall *(siehe S. 146)* traten Enrico Caruso (1873–1921), Bob Dylan und die Beatles auf. Das größte Publikum in New Yorks Geschichte versammelte sich 1991 bei Paul Simons Frei-Konzert im Central Park: Es kamen eine Million Menschen.

In der 52nd Street sind die legendären Swing-Clubs der 30er und 40er Jahre mittlerweile verschwunden. Gedenktafeln auf dem *Jazz Walk* am CBS Building ehren z. B. Charlie Parker (1920–55) und Josephine Baker (1906–75).

Josephine Baker

Musical-Produzent Florenz Ziegfeld

Zwischen 1940 und 1965 wurde New York durch George Balanchines (1904–83) New York City Ballet sowie das American Ballet Theater zu einer Tanzmetropole. 1958 begründete Alvin Ailey (1931–89) das American Dance Theater, ein internationales Forum für modernes Ballett.

Industrielle und Unternehmer

Industriemagnat C. Vanderbilt

Vom Tellerwäscher zum Millionär – das ist ein amerikanischer Traum.

Andrew Carnegie (1835–1919), der »Stahlbaron mit dem goldenen Herzen«, fing mit nichts an und hatte bei seinem Tod 350 Millionen Dollar an Bibliotheken und Universitäten in ganz Amerika gespendet. Es gab noch andere reiche Wohltäter. Cornelius Vanderbilt (1794–1877) und andere wollten ihre rauhe Anfangszeit durch Förderung der Künste vergessen machen. In der Geschäftswelt konnten New Yorks »Raubritter« ungestraft tun und lassen, was sie wollten. Die Finanziers Jay Gould (1836–92) und James Fisk (1834–72) schlugen Vanderbilt im Kampf um die Erie-Eisenbahn durch Börsenmanipulation. Im September 1869 führten sie den ersten »Schwarzen Freitag« herbei, als sie versuchten, den Goldmarkt zu monopolisieren. Gould starb als glücklicher Milliardär, Fisk wurde im Duell um eine Frau getötet.

Moderne Kapitalisten sind Donald Trump *(siehe S. 31)*, Besitzer des Trump Tower, und Harry und Leona Helmsley, zu deren – trotz Haftstrafe wegen Steuerhinterziehung – nach wie vor intaktem Besitzstand auch das Helmsley Building *(siehe S. 156)* gehört.

Architekten

Cass Gilbert (1858–1934) gehört mit seinen neugotischen Wolkenkratzern (wie etwa das Woolworth Building von 1913, *siehe S. 91)* zu den Männern, die New York im wahrsten Sinne geformt haben. Eine Karikatur von ihm ist in der Eingangshalle zu sehen. Stanford White (1853–1906) war für seine Gebäude im Beaux-Arts-Stil wie dem Players Club *(S. 124)* und wegen seines skandalösen Privatlebens berühmt. Frank Lloyd Wright (1867–1959) verachtete das städtische Bauen; schließlich drückte er doch der Stadt seinen Stempel in Form des Guggenheim Museum *(S. 186f)* auf. Der gebürtige Deutsche Ludwig Mies van der Rohe (1886–1969), Erbauer des Seagram Building, glaubte nicht, »jeden Montagmorgen eine neue Architektur erfinden zu können«. Man könnte einwenden, daß dies New York immer am besten beherrscht hat.

Das Jahr in New York

Im Frühling zeigt sich die Park Avenue in voller Blütenpracht. Am St Patrick's Day, an dem der erste der vielen jährlichen Umzüge stattfindet, erscheint die Fifth Avenue in grüne Farbe getaucht. Der Sommer ist feuchtheiß; aber es lohnt sich, die klimatisierten Räume zu verlassen und die kostenlosen Freilichtaufführungen und -konzerte in den Parks und auf den Plätzen zu genießen. Am ersten Montag im September ist Labor Day; angenehme Temperaturen und die rotgoldenen Farben des Herbstes prägen jetzt die Stadt. An Weihnachten erstrahlen Geschäfte und Straßen im Glitzerschmuck.

Die Daten der nachfolgend genannten Ereignisse können variieren. Nähere Informationen enthalten diverse Stadtmagazine *(siehe S. 353)*. Einen vierteljährlichen Veranstaltungskalender gibt das New York Convention and Visitors Bureau *(siehe S. 352)* heraus.

Frühling

Jede Jahreszeit hat in New York ihr eigenes Tempo und ihre Verlockungen. Im Frühling lassen Tulpen und Kirschblüten in den Parks sowie Frühlingsmode den Winter endgültig vergessen. Jetzt ist die Zeit der Schaufensterbummel und Galerienbesuche. Alles strömt zu der beliebten St Patrick's Day Parade, und Tausende kleiden sich festlich für den Osterumzug auf der Fifth Avenue.

Ausgefallener Kopfputz bei New Yorks Easter Parade

März

St Patrick's Day Parade *(17. März)*, Fifth Ave, 44th bis 86th Street. Alles ist grün: Kleider, Blumen – sogar das Bier.
Greek Independence Day Parade *(25. März)*, Fifth Ave, 49th bis 59th Street. Griechische Tänze und Speisen.
New York City Opera Spring Season *(März–Mitte April)*, Lincoln Center *(S. 338)*.
Ringling Bros and Barnum & Bailey Circus *(Ende März–Ende Mai)*, Madison Square Garden *(S. 133)*.

Gelbe Tulpen und Taxis auf der Park Avenue

Ostern

Easter Flower Show *(in der Woche vor Ostern)*, Macy's Warenhaus *(S. 132f)*.
Easter Parade *(Ostersonntag)*, Fifth Ave, 44th bis 59th Street. Parade mit Kostümen und ausgefallenen Kopfbedeckungen um die St Patrick's Cathedral.

April

Cherry Blossom Festival *(Ende Apr–Mai)*, Brooklyn Botanic Garden, berühmt für seine japanischen Kirschbäume und schönen Ziergärten.
Gramercy Park Flower Show *(letztes Wochenende, S. 126)*.
Baseball *(Apr–Mai)*. Die *Major league* beginnt mit den *Yankees* und den *Mets (S. 344)*.
New York City Ballet Spring Season *(Apr–Juni)*, New York State Theater und Metropolitan Opera House im Lincoln Center *(S. 212)*.

Mai

Brooklyn Bridge Day *(zweiter So)*. Feierlichkeiten auf der Brücke *(S. 86ff)*.
Martin Luther King, Jr Day Parade *(dritter So)*, Fifth Ave, 44th bis 86th Street. Parade zu Ehren des ermordeten schwarzen Bürgerrechtlers.

Umzug in Nationaltracht am griechischen Unabhängigkeitstag

Ninth Avenue Street Festival *(Mitte Mai)*, W 37th bis W 57th Street. Ein Fest mit diversen Nationalgerichten, Musik und Tanz.
Washington Square Outdoor Art Exhibit *(letztes Mai-Wochenende bis erstes Juni-Wochenende)*. Kunstausstellung mit Malerei, Skulptur und Kunsthandwerk.

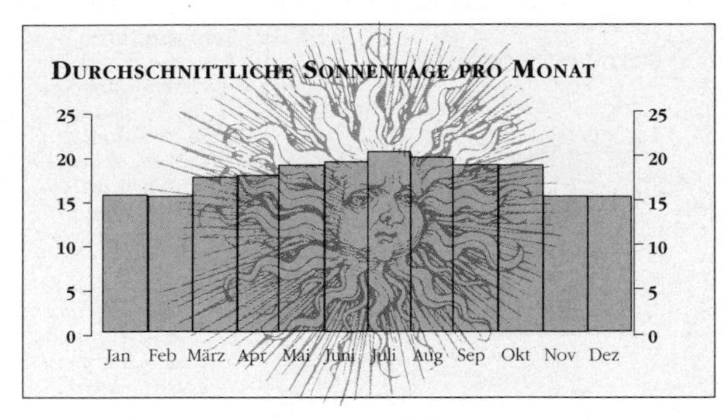

Sonnentage
New York erfreut sich im Sommer (Juni bis August) langer, heller Tage; den meisten Sonnenschein bringt der Juli. Die Wintertage sind wesentlich kürzer, aber viele sind hell und klar. Der Herbst ist etwas sonniger als der Frühling.

SOMMER

NACH MÖGLICHKEIT meiden die New Yorker jetzt die heiße Stadt; sie machen Picknicks und Bootsfahrten oder fahren zum Strand. Feuerwerke gibt es am 4. Juli; noch stürmischer geht es zu, wenn die berühmten Baseball-Teams auftreten. Im Sommer gibt es auch Kirmes, Freilichtkonzerte und -aufführungen im Central Park.

Tanzender Polizist auf der Puerto Rican Day Parade

JUNI

Puerto Rican Day Parade *(erster So)*, Fifth Ave, 44th bis 86th Street. Festwagen und Musikkapellen.
Museum Mile Festival *(zweiter Di)*, Fifth Ave, 82nd bis 105th Street. Freier Eintritt in die Museen.
L'eggs Mini-Marathon *(Ende Juni)*, Central Park West und W 66th Street bis Central Park West, W 67th Street. Straßenlauf der Frauen.
Metropolitan Opera Parks Concerts. Kostenlose Abendkonzerte in allen Parks der Stadt *(S. 338f)*.
Goldman Memorial Band Concerts *(Juni–Aug)*, Lincoln Center *(S. 212)*. Traditionelle Musikbands.
Shakespeare in the Park *(Juni–Sep)*. Broadway-Stars treten im Delacorte Theater, Central Park, auf *(S. 335)*.
Lesbian and Gay Pride Day Parade *(Ende Juni)*, vom Columbus Circle über Fifth Ave zum Washington Sq *(S. 113)*.
JVC Jazz Festival *(Ende Juni–Anfang Juli)*. Spitzen-Jazzmusiker treten an verschiedenen Orten in der Stadt auf *(S. 341)*.

JULI

Macy's Firework Display *(4. Juli)*, East River. Höhepunkt der Festlichkeiten zum Unabhängigkeitstag.
American Crafts Festival *(Anfang Juli)*, Lincoln Center *(S. 212)* Kunsthandwerk.
Chinatown Cultural Festival *(Mitte Juli–Mitte Sep)*, Chinatown *(S. 96f)*.
Mostly Mozart Festival, *(Mitte Juli–Ende Aug)*, Avery Fisher Hall, Lincoln Center *(S. 338f)*.
NY Philharmonic Parks Concerts *(Ende Juli–Anfang Aug)*. Kostenlose Konzerte in allen Parks der Stadt *(S. 339)*.
Summer Festival *(Juli–Aug)*, Snug Harbor Cultural Center, Staten Island. Musik und Kunst.

Sommerliches Straßenfest in Greenwich Village

AUGUST

Harlem Week *(Mitte Aug)*. Film, Kunst, Musik, Tanz, Mode, Sport und Führungen.
Out-of-Doors Festival *(Mitte Aug–Anfang Sep)*, Lincoln Center. Kostenlose Tanz- und Theateraufführungen *(S. 334)*.
US Open Tennis Championships *(Ende Aug–Anfang Sep)*, Flushing Meadows *(S. 345)*.

Feuerwerk zum Unabhängigkeitstag am 4. Juli über dem East River

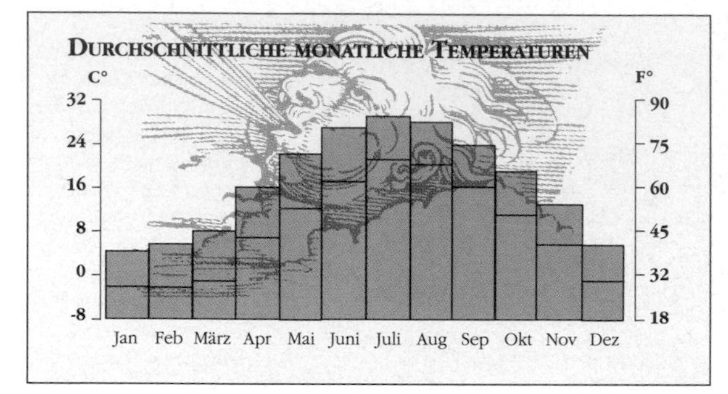

Temperaturen
Die Grafik zeigt die durchschnittlichen Höchst- und Tiefstwerte pro Monat in New York. Bei einem maximalen Durchschnittswert von 29 °C kann es sehr heiß werden. Die Wintermonate scheinen dagegen bitterkalt, auch wenn das Thermometer meist über 0 °C bleibt.

Herbst

Mit dem Labor Day geht der Sommer zu Ende. Die *Giants* und *Jets* eröffnen die Football-Saison, am Broadway beginnt die neue Theatersaison, und die Festa di San Gennaro in Little Italy bildet den Höhepunkt farbenfroher Stadtteil-Straßenfeste. Macy's Thanksgiving Day Parade symbolisiert den Beginn der festlichen Jahreszeit.

September

Richmond County Fair *(Wochenende des Labor Day)*, in Historic Richmond Town *(S. 252)*. Im authentischen Stil eines englischen Volksfestes.
West Indian Carnival *(Wochenende des Labor Day)*, Brooklyn. Umzug mit Festwagen, Musik, Tanz und Speisen.
One World Festival *(zweite Woche)*, E 35th Street, zwischen First und Second Avenues.

Exotisches karibisches Karnevalskostüm in Brooklyn

Internationale Antiquitäten, Kunst, Speisen.
New York is Book Country *(Mitte Sep)*, Fifth Ave, 48th bis 59th Street. Bücherfestival.
Festa di San Gennaro *(dritte Woche)*, Little Italy *(S. 96)*. Zehn Tage lang Feste und Umzüge.
New York Film Festival *(Mitte Sep – Anfang Okt)*, Lincoln Center *(S. 212)*. Amerikanische Filme und internationale Filmkunst.
Von Steuben Day Parade *(dritte Woche)*, Upper Fifth Ave. Deutsch-amerikanische Feierlichkeiten.
American Football *(Saisonbeginn)*, Giants Stadium, Heimat der *Giants* und der *Jets (S. 344)*.

Oktober

Columbus Day Parade *(2. Mo)*, Fifth Ave, 44th bis 86th Street. Umzüge und Musik zu Ehren von Kolumbus' Entdeckung von Amerika.
Pulaski Day Parade *(So um den 5. Okt)*, Fifth Ave, 26th bis 52nd Street. Fest zu Ehren des polnisch-amerikanischen Helden Casimir Pulaski.
Hallowe'en Parade *(31. Okt)*, Greenwich Village. Glänzendes Fest, phantastische Kostüme.
Big Apple Circus *(Okt–Jan)*, Damrosch Park, Lincoln Center. Jedes Jahr werden besondere Themen präsentiert *(S. 347)*.
Basketball *(Saisonbeginn)*, Madison Square Garden. Lokalmatadoren sind die *Knicks*.
New York City Marathon *(letzter So im Okt oder erster So im Nov)*. Von Staten Island durch alle Stadtteile.

Riesiger Superman-Ballon über Macy's Thanksgiving Day Parade

November

Macy's Thanksgiving Day Parade *(vierter Do)*, vom Central Park West/W 79th Street zum Broadway/W 34th Street. Spektakel für Kinder mit Festwagen, Ballons und Santa Claus.
Christmas Star Show *(Nov–Jan)*, Hayden Planetarium *(S. 216)*. Nachbildung des Himmels über Bethlehem zu Christi Geburt.
Magnificent Christmas Spectacular *(Nov–Jan)*, Radio City Music Hall. Varieté-Show mit den *Rockettes*.

Szene aus der Hallowe'en Parade in Greenwich Village

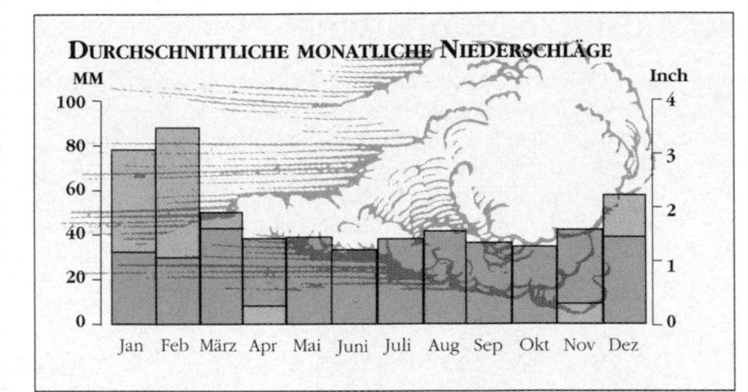

Niederschläge
März und August bringen in New York die meisten Niederschläge. Im Frühjahr muß man immer auf Regen gefaßt sein. Im Winter kann plötzlicher heftiger Schneefall ein Verkehrschaos auslösen.

 Regen

 Schnee

WINTER

DAS WEIHNACHTLICHE New York ist zauberhaft – sogar die steinernen Löwen vor der Bibliothek sind dann bekränzt, und die Geschäfte werden zu wahren Kunstwerken. Neujahrsfeste gibt es vom Times Square bis nach Chinatown; der Central Park verwandelt sich in einen Wintersportplatz.

Die Statue der Alice im Wunderland im Central Park

DEZEMBER

Tree-Lighting Ceremony *(Anfang Dez)*, Rockefeller Center *(S. 142)*. Die Kerzen des Christbaums vor dem RCA Building werden entzündet.
Messiah Sing-In *(Mitte Dez)*, Lincoln Center *(S. 212)*. Das Publikum probt und singt unter verschiedenen Dirigenten.
Hanukkah Menorah *(Mitte–Ende Dez)*, Grand Army Plaza, Brooklyn. Während des achttägigen Lichterfestes wird allabendlich die riesige Menorah (Leuchter) entzündet.
New Year's Eve. Feuerwerke im Central Park *(S. 204f)*; fröhliches Treiben am Times Square *(S. 145)*; Fünf-Meilen-Lauf (acht Kilometer) im Central Park; Dichterlesung in der St Mark's Church.

JANUAR

National Boat Show *(Mitte Jan)*, Jacob K Javits Convention Center *(S. 136)*.
Chinese New Year *(Ende Jan)*, Chinatown *(S. 96f)*. Drachen, Feuerwerk und Speisen.
Winter Antiques Show *(Ende Jan)*, Seventh Regiment Armory *(S. 185)*. New Yorks exklusivste Antiquitätenmesse.

Neujahrsfeierlichkeiten in Chinatown

FEBRUAR

Black History Month. Veranstaltungen zur afroamerikanischen Kultur in der Stadt.
Empire State Building Run-Up *(Anfang Feb)*. Wettlauf zum 101. Stockwerk *(S. 134f)*.
Lincoln and Washington Birthday Sales *(12.–22. Feb)*. Schlußverkauf in allen großen Kaufhäusern.
Westminster Kennel Club Dog Show *(Anfang Feb)*, Madison Square Garden *(S. 133)*. Große Hundeschau.

FEIERTAGE

New Year's Day (1. Jan)
Martin Luther King Day (3. Mo, Jan)
President's Day (Mitte Feb)
Memorial Day (Ende Mai)
Independence Day (4. Juli)
Labor Day (1. Mo, Sep)
Columbus Day (2. Mo, Okt)
Election Day (1. Di, Nov)
Veterans Day (11. Nov)
Thanksgiving Day (4. Di, Nov)
Christmas Day (25. Dez)

Der gigantische Christbaum und Dekorationen am Rockefeller Center

Zur Orientierung

Südspitze

Die Südspitze Manhattans

Der Blick auf Lower Manhattan vom Hudson River aus führt einige besonders auffällige moderne Bauten der New Yorker Skyline vor Augen. Die Zwillingstürme des World Trade Center fallen sofort auf; ebenso das neuere Quartett des World Financial Center mit den charakteristischen Dachaufsätzen. Auch das ältere Manhattan ist zu erkennen: Castle Clinton mit dem Battery Park, dahinter das vornehme Custom House Building.

World Financial Center
Das Herzstück ist der Wintergarten. Hier kann man einkaufen, essen, sich unterhalten lassen oder den Blick auf den Hudson River genießen (siehe S. 69).

World Trade Center
Die 109stöckigen Zwillinge aus Stahl und Glas (siehe S. 72) *beherrschen die Silhouette. Der Platz davor ist größer als der Markusplatz in Venedig.*

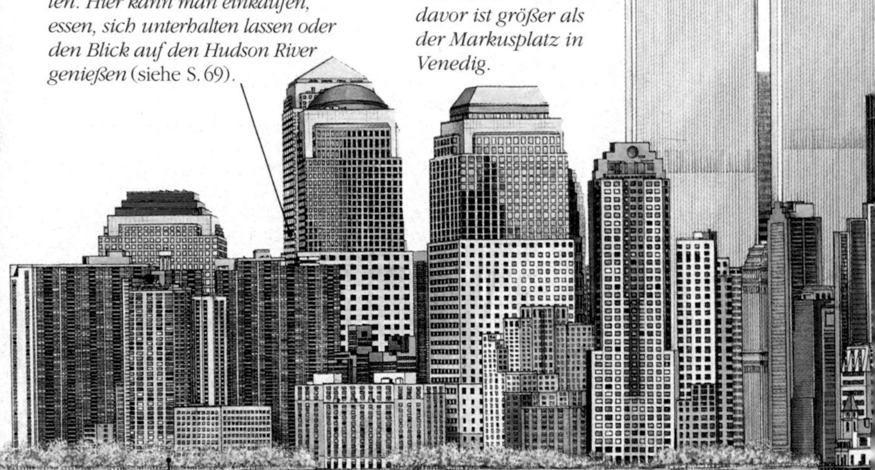

Detail aus dem *Upper Room*

The Upper Room
Diese begehbare Skulptur von Ned Smyth ist eines von vielen Kunstwerken in Battery Park City (siehe S. 72).

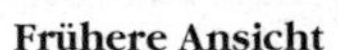

Frühere Ansicht
Nicht mehr wiederzuerkennen: die Skyline Manhattans im Jahr 1898.

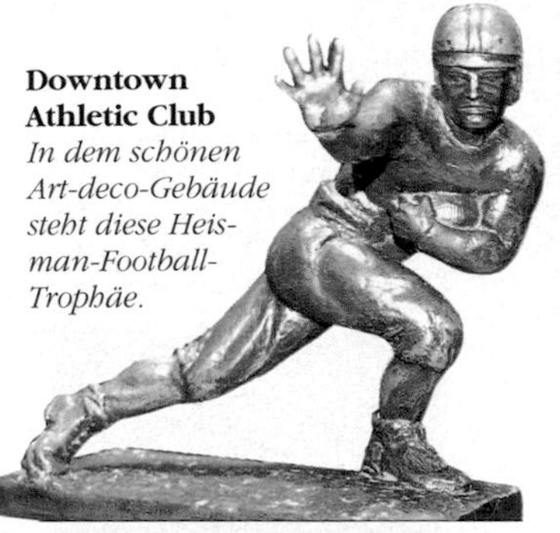

Downtown Athletic Club
In dem schönen Art-deco-Gebäude steht diese Heisman-Football-Trophäe.

US Custom House
In dem prächtigen Beaux-Arts-Gebäude (1907) befindet sich heute das Museum of the American Indian (siehe S. 73).

East Coast War Memorial
Der Bronzeadler von Albino Manca im Battery Park ehrt die Toten des Zweiten Weltkriegs.

Broadway Nr. 26
Der Turmspitze des früheren Standard Oil Building ähnelt einer Öllampe. Im Inneren sind immer noch die Firmensymbole zu sehen.

American Merchant Mariners' Memorial (1991)
Die Skulptur von Marisol steht auf Pier A, dem letzten alten Manhattan-Pier. Eine Turmuhr am Pier schlägt die Stunde auf Schiffsglocken.

Schrein von Mother Seton
Hier lebte die erste amerikanische Heilige (siehe S. 76).

Lower Manhattan am East River

AUF DEN ERSTEN BLICK bietet dieser Abschnitt am East River, der an der Südspitze Manhattans beginnt, eine Anhäufung von Bürogebäuden des 20. Jahrhunderts. Aber vom Wasser aus geben Straßen und Durchlässe noch den Blick auf das alte New York und den Finanzdistrikt frei. In der Skyline ragen hinter gesichtslosen modernen Hochhäusern noch die verzierten Spitzen der älteren Wolkenkratzer hervor.

ZUR ORIENTIERUNG

East-River-Ausblick

India House
Das Haus Hanover Square Nr. 1 gehört zu den schönsten Bauten aus Braunsandstein.

Vietnam Veterans Plaza
Eine Gedenkstätte aus grünem Glas beherrscht den Coenties Slip, eine alte Werft, die vor 1900 zu einem Park umgebaut wurde (siehe S. 76).

Hanover Square
Die Statue eines der holländischen Bürgermeister, Abraham De Peysters (geb. 1657), steht neben dessen Geburtshaus.

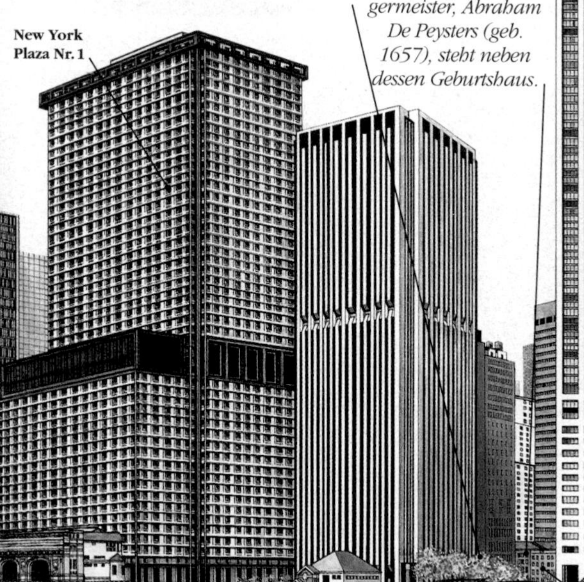

Downtown Heliport
Hubschrauberlandeplatz für Rettungs- und Stadtrundflüge.

Battery Maritime Building
Historischer Fährhafen nach Governor's Island (siehe S. 77).

Delmonico's
Im 19. Jahrhundert ein elegantes Speiselokal.

New York Stock Exchange
Hinter hohen Gebäuden versteckt liegt die Börse. Sie ist weiterhin das Zentrum des hektischen Finanzdistrikts (siehe S. 70f).

Wall Street Nr. 40
In den 40er Jahren wurde der Turm der früheren Bank of Manhattan von einem Kleinflugzeug gerammt.

Pine Street Nr. 70
Nachbildungen des eleganten neugotischen Turms sind an den Eingängen Pine Street und Cedar Street zu sehen.

Bank of New York
Ein Innenraum (1928) der 1784 von Alexander Hamilton gegründeten Bank (siehe S. 21).

Morgan Bank
Bis zum Dach durchgehende Säulen prägen den bemerkenswerten modernen Bau.

Citibank Building

Old Slip Nr. 100
Das First Precinct Police Department im Palazzostil, heute im Schatten von Financial Square Nr. 1, wurde 1911 als modernstes Polizeigebäude New Yorks errichtet.

Steingemeißeltes Medaillon, Old Slip Nr. 100

Queen Elizabeth Monument
Zum Gedenken an den 1972 gesunkenen Ozeanriesen.

South Street Seaport

Zur Orientierung

South-Street-Bezirk

Am Ende des Finanzdistrikts ändert sich jäh – vom East River oder von Brooklyn aus gesehen – das Erscheinungsbild der Skyline. An die Stelle der Firmenhochhäuser treten Piers, Straßen und Lagerhäuser des alten Seehafens, der jetzt als South Street Seaport restauriert ist *(siehe S. 82 f)*. In geringer Entfernung dahinter sieht man einige monumentale Gebäude des Civic Center. Den Abschluß der Silhouette bildet die Brooklyn Bridge. Von hier bis Midtown bestimmen vor allem Wohnblocks das Uferbild.

Steinmetzarbeit am Woolworth Building

Woolworth Building
Die kunstvoll gestaltete Turmspitze ziert den Firmensitz von F. W. Woolworth – noch immer die schönste »Kommerzkathedrale«, die je gebaut wurde (siehe S. 91).

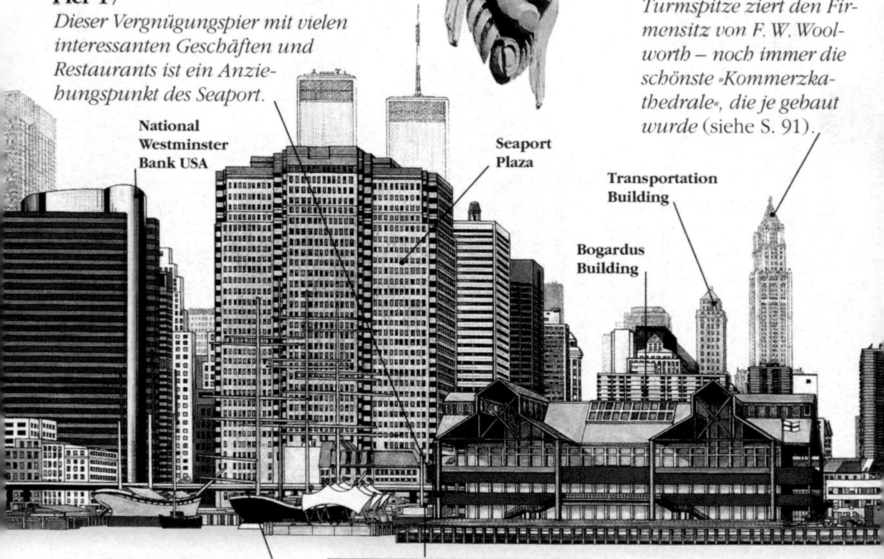

Pier 17
Dieser Vergnügungspier mit vielen interessanten Geschäften und Restaurants ist ein Anziehungspunkt des Seaport.

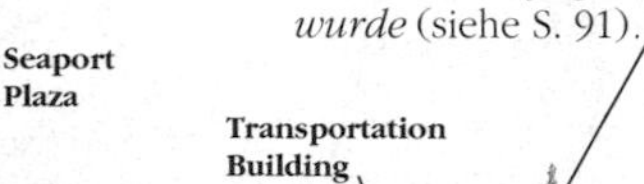

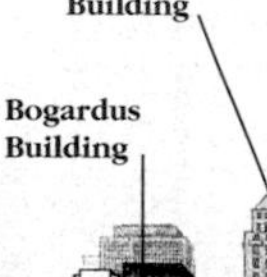

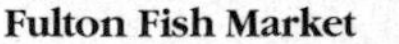

Maritime Crafts Center
Am Pier 15 werden traditionelle Fertigkeiten der Seeleute demonstriert: Schnitzen, Modellbau u.a.

Sweets
Dieses Fischrestaurant befand sich von 1847 bis 1993 in der Schermerhorn Row.

Fulton Fish Market
Der größte Fischgroßmarkt der USA findet vor Tagesanbruch am Seaport statt.

Police Plaza
Die Skulptur Five in One *(1971–74) von Bernard Rosenthal stellt die fünf Stadtbezirke New Yorks dar.*

United States Courthouse
Das Wahrzeichen des Civic Center ist die goldene Pyramide von Cass Gilbert an der Spitze des Courthouse (siehe S. 85).

Municipal Building
In diesem gewaltigen Bau befindet sich unter anderem die Marriage Chapel, wo zivile Trauungen stattfinden. Die kupferne Skulptur Civic Fame *auf dem Gebäude ist von Adolph Weinman* (siehe S. 85).

Surrogate's Court und Hall of Records
Hier ist Archivmaterial zu besichtigen, das bis 1664 zurückreicht (siehe S. 85).

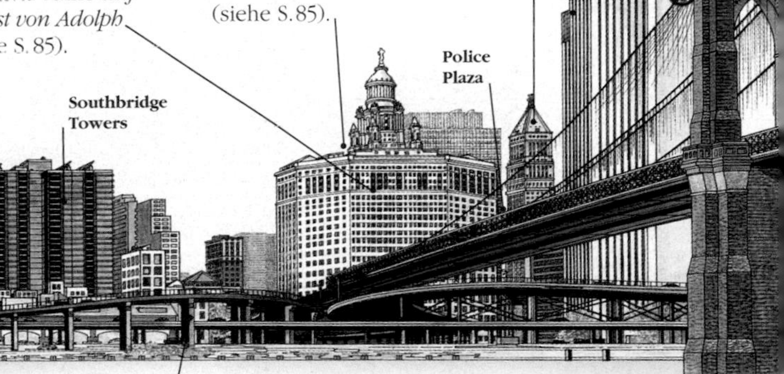

Con Edison Mural
1975 schuf Richard Haas auf der Seitenwand einer ehemaligen Transformatorenstation ein Abbild der Brooklyn Bridge.

Brooklyn Bridge
Eines der beliebtesten Wahrzeichen New Yorks, das immer wieder eine Aufnahme lohnt (siehe S. 86ff).

Zur Orientierung

Midtown

Midtown Manhattan

Die Skyline von Midtown Manhattan prägen einige der imposantesten Türme und Turmspitzen der Stadt, vom bekannten Empire State Building mit seiner Art-deco-Pracht bis hin zu der eindrucksvollen Keilform des modernen Citicorp-Komplexes. Je weiter man der Küstenlinie nach Norden folgt, desto vornehmer wird der Stadtteil. Der UN-Komplex nimmt einen langen Streckenabschnitt ein, und dann beginnt am Beekman Place eine exklusive Villengegend, die den Reichen und Berühmten inmitten dieses lebhaften Sektors der Stadt Abgeschlossenheit bietet.

Empire State Building
Mit 381 Metern Höhe war es jahrelang das höchste Gebäude der Welt (siehe S. 134 f).

Chrysler Building
Im Lichtspiel der Sonne oder bei Nachtbeleuchtung ist diese Edelstahlspitze für viele einfach »der« Wolkenkratzer New Yorks (siehe S. 153).

Grand Central Terminal
Dieses Wahrzeichen, jetzt im Schatten seiner Nachbarn, hat viele historische Details wie etwa diese schöne Uhr (siehe S. 154 f).

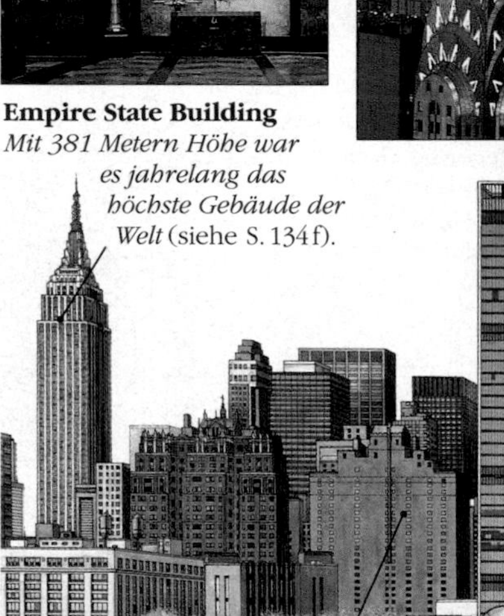

Tudor City
Ein Wohnkomplex aus den 20er Jahren in Tudor-Imitation, mit über 3000 Wohnungen (siehe S. 156).

UN-Hauptquartier
Eines der Kunstwerke aus Mitgliedsländern ist diese Skulptur von Barbara Hepworth, ein Geschenk Großbritanniens (siehe S. 160 ff).

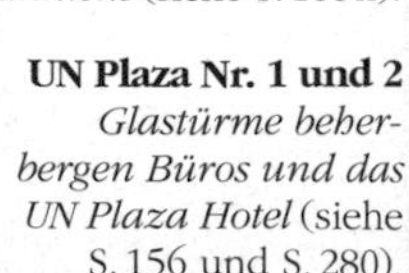

UN Plaza Nr. 1 und 2
Glastürme beherbergen Büros und das UN Plaza Hotel (siehe S. 156 und S. 280).

General Electric Building
Dieses Art-deco-Gebäude wurde 1931 aus rotem Ziegelstein gebaut und hat eine hohe, gezackte »Krone«. Momentan residiert dort die Firma RCA Victor (siehe S. 173).

Waldorf-Astoria
Kupfergedeckte Zwillingstürme ragen hoch über eines der besten Hotels der Stadt. Die Innenräume sind luxuriös gestaltet (siehe S. 173).

Citicorp Center
In einer Ecke des Citicorp Center befindet sich St Peter's Church (S. 173).

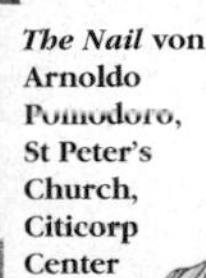

***The Nail* von Arnoldo Pomodoro, St Peter's Church, Citicorp Center**

Rockefeller Center
Die Rollschuhbahn und die Wandelgänge dieses Bürokomplexes bieten gute Gelegenheit, Menschen zu beobachten (siehe S. 142).

General Electric Building

UN Plaza Nr. 866

UN Plaza Nr. 100

Japan Society
Heimstatt japanischer Kultur, vom avantgardistischen Theater bis zu alter Kunst (S. 156f).

St Mary's Garden
Der Garten der Holy Family Church ist ein Ort der Ruhe.

Beekman Tower
Das Art-deco-Gebäude, jetzt ein Luxushotel, wurde 1928 für Damen der weiblichen Studentenverbindungen errichtet.

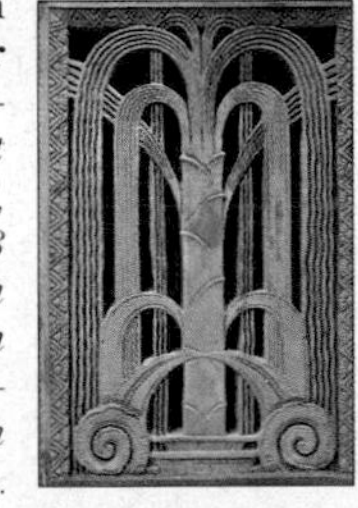

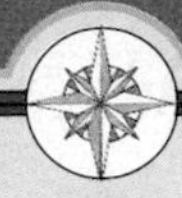

Führer durch die Stadtteile

LOWER MANHATTAN

AN DER SPITZE Manhattans verschmelzen alt und neu zu einer Einheit. Im Schatten der Wolkenkratzer stehen Kirchen aus der Kolonialzeit neben frühen amerikanischen Baudenkmälern. New York wurde hier geboren, und hier stand auch das erste Kapitol des Landes. Der Handel floriert bereits seit 1626, als der Holländer Peter Minuit einen der spektakulärsten Grundstückskäufe der Geschichte tätigte und von den Algonquin-Indianern für Waren im Wert von 24 Dollar die Insel Man-a-hatt-ta erwarb *(siehe S. 17)*. Inzwischen haben die Preise erheblich angezogen, und Geld spielt die entscheidende Rolle: Hier befinden sich die Wall Street, die US-Notenbank, das World Trade Center und die Börse.

Minuit-Denkmal im Bowling-Green-Park

Die Trinity Church am Ende der Wall Street

Sehenswürdigkeiten auf einen Blick

Historische Straßen und Gebäude
Federal Reserve Bank 1
Federal Hall 2
New York Stock Exchange S. 70 f 3
Downtown Athletic Club 8
Cunard Building 9
Fraunces Tavern Museum 13
Battery Maritime Building 16

Museen und Galerien
US Custom House 11
Ellis Island S. 78 f 18

Castle Clinton National Monument 20

Monumente und Statuen
Statue of Liberty S. 74 f 17

Kirchen
Trinity Church 4
Schrein der Elizabeth Ann Seton 12

Moderne Architektur
World Financial Center 5
World Trade Center 6
Battery Park City 7

Parks und Plätze
Bowling Green 10
Vietnam Veterans' Plaza 14
Battery Park 19

Schiffsrundfahrten
Staten Island Ferry 15

Bronzestatue eines Bullen, Symbol der Wall Street, unweit des Custom House

Anfahrt

Die günstigsten Subway-Linien zur Spitze Manhattans sind die Lexington Ave-Linien 4 oder 5 zum Bowling Green; N oder R zur Whitehall St oder 7th Ave-Linien 1 oder 9 zur South Ferry. Zur Wall St nehmen Sie die Subway-Linien 2, 3, 4 oder 5 oder N oder R zur Rector St. Die Busse M1, M6, M15 und M22 bedienen diesen Teil der Stadt.

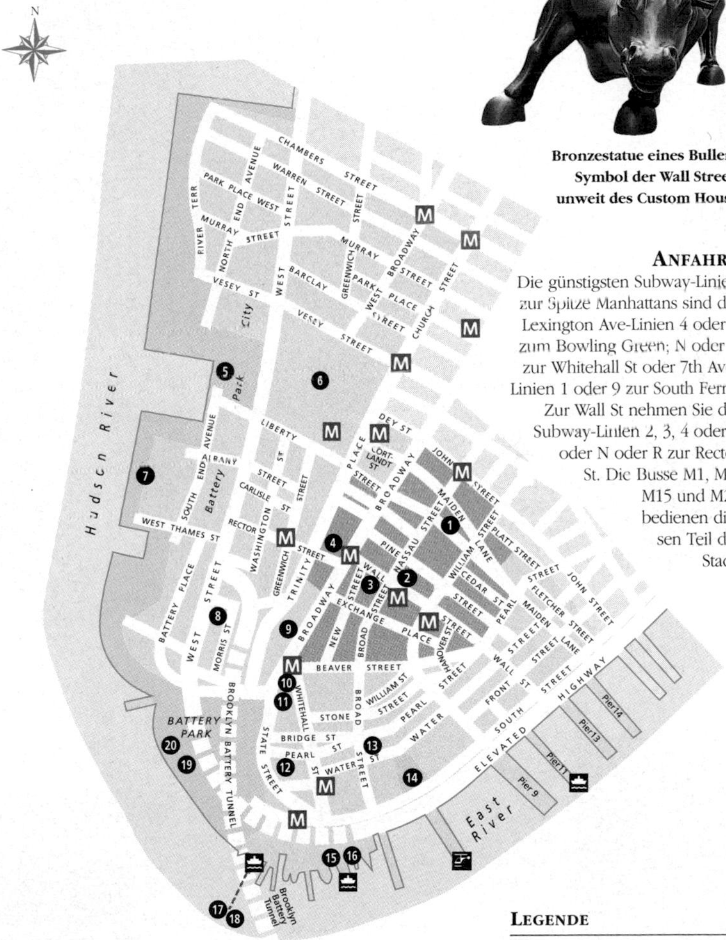

Siehe auch

- ***Kartenteil*** Karten 1/2
- ***Übernachten*** S. 274 f
- ***Restaurants*** S. 290 ff

0 Meter 500
0 Yards 500

Legende

- Detailkarte
- M Subway-Station
- Fährhafen
- Hubschrauberlandeplatz

Im Detail: Wall Street

KEINE ANDERE STRASSENKREUZUNG ist in der Geschichte der Stadt so wichtig gewesen wie die Schnittstelle von Wall- und Broad Street. Drei imposante Gebäude stehen hier: Das Federal Hall National Monument markiert die Stelle, wo George Washington 1789 als Präsident vereidigt wurde. Die Trinity Church ist eine der ältesten anglikanischen Kirchen des Landes. Die 1817 gegründete New Yorker Börse ist bis heute ein Finanzzentrum, dessen Kursschwankungen weltweite Erschütterungen auslösen können. Die umliegenden Gebäude bilden das Herz des New Yorker Finanzdistrikts.

Die **Marine Midland Bank** ragt 54 Stockwerke empor. Dieser dunkle Glasturm nimmt nur etwa 40 Prozent des Grundstücks ein. Die anderen 60 Prozent bilden einen Platz, auf dem die große rote Skulptur *Cube* von Isamu Noguchi steht.

Trinity Building, ein neogotischer Wolkenkratzer aus dem frühen 20. Jahrhundert, wurde der nahegelegenen Trinity Church stilistisch angepaßt.

Das **Equitable Building** (1915) nahm den übrigen Anliegern das Tageslicht und veranlaßte damit ein Gesetz, das bestimmte, daß Wolkenkratzer künftig von der Straße zurückversetzt gebaut werden mußten.

★ Trinity Church
Das 1846 im neugotischen Stil gebaute Gotteshaus ist bereits die dritte Kirche an dieser Stelle. Ihr Turm, einstmals das höchste Bauwerk der Stadt, erscheint angesichts umliegender Wolkenkratzer fast winzig. Viele berühmte New Yorker liegen auf dem angrenzenden Friedhof bestattet. ❹

Subway-Station in der Wall Street (Linien 4, 5)

Das Gebäude der **Irving Trust Company** hat eine Außenwand, deren Struktur an Textilgewebe erinnert. In der Halle befindet sich ein Art-deco-Mosaik in flammend roten bis goldenen Tönen.

Das **Gebäude Broadway Nr. 26** wurde als Sitz des Standard Oil Trust erbaut. Die Gebäudespitze hat die Form einer Öllampe.

New York Stock Exchange ★
Der Mittelpunkt der globalen Finanzmärkte befindet sich in einem 16stöckigen Gebäude von 1903. Das Besucherzentrum hält Informationen über die Geschichte und die Arbeitsweise der Börse bereit. ❸

Der neugotische **Liberty Tower** ist mit weißer Terrakotta verkleidet. Heute befinden sich in dem Gebäude Appartements.

Die **Chamber of Commerce** sitzt in einem schönen Beaux-Arts-Gebäude von 1901.

NICHT VERSÄUMEN

★ **Federal Hall National Monument**

★ **Federal Reserve Bank**

★ **New York Stock Exchange**

★ **Trinity Church**

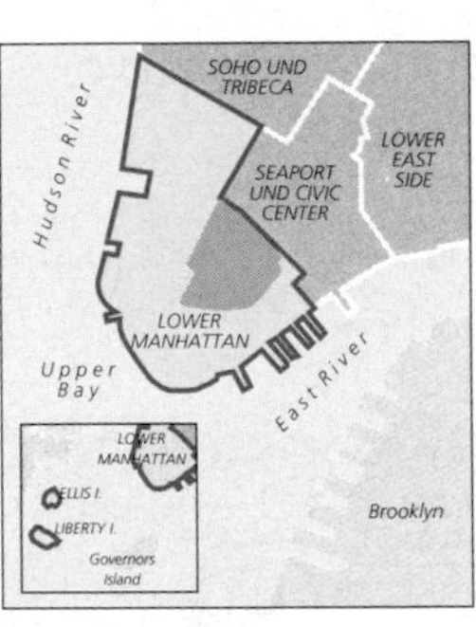

ZUR ORIENTIERUNG

Siehe Übersichtskarte Seite 12 f

Siehe Übersichtskarte Seite 12 f

LEGENDE

— — — Routenempfehlung

0 Meter 100

0 Yards 100

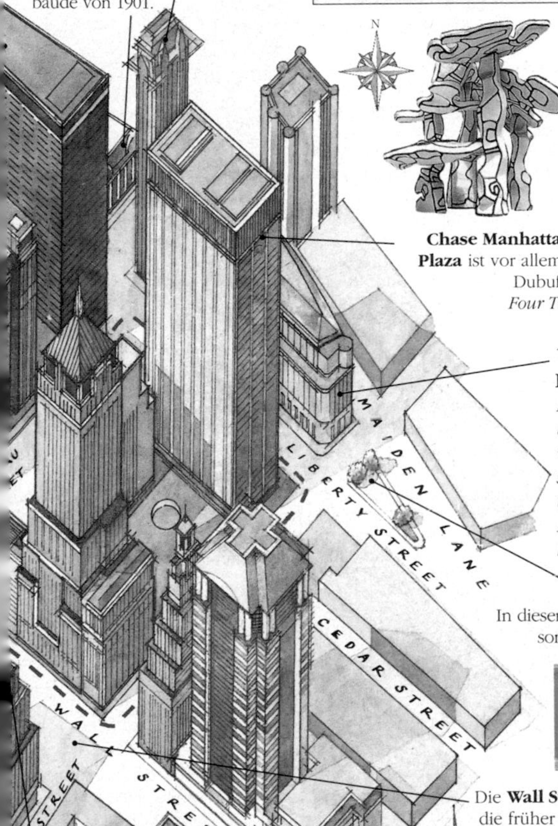

Chase Manhattan Bank and Plaza ist vor allem wegen Jean Dubuffets Skulptur *Four Trees* berühmt.

★ **Federal Reserve Bank**
Die US-Notenbank, im Stil eines Renaissance-Palastes, bringt US-Dollars in Umlauf. ❶

Louise Nevelson Plaza
In diesem Park befindet sich die Nevelson-Skulptur *Shadows and Flags.*

MAIDEN LANE

LIBERTY STREET

CEDAR STREET

WALL STREET

Die **Wall Street** ist nach der Mauer benannt, die früher die Algonquin-Indianer von Manhattan fernhielt. Diese enge Straße bildet jetzt das Herz des Finanzzentrums der Stadt.

Die Wall Street in den 20er Jahren

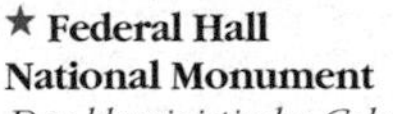

★ **Federal Hall National Monument**
Das klassizistische Gebäude, einst das US Custom House, beherbergt eine Ausstellung über die US-Verfassung. ❷

Federal Reserve Bank ❶

33 Liberty St. **Karte** 1 C2. *720-6130.* *Wall St.* *Mo–Fr 8.30–17 Uhr.* ***Geschl.*** *Feiertage.*

Portal der Federal Reserve Bank

DIESE BANK IST die regierungsamtliche Bank *für* Banken. Sie ist eine von zwölf Bundesnotenbanken und darf US-Dollars in Umlauf bringen. Die hier herausgegebenen Banknoten erkennt man am Buchstaben B im aufgeprägten Federal-Reserve-Stempel.

Unter dem Gebäude befindet sich in einem fünfstöckigen Tresorsystem das größte Lager für die Goldreserven verschiedener Nationen. Jede Nation verfügt über eigene Panzerräume, die durch 90 Tonnen schwere Türen geschützt werden. Früher wurden bei Zahlungen zwischen Ländern die entsprechenden Goldmengen tatsächlich physisch bewegt, doch damit ist es heute vorbei. Das von York & Sawyer im Stil der italienischen Renaissance konzipierte, reich verzierte Gebäude nimmt einen ganzen Straßenblock ein.

Federal Hall ❷

26 Wall St. **Karte** 1 C3. *825-6870.* *Wall St.* *Mo–Fr 9–17 Uhr.* ***Geschl.*** *Feiertage.*

EINE BRONZESTATUE George Washingtons auf den Stufen der Federal Hall markiert die Stelle, an der der erste US-Präsident 1789 seinen Amtseid ablegte. Tausende drängten sich damals in Wall- und Broad Street und stimmten begeistert ein, als der Kanzler des Staates New York ausrief: »Lang lebe George Washington, der Präsident der Vereinigten Staaten.«

Das jetzige imposante Gebäude wurde zwischen 1834 und 1842 als US Custom House errichtet und ist eines der schönsten klassizistischen Bauwerke der Stadt. Zu den Ausstellungsräumen an der Rundhalle gehören auch der Bill of Rights Room und ein interaktives Computersystem, das über die US-Verfassung Auskunft erteilt.

Die von Marmorsäulen getragene Rundhalle in der Federal Hall

New York Stock Exchange ❸

Siehe S. 70 f.

Kirchhof der Trinity Church

Trinity Church ❹

Broadway at Wall St. **Karte** 1 C3. *602-0872.* *Wall St, Rector St.* *Mo–Fr 7–18 Uhr, Sa 8–16 Uhr, So 7–16 Uhr.* *So 11.15 Uhr.* *nicht während des Gottesdienstes.* *Tägl. 14 Uhr.* ***Konzerte.***

DIE EPISKOPALKIRCHE am Ende der Wall Street ist das dritte Gotteshaus, das an dieser Stelle von einer der ältesten – 1697 gegründeten – anglikanischen Gemeinden Amerikas gebaut wurde. Die 1846 von Richard Upjohn errichtete Kirche war eine der größten ihrer Zeit und markiert den Anfang der kreativsten Periode der Neugotik in Amerika. Die Bronzetüren von Richard Morris Hunt sind von Ghibertis *Paradiestür* in Florenz inspiriert.

Bei der Restaurierung wurde der unter Rußschichten verborgene rötliche Sandstein wiederentdeckt. Der 92 Meter hohe, viereckige Turm, bis etwa 1860 das höchste Gebäude in New York, nötigt ungeachtet seiner hoch aufragenden Nachbarn noch immer Respekt ab.

Viele prominente New Yorker waren Mitglieder der Trinity-Gemeinde. Auf dem Kirchhof liegen viele von ihnen begraben, so der Staatsmann Alexander Hamilton, Robert Fulton, der Erfinder des Dampfschiffs, und William Bradford, der 1725 die erste New Yorker Zeitung gründete.

World Financial Center ❺

West St. **Karte** 1 A2. 945-0505. *1, 2, 3, 9, A, C, E zur Chambers St, 1, 9, N, R zur Cortlandt St.* *M1, M6, M9, M10, M22.*

DIESER VON Cesar Pelli & Associates entworfene und als Modell weltstädtischer Architektur geltende Komplex hat viel zur Neubelebung von Lower Manhattan beigetragen. Vier Bürotürme, die von verschiedenen geometrischen Formen gekrönt werden, ragen steil himmelwärts. Einige der weltweit wichtigsten Finanzhäuser haben hier ihre Zentrale, und Passagen verbinden das Financial mit dem World Trade Center. Die Anlage ist jedoch weit mehr als lediglich ein Bürokomplex.

Das Herz des Zentrums ist ein riesiger, gläserner Wintergarten, der von 45 Restaurants und Läden gesäumt wird und sich zu einer belebten Piazza und zu einem Yachthafen am Hudson River hin öffnet. Die ausladende Marmortreppe, die in den Wintergarten führt, dient den Zuschauern bei Tanz-, Theater- oder Musikdarbietungen häufig als Sitzgelegenheit. 14 Meter hohe Palmen aus der Mojave-Wüste machen den Ort zu einer neuen Version des alten Palmenhauses.

Der 1988 eröffnete und weiter expandierende Komplex dient der Öffentlichkeit und dem Vergnügen. Selbst strenge Kritiker haben dieses Bauwerk als das Rockefeller Center des 21. Jahrhunderts gepriesen.

Hauptgeschoß des Wintergartens

Das **Atrium** ist ein 36 Meter hohes, lichtdurchflutetes Glas-Stahl-Gewölbe.

Die **»Stundenglas«-Treppe** dient bei Konzerten im Wintergarten auch als Sitzgelegenheit.

Eine **Promenade** grenzt an den Hudson.

Cafés und **Läden** säumen das Atrium.

Das World Financial Center vom Hudson River aus gesehen

New York Stock Exchange ❸

SCHON 1790 WURDEN in und nahe der Wall Street Wertpapiere gehandelt, doch 1792 kamen 24 Makler, die in der Wall Street Nr. 68 unter einer Platane miteinander Geschäfte trieben, schriftlich überein, solche Papiere nur mehr untereinander zu handeln, und legten damit den Grundstein für die New York Stock Exchange (NYSE). Ihre Mitgliederzahl ist strikt begrenzt. 1817 kostete ein »Sitz« 25 Dollar, heute werden bis zu eine Million Dollar und ein strenger Eignungstest verlangt. Besucher können das Treiben von einer Galerie oberhalb des Börsenparketts aus beobachten. Die NYSE hat Höhenflüge und Zusammenbrüche erlebt ebenso wie den Fortschritt vom Lochstreifen zum Mikrochip und die Wandlung vom lokalen zum globalen Wertpapiermarkt.

Computerisierte Anzeigetafeln zeigen ständig die neuesten Kurse an.

Lochstreifenmaschinen
Diese um 1870 eingeführten Apparate druckten auf die Minute aktuelle Lochstreifen für die einzelnen Notierungen aus.

Besuchereingang in der Broad Street

WIE EIN BÖRSENPLATZ FUNKTIONIERT

Die **17 Standplätze** bestehen aus je 22 Sektionen von Maklern und technischem Personal, die jeweils mit den Aktien von bis zu 10 eingetragenen Gesellschaften handeln.

Standplatzmonitoren zeigen die Börsenkurse an.

Teleskopmonitoren zeigen dem Spezialisten die Kurse an.

Laufboten helfen im Trubel der Börse und bringen zusätzlich Aufträge von den Ständen zu den Brokern und Spezialisten.

Der **Supervisor** sorgt für den ordnungsgemäßen Betrieb an seinem Standplatz.

Ein **Spezialist** handelt immer nur eine Aktie und übermittelt Angebote an andere Broker.

Unabhängige Broker wickeln die Geschäfte der Broker-Firmen ab.

Commission-Broker arbeiten für Broker-Firmen und eilen zwischen Telefon und Standplatz hin und her. Sie kaufen und verkaufen Wertpapiere für Privatkunden.

Angestellte bearbeiten die Aufträge, die über den SuperDOT-Computer eingehen, und geben die Umsätze in das Datensystem der Börse ein.

48-Stunden-Tag
Während des Börsenkrachs von 1929 arbeiteten die Mitarbeiter nonstop 48 Stunden lang. Trotz der Panik draußen blieben sie bei guter Laune.

INFOBOX

20 Broad St. **Karte** 1 C3. 656-5168. 2, 3, 4, 5 zur Wall St, N, R zur Rector St. M1, M6, M15. **Besuchergalerie** Mo–Fr 9.15–16 Uhr (letzt. Einlaß 14.45 Uhr). **Geschl.** Feiertage. **Video Displays**.

Die Börsenhalle
In der hektischen Börsenhalle werden täglich für mehr als 2000 Firmen 200 Millionen Aktien gehandelt. Die hochmoderne Technik, die den Designated Order-Turnaround (SuperDOT)-Computer unterstützt, ist über der des Börsenchaos in einem goldschimmernden netzartigen Röhrensystem untergebracht.

Börsenkrach von 1929
Am Dienstag, dem 29. Oktober 1929, wechselten beim Börsenkrach über 16 Millionen Aktien den Besitzer. Ganze Massen von Anlegern drängten sich voller Konfusion in der Wall Street, aber entgegen einer Legende sprangen die Broker nicht in Panik aus dem Fenster.

ZEITSKALA

1792 Am 17. Mai Buttonwood-Vereinbarung unterzeichnet

1844 Erfindung des Telegraphen ermöglicht US-weiten Aktienhandel

1867 Lochstreifenmaschinen eingeführt

1903 Heutiges Börsengebäude eröffnet

1976 DOT-System ersetzt Lochstreifen

1987 »Schwarzer Montag« am 19. Oktober. Der Dow Jones Index fällt um 508 Punkte

1750 | 1800 | 1850 | 1900 | 1950

1817 New York Stock & Exchange Board gegründet

1863 Börse in New York Stock Exchange umbenannt

1865 Neues Börsengebäude Ecke Wall-/Broad Street eröffnet

1869 »Schwarzer Freitag«; Gold-Crash am 24. September

1929 Wall-Street-Börsenkrach am 29. Oktober

1981 Standplätze werden elektronisch aufgerüstet

Während des Börsenkrachs von 1929 kommt es zu Menschenaufläufen.

World Trade Center ❻

Karte 1 B2. Ⓜ *Chambers St, Rector St.* ***Aussichtsplattform*** *World Trade Center Nr. 2.* ☎ *435-4170.* ⊙ *Winter tägl. 9.30–21.30 Uhr; Sommer tägl. 9.30–23.30 Uhr.* ***Eintritt.*** *nicht auf die Aussichtsplattform.* ***Warentermin-Börse*** *8. Stock, World Trade Center Nr. 4.* ☎ *748-1006.* ⊙ *Mo–Fr 9.30–15 Uhr.*

Die 109 Stockwerke hohen Zwillingstürme des World Trade Center beherrschen die Skyline von Lower Manhattan. Das enorme Gewicht der Türme wird von einem inneren »Drahtkäfig« getragen, was den Einbau größerer Fenster nicht erlaubte. Ein spektakulärer Ausblick bietet sich nur von ganz oben. Kritiker bezeichnen die Gebäude als riesige hochkant gestellte Schachteln. Der zwischen 1966 und 1977 errichtete Komplex besteht aus fünf durch einen unterirdischen – von Läden und Restaurants gesäumten – Gang verbundenen Bürogebäuden samt einem Hotel. Im World Trade Center sind 450 Firmen mit 50 000 Mitarbeitern ansässig. Zahllose Besucher kommen, um von der Aussichtsplattform oder der Dachpromenade des World Trade Center Nr. 2 aus den unvergleichlichen Blick zu genießen. Der Aufzug benötigt lediglich 58 Sekunden bis in den 106. Stock. Im World Trade Center Nr. 1 können Sie genauso rasch nach oben gelangen und dort an den Fenstern des World Restaurant speisen *(siehe S. 295)*.

Beim Blick auf den gegenüberliegenden Turm sollten Sie kurz an Philippe Petit denken, der am 7. August 1974 mit einem sensationellen Hochseilakt zwischen den beiden Türmen fast eine Stunde lang ganze Scharen Büroangestellter in Begeisterung versetzte.

Wenn Sie mehr an der Hochfinanz als an Hochseilakten interessiert sind, können Sie im achten Stock des Gebäudes Nr. 4 dem geschäftigen Treiben in der Warentermin-Börse von einer Galerie aus zuschauen.

Auf dem Seil unterwegs

Philippe Petit vor dem Drahtseilakt zwischen den beiden Türmen (1974)

Battery Park City ❼

Karte 1 A3. Ⓜ *Rector St.*

Promenade der Battery Park City

Gouverneur Mario Cuomo fand die passenden Worte für das Projekt, als er 1983 von den Investoren verlangte: »Geben Sie dem Ganzen einen sozialen Zweck – eine Seele.« Dies jüngste Großprojekt der Stadt auf einer Fläche von 37 Hektar am Hudson River ist ein ehrgeiziges Vorhaben. Die Büros, Restaurants, Wohnungen und Gärten stehen für Qualität und nehmen auf die Bedürfnisse der Menschen Rücksicht.

In Battery Park City sollen einmal 25 000 Menschen leben. Der auffälligste Bau ist das World Financial Center, vier Türme, die den Wintergarten mit seinem riesigen, von Palmen gesäumten Atrium einfassen. Vier Milliarden Dollar wurden bisher verbaut.

Ein Spaziergang auf der Flußpromenade bietet freie Sicht auf die Statue of Liberty.

Downtown Athletic Club ❽

19 West St. **Karte** 1 B4. ☎ *425-7000.* Ⓜ *Rector St.* ⊙ ***Lobby*** *zugänglich während Öffnungszeiten des Clubs.*

Dieser Art-deco-Bau von 1926 ist eines der beeindruckendsten Gebäude downtown. Die Front ist mit maurisch anmutenden Arkaden und salzglasierten Kacheln in flammend orangen bis braunen Farben verziert. Dank der schmutzresistenten natürlichen Glasur haben die Kacheln ihr frisches Aussehen bewahrt. In den Räumen des Clubs, die Mitgliedern und deren Gästen offenstehen, herrscht die ruhige, elegante Atmosphäre eines altmodischen Ozeandampfers.

Fassade des Downtown Athletic Club

Verzierte Decke in der Großen Halle des Cunard Building

Cunard Building ⑨

25 Broadway. **Karte** 1 C3.
363-9490 *Bowling Green.*
Post-Öffnungszeiten, siehe ***Praktische Hinweise*** *S. 361.*

HINTER DER Renaissancefassade, hinter Bronzetüren und schmiedeeisernen Toren verbirgt sich das Innere des heutigen US-Postamts mit seinem großartig verzierten Gewölbe in der Großen Halle (1921 erbaut). Früher – als die Cunard-Reederei noch die größte Passagierlinie der Welt war – kaufte man hier Tickets für die großen Luxusliner wie die *Lusitania*, die *Titanic*, die *Queen Mary* und die erste *Queen Elizabeth*.

Die Halle beeindruckt durch prachtvolle Wandmalereien und Fresken, aber auch durch Barry Faulkners Weltkarten und eine reich ornamentierte Decke. Auf den Stützgewölben hat der Maler Ezra Winter die Schiffe des Christoph Kolumbus, John Cabots, Sir Francis Drakes und des Wikingers Leif Erikson dargestellt.

Bowling Green ⑩

Karte 1 C4. *Bowling Green.*

DAS DREIECKIGE GELÄNDE nördlich des Battery Park ist die älteste Grünanlage der Stadt. Anfangs wurde hier mit Vieh gehandelt, später Bowling gespielt. Bis zum Unabhängigkeitskrieg stand hier eine Statue König Georgs III., die dann zu Munition umgeschmolzen wurde *(siehe S. 20f)*. Die Frau des Gouverneurs von Connecticut soll angeblich Metall für 42 000 Schuß eingeschmolzen haben.

Der 1771 errichtete Zaun steht heute noch, allerdings ohne die Königskronen, die ihn einst zierten. Sie erlitten dasselbe Schicksal wie die Statue. Früher wurde das Gelände von eleganten Häusern gesäumt. Außerdem beginnt hier der Broadway, der durch Manhattan verläuft und den Stadtteil unter seiner offiziellen Bezeichnung Highway Nine mit Albany, der nördlich gelegenen Hauptstadt des Staates New York, verbindet.

Brunnen im Bowling Green

US Custom House ⑪

1 Bowling Green St. **Karte** 1 C4.
825-6700. *Bowling Green.*
Tägl. 10–17 Uhr. **Geschl.** *25. Dez.*

DIESER VON CASS GILBERT 1907 gebaute Granitpalast ist eines der schönsten Beaux-Arts-Bauwerke und ein Symbol der großen Seehafentradition New Yorks. An der Ausschmückung haben die besten Bildhauer und Maler ihrer Zeit mitgewirkt. Vierundvierzig mit schmückendem Fries gekrönte imposante ionische Säulen bilden einen Blickfang. Vier heroische Skulpturen von Daniel Chester French stellen vier Kontinente in Gestalt von Frauen dar: Asien (kontemplativ), Amerika (optimistisch vorwärtsblickend), Europa (von den Symbolen vergangenen Ruhmes umgeben) und (das noch schlummernde) Afrika. Die schöne Marmorrundhalle im Inneren hat Reginald Marsh mit Wandgemälden von in den Hafen einlaufenden Schiffen ausgeschmückt. Rechts gegenüber dem Eingang ist ein Porträt der Filmdiva Greta Garbo zu sehen, wie sie an Bord eines Schiffes eine Pressekonferenz gibt. 1973 ist die US-Zollbehörde ausgezogen; derzeit ist in dem sonst leeren Gebäude lediglich ein kleines Konkursgericht ansässig. 1994 erhielt das Zollhaus eine neue Funktion mit dem Einzug des George Gustav Heye Center of the National Museum of the American Indian *(siehe S. 232)*. Zu der vortrefflichen Sammlung gehören rund eine Million Stücke und Tausende von Fotografien, mit der ganzen Bandbreite der indigenen Kulturen Nord-, Mittel- und Südamerikas. Derzeit wird in einer Ausstellung eine Auswahl aus der Materialfülle präsentiert; die Exponate wurden von Repräsentanten der Indianer zusammengestellt.

Säulenkapitell am US Custom House

Statue of Liberty ⑰

DIE STATUE OF LIBERTY war ein Geschenk der Franzosen an das amerikanische Volk. Sie ist ein Entwurf des Bildhauers Frédéric-Auguste Bartholdi und gilt heute überall in der Welt als Symbol der Freiheit. Ein eingraviertes Gedicht von Emma Lazarus am Sockel der »Lady Liberty« lautet: »Kommt alle zu mir – die Müden, die Armen, die bedrückten Massen, die es nach freier Luft gelüstet.« Die Statue wurde erst in Paris aufgestellt, bevor ihr Standort auf Bedloe's Island (heute Liberty Island) eingerichtet war. Am 28. Oktober 1886 enthüllte Präsident Grover Cleveland die Statue, die 1986 rechtzeitig zu ihrem 100. Geburtstag restauriert wurde.

★ Goldfackel
1986 wurde die Originalfackel durch eine neue ersetzt. Die Flamme der Replik ist vergoldet.

Die **Krone** ist der höchste für Besucher zugängliche Aussichtspunkt.

Das **Gerüst** hat Gustave Eiffel, der spätere Erbauer des Eiffelturms, konstruiert. Die Kupferhülle hängt an Eisenträgern, die an einer Eisensäule befestigt sind.

Vom Fuß bis zur Fackel
Die Statue of Liberty besteht aus 300 in Kupfer gegossenen, genieteten Platten.

Durch eine **Stützsäule** ist die 225 Tonnen schwere Statue verankert.

354 Stufen führen vom Eingang zur Krone hinauf.

Aussichtsplattform und Museum

DIE STATUE

Die 93 Meter hohe Statue of Liberty beherrscht die Einfahrt zum New Yorker Hafen.

★ Statue of Liberty Museum
Unter anderen Dingen findet man hier Poster der Statue of Liberty.

Der **Sockel** ist zwischen den Wänden eines Armee-Forts eingelassen. Er war einst der größte aus einem Stück gegossene Betonblock.

Die **Originalfackel** steht heute in der großen Eingangshalle.

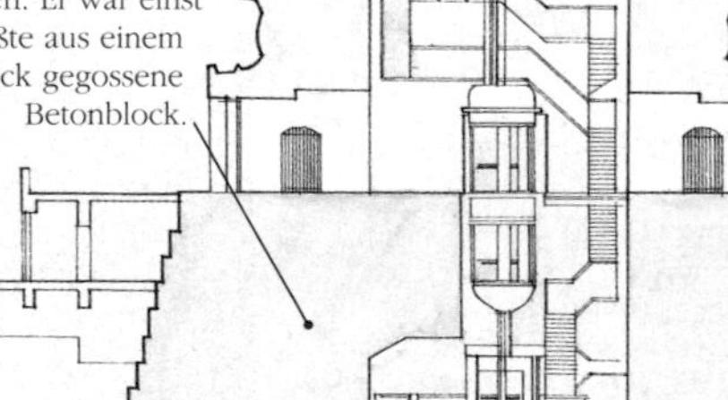

★ **Aussicht auf Lower Manhattan**
Der Ausblick von der Plattform der Lady Liberty zählt zu den imposantesten von New York City.

INFOBOX

Liberty Island. **Karte** 1 A5. *363-3200. 1, 9, N, R zur South Ferry, 4, 5 nach Bowling Green. M6, M15 zur South Ferry, dann Circle Line–Statue of Liberty-Fähre von der Battery alle 30 Min., Sommer 9.30–15.30 Uhr (variiert im Winter). 269-5755. Juli–Aug tägl. 9.30–17.30 Uhr; Sep–Juni tägl. 9.30–18 Uhr.* **Geschl.** *25. Dez. Fährpreis inkl. Eintritt für Ellis und Liberty Island. Lift zur Aussichtsplattform.*

Porträt der Freiheit
Bartholdis Mutter hat für die Statue Modell gestanden. Die sieben Strahlen ihrer Krone stehen für die sieben Meere und die sieben Kontinente.

Der Guß der Hand
Vor dem Guß wurde die Hand zuerst aus Holz und Gips geformt.

Eine Modellfigur
Mit Hilfe von immer wieder vergrößerten Modellen konnte Bartholdi die größte je konstruierte Metallstatue bauen.

FRÉDÉRIC-AUGUSTE BARTHOLDI

Der französische Bildhauer und Schöpfer der Statue of Liberty wollte der Freiheit ein Denkmal setzen. 21 Jahre arbeitete er an dieser Idee. 1871 reiste er nach Amerika, bat Präsident Ulysses S. Grant und andere einflußreiche Persönlichkeiten um finanzielle Unterstützung und ersuchte um die Erlaubnis, die Statue im New Yorker Hafen aufzustellen. Er sagte: »Ich möchte die Republik und die Freiheit jenseits des Meeres preisen und hoffe, sie dereinst auch hier wiederzufinden.«

Feierlichkeiten
Am 3. Juli 1986 wurde die für 69,8 Millionen Dollar restaurierte Statue enthüllt. Das 2 Millionen Dollar teure Feuerwerk war das pompöseste, das Amerika je sah.

NICHT VERSÄUMEN

- ★ **Goldfackel**
- ★ **Statue of Liberty Museum**
- ★ **Aussicht auf Lower Manhattan**

Schrein der Elizabeth Ann Seton ⓬

7–8 State St. **Karte** 1 C4. *269-6865.* *Whitehall, South Ferry.* *Mo–Fr 8–18 Uhr, Sa–So 7.30–15 Uhr.* *häufig.*

Elizabeth Ann Seton

Elizabeth Ann Seton (1774–1821), die erste von der Katholischen Kirche heiliggesprochene gebürtige Amerikanerin, lebte hier von 1801 bis 1803. Sie gründete den ersten Nonnenorden der Vereinigten Staaten, die American Sisters of Charity.

Nach dem Bürgerkrieg verwandelte die Mission of Our Lady of the Rosary das Gebäude in ein Heim für wohnungslose irische Immigrantenfrauen um, von denen 170 000 auf dem Weg in ein neues Leben in Amerika hier Station machten. Die angrenzende Kirche wurde 1883 gebaut.

Das Haus selbst wurde 1793 errichtet; 1806 wurde ein Flügel mit einer mit Säulen versehenen Veranda angebaut. Die im Federal Style und georgianischen Stil gehaltene Fassade ist nach der Vorlage eines Stichs von 1859 sorgfältig restauriert worden. Sie ist das letzte Baudenkmal aus der Zeit des frühen Lower Manhattan.

Fraunces Tavern Museum ⓭

54 Pearl St. **Karte** 1 C4. *425-1778.* *South Ferry, Bowling Green.* *Mo–Fr 10–16.45 Uhr, Sa 12–16 Uhr.* ***Geschl.*** *Feiertage, Tag nach Thanksgiving.* ***Vorträge, Filme.***

In New Yorks einzig erhaltenem Straßenblock des 18. Jahrhunderts, bestehend aus Handelshäusern, befindet sich auch eine exakte Replik der ursprünglich 1719 gebauten Fraunces Tavern, wo George Washington 1783 von seinen Offizieren Abschied nahm. Die Taverne war bereits in den frühen Tagen der Revolution beschädigt worden: Im August 1775 zerstörte das britische Schiff *Asia* mit einem Kanonenschuß das Dach. 1904 kauften die *Sons of the Revolution* aus dem Staat New York das Gebäude. Die 1907 abgeschlossene Restaurierung war eine erste Maßnahme, das historische Erbe der amerikanischen Nation zu erhalten.

Das Restaurant im Erdgeschoß hat offene Kamine und viel Atmosphäre. Ein Museum im ersten Stock zeigt wechselnde Ausstellungen, die die Geschichte und Kultur des frühen Amerika vermitteln.

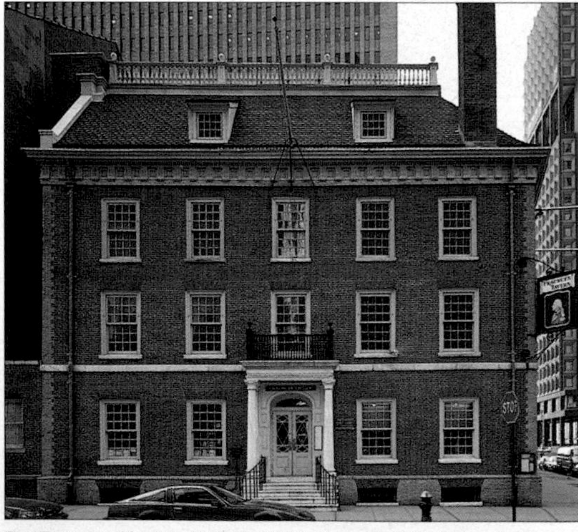

Das Fraunces Tavern Museum mit Restaurant (18. Jahrhundert)

Vietnam Veterans Plaza ⓮

Between Water St and South St. **Karte** 2 D4. *Whitehall, South Ferry.*

Diese mehrstufige, teils von Läden gesäumte Plaza aus Backstein wirkt sehr steril. In einer zentral gelegenen riesigen grünen Glasmauer befinden sich Ausschnitte aus Botschaften und Briefen, die im Krieg gefallene Soldaten und weibliche Armeeangestellte ihren Familien sandten.

Die Staten-Island-Fähre – eine preisgünstige Angelegenheit

Staten Island Ferry ⓯

Whitehall St. **Karte** 2 D5. *806-6940.* *South Ferry.* *24 Std. täglich.* ***Fahrpreis.*** *Siehe **Praktische Hinweise** S. 353.*

Seit 1810 ist die von Cornelius Vanderbilt am Anfang seiner Karriere gegründete Fährverbindung nach Staten Island in Betrieb. Sie pendelt zwischen der Insel und der Stadt und bietet Besuchern einen unvergeßlichen Blick auf den Hafen, die Statue of Liberty, Ellis Island und die atemberaubende Skyline von Lower Manhattan. Der Fahrpreis ist sehr gering – 1991 wurde er auf 50 Cents verdoppelt.

Battery Maritime Building ⑯

11 South St. **Karte** 2 D4. M *South Ferry.* ***Kein Publikumsverkehr.***

ZWISCHEN 1909 und 1938 fuhren von hier aus die Fähren nach Brooklyn. Früher einmal befand sich an dieser Stelle ein als Schreijers Hoek bezeichneter Kai, von dem aus die holländischen Schiffe Richtung Heimat segelten. Zu Hochzeiten des Fährverkehrs bedienten 17 Linien regelmäßig diese Piers. Heute legt von hier nur noch die Küstenwache nach Governors Island ab.

Das Gebäude von 1907 wird von hohen verzierten Säulen gestützt. Eine 91 Meter breite Front bogenförmiger Öffnungen ist mit schmiedeeisernem Gitterwerk, Friesen und den für die Beaux-Art-Periode so typischen Rosetten dekoriert. Die grün bemalte Stahlfront des Gebäudes soll eine Kupferfassade vortäuschen.

Schmiedeeisernes Geländer am Battery Maritime Building

Statue of Liberty ⑰

Siehe S. 74 f.

Ellis Island ⑱

Siehe S. 78 f.

Castle Clinton National Monument mit Liberty Island im Hintergrund

Battery Park ⑲

Karte 1 B4. M *South Ferry, Bowling Green.*

Beaux-Arts-Eingang zur Subway am Battery Park

DER NACH DER Geschützreihe (Battery), die früher den Hafen verteidigte, benannte Park bildet zwischen Wasser und dicht gedrängten Gebäuden eine grüne Insel. Von hier aus hat man einen der schönsten Blicke aufs Meer. Infolge von Verlandung reicht die Anlage inzwischen über ihre ursprüngliche Begrenzung, die State Street, hinaus.

Der Park wird von Statuen und Monumenten gesäumt, etwa dem Netherlands Memorial Monument, sowie Denkmälern für die ersten jüdischen Immigranten in New York, die frühen wallonischen Siedler, die ersten Funker der Stadt, die Heilsarmee und die Küstenwache. Auch Giovanni da Verrazano, der erste Europäer, der diese Küste erblickte, und die Dichterin Emma Lazarus werden hier geehrt.

Castle Clinton National Monument ⑳

Battery Park. **Karte** 1 B4. *344-7220.* M *Bowling Green, South Ferry.* *8.30–17 Uhr täglich.* ***Geschl.*** *25. Dez.* ***Konzerte.***

CASTLE CLINTON wurde 1807 als Artilleriestellung gebaut. Ursprünglich stand es rund 90 Meter vor der Küste und war durch einen Damm mit dem Battery Park verbunden. Durch Verlandung wurde es Bestandteil des Festlands.

1824 wurde das ehemalige Fort unter dem Namen Castle Garden zu einem Theater. 1850 stellte Phineas T. Barnum hier die »schwedische Nachtigall« Jenny Lind dem Publikum vor. 1855 wurde es dann, bevor Ellis Island diese Funktion übernahm, als Einwanderungszentrum der Stadt für ca. 7,5 Millionen Neuankömmlinge genutzt. 1896 wurde das Gebäude von McKim, Mead & White zu einem Aquarium umgebaut, das später (1941) nach Coney Island verlegt wurde *(siehe S. 253)*.

Heute beherbergt das Gebäude ein Ausstellungszentrum des National Park Service; man findet hier Panoramadarstellungen zur Geschichte New Yorks. Die Fähren zur Statue of Liberty und nach Ellis Island starten von hier aus *(siehe S. 353)*.

Ellis Island 18

FAST JEDER ZWEITE Amerikaner kann seine Wurzeln bis Ellis Island zurückverfolgen, das zwischen 1892 und 1954 als Einwanderer-»Schleuse« in die USA diente. Rund 17 Millionen Menschen sind durch seine Tore geschritten und haben sich in der größten Immigrationswelle der Weltgeschichte über das ganze Land verteilt. Heute ist dieser Schauplatz ein nationales Museum. Ausstellungen wie *Through America's Gate* dokumentieren detailliert die Einwanderungsprozeduren. *Peopling of America* ist eine elektronische Karte, auf der die vielen Nationalitäten verzeichnet sind, aus denen sich die US-Bevölkerung zusammensetzt. Kein anderer Ort vermittelt so deutlich einen Eindruck von dem »Schmelztiegel« Charakter New Yorks und des ganzen Landes.

Hauptgebäude

Das **Eisenbahnbüro** verkaufte Tickets zum endgültigen Bestimmungsort.

Bahnticket
Ein Sonderpreis für Immigranten zog viele nach Kalifornien.

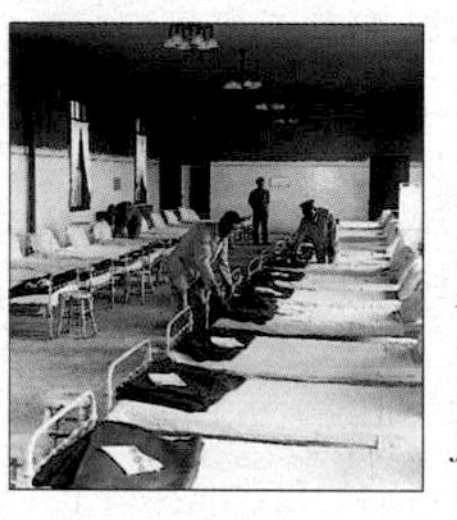

★ **Schlafsaal**
Männliche und weibliche Einwanderer schliefen in getrennten Quartieren.

Das **Fährbüro** verkaufte Tickets nach New Jersey.

★ **Gepäckraum**
Die Habseligkeiten der Immigranten wurden hier bei der Ankunft untersucht.

RESTAURIERUNG

Ellis Island war eine Ruine, bis 1990 ein 156-Millionen-Dollar-Renovierungsprogramm anlief: Die Kupferkuppeln wurden ersetzt, die Mosaikkacheln gereinigt und die Innenräume sorgfältig restauriert.

Große Halle ★
Die Einwandererfamilien mußten im Registrationsraum auf ihre »Abfertigung« warten. Die alten Metallbarrieren wurden 1911 durch Holzbänke ersetzt.

Der **Metall-Glas-Baldachin** ist eine Kopie des Originals.

INFOBOX

Karte 1 A5. *363-7620.* *4, 5 nach Bowling Green; 1, 9, N, R zur South Ferry, dann Circle Line/ Statue of Liberty Ferry ab Battery.* **Abfahrt** *Sommer: alle 30 Min. 9.30–15.30 Uhr (Winterfahrplan abweichend).* *269-5755.* *Juli–Aug tägl. 9.30–18 Uhr; Sep–Juni tägl. 9.30–17 Uhr.* **Geschl.** *25. Dez.* **Eintritt** *im Fährpreis inbegriffen (inkl. Besuch von Liberty Island).*

Ankunft
Zwischendeckpassagiere verfolgen das Anlegemanöver vor Ellis Island.

Einwandererfamilie
Italienische Familie bei der Ankunft (1905).

Untersuchungsräume
Einwanderer mit Infektionskrankheiten konnten nach Hause zurückgeschickt werden.

NICHT VERSÄUMEN

- ★ **Große Halle**
- ★ **Schlafsaal**
- ★ **Gepäckraum**

PEKING

Seaport und Civic Center

Manhattans Lebhaftes Civic Center ist der Sitz zahlreicher Stadt-, Staats- und Bundesgerichte sowie des Polizeipräsidiums. In den 80er Jahren des 19. Jahrhunderts befand sich hier auch das Zeitungsviertel. Die Gegend ist eine eindrucksvolle Enklave imposanter Architektur mit Wahrzeichen aus allen Perioden der Stadtgeschichte – etwa dem Woolworth Building aus dem 20., der City Hall aus dem 19. und der St. Paul's Chapel, dem ältesten permanent genutzten Bauwerk der Stadt, aus dem 18. Jahrhundert. Ganz in der Nähe befindet sich auch der South Street Seaport. Der im 19. Jahrhundert wegen der vielen dort ankernden Segelschiffe als »Straße der Segel« bezeichnete Hafen kam nach dem Ende der Segelschiffahrt immer mehr herunter. Inzwischen ist die Gegend saniert worden und verfügt über ein Museum, Läden und Restaurants. Im Norden liegt die Brooklyn Bridge, einst die längste Hängebrücke der Welt.

Galionsfigur, South Street Seaport

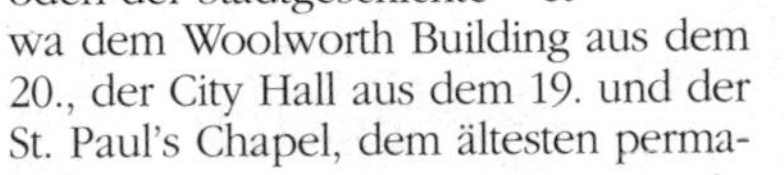

Sehenswürdigkeiten auf einen Blick

Historische Straßen und Gebäude
South Street Seaport ❶
Schermerhorn Row ❷
Brooklyn Bridge S. 86ff ❸
Criminal Courts Building ❹
New York County Courthouse ❺
United States Courthouse ❻
Municipal Building ❼
Surrogate's Court, Hall of Records ❽
Old New York County Courthouse ❾
City Hall ❿
Woolworth Building ⓬
AT&T Building ⓮

Kirchen
St Paul's Chapel ⓭

Parks und Plätze
City Hall Park und Park Row ⓫

Anfahrt

Viele Subways bedienen diesen Teil der Stadt: die 7th-Ave/Broadway-Linien 2 und 3 zum Park Place; die Lexington-Ave-Linien 4, 5 und 6 zur Brooklyn Bridge; die 8th-Ave-Linien A, C und E zur Chambers St und die Linien N und R zur City Hall. Oder Sie benutzen die folgenden Buslinien: M1, M6, M9, M10, M15, M101/102 oder M22.

Siehe auch

• ***Kartenteil*** Karte 2
• ***Restaurants*** S. 290ff
• ***Spaziergang*** S. 257

Legende

Detailkarte
Subway-Station
Schiffsanlegestelle

0 Meter 500
0 Yards 500

South Street Seaport

Im Detail: South Street Seaport

DIE TEILS KOMMERZIELL, teils historisch motivierte Wiedererschließung des South Street Seaport, des lange vernachlässigten Herzens des New Yorker Hafens im 19. Jahrhundert, hat das Areal wieder in einen lebendigen Stadtteil verwandelt. Überall Läden und Cafés – auch große Schiffe legen hier wieder an. Die vom South Street Seaport Museum veranstalteten Vorführungen, Schiffstouren und Flußfahrten vermitteln einen lebhaften Eindruck von New Yorks maritimer Vergangenheit.

★ **South Street Seaport**
Die früher von Seeleuten und Segelschiffen belebte Hafenanlage ist jetzt ein lebendiger Laden-, Restaurant- und Museumskomplex.

Cannon's Walk ist ein Häuserblock aus dem 19. und 20. Jahrhundert mit Straßencafé, Läden und einem belebten Marktplatz.

Das **Titanic Memorial** ist ein 1913 zu Ehren der Opfer des *Titanic*-Unglücks errichteter Leuchtturm. Er steht heute in der Fulton Street.

Zur Subway-Station Fulton Street (4 Blocks)

Schermerhorn Row
Die 1811–13 als Lagerhäuser errichteten Gebäude beherbergen heute etliche Eßlokale, u.a. den North Star Pub *(siehe S. 308)* und Sloppy Louie's. ❷

Im **Boat Building Shop** können Sie zuschauen, wie geschickte Handwerker Holzboote bauen und restaurieren.

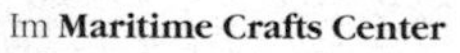

Im **Maritime Crafts Center** kann man Holzschnitzer und Maler bei der Arbeit an Schiffsmodellen und Galionsfiguren beobachten.

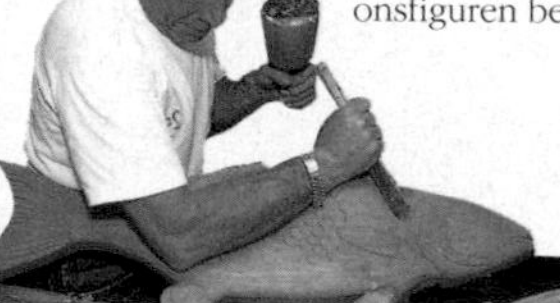

Buddelschiff

Das **Pilothouse** stammt ursprünglich von einem 1923 gebauten Schlepper. Heute befindet sich hier The Seaport's Admission and Information Centre.

NICHT VERSÄUMEN

- ★ **Brooklyn Bridge**
- ★ **South Street Seaport**

Die **Consolidated Edison Electrical Substation** (gebaut 1975) ist auf einer Seite mit einem illusionistischen Wandgemälde der Brooklyn Bridge von Richard Haas dekoriert, um sie besser ihrem historischen Umfeld anzupassen.

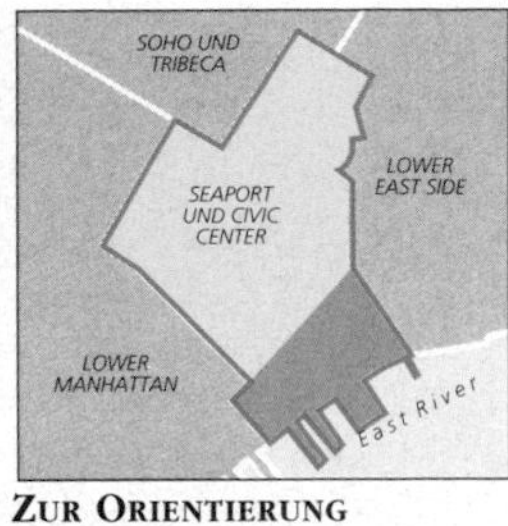

ZUR ORIENTIERUNG

Siehe Übersichtskarte S. 12f

LEGENDE

▬ ▬ ▬ Routenempfehlung

0 Meter 100

0 Yards 100

Meyer's Hotel wurde 1873 erbaut. Das einstige Hotel, heute eine Bar, hat noch die Atmosphäre jener Tage, als die Scharfschützin Annie Oakly hier wohnte.

★ **Brooklyn Bridge**

Die schon bei ihrer Errichtung 1883 als Wunderwerk gefeierte Brücke ist auch heute noch eine Attraktion. Vom Fußgängerweg aus bieten sich schöne Ausblicke auf Stadt und Brücke.

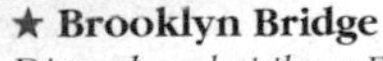

Der **Fulton Fish Market** existiert bereits seit 150 Jahren. Die früher direkt vom Boot aus angelandeten Fische werden heute per Lkw geliefert. Der Markt ist nur in den frühen Morgenstunden geöffnet *(siehe S. 347)*.

Pier 17 hat auf drei Etagen Läden und Restaurants zu bieten. Vom obersten Stock aus hat man einen schönen Blick auf die Brooklyn Bridge und historische Schiffe.

Der **Schaufelraddampfer** *Andrew Fletcher* unternimmt Hafenrundfahrten. Sie können aber auch auf dem Schoner *Pioneer* oder dem alten Dampfer *DeWitt Clinton* mitfahren *(siehe S. 355)*.

Der East-River-Hafen am South Street Seaport

South Street Seaport ❶

Fulton St. **Karte** 2 E2. *732-7678.*
Fulton St. *Mo–Sa 10–21 Uhr, So 11–20 Uhr.* **Konzerte.**
South Street Seaport Museum
669-9400. *748-8600.* *Tägl. 10–17 Uhr (letzter Einlaß 16.30 Uhr).*
Geschl. *1. Jan, Thanksgiving, 25. Dez*
Eintritt. **Vorträge, Ausstellungen, Filme.**

DAS EINSTIGE HERZ des New Yorker Hafens ist heute wieder ein lebendiges Viertel. Man findet hier schicke Läden und Restaurants neben Werkstätten von Bootsbauern und -restauratoren, historischen Gebäuden und Museen; von den Kopfsteinpflaster-Straßen aus bieten sich zudem spektakuläre Ausblicke auf die Brooklyn Bridge und den East River.

An den Piers liegen zahlreiche alte Schiffe, etwa der Schlepper *W O Decker* oder der Viermaster *Peking,* das zweitgrößte existierende Segelschiff der Welt. Auf einem Schaufelraddampfer aus dem 19. Jahrhundert kann man eine Hafenrundfahrt machen, die *Pioneer* lädt zu kurzen Segeltörns ein *(siehe S. 353).*

Der Fulton Fishmarket existiert seit 1821. Obwohl heute der Fisch auf Tiefkühllastwagen angeliefert wird, fühlen sich noch immer viele Menschen von dem frühmorgendlichen Betrieb angezogen. Allerdings sollte man vor Sonnenaufgang dort sein.

Der Fulton Fish Market

Historisches Restaurant in der Schermerhorn Row

Schermerhorn Row ❷

Fulton- und South St. **Karte** 2 D3.
Fulton St.

DIES IST DAS architektonische Schmuckstück des Hafens. Die 1811 von dem Reeder Peter Schermerhorn auf einem dem Fluß abgewonnen Stück Land errichteten Gebäude waren ursprünglich Lagerhäuser und Kontore. Seit der Errichtung der Anlegestelle für die Brooklyn-Fähre 1814 und des Fulton Markets 1822 war der Block eine begehrte Immobilie. Eines der ältesten dort ansässigen Restaurants, das *Sloppy Louie's,* ist für seine Bouillabaisse berühmt.

Im Zuge der Sanierung der South-Street-Seaport-Gegend sind auch die Row-Gebäude restauriert worden; heute gibt es dort ein Besucherzentrum, Läden und Restaurants.

Brooklyn Bridge ❸

Siehe S. 86 ff.

Criminal Courts Building ❹

100 Centre St. **Karte** 4 F5.
Canal St. *Mo–Fr 9–17 Uhr.*
Geschl. *Feiertage.*

DIESES GEBÄUDE wurde 1939 im Stil der Moderne gebaut. Seine Türme erinnern an einen babylonischen Tempel. Der zwei Stockwerke hohe Eingang befindet sich in einem Hof, hinter zwei freistehenden, quadratischen Granitsäulen. In dem Gebäude ist das Manhattaner Untersuchungsgefängnis für Männer untergebracht, das sich früher in einem wegen seiner ägyptisierenden Architektur als »The Tombs« (Das Grabmal) bezeichneten, inzwischen abgerissenen Gebäude auf der gegenüberliegenden Straßenseite befand. Eine »Seufzerbrücke« verbindet die Gerichtssäle mit der Haftanstalt jenseits der Centre Street.

In dem Gebäude tagen an Werktagen zwischen 17 und 1 Uhr nachts auch die sogenannten »night courts« (nächtliche Gerichtsverhandlungen).

Der Eingang zum Criminal Courts Building

New York County Courthouse ❺

60 Centre St. **Karte** 2 D1.
Brooklyn Br-City Hall. *Mo–Fr 9–17 Uhr.* **Geschl.** *Feiertage.*

DIESES ANSTELLE des Tweed Courthouse *(siehe S. 90)* errichtete Bezirksgericht wurde 1926 fertiggestellt.

Das Portal mit seinen korinthischen Säulen erhebt sich auf einer großen Freitreppe; es ist das Hauptmerkmal des Gebäudes. Ein Gegengewicht zum sachlichen Äußeren bildet die Rotunde-Säulenhalle im Inneren mit Tiffany-Leuchtern, Marmor und Wandmalereien mit Szenen aus dem Gerichtsleben von Attilio Pusterla. Von der Halle gehen sechs Seitenflügel aus, in denen je ein Gericht untergebracht ist.

Das Gerichtsdrama *Die zwölf Geschworenen* mit Henry Fonda wurde hier gedreht.

Das New York County Courthouse

United States Courthouse ❻

40 Centre St. **Karte** 2 D1. Ⓜ *Brooklyn Br-City Hall.* ⓘ *Mo–Fr 9–17 Uhr.* ***Geschl.*** *Feiertage.*

DAS GERICHTSGEBÄUDE ist die letzte Arbeit des Architekten Cass Gilbert, der auch das Woolworth Building gebaut hat. Das 1933, ein Jahr vor seinem Tod, begonnene Bauwerk wurde von seinem Sohn zu Ende geführt. Der 30 Etagen hohe Turm wächst aus einer klassizistischen Tempelbasis und wird von einer Pyramide gekrönt. Sehenswert sind die Bronzetüren. Über Hochpassagen ist das Gebäude mit einem Anbau an der Police Plaza verbunden.

Das United States Courthouse

Municipal Building ❼

1 Centre St. **Karte** 1 C1. Ⓜ *Brooklyn Br-City Hall.*

DIESER 1914 GEBAUTE Sitz der Stadtverwaltung erhebt sich über der Chambers Street. Es handelt sich um den ersten Wolkenkratzer von McKim, Mead & White. In dem Gebäude sind Behörden und eine Hochzeitskapelle untergebracht. Äußerlich harmoniert das Haus mit der City Hall, ohne durch zu viele Details von dem älteren Bauwerk abzulenken. Am auffälligsten ist der Oberbau, ein von Adolph Wienmans Statue *Civic Fame* gekröntes Turm-Ensemble.

Eine stillgelegte Eisenbahnlinie unter dem Gebäude und die Plaza, die das Bauwerk mit dem Eingang zur IRT-Subway verbindet, sind Zugeständnisse an den modernen Massenverkehr. Das Gebäude war Vorbild für das Hauptgebäude der Moskauer Universität.

Das Municipal Building

Surrogate's Court, Hall of Records ❽

31 Chambers St. **Karte** 1 C1. Ⓜ *City Hall.* ⓘ *Mo–Fr 10–15 Uhr.* ***Geschl.*** *Feiertage.*

DIE EINSTIGE HALL OF RECORDS (STADTARCHIV) – ein Juwel des Beaux-Arts-Stils – wurde 1899 begonnen und 1911 fertiggestellt. Der Granit der kunstvollen Säulenfassade mit ihrem hohen Mansardendach stammt aus Maine. Die Figuren von Henry K. Bush-Brown im Dachbereich stellen die Lebensstadien des Menschen dar. Die Statuen von Philip Martiny über der Kolonnade repräsentieren bekannte New Yorker wie Peter Stuyvesant. Von Martiny stammen auch die Darstellungen New Yorks aus seiner Anfangs- und der Revolutionszeit, die den Eingang zur Chambers Street zieren.

Die beiden Marmortreppen und die bemalte Decke der prachtvollen zentralen Halle sind von der Pariser Oper inspiriert. Auf William de Leftwich Dodges Deckenmosaik sind die Tierkreiszeichen abgebildet.

Die im Stadtarchiv verwahrten Dokumente reichen bis 1664 zurück. In einer Dauerausstellung – *Windows on the Archives* – sind historische Papiere, Zeichnungen, Briefe und Fotos zu sehen, die einen Eindruck des New Yorker Lebens von 1626 bis heute vermitteln.

Surrogate's Court

Brooklyn Bridge ❸

Die 1883 vollendete Brooklyn Bridge war die größte und die erste aus Stahl gebaute Hängebrücke. Der Ingenieur John A. Roebling hatte die Idee zu dieser Brücke, als er auf dem Weg nach Brooklyn mit der Fähre im zugefrorenen East River steckenblieb. Der Bau beschäftigte 16 Jahre lang 600 Arbeiter und kostete zwanzig Menschenleben; auch Roebling selbst gehörte zu den Opfern. Die meisten starben bei Arbeiten unter Wasser an der Druckluftkrankheit. Nach ihrer Fertigstellung verband die Brücke die damals noch selbstständigen Städte Brooklyn und Manhattan.

Zur Eröffnung der Brücke geprägte Medaille

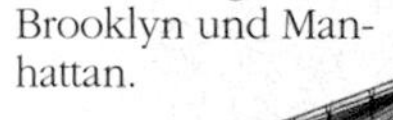

Brooklyn Bridge

Neue Techniken fanden beim Bau Verwendung – von der Herstellung der Tragseile bis zur Versenkung der tragenden Teile.

Verankerung

Die Enden der vier Stahlseile sind an Ankertrossen befestigt, die von Ankerplatten gehalten werden. Diese Platten sind in riesige, drei Stockwerke hohe Granitgewölbe versenkt, deren riesige Innenräume früher als Lager genutzt wurden.

Senkkästen

Die Masten wuchsen über Senkkästen empor, die jeweils so groß wie vier Tennisplätze waren. So konnte der Aushub im Trockenen vorgenommen werden. Bei fortschreitender Arbeit sanken die Masten dann immer tiefer in das Flußbett ein.

Schaft

Ankerplatten

Jede der vier gußeisernen Ankerplatten hält ein Seil. Das Mauerwerk wurde erst nach ihrer Positionierung um sie herumgebaut.

Granitgewölbe

Zum Masten führendes Seil

Ankertrosse

Ankerplatte

Ankerplatten

Die Spannweite zwischen den beiden mittleren Masten beträgt 486 Meter

Granitgewölbe

Granitgewölbe

Die Fahrbahn von Verankerung zu Verankerung ist 1091 Meter lang

Erste Überquerung
Der Mechanikermeister E. F. Farrington war der erste, der den Fluß 1876 mit einem dampfgetriebenen Zugseil überquerte. Seine Reise dauerte 22 Minuten.

INFOBOX

Karte 2 D2. M *4, 5, 6 zur Brooklyn Bridge-City Hall (Manhattan-Seite); A, C zur High St, Brooklyn Bridge (Brooklyn-Seite).* *M9, M22, M101, M102.*

Stahlseile
Jedes der Seile besteht aus 5657 Kilometern Draht, der zum Schutz vor Wind, Regen und Schnee mit Zink galvanisiert wurde.

Brooklyn Tower (1875)
Zwei je 84 Meter hohe gotische Doppelbögen – einer in Brooklyn, der andere in Manhattan – ragten wie Stadttore zu beiden Seiten der Brücke auf.

Im Senkkasten
Einwanderer zertrümmern Felsgestein im Flußbett.

JOHN A. ROEBLING

Der gebürtige Deutsche konstruierte die Brücke. Kurz vor Baubeginn, 1869, wurde sein Fuß von einer einlaufenden Fähre an einer Anlegestelle zerquetscht. Drei Wochen später starb er. Sein Sohn Washington Roebling vollendete die Brücke. 1872 ereilte ihn im Senkkasten die Druckluftkrankheit, fortan war er teilweise gelähmt. Unter seiner Aufsicht übernahm seine Frau die Bauleitung.

Herstellung der Seile

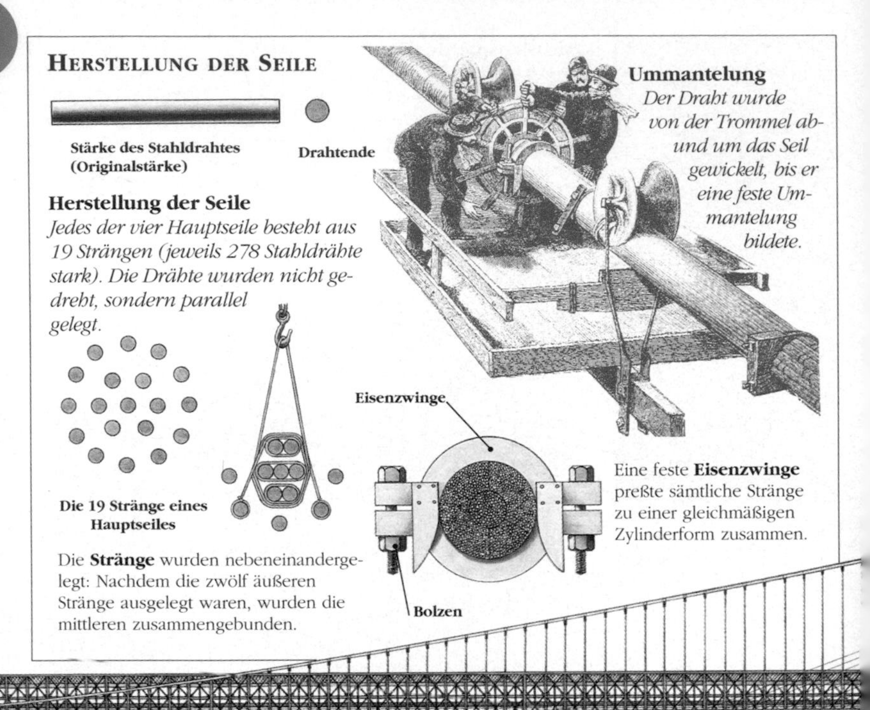

Herstellung der Seile
Jedes der vier Hauptseile besteht aus 19 Strängen (jeweils 278 Stahldrähte stark). Die Drähte wurden nicht gedreht, sondern parallel gelegt.

Die **Stränge** wurden nebeneinandergelegt: Nachdem die zwölf äußeren Stränge ausgelegt waren, wurden die mittleren zusammengebunden.

Ummantelung
Der Draht wurde von der Trommel ab- und um das Seil gewickelt, bis er eine feste Ummantelung bildete.

Eine feste **Eisenzwinge** preßte sämtliche Stränge zu einer gleichmäßigen Zylinderform zusammen.

Feuerwerk über der Brooklyn Bridge
Der 4. Juli wird alljährlich mit einem großen Feuerwerk gefeiert.

Reger Verkehr
Auf dieser Ansicht der Brücke von Manhattan von 1883 sind außen die Fahrbahnen für Pferdefuhrwerke, weiter innen die beiden Trassen der Trambahn und in der Mitte der erhöhte Fußgängerweg zu erkennen.

Panik vom 30. Mai 1883
Nachdem eine Frau auf der Brücke gestolpert war, brach eine Panik aus. Von den rund 20 000 Menschen auf der Brücke wurden zwölf erdrückt.

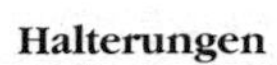

Halterungen
Aufgesattelte Platten verankern die Seile an der Spitze der Masten.

Seil

Diagonale Halteseile

Hängesäulen

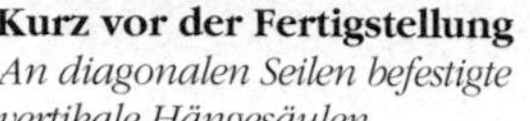

Kurz vor der Fertigstellung
An diagonalen Seilen befestigte vertikale Hängesäulen halten die Trägerbalken.

Bodenträger
Die Stahl-Bodenträger wiegen je vier Tonnen.

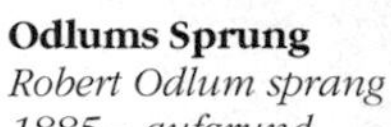

Odlums Sprung
Robert Odlum sprang 1885 – aufgrund einer Wette – als erster von der Brücke. Er starb später an inneren Blutungen.

Erhöhter Gehweg
Der Dichter Walt Whitman fand, der Blick vom Gehweg, 5,5 Meter über der Fahrbahn, sei »die beste und wirkungsvollste Medizin, die meine Seele bisher genossen hat«.

Old New York County Courthouse ⑨

52 Chambers St. **Karte** 1 C1.
M *Chambers St-City Hall.*
Mo–Fr 9–17 Uhr.

DIES GEBÄUDE ist durch einen Skandal bekannt geworden. Es wird auch als »Tweed Courthouse« bezeichnet, und zwar nach dem Politiker, der für den Bau das Zwanzigfache des ursprünglichen Budgets ausgab und 9 Millionen Dollar selbst einsteckte. »Boss« Tweed erwarb auch einen Marmorsteinbruch und verdiente mit dem Verkauf an die Stadt riesige Summen. Die öffentliche Empörung führte schließlich 1871 zu seinem Sturz. Er starb in einem New Yorker Gefängnis *(siehe S. 25).* Gleichwohl hat Tweed ein schönes Bauwerk im italienischen Stil hinterlassen; heute ist es ein Verwaltungsgebäude. Derzeit wird es für 6,3 Millionen Dollar renoviert.

Die imposante Fassade der City Hall (frühes 19. Jahrhundert)

City Hall ⑩

City Hall Pk. **Karte** 1 C1. *788-3000.* M *Brooklyn Br-City Hall.* *Mo–Fr 10–16 Uhr.* ***Geschl.*** *Feiertage.* *788-6865.* ***Konzerte.***

DIE CITY HALL, seit 1812 Sitz der New Yorker Stadtregierung, ist eines der schönsten Beispiele amerikanischer Architektur des frühen 19. Jahrhunderts. Das prächtige georgianische Bauwerk (mit französischen Renaissanceeinflüssen) wurde von John McComb Jr., dem ersten prominenten in Amerika geborenen Architekten, und dem französischen Einwanderer Joseph Mangin gebaut.

P. T. Barnums lichterloh brennendes Museum am City Hall Park

Der rückwärtige Teil des Gebäudes blieb ohne Marmorverkleidung, da mit einer Ausdehnung der Stadt nach Norden nicht gerechnet wurde. Die Renovierung (1954) hat diesem Mangel abgeholfen; zugleich wurde das Innere aufpoliert.

Das äußere Erscheinungsbild des Gebäudes wird Mangin zugeschrieben, das Innere mit seiner von zehn Säulen getragenen Kuppelrotunde hingegen McComb. Eine geschwungene Doppeltreppe führt zu den Tagungsräumen des City Council und dem Governor's Room mit seiner Porträtsammlung bedeutender New Yorker Persönlichkeiten im ersten Stock. Durch diese Eingangshalle sind seit fast 200 Jahren Berühmtheiten hindurchgeschritten. Abraham Lincoln wurde hier 1865 aufgebahrt.

An der Treppe befindet sich eine Statue des im Jahre 1776 während des Amerikanischen Unabhängigkeitskrieges von den Briten als Spion gehängten US-Soldaten Nathan Hales. Seine letzten Worte – »Ich bedaure, daß ich meinem Land nur dies eine Leben anzubieten habe« – haben ihm in Geschichtsbüchern und Herzen der Amerikaner einen dauerhaften Platz gesichert.

City Hall Park und Park Row ⑪

Karte 1 C2. M *Brooklyn Br-City Hall.*

AN DIESER STELLE befand sich vor 250 Jahren der New Yorker Dorfanger samt Vieh und Schandpfahl. Der vorrevolutionäre Protest gegen die englische Vorherrschaft brach sich hier Bahn. Heute erinnert ein Denkmal an die auf dem Rasen des Rathauses aufgestellten »Freiheitsmasten«. Hier wurde aber auch am 9. Juli 1776 vor George Washington und seinen Soldaten die Unabhängigkeitserklärung verlesen.

Ab 1842 erwies sich Phineas T. Barnums im Süden des Parks gelegenes American Museum als Publikumsmagnet; 1865 brannte es nieder. Im Park Row Building war damals das Park Theater ansässig. Zwischen 1798 und 1848 traten die besten Schauspieler der Zeit, etwa Edmund Kean und Fanny Kemble, hier auf. Die östlich des Parks verlaufende Park Row wurde früher als »Newspaper Row« bezeichnet. Die Redaktionsräume der *Sun, World, Tribune* und ande-

Benjamin Franklins Statue am Printing House Square

rer Zeitungen lagen hier. Auf dem Printing House Square befindet sich eine Statue Benjamin Franklins mit seiner *Pennsylvania Gazette*. 1893 erschienen in New York 19 Tageszeitungen, 1992 nur noch vier.

Woolworth Building ⓬

233 Broadway. **Karte** 1 C2.
M *City Hall.* O *Geschäftszeiten.*

Basrelief-Karikatur des Architekten Gilbert in der Woolworth-Lobby

DER VERKÄUFER Frank W. Woolworth eröffnete 1879 einen völlig neuartigen Laden, in dem die Kunden die für je fünf Cent angebotenen Waren anschauen und anfassen konnten. Die Ladenkette, die sich daraus entwickelte, brachte ihm ein Vermögen ein und veränderte das Gesicht des Einzelhandels von Grund auf.

Das 1913 vollendete Hauptquartier seines Imperiums war bis in die 30er Jahre New Yorks höchstes Gebäude. Es war das Vorbild der großen Wolkenkratzer, und in punkto Eleganz ist das Gebäude bis heute unübertroffen.

Das mit Fledermäusen und anderen Tierornamenten verzierte Bauwerk des Architekten Cass Gilbert wird von einem Pyramidendach, Strebepfeilern, Zinnen und vier Türmen gekrönt. Das Marmorinterieur ist mit Filigranarbeiten, Reliefs und dekorativen Malereien geschmückt und hat eine Mosaikdecke aus Glaskacheln. Die Eingangshalle ist einer der Kunstschätze der Stadt. Ironische Basreliefs zeigen F. W. Woolworth beim Geldzählen, den Immobilienmakler beim Geschäftsabschluß und den Architekten Gilbert mit einem Modell. Das 13,5 Millionen Dollar teure Gebäude ist nie durch eine Hypothek belastet gewesen. Die Firma Woolworth residiert heute noch hier.

St Paul's Chapel ⓭

Broadway. **Karte** 1 C2. ☎ *602-0874.*
M *Fulton St.* O *So–Fr 9–15 Uhr.*
Geschl. *Die meisten Feiertage.* ✝ *So 8 Uhr.* 📷 *Nach Vereinbarung.*
Konzerte.

IM SCHATTEN des World Trade Center steht Manhattans einzige aus der Zeit vor dem Unabhängigkeitskrieg verbliebene Kirche. Sie ist ein georgianisches Juwel. Kandelaber erleuchten den farbenprächtigen Innenraum. Heute finden hier Konzerte statt. Die Bank, auf der George Washington als neu vereidigter Präsident betete, steht noch immer dort. Auf dem Friedhof erinnert ein Denkmal an den Schauspieler George F. Cooke, der im Park Theater viele große Rollen gespielt und sich schließlich in der Shakespeare Tavern zu Tode getrunken hat.

Georgianisches Interieur der St Paul's Chapel

AT&T Building ⓮

195 Broadway. **Karte** 1 C2.
M *Broadway-Nassau.*
O *Geschäftszeiten.*

SÄULEN charakterisieren dieses von Wells Bosworth entworfene, zwischen 1915 und 1922 errichtete Bauwerk. Allein die Fassade hat angeblich mehr Säulen als irgendein anderes Gebäude der Welt. Aber auch das Innere präsentiert sich als Marmorsäulen-Orgie. Das ganze Bauwerk sieht aus wie ein riesiger quadratischer Schichtkuchen.

Eine Meerjungfrau über dem Eingang des AT&T (American Telephone and Telegraph) Building

LOWER EAST SIDE

NIRGENDWO WIRD DIE ethnische Vielfalt New Yorks so deutlich wie in Lower Manhattan, wo die Einwanderer sich zunächst niedergelassen haben. Hier bildeten Italiener, Chinesen und Juden ihre eigenen Viertel und bewahrten inmitten eines fremden, neuen Landes ihre Sprache, Religion, Bräuche und Eßgewohnheiten. Zahlreiche Immigranten aus aller Welt bevölkern heute dieses niedrig gebaute Wohnviertel, aber die alte Atmosphäre ist noch spürbar. Hier gibt es verlockende Restaurants, günstige Einkaufsgelegenheiten und ein unvergleichliches Flair. Der Komponist Irving Berlin ist hier aufgewachsen. Rückblickend sagte er einmal: »Jeder sollte in seinem Leben eine Lower East Side haben.«

Blechdose (19. Jh.): Lower East Side Tenement Museum

SEHENSWÜRDIGKEITEN AUF EINEN BLICK

Historische Straßen und Gebäude
Home Savings of America 1
Police Headquarters Building 2
Little Italy 3
Chinatown 4
Orchard Street 8
Delancey Street 10
Puck Building 12
Engine Company No. 31 14

Parks und Plätze
Columbus Park 5

Museen und Galerien
Lower East Side Tenement Museum 7

Kirchen und Synagogen
Eldridge Street Synagogue 6
Bialystoker Synagogue 9
Old St Patrick's Cathedral 13

Herausragende Läden
Schapiro's Winery 11

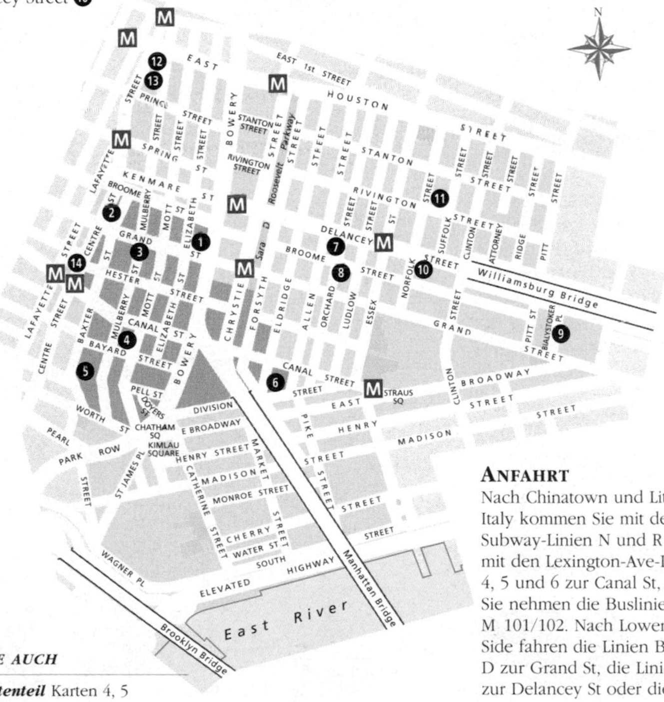

ANFAHRT

Nach Chinatown und Little Italy kommen Sie mit den Subway-Linien N und R oder mit den Lexington-Ave-Linien 4, 5 und 6 zur Canal St, oder Sie nehmen die Buslinie M 101/102. Nach Lower East Side fahren die Linien B und D zur Grand St, die Linie F zur Delancey St oder die Buslinie M 15.

LEGENDE

Detailkarte
M Subway-Station

0 Meter 500
0 Yards 500

SIEHE AUCH

- ***Kartenteil*** Karten 4, 5
- ***Übernachten*** S. 274 f
- ***Restaurants*** S. 290 ff
- ***Spaziergang*** S. 258 f

Drachenpuppe in Chinatown während des Chinesischen Neujahrsfestes

Im Detail: Little Italy und Chinatown

New Yorks grösstes und buntestes ethnisch geprägtes Viertel ist Chinatown. Das Quartier dehnt sich so schnell aus, daß es das nahegelegene Little Italy und die jüdische Lower East Side zu verdrängen droht. In den Straßen reihen sich dicht an dicht die Gemüseläden, Geschenkboutiquen und Restaurants; selbst in den einfachsten Lokalen gibt es gutes Essen. Die Überreste Little Italys finden sich in der Mullberry und der Grand Street.

★ **Little Italy**
Dies ehemals von Tausenden von Einwanderern bevölkerte Quartier ist bis heute von den Gerüchen der Restaurants und Bäckereien erfüllt. ❸

★ **Chinatown**
In dieser für ihre Restaurants und ihr hektisches Straßenleben bekannten Gegend ist die ständig wachsende chinesische Gemeinde beheimatet. Besonders hoch her geht es hier im Januar oder Februar zur Zeit des chinesischen Neujahrfestes. ❹

Auf dem **Markt in der Canal Street** kann man günstig neue und gebrauchte Kleider und andere Waren erstehen.

Subway-Station Canal Street, Linien N, R, 4, 5, 6

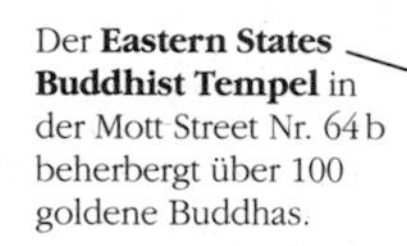

Der **Eastern States Buddhist Tempel** in der Mott Street Nr. 64 b beherbergt über 100 goldene Buddhas.

Die **Wall of Democracy** in der Bayard Street ist mit Zeitungsberichten über die Situation in China bedeckt.

Columbus Park ❺
Der Park liegt auf dem Gelände des einst elendsten New Yorker Slums .

Die **Confucius Plaza** wird von Liu Shihs Statue des fernöstlichen Philosophen beherrscht.

Am **Chatham Square** erinnert ein Denkmal an die sinoamerikanischen Gefallenen.

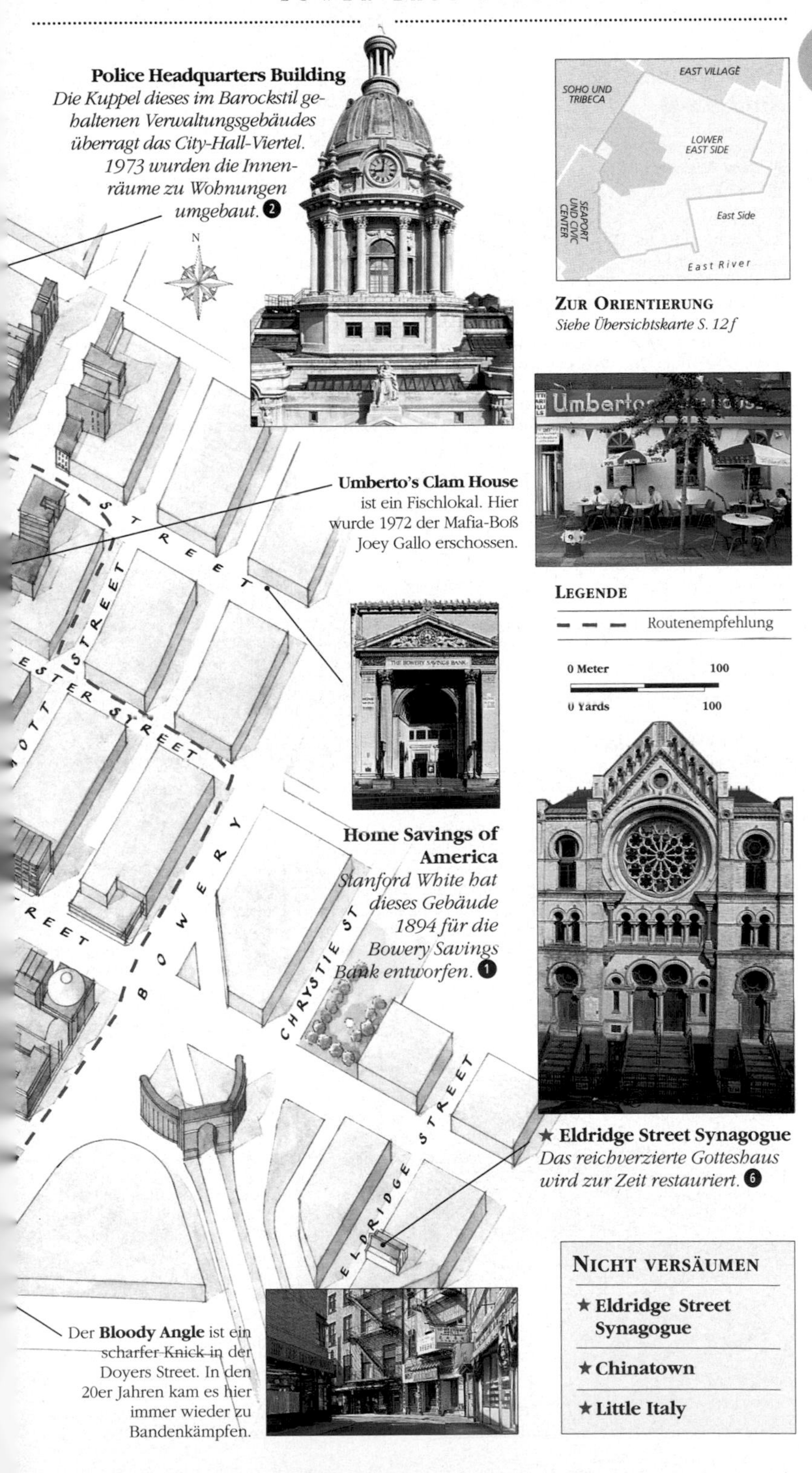

Police Headquarters Building
Die Kuppel dieses im Barockstil gehaltenen Verwaltungsgebäudes überragt das City-Hall-Viertel. 1973 wurden die Innenräume zu Wohnungen umgebaut. ❷

Zur Orientierung
Siehe Übersichtskarte S. 12f

Umberto's Clam House ist ein Fischlokal. Hier wurde 1972 der Mafia-Boß Joey Gallo erschossen.

Legende

— — — Routenempfehlung

0 Meter 100

0 Yards 100

Home Savings of America
Stanford White hat dieses Gebäude 1894 für die Bowery Savings Bank entworfen. ❶

★ Eldridge Street Synagogue
Das reichverzierte Gotteshaus wird zur Zeit restauriert. ❻

Der **Bloody Angle** ist ein scharfer Knick in der Doyers Street. In den 20er Jahren kam es hier immer wieder zu Bandenkämpfen.

Nicht versäumen

- ★ **Eldridge Street Synagogue**
- ★ **Chinatown**
- ★ **Little Italy**

Home Savings of America ❶

130 Bowery. **Karte** 4 F4.
Ⓜ *Grand St, Bowery.*
Ⓞ *Geschäftszeiten.*

DIESES INNEN wie außen imposante klassizistische Gebäude wurde 1894 für die Bowery Savings Bank von dem Architekten Stanford White entworfen. Die reichverzierte Außenfront sollte das Gebäude der konkurrierenden Butcher's and Drover's Bank in den Schatten stellen. Das Innere ist mit Marmorsäulen und einer mit vergoldeten Rosetten übersäten Decke verziert.

Heute wirkt die Bank zwischen den Obdachlosen und den Absteigen der Bowery leicht deplaziert.

Detail der Home Savings of America

Police Headquarters Building ❷

240 Centre St. **Karte** 4 F4. Ⓜ *Canal St.* ***Kein Publikumsverkehr.***

DAS 1909 FERTIGGESTELLTE Gebäude diente der damals neugegründeten Berufspolizei als Unterkunft. Korinthische Säulen säumen das Portal und die beiden Pavillons. Die Kuppel ragt hoch in den Himmel hinauf. Aus Platzmangel mußte sich der Grundriß des Präsidiums allerdings einem keilförmigen Grundstück mitten in Little Italy einfügen.

Fast 70 Jahre lang traf sich hier die »Creme« der Stadt. In der Prohibitionszeit war die Grand Street von hier bis zur Bowery als »Bootleggers' Row« (Alkoholschmugglergasse) bekannt, und solange die Polizei nicht gerade eine Razzia unternahm, war überall leicht Alkohol zu bekommen. Die Spirituosenhändler ließen sich Tips aus dem Präsidium eine Stange Geld kosten.

1973 bezog die Polizei ein neues Hauptquartier, seit 1985 ist das Gebäude ein Appartementhaus.

Steinreliefs zieren das Police Headquarters Building

Little Italy ❸

Viertel um die Mulberry St.
Karte 4 F4. Ⓜ *Canal St.*

DIE SÜDITALIENER, die im späten 19. Jahrhundert nach New York kamen, lebten zunächst in heruntergekommenen, kleinen Wohnungen. Die Häuser waren so eng aneinandergebaut, daß nie ein Sonnenstrahl die unteren Fenster oder die Hinterhöfe erreichte. Mehr als 40 000 Menschen lebten auf dem Gebiet von 17 kleinen, ungepflegten Straßenblocks, so daß ständig Krankheiten wie die Tuberkulose grassierten.

Ungeachtet der erbärmlichen Lebensumstände in der Lower East Side wuchs dort um die Mulberry Street ein buntes und lebendiges Viertel heran. Diese Atmosphäre ist geblieben, obwohl heute nur mehr 5000 Italiener hier leben und Chinatown immer mehr in das traditionelle Little Italy hineinwächst.

Besonders hoch her geht es in dem Viertel während der Festa di San Gennaro, die um den 19. September stattfindet *(siehe S.52)*. Für einige Tage wird die Mulberry Street dann in Via San Gennaro umbenannt. Am Namenstag des Heiligen werden sein Schrein und seine Reliquien durch die Straßen getragen. Während der Festtage wird auf den Straßen musiziert und getanzt. An Verkaufsständen sind alle nur denkbaren italienischen Köstlichkeiten erhältlich.

In den Restaurants in Little Italy findet man in freundlicher Umgebung einfache, preiswerte italienische Küche.

Italienisches Café in Little Italy

Chinatown ❹

Viertel um die Mott St. **Karte** 4 F5.
Ⓜ *Canal St.* ***Eastern States Buddhist Temple*** Ⓞ *Tägl. 9–20 Uhr.*

ANFANG DES 20. Jahrhunderts lebten in Chinatown fast ausschließlich über Kalifornien eingewanderte Männer. Ihren Verdienst schickten sie an ihre in China lebenden Angehörigen, die durch die US-Gesetze an der Einwanderung gehindert wurden. In ihrer Freizeit spielten die Männer Mahjong. Die chinesische Gemeinde lebte isoliert von der übrigen Stadt; finanziell und politisch wurde sie von Geheimorganisationen, den Tongs, kontrolliert.

Einige der Tongs waren Familienverbände, die Geld ausliehen. Andere, etwa die On Leong und die Hip Sing, die einander bekriegten, waren kriminelle Bruderschaften. Die Doyers Street hieß damals »Bloody Angle« (Blutiger Knick). Man lockte die Mitglieder an-

Chinesischer Lebensmittelhändler in der Canal Street

derer Banden in das Gäßchen und lauerte ihnen dort auf.

Ein Waffenstillstand sorgte 1933 für Frieden in Chinatown. 1940 lebten dort viele mittelständische Familien. Einwanderer und Geschäftsleute aus Hongkong sorgten in der Nachkriegszeit für einen wirtschaftlichen Aufschwung. Heute leben hier mehr als 80 000 Sino-Amerikaner.

Viele Leute besuchen das Viertel lediglich, um chinesisch essen zu gehen. Es gibt aber durchaus noch andere Attraktionen, so z. B. Galerien, Antiquitäten- und Kuriositätenläden und chinesische Feste. Die andere Seite von Chinatown können Sie im Dämmerlicht des Eastern States Buddhist Temple im Gebäude Mott Street Nr. 64b erleben. Im Glanz des Kerzenlichts erstrahlen hier über hundert Buddhafiguren.

Buntglasfenster in der Synagoge

Columbus Park 5

Karte 4 F5. M *Canal St.*

DIE RUHIGE Atmosphäre des heutigen Columbus Park unterscheidet sich radikal von den Verhältnissen, die kurz nach 1800 in dieser Gegend herrschten. Das als Mulberry Bend bekannte Viertel war früher ein Rotlichtdistrikt und gehörte zu dem berüchtigten Five-Points-Slum. Unter Namen wie »Dead Rabbits« oder »Plug Uglies« firmierende Banden terrorisierten die Straßen. Ein Mord pro Tag galt als normal. Zum Teil dank der Schriften des Reformers Jacob Riis *(siehe S. 47)* wurde das Quartier 1882 abgerissen. Heute ist der Park die einzige unbebaute Fläche in ganz Chinatown.

Eldridge Street Synagogue 6

12 Eldridge St. **Karte** 5 A5. *219-0888.* M *E Broadway.* *So 12–16 Uhr, unter der Woche nach Vereinbarung.* *Fr zum Sonnenuntergang, Sa 9 Uhr und später.*

ALS DIESES GOTTESHAUS 1887 von orthodoxen Aschkenasim aus Osteuropa erbaut wurde, war es der prächtigste Tempel der ganzen Gegend. Aber viele jüdische Einwanderer betrachteten die Lower East Side nur als Durchgangsstation und zogen später fort.

In den 30er Jahren wurde das mit Buntglasfenstern, Messingleuchtern, einer von Marmor eingefaßten Holzvertäfelung und schönen Schnitzarbeiten ausgestattete riesige Heiligtum geschlossen. Drei Jahrzehnte später sammelte eine Gruppe von Bürgern Geld für die Instandsetzung; derzeit wird das Gebäude restauriert. Eine kurze audiovisuelle Vorführung vermittelt einen Eindruck von der Geschichte der Synagoge und den Restaurierungsarbeiten.

Trotz der Vernachlässigung beeindruckt die Fassade mit ihren romanischen, gotischen und maurischen Elementen noch immer. Ein handgeschnitzter Bogen und die verzierte Holzempore im Inneren sind der Stolz der Gemeinde.

Lower East Side Tenement Museum 7

90 Orchard St. **Karte** 5 A4. *431-0233.* M *Delancey, Grand St.* *Di–Fr 12–17 Uhr, Sa, So 11–17 Uhr.* **Geschl.** *1. Jan, Thanksgiving, 25. Dez.* **Eintritt.** ***Lesungen, Filme, Videos.***

Verkaufswagen (um 1890) aus dem Tenement Museum

DAS INNERE DES Gebäudes wird derzeit so hergerichtet, wie es um die Jahrhundertwende aussah. Bis 1879 gab es keinerlei Mieterschutz. Zimmer mit Fenster, Waschbecken oder Etagentoiletten gab es dort kaum. Luftschächte zwischen den Gebäuden waren selten. Die rekonstruierten Räume vermitteln einen Eindruck von den damaligen engen, erbärmlichen Wohnbedingungen zahlloser Menschen. Das Museum veranstaltet Ausstellungen und Diavorträge über die frühen Immigranten sowie Führungen durch das Viertel.

Orchard Street 8

Karte 5 A3. M *Delancey-, Grand St.* *Siehe* ***Einkaufen*** *S. 312.*

JÜDISCHE IMMIGRANTEN begründeten die New Yorker Textilindustrie in der Orchard Street, die ihren Namen den Obstgärten verdankt, die hier in der Kolonialzeit auf James De Lanceys Landgut gediehen. Früher wimmelte es hier von Verkaufswagen. Die angebotenen Produkte wurden meist in den Mietshäusern des Viertels hergestellt.

Die Verkaufswagen sind heute verschwunden, auch die Läden sind nicht mehr alle in jüdischer Hand, aber die alte Atmosphäre ist geblieben; die Läden schließen noch immer am Samstag, dem jüdischen Sabbat. Am Sonntag ist Markttag; Kauflustige bevölkern dann das Pflaster zwischen Canal- und Houston Street.

Tierkreiszeichen in der Synagoge

Bialystoker Synagogue 9

7–11 Willett St. **Karte** 5 C4. *475-0165.* M *Essex St.* *häufige Gottesdienste.*

DAS 1826 IM FEDERAL STYLE errichtete Gebäude war ursprünglich eine methodistische Kirche. 1905 erwarben jüdische Einwanderer aus dem polnischen Bialystok das Bauwerk und verwandelten es in eine Synagoge. Deshalb ist sie auch nach Westen anstatt nach Osten ausgerichtet. Eindrucksvoll ist auch das Innere des Gebäudes mit farbigen Glasfenstern und Wandmalereien, die die Tierkreiszeichen und das Heilige Land darstellen.

Gemüsestand auf dem Markt in der Canal Street

Delancey Street 10

Karte 5 C4. M *Essex St. Siehe* ***Einkaufen*** *S. 312.*

FRÜHER EINMAL EIN prächtiger Boulevard, ist die Delancey Street heute kaum mehr als eine Art Zufahrtsweg zur Williamsburg Bridge. Benannt ist die Straße nach William De Lancey, der hier in der Kolonialzeit eine Farm besaß. Während der Revolution hielt De Lancey zu Georg III. Nach dem Krieg floh er nach England; sein Land wurde konfisziert.

Die meisten Läden in dieser einst beliebten Einkaufsstraße sind heruntergekommen. Sie können jedoch bei der Buranelli Hat Company (Delancey Street Nr. 10) noch immer einen echten englischen Bowler Hat (oder natürlich einen echten amerikanischen Stetson-Cowboy-Hut) kaufen.

Schapiro's Winery 11

126 Rivington St. **Karte** 5 B3. *674-4404.* M *Essex St.* *Mo–Do 10–17 Uhr, Fr 10–14 Uhr, So 11–16 Uhr.* ***Geschl.*** *Jüdische Feiertage.* ***Eintritt.*** *Besichtigung stündlich, im voraus buchen.*

SEIT 1899 KÖNNEN jüdische New Yorker sich bei Schapiro für den Sabbat und sonstige Feiertage mit koscherem Wein eindecken. Das Geschäft hat die Prohibition, die Weltwirtschaftskrise und den Rückgang der jüdischen Bevölkerung im Viertel überlebt. Der Besitzer schwört, daß noch seine Ururenkel den Betrieb weiterführen werden.

Heute produziert Schapiro 32 Weinsorten. Obwohl die Trauben jetzt im Staat New York ausgepreßt werden, finden die Gärung und die Abfüllung noch im Hause statt. Die entsprechenden Prozeduren können während eines Rundgangs besichtigt werden. Hinterher können Sie den süßen, dicken Wein probieren. Nicht zufällig lautet Schapiros Motto: »Sie können ihn fast mit dem Messer schneiden!«

Weiter östlich, im Haus Rivington Street Nr. 10, ist seit langem die Bäckerei Streit's

Koscherer Wein von Schapiro

Matzoh beheimatet. Dort kann man das frische ungesäuerte Brot hinter dem Verkaufstisch vom Fließband rollen sehen.

Puck Building ⓬

295–309 Lafayette St. **Karte** 4 F3. Ⓜ *Lafayette.* ***Kein Publikumsverkehr.***

Die Puck-Statue an der Nordost-Ecke des Gebäudes

Diese architektonische Kuriosität wurde 1885 von Albert und Herman Wagner gebaut. Es ist eine Variante des deutschen *Rundbogenstils* (Mitte 19. Jahrhundert), der durch Rundbogenfenster und kunstvoll verarbeitete rote Backsteine charakterisiert ist.

Das am Rande des alten Manhattaner Zeitungsviertels gelegene Gebäude ist in die Presse- und Verlagsgeschichte eingegangen. Zwischen 1887 und 1916 war hier die dem britischen *Punch* nachempfundene satirische Zeitschrift *Puck* ansässig. Zur Jahrhundertwende war das Haus das größte Druck- und Verlagsgebäude der Welt.

Heute finden hier die elegantesten New Yorker Partys statt; außerdem dient das Gebäude immer wieder als Kulisse für Hochglanz-Modeaufnahmen. An den legendären *Puck* erinnern heute nur mehr die in Höhe der zweiten Etage angebrachte Blattgoldstatue an der Ecke Mulberry-/Houston Street und eine kleinere Version über dem Eingang in der Lafayette Street. Im Haus East Houston Street Nr. 49 können Sie in einigen Bars Titelblätter alter *Puck*-Ausgaben bewundern.

Old St Patrick's Cathedral ⓭

263 Mulberry St. **Karte** 4 F3. ☎ *226-8075.* Ⓜ *Prince St.* ⓞ *Nur zur Messe.* ✝ *9.30, 11 Uhr (spanisch), Sa 17.30 Uhr, So 12.30 Uhr.*

Die erste St Patrick's Cathedral, eine der ältesten Kirchen der Stadt, wurde 1809 begonnen. Als sie kurz nach 1860 niederbrannte, wurde sie in ihrem heutigen einfachen Stil wiederaufgebaut. Dann verlegte die Erzdiözese die Kathedrale nach Uptown, und St Patrick's wurde eine normale, gutbesuchte Gemeindekirche.

In den Gewölben unter dem Gebäude befinden sich unter anderem die sterblichen Überreste einer der berühmtesten New Yorker Restaurantenfamilien, der Delmonicos. Auch Pierre Toussaint wurde hier bestattet. 1990 wurden seine Gebeine umgebettet, und zwar von dem alten Friedhof neben der Kirche in eine Krypta in der Uptown St Patrick's Cathedral. Der 1766 als Sklave in Haiti geborene Toussaint brachte es später in New York als freier Mann zum wohlhabenden Perückenmacher.

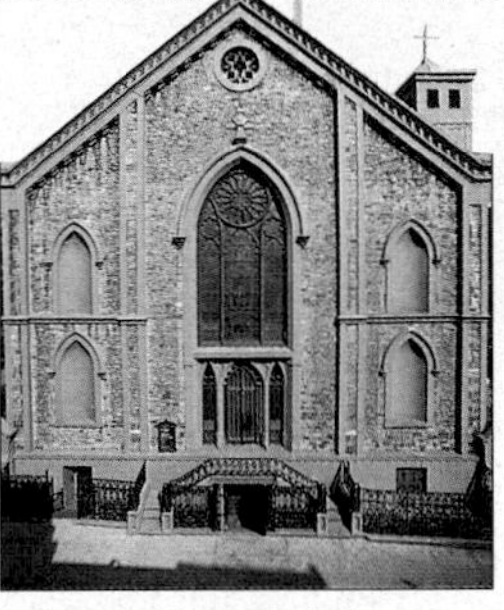

Old St Patrick's Cathedral

Er kümmerte sich um die Armen, pflegte Cholerakranke und errichtete von seinem Vermögen ein Waisenhaus. Im Vatikan wird seine Heiligsprechung erwogen.

Engine Company No. 31 ⓮

87 Lafayette St. **Karte** 4 F3. ☎ *966-4510.* Ⓜ *Canal St.* ⓞ *Tägl. 10–18 Uhr.* ***Geschl.*** *Feiertage.* 📷

Im 19. Jahrhundert galten Feuerwachen als so wichtig, daß dies auch seinen architektonischen Ausdruck fand. Und die Baufirma Le Brun war in diesem Metier führend. Diese 1895 gebaute Wache ist einer der gelungensten Bauten. Mit seinen steilen Dächern, den Gauben und Türmchen erinnert das Gebäude an ein Märchenschloß von der Loire.

Das heute hier untergebrachte Downtown Community Television Center veranstaltet Kurse und Workshops und präsentiert die Arbeiten hier ansässiger Filmemacher und Künstler.

Fassade des Engine Company No. 31 im Stil eines französischen Château

SoHo und TriBeCa

Die Verbindung von Kunst und Architektur hat das Gesicht dieser ehemaligen Industriebezirke verändert. SoHo (South of Houston) wäre in den 60er Jahren fast zerstört worden, hätten nicht Denkmalschützer auf den Seltenheitswert der Gußeisenarchitektur aufmerksam gemacht. Bald darauf zogen Künstler in die geräumigen Lofts. Galerien, Cafés und Geschäfte folgten. Brunch und Galerienbummel in SoHo sind beliebte Wochenendaktivitäten. Mit steigenden Mieten wurden die Künstler nach TriBeCa (Triangle below Canal) vertrieben. In diesem »In«-Viertel findet man Galerien und die neuesten Restaurants.

Ladenfront einer Bäckerei in SoHo

Sehenswürdigkeiten auf einen Blick

Historische Straßen und Gebäude
Haughwout Building 1
St Nicholas Hotel 2
Greene Street 3
Singer Building 4
Harrison Street 9
White Street 10

Museen und Galerien
Guggenheim Museum SoHo 5
Museum for African Art 7
New Museum of Contemporary Art 6
New York City Fire Museum 8

Anfahrt
Mit der 6th Ave-Subway D oder F zum Broadway-Lafayette; mit der Lexington-Ave-Linie 6 zur Bleecker St; oder mit N oder R zur Prince St. Zur Canal St nehmen Sie die 7th-Ave-/Broadway-Linien 1 oder 9; die 8th-Ave-Linien A, C oder E; die Lexington-Ave-Linien 4, 5, 6, N, R oder die Busse M1, M6, und M21.

Siehe auch

- ***Kartenteil*** Karte 4
- ***Spaziergang*** S. 260
- ***Restaurants*** S. 290 ff

0 Meter 500
0 Yards 500

Legende
Detailkarte
M Subway-Station

Gußeisenfassaden an der Greene Street

Im Detail: Der historische Gußeisendistrikt SoHo

Die weltweit dichteste Konzentration von Gußeisenarchitektur *(siehe S. 40f)* findet sich zwischen West Houston- und Canal Street. Das Herz des Bezirks ist die Greene Street mit 50 über fünf Blocks verteilten Gebäuden, die zwischen 1869 und 1895 errichtet wurden. Die verschnörkelten Fassaden wurden in einer Gießerei in Serie produziert und sind mittlerweile seltene Prunkstücke von Industriekunst, die gut zum Charakter des Viertels passen.

Am **West Broadway** in SoHo gibt es nicht nur großartige Architektur, sondern auch einige der bedeutendsten Kunstgalerien, darunter Charles Cowles, Hirschl & Adler, Sonnabend, Leo Castelli und Mary Boon *(siehe S. 324)*.

Zona, Greene Street Nr. 97, verkauft originelle und eigenwillige Haushaltsartikel.

Figur aus Enchanted Forest

Im **Enchanted Forest** herrscht die magische Märchenstimmung, die der Name des Spielzeug- und Kinderbuchladens verheißt *(siehe S. 314)*.

Greene Street Nr. 72–76, der »King of Greene Street«, ist ein großartiger Bau mit korinthischen Säulen, entworfen von Isaac F. Duckworth, einem der Meister des Gußeisendesign.

Performing Garage, ein winziges Experimentiertheater, führt Werke der Avantgarde auf.

★ **Greene Street**
Eines der schönsten Gebäude der Greene Street ist die 1872 von Duckworth gebaute »Queen« (Nr. 28–30) mit ihrem ausladenden Mansardendach. ❸

Zur Subway-Station Canal Street-Broadway (2 Blocks)

Gebäude **Greene Street Nr. 10–14** stammt von 1869. Durch die Glasscheiben der Eisenstufen in der Vorhalle kann das Tageslicht in den Keller fallen.

Gebäude **Greene Street Nr. 15–17,** i[n] schlichtem korinthi[schen] Stil, wurde erst 1895 erbaut.

Die **Pace Gallery** gehört zu einer Gruppe bedeutender Galerien in einem Gußeisengebäude in toskanischem Stil von Henry Fernbach *(siehe S. 324)*.

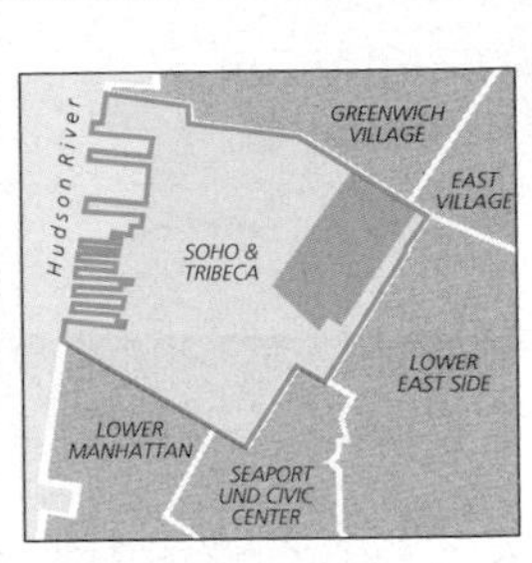

Zur Orientierung
Siehe Übersichtskarte S. 12 f

Legende

– – – Routenempfehlung

Guggenheim Museum SoHo
Ein Ableger des berühmten Stammhauses, der großen Publikumszuspruch findet. ❺

★ **Singer Building**
Der Terrakottabau wurde 1904 für die berühmte Nähmaschinenfirma errichtet. ❹

New Museum of Contemporary Art
Dieses Museum zeigt innovative Werke zeitgenössischer Künstler. ❻

Subway-Station Prince Street (Linien N, R)

Bei **Dean & DeLuca**, einem der besten Gourmetgeschäfte New Yorks, gibt es u. a. Kaffeebohnen aus aller Welt *(siehe S. 326)*.

PRINCE STREET · BROADWAY · SPRING STREET · CROSBY STREET · STREET

Der kreative Wandmaler **Richard Haas** hat eine kahle Wand mit einer täuschend echten »Gußeisenfront« versehen.

Gebäude **Spring Street Nr. 101** mit seiner schlichten, geometrischen Fassade und seinen großen Fenstern ist ein Vorläufer der Wolkenkratzer.

St Nicholas Hotel
Während des Bürgerkriegs diente das ehemalige Luxushotel als Hauptquartier der Unionsarmee. ❷

0 Meter 100

0 Yards 100

Haughwout Building
Das 1857 erbaute Haus besaß den ersten Otis-Sicherheitsaufzug. ❶

Nicht versäumen

★ **Singer Building**

★ **Greene Street**

Haughwout Building ❶

88–92 Broadway. **Karte** 4 E4.
Ⓜ *Canal St.*

Fassade des Haughwout Building

DIESES GUSSEISENGEBÄUDE wurde 1857 für die Glas- und Porzellanfirma E. V. Haughwout gebaut, einst Lieferant des Weißen Hauses. Unter dem Ruß verbirgt sich ein großartiges Design: Das Muster der von Bogen und verschieden hohen Säulen umfaßten Fensterreihen wiederholt sich in den serienmäßig hergestellten Abschnitten immer wieder. In diesem Gebäude wurde erstmals ein dampfgetriebener Sicherheitsfahrstuhl verwendet, eine Innovation, die Wolkenkratzer erst möglich machte.

St Nicholas Hotel ❷

521–23 Broadway. **Karte** 4 E4.
Ⓜ *Prince St.*

DER ENGLISCHE Parlamentarier W. E. Baxter berichtete 1854 nach einem Besuch in New York über das eben eröffnete St Nicholas Hotel: »Die Teppiche sind aus Samtflor, die Stuhlpolster und Vorhänge aus Seide oder Damast, und sogar die Moskitonetze sind wie für Könige gemacht.« Kein Wunder also, daß das Hotel über eine Million Dollar kostete. Bereits im ersten Jahr verzeichnete es einen Gewinn von 50 000 Dollar. Im Bürgerkrieg wurde das Hotel zum Hauptquartier der Unionsarmee umfunktioniert. Und danach zogen die besseren Hotels um ins Vergnügungsviertel nach uptown. Um 1875 schloß das St Nicholas. Im Erdgeschoß ist nur noch wenig von seinem früheren Glanz zu sehen, doch beeindrucken immer noch die Überreste der einst atemberaubenden Marmorfassade.

Zur Blütezeit des St Nicholas Hotel

Greene Street ❸

Karte 4 E4. Ⓜ *Canal St.*

Wandgemälde von Richard Haas

DIES IST DAS HERZ von SoHos Gußeisen-Bezirk. Über fünf von gepflasterten Straßen durchzogene Wohnblocks erstrecken sich 50 Gußeisengebäude (errichtet 1869-95). Der Block zwischen Broome- und Spring Street weist 13 komplette Gußeisenfassaden auf, die Hausnummern 8–34 bilden die längste Reihe von Gußeisengebäuden überhaupt. Gebäudekomplex Nr. 72–76 wird zwar als »King of Greene Street« bezeichnet, aber die »Queen«, Nr. 28–30, gilt als das schönste Haus. Auch wenn einige Gebäude besondere Erwähnung verdienten, wirkt die Straße mit ihren Säulenfassaden vor allem aufgrund ihres Gesamteindrucks. Viele Galerien haben Lofts. An der Ecke Greene/Prince Street hat der Maler Richard Haas eine Wand mit einem Trompe-l'œil einer Gußeisenfront verziert. Beachtenswert ist eine kleine graue Katze, die aufrecht in einem »offenen Fenster« sitzt.

Singer Building ❹

561–3 Broadway. **Karte** 4 E3.
Ⓜ *Prince St.*

DAS »KLEINE« Singer Building, das Ernest Flagg 1904 baute, ist das zweite dieses Namens und nach Meinung vieler Kritiker der 40stöckigen Version am unteren Broadway überlegen, die 1967 abgerissen wurde. Der anmutig geschmückte Bau hat schmiedeeiserne Balkone und elegant gestaltete Bögen, deren dunkelgrüne Farbe gleich ins Auge fällt. Die elfstöckige Fassade aus Terrakotta, Glas und Stahl war zur Zeit ihrer Entstehung sehr fortschrittlich und weist bereits auf die Metall- und Glasfassaden der 40er und 50er Jahre voraus. Das Gebäude diente als Büro- und Lagerhaus der Nähmaschinenfirma Singer, deren Name in Eisen gegossen über dem Eingang an der Prince Street steht.

Frühe elektrische Singer-Nähmaschine

Guggenheim Museum SoHo ❺

575 Broadway. **Karte** 4 E3. *423-3600.* *Prince St.* *So–Mi 10–18 Uhr, Fr, Sa 10–20 Uhr.* ***Eintritt.***

DIESE VON ARATA ISOZAKE entworfene Galerie wurde 1992 unter großem Beifall der Kritik eröffnet. Ihre Exponate ergänzen das Ausstellungsprogramm des Haupthauses *(siehe S. 186).*

New Museum of Contemporary Art ❻

583 Broadway. **Map** 4 E3. *219-1222.* *Prince St.* *Mi–Fr, So 12–18 Uhr, Sa 12–20 Uhr.* ***Eintritt.*** *eingeschränkt.* ***Vorträge, Lesungen.***

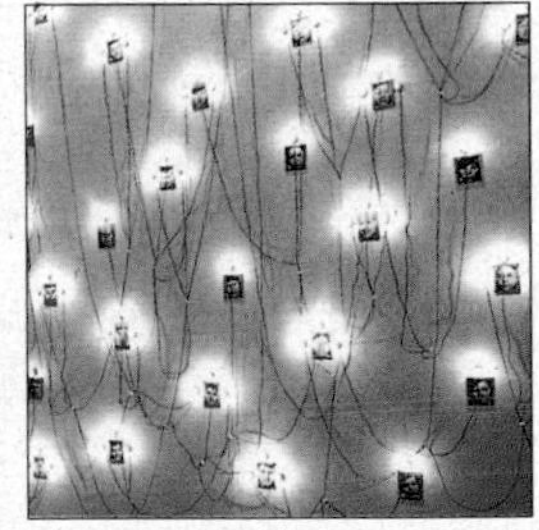

***Les Enfants de Dijon* von Christian Boltanski im New Museum**

MARCIA TUCKER gab 1977 ihre Stelle am Whitney Museum auf, um dieses Museum zu gründen. Jeff Koons und der mittlerweile verstorbene John Cage gehören zu den Künstlern, deren Werk hier gezeigt wurde. Tucker will jene Werke präsentieren, die sie im Museum herkömmlicher Art vermißt.

Museum for African Art ❼

593 Broadway. **Karte** 4 E3 *966-1313.* *Prince St.* *Di–Fr 10.30–17.30 Uhr, Sa, So 12–18 Uhr.* ***Eintritt.***

EINES VON NUR zwei der afrikanischen Kunst gewidmeten amerikanischen Museen. Diese Galerien wurden von der Architektin Maya Lin entworfen, die auch für das Vietnam Veteran's Plaza verantwortlich zeichnet. Die Ausstellungen werden in verschiedenen Städten Amerikas und auch außerhalb gezeigt. Es gibt Vorträge, Musik- und Tanzaufführungen und ein Geschäft.

Von Pferden gezogene Pumpe La France (1901) im City Fire Museum

New York City Fire Museum ❽

278 Spring St. **Karte** 4 D4. *691-1303.* *Spring St.* *Di–Sa 10–16 Uhr.* ***Eintritt.***

UNTERGEBRACHT in einer Beaux-Arts-Feuerwache aus dem Jahr 1904, beherbergt das Museum Löschausrüstungen, Modelle, Hydranten und Glocken vom 18. Jahrhundert bis 1917. Im Obergeschoß ist eine Parade prächtig glänzender Löschfahrzeuge aus dem Jahr 1890 zu sehen. Gelegentlich werden Sonderausstellungen gezeigt.

Harrison Street ❾

Karte 4 D5. *Chambers St.*

DIE ACHT EINZIGARTIGEN, von hohen Wohnblocks umgebenen restaurierten Stadthäuser im Federal Style wirken mit ihren schrägen Dächern und Giebelfenstern fast, als seien sie Teil eines Bühnenbilds. Sie wurden im späten 18. und frühen 19. Jahrhundert gebaut. Zwei von ihnen wurden von John McComb Jr, dem ersten bedeutenden Architekten der Stadt, entworfen und von Washington Street hierher verpflanzt. Die als Lagerhäuser verwendeten Gebäude wurden restauriert, nachdem sie bis 1969 noch vom Abriß bedroht waren. Die Landmarks Preservation Commission verhinderte dies und half, die nötigen finanziellen Mittel zu beschaffen. Die Häuser befinden sich heute in Privatbesitz.

Auf der anderen Seite des Hochhauskomplexes liegt der Washington Market Park. In dieser Region befand sich früher das Großhandelszentrum der Stadt, bevor es in den frühen 70er Jahren aus diesem historischen Distrikt in die Bronx abwanderte und sich dort niederließ.

White Street ❿

Karte 4 E5. *Franklin St.*

AUCH TRIBECA weist eine große Palette von Architekturstilen auf. Haus Nr. 2 im Federal Style ist eines der seltenen Häuser mit Walmdach, im Gegensatz zum Mansardendach von Haus Nr. 17 (dem Alternative Museum). Die Häuser Nr. 8–10, 1869 von Henry Fernbach entworfen, haben eindrucksvolle toskanische Säulen und Bogen. Niedrigere Obergeschosse, ein Stilmittel der Neorenaissance, lassen die Gebäude höher erscheinen. Einen grellen Kontrast dazu bildet Haus Nr. 38, in der sich die Heimat des Neonkünstlers Rudi Stern und seine Galerie *Let There Be Neon* befindet.

Die Galerie Let There Be Neon von Rudi Stern in der White Street

boro
Lights: Menthol 10 mg "tar," 0.8 mg nicotine; 100's & Kings 11 mg "tar," 0.8 mg nicotine—Medium Soft & Box: 12 mg "tar," 0.8 mg nicotine—100's Soft & Menthol Kings: 16 mg "tar," 1.2 mg nicotine—100's Box & Kings: 17 mg "tar," 1.2 mg nicotine av. per cigarette by FTC method.
QUITTING SMOKING NOW GREATLY REDUCES SERIOUS HEALTH RISKS
EXCEPT DELIVERIES
THIS BLOCK
RSVP
Cruises
9A
WEST SIDE
HWY
HERITAGE
OF
7 AV SOUTH
CHRISTOPHER ST
ONE WAY
ONE WAY
VILLAGE CIGARS
VILLAGE CIGARS
VILLAGE CIGARS
VILLAGE CIGARS
110 7 AVE SO
PIPES
UMBRELLAS
STATIONERY
BOOKS
ATLANTIC CITY BUS
Some Numbers Are For A Night
Our Number Can Last For A Lifetime
Christopher Station Downtown
1 9
Marlboro

GREENWICH VILLAGE

Die New Yorker nennen diesen Stadtteil einfach »the Village«, und in der Tat war hier ein Dorf, in das sich die Stadtbewohner 1822 vor der Geldfieberepidemie flüchteten. Das unregelmäßige Muster der Straßen – Überbleibsel von Hofgrenzen und Flüssen – fügt sich nicht ins Schachbrettmuster der Stadt, und so wurde das Village eine Enklave für die Boheme und Heimat vieler berühmter Künstler. Heute ist es vor allem bei Homosexuellen beliebt; allgemein gilt es als Viertel junger Leute und des Mainstream. Am Washington Square tummeln sich Studenten der New York University, Nonkonformisten leben mittlerweile eher im billigeren East Village.

DER Jazz-Club in New York

Sehenswürdigkeiten auf einen Blick

Historische Straßen und Gebäude
St Luke's Place ❶
Bedford Street Nr. 75½ ❷
Isaacs-Hendricks House ❸
Grove Court ❹
Jefferson Market Courthouse ❻
Patchin Place ❼
Salmagundi Club ❾
Washington Mews ⓬
New York University ⓭

Museen und Galerien
Forbes Magazine Building ❽

Kirchen
First Presbyterian Church ❿
Church of the Ascension ⓫
Judson Memorial Church ⓮

Parks und Plätze
Sheridan Square ❺
Washington Square ⓯

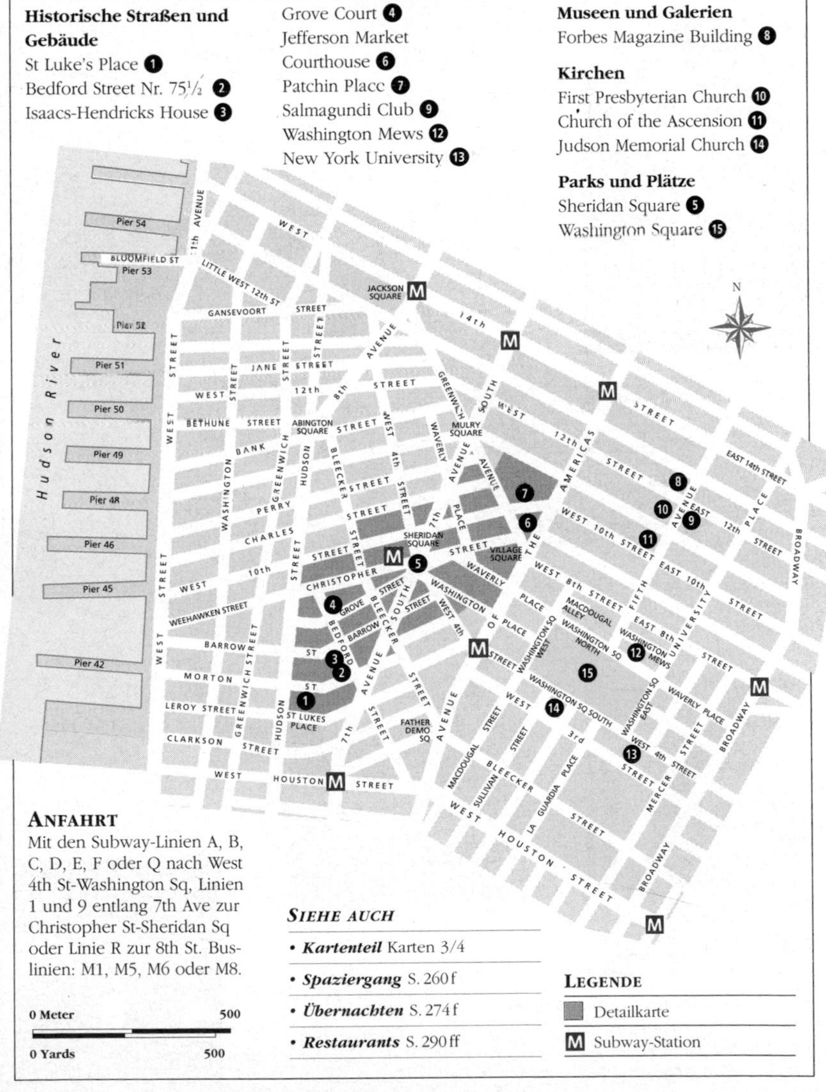

Anfahrt

Mit den Subway-Linien A, B, C, D, E, F oder Q nach West 4th St-Washington Sq, Linien 1 und 9 entlang 7th Ave zur Christopher St-Sheridan Sq oder Linie R zur 8th St. Buslinien: M1, M5, M6 oder M8.

0 Meter 500
0 Yards 500

Siehe auch

- ***Kartenteil*** Karten 3/4
- ***Spaziergang*** S. 260 f
- ***Übernachten*** S. 274 f
- ***Restaurants*** S. 290 ff

Legende

Detailkarte
M Subway-Station

Werbeflächen an der Ecke Christopher Street und Seventh Avenue South

Im Detail: Greenwich Village

EIN SPAZIERGANG durch das historische Greenwich Village steckt voller Überraschungen: reizende Reihenhäuser, verborgene Gassen, belaubte Innenhöfe. Die häufig skurrile Architektur paßt zur bohemehaften Atmosphäre des Village. Viele Berühmtheiten, so z. B. Eugene O'Neill oder Dustin Hoffman, haben sich hier in den engen, altmodischen Straßen ein Heim geschaffen. Am Abend erwacht das Village zu pulsierendem Leben. Cafés, experimentelle Theater und Musikclubs, darunter einige der besten Jazzadressen der Welt, werben bis spät in die Nacht um Kunden.

Das **Lucille Lortel Theater** (Christopher Street Nr. 121) öffnete 1955 mit der *Dreigroschenoper*.

Die **Christopher Street**, Treffpunkt der New Yorker Homosexuellengemeinde, säumen unterschiedlichste Geschäfte und Bars.

Twin Peaks (Bedford Street Nr. 102) wurde zunächst 1830 errichtet. 1926 baute es der Architekt Clifford Daily zu einem Domizil für Künstler, Schriftsteller und Schauspieler um, die der seltsame Bau inspirieren sollte.

Grove Court
Sechs Häuser (1853–54) liegen am Ende eines schattigen Hofes. ❹

Das Restaurant **Chumley's** in Bedford Street Nr. 86 *(siehe S. 309)*, einst eine illegale Bar, baut immer noch auf diskrete Unaufdringlichkeit.

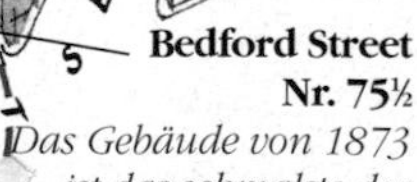

Bedford Street Nr. 75½
Das Gebäude von 1873 ist das schmalste der Stadt. ❷

★ **St Luke's Place**
Diese Häuser im italienischen Stil wurden um 1850 errichtet. ❶

Zur Subway-Station Houston Street (2 Blocks)

Das **Cherry Lane Theater** wurde 1924 gegründet. Die ehemalige Brauerei war eines der ersten Off-Broadway-Theater.

Patchin Place
In dem 1848 als Unterkunft für die Kellner des Brevoort Hotels gebauten Haus wohnten später E.E. Cummings und andere berühmte Schriftsteller der 20er und 30er Jahre. ❼

Zur Orientierung
Siehe Übersichtskarte S. 12 f

Nicht versäumen

- ★ **St Luke's Place**
- ★ **Jefferson Market Courthouse**

Balducci's *(siehe S. 327)* verkauft exzellente Feinkost, vor allem hervorragenden Käse und italienische Spezialitäten. Balducci's wird noch immer von drei Generationen einer Familie von Feinschmeckern geführt.

Gay Street und ihre schönen Häuser im Federal Style spielen eine Rolle in Ruth McKenneys Roman *My Sister Eileen*.

Legende

— — — Routenempfehlung

0 Meter 100
0 Yards 100

Das **Northern Dispensary** gewährt den Armen seit 1827 gratis medizinische Betreuung. Edgar Allan Poe kurierte hier eine Erkältung aus.

★ Jefferson Market Courthouse
Das Haus wurde 1877 als Gerichtsgebäude gebaut und zum fünftschönsten Bauwerk Amerikas gewählt. Nachdem es 20 Jahre leer gestanden hatte, wurde es 1967 in eine Bibliothek verwandelt. ❻

Reihenhäuser am St Luke's Place

St Luke's Place ❶

Karte 3 C3. Ⓜ *Houston St.*

FÜNFZEHN HÜBSCHE Reihenhäuser aus den 50er Jahren des 19. Jahrhunderts flankieren die Nordseite dieser Straße. Der Park gegenüber wurde nach einem früheren Anwohner, dem populären Dandy und Bürgermeister Jimmy Walker, benannt, der die Stadt ab 1926 regierte, bis er 1932 wegen eines Finanzskandals zurücktrat. Vor dem Haus Nr. 6 befinden sich die Lampen, die in New York den Wohnsitz des Bürgermeisters anzeigen. In jüngster Zeit ist vor allem das Gebäude Nr. 10 als Zuhause der Familie Huxtable in der Fernsehserie *The Cosby Show* zu Berühmtheit gelangt. In diesem Block (Nr. 4) wurde auch der Film *Warte, bis es dunkel wird* gedreht, in dem Audrey Hepburn ein blindes Mädchen spielt. Theodore Dreiser, einer der Dichter, die hier, wie zum Beispiel Marianne Moore, lebten, schrieb im Haus Nr. 16 *Eine amerikanische Tragödie.* Einen Block weiter nördlich bildete vor 300 Jahren die Ecke von Hudson Street und Morton Street das Ufer des Hudson.

Lampe vor Haus Nr. 6

Bedford Street Nr. 75½ ❷

Karte 3 C2. Ⓜ *Houston St.*
Kein Publikumsverkehr.

NEW YORKS SCHMALSTES Haus (2,90 Meter) wurde 1893 in einer ehemaligen Durchfahrt gebaut. Hier lebten die Dichterin Edna St. Vincent Millay, der Schauspieler John Barrymore und Cary Grant. Leider ist das dreistöckige Gebäude heute mit Brettern vernagelt, und nichts weist auf seine Besonderheit hin.

Um die Ecke, in der Commerce Street Nr. 38, gründete Miss Millay 1924 das avantgardistische Cherry Lane Theater, in dem noch immer Uraufführungen stattfinden. Der größte Hit war das Musical *Godspell* in den 60er Jahren.

Häuschen in der Bedford Street

Isaacs-Hendricks House ❸

77 Bedford Street. **Karte** 3 C2.
Ⓜ *Houston St.*
Kein Publikumsverkehr.

DIESES 1799 GEBAUTE HAUS ist das älteste im Village. An den Seiten und der Rückwand sind noch die alten Schindel-

Isaacs-Hendricks House

wände zu sehen. Backsteinteil und zweiter Stock kamen später hinzu. Der erste Besitzer, John Isaacs, erwarb das Land 1794 für 295 Dollar. Ihm folgte Harmon Hendricks, Kupferhändler und Partner des Revolutionärs Paul Revere. Ein Kunde war Robert Fulton, der das Kupfer für die Kessel in seinen Dampfschiffen verwendete.

Grove Court ❹

Karte 3 C2.
Ⓜ *Christopher St- Sheridan Sq.*

EIN GESCHÄFTSTÜCHTIGER Krämer namens Samuel Cocks baute diese sechs Häuser, die sich hübsch in die Straßenkrümmung einfügen, die einst im Village die Grenze von Kolonialbesitztümern markierte. Cocks hatte darauf spekuliert, daß es seinem Geschäft in der Grove Street Nr. 18 nur dienlich sein könnte, wenn die leere Passage zwischen den Gebäuden Nr. 10 und 12 besiedelt würde. Aber solche heutzutage exklusiven Gäßchen galten im Jahr 1854 nicht als respektierlich, und dank seiner unbedarften Anwohner wurde es bald die »Mixed Ale Alley« (Biergasse) genannt. O. Henry machte den Block 1902 zum Schauplatz seines Werks *The Last Leaf.*

Stadthäuser aus der Mitte des 19. Jahrhunderts am Grove Court

Sheridan Square ❺

Karte 3 C2.
Ⓜ *Christopher St- Sheridan Sq.*

IM HERZEN DES VILLAGE treffen sieben Straßen wie in einem Labyrinth aufeinander, so daß alte Stadtführer von einer »Mausefalle« sprachen. Der Platz wurde nach dem Bürgerkriegsgeneral Philip Sheridan benannt, der 1883 Oberbefehlshaber der US-Armee wurde. Sein Standbild steht im nahen Christopher Park. 1863 fanden hier die *Draft Riots* statt, als Kriegsdienstgegner versuchten, befreite Sklaven zu lynchen. Über ein Jahrhundert später kam es zu einem weiteren berühmten Zwischenfall. Das Stonewall Inn

Sheridan Square

in der Christopher Street war eine Homosexuellenbar (Homosexuelle durften sich damals nicht in Bars treffen), die aufgrund von Bestechung der Polizei noch existierte. Am 28. Juni 1969 hatten die Inhaber genug von diesem Zustand, und die nachfolgende Auseinandersetzung endete damit, daß die Polizisten stundenlang in der Bar eingeschlossen und verspottet wurden. Für die Homosexuellenbewegung war dieses Ereignis ein entscheidener Durchbruch. Das Lokal ist heute keine Bar mehr. Das Village aber ist nach wie vor eine Hochburg der Homosexuellen, und die witzige Hallowe'en Parade *(siehe S. 52)* mit ihren schrillen Kostümen zieht Tausende an.

Standbild General Sheridans im Christopher Park

Der spitze Turm von »Old Jeff«

Jefferson Market Courthouse ❻

425 6th Ave. **Karte** 4 D1.
☎ *243-4334.* Ⓜ *W 4th St- Washington Sq.* 🕐 *Mo 10–18 Uhr, Di–Fr 12–18 Uhr, Sa 10–17 Uhr.*
Geschl. *So, Feiertage.* ♿

DAS »OLD JEFF« ist vielleicht das beliebteste Wahrzeichen des Village. Es wurde dank einer engagierten Kampagne, die bei einer Weihnachtsparty in den späten 50er Jahren begann, vor dem Abriß bewahrt und in eine Filiale der New York Public Library umgewandelt. 1833 entstand hier eine nach Präsident Jefferson benannte Markthalle; die Riesenglocke ihres Feuerwachturms alarmierte die freiwillige Feuerwehr. Mit der Gründung der städtischen Feuerwehr 1865 wurde die Glocke überflüssig. Anstelle des Turms entstand das Jefferson Market Courthouse für den Dritten Justizbezirk. Mit seinen Türmchen im gotisch-venezianischen Stil wurde es bei seiner Eröffnung im Jahr 1877 als eines der zehn schönsten Gebäude des Landes bezeichnet. Die alte Feuerglocke wurde in den spitzen Hauptturm versetzt. Hier wurde 1906 Harry Thaw für den Mord an Stanford White verurteilt *(siehe S. 124).*

1945 war der Markt umgezogen, Prozesse fanden hier nicht mehr statt, die vierseitige Uhr stand still, das Gebäude war in Gefahr. Die Kampagne zur Erhaltung von »Old Jeff« in der 50er Jahren führte zur Restaurierung der Uhr und des Gesamtkomplexes. Der Architekt Giorgio Cavaglieri bewahrte viele Originalbestandteile, so die Mosaikfenster und eine Wendeltreppe, die heute zu einem verließartigen Informationsraum führt.

Fassade am Patchin Place

Patchin Place ❼

W 10th St. **Karte** 4 D1.
Ⓜ *W 4th St- Washington Sq.*

EINE DER VIELEN netten Überraschungen des Village ist dieser kleine Wohnblock mit Götterbäumen, die »die schlechte Luft absorbieren« sollen. Die Häuser wurden Mitte des 19. Jahrhunderts für die baskischen Kellner des Brevoort-Hotel (Fifth Avenue) gebaut.

Später wurden die Häuser begehrte Adressen vieler berühmter Schriftsteller; so wohnte der Dichter E. E. Cummings von 1923 bis zu seinem Tod 1962 im Haus Nr. 4. Auch John Masefield, Eugene O'Neill und John Reed lebten hier. Reed erlebte die russische Revolution als Augenzeuge und schrieb darüber sein von Warren Beatty unter dem Titel *Reds* verfilmtes Buch *Zehn Tage, die die Welt erschütterten.*

Spielzeugschlachtschiff aus der Forbes Magazine Collection

Forbes Building and Galleries ❽

62 5th Ave. **Karte** 4 E1. *206-5548.* M *14th St-Union Sq.* ***Galerien*** *Di, Mi, Fr, Sa 10–16 Uhr (Zeiten unterliegen Änderungen). Do.*

EINIGE ARCHITEKTURKRITIKER nannten diesen Kalksteinkubus von Carrère & Hastings aus dem Jahr 1925 pompös. Zunächst war dies das Hauptquartier der Macmillan Publishing Company, später zog Malcolm Forbes mit seiner Finanzzeitschrift *Forbes* ein.

Die Forbes-Magazine-Galerien zeigen Forbes' diverse Vorlieben: Fabergé-Eier, angefertigt für den letzten russischen Zaren; über 500 alte Spielzeugboote; 12 000 Zinnsoldaten; eine signierte Ausgabe von Abraham Lincolns *Gettysburg Address* und andere Präsidentensouvenirs. Ferner finden hier Ausstellungen über französische und amerikanische Kriegsmalerei statt.

Salmagundi Club ❾

47 5th Ave. **Karte** 4 E1. *255-7740.* M *14th St-Union Sq.* *Tägl. 13–17 Uhr.*

AMERIKAS ÄLTESTE Künstlervereinigung zog 1917 in diese letzte noch erhaltene Villa der unteren Fifth Avenue. Irad Hawley ließ sie 1853 errichten; heute beherbergt sie die American Artists' Professional League, die American Watercolor Society und die Greenwich Village Society for Historic Preservation. Washington Irvings Satirezeitschrift *The Salmagundi Papers* gab dem 1871 gegründeten Club seinen Namen. Bei Kunstausstellungen ist das Interieur aus dem 19. Jahrhundert zu bewundern.

Fassade des Salmagundi Club

First Presbyterian Church ❿

5th Ave an der 12th St. **Karte** 4 D1. *675-6150.* M *7th Ave-Union Sq.* *Mo–Fr 9–17 Uhr.* *Mo, Mi, Fr 12.15 Uhr; So 11 Uhr.*

DIESER NEUGOTISCHEN Kirche diente Saint Saviour in Bath, England, als Modell. Das Hauptmerkmal des 1846 von Joseph C. Wells entworfenen Baus ist der Turm aus braunem Sandstein. Die aus Holz geschnitzten Tafeln am Altar nennen alle Pastoren seit 1716. Das südliche Querschiff von McKim, Mead & White wurde 1893 angefügt, der Eisenzaun 1844 errichtet und 1981 restauriert.

Church of the Ascension ⓫

5th Ave–10th St. **Karte** 4 E1. *254-8620.* M *14th St-Union Sq.* *Tägl. 12–14, 17–19 Uhr.* *Tägl. 18 Uhr, So 9, 11, 18 Uhr.* *(nicht während der Gottesdienste).*

Church of the Ascension

DIESE ENGLISCH-NEUGOTISCHE Kirche (1840/41) stammt von Richard Upjohn, dem Architekten der Trinity Church. Stanford White erneuerte 1888 das Innere; ein Altarrelief stammt von Augustus Saint-Gaudens. John La Farge schuf das Wandgemälde *Christi Himmelfahrt* über dem Altar und einige der farbigen Glasfenster. Nachts erstrahlen die Farben des erleuchteten Glockenturms. 1844 heiratete Präsident John Tyler hier Julia Gardiner, die in der nahen Colonnade Row lebte *(siehe S. 118)*.

Washington Mews ⓬

Washington Sq N Ecke E 8th St. **Karte** 4 E2. M *W 4th St.*

DIE STÄLLE in diesem verborgenen Block wurden 1900 in Stellplätze für Kutschen umgewandelt; 1993 wurde der Südflügel hinzugefügt. Gertrude Vanderbilt Whitney, Gründerin des Whitney Museum, lebte hier. An der Ecke des University Place ist das in französischem Stil gehaltene French House der NYU, das Filme, Vorträge und Kurse auf französisch anbietet.

New York University ⓭

Washington Sq. **Karte** 4 E2.
998-1212. *W 4th St.*
Mo–Sa 8–21 Uhr.

Die 1831 als Alternative zur Episkopaluniversität Columbia gegründete NYU ist heute die größte Privatuniversität Amerikas und erstreckt sich über mehrere Blocks um den Washington Square. Der Bau des Gebäudes auf dem Waverly Place führte 1833 zum Aufruhr der Steinmetzgilde, als die Auftraggeber gegen die Beschäftigung von Gefangenen zum Steineklopfen protestierten. Die National Guard mußte die Ordnung wiederherstellen. Das ursprüngliche Gebäude existiert nicht mehr, nur ein Stück des Originalturms befindet sich auf einem in den Boden eingelassenen Sockel am Washington Square South. Samuel Morses Telegraph, John W. Drapers erstes fotografisches Porträt und Samuel Colts Sechs-Schuß-Revolver wurden hier erfunden.

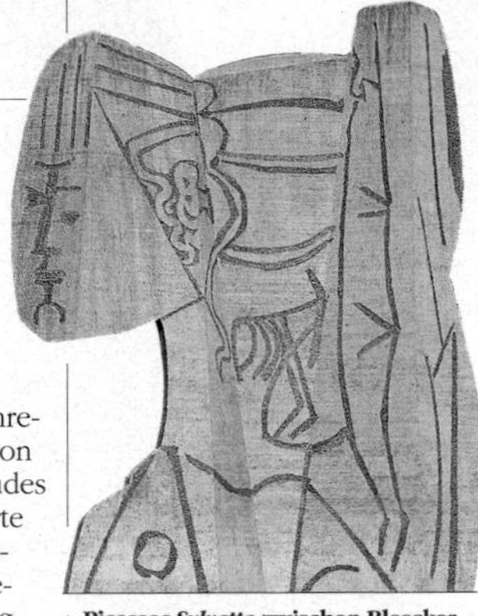

Picassos *Sylvette* zwischen Bleecker- und West Houston Street

Im Brown Building (Washington Place nahe Greene Street) befand sich die Triangle Shirtwaist Company, von der 146 Fabrikarbeiter bei einem Feuer starben (1911), was zu neuen Feuerschutz- und Arbeitsgesetzen führte.

Eine elf Meter hohe Vergrößerung von Picassos *Büste von Sylvette* befindet sich im University Village.

Judson Memorial Church ⓮

55 Washington Sq S. **Karte** 4 D2.
477-0351. *W 4th St.*
Mo–Fr 9–12, 13–17 Uhr. *So 11 Uhr.*

Die 1892 von McKim, Mead & White erbaute Kirche ist ein eindrucksvoller romanischer Bau mit Mosaikfenstern von John La Farge. Die Kirche wurde von Stanford White entworfen und ist benannt nach dem ersten im Ausland tätigen amerikanischen Missionar, Adoniram Judson, der 1811 in Birma diente. Eine Ausgabe seiner birmanischen Bibelübersetzung wurde bei der Grundsteinlegung deponiert.

Das Besondere dieser Kirche ist jedoch nicht ihre Architektur, sondern der Geist, der von ihr ausgeht. Die Kirche spielt in lokalen und globalen Angelegenheiten, von AIDS bis zum Rüstungswettlauf, eine aktive Rolle. Hier werden auch Ausstellungen der Avantgarde und Off-Off-Broadway-Stücke gezeigt.

Bogen an der Nordseite des Washington Square

Washington Square ⓯

Karte 4 D2. *W 4th St.*

Dort, wo einst der stille Bach Minetta durch Sumpfland floß, liegt heute einer der belebtesten Plätze der Stadt. Bis zum späten 18. Jahrhundert war das Gelände Friedhof; bei den Ausschachtungen für den Park entdeckte man Reste von 10 000 Skeletten. Eine Zeitlang diente er als Duellstätte, bis 1819 war er Schauplatz von Hinrichtungen.

Die »Galgen-Ulme« in der nordwestlichen Ecke existiert noch. 1826 wurde der Sumpf trockengelegt und der Bach unter die Oberfläche geleitet, wo er noch immer fließt; ein kleines Schild an einem Brunnen (am Eingang zu Fifth Avenue Nr. 2) zeigt seinen Verlauf an. Der prunkvolle Marmorbogen von Stanford White wurde 1895 vollendet und ersetzte eine hölzerne Version, die zum Gedenken an das 100jährige Jubiläum von George Washingtons Amtseinführung die untere Fifth Avenue überspannt hatte. Im rechten Teil des Bogens verbirgt sich eine Treppe. 1916 brach eine von Marcel Duchamp und John Sloan angeführte Künstlergruppe dort ein und rief von oben die »freie und unabhängige Republik Washington Square, den Staat Neu-Boheme« aus.

Auf der anderen Straßenseite liegt »The Row«. In dieser zur NYU gehörenden Häuserreihe wohnten einst New Yorks prominenteste Familien wie die Delanos, aber auch Edith Wharton, Henry James, John dos Passos und Edward Hopper. Haus Nr. 8 war einmal die offizielle Adresse des Bürgermeisters.

Heute treffen sich im Park Studenten, Familien, Freigeister und Drogenhändler. Tagsüber aber ist es hier sicher.

Fenster an der Ecke West 4th Street/Washington Square

East Village

Peter Stuyvesant besaß einst Land im East Village, und im 19. Jahrhundert lebten hier die Astors und die Vanderbilts. Um 1900 zog die High Society nach uptown, und die Immigranten ließen sich hier nieder. Iren, Deutsche, Juden, Polen, Ukrainer und Puertorikaner hinterließen ihre Spuren in Form von Kirchen und abwechlungsreichen und billigen Restaurants. In den 60er Jahren fühlte sich die »Beat Generation« durch die niedrigen Mieten angezogen. Den Hippies folgten die Punks. Die lokalen Musikclubs und Theater sind immer noch am Puls der Zeit. Der Astor Place wimmelt von Studenten der NYU und der Cooper Union. Im Osten liegen die Avenues A, B, C und D, eine üble, »Alphabet City« genannte Gegend.

Mosaik der St George's Ukrainian Catholic Church

Sehenswürdigkeiten auf einen Blick

Historische Straßen und Gebäude
Cooper Union 1
Colonnade Row 3
Bayard-Condict-Building 8

Museen und Galerien
Old Merchant's House 4

Kirchen
St-Mark's-in-the-Bowery Church 5
Grace Church 6

Parks und Plätze
Tompkins Square 7

Berühmte Theater
Public Theater 2

Siehe auch

- ***Kartenteil*** Karten 4, 5
- ***Übernachten*** S. 274 f
- ***Restaurants*** S. 290 ff

Anfahrt

Die nächstgelegene Subway-Haltestelle der Lexington-Ave-Linie 6 ist am Astor Place; der Stadtteil ist auch mit den Buslinien M15, M101/102 und M8 zu erreichen.

0 Meter 500
0 Yards 500

Legende

Detailkarte
M Subway-Station

Neugotisches Relief an der Fassade der Grace Church

Das Innere von McSorley's Old Ale House

Im Detail: East Village

DORT WO SICH DIE TENTH und die Stuyvesant Street kreuzen, stand einmal Peter Stuyvesants Landhaus. Sein ebenfalls Peter benannter Enkel erbte den Großteil des Anwesens und ließ es 1787 in Straßen aufteilen. Besonders sehenswert ist der historische Bezirk St Mark's, die Kirche St Mark's-in-the-Bowery, das Stuyvesant-Fish House und das Haus von Nicholas Stuyvesant (1795). Viele Häuser in diesem Bezirk wurden zwischen 1871 und 1890 erbaut und besitzen noch immer ihre originalen Vordächer, Fensterstürze und andere architektonische Details.

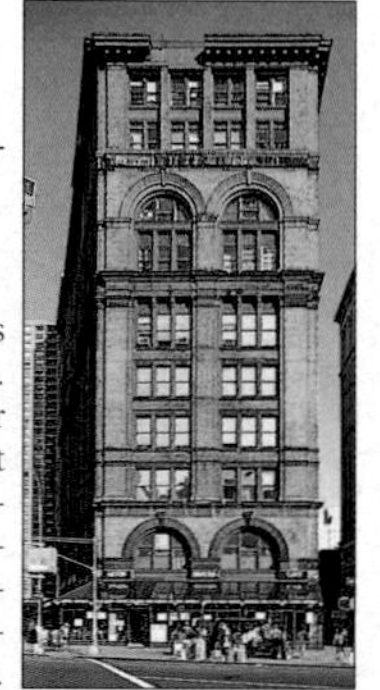

Am **Astor Place** kam es 1849 zu Ausschreitungen. Der englische Schauspieler William Macready, der dort an der Oper in *Hamlet* spielte, kritisierte den amerikanischen Kollegen Edwin Forrest. Dessen Fans revoltierten, und es gab 34 Tote.

Subway-Station Astor Place (Linie 6)

Alamo ist der Titel eines 4,50 Meter hohen, von Bernard Rosenthal entworfenen Stahlkubus auf dem Astor Place, der sich dreht, wenn man ihn anstößt.

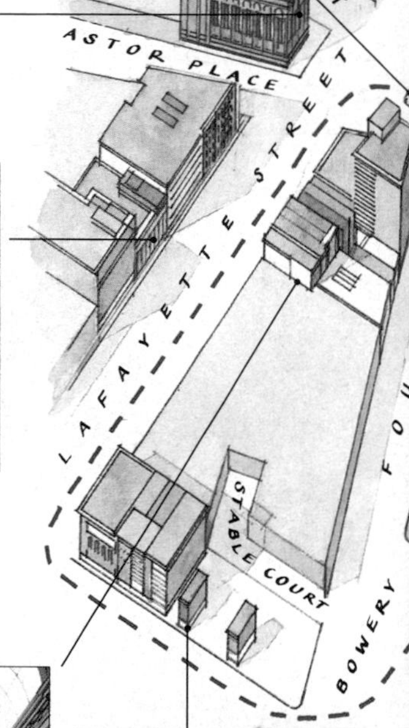

Colonnade Row

Diese einst teuren Stadthäuser sind ziemlich heruntergekommen. Die Häuser, von denen nur noch vier existieren, verband eine gemeinsame Fassade im europäischen Stil. Der Marmor wurde von Gefangenen aus Sing-Sing gebrochen. ❸

Public Theater

1965 überzeugte der verstorbene Joseph Papp die Stadt, die Astor Library (1849) zu kaufen und zu einem Theater umzubauen. Später hatten hier viele berühmte Stücke Premiere. ❷

NICHT VERSÄUMEN

- ★ **Cooper Union**
- ★ **Old Merchant's House**

★ Old Merchant's House

In diesem Museum sind Originalmöbel im American Empire, Federal Style und viktorianischen Stil zu sehen. ❹

★Cooper Union
Die von P. Cooper 1859 gegründete Einrichtung bietet Studenten noch immer eine kostenlose Ausbildung. ❶

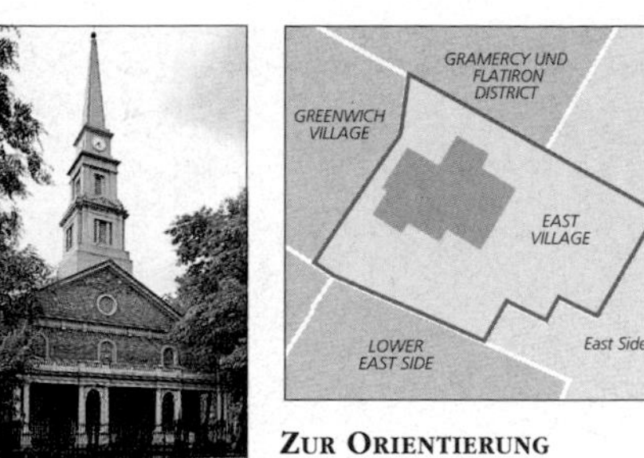

Zur Orientierung
Siehe Übersichtskarte S. 12f

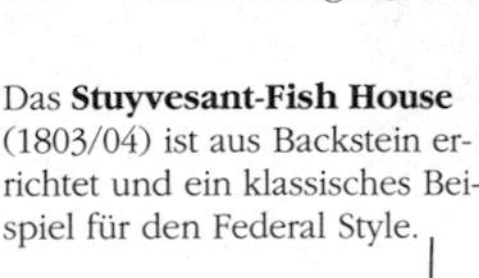

Das **Stuyvesant-Fish House** (1803/04) ist aus Backstein errichtet und ein klassisches Beispiel für den Federal Style.

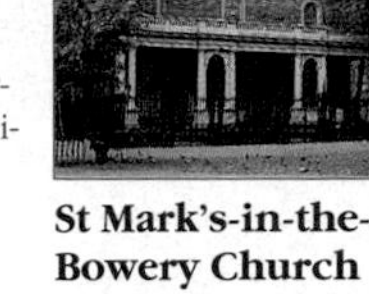

St Mark's-in-the-Bowery Church
Die Kirche wurde 1799 erbaut und der Turm 1828 hinzugefügt. ❺

Renwick Triangle heißt eine Gruppe von 16 Häusern, die 1861 im englisch-italienischen Stil erbaut wurden.

Die **Stuyvesant Polyclinic** wurde 1857 als German Dispensary (Armenklinik) gegründet und ist noch immer eine öffentliche Klinik. An der Fassade befinden sich Büsten vieler berühmter Ärzte und Wissenschaftler.

St Mark's Place war einmal Treffpunkt der Hippieszene und ist noch immer der Nabel der lokalen Jugendszene. In den Kelleretagen haben sich viele ausgefallene Geschäfte angesiedelt.

In **Little India** auf der Südseite der East Sixth Street bieten zahlreiche Lokale indisches Essen zu zivilen Preisen.

Little Ukraine ist die Heimat von 30 000 Ukrainern. Mittelpunkt der Gemeinde ist die St George's Ukrainian Catholic Church.

Legende

– – – Routenempfehlung

0 Meter 100
0 Yards 100

McSorley's Old Ale House braut noch immer sein eigenes Bier und serviert es in der Atmosphäre von 1854 *(Siehe S. 309)*.

Die Great Hall der Cooper Union, in der Abraham Lincoln sprach

Cooper Union ❶

30 Cooper Square. **Karte** 4 F2. *353-4100.* *Astor Pl.* *nach Vereinbarung, bei Vorträgen und Konzerten in der Great Hall.* ***Geschl.*** *Juni–Aug, Feiertage.*

PETER COOPER, ein Großindustrieller, der die erste amerikanische Dampflok baute, die ersten Stahlschienen produzierte und sich am ersten transatlantischen Kabel beteiligte, war ein typischer Selfmademan. Um anderen eine bessere Ausbildung zu ermöglichen, gründete er New Yorks erstes nichtkonfessionelles College für Männer und Frauen. Das fünfstöckige, 1973/4 renovierte Gebäude war das erste mit einer Stahlgerippekonstruktion. Sie wurde aus Coopers eigenen Schienen gefertigt. Die Great Hall wurde 1859 von Mark Twain eingeweiht, und Lincoln hielt hier 1860 seine Rede »Right makes Might« (Recht verleiht Macht). Die Cooper Union unterstützt heute noch das provokative Public Forum.

Public Theater ❷

425 Lafayette St. **Karte** 4 F2. *539-8500 (Kartenvorverkauf).* *Astor Pl.* *Siehe auch* ***Unterhaltung*** *S. 333.*

DAS GROSSE Gebäude aus rotem Back- und braunem Sandstein fungierte ab 1849 als Astor Library, die erste freie Bücherei der Stadt. Der Bau, jetzt die Spielstätte des New York Shakespeare Festival, ist ein Musterbeispiel für den deutschen neuromanischen Stil. Als das Gebäude 1965 vom Abriß bedroht war, überredete der Gründer des Festivals, Joseph Papp, die Stadt, es für das Theater zu erwerben. Die Renovierung begann 1967, und ein Großteil der schönen Innenarchitektur wurde bei der Umwandlung in sechs Theater bewahrt. Zwar wird hier meist experimentelles Theater aufgeführt, aber auch die weltbekannten Musicals *Hair* und *A Chorus Line* nahmen von hier ihren Ausgang. Letzteres zog nach uptown und wurde die am längsten laufende Broadway-Produktion.

Das Public Theater an der Lafayette Street

Colonnade Row ❸

428–434 Lafayette St. **Karte** 4 F2. *Astor Pl.* ***Kein Publikumsverkehr.***

DIE KORINTHISCHEN Säulen dieser vier Gebäude sind die einzigen Überbleibsel von neun beeindruckenden klassizistischen Stadthäusern. Sie wurden 1833 von Seth Geer vollendet und als »Geer's Folly« (Geers Wahnwitz) bekannt, weil niemand dachte, daß jemand so weit östlich leben wollte. Als so prominente Bürger wie John Jacob Astor und Cornelius Vanderbilt die Häuser bezogen, waren diese Stimmen widerlegt. Neben Washington Irving, dem Autor von *Rip van Winkle,* lebten hier die englischen Autoren William Makepeace Thackeray und Charles Dickens. Fünf der Gebäude fielen anfangs des Jahrhunderts einer Garage der John Wanamaker Department Stores zum Opfer, die restlichen wurden völlig vernachlässigt.

Old Merchant's House ❹

29 E 4th St. **Karte** 4 F2. *777-1089.* *Astor Pl.* *So–Do 13–16 Uhr und nach Vereinbarung.* ***Eintritt.*** ***Vorträge.***

Der Orginalherd aus dem 19. Jahrhundert in der Küche des Old Merchant's House

DIESES bemerkenswerte klassizistische Backsteinhaus liegt versteckt in einem Block von East Village. Hier scheint die Zeit stehengeblieben zu sein, denn Inventar, Einrichtung, Küche, Dekorationen und Gebrauchsgegenstände sind dieselben wie vor hundert Jahren. Das 1832 gebaute Haus wurde 1835 von dem wohlhabenden Kaufmann Seabury Tredwell gekauft und blieb bis zum Tod von Gertrude Tredwell 1933 im Familienbesitz. Sie hatte als letzte Vertreterin der Familie das Haus im Sinne ihres Vaters konserviert, und ein Verwandter eröffnete es 1936 als Museum. Die großen Räume im Erdgeschoß zeugen vom Reichtum der New Yorker Kaufleute im 19. Jahrhundert.

St Mark's-in-the-Bowery Church ❺

131 E 10th St. **Karte** 4 F1. *674-63 77.* M *Astor Pl.* *Mo–Fr 9–16 Uhr.* ***Geschl.*** *Feiertage.*

DER 1799 ERRICHTETE Bau ist eine von New Yorks ältesten Kirchen, die die auf der *Bouwerie* (Farm) von Gouverneur Peter Stuyvesant gelegene Kirche von 1660 ersetzte. Er ist hier zusammen mit sieben Generationen der Familie und vielen anderen berühmten New Yorkern begraben. Man gedenkt hier auch des Gemeindemitglieds und Dichters W. H. Auden.

1878 fand auf dem Friedhof eine makabre Entführung statt; die exhumierten Überreste des Kaufhausmagnaten A. T. Stewart wurden gegen 20 000 Dollar Lösegeld zurückgegeben.

Das Pfarreigebäude (East 11th Street Nr. 232) ist ein weniger bekanntes Werk des für sein Singer Building berühmten Ernest Flagg.

Grace Church ❻

802 Broadway. **Karte** 4 F1.
254-2000. M *Astor Pl.*
Mo–Fr 10–17.30 Uhr, Sa 12–16 Uhr. ***Geschl.*** *Feiertage.*
Mi 18 Uhr, So 9, 11 und 18 Uhr.
Konzerte.

JAMES RENWICK JR., der Architekt von St. Patrick's Cathedral, war erst 23 Jahre alt, als er die Kirche entwarf, die viele für sein Meisterwerk halten. Die filigranen frühgotischen Linien sind von einer Anmut, die dem Kirchennamen angemessen ist. Auch das Innere ist dank präraffaelitischer Buntglasfenster und eines Mosaikbodens sehr eindrucksvoll. Die Ruhe der Kirche wurde 1863 empfindlich gestört, als Phineas T. Barnum dort die Hochzeit des Liliputanergenerals Tom Thumb inszenierte und ein Chaos heraufbeschwor.

Der hölzerne Kirchturm wurde 1888 durch einen aus Marmor ersetzt. Die Befürchtung, daß dieser zu schwer sein könne, hat sich als begründet erwiesen: Er neigt sich bedenklich. Die Kirche ist schon von weitem zu sehen, da sie an einer Krümmung des Broadway liegt.

Tom Thumb und Braut in der Grace Church

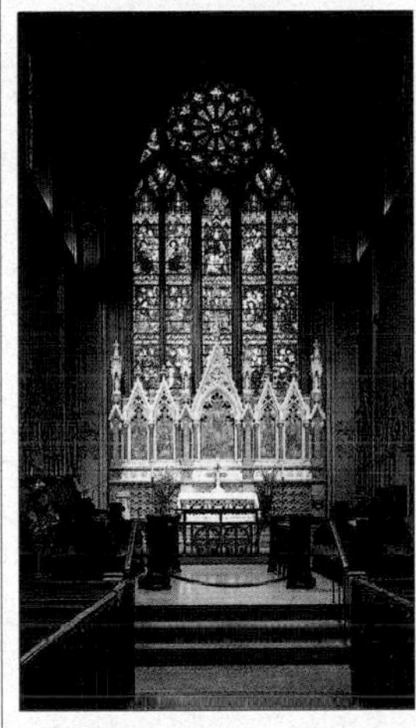

Blick in die Apsis der Grace Church

Tompkins Square ❼

Karte 5 B1. M *2nd Ave, 1st Ave.*

DIESER PARK im englischen Stil wirkt idyllisch und friedlich, war aber oft Schauplatz von bewegten Auseinandersetzungen und tragischen Ereignissen.

1874 fand hier die erste organisierte amerikanische Arbeiterdemonstration statt. Während der Hippie-Ära in den späten 60er Jahren war der Park der Haupttreffpunkt des Viertels. 1991 kam es zu blutigen Unruhen, als die Polizei versuchte, Obdachlose von hier zu vertreiben. Auf diesem Platz befindet sich auch ein Denkmal in Gestalt eines Jungen und eines Mädchens, die auf einen Dampfer blicken. Es erinnert an das Desaster des Dampfers *General Slocum,* bei dem am 15. Juni 1904 über 1000 Menschen, vor allem Frauen und Kinder der überwiegend deutschstämmigen Anwohnerschaft, bei einer Vergnügungsfahrt auf dem East River den Tod fanden, als das überfüllte Schiff Feuer fing. Viele Männer verloren ihre ganze Familie und zogen aus dem Viertel weg.

Bayard-Condict Building ❽

65 Bleecker St. **Karte** 4 F3.
M *Bleecker St.*

DIE GRAZIÖSEN Säulen, die elegant-filigrane Terrakottafassade und das prächtige Gesims kennzeichnen den einzigen, 1898 entstandenen New Yorker Bau des großen Chicagoer Architekten Louis Sullivan, des Lehrers Frank Lloyd Wrights. Sullivan starb 1924 vergessen und verarmt in Chicago.

Er soll sich sehr gegen die sentimentalen, das Gesims stützenden Engel gewehrt haben, mußte sich aber schließlich den Wünschen des Eigentümers Silas Alden Condict fügen.

Da dieser Bau in einen Block von Geschäftshäusern eingezwängt ist, sieht man ihn besser aus einiger Distanz; gehen Sie dazu ein Stück die Crosby Street hinunter.

Das Bayard-Condict Building

GRAMERCY UND FLATIRON DISTRICT

Im 19. Jahrhundert legten Stadtplaner vier Plätze an, um dem Beispiel der besseren Wohngegenden vieler europäischer Städte nachzueifern. Einer davon ist der noch immer in einem Wohnbezirk befindliche Gramercy Park. Die hiesigen Stadthäuser wurden von den besten Architekten der Stadt entworfen und von einigen ihrer prominentesten Bürger bewohnt. In der Nähe prägen jetzt teure Boutiquen und In-Cafés diesen ehemals schäbigen Abschnitt der unteren Fifth Avenue südlich des berühmten Flatiron Building.

Spielzeug im Police Academy Museum

Sehenswürdigkeiten auf einen Blick

Historische Straßen und Gebäude
New York Life Insurance Company 2
Appellate Division of the Supreme Court of the State of New York 3
Metropolitan Life Insurance Company 4
Flatiron Building 5
Ladies' Mile 6
National Arts Club 8
The Players 9
Block Beautiful 11
Con-Edison Headquarters 14

Museen und Galerien
Theodore Roosevelts Geburtsstätte 7
Police Academy Museum 12

Kirchen
The Little Church Around the Corner 16

Parks und Plätze
Madison Square 1
Gramercy Park 10
Stuyvesant Square 13
Union Square 15

Siehe auch

- ***Kartenteil*** Karten 8, 9
- ***Übernachten*** S. 274 f
- ***Restaurants*** S. 290 ff

Anfahrt

Die nächste Subway-Station ist an der 23rd St, eine Haltestelle der Lexington-Ave-Linie 6. Die Buslinien M101/102 bringen Sie entlang der 3rd Ave ins Viertel, die Buslinien M1, M2 oder M3 entlang der 5th und der Madison Avenue, die Buslinie M26 in west-östlicher Richtung.

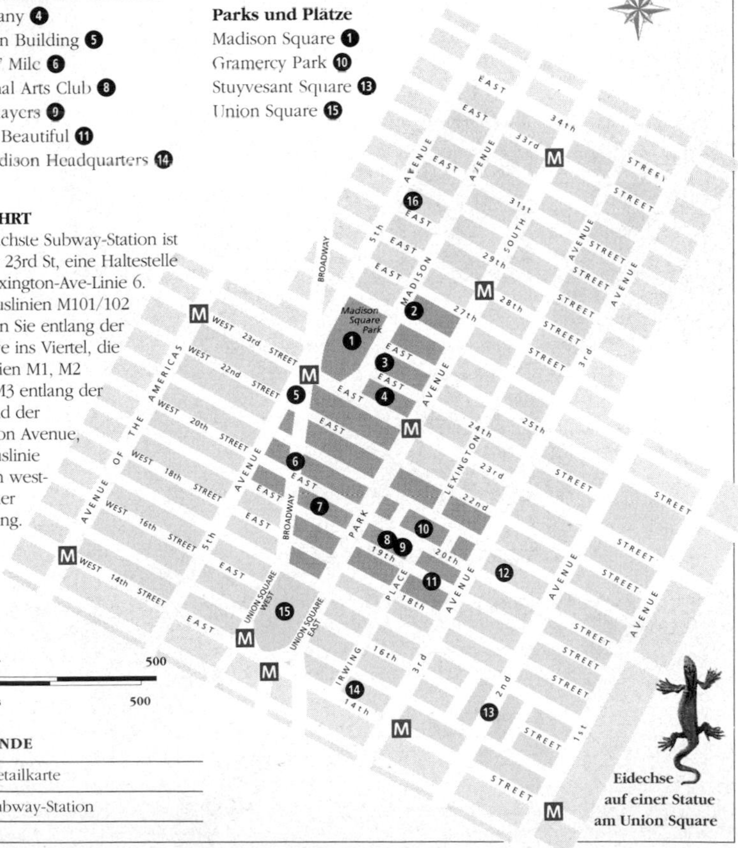

0 Meter 500

0 Yards 500

Legende

Detailkarte

M Subway-Station

Eidechse auf einer Statue am Union Square

Das Con-Edison-Hauptquartier bei Nacht

Im Detail: Gramercy Park

GRAMERCY PARK UND der nahegelegene Madison Square stehen für zwei verschiedene Städte. Der Madison Square ist von Büros und Verkehr geprägt und wird vor allem von dort arbeitenden Geschäftsleuten und Angestellten bevölkert, aber die Bürohaus-Architektur und die Statuen lohnen dennoch einen Besuch. Früher stand hier Stanford Whites berühmter Vergnügungspalast, der alte Madison Square Garden, in dem es stets von Nachtschwärmern wimmelte. Gramercy Park hat sich seine Aura abgeklärter Würde bewahrt. Hier gibt es noch vornehme Anwesen und Clubs, angesiedelt um New Yorks letzten Privatpark, für den nur die Anwohner einen Schlüssel haben.

Diana-Statue auf dem alten Madison Square Garden

★ Madison Square
Mitte des 18. Jahrhunderts spielte der Knickerbocker Club *hier Baseball und etablierte als erster die Spielregeln. Heute sind hier viele Statuen von Persönlichkeiten des 19. Jahrhunderts zu bewundern, darunter die Admiral David Farraguts.* ❶

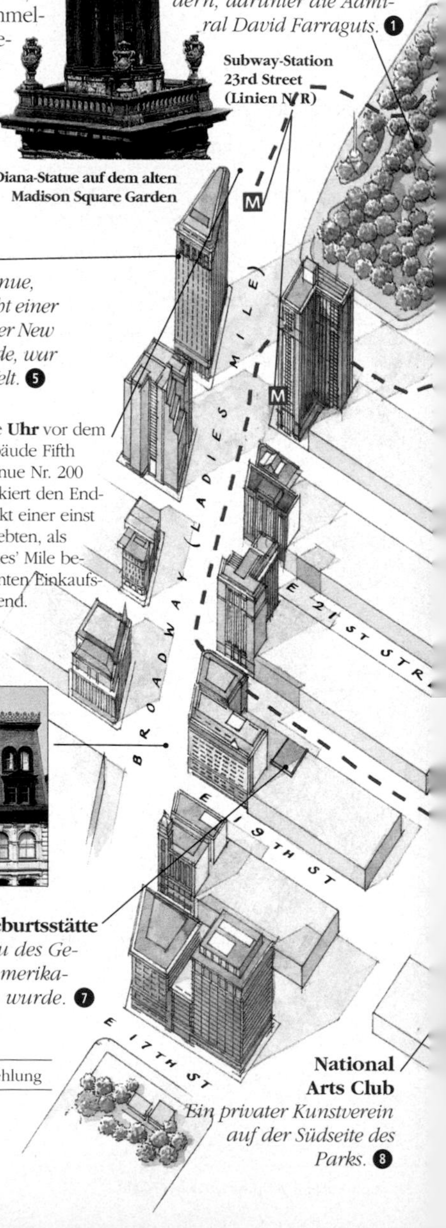

Subway-Station 23rd Street (Linien N/R)

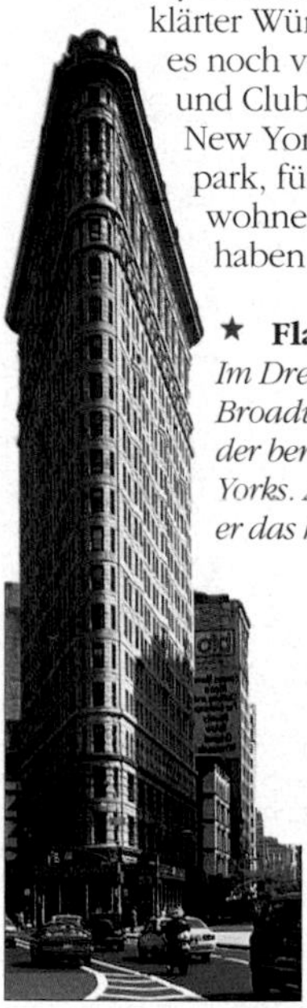

★ Flatiron Building
Im Dreieck zwischen Fifth Avenue, Broadway und 23rd Street steht einer der berühmtesten Wolkenkratzer New Yorks. Als er 1902 gebaut wurde, war er das höchste Gebäude der Welt. ❺

Eine **Uhr** vor dem Gebäude Fifth Avenue Nr. 200 markiert den Endpunkt einer einst beliebten, als Ladies' Mile bekannten Einkaufsgegend.

Ladies' Mile
Vom Union zum Madison Square war hier einst New Yorks feinstes Einkaufsviertel. Einige Originalgebäude stehen noch. ❻

Theodore Roosevelts Geburtsstätte
Das Haus ist ein Nachbau des Gebäudes, in dem der 26. amerikanische Präsident geboren wurde. ❼

LEGENDE

— — — Routenempfehlung

0 Meter 100

0 Yards 100

National Arts Club
Ein privater Kunstverein auf der Südseite des Parks. ❽

BROADWAY (LADIES' MILE)

E 21ST STR

E 19TH ST

E 17TH ST

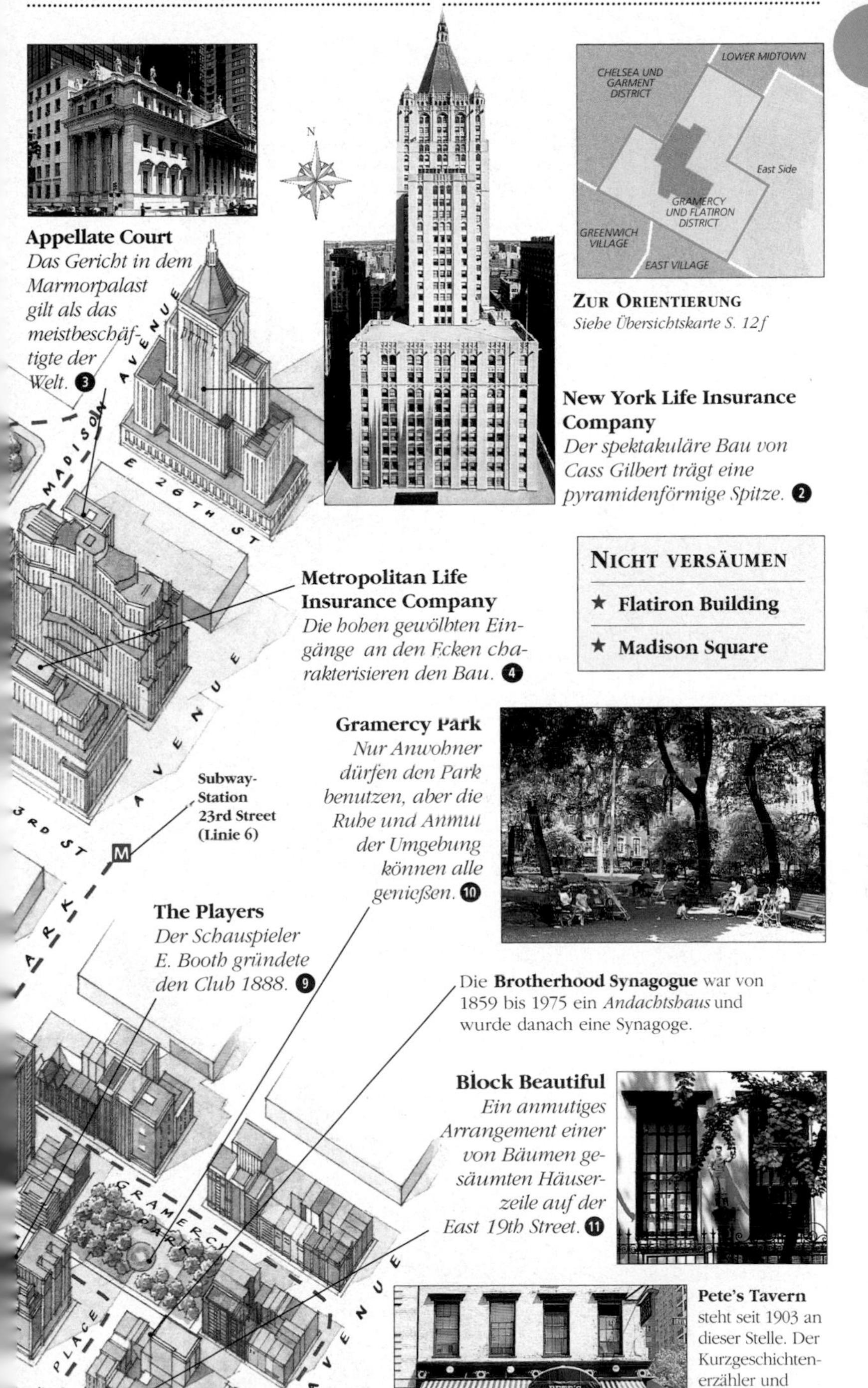

Appellate Court
Das Gericht in dem Marmorpalast gilt als das meistbeschäftigte der Welt. ❸

Zur Orientierung
Siehe Übersichtskarte S. 12f

New York Life Insurance Company
Der spektakuläre Bau von Cass Gilbert trägt eine pyramidenförmige Spitze. ❷

Metropolitan Life Insurance Company
Die hohen gewölbten Eingänge an den Ecken charakterisieren den Bau. ❹

Nicht versäumen

- ★ **Flatiron Building**
- ★ **Madison Square**

Gramercy Park
Nur Anwohner dürfen den Park benutzen, aber die Ruhe und Anmut der Umgebung können alle genießen. ❿

Subway-Station 23rd Street (Linie 6)

The Players
Der Schauspieler E. Booth gründete den Club 1888. ❾

Die **Brotherhood Synagogue** war von 1859 bis 1975 ein *Andachtshaus* und wurde danach eine Synagoge.

Block Beautiful
Ein anmutiges Arrangement einer von Bäumen gesäumten Häuserzeile auf der East 19th Street. ⓫

Pete's Tavern steht seit 1903 an dieser Stelle. Der Kurzgeschichtenerzähler und Stadtchronist O. Henry schrieb hier *Das Geschenk der Weisen.*

Madison Square ❶

Karte 8 F4. M *23rd St.*

Statue Farraguts, Madison Square

Die als mondäner Wohnbezirk geplante Gegend wurde nach dem Bürgerkrieg ein durch das elegante Fifth Avenue Hotel, das Madison Square Theater und Stanford Whites Madison Square Garden abgegrenztes populäres Vergnügungsviertel. 1884 stellte man hier den fackeltragenden Arm der Freiheitsstatue aus. Angestellte essen an dem mittlerweile wieder ruhigen Ort gern zu Mittag oder gehen entlang der Statuen spazieren.

Die Statue Admiral David Farraguts (1880) stammt von Augustus Saint-Gaudens, der Sockel von Stanford White. Farragut war der Held einer Seeschlacht des Bürgerkriegs; Mut und Loyalität repräsentierende Figuren, die aus den Wellen emportauchen, sind in den Sockel gehauen. Die Statue Roscoe Conklings erinnert an einen Senator, der 1888 in einem Schneesturm starb. Der Fahnenmast mit dem ewigen Licht, eine Schöpfung von Carrère & Hastings, ehrt die im Ersten Weltkrieg in Frankreich Gefallenen.

New York Life Insurance Company ❷

45–55 Madison Ave. **Karte** 9 A3. M *28th St.* *Geschäftszeiten.*

Dieser beeindruckende Bau wurde 1928 von dem für das Woolworth Building berühmten Cass Gilbert entworfen. Das Innere ist ein Meisterstück mit gewaltigen Lüstern, Bronzetüren, Täfelung und einem imposanten Treppenhaus, das zur U-Bahn führt.

Hier standen einst andere berühmte Bauten wie Barnum's Hippodrome (1874) und der erste Madison Square Garden (ab 1879). Neben zahlreichen Entertainment-Veranstaltungen fanden hier auch um 1880 die Preiskämpfe des Boxschwergewichtlers Jack Dempsey statt. 1890 eröffnete an derselben Stelle der nächste Madison Square Garden, Stanford Whites legendärer Vergnügungspalast. Verschwenderische Musicals und andere Ereignisse wurden hier von New Yorks Elite besucht, die für die jährliche Pferdeschau über 500 US-$ pro Loge bezahlte.

Der Bau hatte im Erdgeschoß Arkaden und einen der Giralda in Sevilla nachempfundenen Turm. Die goldene Statue der Diana auf dem Turm schockierte wegen ihrer Nacktheit, doch viel skandalöser waren das Leben und der Tod von White selbst. 1906 wurde er beim Besuch einer Revue im Dachgarten von dem Ehemann seiner früheren Mätresse Evelyn Nesbit erschossen. Die Schlagzeile der Zeitung *Vanity Fair* spiegelte die öffentliche Meinung wider: »Der Lüstling und Perverse Stanford White stirbt wie ein Hund.« Die Enthüllungen über die High Society am Broadway bei den nachfolgenden Untersuchungen lassen heutige Seifenopern verblassen.

Das goldene Pyramidendach der New York Life Insurance Company

Appellate Division of the Supreme Court of the State of New York ❸

E 25th St, Ecke Madison Ave. **Karte** 9 A4. 340-0400. M *23rd St.* *Mo–Fr 9–17 Uhr (Verhandlungen Di, Mi, Do ab 14 Uhr; Fr ab 10 Uhr).* ***Geschl.*** *Feiertage.*

In diesem angeblich meistbeschäftigten Gericht der Welt finden die Verhandlungen über Berufungsfälle in Zivil- und Strafprozessen für New York und die Bronx statt. James Brown Lord entwarf das kleine, aber noble Gebäude im neopalladianischen Stil 1900. Es ist mit mehreren hübschen Skulpturen verziert, darunter Daniel Chester Frenchs *Justitia*, flankiert von *Fortitudo* und *Prudentia*. Unter der Woche sind die schönen, von den Brüdern Herter entworfenen Innenräume der Öffentlichkeit zugänglich, sofern keine Sitzungen stattfinden. Besonders beachtenswert sind die Mosaikfenster und die Kuppel sowie die Wandgemälde und die Tischlerarbeiten.

Statuen der *Justitia* und der *Prudentia* auf dem Appellate Court

Ausstellungen in der Lobby haben oft berühmte, hier verhandelte Fälle zum Gegenstand. Zu den hier in Berufungsverfahren verwickelten Berühmtheiten zählen Babe Ruth, Charlie Chaplin, Fred Astaire, Harry Houdini, Theodore Dreiser und Edgar Allan Poe.

Uhrturm der Metropolitan Life Insurance Company

Metropolitan Life Insurance Company ❹

1 Madison Ave. **Karte** 9 A4. *578-2211.* M *23rd St.* *Geschäftszeiten.*

DAS 1909 ERRICHTETE Gebäude überflügelte das bis dato höchste Gebäude der Welt, das Flatiron Building. Die Minutenzeiger der massiven vierseitigen Uhr sollen 450 Kilogramm wiegen. Die nächtliche Beleuchtung bildet einen vertrauten Anblick am Abendhorizont und dient als Firmenmotto: »Das Licht, das niemals versagt.« Einige Wandgemälde von N. C. Wyeth, dem Vater des Malers Andrew Wyeth und Illustrator solcher Klassiker wie *Robin Hood, Die Schatzinsel* und *Robinson Crusoe,* schmückten früher die Cafeteria. Heute sind sie in der Lobby ausgestellt.

Flatiron Building ❺

175 5th Ave. **Karte** 8 F4. M *23rd St.* *Geschäftszeiten.*

DAS URSPRÜNGLICH nach der Baufirma Fuller, seinem ursprünglichen Besitzer, benannte Gebäude stammt von dem Chicagoer Architekten David Burnham und war das weltweit höchste, als es 1902 vollendet wurde. Als eines der ersten Gebäude mit einem Stahlgerippe läutete es das Zeitalter der Wolkenkratzer ein. Man nannte es wegen seiner Form schon bald das »Flatiron« (Bügeleisen) oder auch »Burnham's folly« (Burnhams Irrwitz). Viele sagten voraus, daß es aufgrund der durch seine Form provozierten Winde einstürzen würde. Das Flatiron steht noch, aber die Winde hatten einen anderen Effekt: Sie zogen Männer an, die einen Blick auf die Fesseln der Frauen zu erhaschen hofften, wenn deren lange Röcke hochgeweht wurden. Polizeibeamte forderten Passanten zum Weitergehen auf, und ihr Ruf »23-skidoo« wurde ein Slangausdruck für »scram« (Verduftet!). Bis vor kurzem war der Abschnitt der Fifth Avenue südlich des Gebäudes verwahrlost, aber jetzt hat er dank eleganter Geschäfte wie Emporio Armani und Paul Smith ein neues Image und einen neuen Namen: »Flatiron District«.

Das Flatiron Building während der Bauphase

Ladies' Mile ❻

Broadway (Union Sq zum Madison Sq). **Karte** 4 E1 bis 8 F4. M *14th St, 23rd St.*

Das Geschäft Arnold Constable

IM 19. JAHRHUNDERT fuhr hier die in nahen Stadthäusern wohnende Kaufmannselite in glänzenden Kutschen vor, um in Geschäften wie dem von Arnold Constable (Nr. 881–887) und Lord & Taylor (Nr. 901) einkaufen zu gehen. Heute jedoch lassen nur noch die oberen Geschosse den einstigen Glanz erahnen.

US-Präsident Teddy Roosevelt

Theodore Roosevelts Geburtsstätte ❼

28 E 20th St. **Karte** 9 A5. *260-1616* M *14th St-Union Sq.* *Mi–So 9–17 Uhr (letzter Einlaß 16.30 Uhr).* **Geschl.** *Feiertage.* **Eintritt.** ***Vorträge, Konzerte, Film- und Videovorführungen.***

DAS RESTAURIERTE Haus, in dem der 26. US-Präsident seine Jugend verbrachte, enthält alles vom Spielzeug bis zu Wahlbuttons und Emblemen seines »Rough-Rider«-Hutes, den er im Spanisch-Amerikanischen Krieg trug. Eine Ausstellung widmet sich seinen Interessen und seiner Politik.

Flachrelief-Porträts großer Schriftsteller am National Arts Club

National Arts Club ❽

15 Gramercy Pk S. **Karte** 9 A5.
475-3424. *14th St-Union Sq.*
bei Ausstellungen.

Der von Calvert Vaux 1881 bis 84 entworfene Bau aus braunem Sandstein war die Residenz von Samuel Tilden, des Gouverneurs von New York, der »Boss« Tweed verurteilte *(siehe S. 25)* und eine kostenlose öffentliche Bibliothek einrichtete. Der National Arts Club erwarb das Haus 1906 und erhielt es in seinem ursprünglichen Zustand. Zu den Mitgliedern gehörten fast alle bedeutenden amerikanischen Künstler des späten 19. und frühen 20. Jahrhunderts. Die ersten Mitglieder wurden für ihre Mitgliedschaft statt um eine Aufnahmegebühr um ein eigenes Werk gebeten. Die Sammlung des Clubs ist mehrmals im Jahr der Öffentlichkeit zugänglich.

The Players ❾

16 Gramercy Pk S. **Karte** 9 A5.
228-7610. *14th St-Union Sq.* ***Geschl.*** *außer für vorangemeldete Reisegruppen.*

Dieses zweigeschossige Haus aus Sandstein war das Zuhause des Schauspielers Edwin Booth, des Bruders des Lincoln-Mörders John Wilkes Booth. Edwin Booth beauftragte den Architekten Stanford White 1888 damit, den Bau in einen Club zu verwandeln. Obwohl dieser hauptsächlich für Schauspieler gedacht war, gehörten zu seinen Mitgliedern auch White selbst, Mark Twain, der Verleger Thomas Nast sowie Winston Churchill, dessen Mutter in der Nähe geboren wurde. Auf der gegenüberliegenden Straßenseite steht eine Statue von Booth als Hamlet.

Dekoratives Gitterwerk am Players Club

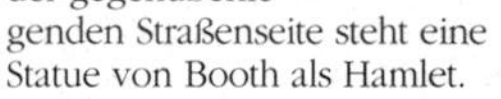

Gramercy Park ❿

Karte 9 A4. *23rd St.*

Neben Union, Stuyvesant und Madison Square ist der Gramercy Park einer von vier Plätzen, die um 1840 Anwohner der Oberschicht anziehen sollten. Es handelt sich um den einzigen privaten Park der Stadt, und die Anwohner erhalten noch immer eigene Schlüssel für ihn. Durch das Gitter an seiner südöstlichen Ecke kann man den Brunnen Greg Wyatts mit den Giraffen sehen, die sich um eine lächelnde Sonne ranken. Die umliegenden Gebäude wurden von einigen der berühmtesten Architekten der Stadt entworfen, u.a. auch von Stanford White, dessen Haus an der Stelle des heutigen Gramercy Park Hotel stand. Besonders schön sind Nr. 3 und 4 mit eleganten Gußeisentoren und Vorbauten. Die Lampen vor Nr. 4 kennzeichnen das Haus des früheren Bürgermeisters James Harper. Nr. 34 (1883) war das Haus des Bildhauers Daniel Chester French, des Schauspielers James Cagney und des Zirkusimpressarios John Ringling, der eine gewaltige Orgel in seinem Appartement einbauen ließ.

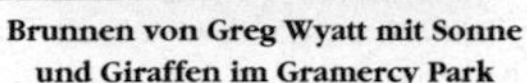

Brunnen von Greg Wyatt mit Sonne und Giraffen im Gramercy Park

Block Beautiful ⓫

E 19th St. **Karte** 9 A5. *3rd Ave, 14th St-Union Sq.*

Hausfassade des Block Beautiful an der East 19th Street

Hier handelt es sich um einen friedlichen, von Bäumen gesäumten Block von Wohnhäusern aus den 20er Jahren. Keines von ihnen ist für sich etwas Besonderes, aber zusammen bilden sie ein harmonisches Ganzes. In Nr. 132 wohnten zwei berühmte Mieter aus der Welt des Theaters: Theda Bara, Stummfilmstar und Hollywoods erstes Sexsymbol, und die Shakespeare-Schauspielerin Patrick Campbell, die die Rolle der Eliza Doolittle in George Bernard Shaws *Pygmalion* (1914) etablierte. Die Anbindeplätze vor Nr. 141 und das Giraffenrelief an der Außenseite von Nr. 147-149 sind nur zwei der vielen sehenswerten Details des Blocks.

Police Academy Museum ⓬

235 E 20th St. **Karte** 9 B4. *477-9753. 14th St-Union Sq. Mo–Fr 9–15 Uhr.* ***Geschl.*** *Sa, So,* ***Feiertage und*** *bei Veranstaltungen – telefon. Voranmeldung erwünscht.*

Das Museum gehört mit seinen Beständen zu den größten seiner Art überhaupt. Ausgestellt sind Tagesprotokolle von Razzien gegen illegale Schnapsproduzenten während der Prohibitionszeit, spektakulären Morden mit der Axt, Banküberfällen und Geiselnahmen. Es gibt ein ganzes Waffenarsenal von Gummiknüppeln und Schlagstöcken sowie eine enorme Pistolensammlung. Ferner sind alte Uniformen und Helme ausgestellt sowie jedes seit 1845 vom Police Department ausgegebene Abzeichen. Eine Ausstellung informiert über die tragischen Konsequenzen der beiden Phänomene Drogensucht und Jugend-Gangs.

Das Maschinengewehr von Al Capone im Police Academy Museum

Stuyvesant Square ⓭

Karte 9 B5. *14th St-Union Sq.*

Diese Oase in Gestalt eines von der Second Avenue durchschnittenen Parks war im 17. Jahrhundert ein Teil von Peter Stuyvesants ursprünglicher Farm. Er war noch im Familienbesitz, als der Park 1836 entworfen wurde; Stuyvesant verkaufte der Stadt das Land zum symbolischen Preis von 5 US-$ (sehr zur Freude der Anrainer, die die Immobilienpreise emporschnellen sahen). Eine Statue Stuyvesants von Gertrude Vanderbilt Whitney steht in dem Park, der das Gebiet der Stuyvesants vom ärmeren Gas House District trennte.

Die Türme von Con Edison (rechts), Metropolitan Life und Empire State

Con Edison Headquarters ⓮

145 E 14th St. **Karte** 9 A5. *3rd Ave, 14th St-Union Sq.* ***Museum*** *460-6244. Di–Sa 9–17 Uhr.* ***Geschl.*** *Feiertage.*

Der Uhrturm dieses Gebäudes (1911) ist ein lokales Wahrzeichen. Im Con Edison Museum (E 14th Street Nr. 145) ist man der Entwicklung von Thomas Edison bis zur Solarenergie auf der Spur. Gezeigt werden u.a. ein Modell von Edisons Generator (1882), Fabriken und ein Querschnitt der unterirdischen Systeme New Yorks.

Union Square ⓯

Karte 9 A5. *14th St-Union Sq.* ***Markt*** *Mo, Mi, Fr, Sa.*

Markttag auf dem Union Square

Der 1839 eröffnete Park verband die Bloomingdale Road (Broadway) mit der Bowery Road (Fourth oder Park Avenue), daher der Name. Später wurde die Mitte des Parks im Rahmen des U-Bahn-Baus erhöht. Der Platz erfreute sich bei öffentlichen Rednern großer Beliebtheit. Während der Depression 1930 versammelten sich hier 35 000 Arbeitslose, bevor sie zum Rathaus marschierten, um Arbeitsplätze zu fordern. Viermal in der Woche ist hier ein Obst- und Gemüsemarkt, auf dem die Bauern ihre Ware verkaufen.

The Little Church Around the Corner ⓰

1 E 29th St. **Karte** 8 F3. *684-6770. 28th St. Tägl. 9–18 Uhr. So 11 Uhr. So nach der 11-Uhr-Messe.* ***Vorträge, Konzerte, Lesungen.***

Die 1849–56 erbaute Episcopal Church of the Transfiguration ist eine Oase der Ruhe. Sie trägt ihren Spitznamen seit 1870. Als Joseph Jefferson die Beerdigung seines Schauspielerkollegen George Holland organisieren wollte, weigerte sich der Pfarrer einer nahegelegenen Kirche, eine Person so niedrigen Standes zu beerdigen, und schlug statt dessen »die kleine Kirche um die Ecke« vor. Der Name blieb, und die Verbindung der Kirche zum Theater auch. Sarah Bernhardt besuchte hier die Messe.

Das Fenster von John La Farge im südlichen Querschiff zeigt Edwin Booth als Hamlet. Jeffersons Ausruf »Gott segne die kleine Kirche um die Ecke« ist auf einem Fenster im Südschiff verewigt.

CHELSEA UND GARMENT DISTRICT

IM JAHR 1750 WAR hier Ackerland, 1830 eine Vorstadt, und um 1870 wurde der Bezirk mit der Errichtung von Hochbahnen zu einem Geschäftsviertel. Varietés und Theater säumten die 23rd Street. Die Fashion Row wuchs im Schatten der Hochbahn, Kaufhäuser für die Mittelschicht entstanden. Aber als die Modegeschäfte nach uptown zogen, ging es mit Chelsea bergab. Es wurde ein Lagerhausbezirk, bis die Hochbahn abgerissen wurde und die New Yorker die reizenden Stadthäuser aus dem 19. Jahrhundert wiederentdeckten. Mit Chelseas Wohlstand war es zwar vorbei, aber dafür blühte der einst zwielichtige Herald Square auf. Mit der Eröffnung von Macy's etablierte sich New Yorks Handels- und Textilbranche in dieser Gegend.

Statue eines Textilarbeiters auf der 7th Ave No 555

Das Empire Diner in Chelsea

SEHENSWÜRDIGKEITEN AUF EINEN BLICK

Historische Straßen und Gebäude
Empire State Building S. 134f ❷
General Post Office ❼
General Theological Seminary ⓫
Chelsea Historic District ⓬
Hugh O'Neill Dry Goods Store ⓮

Kirchen
Marble Collegiate Reformed Church ❶
St John the Baptist Church ❺

Denkmäler
Worth Monument ⓯

Moderne Architektur
Madison Square Garden ❻
Jacob K Javits Convention Center ❽
Chelsea Piers Sports and Entertainment Complex ❾

Parks und Plätze
Herald Square ❸

Herausragende Hotels und Restaurants
Empire Diner ❿
Chelsea Hotel ⓭

Herausragende Geschäfte
Macy's ❹

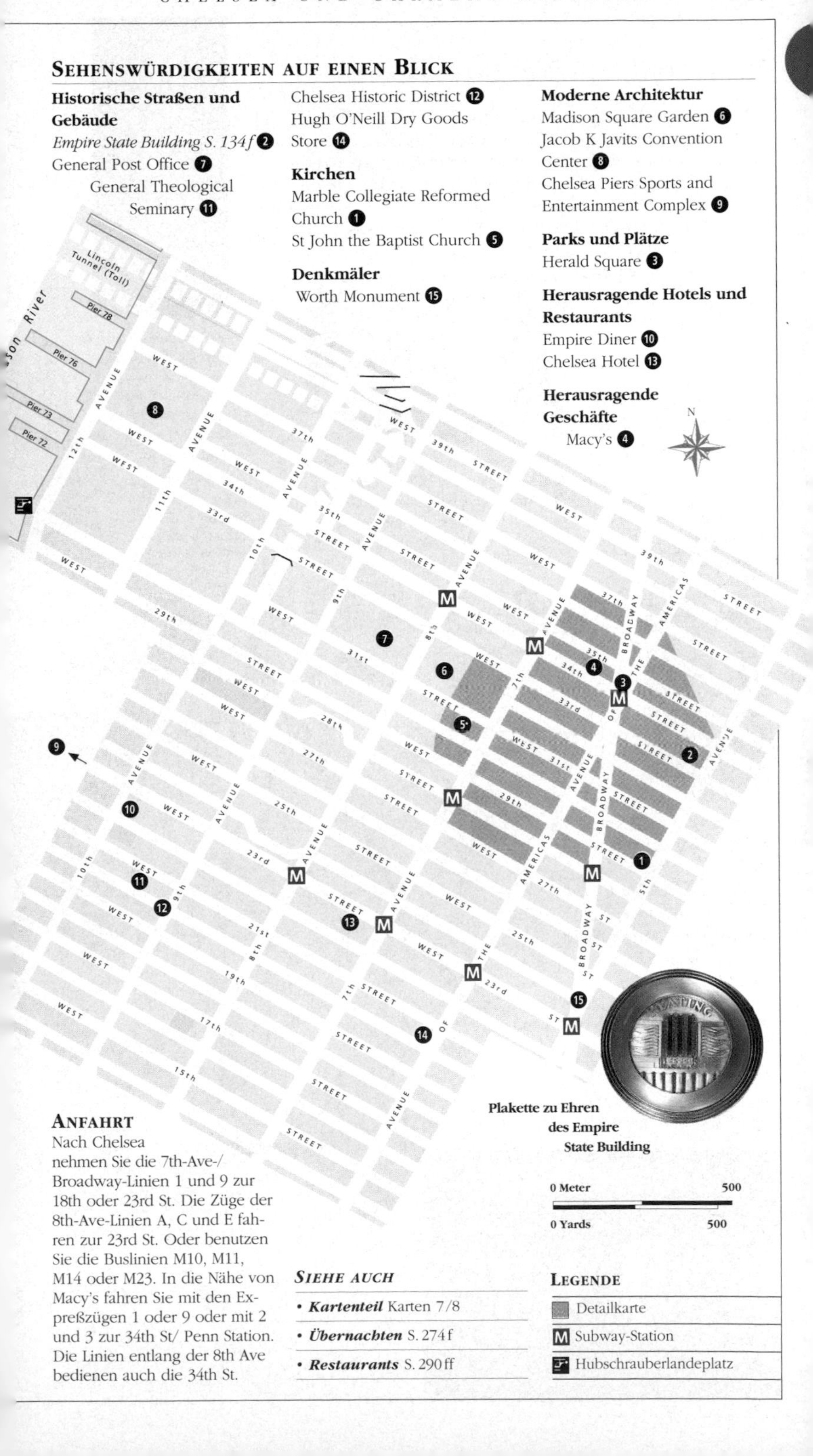

Plakette zu Ehren des Empire State Building

ANFAHRT

Nach Chelsea nehmen Sie die 7th-Ave-/ Broadway-Linien 1 und 9 zur 18th oder 23rd St. Die Züge der 8th-Ave-Linien A, C und E fahren zur 23rd St. Oder benutzen Sie die Buslinien M10, M11, M14 oder M23. In die Nähe von Macy's fahren Sie mit den Expreßzügen 1 oder 9 oder mit 2 und 3 zur 34th St/ Penn Station. Die Linien entlang der 8th Ave bedienen auch die 34th St.

SIEHE AUCH

- ***Kartenteil*** Karten 7/8
- ***Übernachten*** S. 274f
- ***Restaurants*** S. 290ff

LEGENDE

- Detailkarte
- M Subway-Station
- Hubschrauberlandeplatz

Im Detail: Herald Square

DER HERALD SQUARE ist nach dem New Yorker *Herald* benannt, der hier von 1894 bis 1921 sein Büro hatte. Die heutige Einkaufsgegend war einmal eines der anrüchigsten Stadtviertel. Ende des 19. Jahrhunderts war es als »Tenderloin District« bekannt und voll von Varietés und Bordellen. Als Macy's 1901 eröffnet wurde, verschob sich das Interesse in Richtung Mode. Der Textilbezirk umfaßt heute die Straßen um Macy's und die Seventh Avenue herum, die auch als »Fashion Avenue« bekannt ist. Östlich davon befindet sich an der Fifth Avenue das Empire State Building, von dessen Aussichtsplattform man einen wunderbaren Blick hat.

A & S Greeley Square Plaza ist eine Filiale von Abraham & Straus (Brooklyn). Früher saß hier Macy's Erzrivale Gimbel's, doch 1988 wurde sie für A&S umgebaut.

Fashion Avenue ist ein anderer Name für den Abschnitt der Seventh Avenue um die 34th Street. Dieses Gebiet ist das Zentrum von New Yorks Textilindustrie. In den Straßen sieht man viele Männer, die Kleiderständer mit Textilien und Pelzen herumschieben.

Subway-Station 34th Street-Penn Station (Linien 1, 2, 3, 9)

Das **Ramada Hotel Pennsylvania** war ein Dorado für die Big Bands der 30er Jahre – Glenn Millers *Pennsylvania 6-5000* verewigte die Telefonnummer des Hotels.

St John the Baptist Church
In der mit weißem Marmor ausgekleideten Kirche befindet sich ein geschnitzter Kreuzweg. 5

Das **SJM Building** an der 130 West 30th Street ist mit mesopotamischen Friesen versehen.

Im **Fur District** im Süden des Garment District, zwischen West 27th und 30th Street, gehen Kürschner ihrem Handwerk nach.

Im **Flower District** an der Sixth Avenue und West 28th Street pulsiert morgens das Leben, wenn die Blumenhändler die Lieferwagen mit ihrer duftenden, farbenprächtigen Ware beladen.

Subway-Station 28th Street (Linien N, R)

SEVENTH AVENUE

W 31st STREET

★ Macy's
Das größte Kaufhaus der Welt hat für jeden etwas. ❹

Herald Square
Die Uhr des New York Herald Building steht dort, wo Broadway und Sixth Avenue aufeinandertreffen. ❸

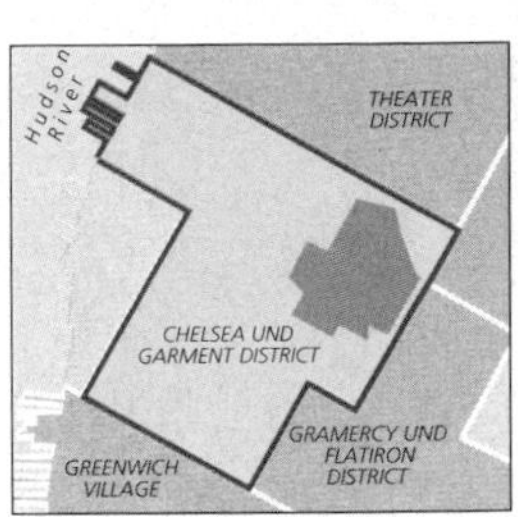

ZUR ORIENTIERUNG
Siehe Übersichtskarte S. 12f

LEGENDE

– – – Routenempfehlung

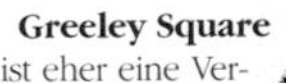

Die **Greenwich Savings Bank** (jetzt die Crossland Savings Bank) gleicht einem griechischen Tempel mit riesigen Säulen auf drei Seiten.

Subway-Station 34th Street (Linien B, D, F, N, Q, R)

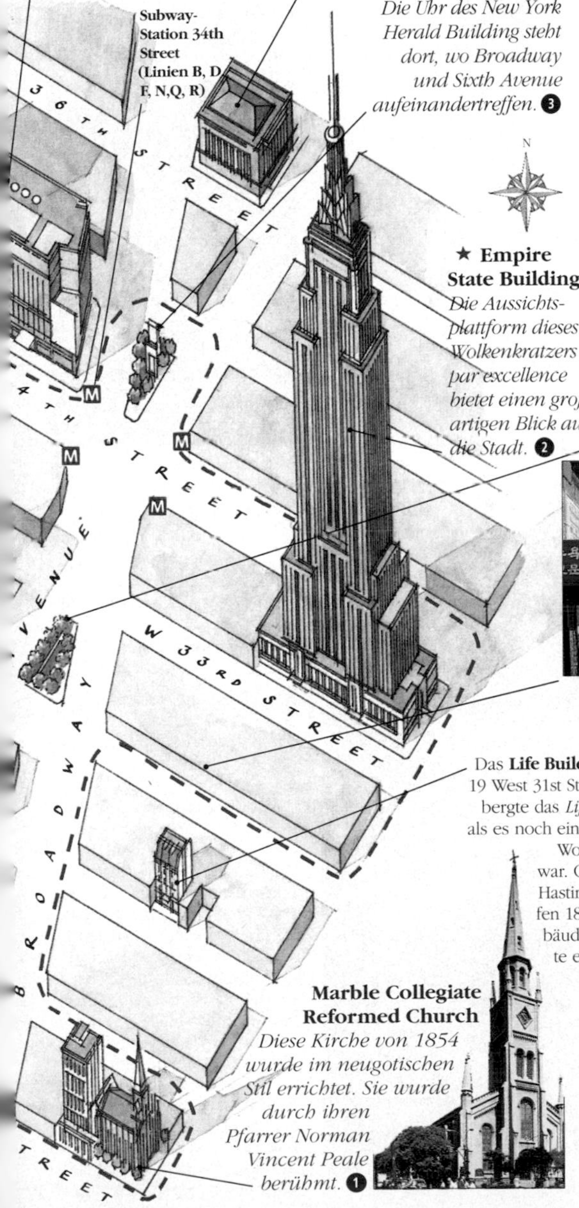

★ Empire State Building
Die Aussichtsplattform dieses Wolkenkratzers par excellence bietet einen großartigen Blick auf die Stadt. ❷

Greeley Square ist eher eine Verkehrsinsel als ein Platz, aber es steht dort eine schöne Statue Horace Greeleys, des Gründers der *New York Tribune*.

In **Little Korea** betreiben die Koreaner ihre Geschäfte. Neben Läden finden sich in West 31st und 32nd Street auch Restaurants.

Das **Life Building** in der 19 West 31st Street beherbergte das *Life*-Magazin, als es noch eine satirische Wochenschrift war. Carrère und Hastings entwarfen 1894 das Gebäude, das heute ein Hotel ist *(siehe S. 276)*.

Marble Collegiate Reformed Church
Diese Kirche von 1854 wurde im neugotischen Stil errichtet. Sie wurde durch ihren Pfarrer Norman Vincent Peale berühmt. ❶

NICHT VERSÄUMEN

- ★ Macy's
- ★ Empire State Building

Tiffany-Bleiglasfenster in Marble Collegiate's Reformed Church

Marble Collegiate Reformed Church ❶

1 W 29th St. **Karte** 8 F3. ☎ *686-2770.* Ⓜ *28th St.* 🕘 *Mo–Sa 9.30–16 Uhr.* ✝ *Sep–Juni So 11.15 Uhr; Juni–Sep So 10.30 Uhr.* *während des Gottesdienstes.* ♿

DIESE KIRCHE IST bekannt durch ihren früheren Pfarrer Norman Vincent Peale, den Autor von *Die Wirksamkeit positiven Denkens.* Ein anderer »positiver Denker«, Ex-Präsident Richard M. Nixon, ging hier zur Messe, als er noch Rechtsanwalt war.

Die Kirche wurde 1854 aus Marmor gebaut, der ihr den Namen gab. Damals war die Fifth Avenue noch eine staubige Landstraße, und das Gußeisengitter um die Kirche diente dazu, das Vieh fern zu halten.

Die weißen und goldenen Originalwände wurden durch ein goldenes *fleur-de-lis*-Schablonendesign auf einem rostfarbenen Hintergrund ersetzt. Zwei Tiffany-Fenster mit Szenen aus dem Alten Testament wurden 1893 eingesetzt.

Empire State Building ❷

Siehe S. 134 f.

Herald Square ❸

6th Ave. **Karte** 8 E2. Ⓜ *34th St-Penn Station.* *Siehe **Einkaufen** S. 313.*

DER PLATZ IST nach dem *New York Herald* benannt, der hier bis 1921 in einem eleganten Gebäude Stanford Whites residierte, und war um 1900 der Nabel des anrüchigen Tenderloin-Bezirks. Die verzierte Uhr ist alles, was vom Herald Building geblieben ist.

Am Herald Square stand auch das Kaufhaus der Brüder Gimbel, der einstigen Erzrivalen von Macy's. (Eine einfühlsame Darstellung der Rivalität findet sich in dem Film *Wunder von Manhattan.*) 1988 wurde das Kaufhaus in eine vertikale Einkaufsgalerie mit glitzernder Neonfront verwandelt.

A&S Plaza am Herald Square

Die Fassade von Macy's an der 34th Street

Macy's ❹

151 W 34th St. **Karte** 8 E2. ☎ *695-4400* Ⓜ *34th St-Penn Station.* 🕘 *Mo, Do, Fr 10–20.30 Uhr; Di, Mi, Sa 10–19 Uhr; So 11–19 Uhr.* *Siehe **Einkaufen** S. 311.*

DAS »GRÖSSTE WARENHAUS DER WELT« erstreckt sich über einen ganzen Block. Nahezu alle nur denkbaren Artikel werden hier angeboten.

Macy's wurde von dem ehemaligen Walfänger Rowland Hussey Macy gegründet, der 1857 an der West 14th Street einen kleinen Laden eröffnete. Das Firmenlogo, ein roter Stern, stammt von einer Tätowierung aus Macys Seefahrertagen.

Als Macy 1877 starb, war sein kleiner Laden auf elf Gebäude angewachsen. Unter den Brüdern Isidor und Nathan Straus, die die Porzellan- und Glaswarenabteilung betreut hatten, expandierte Macy's noch weiter. 1902 bezog Macy's seine heutige Adresse. Die Ostfassade hat zwar einen neuen Eingang,

Das Hauptschiff von St John the Baptist Church

weist aber noch immer die Erkerfenster und die korinthischen Säulen von 1902 auf. An der Fassade befinden sich die Karyatiden des Originals ebenso wie Uhr, Baldachin und Schriftzug.

Noch einmal spielte das Meer in Macy's Geschichte eine Rolle, als Isidor 1912 mit seiner Frau beim Untergang der *Titanic* starb. Eine Plakette im Eingangsbereich erinnert daran. Macy's sponsert die New Yorker Thanksgiving Parade und das Feuerwerk am 4. Juli; die Blumenschau im Frühling zieht Tausende von Besuchern an. Aber die Rezession macht auch vor dieser Institution nicht halt, und die 90er Jahre waren für Macy's bisher schwierig.

St John the Baptist Church ❺

210 W 31st St. **Karte** 8 E3. ☎ *564-9070.* Ⓜ *34th St-Penn Station.* 🕐 *Tägl. 6–18 Uhr.* ✝ *Tagsüber.*

DIE KLEINE KATHOLISCHE Kirche, die 1840 von einer Immigrantengemeinde gegründet wurde, geht im Herzen des Pelzbezirks fast verloren. Die Kirche mit nur einem Turm hat zur 30th Street eine stark verschmutzte Fassade aus braunem Sandstein, hinter der sich manche Kostbarkeit verbirgt. Der Eingang an der 31st Street führt durch ein modernes Mönchskloster. Das Heiligtum von Napoleon Le Brun ist ein Wunderwerk mit gotischen Bogen aus leuchtend weißem Marmor, mit goldenen Kapitellen darüber. Gemalte Reliefs mit religiösen Szenen säumen die Wände, und Sonnenlicht fällt durch die farbigen Glasfenster. Außerhalb des Klosters liegt der Gebetsgarten, eine kleine, grüne und friedliche Oase mit religiösen Statuen, einem Brunnen und Steinbänken.

Madison Square Garden ❻

4 Pennsylvania Plaza. **Karte** 8 D2. ☎ *465-6741.* Ⓜ *34th St-Penn Station.* 🕐 *Mo–So, unterschiedliche Zeiten je nach Veranstaltung.* ***Eintritt.*** *Siehe* ***Unterhaltung*** *S. 344.*

DAS EINZIGE, WAS man zur Verteidigung des Abrisses der außerordentlich reizvollen Pennsylvannia Station von McKim, Mead & White zugunsten dieses einfallslosen Komplexes von 1968 sagen kann, ist, daß dies die Denkmalpfleger so in Rage brachte, daß sie sich zusammenschlossen, um derartiges in Zukunft zu verhindern.

Der Madison Square Garden selbst, der über der Pennsylvania Station liegt, ist ein Zylinder aus Fertigbeton, der mit 20 000 Plätzen seine Funktion als zentral gelegene Spielstätte für die *Knickerbockers*-Basketball- und die *Rangers*-Hockeymannschaft erfüllt. Hier finden aber auch andere Veranstaltungen statt: Rockkonzerte; Tenniswett-, Box- und Ringkämpfe; Zirkusveranstaltungen der Ringling Bros. and Barnum & Bailey; eine Antiquitätenschau; eine Hundeschau und vieles mehr. Außerdem befindet sich hier ein Theater mit 5600 Sitzen. Trotz einer kürzlichen Renovierung hat der Madison Square Garden nicht die Ausstrahlung des Baus von Stanford White am alten Standort, der faszinierende Architektur mit extravaganter Unterhaltung verband *(siehe S. 124)*.

Das beeindruckende Innere des Madison Square Garden

General Post Office ❼

421 8th Ave. **Karte** 8 D2. ☎ *967-8585.* Ⓜ *34th St-Penn Station.* 🕐 *Tägl. 24 Stunden (auch feiertags). Siehe* ***Praktische Hinweise*** *S. 361.*

DER 1913 VON McKim, Mead & White als Gegenstück zu der gegenüber gelegenen Pennsylvania Station (1910) entworfenene Bau ist ein Musterbeispiel eines öffentlichen Gebäudes im Beaux-Arts-Stil. Die eindrucksvolle, zwei Blocks breite Front hat eine breite Treppe, die zu der mit zwanzig korinthischen Säulen geschmückten Fassade mit einem Pavillon an jedem Ende führt. Die 85 Meter lange Inschrift ist eine freie Version von Herodots Beschreibung des Postdienstes des Persischen Reiches: »Weder Schnee noch Regen noch Hitze noch die Düsternis der Nacht hindern diese Kuriere an der raschen Erledigung ihres Auftrags.«

Die korinthische Säulenreihe des General Post Office

Empire State Building ❷

Empire State Building

Auch wenn das Empire State Building in den 70er Jahren seinen Titel als höchstes Gebäude der Welt an das World Trade Center abtreten mußte, bleibt es New Yorks berühmtester Wolkenkratzer und Symbol der Stadt in der ganzen Welt. Die Bauarbeiten begannen nur einige Wochen vor dem Wall-Street-Zusammenbruch 1929, und als es 1931 eröffnet wurde, waren die Räume so schwer zu vermieten, daß es den Spitznamen »The Empty State Building« erhielt. Nur die Beliebtheit der Aussichtsplattform bewahrte das Gebäude vor dem Bankrott (bisher über 85 Mio. Besucher).

Außenplattform im 101. Stockwerk

Das **Empire State** sollte 85 Etagen hoch sein, aber dann fügte man noch einen Anlegemast (46 m) für Zeppeline hinzu. Jetzt werden über den Masten Fernseh- und Radioprogramme in die Stadt und in vier Staaten übertragen.

Farbiges Flutlicht an den oberen 30 Stockwerken zeigt besondere und saisonale Ereignisse an.

Konstruktion

Das Gebäude wurde so einfach und schnell wie möglich errichtet. Viele Teile wurden vorgefertigt und vor Ort verarbeitet, im Tempo von vier Etagen pro Woche.

Symbole der Moderne sind auf diesen bronzenen Art-deco-Medaillons über den Türeingängen dargestellt.

Hochgeschwindigkeitsaufzüge legen 366 Meter pro Minute zurück.

Das **Gerüst** wurde in 23 Wochen aus 60 000 Tonnen Stahl errichtet.

Verkleidungen aus Aluminium statt aus Stein wurden zwischen den 6500 Fenstern verwendet. Die Stahlverzierung verbirgt unregelmäßige Ecken an der Verkleidung.

Zehn Millionen Backsteine wurden für die Fassade des Gebäudes verwendet.

Nur **elf Minuten** brauchen durchtrainierte Läufer für die 1860 Stufen von der Lobby zum 101. Stockwerk während des jährlichen Empire State Run-Up.

In den **Hohlräumen** zwischen den Stockwerken befinden sich Drähte, Röhren und Kabel.

Über 200 Stahl- und Betonpfeiler tragen das 365 000 Tonnen schwere Gebäude.

Nicht versäumen

★ **Fifth Avenue Eingangslobby**

★ **Blick von den Aussichtsplattformen (85. und 101. Stock)**

★ Blick von den Aussichtsplattformen
Von der Aussichtsplattform im 85. Stock bietet sich ein phantastischer Blick auf Manhattan. Vom 381 Meter hoch gelegenen 101. Stock kann man bei klarem Wetter mehr als 125 Kilometer weit sehen; konsultieren Sie vorher den Sichtweitenindex in der Lobby.

INFOBOX

350 5th Ave. **Karte** 8 F2.
736-3100. M *B, D, F, N, Q, R zur 34th St.* *Q32, M1, M2, M3, M4, M5, M16, M34.*
Aussichtsplattform *tägl. 9.30–24 Uhr (letzter Einlaß 23.30 Uhr); 24. Dez 9–17 Uhr; 25. Dez 11–19 Uhr; 1. Jan 11–19 Uhr.*
Eintritt. ***Imbiß.***

Sky Boy
Der Fotograf Lewis Hine dokumentierte die Gefahren und Wagnisse des Bauens in den 30er Jahren. Hier klettert ein Bauarbeiter ein Kabel hoch. Der breite Hudson im Hintergrund erscheint fast wie ein Bach.

Rangordnung
Die New Yorker sind zu Recht stolz auf das Symbol ihrer Stadt, das die Wahrzeichen anderer Kulturen übertrumpft.

Blitzschlag
Das Empire State ist ein künstlicher Blitzableiter und wird bis zu 500mal pro Jahr getroffen. Die Außenplattform ist bei Gewitter geschlossen, innen kann jedoch nichts passieren.

★ Eingangslobby in der Fifth Avenue
Ein Reliefbild des Wolkenkratzers befindet sich in der Marmorlobby auf einer Karte des Staates New York.

BEGEGNUNGEN AM HIMMEL

Das Empire State Building war in vielen Filmen zu sehen; seinen berühmtesten Auftritt hat es ohne Zweifel am Schluß des Klassikers *King Kong* von 1933, als der Riesenaffe auf der Spitze des Gebäudes steht und gegen Armeeflugzeuge kämpft. 1945 flog ein Flugzeug im Nebel zu tief über Manhattan und rammte den Bau direkt über dem 77. Stock. Die glücklichste Überlebende war ein Liftgirl, deren Aufzug 79 Stockwerke in die Tiefe raste. Sie überlebte dank der Notbremsen.

Jacob K Javits Convention Center ❽

655 W 34th St. **Karte** 7 B2. *216-2000.* *34th St-Penn Station.* *Öffnungszeiten je nach Veranstaltung.* **Geschl.** *an veranstaltungsfreien Tagen.* ***Eintritt.***

Moderne New Yorker Architektur – das Convention Center

DAS MODERNISTISCHE Glasgebäude am Hudson wurde von I. M. Pei entworfen, um in New York Räumlichkeiten für Großausstellungen zu schaffen. Diesen Zweck hat es seit seiner Eröffnung 1986 voll erfüllt. Das 15stöckige Gebäude besteht aus 16 000 Glasplatten; die beiden Haupthallen können Tausende von Delegierten aufnehmen, und die Lobby ist so hoch, daß die Statue of Liberty hineinpassen würde. Die Fertigstellung des Galleria River Pavilion 1989 erweiterte den Komplex um 3750 Quadratmeter eindrucksvoll gestalteter Freiflächen sowie um zwei offene Terrassen.

Chelsea Piers Complex ❾

12th Ave zwischen 17th & 23rd Sts. **Karte** 7 B5. *336-6666.* *14th St.* *Tägl.* *M23.* ***Eintritt.***

DIE CHELSEA PIERS wurden 1995 als riesiges Sport- und Freizeitzentrum wiedereröffnet *(siehe S. 31)*. Hier kann man u. a. Rollschuh laufen, Golf spielen und 11 Fernseh- und Filmproduktionsbühnen besichtigen.

Empire Diner ❿

210 10th Ave. **Karte** 7 C4. *243-27 36.* *23rd St.* *Tägl. 24 Stunden.* *Siehe* ***Restaurants und Bars*** *S. 306.*

DIESES ART-DECO-JUWEL ist ein Remake einer klassischen amerikanischen Imbißbar von 1929 mit einer Bar aus Stahl sowie einer von Chrom und schwarzer Farbe geprägten Ausstattung. Bette Davis soll es zu ihrer Lieblingsimbißbar erklärt haben. Küche und Kundschaft sind jedoch reinstes New York der 90er Jahre.

Eine Gutenberg-Bibel (15. Jh.) aus der Sammlung des Seminars

General Theological Seminary ⓫

20th–21st St. **Karte** 7 C4. *243-5150.* *23rd St oder 34th St-Penn Station.* *Mo–Sa 12–15 Uhr.*

AUF DIESEM 1817 gegründeten Campus werden 150 Studenten auf das Priesteramt vorbereitet. Clement Clarke Moore, Professor für Bibelkunde, stiftete das offiziell als Chelsea Square bekannte Grundstück. Der älteste Bau stammt von 1836; der modernste, die St. Mark's Library, von 1960. Die Bibliothek besitzt die weltweit größte Sammlung von lateinischen Bibeln.

Der Zugang zum Campus liegt an der Ninth Avenue. Der Garten hat die Form zweier Vierecke, wie der Hof einer englischen Kathedrale. Im Frühling ist es hier sehr reizvoll.

Das Empire Diner vor der Ankunft hungriger Frühstücksgäste

Chelsea Historic District ⓬

Von 9th zur 10th Ave und von W 20th zur 21st St. **Karte** 8 D5. Ⓜ *18th St.*

CLEMENT CLARKE MOORE ist bekannter als Autor von *A Visit from St Nicholas* denn als Städteplaner. Er besaß hier ein Grundstück, das er 1830 in einzelne Parzellen aufteilte, auf denen er hübsche Reihenhäuser errichten ließ. Eine sorgfältige Restaurierung erhielt viele der Originalbauten.

Die sieben schönsten von ihnen sind als Cushman Row (West 20th Street Nr. 406–18) bekannt. Sie wurden 1839-40 für den Kaufmann Don Alonzo Cushman gebaut, der auch die Greenwich Savings Bank gründete. Er trug mit Moore und James N. Wells zum Ausbau Chelseas bei. Mit ihrem Detailreichtum und ornamentalen Schmiedeeisen gelten Cushman Row und Washington Square North als Musterbeispiele klassizistischer Architektur. Beachtenswert sind die gußeisernen Gewinde an den Mansardenfenstern und die Ananasfrüchte auf den Treppensäulen von zweien der Häuser – alte Symbole der Gastfreundschaft. Weiter oben auf der

Ein Haus in der Cushman Row

Die Backsteinbögen der Fenster und fächerförmige Oberlichter verweisen auf den Reichtum des Besitzers – nur wenige konnten sich dies leisten.

Hugh O'Neill Dry Goods Store

Chelsea Hotel ⓭

222 W 23rd St. **Karte** 8 D4. ☎ *243-3700.* Ⓜ *23rd St, 34 St-Penn Station.*

WENIGE HOTELS überhaupt können es mit dem künstlerischen und literarischen Ruhm des Chelsea Hotel aufnehmen. An viele seiner früheren Gäste, darunter Tennessee Williams, Mark Twain, Jack Kerouac und Brendan Behan, erinnern Messingplaketten an der Hotelfassade. Dylan Thomas verbrachte seine

Der Treppenschacht des Chelsea Hotel

Nimbus des Chelsea, und weiterhin zieht das Chelsea Musiker, Künstler und Schriftsteller an, die hoffen, daß man sich eines Tages ihrer erinnert.

Hugh O'Neill Dry Goods Store ⓮

655–671 Sixth Avenue. **Karte** 8 E4. Ⓜ *23rd St.*

AUCH WENN DAS Geschäft nicht mehr existiert, deutet die gußeiserne Fassade Ausmaß und Glanz des Umschlagplatzes an, der sich einst entlang der Sixth Avenue von der 18th bis 23rd Street, in dem als Fashion Row bekannten Gebiet, erstreckte. O'Neill, dessen Schriftzug noch an der Fassade sichtbar ist, war ein Schausteller und Verkäufer mit einer Flotte von Lieferwägen. Seine Kunden kamen scharenweise mit der nahegelegenen Sixth-Avenue-Hochbahn. Zwar gab es kein so vornehmes Publikum wie auf der Ladies' Mile *(siehe S. 125)*, aber dank der vielen Kunden blühte das Geschäft auf der Row bis zur Jahrhundertwende, als der Einzelhandel nach uptown zog. Die Großbauten aber blieben und wurden zum Teil renoviert. Ein Blick auf sie genügt, um sich vorzustellen, wie sie zu ihren Glanzzeiten aussahen.

Worth Monument

Verkehrsinsel steht ein 1857 errichteter Obelisk – die Grabstätte der einzigen Berühmtheit, die unter den Straßen Manhattans beerdigt ist: General William J. Worth, ein Held der mexikanischen Kriege Mitte des 19. Jahrhunderts. Ein gußeiserner Zaun in Form von Schwertern umgibt das Monument.

Das Worth-Monument

THEATER DISTRICT

ERST ALS DIE Metropolitan-Oper 1883 an den Broadway (Ecke 40th Street) zog, entstanden hier verschwenderisch ausgestattete Theater und Restaurants. In den 20er Jahren kam der Neonglanz der Kinopaläste hinzu; die Leuchtreklamen wurden immer heller und strahlender, bis die Straße »The Great White Way« hieß. Nach dem Zweiten Weltkrieg verlor das Kino an Anziehungskraft, und dem Glanz folgte der Verfall. Ein Wiederbelebungsprogramm ließ die Lichter wieder angehen, aber es gibt inmitten des Trubels auch Inseln der Stille wie die Public Library oder den Bryant Park. Das Beste von beiden Welten bietet das Rockefeller Center.

Design von Lee Lawrie am Rockefeller Center

Hauptlesesaal der New York Public Library

Sehenswürdigkeiten auf einen Blick

Historische Straßen und Gebäude
New York Yacht Club 5
American Standard Building 7
New York Public Library 8
Times Square 9
Group Health Insurance Building 11
Paramount Building 12
Shubert Alley 13
Alwyn Court Apartments 18

Museen
Intrepid Sea-Air-Space Museum 19

Moderne Architektur
Rockefeller Center 1
MONY Tower 14

Parks und Plätze
Bryant Park 6

Berühmte Theater
Lyceum Theater 3
New Amsterdam Theater 10
City Center of Music and Drama 15
Carnegie Hall 16

Herausragende Hotels und Restaurants
Algonquin Hotel 4
Russian Tea Room 17

Herausragende Geschäfte
Diamond Row 2

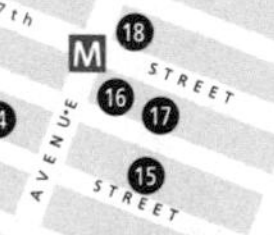

[illegible] oder 42nd St und die Linien N oder R zur 57th oder 49th St. Weitere Verbindungen sind an der 8th Ave die Linien A, C oder E und an der 6th Ave Linie D oder F. Die geeignetsten Buslinien sind M5, M6, M7, M10, M34, M42, M50, M57 und die West-Ost-Linie M58.

Legende

- Detailkarte
- Subway-Station
- Schiffsanlegestelle

Siehe auch

- ***Kartenteil*** Karten 8, 11/12
- ***Übernachten*** S. 274 f
- ***Restaurants*** S. 290 ff

0 Meter 500
0 Yards 500

Meerjungfrau und Delphin in den Channel Gardens

Im Detail: Rockefeller Center

DAS ROCKEFELLER CENTER ist einer der meistbesuchten Orte New Yorks und der erste Gebäudekomplex der Welt mit integrierten Büros, Geschäften, Shows, Lokalen und Gärten. Hier finden sich Mitarbeiter von einigen der größten Firmen der Welt neben herumstöbernden Kunden und Touristen, die den Reichtum amerikanischer Kunst und Architektur bewundern. Im Winter vergnügen sich Schlittschuhläufer unter dem berühmten Christbaum. Die farbenprächtigen Blumenarrangements ändern sich saisonal.

Im **Winter Garden** finden seit 1911 Revuen und Musicals statt.

Im **Equitable Center** befindet sich Roy Lichtensteins *Mural with Blue Brushstroke* (1984/85).

Das **Rockefeller Center** expandierte in den 60er Jahren Richtung Westen. Der neue Komplex bildet einen reizvollen Hintergrund für die älteren Gebäude.

Die Fassade des **Cort Theater** ist dem Petit Trianon in Versailles nachempfunden. Eine Büste Marie Antoinettes überblickt die Lobby. Die Uraufführungen von *Das Tagebuch der Anne Frank* und *Sarafina!* fanden hier statt.

Subway-Station 50th Street (Linien 1,9)

Die Statue **George M. Cohans** vor der TKTS-Box am Duffy Square ehrt den Autor von *Give my Regards to Broadway.*

W 50TH ST

SEVENTH AVENUE

BROADWAY

W 47TH STREET

W 46TH STREET

SIXTH AVE

Das **Miller Building** war vor dem Zweiten Weltkrieg »The Show Folks' Shoe Shop«. Vier Statuen amerikanischer Schauspielerinnen von A. Stirling Cooper sind die einzigen verbliebenen Zeugen seiner früheren Rolle.

Lyceum Theater

Das älteste New Yorker Theater spielt noch immer, auch wenn es dort jetzt häufig dunkel ist. Es wurde 1903 für den Intendanten Daniel Froman gebaut, der in dem Gebäude ein Appartement hatte, von dem aus er durch eine Falltür auf die Bühne schauen konnte. ❸

Detail der Fassade des Lyceum

Das **Sun Triangle** verbindet Wissenschaft und Symbolik anhand eines reflektierenden Pools und glänzender Stahlkugeln, um das Verhältnis der Sonne zu den Planeten zu demonstrieren.

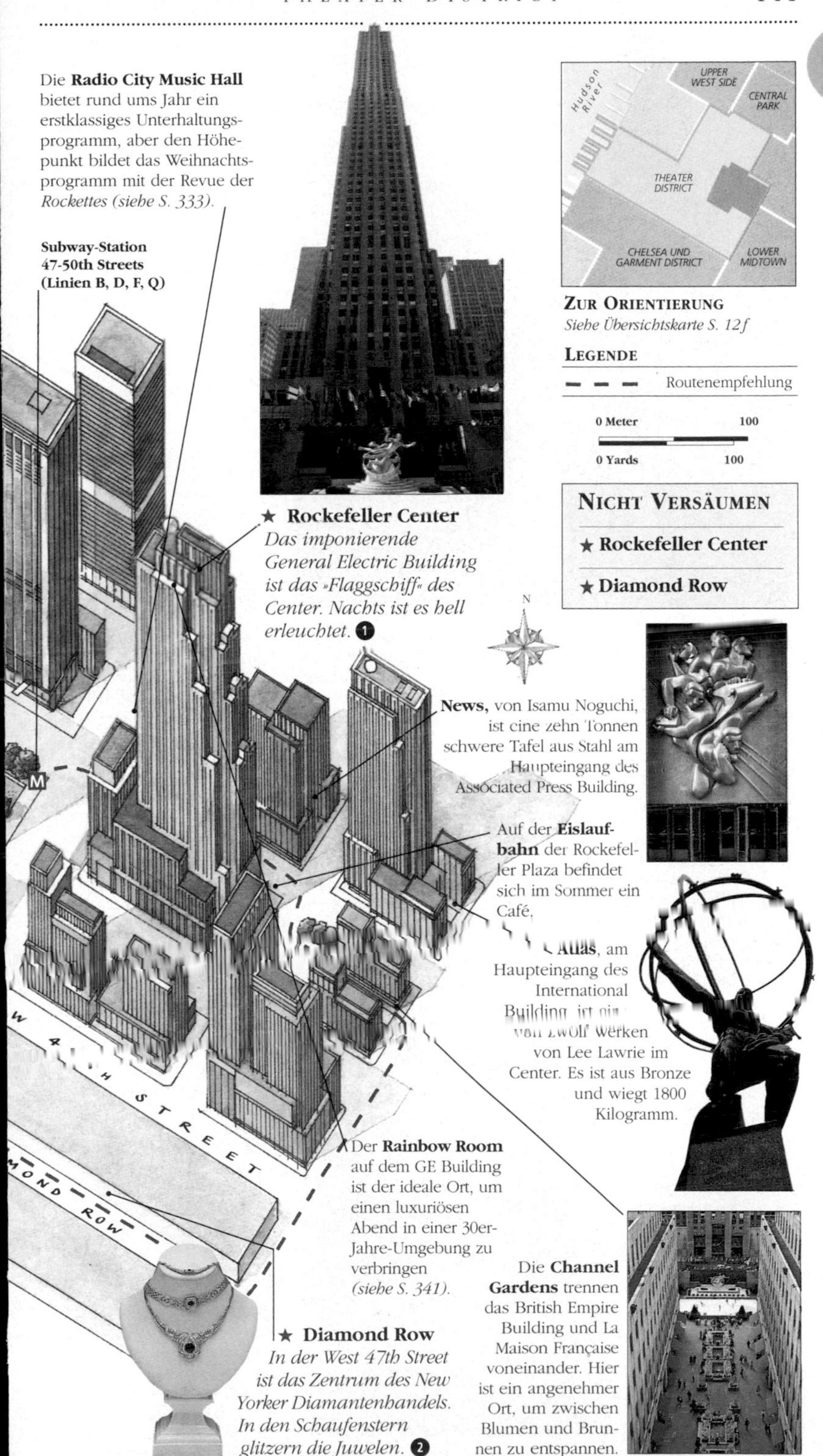

Die **Radio City Music Hall** bietet rund ums Jahr ein erstklassiges Unterhaltungsprogramm, aber den Höhepunkt bildet das Weihnachtsprogramm mit der Revue der *Rockettes (siehe S. 333).*

Subway-Station 47-50th Streets (Linien B, D, F, Q)

★ Rockefeller Center
Das imponierende General Electric Building ist das »Flaggschiff« des Center. Nachts ist es hell erleuchtet. ❶

News, von Isamu Noguchi, ist eine zehn Tonnen schwere Tafel aus Stahl am Haupteingang des Associated Press Building.

Auf der **Eislaufbahn** der Rockefeller Plaza befindet sich im Sommer ein Café.

Atlas, am Haupteingang des International Building, ist ein[illegible] von zwölf Werken von Lee Lawrie im Center. Es ist aus Bronze und wiegt 1800 Kilogramm.

Der **Rainbow Room** auf dem GE Building ist der ideale Ort, um einen luxuriösen Abend in einer 30er-Jahre-Umgebung zu verbringen *(siehe S. 341).*

★ Diamond Row
In der West 47th Street ist das Zentrum des New Yorker Diamantenhandels. In den Schaufenstern glitzern die Juwelen. ❷

Die **Channel Gardens** trennen das British Empire Building und La Maison Française voneinander. Hier ist ein angenehmer Ort, um zwischen Blumen und Brunnen zu entspannen.

ZUR ORIENTIERUNG
Siehe Übersichtskarte S. 12f

LEGENDE

— — — Routenempfehlung

0 Meter 100
0 Yards 100

NICHT VERSÄUMEN

★ Rockefeller Center

★ Diamond Row

Das Rockefeller Center mit Blick auf das General Electric Building

Rockefeller Center ❶

Karte 12 F5. M *47th-50th Sts.*

ALS DIE NEW YORKER Denkmalschutzbehörde 1985 das Rockefeller Center einmütig zum erhaltenswerten Wahrzeichen erklärte, sprach sie zu Recht vom »Herzen New Yorks ... seiner ordnungsstiftenden Präsenz im chaotischen Herzen Manhattans«.

Es ist der größte derartige Komplex in privater Hand, und Dutzende von Städten versuchen seine geradezu perfekte urbane Mixtur nachzuahmen. Der Art-deco-Entwurf stammt von einem Team von Spitzenarchitekten unter der Leitung von Raymond Hood. In den Foyers und Gärten sowie an den Fassaden finden sich Werke von 30 Künstlern.

Das Gelände, einst ein Botanischer Garten im Besitz der Columbia University, wurde 1928 von John D. Rockefeller Jr. gemietet, als geplanter Standort einer neuen Oper. Als die Depression von 1929 die Pläne zunichte machte, entschied sich Rockefeller mit seinem langfristigen Leasingvertrag zu einem eigenen Projekt. Die vierzehn Gebäude, die zwischen 1931 und 1940 inmitten der tiefsten Rezession entstanden, boten 225 000 Menschen Arbeit. Weitere Bauabschnitte zwischen 1957 und 1973 ließen die Gesamtzahl der Gebäude auf neunzehn anwachsen. Im Dezember 1932 eröffnete die Radio City Music Hall. Ihre Shows haben sie zu einer New Yorker Institution werden lassen, und die jährliche Weihnachtsshow mit den *Rockettes* ist ein Dauerbrenner.

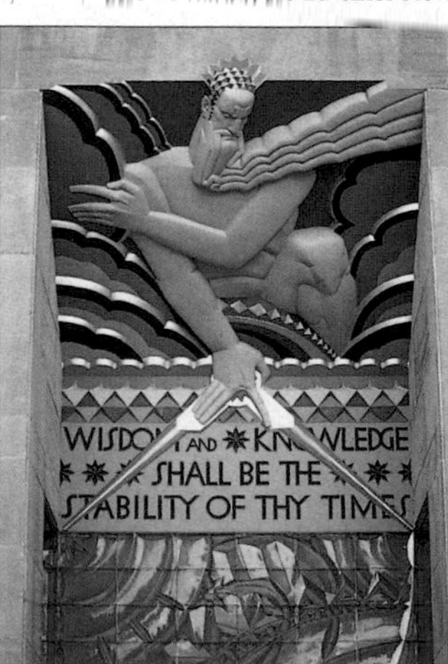

Weisheit, **von Lee Lawrie, am G. E. Building**

Diamond Row ❷

47th St. **Karte** 12 F5. M *47th-50th Sts. Siehe* ***Einkaufen*** *S. 320.*

IN NAHEZU JEDEM Schaufenster der 47th Street glitzern Juwelen. In Läden und Werkstätten werben Händler um Kunden, während in den oberen Etagen Millionen von Dollar die Besitzer wechseln. Der Bezirk entstand in den 30er Jahren, als Amsterdamer und Antwerpener Diamantenhändler vor den Nazis hierher flohen. Chassidische Juden mit schwarzen Hüten, Bärten und langen Stirnlocken sind noch heute Bestandteil des Viertels. Obwohl hier eher der Großhandel stattfindet, sind auch einzelne Kunden willkommen. Es empfiehlt sich, Bargeld mitzubringen, Preise zu vergleichen, zu feilschen – und wegzubleiben, wenn man wenig von Diamanten versteht. Das Ladenschild »Wise men fish here« (Hier fischt der Weise) kündigt den Gotham Book Mart an, ein kleines Schatzkästchen literarischer Juwelen *(siehe S. 319).*

Der Hauptartikel der Diamond Row

Lyceum Theater ❸

149 W 45th St. **Karte** 12 E5. *Telecharge 239-6200.* M *42nd St-5th Ave. Siehe* ***Unterhaltung*** *S. 330.*

DAS ÄLTESTE noch benutzte Theater New Yorks schaut aus wie eine barocke Hutschachtel mit Verzierungen eines Hochzeitskuchens. Der Bau von 1903 war das erste Theater von Herts und Tallant, die später für ihren extravaganten Stil berühmt wurden. Mit 1600 Aufführungen der Komödie *Born Yesterday* stellte das Lyceum einen Rekord auf. Es war das erste zum historischen Denkmal erklärte Theater. Es finden kaum noch Veranstaltungen statt, da die Theaterszene nach Westen gezogen ist.

Der Rose Room im Algonquin Hotel

Algonquin Hotel ❹

59 W 44th St. **Karte** 12 F5. *840-6800.* *42nd St–5th Ave. Siehe* ***Übernachten*** *S. 278.*

DAS ÄUSSERE des Algonquin wirkt heute etwas affektiert – eiserne Erkerfenster in vertikalen Reihen, roter Backstein, viele Details. Es ist das Ambiente, nicht die Architektur, was das Hotel von 1902 zu etwas Besonderem macht. In den 20er Jahren war das Algonquin Schauplatz von Amerikas bekanntester Mittagsgesellschaft, dem Round Table, an dem literarische Größen wie Alexander Woollcott, Franklin P. Adams, Dorothy Parker, Robert Benchley und Harold Ross saßen. Alle hatten mit dem *New Yorker* zu tun (Ross war Gründungsherausgeber), dessen Hauptquartier (West 43rd Street Nr. 25) eine Hintertür zu dem Hotel hatte.

Eine jüngst erfolgte Renovierung hat die altmodische bürgerliche Aura des Rose Room wie auch der getäfelten Lobby bewahrt, wo sich die Verlags- und Theaterszene bei Drinks trifft, sich in bequemen Lehnstühlen niederläßt und mit einer kleinen Glocke den Ober herbeiklingelt.

Statue des Dichters William Cullen Bryant im Bryant Park

New York Yacht Club ❺

37 W 44th St. **Karte** 12 F5. *42nd St–5th Ave.* ***Kein Publikumsverkehr*** *(nur für Mitglieder).*

IN DIESER INSTITUTION aus dem Jahre 1899, einem Privatclub, befinden sich in den Erkerfenstern die geschnitzten Hecks von Segelschiffen des 18. Jahrhunderts. Deren Bugspitzen werden von gemeißelten Delphinen und Wellen gestützt, die über die Fenstersimse auf den Gehsteig »schwappen«.

Das ist der Geburtsort des Yachtrennens *America's Cup,* dessen Trophäe von 1857 bis 1982 in den USA blieb. 1983 mußte die begehrte Trophäe von dem Platz weichen, an dem sie mehr als ein Jahrhundert gestanden hatte, als die Australia II siegte.

Der America's Cup, der begehrteste Yacht-Preis

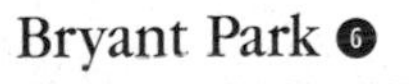

Bryant Park ❻

Karte 8 F1. *42nd St-5th Ave.*

ALS SICH AM heutigen Standort der Public Library 1853 noch das Croton Reservoir befand, gab es im Bryant Park (damals Reservoir Park) einen Kristallpalast, der für die Weltausstellung dieses Jahres gebaut worden war *(siehe S. 23).*

In den 60er Jahren war der Park fest in der Hand Drogensüchtiger. 1989 schloß und renovierte ihn die Stadt, um ihn als Erholungsstätte für Arbeiter und Touristen zu nutzen. Mittags kann man dort essen, und eine Vorverkaufsstelle *(siehe S. 329)* bietet Karten zum halben Preis für am gleichen Tag stattfindende Konzerte, Musical- und Tanzaufführungen.

American Standard Building ❼

40 W 40th St. **Karte** 8 F1. *42nd St-Grand Central.* ***Kein Publikumsverkehr.***

DIES WAR DAS erste große New Yorker Werk Raymond Hoods, der auch das News Building *(siehe S. 153)* und das Rockefeller Center entwarf. Die Struktur von 1924 erinnert an das neugotische Gebäude, für das Hood damals am bekanntesten war, den Tribune Tower in Chicago. Hier ist das Design schlanker, wodurch der Eindruck entsteht, der Bau sei höher als die 20 Stockwerke, die er tatsächlich hat. Die schwarze Backsteinfassade wird durch eine goldfarbene Terrakottaverkleidung konterkariert, die den Eindruck glühender Kohlen vermittelt. Diese Assoziation läßt an die ursprünglichen Eigentümer denken, die Heizausrüstungen herstellten.

1989 kaufte eine japanische Firma das Gebäude, um es in ein Hotel zu verwandeln. Das geschah aber nicht, und so steht es leer.

Das American Standard Building vom Bryant Park aus gesehen

New York Public Library ⑧

5th Ave und 42nd St. **Karte** 8 F1. *869-8089.* *42nd St-Grand Central.* *Di–Sa unterschiedliche Öffnungszeiten.* ***Geschl.*** *Feiertage.* ***Vorträge, Workshops, Lesungen.***

Der Eingang zum Hauptlesesaal der Public Library

Im Jahr 1897 wurde der begehrte Auftrag für den Entwurf der Public Library der Stadt an die Architekten Carrère & Hastings vergeben. Ihr Plan war vom ersten Direktor der Bibliothek beeinflußt. Er hatte sich einen hellen und luftigen Lesesaal vorgestellt sowie Kapazität für Millionen von Büchern. Der Bau von Carrère & Hastings realisiert diese Wünsche auf eine Weise, die ihn zum Inbe-[illegible] Yorks Beaux-Arts-[illegible] an der Stelle des ehemaligen Croton Reservoir *(siehe S. 22)* 1911 errichtete, 9 Millionen US-$ teure Gebäude fand viel Beifall.

Tonnengewölbe aus weißem Marmor über den Treppen von Astor Hall

Der riesige Hauptlesesaal erstreckt sich über zwei Blocks und ist dank zweier Innenhöfe lichtdurchflutet. Unter ihm befinden sich 140 Kilometer Regale mit mehr als zwei Millionen Bänden. Eine hundert-[illegible] Belegschaft [illegible] zehn Minuten beschaffen. Die Zeitschriftenabteilung führt 10 000 Zeitschriften aus 128 Ländern. Die Wandgemälde von Richard Haas sind eine Hommage an New Yorks große Verlage.

Der Hauptlesesaal mit seinen Leselampen aus Bronze

Die ursprüngliche Bibliothek vereinte die Sammlungen von John Jacob Astor und James Lenox. Der heutige Bestand enthält u.a. Thomas Jeffersons handgeschriebene Unabhängigkeitserklärung und T. S. Eliots Schreibmaschinenmanuskript von *Das wüste Land.* Über tausend Anfragen täglich werden mit Hilfe der Datenbank des CATNYP-Computerkatalogs beantwortet. Die Bibliothek ist der Kern eines 82 Filialen umfassenden Netzwerkes mit fast sieben Millionen Benutzern. Zu ihren Filialen gehören auch die NYPL for the Performing Arts im Lincoln Center *(siehe S. 210)* und das Schomburg Center in Harlem *(siehe S. 227).*

Einer der beiden Löwen der Bibliothek, von Bürgermeister LaGuardia *Patience* und *Fortitude* genannt

Der neonerleuchtete Times Square

Times Square ❾

Karte 8 E1. Ⓜ *42nd St-Times Sq.*

Im 19. Jahrhundert als Longacre Square bekannt, war dies ein Ort von Pferdehändlern, Schmieden und Ställen, der den Rand von »Thieves' Lair«, einem Paradies für Taschendiebe, markierte. Oscar Hammerstein baute 1899 das Victoria- und das Republic Theater. Später übernahm Minsky das Republic, in dem die verruchte Gypsy Rose Lee auftrat. Der Broadway blühte, und der Times Square wurde zum Herzen des Theaterbezirks. Die Depression ruinierte viele Theater, und die »Guys and Dolls« des Broadway wichen üblen Nachfolgern. In den 80er Jahren wurde der Times Square zu einem sicheren und lebendigen Platz für Theatergänger und Touristen umgestaltet.

Der Times Square wurde 1904 nach dem 24stöckigen Turm der *New York Times* benannt. Die *Times* zog an Silvester mit einem Feuerwerk ein, und die Zeremonie wiederholt sich seitdem: Eine illuminierte Kugel wird mit einem Countdown herabgelassen, um das neue Jahr zu verkünden. Tausende drängen sich dabei auf dem Platz, und Millionen verfolgen das Ereignis am Bildschirm. 1928 veröffentlichte die *Times* Wahlergebnisse auf dem weltweit ersten beweglichen Display, einem das Gebäude umlaufenden Band aus 14800 Lampen. Dieses Nachrichtenband ist auch heute noch aktiv.

New Amsterdam Theater ❿

214 W 42nd St. **Karte** 8 E1. Ⓜ *42nd St-Times Sq.* ***Kein Publikumsverkehr.***

W. C. Fields (ganz links) und Eddie Cantor (mit Zylinder, rechts) in den *Ziegfeld Follies* des New Amsterdam Theater von 1918

Dies war, als es 1903 eröffnet wurde, das opulenteste Theater der USA und das erste mit einem Art-nouveau-Interieur. Eine Zeitlang gehörte es Florenz Ziegfeld, der hier zwischen 1914 und 1918 seine berühmte Revue *Follies* produzierte (zu einem Ticketpreis von 5 Dollar). Er machte aus dem Dachgarten ein weiteres Theater, die Aerial Gardens. Diese ehrwürdigen Theater an der 42nd Street durchliefen schlechte Zeiten, viele wurden in Kinos umgewandelt. Das New Amsterdam ist mittlerweile ganz aufgegeben worden.

Group Health Insurance Building ⓫

330 W 42nd St. **Karte** 8 D1. Ⓜ *42nd St.* 🕐 *Geschäftszeiten.*

Dieser Entwurf Raymond Hoods von 1931 war das einzige New Yorker Gebäude, das für den bedeutenden International-Style-Wettbewerb 1932 ausgewählt wurde *(siehe S. 41)*. Sein ungewöhnliches Design verleiht ihm von Osten und Westen aus ein stufiges Profil, von Süden und Norden aus ein flaches Aussehen. Die blau-grünen horizontalen Fassadenstreifen haben zu seinem Spitznamen »jolly green giant« geführt. Im Inneren befindet sich eine Art-deco-Lobby aus Glas und Stahl. Einen Block weiter liegt die Theater Row mit hübschen Off-Broadway-Theatern und Cafés.

Paramount Building ⓬

1501 Broadway. **Karte** 8 E1. Ⓜ *34th St.*

Das sagenhafte Filmtheater im Erdgeschoß, wo in den 40er Jahren die Mädchen Schlange standen, um Frank Sinatra zu hören, existiert zwar nicht mehr, aber das 1927 von Rapp & Rapp entworfene massive Gebäude hat noch immer die Aura eines Theaters. Es ist nach oben symmetrisch zurückgestuft, so daß die »Stufen« eine Art-deco-Krone bilden – mit Turm, Uhr und Globus. Zur Glanzzeit des »Great White Way« wurde der Turm samt Aussichtsplattform angestrahlt.

Die Art-deco-Spitze des Paramount Building

Shubert Alley ⑬

Zwischen W 44th und W 45th St.
Karte 12 E5. M *42nd St-Times Sq.*

Die Schauspielhäuser in den Straßen westlich des Broadway sind reich an Theatergeschichte und bemerkenswerter Architektur. Zwei klassische Theater sind nach dem Schauspieler Edwin Booth (West 45th Street Nr. 22) und nach dem Theaterbaron Sam S. Shubert (West 44th Street Nr. 221) benannt. Sie bilden die westliche Begrenzung der Shubert Alley, wo hoffnungsvolle Schauspieler Schlange stehen und sich ein Engagement am Shubert erhoffen..

A Chorus Line lief hier bis 1990 6137mal. Früher spielte hier Katherine Hepburn in *The Philadelphia Story*. Gegenüber dem Ende der Alley an der 44th Street liegt das St. James, wo Rogers und Hammerstein 1941 mit *Oklahoma* debütierten, auf das *The King and I* folgte. In der Nähe ist Sardi's, das Restaurant, in dem Schauspieler nach den Premiereabenden auf die Kritiken warteten. Irving Berlin inszenierte 1921 *The Music Box Revue* gegenüber dem anderen Ende der Alley in seinem traditionsreichen Musiktheater.

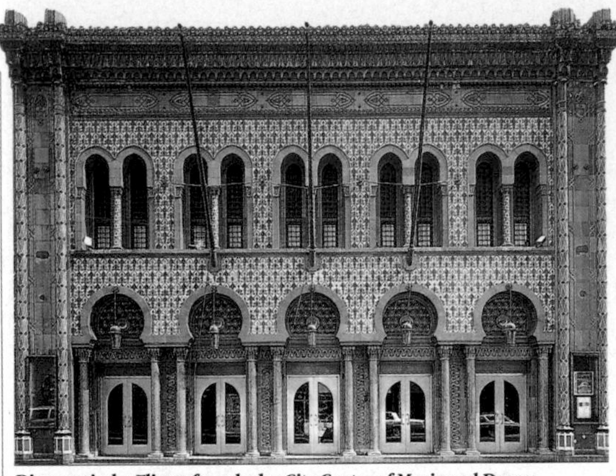

Die maurische Fliesenfassade des City Center of Music and Drama

MONY Tower ⑭

1740 Broadway. **Karte** 12 E4.
M *57th St.* ***Kein Publikumsverkehr.***

Das 1950 erbaute Hauptquartier der MONY Insurance Company (heute MONY Financial Services) hat einen aufschlußreichen Wettermasten. Er wird grün bei schönem Wetter, orangefarben bei Bewölkung, grellorange bei Regen und weiß bei Schnee. Eine aufsteigende Lichterfolge bedeutet Temperaturerwärmung, bei fallender sollte man einen Mantel anziehen.

City Center of Music and Drama ⑮

131 W 55th St. **Karte** 12 E3.
581-7907. M *57th St.*
Siehe ***Unterhaltung*** *S. 332.*

Diese maurische Fassade mit ihrer Kuppel aus spanischen Fliesen wurde 1947 als Freimaurertempel entworfen. Er wurde von Bürgermeister LaGuardia vor den Städteplanern gerettet und wurde 1943 die Heimat der New York City Opera and Ballet. Als diese zum Lincoln Center zogen, blieb das City Center einer der Hauptveranstaltungsorte für Tanz. Die jüngste Renovierung hat die Eigenheiten der Architektur bewahrt.

Carnegie Hall ⑯

154 W 57th Street. **Karte** 12 E3.
903-9600. M *57th St, 59th St.*
Museum *Do–Di 11–16.30 Uhr und bei Konzertveranstaltungen.*
Siehe ***Unterhaltung*** *S. 337 ff.*

Der vom philanthropischen Millionär Andrew Carnegie finanzierte erste große Konzertsaal New Yorks wurde 1891 eröffnet, in einer Gegend, die damals noch Vorstadt war. Die Akustik des Terrakotta- und Backsteinbaus im italienischen Renaissancestil ist eine der besten der Welt. Zur Eröffnung, bei der Tschaikovsky Gastdirigent war, kamen die besten New Yorker Familien, obwohl sie in ihren Pferdekutschen bis

Zuschauerraum des 1913 von Henry Herts erbauten Shubert Theater

zu einer Stunde vor dem Saal warten mußten.

Viele Jahre lang war die Carnegie Hall die Heimat der New York Philharmonic unter Dirigenten wie Arturo Toscanini, Leopold Stokowski, Bruno Walter und Leonard Bernstein. In der Carnegie Hall gespielt zu haben galt bald als Zeichen internationalen Erfolgs, sowohl bei klassischer wie auch Unterhaltungsmusik. Eine von dem Geiger Isaac Stern in den späten 50er Jahren initiierte Kampagne verhinderte die Umwandlung des Baus in Büroräume, und 1964 wurde er zu einem nationalen Wahrzeichen erklärt. Eine Renovierung der Innenräume brachte 1986 den ursprünglichen Glanz der bronzenen Balkone und des ornamentalen Stucks wieder zum Vorschein. Entlang der Gänge finden sich Souvenirs von Künstlern, die hier aufgetreten sind. 1991 eröffnete ein Museum, das die glanzvolle Geschichte der ersten 100 Jahre des »Hauses, das die Musik erschuf« nachzeichnet. Noch heute treten die Spitzenorchester und -stars der Welt in der Carnegie Hall auf, die man auch im Rahmen einer Führung besichtigen kann.

Der Millionär Andrew Carnegie

Russian Tea Room ⓱

150 W 57th St. **Karte** 12 E3. *265-0947.* Ⓜ *57th St.* *Wegen Renovierung bis 1997 geschlossen.* *Siehe **Restaurants und Bars** S. 303.*

DIES IST EIN New Yorker Klassiker: Hier gibt es Russischen Kaviar, Blinis und Prominente. Besonders zum Mittagessen trifft man hier viele Größen aus dem Showbusiness. Dieses Restaurant wird zur Zeit von Grund auf renoviert. Neueröffnung ist für 1997 vorgesehen. Der genaue Zeitpunkt ist noch nicht bekannt. Neuer Küchenchef wird dann David Bouley sein.

Interieur des Russian Tea Room in der 57th West Street

Alwyn Court Apartments ⓲

180 W 58th St. **Karte** 12 E3. Ⓜ *57th St.* ***Kein Publikumsverkehr***.

MAN KANN SIE NICHT übersehen: die bizarren Kronen, die Drachen und anderen Terrakottaskulpturen im französischen Renaissancestil auf der Außenseite dieses Appartementhauses von Harde und Short (1909). Das Erdgeschoß wurde umgebaut und verlor dabei sein Gesims, aber der Rest des Gebäudes und seiner komplizierten Steintapisserie ist so intakt wie einzigartig.

Die sehenswerte Fassade ist im Stil Franz' I. errichtet, während dessen Regierungszeit einige der schönsten Loireschlösser gebaut wurden und dessen Symbol, ein gekrönter Salamander, über dem Eingang an der 58th Street zu sehen ist.

Salamander am Alwyn Court

Anwohner und Besucher können sich im Innenhof an illusionistischen Wandmalereien von Richard Haas erfreuen, die eine strukturierte Oberfläche der Wände vortäuschen.

Rollfeld der *Intrepid*

Intrepid Sea-Air-Space Museum ⓳

Pier 86, W 46th St. **Karte** 11 A5. *245-2533.* *245-0072.* Ⓜ *50th St.* *Jun–Aug, tägl. 10–17 Uhr; Sep–Mai, Mi–So 10–17 Uhr (letzter Einlaß: 16 Uhr).* ***Eintritt***.

AUF DER *INTREPID*, einem US-Flugzeugträger aus dem Zweiten Weltkrieg, kann man Kontrollraum und Flugzeugdecks erkunden. Die Exponate reichen vom U-Boot *Growler* und Zerstörer *Edson* über Kampfflugzeuge aus den 40er Jahren bis hin zum *A12*, dem schnellsten Aufklärungsflugzeug der Welt. In der Pioneers Hall ist man der Geschichte des Fliegens und Flugzeugträgern auf der Spur; die Technologies Hall beschäftigt sich mit Raketentechnologie und Meereskunde.

LOWER MIDTOWN

DIESER TEIL VON Midtown trumpft mit erlesener Architektur auf – von Beaux Arts bis Art deco. Der ruhige Wohnbezirk Murray Hill wurde nach einem ländlichen Anwesen benannt, das einst hier stand. Um die Jahrhundertwende lebten hier viele der ersten Familien New Yorks, darunter der Finanzier J. P. Morgan, dessen Bibliothek (heute ein Museum) die Pracht jener Zeit veranschaulicht. Um die 42nd Street herum, in der Nähe des Grand Central Terminal, wird die Gegend kommerzieller. Aber kaum ein neueres Gebäude kann sich an dem Beaux-Art-Terminal selbst oder an Art-deco-Schönheiten wie dem Chrysler Building messen.

Bronzetür am Fred F French Building

SEHENSWÜRDIGKEITEN AUF EINEN BLICK

Historische Straßen und Gebäude
Grand Central Terminal S. 154f ❷
Home Savings of America ❸
Chanin Building ❹
Chrysler Building ❺
News Building ❻
Tudor City ❼
Helmsley Building ❽
Fred F French Building ⓬
Sniffen Court ⓯

Museen und Galerien
Pierpont Morgan Library S. 162f ⓮
Japan Society ⓫

Moderne Architektur
MetLife Building ❶
United Nations Plaza Nr. 1 und 2 ❾
United Nations S. 158ff ❿

Kirchen
Church of the Incarnation ⓭

ANFAHRT
Mit der Subway: Lexington Ave-Linien 4, 5 oder 6 nach 42nd St-Grand-Central. Die Buslinien M15, M101/102, M1, M2, M3 und M4 verkehren hier entlang der Avenues, die von den Businien M34 und M42 gekreuzt werden.

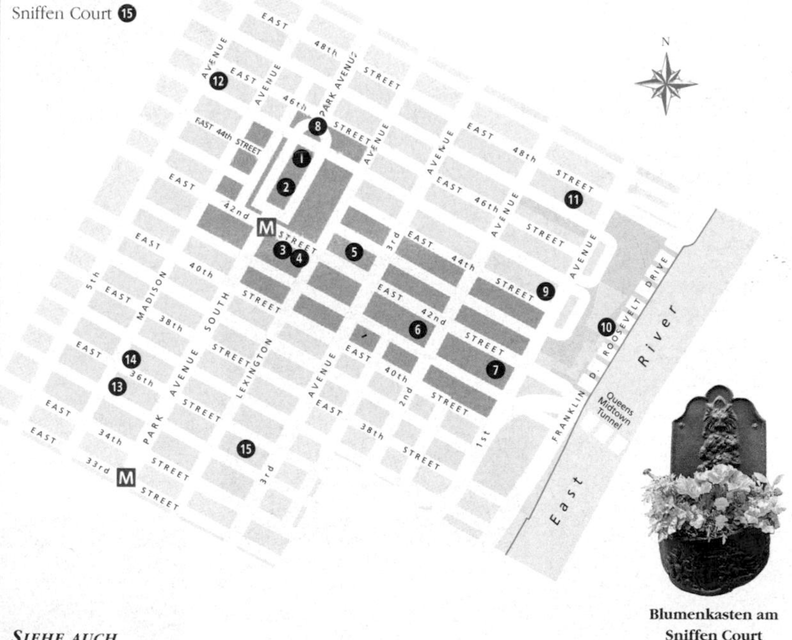

Blumenkasten am Sniffen Court

SIEHE AUCH

- ***Kartenteil*** Karten 9, 12, 13
- ***Übernachten*** S. 274f
- ***Restaurants*** S. 290 ff

LEGENDE

- Detailkarte
- M Subway-Station

0 Meter 500
0 Yards 500

Die Turmspitze des Chrysler Building aus rostfreiem Stahl

Im Detail: Lower Midtown

Bei einem Spaziergang im Grand-Central-Viertel bekommt man eine ausgefallene Mixtur lokaler Architekturstile zu sehen: von außen die Fassaden der höchsten Wolkenkratzer, von innen viele schöne Interieurs, seien es moderne Atrien wie das des Philip Morris Building oder das der Ford Foundation, seien es die ornamentalen Details in der Home Savings Bank oder die imposant hohen Räume des Grand Central Terminal.

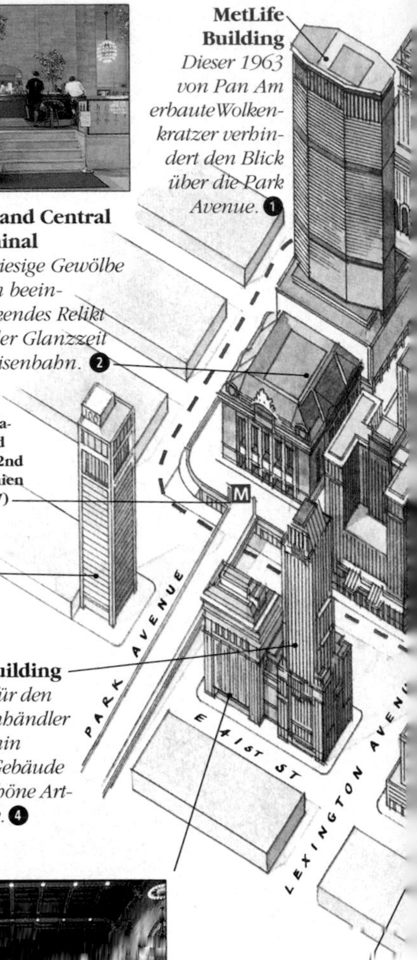

MetLife Building
Dieser 1963 von Pan Am erbaute Wolkenkratzer verhindert den Blick über die Park Avenue. ❶

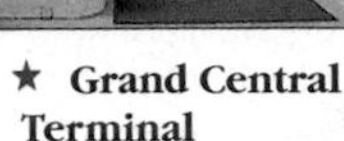

★ Grand Central Terminal
Das riesige Gewölbe ist ein beeindruckendes Relikt aus der Glanzzeit der Eisenbahn. ❷

Subway-Station Grand Central-42nd Street (Linien S, 4, 5, 6, 7)

Im **Philip Morris Building** befindet sich das Hauptquartier der Tabakfirma. Es beherbergt auch eine Filiale des auf moderne Kunst spezialisierten Whitney Museum.

Chanin Building
Das 1922 für den Immobilienhändler Irwin Chanin errichtete Gebäude hat eine schöne Art-deco-Lobby. ❹

Nicht versäumen

- ★ Grand Central Terminal
- ★ Chrysler Building
- ★ Home Savings of America
- ★ News Building

Das **Mobil Building** aus dem Jahr 1955 hat eine selbstreinigende, verwindungsfreie Stahlfassade mit eingestanzten geometrischen Mustern.

Bronzetür der Home Savings Bank

★ Home Savings of America
Das frühere Hauptquartier der Bowery Savings Bank ist eines der schönsten Bankgebäude New Yorks. Es wurde von den Architekten York & Sawyer im Stil eines romanischen Palastes errichtet. ❸

Helmsley Building
Der reich geschmückte Eingang symbolisiert den Reichtum der New York Central Railroad, die als erste das Gebäude bezog. ❽

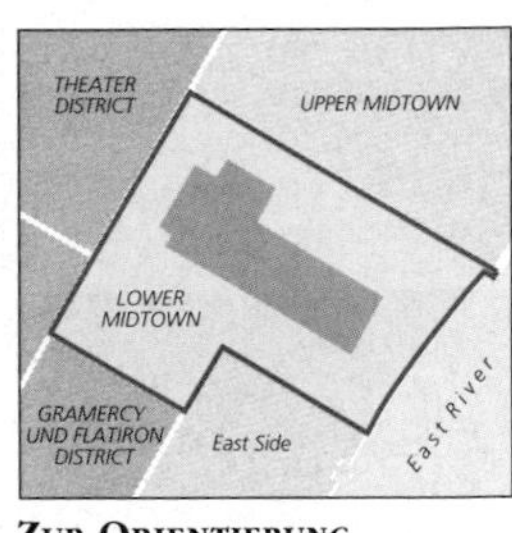

ZUR ORIENTIERUNG
Siehe Übersichtskarte S. 12f

LEGENDE

Routenempfehlung

0 Meter 100

0 Yards 100

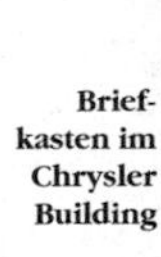

Briefkasten im Chrysler Building

★ **Chrysler Building**
Dieses Art-deco-Prachtstück wurde 1930 für die Autofirma Chrysler gebaut. ❺

Arbeitspause während der Errichtung des Chrysler Building

Das **Ford Foundation Building** ist das Hauptquartier der Ford-Stiftung. Es hat einen reizenden Innengarten, der von einem kubusförmigen Gebäude aus Granit, Glas und Stahl umgeben ist.

E 43RD STREET

E 42ND STREET

SECOND AVENUE

FIRST AVENUE

Ralph J Bunche Park

News ★ Building
In der Lobby des Art-deco-Gebäudes der Daily News *rotiert ein Globus.* ❻

Tudor City
Der 1928 im Tudor-Stil errichtete Komplex hat 3000 Appartements und ist mit schönen Steinmetzarbeiten versehen. ❼

MetLife Building ❶

200 Park Ave. **Karte** 13 A5.
M *42nd St-Grand Central.*
Geschäftszeiten.

Die Lobby des MetLife Building

FRÜHER EINMAL hoben sich die Skulpturen auf dem Grand Central Terminal gegen den Himmel ab. Dann aber entstand 1963 der früher Pan Am Building genannte Koloß (Entwurf: Walter Gropius, Emery Roth und Söhne, Pietro Belluschi) und verstellte den Blick über die Park Avenue. Er ließ das Terminal winzig erscheinen und erregte überall Widerwillen. Damals war es das größte Geschäftsgebäude der Welt, und das Entsetzen ob seiner Größe ließ spätere Pläne, einen Turm über dem Terminal selbst zu errichten, scheitern.

Es ist paradox, daß der Blick auf den Himmel über New York von einer Firma verstellt wurde, die Millionen Reisenden diesen Himmel erst erschlossen hatte. Als Pan Am im Jahr 1927 begann, war der frisch von seinem Atlantikflug zurückgekehrte Charles Lindbergh einer ihrer Piloten und Streckenberater. 1936 führte Pan Am den transatlantischen Linienverkehr ein, und 1947 folgte die erste Route rund um den Globus.

Der berühmte Dachlandeplatz für Hubschrauber wurde 1977 nach einem Unfall aufgegeben. Mittlerweile gibt es Pan Am nicht mehr. Das Gebäude gehört seit 1981 der Metropolitan-Life-Organisation.

Grand Central Terminal ❷

Siehe S. 154 f.

Home Savings of America ❸

110 E 42nd St. **Karte** 9 A1.
M *42nd St-Grand Central.*
Öffnungszeiten der Banken.

VIELE MENSCHEN SIND der Ansicht, daß dieser Bau von 1923 das gelungenste Werk der besten Bankarchitekten der 20er Jahre ist. York & Sawyer errichteten die Uptown-Büros der Bowery Savings Bank (jetzt Home Savings Bank of America) im Stil einer romanischen Basilika. Ein von Torbögen gebildeter Eingang führt in eine riesige Schalterhalle, die mit Mosaikfußböden und Marmorsäulen, die Steinbögen tragen, ausgestattet ist.

Fassade der Home Savings of America

Zwischen den Säulen befinden sich unpolierte Mosaiknischen aus Marmor, die u.a. Tiermotive zeigen, wie etwa ein Sparsamkeit repräsentierendes Eichhörnchen und einen Macht symbolisierenden Löwen.

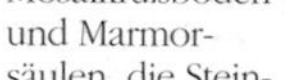

Chanin Building ❹

122 E 42nd St. **Karte** 9 A1.
M *42nd St-Grand Central.*
Geschäftszeiten.

Detail einer Steinmetzarbeit am Chanin Building

DAS EHEMALIGE Hauptquartier des führenden New Yorker Immobilienhändlers Irwin S. Chanin war mit 55 Stockwerken der erste Wolkenkratzer in der Grand-Central-Gegend und wegweisend für die Zukunft. Es wurde von Sloan & Robertson 1929 entworfen und ist eines der besten Beispiele der Art-deco-Epoche. Ein Bronzeband mit Vogel- und Fischmustern zieht sich die ganze Fassade entlang. Die Terrakottabasis ist reich verziert mit einem üppigen Gewirr aus stilisierten Blättern und Blumen. Innen hat der Bildhauer der Radio City Music Hall, René Chambellan, die Reliefs, Bronzegitter, Fahrstuhltüren, Briefkästen und Wel- [illegible] gestaltet. Die Reliefs in der Vorhalle illustrieren die Karriere des Selfmademan Chanin.

Detail in der Schalterhalle der Home Savings of America

Chrysler Building ❺

405 Lexington Ave. **Karte** 9 A1.
682-3070. *42nd St-Grand Central.* *Geschäftszeiten.*

Rostfreier Wasserspeier am Chrysler Building

Walter P. Chrysler begann seine Karriere in einer Maschinenhalle der Union Pacific Railroad, aber seine Leidenschaft für das Auto ließ ihn bald eine Spitzenposition in der neuen Industrie einnehmen. 1925 gründete er die nach ihm benannte Firma. Auf seinen Wunsch nach einem Hauptquartier in New York entstand ein Gebäude, das immer mit dem goldenen Zeitalter des Autos verbunden bleiben wird. Entsprechend Chryslers Wünschen ähnelt der Art-deco-Turm aus rostfreiem Stahl den Lamellen eines Autokühlers; die gestuften Mauervorsprünge sind mit geflügelten Kühlerhauben, Rädern und stilisierten Autos versehen sowie mit Wasserspeiern, die den Kühlerfiguren des Chrysler Plymouth von 1929 nachmodelliert sind.

Obwohl es den Titel des höchsten Gebäudes der Welt 1930 nur wenige Monate nach seiner Fertigstellung an das Empire State Building verlor, gehört William Van Alens 76stöckiges Chrysler Building noch immer zu den bekanntesten und beliebtesten Wahrzeichen der Stadt.

Die krönende Spitze wurde bis zum letzten Moment versteckt gehalten. Nachdem sie im Heizschacht des Gebäudes montiert worden war, wurde sie durch das Dach in Position gebracht – man stellte damit sicher, daß das Gebäude höher sein würde als das der Bank of Manhattan, das gerade in Downtown von Van Alens großem Rivalen H. Craig Severance errichtet worden war.

Aber Van Alens Mühen wurden nicht belohnt. Chrysler warf ihm vor, Bestechungsgelder genommen zu haben, und bezahlte ihn nicht. Van Alens Karriere als Star-Architekt war damit beendet.

Die beeindruckende Lobby, einst Ausstellungsraum für Chrysler-Autos, wurde 1978 von Grund auf renoviert. Sie ist mit Marmor und Granit aus aller Welt geschmückt und mit verchromtem Stahl verkleidet. Ein riesiges Deckengemälde von Edward Trumball zeigt Motive aus dem Transportwesen. Obwohl Chrysler das Gebäude nie bezog, blieb der Name erhalten.

Aufzugtür im Chrysler Building

Eingang zum News Building

News Building ❻

220 E 42nd St. **Karte** 9 B1.
42nd St-Grand Central.
Mo–Fr 8–18 Uhr.

Die *Daily News* wurde 1919 gegründet und hatte schon 1925 eine Auflage von einer Million. Sie wurde verächtlich »Dienstmädchenbibel« genannt, da sie sich auf Skandale, Prominente und Mörder konzentrierte, leicht zu lesen war und großzügigen Gebrauch von Illustrationen machte. Diese Politik hat sich letztendlich für die Zeitung ausgezahlt.

Sie enthüllte Geschichten wie die Romanze von Edward VIII. und Mrs. Simpson, und sie ist bekannt für ihre spektakulären Schlagzeilen, die prägnant den jeweiligen Zeitgeist widerspiegeln. Trotz der Verluste der Zeitung in den letzten Jahren gehört sie noch immer zu den populärsten der USA.

In ihrem 1930 von Raymond Hood entworfenen Hauptquartier wechseln braune und schwarze Backsteinreihen mit Fenstern, wodurch die Vertikale betont wird. Hoods Lobby enthält den größten innerhalb eines Gebäudes befindlichen Globus der Welt, eine »rotierende Geographiestunde« mit ständig erneuerten Daten. Bronzene Linien auf dem Boden weisen in die Richtung anderer Weltstädte und geben die Position der Planeten an. Nachts wird das komplizierte Art-deco-Muster über dem Haupteingang des Gebäudes von innen mit Neon beleuchtet.

Grand Central Terminal ❷

Im Jahre 1871 eröffnete Cornelius Vanderbilt einen Bahnhof an der 42nd Street, der trotz mehrfacher Umbauten nie groß genug war. Der jetzige Bahnhof wurde 1913 eröffnet. Diese Perle des Beaux-Arts-Stils ist seitdem das Tor zur Stadt und eines ihrer Symbole. Ihren Ruhm verdankt sie der Haupthalle und der Art, wie Auto-, Fußgänger- und Zugverkehr in eigenen Bahnen verlaufen. Das Gebäude hat ein mit Granit und Marmor verkleidetes Stahlgerippe. Reed & Stern planten die Logistik, Warren & Wetmore die äußere Gestaltung. Zur Zeit wird es von den Architekten Beyer Blinder Belle restauriert.

Säulenfassade auf der 42nd Street

Skulpturen an der Fassade der 42nd Street
Jules-Alexis Coutans Skulpturen von Merkur, Herkules und Minerva krönen den Haupteingang

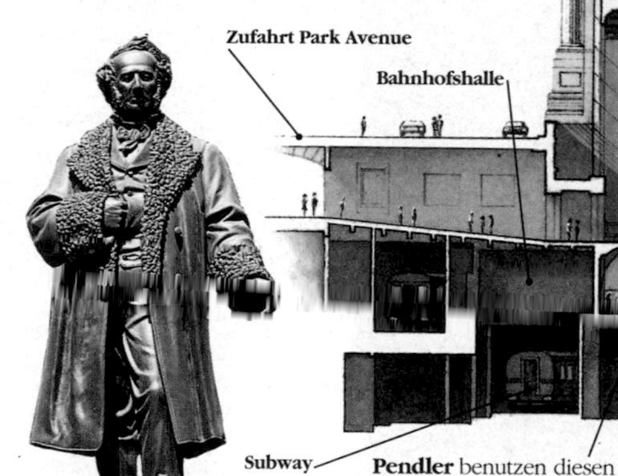

Cornelius Vanderbilt
Der Eisenbahnmagnat war als »Commodore« bekannt.

Pendler benutzen diesen Bahnhof – täglich eine halbe Million Menschen. Eine Rolltreppe führt zum MetLife Building, andere nahegelegene Gebäude können durch Unterführungen erreicht werden.

Grand Central Oyster Bar
Dieser mit Gustavino-Fliesen ausgestattete Ort zieht pro Jahr über drei Millionen Liebhaber von Meeresfrüchten an. Die Akustik überträgt selbst Geflüster von einer Gewölbeecke in die andere (siehe S. 294).

Nicht versäumen

- ★ Grand Staircase
- ★ Bahnhofshalle
- ★ Reiseauskunft

INFOBOX

E 42nd St, Ecke Park Ave. **Karte** 13 A5. ☎ *340-3000.* Ⓜ *4, 5, 6, 7 zur Grand Central Stn.* 🚌 *M104, M42.* ⏰ *Tägl. 5.30–1.30 Uhr.* 📷 ♿ *Mi 12.30 Uhr durch die Municipal Arts Society (gratis).* ☎ *935-3960.* 🍴 ***Gepäckaufbewahrung, Fundbüro.***

★ Bahnhofshalle
Die riesige Halle mit ihrer hohen gewölbten Decke wird von drei 23 Meter hohen Bogenfenstern an jeder Seite geprägt.

Gewölbedecke
Das Tierkreis-Design des französischen Künstlers Paul Helleu umfaßt über 2 500 Sterne. Die wichtigsten Konstellationen werden durch entsprechende Beleuchtung angezeigt.

Die **untere Ebene** ist mit den anderen über Treppen und ein raffiniertes Rampensystem verbunden.

Grand Staircase ★
Der zweifache Treppenaufgang mit Marmorstufen, dem großen Treppenhaus der Pariser Oper nachempfunden, erinnert an die frühere Exklusivität des Bahnreisens.

★ Reiseauskunft
Diese vierseitige Uhr steht auf dem Reiseauskunftskiosk in der Haupthalle.

Tudor City ❼

E 42nd St. **Karte** 9 B1.
M *42nd St-Grand Central.*

DIESER FRÜHE VERSUCH einer Stadterneuerung wurde zwischen 1925 und 1928 von der Fred F French Company als Stadtteil für die Mittelklasse entworfen. Die Mieten waren dank der »Massenproduktion« gering. Hier stehen zwölf Gebäude mit 3000 Wohnungen, einem Hotel, Geschäften, Restaurants, einer Post und zwei kleinen Privatparks – alles im neugotischen Tudor-Stil.

Das ruhige Viertel diente um 1850 als Zuflucht von Kriminellen und war als »Corcoran's Roost« bekannt, nach Paddy Corcoran, dem Anführer der berüchtigten »Rag Gang«. Am Ufer des East River reihten sich Leimfabriken, Schlachthäuser, Brauereien und Gaswerke aneinander. Einige existierten noch, als Tudor City geplant wurde. So haben manche Gebäude wenige Fenster, von denen aus die Bewohner heute den großartigen Blick auf den Fluß genießen können.

Obere Stockwerke von Tudor City

Helmsley Building ❽

230 Park Ave. **Karte** 13 A5.
M *42nd St-Grand Central.*
◷ *Geschäftszeiten.*

EINE DER GROSSARTIGEN New Yorker Aussichten ist der Blick entlang der Park Avenue Richtung Süden auf das Helmsley Building mit dem regen Verkehr darunter. Das Ganze hat nur einen Fehler: das monolithische MetLife Building, das hinter ihm emporragt und seinen Originalhintergrund – den Himmel – verdeckt. (Das Gebäude entstand 1963 als Hauptsitz von Pan Am.)

Das 1929 von Warren & Whetmore errichtete Helmsley Building war ursprünglich der Sitz der New York Central Railroad Company. Sein Besitzer ist der alternde Immobilienmagnat Harry Helmsley, ein Milliardär, der seine Karriere als Laufbursche mit 12 US-$ Wochenlohn begann. Bekannter ist vielleicht noch seine Frau Leona, die auf allen Anzeigen ihrer Hotelkette zu sehen war, bis sie 1989 wegen Steuerhinterziehung verhaftet wurde. Das extravagante Glitzern des renovierten Gebäudes dürfte auf ihren überkandidelten Geschmack zurückgehen.

Aufführung in der Japan Society

United Nations Plaza Nr. 1 & 2 ❾

Karte 13 B5. M *42nd St-Grand Central.*

DIESE BEIDEN großartigen Säulen aus prächtigem blaugrünen Spiegelglas stehen im Winkel zueinander. Das Spiel des Lichtes und die Reflexionen auf ihren glänzenden Seiten und schrägen Vorsprüngen machen sie zu einem sich ständig verändernden modernen Kunstwerk. Auch ihre Marmor- und Spiegelinterieurs sind faszinierend. Sie beherbergen gewöhnliche Büros und, in Nr. 1, das United Nations Plaza Hotel *(siehe S. 280)*. Die Gästeliste führt häufig UN-Diplomaten und Staatsoberhäupter. Selbst der Streß der internationalen Diplomatie dürfte etwas nachlassen, wenn man sich im verglasten Swimmingpool treiben läßt und aus der Vogelperspektive auf die Stadt und die UN blicken kann.

United Nations ❿

Siehe S. 158ff.

Japan Society ⓫

333 E 47th St. **Karte** 13 B5.
☎ *832-1155.* M *42nd St-Grand Central.* ◷ **Galerie** *Di–So 11–17 Uhr.*

FÜR DAS HAUPTQUARTIER der Japan Society, die 1907 zur Förderung des Verständnisses und kulturellen Austauschs zwischen den USA und Japan gegründet wurde, übernahm John D. Rockefeller III. eine Bürgschaft

Römische Götter, an die Uhr des Helmsley Building angelehnt

von 4,3 Mio. US-$. Das schwarze Gebäude mit seinen filigranen Sonnengittern wurde 1971 von den Tokioter Architekten Junzo Yoshimura und George Shimamoto entworfen. Es enthält einen Vortragssaal, ein Sprachenzentrum, eine Forschungsbibliothek, eine Museumsgalerie und fernöstliche Gärten.

In wechselnden Ausstellungen wird japanisches Kunsthandwerk präsentiert, von Schwertern über Kimonos zu Schriftrollen. Zum Programm gehören ferner japanische Bühnenvorstellungen sowie Vorträge, Sprachkurse und Business-Workshops für Manager.

Fred F French Building ⓬

521 5th Ave. **Karte** 12 F5.
Ⓜ *42nd St-Grand Central.*
Ⓞ *Geschäftszeiten.*

DIESES 1927 ALS Hauptsitz der damals bekanntesten Immobilienfirma errichtete Gebäude ist eine unglaublich opulente Kreation. Es wurde von H. Douglas Ives in Zusammenarbeit mit Sloan & Robertson entworfen, die z. B. auch das Chanin Building geplant hatten *(siehe S. 152)*. Sie verschmolzen orientalischen, altägyptischen und antik-griechischen Stil mit der frühen Form des Art deco.

Vielfarbige Fayenceornamente schmücken den oberen Teil der Fassade, und der Wasserturm verbirgt sich im obersten Stockwerk des Gebäudes. Seine Verkleidung ist exquisit; Reliefs stellen eine von Greifen und Bienen flankierte aufgehende Sonne sowie Tugenden dar. Geflügelte assyrische Raubtiere finden sich auf den Bronzefriesen über den Eingängen. Die exotischen Motive setzen sich in der Lobby fort, die eine polychrome Decke und 25 vergoldete Bronzetüren hat.

Dies war das erste Projekt, bei dem kanadische Caughnawaga-Indianer eingesetzt wurden. Sie hatten keine Höhenangst und waren daher schon bald gesuchte Gerüstbauer, die an der Errichtung vieler Wolkenkratzer New Yorks beteiligt waren.

Tiffany-Glasfenster in der Church of the Incarnation

Lobby des Fred F French Building

Church of the Incarnation ⓭

205 Madison Ave. **Karte** 9 A2.
☎ *689-6350.* Ⓜ *42nd St-Grand Central.* Ⓞ *Mo–Mi, Fr 11.30–14.30 Uhr.* ✝ *So 11 Uhr.* 📷
♿ *bei Voranmeldung.*

DIESE EPISKOPALKIRCHE und ihre Pfarrei entstanden 1864, als in der Madison Avenue die Elite wohnte. Ihre gemusterte Fassade aus hellem und braunem Sandstein ist repräsentativ für die Zeit.

Der Innenraum enthält eine Kommunionbank aus Eiche von Daniel Chester French, ein Altargemälde von John La Farge *(Die Anbetung der Könige)* und farbige Glasfenster von La Farge, Louis Comfort Tiffany, William Morris und Edward Burne-Jones.

Pierpont Morgan Library ⓮

Siehe S. 162 f.

Sniffen Court ⓯

150–158 E 36th St. **Karte** 9 A2.
Ⓜ *33rd St.*

EINE HÜBSCHE Überraschung: ein intimer Hof mit zehn Kutschhäusern aus Backstein, im neoromanischen Stil von John Sniffen um 1850 errichtet.

Es grenzt an ein Wunder, daß diese Anlage bis in unsere Zeit hinein bewahrt worden ist. Das Haus am südlichen Ende wurde von der Bildhauerin Malvina Hoffman als Studio benutzt. Ihre Medaillons mit griechischen Reitern zieren die Außenmauer.

Malvina Hoffmans Studio

Die Vereinten Nationen ⑩

Die UN-Flagge

Die 1945 gegen Ende des Zweiten Weltkriegs gegründeten Vereinten Nationen haben mittlerweile rund 180 Mitglieder. Ihre Ziele sind die Bewahrung des Weltfriedens, die Propagierung des Selbstbestimmungsrechtes sowie wirtschaftliche und soziale Hilfestellung weltweit. New York wurde als Sitz des UN-Hauptquartiers auserkoren, als John D. Rockefeller Jr. 8,5 Mio. US-$ zum Kauf des Geländes am East River spendete. Chefarchitekt war der Amerikaner Wallace Harrison, der mit einer internationalen Gruppe von Architekten zusammenarbeitete. Die 17 Hektar große Fläche gehört nicht zu den USA, sondern ist eine internationale Zone mit eigenen Briefmarken und eigener Post. Es finden täglich Führungen statt.

Sekretariatsgebäude

Im **Konferenzgebäude** finden die Treffen des Sicherheitsrates, des Treuhand-Verwaltungsrates und des Wirtschafts- und Sozialrates statt.

★ Sicherheitsrat
Die Delegierten und ihre Assistenten konferieren am hufeisenförmigen Tisch, während Stenographen und andere UN-Mitarbeiter an dem langen Tisch in der Mitte sitzen.

Treuhand-

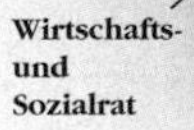

NICHT VERSÄUMEN

- ★ **Vollversammlung**
- ★ **Sicherheitsrat**
- ★ **Friedensglocke**
- ★ **Reclining Figure**

★ Friedensglocke
Das aus Münzen von 60 Nationen gegossene Geschenk Japans hängt in einer Shintoschrein-Pagode.

Rosengarten
25 Rosenarten schmücken die gepflegten Gärten am East River.

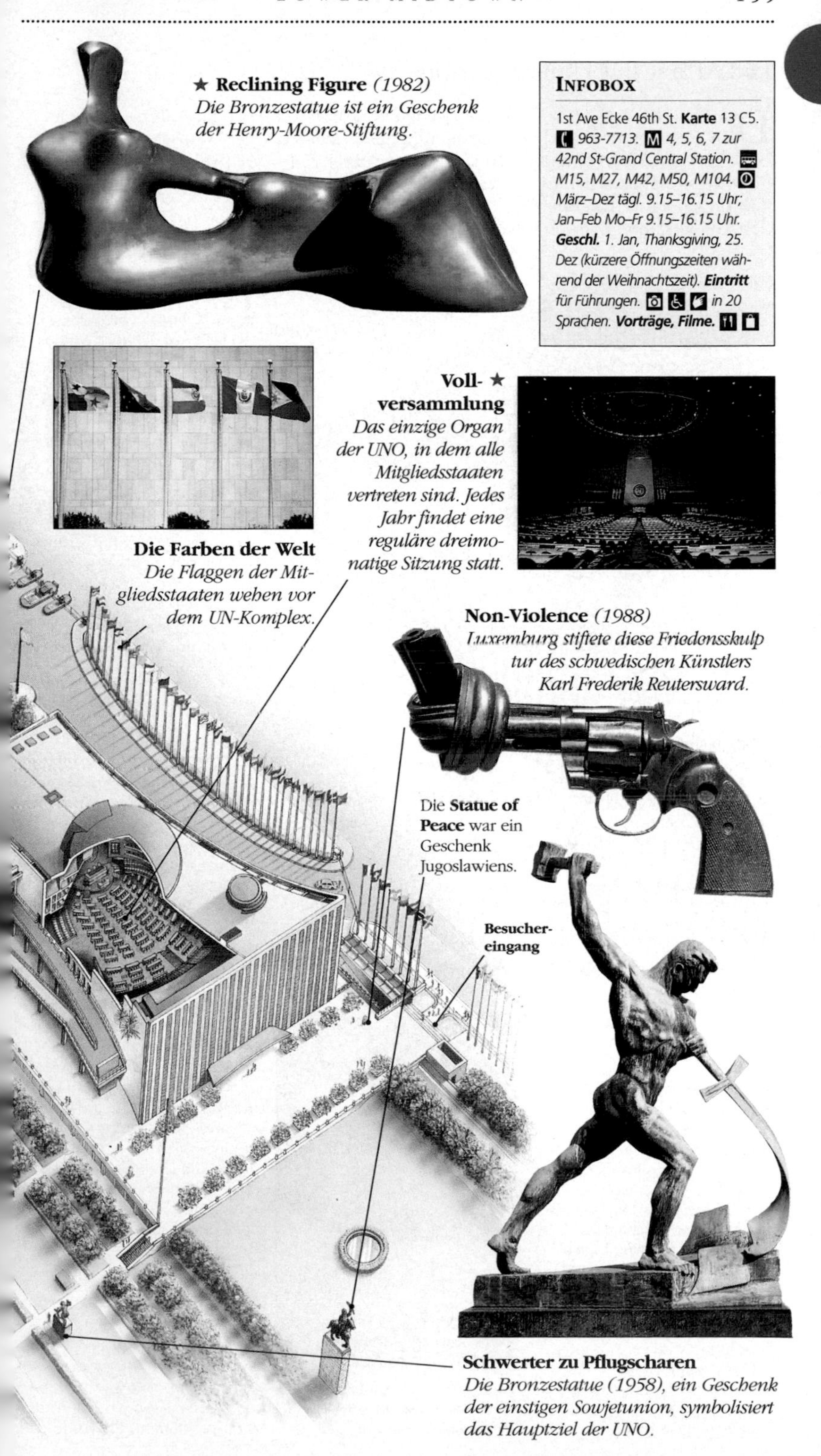

★ **Reclining Figure** *(1982)*
Die Bronzestatue ist ein Geschenk der Henry-Moore-Stiftung.

INFOBOX

1st Ave Ecke 46th St. **Karte** 13 C5. *963-7713.* M *4, 5, 6, 7 zur 42nd St-Grand Central Station.* *M15, M27, M42, M50, M104.* *März–Dez tägl. 9.15–16.15 Uhr; Jan–Feb Mo–Fr 9.15–16.15 Uhr.* ***Geschl.*** *1. Jan, Thanksgiving, 25. Dez (kürzere Öffnungszeiten während der Weihnachtszeit).* ***Eintritt*** *für Führungen.* *in 20 Sprachen.* ***Vorträge, Filme.***

Vollversammlung ★
Das einzige Organ der UNO, in dem alle Mitgliedsstaaten vertreten sind. Jedes Jahr findet eine reguläre dreimonatige Sitzung statt.

Die Farben der Welt
Die Flaggen der Mitgliedsstaaten wehen vor dem UN-Komplex.

Non-Violence *(1988)*
Luxemburg stiftete diese Friedensskulptur des schwedischen Künstlers Karl Frederik Reutersward.

Die **Statue of Peace** war ein Geschenk Jugoslawiens.

Schwerter zu Pflugscharen
Die Bronzestatue (1958), ein Geschenk der einstigen Sowjetunion, symbolisiert das Hauptziel der UNO.

Die Arbeit der United Nations

Die Ziele der Vereinten Nationen werden von drei UN-Ratskammern und der aus allen Mitgliedsstaaten bestehenden Vollversammlung verfolgt. Das Sekretariat führt die administrative Arbeit der Organisation aus. Bei Führungen kann man den Saal des Sicherheitsrats und den Vollversammlungssaal besichtigen.

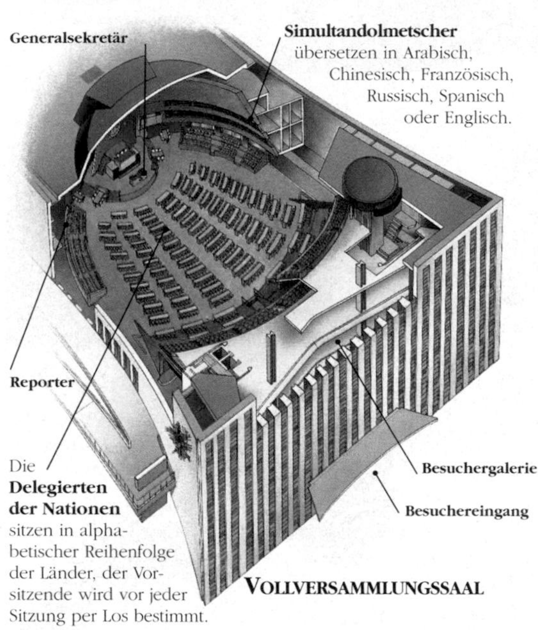

Generalsekretär
Simultandolmetscher übersetzen in Arabisch, Chinesisch, Französisch, Russisch, Spanisch oder Englisch.
Reporter
Die **Delegierten der Nationen** sitzen in alphabetischer Reihenfolge der Länder, der Vorsitzende wird vor jeder Sitzung per Los bestimmt.
Besuchergalerie
Besuchereingang

Vollversammlungssaal

Vollversammlung

Die Vollversammlung ist das [illegible] der UNO und tagt regelmäßig zwischen Mitte September und Mitte Dezember. Sondersitzungen werden auf Wunsch des Sicherheitsrates oder der Mehrheit der Mitglieder abgehalten. Alle Mitgliedsstaaten sind unabhängig von ihrer Größe mit je einer Stimme vertreten. Die Vollversammlung kann über jedes von den Mitgliedern oder anderen UN-Organen gewünschte international bedeutende Thema debattieren. Auch wenn sie keine Gesetze verabschieden kann, beeinflussen ihre Beschlüsse die Weltmeinung doch beträchtlich. Für das Zustandekommen einer Resolution wird eine Zweidrittelmehrheit benötigt.

Vor jeder Sitzung wird die Sitzordnung im Delegiertensaal ausgelost. Jeder der 2070 Plätze ist mit Kopfhörern ausgestattet, die Simultanübersetzungen in mehrere Sprachen bieten. Die Vollversammlung [illegible] kretär (auf Empfehlung des Sicherheitsrates), stimmt dem

Foucaults Pendel **(Holland); sein rotierender Ausschlag beweist die Drehung der Erdachse**

UN-Haushalt zu, wählt die nichtständigen Mitglieder des Rates und ernennt die Richter des Internationalen Gerichtshofes in Den Haag.

Sicherheitsrat

Das mächtigste Organ der UNO ist der Sicherheitsrat, der sich um den internationa-

Wandgemälde über Frieden und Freiheit von Per Krohg (Norwegen)

len Frieden und um Sicherheit kümmert und bei Krisen wie in Kuwait oder dem ehemaligen Jugoslawien interveniert. Er ist das einzige Organ, dessen Entscheidungen für die Mitgliedsstaaten bindend sind, und das einzige, das ständig tagt.

China, Frankreich, die Russische Föderation, Großbritannien und die USA gehören zu den ständigen Mitgliedern. Die anderen werden von der Vollversammlung im Zweijahresturnus gewählt. Bei internationalen Konflikten versucht der Sicherheitsrat zu [illegible] kommt, kann er Waffenstillstandsbefehle erlassen oder Sanktionen verfügen. Ferner kann er UN-Friedenstruppen in die umkämpften Gebiete senden, um die kämpfenden Parteien zu trennen und den Konflikt auf diplomatischem Wege beizulegen.

Eine militärische Intervention ist die letzte Möglichkeit des Sicherheitsrates. UN-Truppen können dann langfristig als Friedenstruppen stationiert werden, wie in Zypern oder im Nahen Osten.

Treuhand-Verwaltungsrat

Dies ist der kleinste UN-Rat, dessen Aufgabenbereich sich verkleinert. Er wurde

1945 mit dem Ziel gegründet, die friedliche Erlangung der Unabhängigkeit nichtselbstregierter Gebiete und Kolonien zu unterstützen. Seitdem sind mehr als 80 Kolonien souveräne Staaten geworden, und die Zahl der in abhängigen Gebieten lebenden Menschen ist von 750 auf 3 Millionen gesunken. Zur Zeit besteht der Rat aus den fünf ständigen Mitgliedern des Sicherheitsrates.

Das Wandgemälde von Zanetti (Dominikanische Republik) im Konferenzgebäude stellt den Kampf um Frieden dar

Der Treuhand-Verwaltungsrat

Wirtschafts- und Sozialrat

Die 54 Mitglieder arbeiten an der Verbesserung des Lebensstandards, eine Aufgabe, die 80 % des UN-Budgets verbraucht. Er gibt der Vollversammlung, den einzelnen Mitgliedsstaaten und den UN-Spezialabteilungen Empfehlungen. Unterstützt wird der Rat durch Kommissionen, die sich mit regionalen Wirtschaftsproblemen, Menschenrechtsverletzungen, Bevölkerungsfragen, Drogenproblemen und den Rechten der Frauen beschäftigen. Er arbeitet auch mit der International Labour Organisation, der WHO, der UNICEF und anderen globalen Wohlfahrtsorganisationen zusammen.

Sekretariat

Ein internationales Team von 16 000 Mitarbeitern ist für das Sekretariat tätig, um die alltägliche Arbeit der UNO auszuführen und den Räten, Kommissionen und Agenturen Hilfestellung zu leisten. Das Sekretariat wird vom Generalsekretär geleitet, dem eine Schlüsselrolle als Sprecher bei den Friedensbemühungen der Organisation zukommt. Der Generalsekretär wird von der Vollversammlung im Fünfjahresturnus gewählt.

Bedeutende Ereignisse in der UN-Geschichte

Nikita Chruschtschow vor der Vollversammlung 1960

Da die UNO über keine feste Einsatztruppe verfügt, ist sie vom Willen und der militärischen Unterstützung ihrer Mitglieder abhängig. Dementsprechend sind ihre Friedensbemühungen nicht immer vom Erfolg gekrönt. 1948 erklärte die UNO Südkorea zur legitimen Regierung Koreas. Zwei Jahre später spielte sie eine führende Rolle bei der Abwehr der Invasion durch die nordkoreanische Armee. 1949 halfen die Vereinten Nationen bei der Vermittlung eines Waffenstillstandes zwischen Indonesien und den Niederlanden und setzten sich für die Anerkennung der Unabhängigkeit Indonesiens ein. 1974 erhielt die Volksrepublik China die zugunsten Taiwans lange verweigerte UN-Mitgliedschaft.

Die hartnäckigsten Probleme für die UNO liegen im Nahen Osten. Als Israel nach seiner Staatsgründung 1948 von fünf arabischen Ländern angegriffen wurde, erwirkte die UNO einen Waffenstillstand. UN-Truppen sind seit 1974 in der Region präsent, aber der Status der Palästinenser ist noch immer ungeklärt.

Die UNO spielte 1957 eine Schlüsselrolle bei den Unabhängigkeitsverhandlungen Zyperns mit Großbritannien und schuf 1964 eine UN-Truppe, die auf Zypern den Frieden sichert.

Kunstwerke in der UNO

Die UNO besitzt zahlreiche Kunstwerke und Reproduktionen berühmter Künstler. Viele davon sind Geschenke von Mitgliedsnationen. Die meisten haben Frieden oder internationale Freundschaft zum Thema. In der Legende zu Norman Rockwells *The Golden Rule* heißt es: »Behandle andere so, wie du selber behandelt werden möchtest.« Marc Chagall entwarf ein Glasfenster in Erinnerung an den früheren Generalsekretär Dag Hammarskjöld, der auf einer Friedensmission 1961 bei einem Flugzeugabsturz starb. Eine Plastik von Henry Moore ziert die Anlage, und es finden sich viele weitere Skulpturen und Gemälde von Künstlern vieler Nationen.

***The Golden Rule* (1985), ein großes Mosaik von Norman Rockwell**

Pierpont Morgan Library ⑭

Die Pierpont Morgan Library entstand als Privatsammlung des Bankiers J. Pierpont Morgan. 1902 entwarfen die Architekten McKim, Mead & White hierfür ein großartiges palazzoartiges Gebäude. J. Pierpont Morgan Jr. machte aus der Bibliothek 1924 eine öffentliche Einrichtung. Heute ist dort eine der weltweit wertvollsten Sammlungen seltener Manuskripte und Drucke zu besichtigen, im selben Trakt, in dem sich Orginalbibliothek und Privatresidenz J. P. Morgans Jr. befinden.

Fassade des alten Bibliotheksgebäudes

★ Garden Court

Die dreigeschossige Gartenanlage verbindet die Bibliothek und das Morgan House.

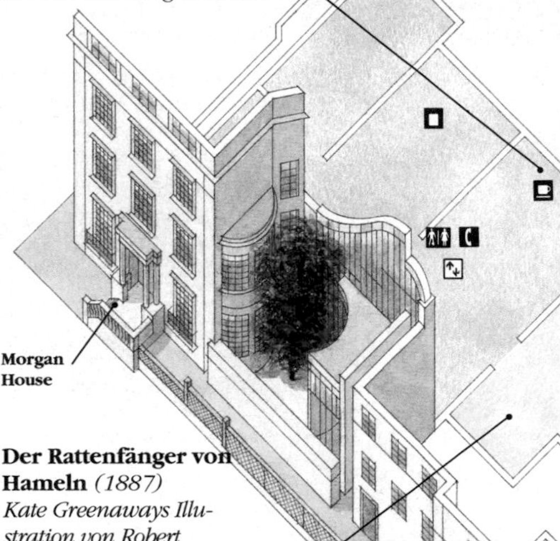

Legende

- Ausstellungsfläche
- Keine Ausstellungsfläche

Der Rattenfänger von Hameln *(1887)*

Kate Greenaways Illustration von Robert Brownings Gedicht ist eine ihrer schönsten Arbeiten.

Alice im Wunderland

Lewis Carrolls Charaktere sind in John Tenniels Illustrationen verewigt (um 1865).

Le Maître Chat
ou le Chat botté
Conte

Un Meunier ne laissa en mourant pour tous biens a trois enfans qu'il avoit que son moulin, son asne, et son chat les partages furent bientost faits, ny le notaire ny le procureur qui auroient

Der gestiefelte Kater *(1695)*

Eine Originalseite aus den Märchen meiner Mutter Gans von Charles Perrault.

Nicht versäumen

- ★ **Livre de la Chasse**
- ★ **Adam und Eva von Albrecht Dürer**
- ★ **Garden Court**
- ★ **Manuskript von Mozarts Hornkonzert in Es-Dur**

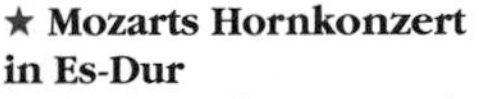

★ Mozarts Hornkonzert in Es-Dur
Die sechs noch existierenden Seiten dieser Partitur sind mit farbiger Tinte beschrieben.

INFOBOX

29 E 36th St. **Karte** 9 A2. *685-0008.* 6 *zur 33rd St.* *M1, M2, M3, M4.* *Di–Fr 10.30–17 Uhr; Sa 10.30–18 Uhr; So 12–18 Uhr (letzter Einlaß 16.50 Uhr).* **Geschl.** 1. Jan, 4. Juli, Thanksgiving, 25. Dez. **Eintritt.** ***Konzerte, Vorträge, Film/Video-Vorführungen.***

KURZFÜHRER

Mr. Morgans Arbeitszimmer und Bibliothek enthalten einige seiner Lieblingsgemälde und objets d'art. *Mittelalterliche Manuskripte und alte Bücher befinden sich im Ausstellungsraum. Die Kinderbücher sind in der Forecourt Gallery.*

West Room (Morgans Arbeitszimmer)

Rotunde

Haupteingang

East Room
Die Wände sind voller Bücherregale. Die Wandgemälde zeigen historische Persönlichkeiten und ihre Musen sowie Tierkreiszeichen.

★ Adam und Eva *(1504)*
Dieses berühmte Gemälde Albrecht Dürers bringt sein Streben nach perfekter Darstellung des menschlichen Körpers zum Ausdruck.

★ Livre de la Chasse
Diese Ausgabe von Gaston Phébus' illustriertem Jagdbuch stammt von ca. 1410.

J. PIERPONT MORGAN

Der Finanzier J. P. Morgan (1837–1913) war einer der großen Sammler seltener Bücher und Originalmanuskripte, und in seine Sammlung aufgenommen zu werden war eine Ehre. Als Morgan ihn 1909 um das Originalmanuskript von *Pudd'nhead Wilson* bat, antwortete Mark Twain: »Eine meiner größten Ambitionen hat sich erfüllt.«

UPPER MIDTOWN

DIESES VIERTEL der Kirchen, Synagogen, Museen, Clubs, Grand-Hotels, bekannten Geschäfte, wegweisenden Wolkenkratzer und Luxuswohnungen ist das New York der gehobenen Ansprüche. Die Creme der Gesellschaft, wie Astor und Vanderbilt, war hier ab 1833 fast 30 Jahre zu Hause. In den 50er Jahren wurde mit der Errichtung der Lever- und Seagram-Gebäude Architekturgeschichte geschrieben. Diese ersten modernen Hochhäuser leiteten den Wandel der Park Avenue vom Wohnviertel zu einer der vornehmsten Geschäftsadressen ein.

Cisitalia von 1946 im MoMA

SEHENSWÜRDIGKEITEN AUF EINEN BLICK

Historische Straßen und Gebäude
Villard Houses 9
General Electric Building 11
Sutton Place und Beekman Place 17
Roosevelt Island 18
Fuller Building 20

Moderne Architektur
Trump Tower 2
IBM Building 3
Lever House 13
Seagram Building 14
Citicorp Center 15

Museen und Galerien
Museum of Modern Art (MoMA) S. 170 ff 5
American Craft Museum 6
Museum of Television and Radio 7

Kirchen und Synagogen
St Thomas' Church 4
St Patrick's Cathedral S. 176 f 8
St Bartholomew's Church 10
Central Synagogue 16

Herausragende Hotels
Waldorf-Astoria 12
Plaza Hotel 21

Herausragende Geschäfte
Fifth Avenue 1
Bloomingdale's 19

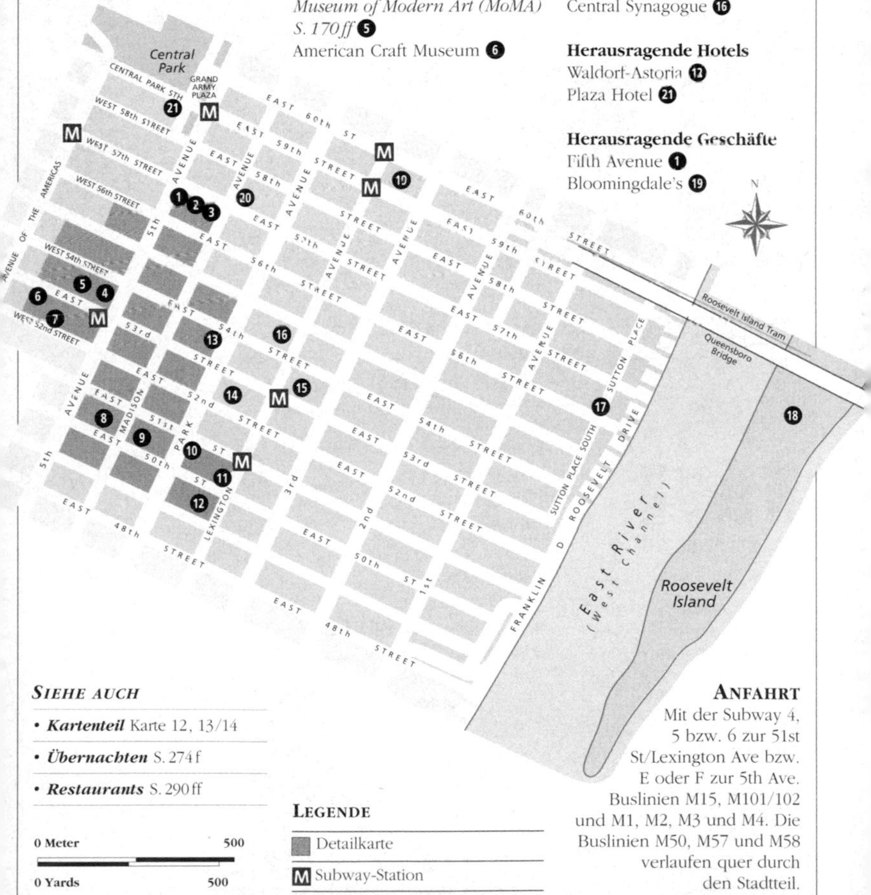

SIEHE AUCH

- ***Kartenteil*** Karte 12, 13/14
- ***Übernachten*** S. 274 f
- ***Restaurants*** S. 290 ff

0 Meter **500**
0 Yards **500**

LEGENDE

Detailkarte
M Subway-Station

ANFAHRT

Mit der Subway 4, 5 bzw. 6 zur 51st St/Lexington Ave bzw. E oder F zur 5th Ave. Buslinien M15, M101/102 und M1, M2, M3 und M4. Die Buslinien M50, M57 und M58 verlaufen quer durch den Stadtteil.

Fifth Avenue

Im Detail: Upper Midtown

Die Fifth Avenue wurde zur Straße der Luxusgeschäfte, als die vornehme Gesellschaft uptown neue Wohnquartiere bezog. 1917 erwarb Pierre Cartier das Haus des Bankiers Morton F. Plant im Tausch gegen eine Perlenkette. Andere Luxusgeschäfte folgten. Dieser Teil von Midtown hat aber noch mehr zu bieten: Er wartet auch mit drei vorzüglichen Museen auf und besticht durch seine architektonische Vielfalt.

Fifth Avenue
Kutschenfahrten vermitteln einen Eindruck von vergangenem Glanz. ❶

Der **University Club** wurde 1899 als elitärer Club für Gentlemen eingerichtet.

American Craft Museum
Gezeigt wird Handwerkliches von Keramik bis zu Möbeln. ❻

St Thomas' Church
Viele der Bildhauerarbeiten im Inneren stammen von Lee Lawrie. ❹

★ Museum of Modern Art
Eine der erlesensten Sammlungen moderner Kunst auf der Welt. ❺

Museum of Television and Radio
Ausstellungen, Retrospektiven, Live-Auftritte und ein riesiges Archiv historischer Sendungen zählen zu den Attraktionen dieses Museums. ❼

Subway-Station 5th Avenue (Linien E und F)

Saks Fifth Avenue steht für Mode von unfehlbarem Geschmack. Generationen von New Yorkern haben sich hier eingekleidet *(siehe S. 311)*.

★ St Patrick's Cathedral
Die größte katholische Kathedrale der Vereinigten Staaten, ein prächtiger neugotischer Bau. ❽

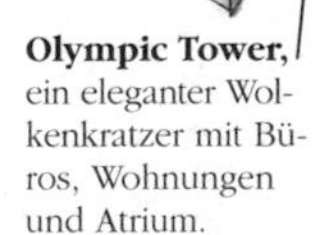

Olympic Tower, ein eleganter Wolkenkratzer mit Büros, Wohnungen und Atrium.

Villard Houses
Fünf Gebäude aus Sandstein bilden einen Bestandteil des New York Palace Hotel. ❾

Nicht versäumen

- ★ **Museum of Modern Art**
- ★ **St Patrick's Cathedral**

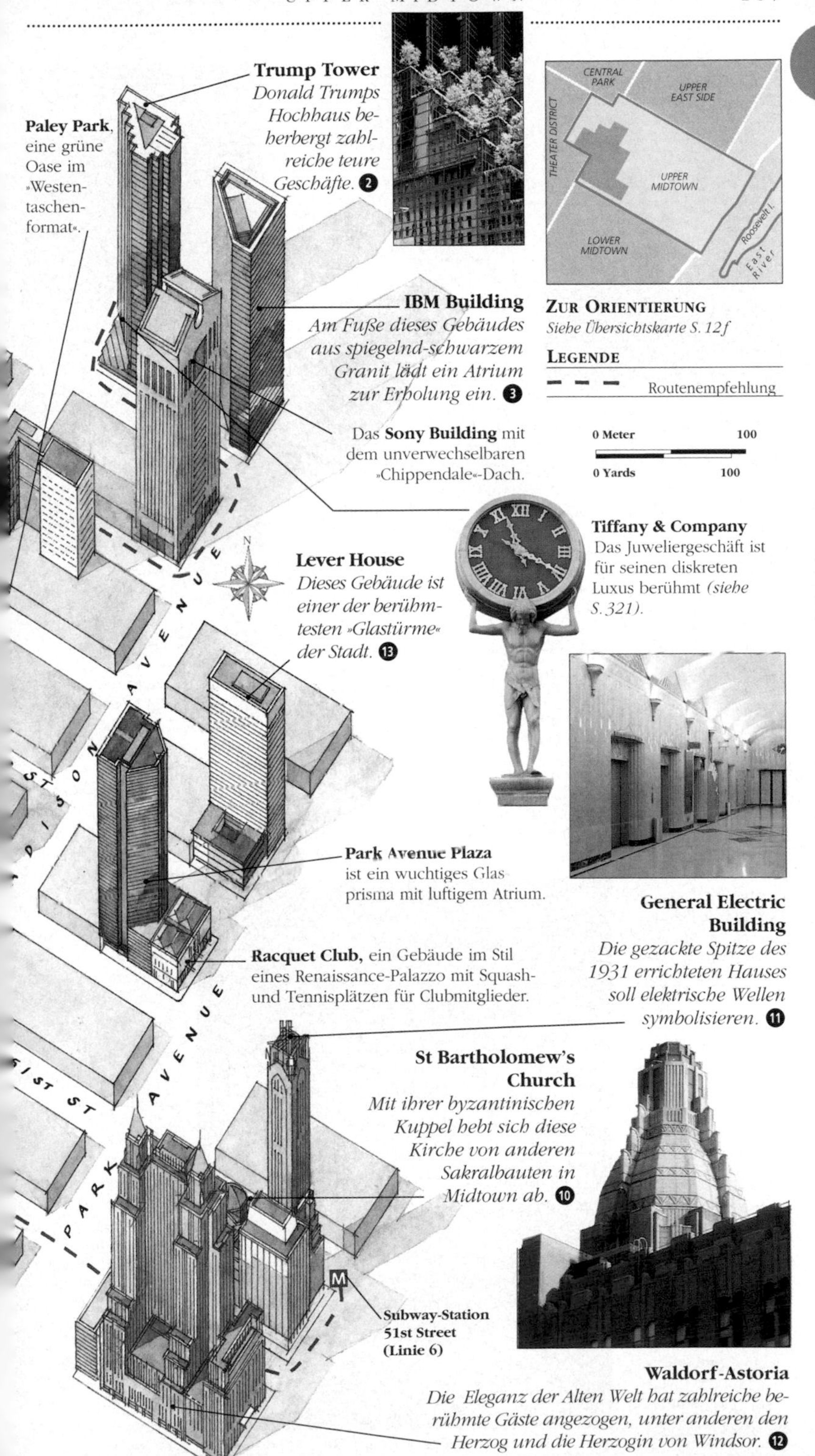

Trump Tower
Donald Trumps Hochhaus beherbergt zahlreiche teure Geschäfte. ❷

Paley Park, eine grüne Oase im »Westentaschenformat«.

IBM Building
Am Fuße dieses Gebäudes aus spiegelnd-schwarzem Granit lädt ein Atrium zur Erholung ein. ❸

Das **Sony Building** mit dem unverwechselbaren »Chippendale«-Dach.

Zur Orientierung
Siehe Übersichtskarte S. 12f

Legende

Routenempfehlung

Tiffany & Company
Das Juweliergeschäft ist für seinen diskreten Luxus berühmt *(siehe S. 321)*.

Lever House
Dieses Gebäude ist einer der berühmtesten »Glastürme« der Stadt. ⓭

Park Avenue Plaza ist ein wuchtiges Glasprisma mit luftigem Atrium.

Racquet Club, ein Gebäude im Stil eines Renaissance-Palazzo mit Squash- und Tennisplätzen für Clubmitglieder.

General Electric Building
Die gezackte Spitze des 1931 errichteten Hauses soll elektrische Wellen symbolisieren. ⓫

St Bartholomew's Church
Mit ihrer byzantinischen Kuppel hebt sich diese Kirche von anderen Sakralbauten in Midtown ab. ❿

Subway-Station 51st Street (Linie 6)

Waldorf-Astoria
Die Eleganz der Alten Welt hat zahlreiche berühmte Gäste angezogen, unter anderen den Herzog und die Herzogin von Windsor. ⓬

Schaufensterdekoration bei Bergdorf Goodman *(siehe S. 311)*

Fifth Avenue ❶

Karte 4 F1–16 E1. Ⓜ *5th Ave-53rd St.*

William Henry Vanderbilt ließ sich 1883 an der Ecke Fifth Avenue/51st Street ein Stadthaus errichten. Andere vornehme Familien folgten seinem Beispiel, und bald reihten sich bis zum Central Park palastartige Residenzen aneinander. Heute erinnern nur wenige Gebäude an diese glanzvolle Epoche.

Eines davon ist das Gebäude Fifth Avenue Nr. 651 – heute Sitz von Cartier. Ursprünglich gehörte es dem Millionär Morton F. Plant, der auch als Präsident des New York Yacht Club fungierte. Ab 1906 siedelten sich immer mehr Geschäfte an der Avenue an, woraufhin die feine Gesellschaft allmählich nach uptown in bessere Wohngegenden auswich. So bezog Plant 1917 einen neuen Palast an der 86th Street. Das alte Haus soll er Pierre Cartier gegen eine Perlenkette überlassen haben.

Seitdem ist Fifth Avenue ein Synonym für Luxus. Namen wie Cartier (52nd Street), Tiffany und Bergdorf Goodman (57th Street) symbolisieren Wohlstand und Ansehen wie Vanderbilt oder Astor vor über hundert Jahren.

Trump Tower ❷

725 5th Ave. **Karte** 12 F3. ☎ *832-2000.* Ⓜ *5th Ave-53rd St.* ***Gartenebene, Geschäfte*** *Mo–Sa 10–18 Uhr; So 12–17 Uhr.* ***Gebäude*** *Tägl. 8–22 Uhr.* ***Eintritt frei.*** *Siehe* ***Einkaufen*** *S. 311.* ***Konzerte.***

Der glitzernde Büro- und Appartementturm – ein Entwurf des Architekten Der Scutt – wurde 1983 fertiggestellt. Das pompöse Atrium erstreckt sich über sechs Stockwerke voller exklusiver Geschäfte und Cafés. Der öffentliche Bereich beeindruckt durch Gold, rosa Marmor, Spiegel und Wasserfälle – das prunkvollste Beispiel für den Trend zu vertikal angelegten Einkaufszentren. Mit dem Turm hat sich der Immobilienhändler Donald Trump, personifiziertes Symbol für die Exzesse der 80er Jahre, ein extravagantes Denkmal gesetzt.

Nr. 727 nebenan bildet einen krassen Gegensatz: Dort übt das 1837 gegründete Juweliergeschäft Tiffany & Co. (durch *Frühstück bei Tiffany* von Truman Capote unsterblich geworden) vornehme Zurückhaltung. Seine Schaufensterdekorationen sind weltberühmt, die schlichten blauen Verpackungen allein schon Statussymbol.

Atrium des Trump Tower

Tiffany & Co: Pforte zum Juwelen-Tempel

IBM Building ❸

590 Madison Ave. **Karte** 12 F3. ☎ *745-5994.* Ⓜ *5th Ave.* ***Garden Plaza*** *Tägl. 7.30–22 Uhr.* ***Konzerte.***

Das 42stöckige Gebäude wurde von Edward L. Barnes entworfen und 1983 vollendet – ein fünfseitiges Prisma aus spiegelndem graugrünen Granit mit freitragender Ecke an der 57th Street. Die Garden Plaza, ein helles Atrium, lädt zu einer Pause an einem Cafétisch unter Bambuspflanzen ein. Der Botanische Garten von New York unterhält dort einen Laden. Nahebei ist eine Arbeit des amerikanischen Bildhauers Michael Heizer zu bewundern: *Levitated Mass.* In einem Edelstahltank scheint eine Granitplatte zu schweben, während darunter Wasser strömt.

Die ausgezeichnete Gallery of Science and Art von IBM ist zur Zeit geschlossen.

St Thomas' Church

St Thomas' Church ❹

1 W 53rd St. **Karte** 12 F4.
757-7013. 5th Ave-53rd St. Tägl. 7–18 Uhr. häufig.

ST THOMAS IST der vierte Sitz der Kirchengemeinde in diesem Pfarrbezirk und der zweite Bau am heutigen Ort. Die jetzige Kirche wurde zwischen 1909 und 1914 errichtet. Der 1905 niedergebrannte Vorgängerbau war im späten 19. Jahrhundert Schauplatz prunkvoller High-Society-Hochzeiten. Die verschwenderischste davon war die legendäre Zeremonie, bei der sich 1895 die Erbin Consuela Vanderbilt und der englische Herzog von Marlborough das Jawort gaben.

Charakteristisch für den Kalksteinbau im französisch-gotischen Stil sind der asymmetrische Einzelturm und das versetzte Schiff. So löste man die architektonischen Probleme, die das Eckgrundstück aufwarf. Die reich geschnitzten, schimmernd weißen Altarwände sind das Werk des Architekten Bertram Goodhue und des Bildhauers Lee Lawrie. Die aus den 20er Jahren stammenden Schnitzereien im Chorgestühl stellen die US-Präsidenten Roosevelt und Wilson, Lee Lawrie selbst und auch moderne Erfindungen wie Telefon und Radio dar.

Silberkelch von Ronald Hayes Pearson im Craft Museum

Museum of Modern Art ❺

Siehe S. 170 ff.

American Craft Museum ❻

40 W 53rd St. **Karte** 12 F4.
956-3535. 5th Ave-53rd St. Di, Mi, Fr–So 10–18 Uhr, Do 10–20 Uhr. ***Geschl.*** *Feiertage.* ***Eintritt.*** ***Vorträge, Filme.***

NIRGENDWO IST DIE Vitalität des amerikanischen Kunsthandwerks stärker spürbar als hier am Sitz des American Crafts Council. Zu sehen sind Teilbestände der umfangreichen Sammlung – Keramik, Textilien, Arbeiten aus Glas, Holz, Papier, Silber und Metall, Decken und Möbel von 1900 bis heute. Das Museum wurde 1956 in einem Sandsteingebäude eröffnet. Seit 1987 ist es im dreigeschossigen Atrium eines Büroturms untergebracht, der an gleicher Stelle errichtet wurde. Der von James Schneider entworfene und handgeschnitzte Empfangstisch aus Ahorn ist allein schon ein Kunstwerk. Die Ausstellungsstücke sind nicht verkäuflich.

Museum of Television and Radio ❼

25 W 52nd St. **Karte** 12 F4.
621-6600. 5th Ave-53rd St. Di–So 12–18 Uhr (Di 20 Uhr). Theater und Vorführräume schließen Fr 21 Uhr. ***Geschl.*** *Feiertage.* ***Eintritt.***

Die Beatles Paul, Ringo und John in der Ed Sullivan Show (1964)

IN DIESEM EINZIGARTIGEN Museum können Besucher Nachrichten, Unterhaltungssendungen, Sportberichte und Dokumentarisches von den Anfängen bis heute verfolgen: Popfans bewundern die frühen Beatles oder das Fernsehdebüt des jungen Elvis Presley; Sportenthusiasten können klassische Wettkämpfe bei olympischen Spielen nochmals miterleben; Studierende der Geschichte bevorzugen vielleicht Filmdokumente aus dem Zweiten Weltkrieg. Aus über 50 000 archivierten Programmen lassen sich jeweils sechs Titel auswählen, die dann auf einzelnen Konsolen abgespielt werden. Außerdem gibt es Vorführsäle und ein Theater mit 200 Plätzen, in dem Retrospektiven zu Künstlern, Regisseuren oder bestimmten Themen abgehalten werden. In weiteren Räumen werden Fotos, Plakate und Erinnerungsstücke gezeigt.

Das Museum wurde von William S. Paley konzipiert, dem verstorbenen Direktor der Fernsehgesellschaft CBS. 1975 an der 53rd Street als Museum of Broadcasting eröffnet, wurde es bald so populär, daß man mehr Platz benötigte. 1991 zog man in die heutigen Hi-Tech-Räume in einem Haus ein, das viele an einen alten Radioapparat erinnert.

Fernsehstar der 60er Jahre: Lucille Ball

Museum of Modern Art ⑤

Das »MoMA« von der West 53rd Street

DAS MUSEUM of Modern Art wartet mit einer der besten und umfassendsten Sammlungen moderner Kunst auf. Es wurde 1929 von wohlhabenden Mäzenen gegründet. Seitdem setzt es Maßstäbe für andere Museen und erweitert den Begriff der Kunst um viele bisher nicht gewürdigte Disziplinen. Die so entstandene reichhaltige, höchst anregende Mischung zeichnet die Entwicklung der modernen Kunst und der Neuzeit nach.

Skulpturengarten
Der Abby Aldrich Rockefeller Sculpture Garden ist eine Oase der Ruhe.

NICHT VERSÄUMEN

★ **Sternennacht von Vincent van Gogh**

★ **Les Demoiselles d'Avignon von Pablo Picasso**

Christina's World *(1948) Andrew Wyeth kontrastiert einen überwältigenden Horizont mit dem unmittelbaren Umfeld seiner behinderten Nachbarin.*

KURZFÜHRER
Im Erdgeschoß gibt es wechselnde Ausstellungen. Der erste und zweite Stock sind Malerei und Bildhauerei gewidmet, zudem finden sich im ersten Fotografie und im zweiten Drucke. Der dritte Stock präsentiert Architektur und Design. In der unteren Etage werden Filme vorgeführt.

Vogel im Raum *(um 1928) Die Bronzeskulptur von Constantin Brâncuşi verkörpert die Quintessenz des Fliegens.*

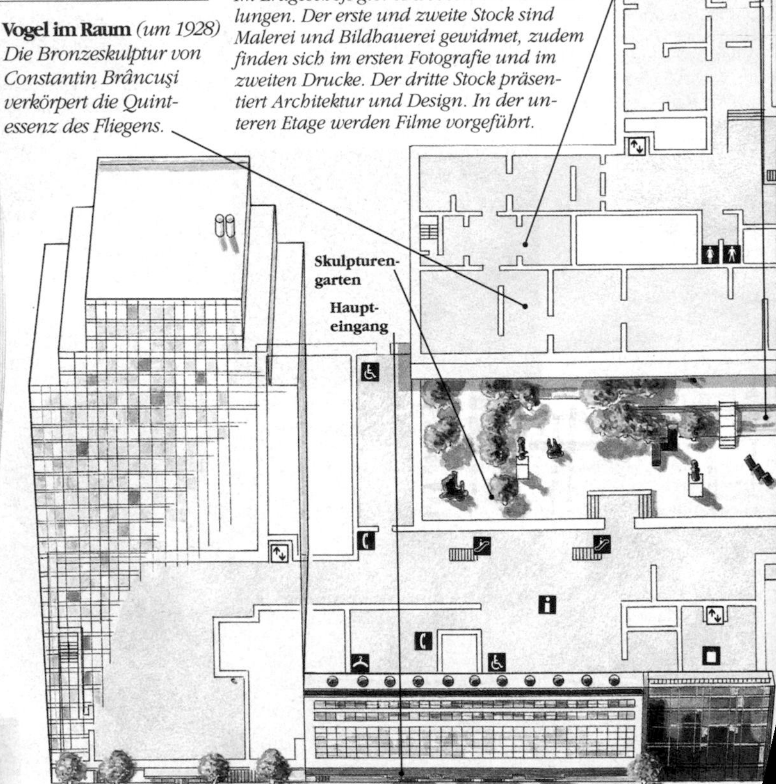

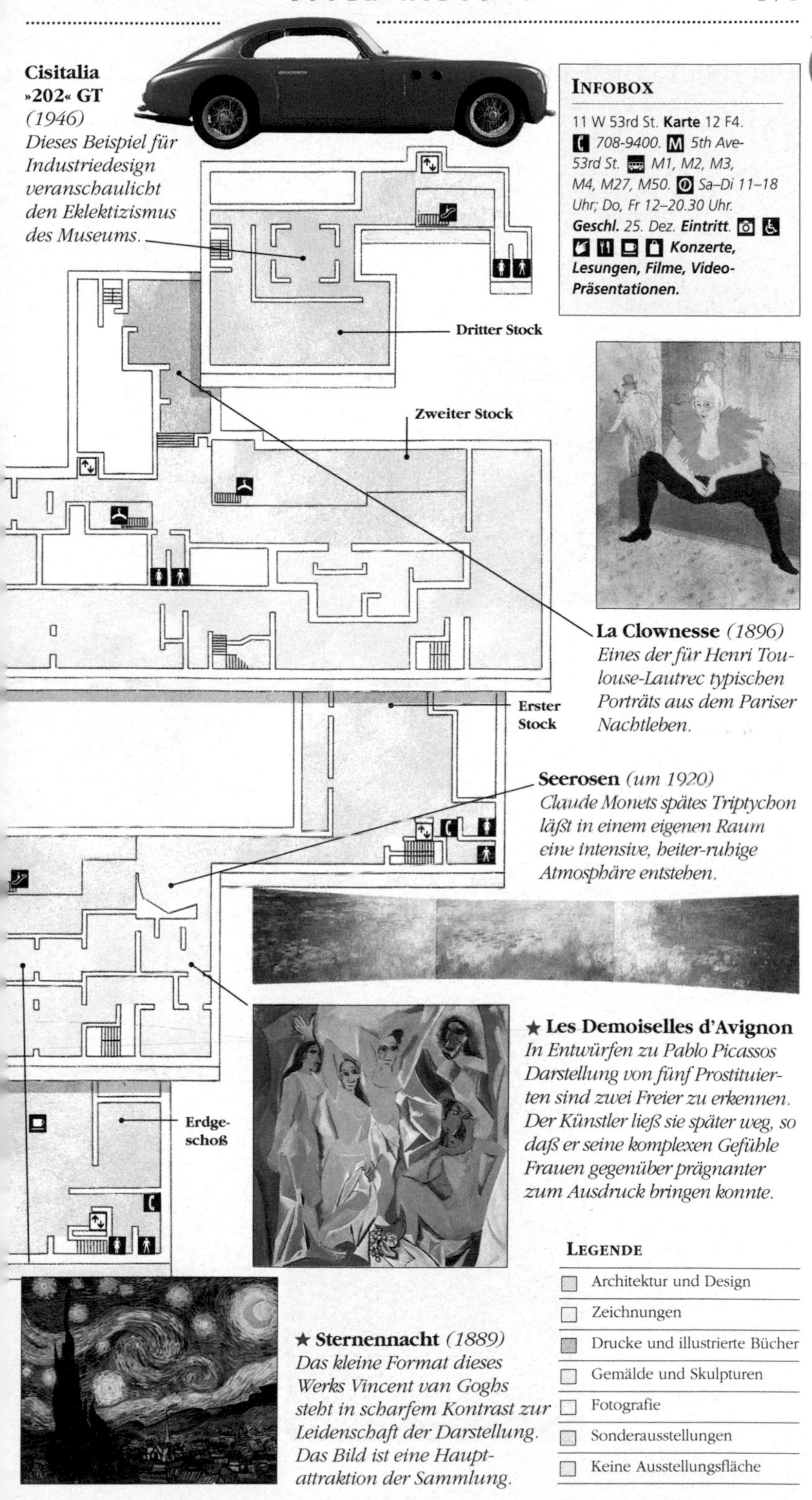

Cisitalia »202« GT *(1946)*
Dieses Beispiel für Industriedesign veranschaulicht den Eklektizismus des Museums.

INFOBOX

11 W 53rd St. **Karte** 12 F4. *708-9400.* *5th Ave-53rd St.* *M1, M2, M3, M4, M27, M50.* *Sa–Di 11–18 Uhr; Do, Fr 12–20.30 Uhr.* **Geschl.** *25. Dez.* **Eintritt.** ***Konzerte, Lesungen, Filme, Video-Präsentationen.***

La Clownesse *(1896)*
Eines der für Henri Toulouse-Lautrec typischen Porträts aus dem Pariser Nachtleben.

Seerosen *(um 1920)*
Claude Monets spätes Triptychon läßt in einem eigenen Raum eine intensive, heiter-ruhige Atmosphäre entstehen.

★ Les Demoiselles d'Avignon
In Entwürfen zu Pablo Picassos Darstellung von fünf Prostituierten sind zwei Freier zu erkennen. Der Künstler ließ sie später weg, so daß er seine komplexen Gefühle Frauen gegenüber prägnanter zum Ausdruck bringen konnte.

★ Sternennacht *(1889)*
Das kleine Format dieses Werks Vincent van Goghs steht in scharfem Kontrast zur Leidenschaft der Darstellung. Das Bild ist eine Hauptattraktion der Sammlung.

LEGENDE

- Architektur und Design
- Zeichnungen
- Drucke und illustrierte Bücher
- Gemälde und Skulpturen
- Fotografie
- Sonderausstellungen
- Keine Ausstellungsfläche

Überblick: Die Sammlung

DAS MUSEUM OF MODERN ART besitzt rund 100 000 Werke – von Klassikern des Nach-Impressionismus bis hin zu einer einzigartigen Sammlung neuer amerikanischer Kunst, von frühen Meisterwerken der Film- und Fotokunst bis hin zu Glanzstücken modernen Designs.

GEMÄLDE UND SKULPTUREN 1880–1945

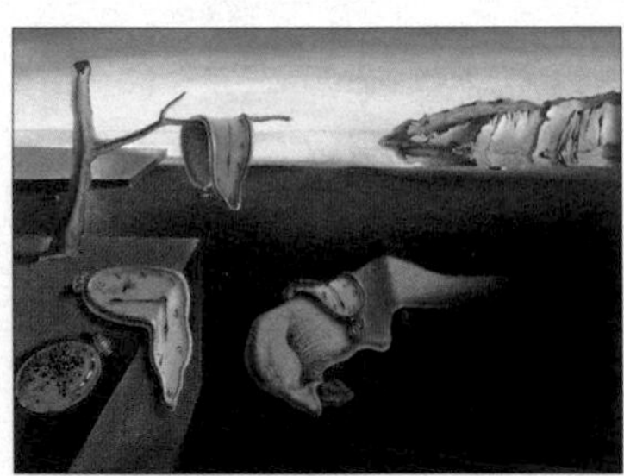

***Zerrinnende Zeit* vom Surrealisten Salvador Dalí (1931)**

PAUL CÉZANNES monumentale *Badenden* und Vincent van Goghs übernatürlich leuchtende *Sternennacht* sind zwei der zukunftweisendsten Gemälde aus dem späten 19. Jahrhundert, mit denen die Sammlung aufwartet. Fauvismus und Expressionismus sind durch Matisse, Derain, Kirchner und andere repräsentiert, während Picassos *Les Demoiselles d'Avignon* den Übergang zu einem neuen Stil markiert.

Einzigartig ist die Sammlung kubistischer Gemälde. Sie vermittelt einen Überblick über die Bewegung, die unsere Wahrnehmung radikal in Frage gestellt hat.

Höhepunkte sind Picassos *Mandolinenspielerin*, Braques *Mann mit Gitarre* und *Soda* sowie Juan Gris' *Gitarre und Blumen*. Von den Futuristen, die Farbe und Bewegung in den Kubismus brachten, sind unter anderen Gino Severini (*Bal Tabarin*), Umberto Boccioni (*Dynamismus eines Fußballspielers*), Balla, Carrà und Villon vertreten.

Die geometrische Abstraktion der Konstruktivisten läßt sich an Werken von Malewitsch, Lissitzky und Rodtschenko nachvollziehen. Der Einfluß der De-Stijl-Gruppe tritt in Bildern wie Mondrians *Broadway Boogie Woogie* zutage. Henri Matisse ist ein eigener Raum gewidmet, wo *Der Tanz I* und *Das rote Atelier* zu betrachten sind. Aus der Sammlung bizarrer surrealistischer Werke ragen besonders Salvador Dalí, Joan Miró und Max Ernst heraus.

GEMÄLDE UND SKULPTUREN NACH 1945

DIE AUSSTELLUNG moderner Nachkriegskunst beginnt im zweiten Stock mit Werken Bacons, Dubuffets und anderer. Jackson Pollocks *One* (*Number 31,* 1950), Willem de Koonings *Woman, I*, Arshile Gorkys *Agony* und Mark Rothkos *Red, Brown and Black* repräsentieren den abstrakten Expressionismus.

***Dog* (1952), Ölgemälde des britischen Künstlers Francis Bacon**

Es folgen *Flag* von Jasper Johns sowie der aus städtischem Abfall zusammengesetzte *First Landing Jump* und das aus Bettwäsche gefertigte *Bed* von Robert Rauschenberg. Glanzlichter der Pop-Art-Ausstellung sind Roy Lichtensteins *Girl with Ball* und *Drowning Girl*, Andy Warhols berühmte *Gold Marilyn Monroe* und Claes Oldenburgs *Giant Soft Fan*. Arbeiten ab etwa 1965 (von Judd, Flavin, Serra, Beuys und vielen anderen) werden im ständigen Wechsel gezeigt.

ZEICHNUNGEN UND ANDERE ARBEITEN AUF PAPIER

***Mann mit Hut* von Pablo Picasso (Collage und Holzkohle, 1912)**

DAS MUSEUM of Modern Art nennt eine der umfassendsten Sammlungen moderner Zeichnungen, gefertigt mit traditionellen Mitteln (Feder, Tinte und Holzkohle), wie auch von Aquarellen, Gouachen und Collagen sein eigen. Zum Teil handelt es sich hier um frühe Skizzen zu berühmten Gemälden: So ist etwa Picassos *Kopf des Medizinstudenten* eine Studie zu *Les Demoiselles d'Avignon*.

Stark vertreten sind die Pariser Schule, Dada und der Surrealismus. In der wechselnden Ausstellung in der ersten Etage kann man auf Werke von Matisse, Klee, Pollock, Dubuffet und Rauschenberg treffen. Gelegentlich werden auch andere Ausstellungen im Museum mit Werken aus dieser Sammlung ergänzt.

Drucke und illustrierte Bücher

American Indian Theme II von Roy Lichtenstein (1980)

Die historische und die moderne Grafik sind durch eine Vielzahl von Werken traditioneller Techniken wie Lithographie, Radierung, Siebdruck, Holzschnitt, aber auch durch etliche experimentelle Arbeiten repräsentiert. Die Sammlung wartet mit hervorragenden Porträts auf (etwa Marc Chagalls *Selbstporträt mit Grimasse*) und glänzt mit Werken von Redon, Munch, Klee, Matisse, Picasso, Dubuffet, Villon und Johns. Die Galerien im ersten Stock präsentieren in wechselnden Ausstellungen Drucke dieser und anderer Künstler.

Im Leseraum am Eingang zu diesen Sälen liegen Kataloge und Bücher auf. Die erste Galerie vermittelt einen Überblick über die Grafik von 1880 bis in die 50er Jahre dieses Jahrhunderts. Der folgende Saal ist Werken, die seit 1960 entstanden sind, bis hin zu zeitgenössischen Arbeiten gewidmet.

Die Filmabteilung

Das Filmmuseum besitzt über 10 000 Filme und 4 Mio. Standfotos. Es bietet ein vielfältiges Programm, von Retrospektiven zu ausgewählten Regisseuren, Schauspielern und Genres über experimentelle Arbeiten bis hin zu abwechslungsreichen Ausstellungen. Ein wichtiger Bereich ist die Konservierung von Filmen. Berühmte Regisseure stiften Kopien ihrer Filme, um diese kostspielige Arbeit zu unterstützen.

Charlie Chaplin und Jackie Coogan in *The Kid* (1921)

Fotografie

Die fotografische Sammlung beginnt mit der Erfindung des Mediums um 1840. Neben Aufnahmen von Künstlern, Journalisten, Wissenschaftlern und Unternehmern umfaßt sie solche von Amateuren. Die erste der Galerien im zweiten Stock ist wechselnden Ausstellungen vorbehalten. In den übrigen sind chronologisch und in ständigem Wechsel Bilder von Atget, Stieglitz, Lange, Arbus, Steichen, Cartier-Bresson, Kertesz sowie einer Reihe von zeitgenössischen Fotografen wie Friedlander, Sherman und Nixon zu sehen. Die Sujets reichen von Landschaften über Szenen städtischen Elends bis hin zu abstrakten Bildern und ausgefallenen Porträts (darunter befinden sich auch Gelatinesilberdruck-Akte des französischen Surrealisten Man Ray). Die Aufnahmen spiegeln in ihrer Gesamtheit die Geschichte der Fotokunst wider und bilden eine der erlesensten Sammlungen ihrer Art.

Sonntag am Ufer der Marne, 1939 fotografiert von Henri Cartier-Bresson

Architektur und Design

Das Museum of Modern Art nahm als erstes Kunstmuseum Gebrauchsgegenstände in seine Sammlung auf – von Haushaltsgeräten, Stereoanlagen, Möbeln, Lampen, Textilien und Glasartikeln bis hin zu Kugellagern und Siliziumchips. Die Architektur wird mit maßstabsgerechten Modellen, Zeichnungen und Fotos dokumentiert (in der ersten Galerie), das graphische Design (im Anschluß daran) mit Druckerzeugnissen und Plakaten. Dort sind auch Teilbestände aus der Design-Sammlung zu sehen. Der von Pinin Farina gestaltete Cisitalia und ein Hubschrauber von Bell gehören zum festen Inventar der dritten Etage.

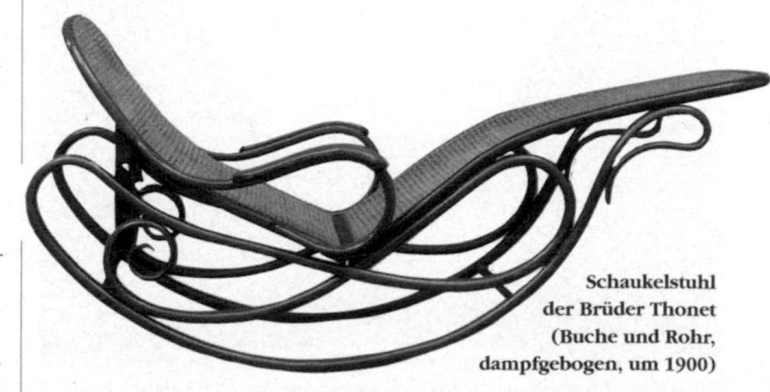

Schaukelstuhl der Brüder Thonet (Buche und Rohr, dampfgebogen, um 1900)

St Patrick's Cathedral ❽

Siehe S. 176f.

Villard Houses ❾

457 Madison Ave (New York Palace Hotel). **Karte** 13 A4. *935-3960.* *51st St.* ***Urban Center*** *Mo–Mi, Fr, Sa 11–17 Uhr.*

Der bayrische Einwanderer Henry Villard war Herausgeber der *New York Evening Post* und gründete die Northern Pacific Railroad. 1881 erwarb er das Grundstück gegenüber der St Patrick's Cathedral und beauftragte die Architekten McKim, Mead & White, dort sechs dreistöckige Stadthäuser zu errichten, und zwar um einen zur Straße und Kirche hin offenen Innenhof. Villard wollte den Südflügel beziehen, mußte ihn aber wegen Geldproblemen vor der Fertigstellung verkaufen.

Die Gebäude gingen in den Besitz der römisch-katholischen Erzdiözese über. In den 70er Jahren drohte ihnen der Abriß, weil der Platzbedarf der Kirche gewachsen war. Man löste das Problem, indem man die »Luftrechte« an die Helmsley-Kette verkaufte, die neben den Villard Houses das 50stöckige Helmsley (heute New York) Palace Hotel errichten ließ. Der Südflügel dient nun als Hoteleingang, die [illegible] restaurierte Villard-Suite als Teesalon und Lounge. Der Nordflügel wird vom Urban Center eingenommen, dessen Buchladen das beste Sortiment an Architekturbüchern über New York bietet.

Die Villard Houses dienen heute als Zugang zum New York Palace Hotel

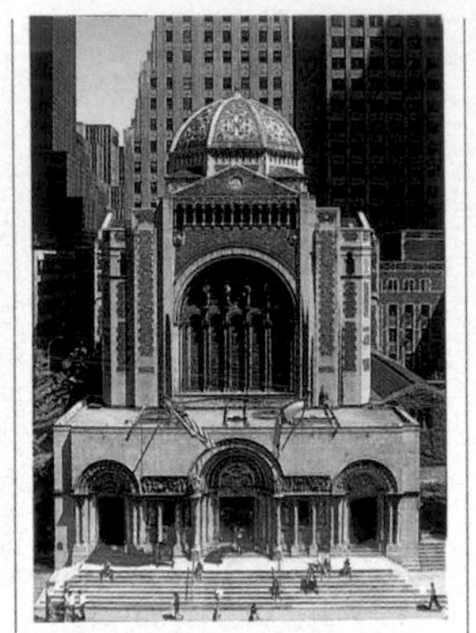

St Bartholomew's Church

St Bartholomew's Church ❿

109 E 50th St. **Karte** 13 A4. *751-1616.* *51st St.* *Tägl. 8–18 Uhr.* ***Geschl.*** *Feiertage außer 25. Dez und Ostern.* *So 9, 11 Uhr.* ***Vorträge, Konzerte.*** *Sonntags.*

Die rötliche Backsteinkirche mit offener Terrasse und byzantinischer Goldkuppel wird von den New Yorkern liebevoll »St Bart's« genannt. Das schmuckvolle Gebäude brachte 1919 Farbe und Abwechslung in die Park Avenue. Der Architekt Bertram Goodhue setzte dem Bauwerk ein romanisches Portal vor, das Stanford White für die ursprüngliche, 1903 errichtete Kirche St Bartholomew's an der Madison Avenue entworfen hatte. Für die Kapelle wurden Marmorsäulen der älteren Kirche verwendet.

St Bartholomew's [illegible] ein ausgezeichnetes Konzertprogramm (hauptsächlich klassische Chor- und Orgelwerke). Besonders beliebt ist die »Jazz-Weihnacht«.

General Electric Building ⓫

570 Lexington Ave. **Karte** 13 A4. *Lexington Ave.* ***Kein Publikumsverkehr.***

Die Architekten Cross & Cross erhielten 1931 den Auftrag zum Bau eines Wolkenkratzers, der ein harmonisches Ensemble mit St Bartholomew's bilden sollte. Diese Aufgabe erfüllten sie zur allgemeinen Zufriedenheit. Der Turm wirkt wie eine Ergänzung zur polychromen Kuppel des Gotteshauses, kontrastiert aber zu dessen Farbgebung.

[illegible] General Electric Building an der Lexington Avenue

Von [illegible] Park Avenue/ 50th Street sieht man, wie gut [illegible] Verbindung gelungen ist. Das General Electric Building gibt aber nicht nur einen reizvollen Hintergrund ab, sondern kann selbst als Kunstwerk bestehen. Mit seiner Zackenspitze ist das Art-deco-Juwel ein Glanzstück der Skyline. Die Lobby erstrahlt in Chrom und Marmor.

Einen Block weiter nördlich entlang der Lexington Avenue entstand die berühmte Szene für *Das verflixte siebente Jahr*, in der Marilyn Monroe im weißen Kleid von einem Luftstoß aus einem U-Bahn-Schacht erfaßt wird.

Waldorf-Astoria ⓬

301 Park Ave. **Karte** 13 A5.
355-3000. M *Lexington Ave, 53rd St. Siehe* ***Übernachten*** *S. 281.*

DER KLASSISCHE Art-deco-Bau wurde 1931 nach Plänen von Schultze & Weaver erbaut. Er nimmt einen ganzen Block ein! Das ursprüngliche Waldorf-Astoria-Hotel in der 34th Street mußte dem Empire State Building weichen.

Winston Churchill und der New Yorker Philanthrop Grover Whalen 1946 im Waldorf-Astoria

Das Waldorf-Astoria – verdientermaßen noch immer eines der nobelsten Hotels New Yorks – erinnert an glanzvollere Zeiten. In seinen 190 Meter hohen Zwillingstürmen residierten die Herzogin und der Herzog von Windsor, alle US-Präsidenten seit 1931 und unzählige Berühmtheiten. Die riesige Uhr in der Lobby wurde für die Weltausstellung 1893 in Chicago angefertigt und stammt aus dem alten Hotel. Das Piano in der Cocktail Lounge des Restaurants Peacock Alley gehörte Cole Porter, wenn er hier residierte.

Lever House ⓭

390 Park Ave. **Karte** 13 A4.
888-1260. M *5th Ave-53rd St.*
Lobby *Mo–Sa 10–17 Uhr.*
Geschl. *Feiertage und So im Sommer.*

DIE ERRICHTUNG dieses ersten Gebildes aus Glas und Stahl, in dessen Fassade sich die soliden Wohnhäuser entlang der Park Avenue spiegelten, war eine Sensation. Der Entwurf der Architekten Skidmore, Owings & Merrill – über einem horizontalen Quader erhebt es sich senkrecht empor – hatte immensen Einfluß auf den modernen Städtebau. Die klare, luftige, von allen Seiten lichtdurchlässige Konstruktion sollte die Produkte der Firma Lever Brothers symbolisieren (Seifen, Waschmittel etc.).

So revolutionär das Lever House bei seiner Errichtung 1952 war, so unscheinbar wirkt es heute zwischen den zahlreichen Nachahmerbauten, die in seiner Umgebung hochgezogen wurden. Seine Bedeutung als Meilenstein der Architekturgeschichte wird dadurch jedoch nicht geschmälert.

Wasserbecken im Restaurant Four Seasons im Seagram Building

Das Lever House an der Park Avenue

Seagram Building ⓮

375 Park Ave. **Karte** 13 A4.
572-7000. M *5th Ave-53rd St.*
Di 15 Uhr.

SAMUEL BRONFMAN, der Besitzer der Seagram-Branntweinbrennerei, wollte ursprünglich ein ganz normales Geschäftshaus errichten lassen. Auf Drängen seiner Tochter, der Architektin Phyllis Lambert, beauftragte er aber Mies van der Rohe mit der Planung. Das Resultat, zwei Quader aus Bronze und Glas, gilt als das gelungenste der im International Style errichteten Gebäude.

Das exklusive Restaurant Four Seasons im Inneren *(siehe S. 293)* ist eine Attraktion für sich. Der Architekt Philipp Johnson konzipierte zwei miteinander verbundene Räume – den einen um ein Wasserbecken, den anderen um eine Bar herum angelegt, über der eine Plastik von Richard Lippold schwebt.

Lunch im Atrium des Citicorp Center

Citicorp Center ⓯

153 E 53rd St. **Karte** 13 A4.
M *53rd St-Lexington Ave* *Tägl. 7–23 Uhr.* ***St Peter's Lutheran Church*** *935-2200.* *Tägl. 9–21 Uhr.* *So 8.45, 11 Uhr.* ***Jazzmesse*** *So 17 Uhr.* ***Konzerte*** *Tägl. außer Mo.* ***Theater in der St Peter's Church*** *935-2200.*

DAS ALUMINIUMVERKLEIDETE Citicorp Center ruht auf vier neungeschossigen Pfeilern und sticht mit seinem Schrägdach aus der Skyline hervor. (Der Plan, dort Sonnenkollektoren zu installlieren, wurde nie realisiert.) Bei seiner Fertigstellung 1978 war der ungewöhnliche Bau eine Sensation. In eine Ecke des Turmes hat man die St Peter's Lutheran Church integriert, einen architektonisch eigenständigen Granitbau. Die Erol-Beker-Kapelle wurde samt ihrem Inneren von der Bildhauerin Louise Nevelson gestaltet. Die Kirche ist bekannt für ihre Orgelkonzerte und Jazzmessen, die hier regelmäßig stattfinden, und auch ein kleines Theater findet sich dort.

Saint Patrick's Cathedral ❽

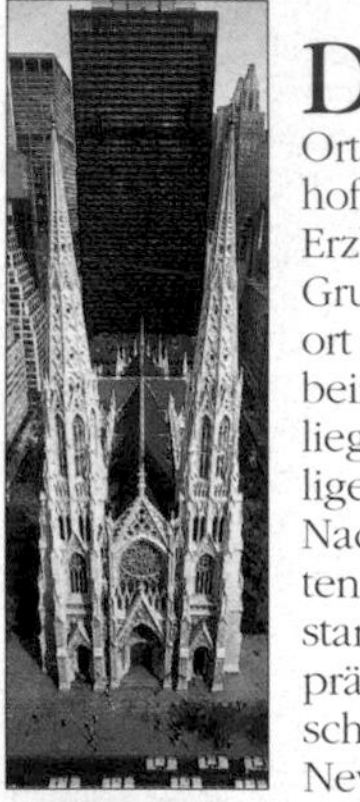

Fassade zur Fifth Avenue

DIE RÖMISCH-KATHOLISCHE Kirche wollte an diesem Ort ursprünglich einen Friedhof anlegen. 1850 wählte Erzbischof John Hughes das Grundstück jedoch als Standort für die Kathedrale – unbeirrt von der Kritik, der Ort liege zu weit von der (damaligen) Stadtgrenze entfernt. Nach Plänen des Architekten James Renwick entstand bis 1878 das prächtigste neugotische Bauwerk New Yorks und die größte Kathedrale der Vereinigten Staaten (Sitzplätze für 2500 Gläubige). Die Türme wurden 1885–88 hinzugefügt.

Lady Chapel ★
Die Kapelle ist der Heiligen Jungfrau geweiht. Die Glasfenster stellen die Mysterien des Rosenkranzes dar.

Pietà
Der amerikanische Bildhauer William O. Partridge schuf 1906 diese Pietà, die an der Seite der Lady Chapel steht.

★ Baldachin
Der große Baldachin über dem Hochaltar besteht zur Gänze aus Bronze. Statuen von Heiligen und Propheten schmücken die vier Stützpfeiler.

Fassade
Für die Außenmauern wurde weißer Marmor verwendet. Die Türme haben eine Höhe von 101 Metern.

NICHT VERSÄUMEN

- ★ **Baldachin**
- ★ **Bronzetüren**
- ★ **Lady Chapel**
- ★ **Orgel und Fensterrosette**

Kreuzwegstationen
Die in Holland aus Caen-Stein gemeißelten Reliefs erhielten bei der Weltausstellung 1893 in Chicago den ersten Preis für sakrale Kunst.

INFOBOX

5th Ave-50th St. **Karte** 12 F4.
753-2261. *6 zur 51st St; E, F zur 5th Ave.*
M1, M2, M3, M4.
Tägl. 7.30–20.30 Uhr.
Mo–Sa häufig; So 7, 8, 9, 10.15, 12, 13, 16, 17.30 Uhr.
Konzerte, Vorträge.

Schrein der heiligen Elizabeth Ann Seton
Statue und Wand künden vom Leben der Gründerin der Sisters of Charity, die als erste Amerikanerin heiliggesprochen wurde (S. 76).

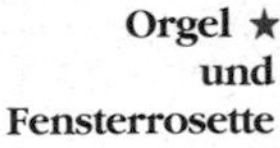

Orgel ★ und Fensterrosette
Die Fensterrosette (acht Meter Durchmesser) erstrahlt über der großen Orgel mit über 7000 Pfeifen.

Haupteingang

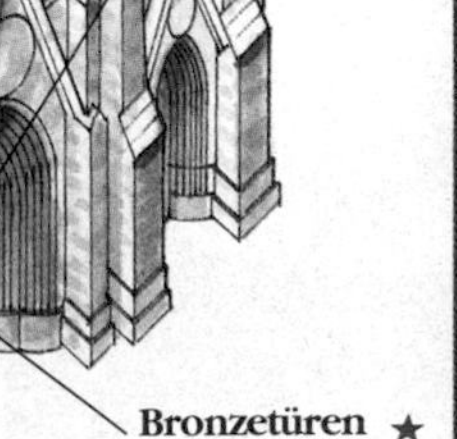

Bronzetüren ★
Die massiven Bronzetüren wiegen neun Tonnen und sind mit Figuren verziert, die die Heiligen New Yorks darstellen.

Central Synagogue ⑯

652 Lexington Ave. **Karte** 13 A4.
838–5122. *51st St, Lexington Ave.* *Mo–Do 12–14 Uhr.*
Fr 17.30 Uhr (erster Fr im Monat 20.15 Uhr), Sa 10.30 Uhr.

DIE ÄLTESTE durchgehend in Gebrauch befindliche Synagoge New Yorks war 1870 nach Plänen Henry Fernbachs errichtet worden. Der Einwanderer aus Schlesien war der erste prominente jüdische Architekt der Vereinigten Staaten. Von ihm stammen einige der schönsten Gußeisenhäuser in SoHo. Die Central Synagogue gilt als New Yorks markantestes Beispiel für den neomaurischen Stil. Die Gemeinde Ahawath [illegible] wurde 1846 von 18 Neuankömmlingen aus Böhmen in einer ärmlichen Umgebung gegründet – an der Ludlow Street in der Lower East Side.

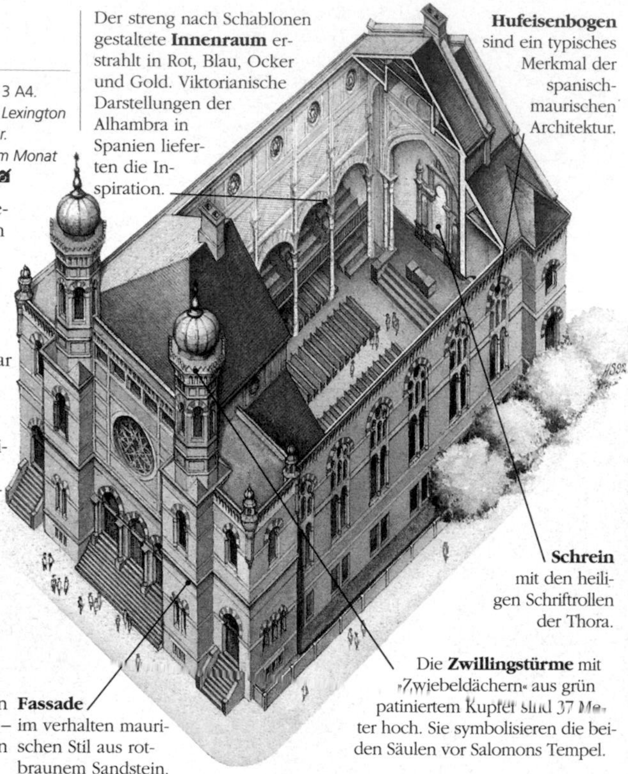

Der streng nach Schablonen gestaltete **Innenraum** erstrahlt in Rot, Blau, Ocker und Gold. Viktorianische Darstellungen der Alhambra in Spanien lieferten die Inspiration.
Hufeisenbogen sind ein typisches Merkmal der spanisch-maurischen Architektur.
Schrein mit den heiligen Schriftrollen der Thora.
Die **Zwillingstürme** mit »Zwiebeldächern« aus grün patiniertem Kupfer sind 37 Meter hoch. Sie symbolisieren die beiden Säulen vor Salomons Tempel.
Fassade im verhalten maurischen Stil aus rotbraunem Sandstein.

Sutton Place und Beekman Place ⑰

Karte [illegible]

SUTTON PLACE IST eine vornehme, [illegible] mit eleganten Appartementhäusern und [illegible]sten. Ehe sich dort in den 20er Jahren die vornehme New Yorker Gesellschaft ansiedelte, prägten Fabriken und Mietskasernen das Viertel. Im Haus Sutton [illegible] der Generalsekretär der Vereinten Nationen.

[illegible] und die 70th Street hinweg fällt der Blick auf die Riverview Terrace, eine Privatstraße mit fünf am Fluß gelegenen efeubedeckten Häusern aus Sandstein. Kleine Parks am Ende der 55th und 57th Street bieten [illegible] und Queensboro Bridge.

Kleiner und noch ruhiger [illegible] Blocks umfassende Enklave Beekman Place. Berühmte Bewohner [illegible] Appartement- und Stadthäuser aus den 20er Jahren waren Gloria Vanderbilt, Rex Harrison, Irving Berlin und Mitglieder der weitverzweigten Familie Rockefeller.

Das River House zwischen Sutton- und Beekman Place stammt aus dem Jahr 1931. Zwei Türme krönen den Appartementblock, der mit Squash- und Tennisplätzen, Jachtanlegeplatz, Schwimmbad und Ballsaal schnell zur Prestigeadresse wurde. Er behielt dieses Renommee, obwohl die Mole dem FDR Drive weichen mußte.

Park in Sutton Place mit Blick auf Queensboro Bridge und Roosevelt Island

Bei den Turtle Bay Gardens verbergen zwei Reihen von etwa 1860 entstandenen Häusern aus rotbraunem Sandstein einen bezaubernden italienischen Garten. Von der Abgeschiedenheit dieses Ortes fühlten sich berühmte Anwohner wie die Filmstars Katherine Hepburn und Tyrone Power sowie der moderne Komponist Stephen Sondheim angezogen.

Roosevelt Island ⓲

Karte 14 D2. M *59th St. Seilbahn-Abfahrt von 2nd Ave-60th St.*

SEIT 1976 VERKEHRT eine Seilbahn über den East River zur Insel, von der sich atemberaubende Ausblicke auf Manhattan und die Queensboro Bridge bieten.

Reste des Blackwell Farmhouse in der Nähe der Seilbahnstation erinnern an das Landgut, das von 1796 bis 1804 auf der Insel betrieben wurde und ihr bis etwa 1920 den Namen gab. Von den 20er Jahren bis zur Neuerschließung in den 70er Jahren hieß sie Welfare Island – Insel der Krankenhäuser, Armenasyle und psychiatrischen Anstalten.

Mae West wurde 1927 nach einem »unanständigen Auftritt« acht Tage im Inselgefängnis festgehalten (unter der Häftlingskleidung durfte sie Seidenunterwäsche tragen). Ruinen von den Krankenhäusern aus dem 19. Jahrhundert sind ebenso erhalten wie der 1872 von einem Insassen des Asyls errichtete Leuchtturm.

Die neuen Wohnanlagen auf der Insel sind nicht erwähnenswert, doch die Uferpromenade und der Blick auf die Skyline lohnen den Ausflug.

Statuen über dem Eingang zum Fuller Building

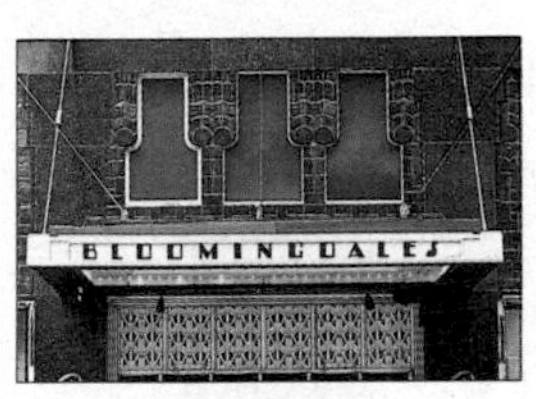

Bloomingdale's Schriftzug

Bloomingdale's ⓳

1000 3rd Ave. **Karte** 13 A3.
355-5900. M *59th St.*
Mo–Fr 9.30–21 Uhr, Sa 9.30–19 Uhr; So 11–19 Uhr. Siehe ***Einkaufen*** *S. 311.*

WÄHREND DES BOOMS in den 80er Jahren war »Bloomies« ein Synonym für die Sonnenseiten des Lebens. Dabei hatte das berühmte, 1872 von Joseph und Lyman Bloomingdale gegründete Kaufhaus zunächst das Image eines Billigladens. Die Wandlung zum Mode- und Shopping-Tempel vollzog sich erst nach dem Abriß der Hochbahn in den 60er Jahren. Die 80er Jahre brachten einen Besitzerwechsel und schließlich den Bankrott. Heute gibt sich Bloomingdale's weniger prunkvoll, bleibt aber eines der bestsortierten Kaufhäuser New Yorks.

Fuller Building ⓴

41 E 57th St. **Karte** 13 A3. *André Emmerich Gallery 752-0124.* *Di–Sa 10–17.30 Uhr. Susan Sheehan Gallery 888-4220.* *Di–Sa 10–18 Uhr.* M *59th St.*

DAS SCHLANKE, in Schwarz, Grau und Weiß ausgeführte Geschäftshaus wurde 1929 nach Plänen von Walker & Gillette errichtet und ist ein Paradebeispiel des geometrischen Art-deco-Design. Die Statuen links und rechts der Uhr über dem Eingang sind ein Werk des Bildhauers Elie Nadelman. Das Bodenmosaik im Inneren zeigt den früheren Sitz der Fuller Company im Flatiron Building. Das Fuller Building beherbergt exklusive Galerien wie die von André Emmerich oder Susan Sheehan.

Plaza Hotel: Fassade im Stil der französischen Renaissance

Plaza Hotel ㉑

768 5th Ave. **Karte** 12 F3.
759-3000. M *59th St. Siehe* ***Übernachten*** *S. 281.*

DIE »GRANDE DAME« unter den New Yorker Hotels entstand nach Plänen Henry J. Hardenberghs, der auch das Dakota Building *(siehe S. 216)* und das erste Waldorf-Astoria gestaltet hatte. 1907 für 12,5 Millionen Dollar fertiggestellt, wurde es zum »besten Hotel der Welt« erklärt: 800 Zimmer, 500 Bäder, zweistöckiger Ballsaal, fünf Marmortreppenhäuser, 14- bis 17-Zimmer-Suiten für Familien wie die Vanderbilts oder Goulds *(siehe S. 49)*.

Die 17stöckige Gußeisenkonstruktion gleicht einem französischen Renaissance-Schloß. Das Interieur stammt großteils aus Europa. Der Palm Court präsentiert sich noch heute mit Skulpturen an den Pfeilern, die die vier Jahreszeiten verkörpern.

Der frühere Besitzer Donald Trump ließ das Hotel mit prunkvollen Kronleuchtern, luxuriösen Teppichen und kilometerweise Blattgold fast zu pompös renovieren. Die ehrwürdigen öffentlichen Bereiche haben dabei aber nichts von ihrer Atmosphäre verloren.

Upper East Side

Um die Jahrhundertwende zog die vornehme New Yorker Gesellschaft in die Upper East Side. Viele der Beaux-Arts-Wohnhäuser beherbergen heute Museen und Botschaften, doch in den prächtigen Appartementhäusern an der Fifth und Park Avenue lebt nach wie vor die Elite. Elegante Geschäfte und Galerien säumen die Madison Avenue. German Yorkville östlich davon (East 80s Streets), Hungarian Yorkville südlich davon und Little Bohemia waren einst Enklaven der Deutschen, Ungarn, Tschechen. Heute erinnern Kirchen und einige Geschäfte an diese Zeit.

Afrikanische Urne im Metropolitan Museum of Art

Blick auf die Lobby des Guggenheim Museum

Sehenswürdigkeiten auf einen Blick

Historische Straßen und Gebäude
Seventh Regiment Armory 10
Henderson Place 14
Gracie Mansion 16

Museen und Galerien
International Center of Photography 1
Jewish Museum 2
Cooper-Hewitt Museum 3
National Academy of Design 4
Solomon R Guggenheim Museum S. 186f 5
Metropolitan Museum of Art S. 188ff 6
Whitney Museum of American Art S. 198f 7
Frick Collection S. 200f 8
Asia Society 9
Society of Illustrators 12
Abigail Adams Smith Museum 13
Museum of the City of New York 19

Kirchen und Synagogen
Temple Emanu-El 11
Church of the Holy Trinity 17
St Nicholas Russian Orthodox Cathedral 18

Parks und Plätze
Carl Schurz Park 15

Anfahrt

Die Expreßzüge Nr. 4 und 5 entlang der Lexington Ave halten an der 59th und 86th Street. Der Nahverkehrszug Nr. 6 bedient außerdem die 68th, 77th und 96th Street. Buslinien: M1, M2, M3 und M4 auf Fifth/ Madison Aves, M101/102 auf Lexington/Third Aves und M15 auf First/Second Aves sowie M66, M72, M79, M86 und M96.

Legende

Detailkarte
Subway-Station
Fährhafen
Hubschrauberlandeplatz

0 Meter 500
0 Yards 500

Siehe auch

- ***Kartenteil*** Karten 12 /13, 16 /17
- ***Spaziergang*** S. 262f
- ***Übernachten*** S. 274f
- ***Restaurants*** S. 290ff

Diana-Statue, National Academy of Design

Im Detail: Die Museumsmeile

DIE UPPER EAST SIDE ist das Viertel der Museen. Sie sind in Gebäuden untergebracht, die stilistisch von den einstigen Stadtpalästen Fricks und Carnegies bis hin zur modernistischen Spirale des Guggenheim Museum reichen. Entsprechend vielfältig präsentieren sich die Ausstellungen: Von alten Meistern über Fotografien bis hin zu den dekorativen Künsten ist alles vertreten. Das gewaltige Metropolitan Museum of the Art – Amerikas Antwort auf den Louvre – beherrscht die Szene. Dienstag abends haben viele Museen lange geöffnet, und manche gewähren freien Eintritt.

Jewish Museum
Diese weltweit größte Sammlung von Judaica umfaßt Münzen, archäologische Fundstücke und religiöse Objekte. ❷

Cooper-Hewitt Museum★
Hier werden dekorative Kunst, etwa Keramik und Glas, Möbel und Textilien präsentiert. ❸

The Church of the Heavenly Rest wurde 1929 im gotischen Stil erbaut. Die Madonna in der Kanzel stammt von der Bildhauerin Malvina Hoffman.

National Academy of Design
Die 1825 gegründete Akademie wurde 1940 an diesen Ort verlegt. Zur ausgezeichneten Sammlung gehören Gemälde und Skulpturen von Akademiemitgliedern. ❹

Graham House, ein Appartementgebäude mit prächtigem Beaux-Arts-Eingang, entstand 1892.

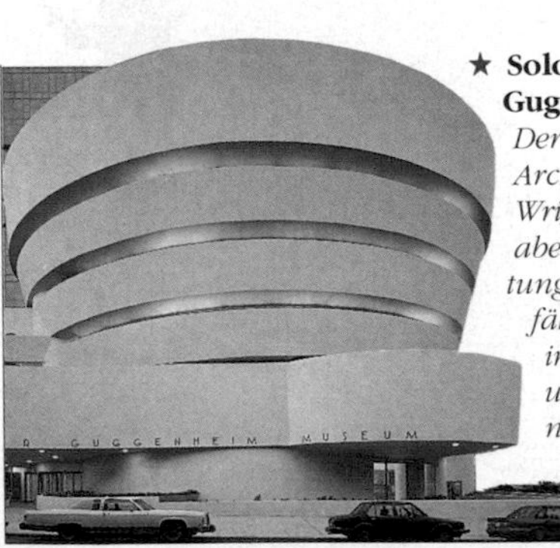

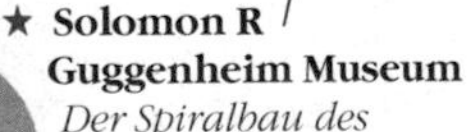

★ Solomon R Guggenheim Museum
Der Spiralbau des Architekten Frank Lloyd Wright erscheint in abendlicher Beleuchtung purpurrot. Man fährt mit dem Aufzug ins oberste Stockwerk und folgt der Rampe nach unten, vorbei an Meisterwerken moderner Kunst. ❺

NICHT VERSÄUMEN

- ★ **Solomon R Guggenheim Museum**
- ★ **Cooper-Hewitt Museum**

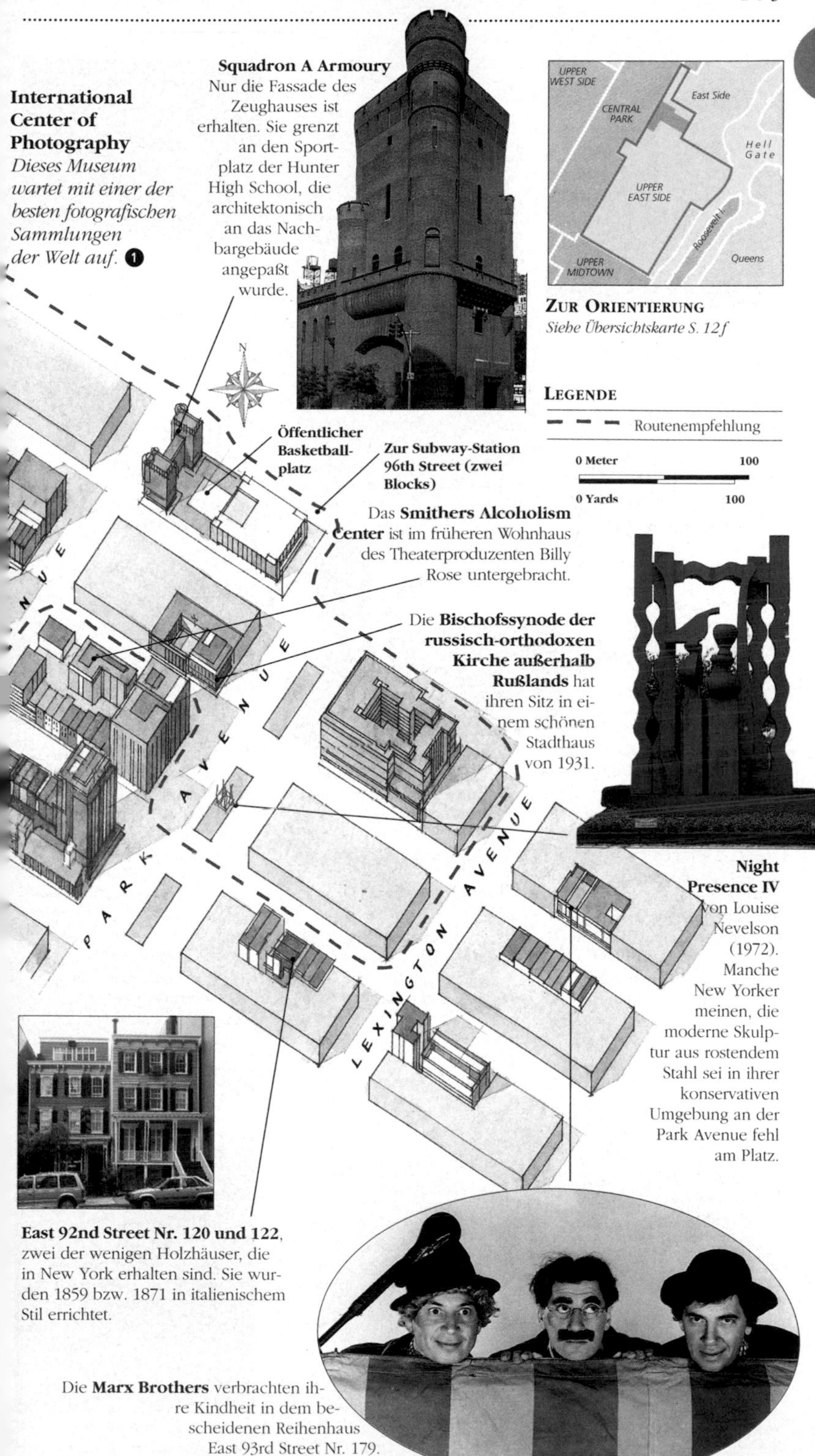

International Center of Photography
Dieses Museum wartet mit einer der besten fotografischen Sammlungen der Welt auf. ❶

Squadron A Armoury
Nur die Fassade des Zeughauses ist erhalten. Sie grenzt an den Sportplatz der Hunter High School, die architektonisch an das Nachbargebäude angepaßt wurde.

Zur Orientierung
Siehe Übersichtskarte S. 12f

Legende

Öffentlicher Basketballplatz

Zur Subway-Station 96th Street (zwei Blocks)

Das **Smithers Alcoholism Center** ist im früheren Wohnhaus des Theaterproduzenten Billy Rose untergebracht.

Die **Bischofssynode der russisch-orthodoxen Kirche außerhalb Rußlands** hat ihren Sitz in einem schönen Stadthaus von 1931.

Night Presence IV von Louise Nevelson (1972). Manche New Yorker meinen, die moderne Skulptur aus rostendem Stahl sei in ihrer konservativen Umgebung an der Park Avenue fehl am Platz.

East 92nd Street Nr. 120 und 122, zwei der wenigen Holzhäuser, die in New York erhalten sind. Sie wurden 1859 bzw. 1871 in italienischem Stil errichtet.

Die **Marx Brothers** verbrachten ihre Kindheit in dem bescheidenen Reihenhaus East 93rd Street Nr. 179.

International Center of Photography

International Center of Photography ❶

1130 5th Ave. **Karte** 16 F2. *860-1777.* *86th St, 96th St.* *Di 11–20 Uhr, Mi–So 11–18 Uhr.* ***Geschl.*** *Feiertage.* ***Eintritt.***

DAS OFT ALS ICP bezeichnete Museum wurde 1974 von Cornell Capa gegründet, um das Werk solch erstklassiger Fotojournalisten wie seines Bruders Robert Capa, der 1954 bei einer Reportage ums Leben kam, zu bewahren. Die Sammlung umfaßt 12 500 Originalabzüge, darunter viele Arbeiten von Meisterfotografen wie Ansel Adams und Henri Cartier-Bresson. Ausstellungen, Filme, Vorträge und Kurse ergänzen das Angebot.

Als Museumsgebäude dient eines der letzten vornehmen Wohnhäuser in der Fifth Avenue. [illegible] georgianische Bau wurde 1915 für den [illegible] zier Willard Straight errichtet, der die Zeitschriften *The New Republic* und *Asia* gründete.

Jewish Museum ❷

1109 5th Ave. **Karte** 16 F2. *423-3200.* *86th St, 96th St.* *Mo, Mi, Do, So 11–17.45 Uhr, Di 11–20 Uhr.* ***Geschl.*** *Fr, Sa, allgemeine und jüdische Feiertage.* ***Eintrittt.***

DIE EXQUISITE schloßähnliche Privatresidenz des Bankiers Felix M. Warburg entstand 1908 nach Plänen von C.P.H. Gilbert. Sie beherbergt heute eine der größten Sammlungen jüdischer zeremonieller und klassischer Kunst sowie historischer Judaica. Die Steinarbeiten im neuen Erweiterungsbau sind ein Werk der Steinmetze von St John the Divine *(siehe S. 224f)*.

Es wurden Objekte aus der ganzen Welt zusammengetragen, wobei die Stifter oft Verfolgung riskierten. Die Sammlung deckt 4000 Jahre jüdischer Geschichte ab. Neben Thorakronen, Leuchtern, Kiddushpokalen, Tellern, Schriftrollen und zeremoniellem Silber beeindrucken eine Bundeslade aus der Kollektion Benguiat, die Fayencewand einer persischen Synagoge des 16. Jahrhunderts und das bedrückende Werk *Holocaust* des Bildhauers George Segal. Wechselnde Ausstellungen informieren über das jüdische Leben rund um die Welt.

Jewish Museum: Kanne und Schale aus Istanbul, 19. Jahrhundert

Cooper-Hewitt Museum ❸

2 E 91st St. **Karte** 16 F2. *860-6868.* *86th St.* *Di 10–21 Uhr, Mi [illegible] 17 Uhr.* ***Geschl.*** *Feiertage.* ***Eintritt.***

DAS MUSEUM IM ehemaligen Wohnhaus des Industriemagnaten Andrew Carnegie besitzt eine der weltgrößten Design-Sammlungen (zusammengetragen von den Schwestern Amy, Eleanor und Sarah Hewitt). Es wurde 1897 im Gebäude der Cooper Union *(siehe S. 118)* eröffnet. 1967 gingen die Bestände an die Smithsonian Institution über, und die Carnegie Corporation stellte das Haus zur Verfügung, in dem die Sammlung ein passendes Ambiente fand.

Das Gebäude setzte mit Zentralheizung, Aufzug und Klimaanlage neue Maßstäbe, obwohl sich Carnegie nur »das bescheidenste, einfachste und geräumigste Haus in New York« gewünscht hatte. Besonders sehenswert sind Treppenhaus, Täfelung, Schnitzwerk und Sonnenterrasse.

Eingang des Cooper-Hewitt Museum

National Academy of Design ❹

1083 5th Ave. **Karte** 16 F3. *369-4880.* *86th St.* *Mi–So 12–17 Uhr, Fr 12–20 Uhr.* ***Eintritt*** *außer Fr 17–20 Uhr.*

DIE SAMMLUNG der National Academy of Design umfaßt mehr als 6000 Gemälde, Zeichnungen und Skulpturen von Thomas Eakins, Winslow Homer, Raphael Soyer, Frank Lloyd Wright und vielen anderen. Die Akademie wurde 1825 von einer Künstlergruppe als Ausbildungsinstitut und Galerie gegründet. Der Kunstmäzen und Philanthrop Archer Huntington übereignete ihr 1940 sein Haus, ein beeindruckendes Gebäude mit Marmorböden und Stuckdecken. Eine Diana der [illegible] Hyatt Huntinton beherrscht d[illegible]

Diana-Statue im Foyer der National Academy of Design

Solomon R Guggenheim Museum ❺

Siehe S. 186 f.

Metropolitan Museum of Art ❻

Siehe S. 188 ff.

Whitney Museum of American Art ❼

Siehe S. 198 f.

Frick Collection ❽

Siehe S. 200 f.

Asia Society ❾

725 Park Ave. **Karte** 13 A1.
288-6400. *68th St.*
Di–Sa 11–18 Uhr (Do 11–20 Uhr), So 12–17 Uhr. ***Geschl.*** *Mo, Feiertage.* ***Eintritt*** *außer Fr 18–20 Uhr.*

JOHN D. ROCKEFELLER III. gründete die Asia Society 1956, um Amerika die Kultur Asiens näherzubringen. 30 Länder finden hier ein Forum – vom Iran bis Japan, von Mittelasien bis Australien.

Der siebenstöckige Bau wurde 1981 nach Plänen Edward Larrabee Jones' errichtet. Eine der Galerien ist den Skulpturen, Keramiken, Bronzen und Holzfiguren gewidmet, die Rockefeller und seine Frau von ihren Reisen nach Asien mitgebracht haben.

Südasiatische Skulptur in der Asia Society

Wechselnde Ausstellungen werfen Schlaglichter auf verschiedene Aspekte asiatischer Kunst. Tanzdarbietungen, Konzerte, Filme und Vorträge ergeben ein vielseitiges Programm. Der Buchladen im Haus bietet eine reiche Auswahl von Büchern über Asien.

Eingangshalle des Seventh Regiment Armory

Seventh Regiment Armory ❿

643 Park Ave. **Karte** 13 A2.
439-0300. *68th St.*
Mo–Fr nur nach Vereinbarung.
Geschl. *Feiertage.*

DAS SIEBTE REGIMENT war im Krieg von 1812 und in beiden Weltkriegen von großer Bedeutung. Das Elitekorps setzte sich aus »Gentleman«-Soldaten vornehmer Herkunft zusammen, und sein Arsenal ist in den Vereinigten Staaten ohne Beispiel: Das festungsartige Äußere verbirgt Räume, die reich mit viktorianischem Mobiliar, Kunstgegenständen und Regimentsandenken ausgestattet sind.

Der Entwurf Charles W. Clintons umfaßte Verwaltungsräume mit Blick auf die Park Avenue und dahinter eine bis zur Lexington Avenue reichende Exerzierhalle. Der Veterans' Room und die Bibliothek von Louis Comfort Tiffany dienten als Empfangsräume. In der riesigen Exerzierhalle finden heute die Winter Antiques Show *(siehe S. 53)* und Wohltätigkeitsbälle statt.

Temple Emanu-El ⓫

1 E 65th St. **Karte** 12 F2.
744-1400. *68th St, 60th St.*
So–Fr 10–16.45 Uhr, Sa 10.45–16.45 Uhr (Fr letzter Einlaß 15.30 Uhr). ***Geschl.*** *Jüdische Feiertage.* *So–Do 17.30 Uhr, Fr 17.15 Uhr, Sa 10.30 Uhr.*

DER KALKSTEINBAU von 1929 ist eine der größten Synagogen der Welt – die Haupthalle bietet Sitzplätze für 2500 Gläubige – und Mittelpunkt der ältesten reformjüdischen Gemeinde New Yorks. Beeindruckende Details im Inneren sind das Bronzegitter vor dem Thora-Schrein und Darstellungen des Davidsschilds und des Löwen von Juda aus Buntglas. Ein zurückgesetzter Bogen mit prächtiger Fensterrosette beherrscht die Fassade zur Fifth Avenue. Die Beth-El-Kapelle mit zwei Kuppeln ist byzantinisch beeinflußt.

Früher stand am gleichen Ort das Stadtpalais von Mrs. William Astor. Die Gesellschaftskönigin verließ ihren Sitz in Midtown, als ihr Neffe im Streit mit ihr nebenan das Hotel Waldorf errichtete. Mit der gehobenen Gesellschaft im Gefolge zog sie in die Upper East Side, während ihr Sohn an der Stelle ihrer ehemaligen Residenz das Hotel Astoria erbaute.

Der Tempelschrein von Emanu-El

Solomon R Guggenheim Museum ❺

DAS GUGGENHEIM MUSEUM besitzt nicht nur eine der weltbesten Sammlungen zeitgenössischer Kunst, vielmehr ist das Gebäude selbst das eigentliche Glanzstück des Museums. Der Entwurf des Architekten Frank Lloyd Wright wird oft mit einem großen Schneckenhaus verglichen. Man folgt der spiralförmigen Rampe von der Kuppel aus nach unten, vorbei an Werken bedeutender Künstler des 19. und 20. Jahrhunderts. Die Kleine Rotunde und der Tower beherbergen weitere Ausstellungen. 1992 wurde eine Zweigstelle eröffnet, das Guggenheim Museum SoHo *(siehe S. 105)*.

Fassade zur Fifth Avenue

Paris, vom Fenster aus
Mit seinen lebhaften Farben evoziert Marc Chagalls Meisterwerk von 1913 Vorstellungen einer magischen und mysteriösen Stadt.

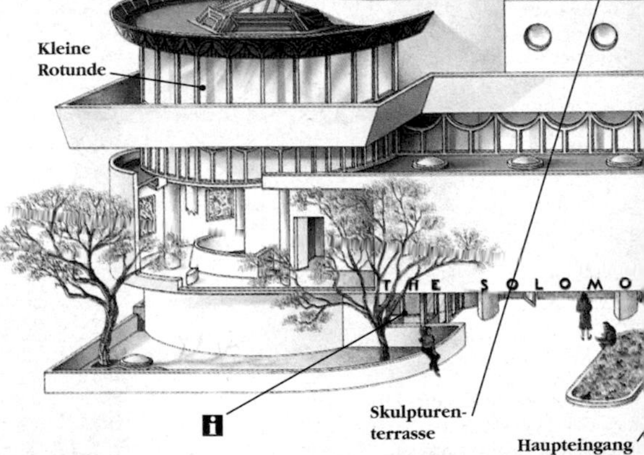

Die Büglerin *(1904)*
Picasso hat mit diesem Werk aus seiner Blauen Periode die Mühsal der Arbeit vollendet dargestellt.

Gelbe Kuh *(1911)*
Franz Marcs Werk ist von der Zurück-zur-Natur-Bewegung beeinflußt.

Liegender Akt *(1917)*
Die Schlafende ist charakteristisch für Amedeo Modiglianis Werk.

Kurzführer

In der großen Rotunde finden Sonderausstellungen statt, in der kleinen zeigt man Teile der Sammlung von Impressionisten und Nach-Impressionisten. Die neuen Galerien im Tower zeigen Bestandteile der Sammlung wie auch zeitgenössische Stücke. Von der Skulpturenterrasse im vierten Stock überblickt man den Central Park. Die Sammlung ist nie komplett zu sehen.

Frau vor dem Spiegel *(1876)*
Um die Atmosphäre des 19. Jahrhunderts einzufangen, verwendete Edouard Manet oft das Motiv der Kurtisane.

Infobox

1071 5th Ave bei der 89th St. **Karte** 16 F3. *423-3500.* *4, 5, 6 zur 86th St.* *M1, M2, M3, M4.* *So–Mi 10–18 Uhr; Fr, Sa 10–20 Uhr.* ***Geschl.*** *25. Dez, 1. Jan.* ***Eintritt.*** ***Konzerte, Lesungen, Aufführungen.***

Frau mit Vase
Fernand Léger hat in dieses Bild von 1927 kubistische Elemente eingearbeitet.

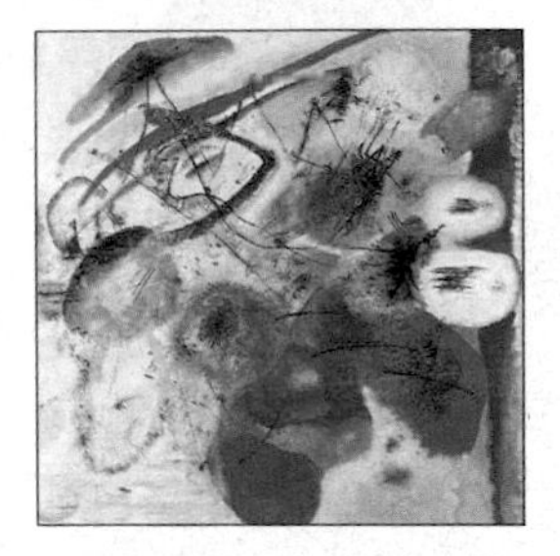

Schwarze Linien *(1913)*
Eines der frühesten Beispiele für Wassily Kandinskys abstrakte Kunst.

Frau mit gelbem Haar *(1931)*
Picassos sinnliche Geliebte ist ein immer wiederkehrendes Motiv in seinen Bildern.

Frank Lloyd Wright

Wright gilt als der große Erneuerer der amerikanischen Architektur. Charakteristisch für ihn sind Landhäuser im »Prairie«-Stil und Bürogebäude aus Betonplatten, Glasbausteinen und Röhren. 1942 erhielt er den Auftrag zur Gestaltung des Guggenheim Museum. Der Bau – sein einziger in New York – wurde 1959 kurz nach seinem Tod fertiggestellt.

Innenansicht der Großen Rotunde

Metropolitan Museum of Art ❻

Diese wohl umfangreichste Sammlung der westlichen Welt wurde 1870 von einer Gruppe von Künstlern und Philanthropen gegründet, die ein Pendant zu den europäischen Kunstinstitutionen schaffen wollten. 1880 zog das Museum an den heutigen Ort. Die Sammlungen spannen einen Bogen von prähistorischer Zeit bis heute, von altägyptischer Kunst bis hin zu amerikanischer Plastik und dekorativer Kunst seit der Kolonialzeit.

Eingang des Metropolitan Museum of Art

★ **Gertrude Stein** *(1905/06)*
Picassos maskenhaftes Porträt der amerikanischen Schriftstellerin läßt Einflüsse afrikanischer und römischer Kunst erkennen.

Maske aus Benin
Das Königreich Benin (heute Teil Nigerias) war berühmt für seine Kunst. Diese Maske stammt aus dem 16. Jahrhundert.

Robert Lehman Collection

Untergeschoß

Harfenspieler
Die kleine Statue wurde etwa 3000 v. Chr. auf den Kykladen angefertigt.

Kurzführer

Der Großteil der Sammlungen ist in den beiden Hauptgeschoßen untergebracht. Neben ständigen Ausstellungen aus 19 Abteilungen gibt es Galerien für Sonderausstellungen. Europäische Malerei, Plastik und dekorative Kunst sind im Erdgeschoß und ersten Stock an zentraler Stelle angeordnet. Die anderen Sammlungen gehen strahlenförmig davon aus.

Die Hochzeit von Kanaa
Tafelbild von Juan de Flandes (16. Jahrhundert), Bestandteil der Linsky Collection.

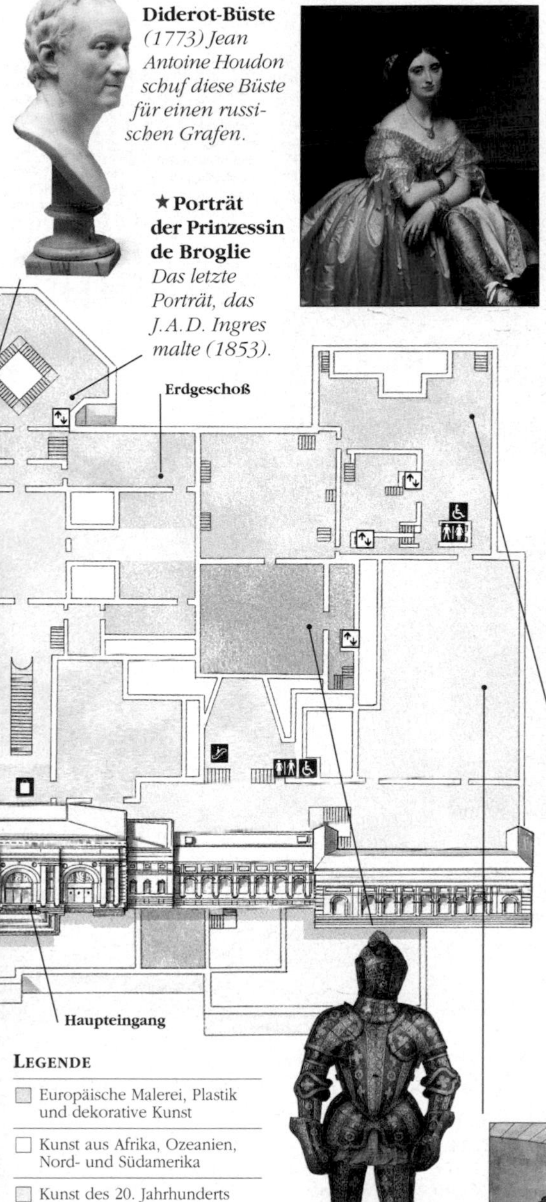

Diderot-Büste *(1773) Jean Antoine Houdon schuf diese Büste für einen russischen Grafen.*

★ Porträt der Prinzessin de Broglie *Das letzte Porträt, das J.A.D. Ingres malte (1853).*

Englische Rüstung *Sie wurde um 1580 für George Clifford angefertigt.*

Infobox

1000 5th Ave. **Karte** 16 F4. *535-7710.* *4, 5, 6 zur 86th St.* *M1, M2, M3, M4.* *Di–Do, So 9.30–17.15 Uhr, Fr, Sa 9.30–20.45 Uhr.* ***Geschl.*** *25. Dez, 1. Jan, Thanksgiving.* ***Eintritt.***

Konzerte, Lesungen, Film-, Video-Vorführungen.

Tiffany-Säulen *(ca. 1905) Diese Säulen sind alles, was von Louis C. Tiffanys Haus in Oyster Bay erhalten ist.*

Nicht versäumen

- **★Tempel von Dendur**
- **★Porträt der Prinzessin de Broglie von Ingres**
- **★Gertrude Stein von Pablo Picasso**

★Tempel von Dendur *(15 v. Chr.) Der Tempel wurde im Auftrag des römischen Kaisers Augustus errichtet. Reliefs zeigen ihn bei einem Opfer.*

Legende

- Europäische Malerei, Plastik und dekorative Kunst
- Kunst aus Afrika, Ozeanien, Nord- und Südamerika
- Kunst des 20. Jahrhunderts
- Amerikanische Kunst
- Ägyptische Kunst
- Griechische, römische Kunst
- Mittelalterliche Kunst
- Waffen und Rüstungen
- Kleidungsmuseum
- Sonderausstellungen
- Keine Ausstellungsfläche

Metropolitan Museum of Art: Obergeschoß

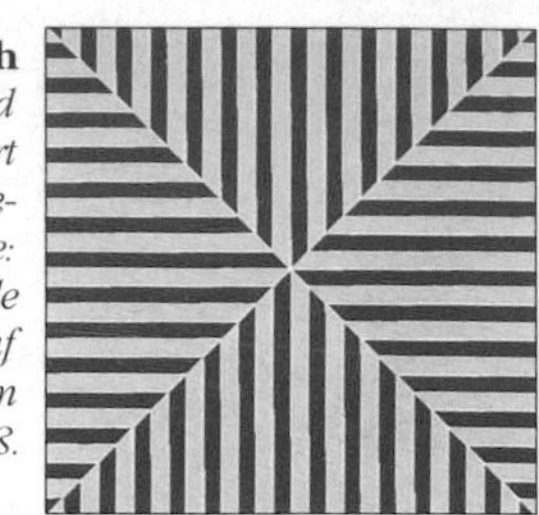

Marrakech
Frank Stellas Bild von 1964 gehört zu seiner »marokkanischen« Serie: fluoreszierende Streifen auf quadratischem Grundriß.

Skulpturengarten
Die modernen Skulpturen auf dem Dach der 20.-Jahrhundert-Abteilung werden jährlich ausgewechselt.

Die Kartenspieler *(1890)*
Mit diesem Bild kartenspielender Bauern wich Paul Cézanne von seinen üblichen Sujets (Landschaften, Stilleben, Porträts) ab.

Islamische Kunst

Obergeschoß

Erdgeschoß

Adlerköpfiges geflügeltes Wesen bestäubt heiligen Baum *(ca. 900 v. Chr.)*
Das Relief stammt aus einem assyrischen Palast.

★ **Zypressen** *(1889)*
Vincent van Gogh malte dieses Bild ein Jahr vor seinem Tod. Die wirbelnden Formen sind charakteristisch für sein Spätwerk.

NICHT VERSÄUMEN

- ★ **Rembrandts Selbstporträt von 1660**
- ★ **Washingtons Übergang über den Delaware von Leutze**
- ★ **Zypressen von Vincent van Gogh**
- ★ **Diptychon von Jan van Eyck**

★ **Diptychon** *(1425-30)*
Der flämische Maler Jan van Eyck ist ein früher Meister des Ölbilds. Diese Szenen der Kreuzigung und des Jüngsten Gerichts weisen ihn als Vorläufer des Realismus aus.

★ **Washingtons Übergang über den Delaware** *(1851)*
E. G. Leutzes romantisierte Darstellung der berühmten Flußüberquerung.

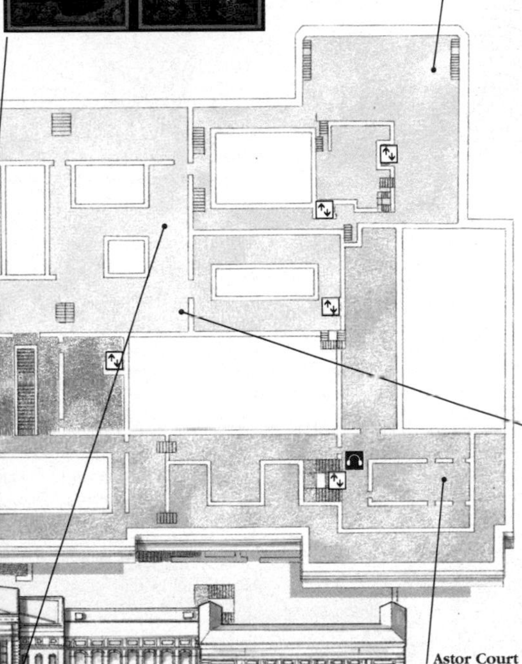

Legende

- Europäische Malerei, Plastik und dekorative Kunst
- Kunst des Alten Orients und islamische Kunst
- Kunst des 20. Jahrhunderts
- Amerikanische Kunst
- Asiatische Kunst
- Griechische, römische Kunst
- Musikinstrumente
- Zeichnungen, Drucke und Fotografien
- Sonderausstellungen
- Keine Ausstellungsfläche

Der Tod des Sokrates *(1787)*
Jacques Louis Davids Darstellung des Philosophen, der lieber Gift nahm als abzuschwören.

★ **Selbstporträt** *(1660)*
Rembrandt malte fast 100 Selbstporträts. Dieses Werk zeigt ihn im Alter von 54 Jahren.

Astor Court

Der Garten im Stil der Ming-Dynastie wurde 1979 von 27 chinesischen Handwerkern angelegt, die für die Pflege der historischen Gärten von Souzhou zuständig waren. Sie nutzten jahrhundertealte Techniken und handgefertigte, über Generationen weitervererbte Werkzeuge. Durch diesen ersten Kulturaustausch zwischen den Vereinigten Staaten und der Volksrepublik China erwuchs dem »Garten des Meisters der Fischnetze« in Souzhou ein Gegenstück im Westen.

Überblick: Das Metropolitan Museum

DAS »MET« BESITZT eine reichhaltige Sammlung amerikanischer Kunst und über 3000 Gemälde aus Europa, darunter Meisterstücke von Rembrandt und Vermeer. Werke islamischer Kunst zählen ebenso zu seinen Schätzen wie die größte Sammlung ägyptischer Kunst außerhalb Kairos.

Kupferbüste aus dem Nahen Osten: Identität und Schöpfer des 5000 Jahre alten Kopfes sind unbekannt

Afrika, Ozeanien, Nord- und Südamerika

Bemalte Totenmaske aus Gold, Nekropolis Batán Grande, Peru (10.–14. Jahrhundert)

NELSON ROCKEFELLER ließ diesen Flügel 1982 zum Gedenken an seinen Sohn Michael errichten, der auf einer Expedition in Neu-Guinea ums Leben gekommen war. Über 2000 Objekte aus Afrika, dem pazifischen Raum und Amerika sind zu sehen.

Bei der afrikanischen Kunst stechen Elfenbein- und Bronzeskulpturen aus dem Königreich Benin (Nigeria) sowie Holzfiguren der Dogon, Bamana und Senufo aus Mali hervor. Aus Ozeanien stammen Schnitzereien der Asmat (Neu-Guinea) sowie Schmuck und Masken (Melanesien und Polynesien). Mexiko, Mittel- und Südamerika sind mit Gold, Keramik und Plastiken aus präkolumbischer Zeit vertreten. Kunstwerke der nordamerikanischen Indianer und der Inuit werden ebenfalls in diesem Flügel gezeigt.

Amerikanische Kunst

ZU DEN GLANZSTÜCKEN der amerikanischen Abteilung zählen Gilbert Stuarts erstes Porträt von George Washington, George Caleb Binghams *Pelzhändler auf dem Missouri*, John Singer Sargents Porträt der *Madame X* und Emanuel Leutzes Monumentalwerk *Washingtons Übergang über den Delaware*. Der Flügel enthält eine der bedeutendsten Sammlungen amerikanischer Malerei (darunter mehrere Werke Edward Hoppers), Plastik und dekorativer Kunst von der Kolonialzeit bis in unser Jahrhundert. In stilechten Räumen wird der Salon, in dem Washington seinen letzten Geburtstag feierte, ebenso vorgestellt wie das elegante Wohnzimmer des Little House in Minnesota, das Frank Lloyd Wright 1912 gestaltet hatte.

Im Engelhard Court präsentiert man Plastiken und größere Architekturelemente wie die hübsche Buntglas- und Mosaik-Loggia aus Louis Comfort Tiffanys Haus auf Long Island oder Fassadenteile eines Bankgebäudes von 1824, das früher an der Wall Street stand.

Lighthouse at Two Lights **von Edward Hopper (1929)**

Kunst des Alten Orients und islamische Kunst

AM EINGANG ZUR SAMMLUNG sitzen geflügelte Löwen mit menschlichen Köpfen, die im 9. Jahrhundert v. Chr. den Palast des assyrischen Königs Assurnasirpal II. bewachten. Die Ausstellung überspannt 7000 Jahre: persische Bronzen, anatolisches Elfenbein, sumerische Skulpturen, Silber und Gold der Achaimeniden und Sassaniden. Die angrenzende Galerie demonstriert die Vielfalt der islamischen Kunst zwischen dem 7. und 19. Jahrhundert: Glas- und Metallobjekte aus Ägypten, Syrien und Mesopotamien, Miniaturen aus Persien und Indien, Teppiche aus dem 16. und 17. Jahrhundert, ein Zimmer im Stil des 18. Jahrhunderts aus Syrien.

Waffen und Rüstungen

HIER TRETEN RITTER in voller Rüstung zum Turnier an. Dieser Teil ist bei Kindern und bei allen, die sich für die Romanzen und Machtkämpfe des Mittelalters begeistern, sehr beliebt.

Zu sehen sind Rüstungen, Degen und Säbel mit Griffen aus Gold und Edelstein, Feuerwaffen mit Elfenbein- und Perlmuttintarsien, farbenprächtige Banner und Schilde.

Pistole Karls V., Kaiser des Heiligen Römischen Reiches (16. Jahrhundert)

Zu den Glanzstücken zählen die Rüstung des Gentleman-Piraten George Clifford (eines Günstlings Königin Elisabeths I.), der in den Farben des Regenbogens erstrahlende Panzer eines japanischen Shogun und Wild-West-Revolver, die früher dem Waffenfabrikanten Samuel Colt gehörten.

Orientalische und asiatische Kunst

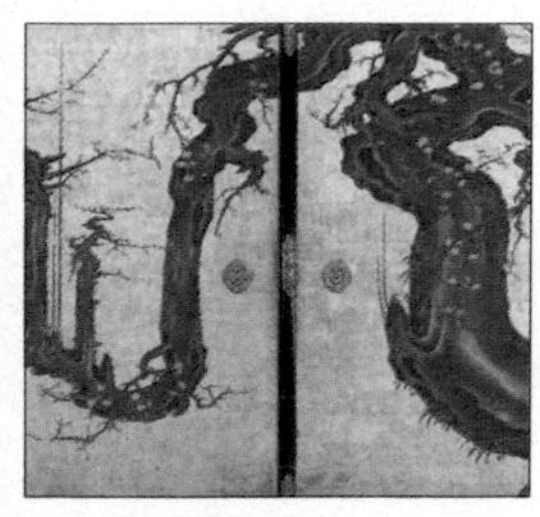

***Der alte Pflaumenbaum*, japanischer Paravent aus der frühen Edo-Periode (ca. 1650)**

Diese Abteilung präsentiert Meisterwerke chinesischer, japanischer, koreanischer, indischer und südostasiatischer Kunst vom 2. Jahrtausend v. Chr. bis ins 20. Jahrhundert. Im Rahmen des ersten Kulturaustausches zwischen den USA und der Volksrepublik China rekonstruierten Handwerker aus Souzhou den Garten eines Gelehrten aus der Zeit der Ming-Dynastie. Weitere Attraktionen sind die Sammlung von Gemälden der Sung- und Yuan-Epoche, monumentale buddhistische Skulpturen aus China, Keramik und Jade sowie eine bedeutende Ausstellung zur Kunst im alten China.

Der ganzen Spannweite japanischer Kunst sind zehn chronologisch und thematisch angeordnete Galerien gewidmet. Dort werden Lackarbeiten, Keramik, Gemälde, Skulpturen, Textilien und Paravents gezeigt. Aus Indien, Südostasien und Korea sind hervorragende Plastiken und andere Werke zu bewundern.

Kleidungsmuseum

Die Sammlung dieser Abteilung umfaßt 45 000 Kleidungsstücke vom 17. Jahrhundert bis heute. Sie reicht von kunstvoll bestickten Kleidern des späten 17. Jahrhunderts bis hin zu Abendkleidern von Elsa Schiaparelli in grellem Pink – samt Hüten, Schals, Handschuhen, Handtaschen und sonstiger Accessoires. Entwürfe von Worth, Quant und Balenciaga sind ebenso vertreten wie Roben aus napoleonischer und viktorianischer Zeit und Kostüme der *Ballets Russes*. Selbst ein paillettenbesetztes Suspensorium von David Bowie darf nicht fehlen. In den neuen Ausstellungsräumen ist stets eine Auswahl zu sehen.

Die Trachtensammlung wartet mit Objekten aus Europa, Asien, Afrika und Amerika auf.

Das Museum verfügt über großes Know-how, was die Pflege und Restaurierung von Kleidungsstücken angeht: Selbst die NASA erkundigte sich dort nach der sachgerechten Reinigung von Raumfahrtanzügen.

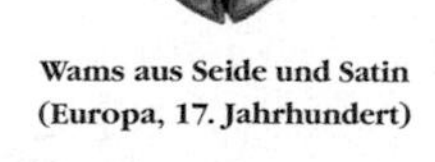

Wams aus Seide und Satin (Europa, 17. Jahrhundert)

Zeichnungen, Drucke und Fotografien

Das Museum besitzt eine immense Sammlung von Zeichnungen, Drucken, Radierungen und Fotografien, die in wechselnder Auswahl

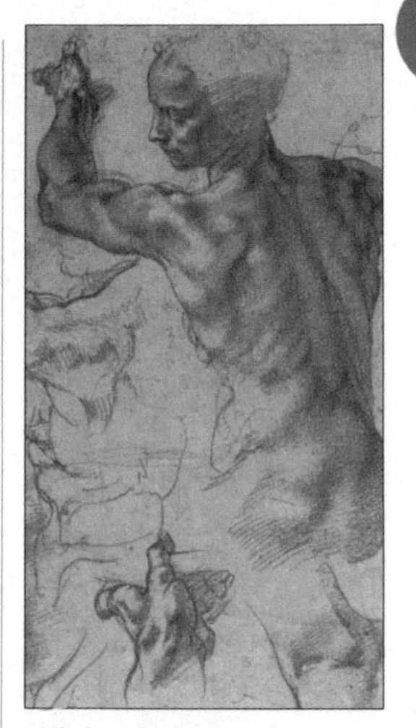

Michelangelos Studien einer libyschen Sibylle für die Decke der Sixtinischen Kapelle (1508)

präsentiert werden. Italienische und französische Zeichnungen vom 15. bis zum 19. Jahrhundert sind besonders stark vertreten. Um die lichtempfindlichen Arbeiten zu schonen, werden sie im ständigen Wechsel nur phasenweise ausgestellt. Zu den Höhepunkten zählen Werke von Michelangelo, Leonardo da Vinci, Raffael, Ingres, Goya, Rubens, Rembrandt, Tiepolo und Seurat.

Die Sammlung von Drucken umfaßt 12 000 Einzelblätter und fast ebensoviele illustrierte Bücher. Wohl alle großen Graphiker sind mit bedeutenden Arbeiten vertreten. Die Exponate reichen von einem alten deutschen Holzschnitt *(Jungfrau mit Kind)* über Meisterwerke Dürers bis hin zu Goyas *Riesen*.

Der Galeriebesitzer Alfred Stieglitz stiftete dem Museum seine umfangreiche Fotosammlung, die Perlen wie *The Flatiron* von Edward Steichen umfaßt. Sie war der Grundstock für eine Sammlung, deren Schwerpunkt heute die Fotografie der Moderne aus der Zeit zwischen den Kriegen ist. Auch Plakate und Werbeanzeigen werden hier gewürdigt.

Ägyptische Kunst

Eine der beliebtesten Abteilungen des Museums ist der ägyptische Flügel mit Tausenden von Ausstellungsstücken aus prähistorischer Zeit bis ins 8. Jahrhundert n. Chr. Die Sammlung reicht von den Bruchstücken der Jaspislippen einer Königin des 15. Jahrhunderts v. Chr. bis zum Tempel von Dendur. Daneben beeindrucken Skulpturen der Königin Hatschepsut aus dem 16. Jahrhundert v. Chr., 100 Reliefs aus der Zeit Amenophis' IV. und Grabfiguren wie das blaue Fayence-Nilpferd, das zum Maskottchen des Museums geworden ist. Die meisten Funde stammen von Expeditionen, die das Museum Anfang des 20. Jahrhunderts finanziert hat.

Königin Teje, Gemahlin Amenophis' III. (1417–1379 v.Chr.)

Europäische Malerei, Plastik und dekorative Kunst

Die imposante Sammlung von rund 3000 Gemälden europäischer Maler bildet das Herzstück des Museums. Bei den

***Junge Frau mit einem Wasserkrug* von Jan Vermeer (1660)**

italienischen Meistern sind Botticellis *Letztes Abendmahl des heiligen Hieronymus* und Bronzinos *Porträt eines jungen Mannes* zu sehen, bei den Holländern und Flamen Bruegels *Ernte*, etliche Werke Rubens' und van Dycks, über ein Dutzend Rembrandts und mehr Vermeers als in jedem anderen Museum. Spanische Maler wie El Greco, Velazquez und Goya sind mit Meisterwerken ebenso vertreten wie die Franzosen Poussin und Watteau. Das Museum nennt einige der schönsten Werke des Impressionismus und Postimpressionismus sein eigen: 30 Monets, u. a. *Terrasse in Sainte-Adresse*, 17 Cézannes und van Goghs *Zypressen*. Der Kravis-Flügel und angrenzende Galerien sind europäischer Plastik und dekorativer Kunst gewidmet. Aus der 60 000 Stükke umfassenden Sammlung sind u. a. Tullio Lombardos Statue des Adam, die Bronzefigurine eines Pferds nach einem Modell da Vincis und Werke Degas' und Rodins zu sehen. Epochenensembles wie der Patio eines spanischen Schlosses aus dem 16. Jahrhundert und die Wrightsman Rooms – Interieurs aus dem Frankreich des 18. Jahrhunderts – ergänzen das Bild. Im Petrie European Sculpture Court präsentiert man französische und italienische Skulpturen in einem Park, der an Versailles erinnert.

Griechische und Römische Kunst

Ein römischer Sarkophag aus Tarsus war der Grundstein aller Sammlungen des Met. Das 1870 gestiftete Stück nimmt heute einen Ehrenplatz in den Galerien ein, neben Wandmalereien aus einer beim Vesuv-Ausbruch 79 n. Chr. verschütteten Villa, etruskischen Spiegeln, römischen Büsten, Glas- und Silberobjekten und Hunderten von griechischen Vasen. Die Statue eines Jünglings (7. Jahrhundert v. Chr.) zeichnet den Weg zum Naturalismus in der Plastik vor, und das hellenistische Werk *Alte Marktfrau* zeigt, wie weit die Griechen die realistische Darstellung im 2. Jahrhundert v. Chr. beherrschten.

Amphore des Exekias mit Hochzeitsszene (6. Jahrhundert v. Chr.)

Lehman Collection

Der Bankier Robert Lehman übereignete dem Museum 1971 seine großartige und außerordentlich vielseitige Privatsammlung, die in einer spektakulären Glaspyramide untergebracht ist. Zu ihr zählen zahlreiche alte Meister und französische Gemälde des 19. Jahrhunderts, Zeichnungen, Bronzen,

Ägyptische Grabfiguren

Ein Forscher des Museums betrat 1920 einen seit 2000 Jahren verschlossenen Raum im Grabmal des Mekutra. Der Strahl seiner Taschenlampe fiel auf 23 Nachbildungen aus dem Alltag des Adligen, die sein Wohl im Jenseits sicherstellen sollten: Haus und Garten, Flotte und Rinder, oder Mekutra selbst auf einem Boot, wo er den Duft einer Lotosknospe und das Harfenspiel seiner Begleitung genießt.

Ausschnitt aus dem Fenster *Tod der Jungfrau* aus der Kathedrale Saint-Pierre im französischen Troyes (12. Jahrhundert)

Renaissance-Majolika, venezianisches Glas, Möbel und Email ebenso wie Gemälde von nordeuropäischen, französischen und spanischen Meistern, Postimpressionisten und den Fauves.

Mittelalterliche Kunst

Die mittelalterliche Sammlung erstreckt sich vom 4. bis zum 16. Jahrhundert, vom Fall Roms bis zum Beginn der Renaissance. Sie ist teils im Hauptgebäude untergebracht, teils in den Cloisters ausgelagert *(siehe S. 234ff)*. Im Hauptgebäude zeigt man einen Kelch, der für den heiligen Gral gehalten wurde, sechs byzantinische Silberteller mit Szenen aus dem Leben Davids, eine Kanzel in Adlergestalt (Giovanni Pisano, 1301), monumentale Skulpturen der Jungfrau mit Kind, ein großes Chorgitter aus Spanien, Schmuck aus der Zeit der Völkerwanderung, liturgische Gefäße, Buntglas, Email, Elfenbein und Wandteppiche aus dem 14. und 15. Jahrhundert.

Musikinstrumente

Die umfassende, teils skurrile Sammlung wartet mit dem ältesten Klavier der Welt, Gitarren Andrés Segovias und einer Sitar in Pfauengestalt auf. Chronologisch reicht sie von prähistorischer Zeit bis in die Gegenwart, geographisch umspannt sie fünf Kontinente. Die meist funktionstauglichen Instrumente illustrieren die Geschichte der Musik und ihrer Darbietung. Besonders hervorzuheben sind Instrumente von den europäischen Höfen des Mittelalters und der Renaissance, seltene Geigen, Spinette und Cembalos, Instrumente mit wertvollen Einlegearbeiten sowie eine komplett ausgestattete Geigenbauerwerkstatt, afrikanische Trommeln, asiatische *Pi-Pas* (Lauten) und indianische Flöten. Tonträger vermitteln einen Eindruck vom ursprünglichen Klang zahlreicher Instrumente.

Stradivari aus Cremona, Italien (1691)

Kunst des 20. Jahrhunderts

Obwohl das Museum seit seiner Gründung 1870 auch zeitgenössische Kunst sammelt, erhielt diese erst 1987 mit dem Lila Acheson Wallace Wing ein dauerhaftes Domizil. Die Sammlung ist kleiner als die anderer New Yorker Museen, besticht aber durch ihre Exklusivität. Auf drei Ebenen werden europäische und amerikanische Arbeiten ab 1900 gezeigt, wobei Picasso, Kandinsky und Bonnard den Anfang bilden. Als Schwerpunkt der Sammlung gilt die moderne amerikanische Kunst: Vertreten sind die New Yorker Gruppe »The Eight«, zu der auch John Sloan gehörte, Künstler der Moderne wie Charles Demuth und Georgia O'Keeffe, der Regionalist Grant Wood, der abstrakte Expressionist Willem de Kooning und Vertreter des Color Field Painting wie Clyfford Still.

***The Midnight Ride of Paul Revere* von Grant Wood (1931)**

Art-nouveau- und Art-deco-Möbel und -Metallarbeiten, eine große Sammlung von Werken Paul Klees und die Sculpture Gallery mit Plastiken und Bildern werden in eigenen Bereichen gezeigt.

Zu den Perlen zählen das Porträt Gertrude Steins von Picasso, *Kapuzinerkresse und »Tanz«* von Henry Matisse, *I Saw the Figure 5 in Gold* von Demuth, *Autumn Rhythm* von Jackson Pollock und das letzte Selbstporträt Andy Warhols.

Der Cantor Roof Garden auf dem Dach ist Schauplatz einer jährlich wechselnden Ausstellung zeitgenössischer Skulpturen, die vor dem Hintergrund der New Yorker Skyline und des Central Park besonders spektakulär wirkt.

Buchumschlag des Illustrators N. C. Wyeth (1916)

Society of Illustrators ⑫

128 E 63rd St. **Karte** 13 A2. 838-2560. *Lexington Ave.* *Di 10–18 Uhr; Mi–Fr 10–17 Uhr; Sa 12–16 Uhr.* eingeschränkt.

Die Gesellschaft wurde 1901 zur Förderung der Illustrationskunst gegründet. Bedeutende Mitglieder waren Charles Dana Gibson, N. C. Wyeth und Howard Pyle. Zunächst standen Ausbildungsfragen im Vordergrund. 1981 eröffnete das Museum of American Illustration zwei Galerien. Wechselnde Ausstellungen informieren über die Geschichte der Buch- und Zeitschriftenillustration. Einmal jährlich werden die besten amerikanischen Illustrationen des Jahres gezeigt.

Abigail Adams Smith Museum ⑬

421 E 61st St. **Karte** 13 C3. *838-6878.* *Lexington Ave, 59th St.* *Di–So 11–16 Uhr.* **Geschl.** *Aug, Feiertage.* **Eintritt.**

Diese 1799 im Federal Style errichteten steinernen Stallungen gehörten Abigail Adams Smith, der Tochter des Präsidenten John Adams. Nachdem das zugehörige Haus 1826 niedergebrannt war, diente der Stall erst als Gasthaus, dann als Wohnhaus und später als Antiquitätengeschäft.

1924 erwarben die Colonial Dames of America das Gebäude und ließen es zu einem charmanten Museum umbauen. Kostümierte Museumsführer geleiten Besucher durch die Räume, die Kostbarkeiten wie chinesisches Porzellan, Aubusson-Teppiche, Sheraton- Truhen und ein Sofa von Duncan Phyfe enthalten. Man verwahrt hier ein Kleid Abigail Smiths, eine Wiege und Spielzeug. Um das Haus wurde ein Garten im Stil des 18. Jahrhunderts angelegt.

Henderson Place ⑭

Karte 18 D3. *86th St.*

Queen-Anne-Reihenhäuser am Henderson Place

Die 24 Queen-Anne-Reihenhäuser, 1882 aus rotem Ziegel errichtet, werden längst von modernen Appartementblocks überragt. Der Hutmacher John C. Henderson hatte sie als geschlossenes Ensemble in Auftrag gegeben. Zu dem eleganten Entwurf von Lamb & Rich gehören graue Schieferdächer, Ziergiebel, Brüstungen, Kamine, Gaubenfenster und ein Türmchen an der Ecke jedes Blocks.

Promenade im Carl Schurz Park

Carl Schurz Park ⑮

Karte 18 D3. *86th St.*

Durch diesen 1891 angelegten Park am East River zieht sich eine weite Promenade über dem East River Drive, die schöne Ausblicke auf das wild bewegte Wasser am Hell Gate bietet. Der Namensgeber Carl Schurz war ein deutscher Einwanderer, der es in Amerika bis zum Innenminister brachte (1869–75). Der erste Teil der Promenade ist nach John Finlay benannt, einem Herausgeber der *New York Times*, der als passionierter Wanderer bekannt war. Der Park ist eine der angenehmsten grünen Oasen der City. Bei schönem Wetter sonnen sich viele New Yorker auf den Rasenflächen.

Gracie Mansion ⑯

East End Ave, Ecke 88th St. **Karte** 18 D3. *570-4751.* *86th St.* *März–Mitte Nov Mi 10–14 Uhr, nur angemeldete Führungen.* **Eintritt.**

Das elegante Landhaus dient als offizielle Residenz des New Yorker Bürgermeisters. Es wurde 1799 im Auftrag des Kaufmanns Archibald Gracie errichtet und gilt als einer der schönsten in New York erhaltenen Federal-Style-Bauten.

1887 erwarb die Stadt das Haus und brachte darin zeitweilig das Museum of the City of New York unter. Bürgermeister Fiorello LaGuardia

Vorderansicht des Gracie Mansion

zog 1942 nach neun Jahren Amtszeit in das Haus ein. Einen 75-Zimmer-Palast am Riverside Drive hatte er dankend abgelehnt: Selbst das bescheidenere Gracie Mansion war dem Kämpfer gegen die Korruption und Erneuerer New Yorks noch zu pompös.

Church of the Holy Trinity ⑰

316 E 88th St. **Karte** 17 B3.
289-4100. *86th St.*
Mo–Fr 9–17 Uhr, So 7.30–14 Uhr.
im Winter 8.15, 9.15, 11 Uhr, So 19 Uhr; im Sommer 8.15, 10 Uhr.

Torbogen der Church of the Holy Trinity

Die Kirche inmitten eines friedlichen Gartens wurde 1889 im Stil der französischen Renaissance errichtet. Der golden leuchtende Ziegel- und Terrakottabau wird von einem der schönsten Glockentürme New Yorks gekrönt (schmiedeeiserne Uhr mit Messingzeigern). Skulpturen von Heiligen und Propheten schmücken den Torbogen.

Der Komplex wurde von Serena Rhinelander zum Gedenken an ihren Vater und Großvater gestiftet. Der Grund gehörte zu einem Gut, das 100 Jahre im Besitz der Familie Rhinelander war.

Das Rhinelander Children's Center – ein Stück den Häuserblock entlang im Haus Nr. 350 – ist ebenfalls eine Stiftung und Zentrale der Children's Aid Society.

St Nicholas Russian Orthodox Cathedral ⑱

15 E 97th St. **Karte** 16 F1.
289-1915. *96 St.*
nach Vereinbarung. *Sa 18 Uhr, So 10 Uhr (in Russisch).*

Moskau am Hudson: Die Kathedrale mit ihren fünf Zwiebelkuppeln und den blauen und gelben Fliesen auf rotweißer Ziegel- und Steinfassade scheint aus Rußland hierher versetzt worden zu sein. Sie wurde 1902 im »Moskauer Barock« errichtet. Zu den ersten Gläubigen, die hier Zuflucht fanden, gehörten Flüchtlinge aus Weißrußland – zumeist Intellektuelle und Adlige, die bald Teil der New Yorker Gesellschaft wurden. Später sollten weitere Flüchtlinge folgen, darunter viele Dissidenten.

Die Kirche dient heute einer verstreuten und kleinen Gemeinde. Die Messe wird russisch gelesen und mit großer Feierlichkeit begangen.

Der Duft von Weihrauch erfüllt den hohen zentralen Altarraum mit seinen an den Kapitellen blau-weiß eingefaßten Marmorsäulen. Goldverzierte Holzgitter umgeben den Altar. Hier mag man kaum glauben, daß vor den Kirchenportalen Manhattan liegen soll.

Fassade der St Nicholas Russian Orthodox Cathedral

Portal des Museum of the City of New York

Museum of the City of New York ⑲

5th Ave Ecke 103rd St. **Karte** 21 C5.
534-1672. *103rd St.*
Mi–Sa 10–17 Uhr, So 13–17 Uhr.
Geschl. *Feiertage.* ***Spenden willkommen.***

Das Museum wurde 1923 gegründet, war anfangs im Gracie Mansion untergebracht und hat 1932 sein Domizil in diesem hübschen georgianischen Bau gefunden. Die Entwicklung der Stadt seit ihren frühesten Tagen wird anhand von Kostümen, Gemälden, Möbeln, Spielzeug und Erinnerungsstücken dokumentiert.

Berühmt ist das Museum für seine im Stil der Zeit eingerichteten Räume – darunter das Schlaf- und Ankleidezimmer John D. Rockefellers. Die Spielzeug-, Puppen- und Puppenhaussammlung reicht bis 1769 zurück. Als Einstieg empfehlen sich das Video *The Big Apple* und der Besuch der Ausstellung »Broadway! 125 Years of Musical Theater«. Der erste Stock wartet mit einer prächtigen Sammlung von Silbergegenständen aus den Jahren 1678 bis 1984 auf, die Alexander Hamilton Gallery mit Möbeln aus dem Besitz des ersten Schatzministers.

Im Untergeschoß sind Gemälde, Landkarten und Drucke zu bewundern.

Whitney Museum of American Art ❼

Das wohl herausragendste Museum für amerikanische Kunst des 20. Jahrhunderts wurde 1930 von der Bildhauerin Gertrude Vanderbilt Whitney gegründet. Das Metropolitan Museum of Art hatte ihre Sammlung mit Bildern Bellows', Hoppers und anderer Zeitgenossen abgelehnt. 1966 bezog das Museum diese von Marcel Breuer gestaltete umgekehrte Pyramide. Die Whitney-Biennalen gelten als wichtigste Bestandsaufnahme neuer Strömungen in der amerikanischen Kunst.

Die überhängende Fassade des Museums

Green Coca-Cola Bottles
Andy Warhols Werk von 1962 – eine kühle Reflexion über Massenproduktion, Überfluß und Monopole.

The White Calico Flower *(1931)*
Georgia O'Keeffes stark vergrößerte Blüten haben nahezu abstrakten Charakter.

Little Big Painting
Roy Lichtensteins 1965 entstandenes Bild wirkt wie eine Persiflage auf den abstrakten Expressionismus.

Early Sunday Morning *(1930)*
Edward Hopper hat in seinen Bildern häufig die Leere des Stadtlebens eingefangen.

Kurzführer
Es gibt keine ständigen Ausstellungen. Nur Alexander Calders Skulptur Circus *im Erdgeschoß ist dauernd zu sehen. Im ersten, zweiten und dritten Stock finden wechselnde Ausstellungen statt.*

Dempsey and Firpo
George Bellows hielt 1924 einen der legendärsten Boxkämpfe des Jahrhunderts fest.

INFOBOX

945 Madison Ave. **Karte** 17 A5.
570-3600. M *6 zur 77th St.*
M1, M2, M3, M4.
Mi, Fr–So 11–18 Uhr; Do 13–20 Uhr. **Geschl.** *Feiertage.*
Eintritt. ***Lesungen, Film-, Video-Vorführungen.***

Three Flags *(1958)*
Jasper Johns' Abstrahierungen vertrauter Gegenstände beeinflußten die Pop Art maßgeblich.

Owh! In San Paõ *(1951)*
Stuart Davis kombinierte hier abstrakte Formen und Schriftzüge zu einem prägnant amerikanischen Stil.

Circus *(1926–31)*
Alexander Calders phantasievolle Konstruktion ist ständig zu sehen.

Tango *(1919)*
Das tanzende Paar ist die berühmteste Holzplastik von Elie Nadelman.

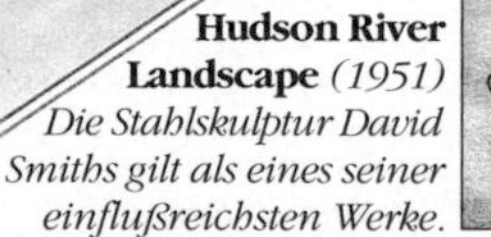

Hudson River Landscape *(1951)*
Die Stahlskulptur David Smiths gilt als eines seiner einflußreichsten Werke.

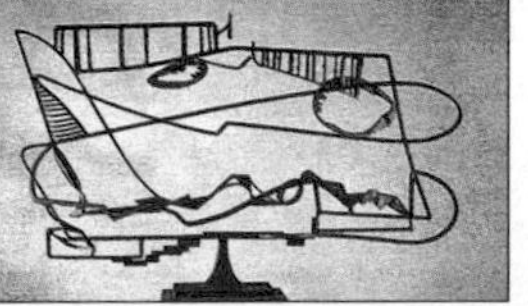

Frick Collection ❽

DIE KOSTBARE KUNSTSAMMLUNG des Stahlmagnaten Henry Clay Frick (1849–1919) ist in dessen opulent ausgestattetem Stadtpalais untergebracht. Man erhält dort einen Eindruck davon, wie die Reichsten der Reichen in New Yorks goldenem Zeitalter gelebt haben. Die Sammlung umfaßt Gemälde alter Meister, französische Möbel, Email aus Limoges und orientalische Teppiche. Frick wollte sich mit dieser Sammlung ein Andenken setzen und vermachte den Bau samt Inhalt dem Staat.

Fassade der Frick Collection zur Fifth Avenue

Der Hafen von Dieppe *(1826)*
William Turners lichtdurchflutete Darstellung des Hafens am Ärmelkanal wurde von skeptischen Zeitgenossen kritisiert.

Garten mit Kolonnade

Das weiße Pferd *(1819)*
John Constable fixierte hier eine Landschaft aus dem heimatlichen Suffolk.

Bibliothek

Westgalerie

Email aus Limoges
Teil der Emailsammlung sind Die sieben Leiden der Jungfrau *(1500–50).*

NICHT VERSÄUMEN

- ★ **Sir Thomas More von Hans Holbein**
- ★ **Damen beim Spaziergang in der Mall von T. Gainsborough**
- ★ **Soldat und lachendes Mädchen von Jan Vermeer**
- ★ **Lady Meux von James A. M. Whistler**

★ **Sir Thomas More** *(1527)*
Holbeins Porträt des Lordkanzlers von Henry VIII. entstand acht Jahre vor Mores Hinrichtung.

Salon

KURZFÜHRER
In der hellen Westgalerie hängen Ölbilder von Vermeer, Hals und Rembrandt, während in der Ostgalerie Whistler zu sehen ist. V besonderem Interesse sind Bibliothek und Speisezimmer r Werken englischer Meister sow der Salon mit Bildern Tizians, Bellinis und Holbeins.

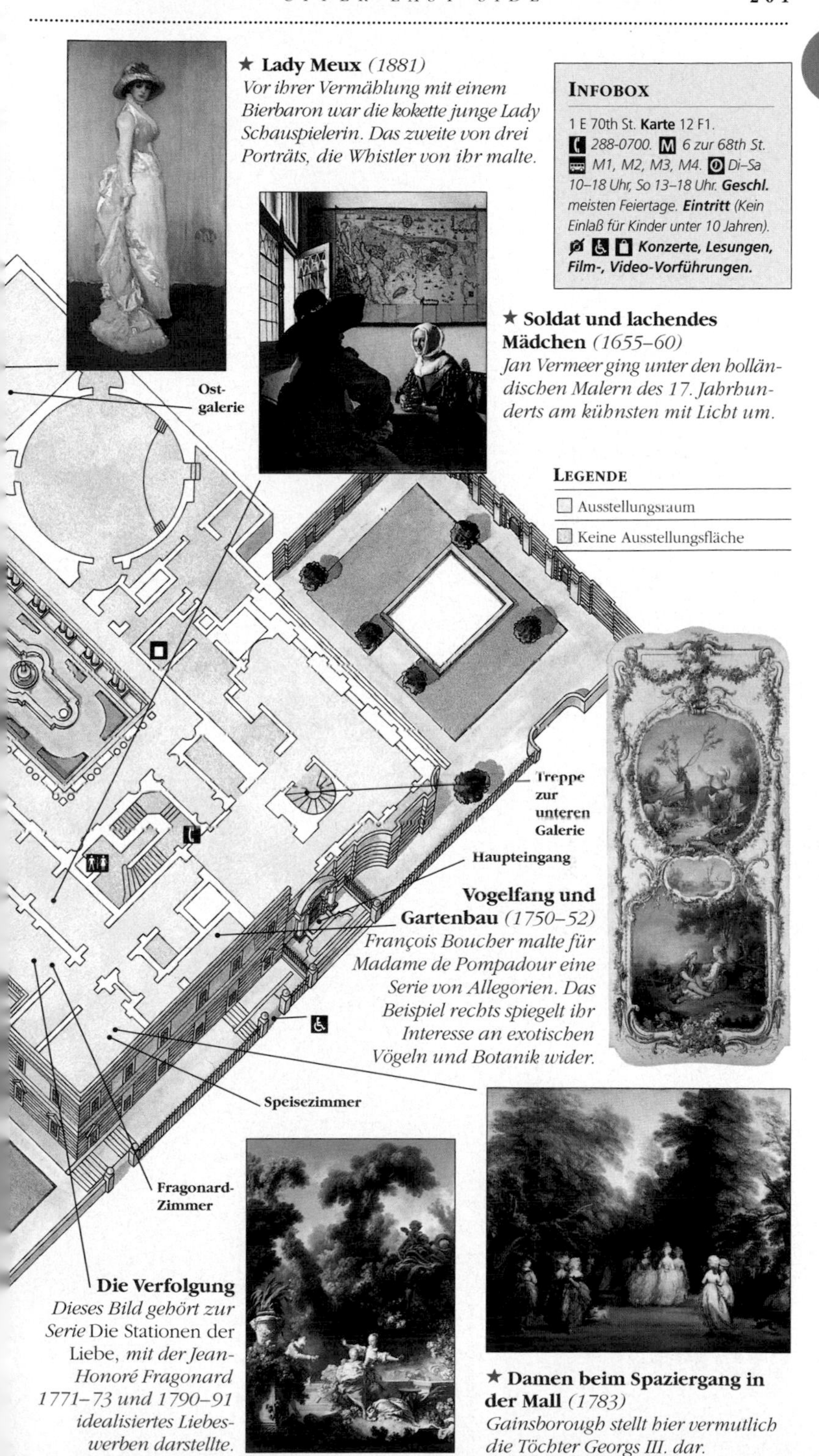

★ **Lady Meux** *(1881)*
Vor ihrer Vermählung mit einem Bierbaron war die kokette junge Lady Schauspielerin. Das zweite von drei Porträts, die Whistler von ihr malte.

INFOBOX

1 E 70th St. **Karte** 12 F1.
288-0700. *6 zur 68th St.*
M1, M2, M3, M4. *Di–Sa 10–18 Uhr, So 13–18 Uhr.* **Geschl.** *meisten Feiertage.* **Eintritt** *(Kein Einlaß für Kinder unter 10 Jahren).*
Konzerte, Lesungen, Film-, Video-Vorführungen.

★ **Soldat und lachendes Mädchen** *(1655–60)*
Jan Vermeer ging unter den holländischen Malern des 17. Jahrhunderts am kühnsten mit Licht um.

LEGENDE

- Ausstellungsraum
- Keine Ausstellungsfläche

Vogelfang und Gartenbau *(1750–52)*
François Boucher malte für Madame de Pompadour eine Serie von Allegorien. Das Beispiel rechts spiegelt ihr Interesse an exotischen Vögeln und Botanik wider.

Die Verfolgung
Dieses Bild gehört zur Serie Die Stationen der Liebe, *mit der Jean-Honoré Fragonard 1771–73 und 1790–91 idealisiertes Liebeswerben darstellte.*

★ **Damen beim Spaziergang in der Mall** *(1783)*
Gainsborough stellt hier vermutlich die Töchter Georgs III. dar.

CENTRAL PARK

DER »HINTERHOF« der Stadt wurde 1858 nach Plänen von Frederick Law Olmsted und Calvert Vaux auf einem Gelände angelegt, wo es nur Barracken, Sümpfe, Schweine und Steinbrüche gab. Die Architekten ließen zehn Millionen Wagenladungen Steine und Erde dorthin karren und verwandelten die 340 Hektar umfassende Wildnis in eine »natürliche« Landschaft mit Hügeln, Seen, Wiesen und Felsen. Über 500 000 Bäume und Sträucher wurden angepflanzt. Im Laufe der Jahre entstand ein Erholungsgebiet mit Spielplätzen, Eis- und Rollschuhbahnen sowie weiteren Anlagen für Sport und Spiel, von Croquet bis zum Schach. Am Wochenende ist der Park für Autos gesperrt.

Statuen am Delacorte Theater *(siehe S. 206)*

SEHENSWÜRDIGKEITEN AUF EINEN BLICK

Historische Gebäude
Dairy ❶
Belvedere Castle ❸

Monumente und Statuen
Strawberry Fields ❷
Bethesda Fountain and Terrace ❺
Bow Bridge ❹

Seen und Gärten
Conservatory Water ❻
Central Park Wildlife Conservation Center ❼
Conservatory Garden ❽

SIEHE AUCH

• ***Kartenteil*** Karten 12, 16

• ***Restaurants*** S. 290 ff

ANFAHRT

Die Subway-Linien B und C bringen Sie zu einer der Stationen an der Westseite des Parks (59th, 72nd, 81st, 86th, 96th und 103rd sts). An der Station 59th St/Columbus Circle halten auch die Broadway-/7th-Ave-Linien 1 und 9. Die Bahnhöfe 57th St und 5th Ave am Südende des Parks werden von den Broadway-Nahverkehrszügen N und R bedient. Buslinien: M1, M2, M3 und M4 an der Ostseite des Parks.

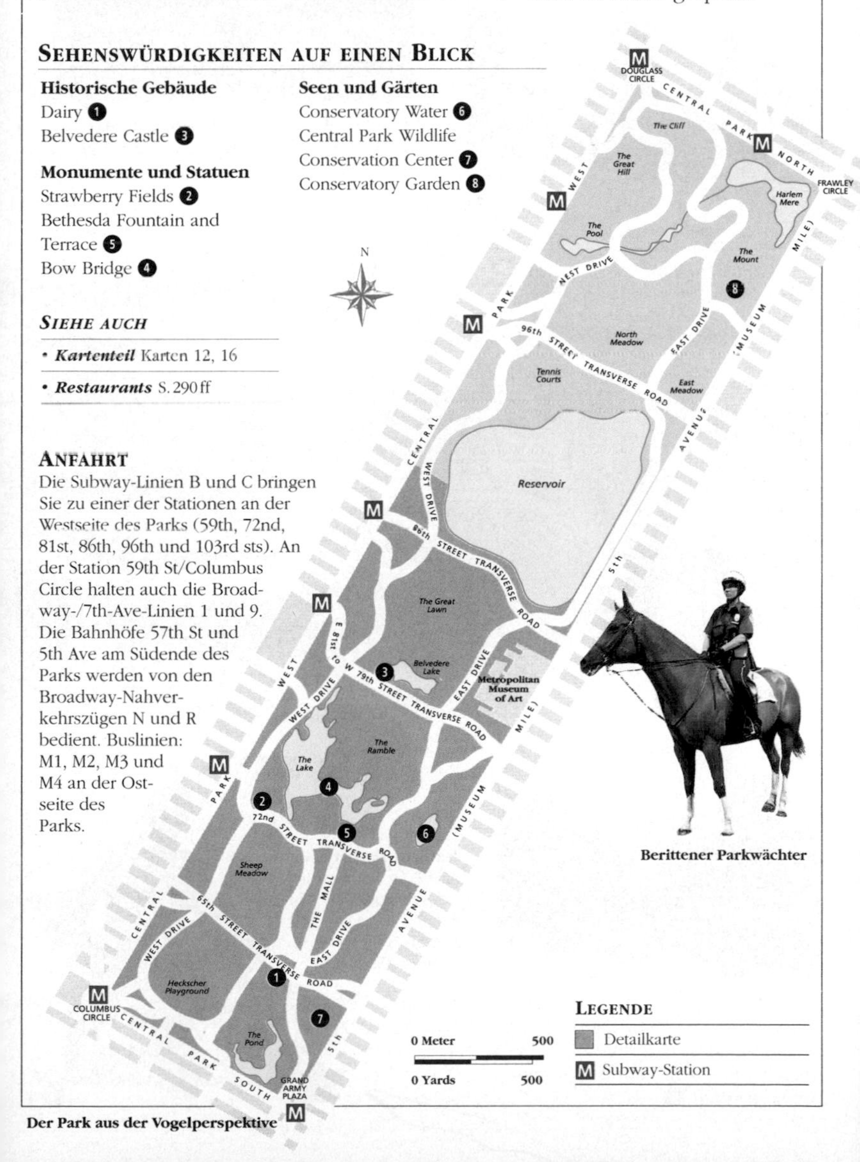

Berittener Parkwächter

LEGENDE
Detailkarte
M Subway-Station

Der Park aus der Vogelperspektive

Rundgang durch den Central Park

Ein Spaziergang von der 59th zur 79th Street führt an vielen der schönsten Stellen des Parks vorbei, vom dicht bewaldeten Ramble zu den regelmäßigen Freiflächen der Bethesda Terrace, entlang künstlicher Seen und hinweg über einige der 30 Brücken. Das Netz von Fußwegen, Reitwegen und Kutschenstraßen im Park mißt 93 Kilometer. Im Sommer ist es in dieser grünen Oase einige Grad kühler als in den umliegenden Straßenschluchten.

★ Strawberry Fields
Dieser vielbesuchte, friedliche Garten wurde zum Gedenken an John Lennon angelegt, der in der Nähe wohnte. ❷

★ Bethesda Fountain and Terrace
Die schmuckvoll ausgestaltete Terrasse überblickt den See und das bewaldete Ufer des Ramble. ❺

Die **Wollman-Rink**-Eis- und Rollschuhbahn wurde von dem Immobilienkönig Donald Trump in den 80er Jahren renoviert.

Central Park Wildlife Conservation Center
In drei Klimazonen leben über hundert verschiedene Tierarten. ❼

Pond

Plaza Hotel
(siehe S. 179)

Frick Collection
(siehe S. 200f)

★ Dairy
Der neugotische Bau beherbergt das Besucherzentrum, wo man Informationen zu Veranstaltungen im Park erhält. ❶

Hans Christian Andersens Statue an der Westseite des Conservatory Water ist eine beliebte Sehenswürdigkeit für Kinder und im Sommer ein Treffpunkt zum Geschichtenerzählen.

Bow Bridge
Die gußeiserne Brücke verbindet Ramble und Cherry Hill. In einem eleganten Bogen erhebt sie sich 18 Meter über den See. ❹

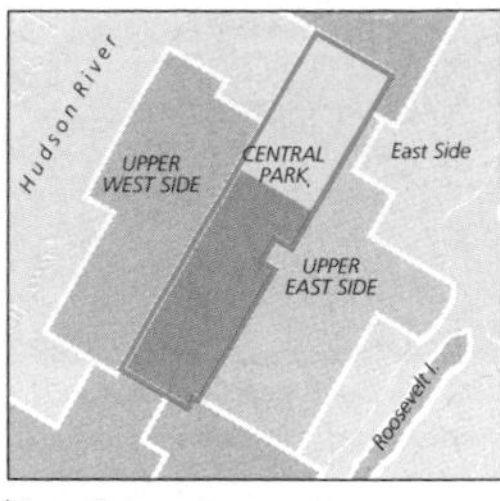

ZUR ORIENTIERUNG
Siehe Übersichtskarte S. 12 f

Alice im Wunderland und ihre Freunde sind am Nordrand des Conservatory Water in Bronze verewigt. Kindern macht es viel Vergnügen, immer wieder zu ihr auf den Pilz zu klettern und herunterzurutschen.

NICHT VERSÄUMEN

- ★ **Dairy**
- ★ **Strawberry Fields**
- ★ **Belvedere Castle**
- ★ **Bethesda Fountain**
- ★ **Conservatory Water**

[Da]kota [Bu]ilding *([si]ehe [S.] 216)*

San Remo Apartments *(siehe S. 212)*

American Museum of Natural History *(siehe S. 214 f)*

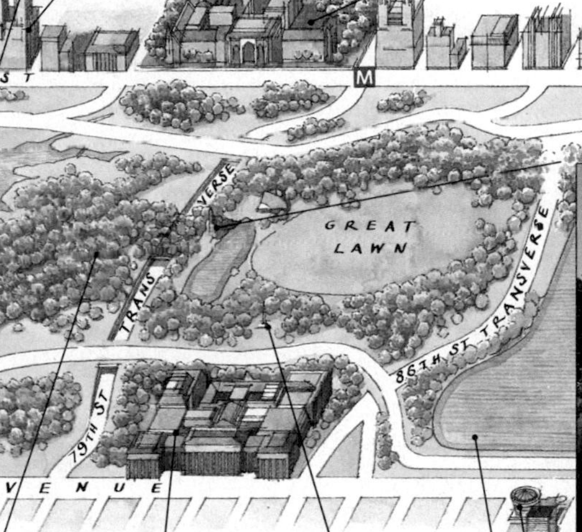

Metropolitan Museum *(siehe S. 190 ff)*

Obelisk

Der **Ramble** ist ein 15 Hektar großer Wald, den ein Netz von Fußwegen und Bächen durchzieht. Über 250 Vogelarten wurden hier schon gesichtet. Der Park liegt an der atlantischen Zugvogel-Flugroute.

Reservoir

Guggenheim Museum *(siehe S. 186 f)*

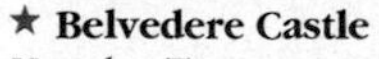

★ Belvedere Castle
Von den Terrassen aus bieten sich unvergleichliche Ausblicke auf Park und Stadt. im Gebäude ist das Central Park Learning Center untergebracht. ❸

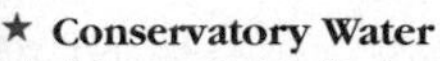

★ Conservatory Water
Auf diesem Teich finden von März bis September jeden Samstag Modellbootsrennen statt. Viele der Miniaturschiffe werden im Bootshaus am Ufer aufbewahrt. ❻

Das Karussell im *Children's Department* des Parks

Dairy ❶

Karte 12 F2. *794-6564.*
5th Ave. *März–Nov Di–So 11–17 (Fr 13–17 Uhr); Nov–März Di–So 11–16 Uhr (Fr 13–16 Uhr).*
Diaschau.

Das hübsche Häuschen aus Naturstein war ursprünglich als Teil des *Children's Department* geplant, zu dem außerdem Spielplatz, Karussell, Kinderhütte und Stall gehörten. Um 1873 grasten auf der Wiese vor der Dairy noch Kühe und Schafe, zwischen denen Perlhühner und Pfauen herumstolzierten. Die Stadtkinder bekamen hier frische Milch und andere Erfrischungen. Mit der Zeit verfiel das Gebäude, bis es nur noch als Lagerschuppen diente. 1979 wurde es anhand von Originalplänen und Fotografien restauriert und als Informationszentrum eingerichtet. Hier erhält man Parkpläne und Informationen zu Veranstaltungen. Wer es gerne geruhsamer mag, kann sich Schachfiguren für einen der Schachtische am »Kinderberg« in der Nähe ausleihen.

Strawberry Fields ❷

Karte 12 E1. *72nd St.*

Den tränenförmigen Garten ließ Yoko Ono zum Gedenken an ihren ermordeten Ehemann John Lennon anlegen. Vom Dakota Building aus *(siehe S. 216)*, in dem die beiden lebten, überblickt man genau diese Stelle. Aus aller Welt trafen Geschenke für den Gedenkpark ein. Das Mosaik auf dem Weg mit dem Wort *Imagine* (Lennons berühmtestes Lied) wurde von der Stadt Neapel gespendet.

Dieser Teil des Parks war von Vaux und Olmsted als weite Freifläche konzipiert worden. Inzwischen erstreckt sich hier ein internationaler »Garten des Friedens« mit 161 Pflanzenarten (eine aus jedem Land der Erde): Kaimastrauch, Zaubernuß, Rosen, Birken – und Erdbeeren.

Friedliche Parkszene vor exklusiven Appartementhäusern

Belvedere Castle ❸

Karte 16 E4. *772-0210.*
81st St. *Mi, Do 11–16 Uhr; Fr 13–16 Uhr; Sa, So 11–17 Uhr.*
eingeschränkt.

Vom Dachausguck der turmbewehrten Burg auf dem Vista Rock bietet sich einer der schönsten Ausblicke auf Park und Stadt. Das Central Park Learning Center im Inneren klärt junge Parkbesucher in der faszinierenden *Discovery Chamber* über die Fauna im Park auf.

In nördlicher Richtung blickt man von der Burg direkt auf das Delacorte Theater, wo jeden Sommer Shakespeare-Stücke mit Star-Besetzung bei freiem Eintritt inszeniert werden *(siehe S. 335)*. Das Theater wurde von dem Verleger und Philanthropen George T. Delacorte gestiftet, der viel Humor hatte und dem viele Annehmlichkeiten des Parks zu verdanken sind.

Belvedere Castle mit Dachausguck über den Park

Bow Bridge ❹

Karte 16 E5. *72nd St.*

Die Bow Bridge gilt als eine der schönsten der sieben Original-Gußeisenbrücken im Park. Vaux gestaltete sie als verbindendes Element zwischen den beiden großen Teilen des Sees. Im 19. Jahrhundert, als viele New Yorker auf dem See Schlittschuh liefen, signalisierte ein roter Ball auf einem Glockenturm am Vista Rock, daß das Eis trug. Von der Brücke bietet sich ein Panoramablick auf den Park und die im Osten und Westen angrenzenden Gebäude.

Bethesda Fountain and Terrace auf einem Druck von 1864

Bethesda Fountain and Terrace ❺

Karte 12 E1. Ⓜ *72nd St.*

Die Terrasse zwischen See und Mall, ein rein formales Element in der natürlich wirkenden Landschaft, bildet das architektonische Herz des Parks. Der Brunnen wurde 1873 eingeweiht. Die Statue *Angel of the Waters* erinnert an die Eröffnung des Croton Aqueduct, über das die Stadt 1842 erstmals mit Frischwasser versorgt wurde. (Sein Name geht auf die biblische Erzählung von einem Engel zurück, der am Teich von Bethesda in Jerusalem erschien.) Spanisch inspirierte Details wie die frei herausgehauene Doppeltreppe sowie Fliesen und Friese sind das Werk Jacob Wrey Moulds.

Hier kann man ein wenig ausspannen und dabei Leute beobachten.

Conservatory Water ❻

Karte 16 F5. Ⓜ *77th St.*

Dieser kleine See ist besser als Model Boat Pond bekannt: Jedes Wochenende ist er Schauplatz von Modellbootsrennen.

Eine Statue von Alice im Wunderland am Nordende ist eine Attraktion für Kinder. George T. Delacorte gab die Statue zu Ehren seiner Frau in Auftrag und ließ sich selbst als »Mad Hatter« verewigen. Bei der Statue Hans Christian Andersens am Westufer tragen Geschichtenerzähler Märchen vor. Die Figur zeigt den Schriftsteller selbst beim Vorlesen von *Das häßliche Entlein* mit der Titelfigur zu Füßen. Kinder klettern gerne auf den Schoß der Statue.

Eisbär im Wildlife Conservation Center

Das Conservatory Water erweckt auch literarische Assoziationen: Hier klagt Holden Caulfield in J. D. Salingers Roman *Der Fänger im Roggen* den Enten seine Probleme.

Central Park Wildlife Conservation Center ❼

Karte 12 F2. ☎ *439-6500.* Ⓜ *5th Ave.* 🕐 *Apr–Okt Mo–Fr 10.30–17 Uhr, Sa und So 10–17.30 Uhr; Nov–März tägl. 10–16.30 Uhr.* ***Eintritt.***

Der 1988 nach vierjährigem Umbau wiedereröffnete Zoo wurde für die phantasievolle und tiergerechte Nutzung des knappen Raums gelobt. Über 100 Tierarten verteilen sich auf drei Klimazonen: Tropen, Polarkreis und kalifornische Küste. Affen und frei fliegende Vögel tummeln sich in einem »tropischen Regenwald«, Eisbären und Pinguine bevölkern das Polargelände, das auch die Tierwelt unter Wasser zeigt. Beim Eingang zum Kinderzoo nebenan wartet die Delacorte Clock, ein anderes populäres Geschenk des großzügigen und schrulligen George T. Delacorte: Alle halbe Stunde tanzen bronzene Tierfiguren (z.B. eine Ziege mit Panflöte) Ringelreihen um die Uhr, die Kinderlieder abspielt. Den Weg zum Willowdell Arch bewacht ein weiterer Liebling der Kinder: das Denkmal für Balto, den Leithund eines Husky-Gespanns, das einen Schlitten mit dringend benötigtem Diphterie-Impfstoff quer durch Alaska zog.

Denkmal für Schlittenhund Balto

Conservatory Garden ❽

Karte 21 B5. Ⓜ *Central Pk N, 103rd St.* ☎ *860-1330.*

Am Vanderbilt Gate an der Fifth Avenue betritt man drei symmetrische Gärten mit Tausenden von Bäumen und Sträuchern. Der Central Garden präsentiert sich mit Rasen und Eibenhecke. Er wird von einem Halbkreis aus Hecken und Sträuchern abgeschlossen, den eine Glyzinenpergola krönt. Im Frühling blühen zu beiden Seiten sibirische Holzapfelbäume. Der South Garden ist dicht mit mehrjährigen Pflanzen bestanden. Die Bronzeskulptur im spiegelnden Teich stellt Mary und Dickon aus *Der geheime Garten* von Frances Hodgson Burnett dar. Am Hang bis zum Park dahinter finden sich Tausende einheimischer Wildblumen, während die einjährigen Pflanzen im North Garden um den *Fountain of the Three Dancing Maiden* jeden Sommer eine kurze prächtige Blütenpracht bieten.

UPPER WEST SIDE

DIESES GEBIET entwickelte sich erst ab 1870 zum Wohnviertel, nachdem mit der Ninth-Avenue-Hochbahn *(siehe S. 24f)* die Verkehrsanbindung zur Midtown hergestellt worden war. Von 1880 bis 1884 entstand das Dakota, New Yorks erstes Luxus-Appartementhaus. Am Broadway und Central Park West schossen daraufhin bald die Gebäude aus dem Boden. Die meisten Seitenstraßen wurden um 1890 angelegt und sind zum Teil von schönen Reihenhäusern aus braunem Sandstein gesäumt. Viele Kultureinrichtungen wie das Lincoln Center und das American Museum of Natural History haben sich hier angesiedelt.

Maske im Museum of Natural History

SEHENSWÜRDIGKEITEN AUF EINEN BLICK

Historische Straßen und Gebäude

Twin Towers of Central Park West 1
Dakota 9
Pomander Walk 13
Riverside Drive and Park 14
Dorilton 17

Museen und Galerien

Museum of American Folk Art 7
New York Historical Society 10
American Museum of Natural History S. 214f 11
Hayden Planetarium 12
Children's Museum of Manhattan 15

Berühmte Theater

Lincoln Center for the Performing Arts 2
New York State Theater 3
Metropolitan Opera House 4
Lincoln Center Theater 5
Avery Fisher Hall 6

Herausragende Restaurants und Hotels

Hotel des Artistes 8
Ansonia Hotel 16

ANFAHRT

Mit den Subway-Linien 1, 2 oder 3 entlang 7th Ave/Broadway bzw. A, C oder E entlang der 8th Ave. Buslinien zur Upper West Side sind u.a. M10 (Central Park West), M7, M11, M104 und M5 sowie M66, M72, M79, M86 und M96.

SIEHE AUCH

- ***Kartenteil*** Karten 11, 15
- ***Übernachten*** S. 274 f
- ***Restaurants*** S. 290 f

Steinfigur an der Fassade des Hotel des Artistes

LEGENDE

Detailkarte

M Subway-Station

0 Meter 500

0 Yards 500

Fassade des Hauses Riverside Drive Nr. 14

Im Detail: Lincoln Center

DAS LINCOLN CENTER verdankt seine Existenz zwei Umständen: Zum einen benötigten die Metropolitan Opera und das New York Philharmonic neue Domizile, zum anderen bedurfte ein großer Teil der West Side dringend einer Neubelebung. Der Gedanke, einen einzigen Komplex verschiedenen darstellenden Künsten zu widmen, erscheint heute ganz normal, galt in den 50er Jahren aber als gewagt und riskant. Inzwischen zählt das Center jährlich fünf Millionen Besucher und hat sich längst kulturell etabliert. Viele Künstler und Kunstliebhaber leben in seiner Umgebung.

★ **Lincoln Center for the Performing Arts**
Der Komplex wurde als Tanz-, Musik- und Theaterzentrum konzipiert. Der Platz um den Brunnen lädt zum Ausruhen und Beobachten ein. ❷

Lincoln Center Theater
Hier sind das Vivian Beaumont Theater und das Mitzi E. Newhouse Theater unter einem Dach vereint. ❺

Der Komponist **Leonard Bernstein** trug entscheidend zum Aufbau des großen Musikkomplexes bei. Sein berühmtes Musical *West Side Story* (nach der Geschichte von Romeo und Julia) spielt in den damals heruntergekommenen Straßen rund um das heutige Lincoln Center.

Die **Guggenheim Bandshell** im Damrosch Park ist Veranstaltungsort für Konzerte mit freiem Eintritt.

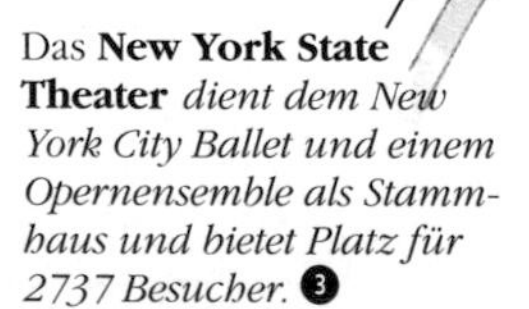

Das **New York State Theater** *dient dem New York City Ballet und einem Opernensemble als Stammhaus und bietet Platz für 2737 Besucher.* ❸

Metropolitan Opera House
Die Oper bildet den Mittelpunkt des Lincoln Center. Das Café bietet einen unvergleichlichen Ausblick. ❹

Das **College Board Building** – ein Art-deco-Schmuckstück, in dem sich das College Board befindet (zuständig für die Aufnahmeprüfungen der amerikanischen Studenten).

Quilt

Museum of American Folk Art
Hier zeigt man u.a. naive Malerei und amerikanische Quilts. ❼

James Dean bewohnte ein Einzimmer-Appartement im obersten Stockwerk des Hauses West 68th Street Nr. 19.

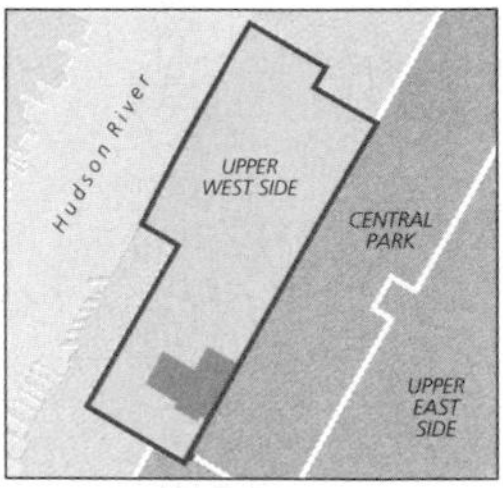

Hudson River
UPPER WEST SIDE
CENTRAL PARK
UPPER EAST SIDE

Zur Orientierung
Siehe Übersichtskarte S. 12f

Legende

Routenempfehlung

0 Meter 100
0 Yards 100

★ **Hotel des Artistes**
Hier logierten Isadora Duncan, Noël Coward und Norman Rockwell. Zum Hotel gehört auch ein exquisites Restaurant (siehe S. 296). ❽

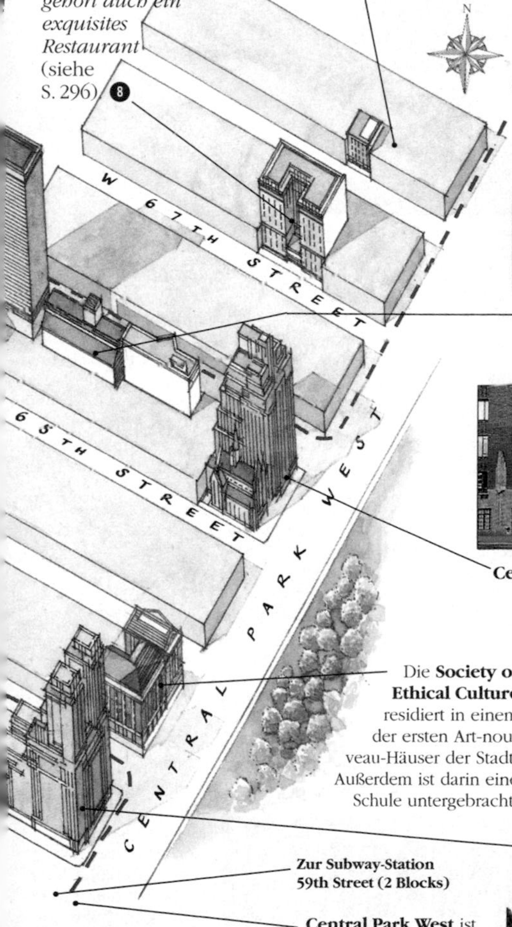

W 67TH STREET
65TH STREET
CENTRAL PARK WEST

Zur Subway-Station 72nd Street (4 Blocks)

Die **American Broadcasting Company** hat ihren Sitz in einem burgartigen ehemaligen Arsenal.

Central Park West Nr. 55: Das Art-deco-Appartementhaus war Schauplatz im Film *Ghostbusters.*

Die **Society of Ethical Culture** residiert in einem der ersten Art-nouveau-Häuser der Stadt. Außerdem ist darin eine Schule untergebracht.

Century Apartments
Die vom Park aus sichtbaren Türme machen den Wohnkomplex zu einem Wahrzeichen New Yorks. ❼

Zur Subway-Station 59th Street (2 Blocks)

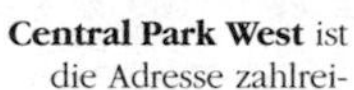

Central Park West ist die Adresse zahlreicher Berühmtheiten, die sich hier in exklusive Appartements zurückziehen können.

Nicht versäumen

★ **Lincoln Center**

★ **Hotel des Artistes**

Das doppeltürmige Appartementhaus San Remo entwarf Emery Roth

Twin Towers of Central Park West ❶

Karte 12 D1, 12 D2, 16 D3, 16 D5. *59th St-Columbus Circle, 72nd St.*

DIE VIER DOPPELTÜRME am Central Park West gehören zu den markantesten Wahrzeichen der Skyline New Yorks. Die Appartementhäuser wurden 1929–31 errichtet, ehe die Weltwirtschaftskrise dem Bau von Luxuswohnungen vorerst ein Ende setzte. Heute zählen sie zu den begehrtesten Adressen New Yorks.

Die Gebäude finden aufgrund ihrer Eleganz und architektonischen Raffinesse noch heute viele Bewunderer. Ihre charakteristische Form ist durch ein Gesetz inspiriert, das höhere Wohnhäuser zuließ, sofern zurückgesetzte Fassaden und Türme vorgesehen waren.

Zu den berühmten Bewohnern des San Remo (Nr. 145) zählen Dustin Hoffman, Paul Simon und Diane Keaton. Madonna wurde von der Eigentümerversammlung abgelehnt und lebt in der West 64th Street Nr. 1 neben der New York Society for Ethical Culture. Die Türme des Eldorado (Nr. 300), ebenfalls von Emery Roth, krönen »Raketen«-Spitzen. Hier wohnten Berühmtheiten wie Groucho Marx, Marilyn Monroe und Richard Dreyfuss. Das Majestic (Nr. 115) und das Century (Nr. 25) gelten als Klassiker des Art-deco-Designers Irwin S. Chanin.

Lincoln Center for the Performing Arts ❷

Karte 11 C2. *875-5400.* *65th St.* *875-5350.* *Siehe* ***Unterhaltung*** *S. 338 f.*

IM MAI 1959 reiste Präsident Eisenhower nach New York, um eine Schaufel Erde umzudrehen. Leonard Bernstein hob den Dirigentenstab, die New York Philharmonic und der Juilliard Chorus stimmten den *Hallelujah-Chorus* an, und das wichtigste Kulturzentrum New Yorks war geboren.

Bald erstreckte sich der Komplex über die sechs Hektar des einstigen Slums, in dem Bernsteins Musical-Klassiker *West Side Story* angesiedelt war.

Der Brunnen der Plaza ist ein Werk Philip Johnsons, die *Reclining Figure* im spiegelnden Becken schuf Henry Moore.

Zur Besichtigung schließt man sich am besten einer Führung an.

New York State Theater ❸

Lincoln Center. **Karte** 11 D2. *870-5570.* *66th St.* *Siehe* ***Unterhaltung*** *S. 334 f.*

DAS 1964 ERÖFFNETE Stammhaus des angesehenen New York City Ballet entwarf Philip Johnson. Das Gebäude beherbergt auch die New York City Opera, die Opern zu zivilen Preisen aufführt.

Gewaltige weiße Marmorskulpturen von Elie Nadelman beherrschen das immense dreistöckige Foyer. Im Theater finden 2800 Besucher Platz. Innen und außen erstrahlen Leuchter und Lüster aus Bergkristall; daher wird das Haus nicht selten als »kleines Schatzkästchen« beschrieben.

Metropolitan Opera House ❹

Lincoln Center. **Karte** 11 D2. *362-6000.* *66th St.* *Siehe* ***Unterhaltung*** *S. 338 f.*

DIE »MET« ist ohne Zweifel der spektakulärste Teil des Komplexes und Blickpunkt der Plaza. Die Metropolitan Opera Company und das American Ballet Theater haben hier ihr Domizil. Fünf hohe Bogenfenster geben den Blick auf das reich ausgestattete Foyer frei. Die zwei leuchtenden Wandgemälde von Marc Chagall werden vormittags vor der Son-

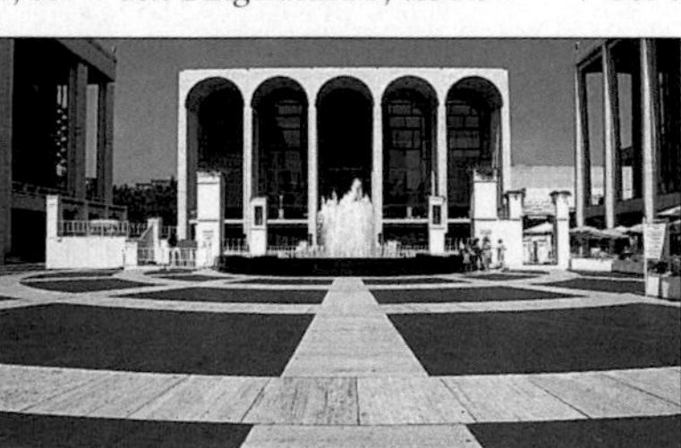

Die Central Plaza des Lincoln Center

ne geschützt und sind dann nicht zu sehen.

Im Inneren beeindrucken geschwungene weiße Marmor-

Kostenlose Freilichtkonzerte in der Guggenheim Bandshell

treppen, roter Plüschteppich und exquisite Kristallüster.

Alle Größen haben hier gesungen: etwa Maria Callas, Jessye Norman, Luciano Pavarotti. Die Premierenabende sind schillernde Ereignisse.

Die Guggenheim-Konzertmuschel im Damrosch Park neben der Met ist ein beliebtes Ziel für Musikliebhaber, die hier Opern wie auch Jazzkonzerte besuchen. Höhepunkt der Saison ist das Lincoln Center Out-of-Doors Festival im August.

Lincoln Center Theater ❺

Lincoln Center. **Karte** 11 C2. *362-7600 (Beaumont und Newhouse), 870-1630 (Bibliothek).* *66th St.* *Siehe* ***Unterhaltung*** *S. 338 f.*

Dieser innovative Bau unterteilt sich in zwei Theater, die ausgefallene, oft experimentelle Stücke zeigen: das Vivian Beaumont Theater mit 1000 Sitzplätzen und das Mitzi E. Newhouse Theater mit 280 Plätzen.

Einige der besten modernen Dramatiker New Yorks haben im Beaumont den Durchbruch geschafft. Eingeweiht wurde es 1962 mit Arthur Millers *Nach dem Sündenfall*. Das kleinere Newhouse bietet sich als Werkstattheater an, macht aber hin und wieder Schlagzeilen. So wurde hier Samuel Becketts *Warten auf Godot* inszeniert, mit Robin Williams und Steve Martin in den Hauptrollen.

Zwischen Metropolitan Opera und Beaumont liegt die New York Public Library for the Performing Arts. Hier zeigt man unter anderem Dokumentationen historischer Aufführungen der Met, Libretti, Plakate und Programme.

Avery Fisher Hall ❻

Lincoln Center. **Karte** 11 C2. *875-5030.* *66th St.* *Siehe* ***Unterhaltung*** *S. 338 f.*

Dies ist das Stammhaus der New York Philharmonic, des ältesten amerikanischen Orchesters. Zu den berühmten Veranstaltungen an diesem Ort zählen das Great Performers-, das Mostly Mozart Festival und Jazz at Lincoln Center. Der Konzertsaal wurde 1962 als Philharmonic Hall eröffnet und später in Avery Fisher Hall umbenannt. Die Akustik soll zunächst schrecklich gewesen sein. Nach einer Reihe von Umbauten (der letzte 1992) kann sich die Philharmonie jedoch klanglich mit den besten Konzertsälen der Welt messen. Donnerstag vormittags kann man Proben miterleben.

Museum of American Folk Art ❼

Lincoln Sq. **Karte** 12 D2. *977-7170.* *66th St.* *Di–Sa 11.30–19.30 Uhr.* ***Geschl.*** *Mo.*

Wer Konzerte im Lincoln Center besucht, entdeckt meist auch diese kleine moderne Galerie für amerikanische Volkskunst, die 1989 eröffnet wurde. Neben wechselnden Ausstellungen zeigt man Quilts, Schnitzereien und Bilder aus der ständigen Sammlung des Museums. Zudem gibt es Sonderveranstaltungen für Kinder und kunsthandwerklichen Anschauungsunterricht.

Über dem zentralen Atrium wacht eine große Wetterfahne in Gestalt des legendären Indianerhäuptlings Tammany.

Nach dem geplanten Umzug des Museums an die West 53rd Street soll die Galerie als Zweigstelle erhalten bleiben.

Kupferne Wetterfahne aus dem Museum of American Folk Art

Hotel des Artistes ❽

1 W 67th St. **Karte** 12 D2. *362- 6700.* *72nd St. Siehe* ***Restaurants*** *S. 296.*

Die zweigeschossigen Wohnungen in dem 1918 von George Mort Pollard errichteten Gebäude waren als Ateliers für bildende Künstler gedacht, zogen aber alle möglichen Bewohner an, etwa Alexander Woollcott, Norman Rockwell, Isadora Duncan, Rudolph Valentino und Noël Coward. Das Café des Artistes verdankt seine Berühmtheit den romantischen Wandgemälden von Howard Chandler Christy und seiner erlesenen Küche.

Zierfigur am Hotel des Artistes

American Museum of Natural History ⑪

Dies ist das grösste naturgeschichtliche Museum der Welt. Der 1877 eröffnete Komplex von Calvert Vaux und J. Wrey Mould erstreckt sich über drei Häuserblocks. Mehr als 36 Millionen Exponate zeigen die Entwicklung des Lebens auf der Erde in oft erstaunlich lebensnahen Details. Größter Beliebtheit erfreuen sich die Dinosaurier- und die Meteoritenabteilung sowie die Hall of Minerals and Gems mit Edelsteinen im Wert von rund 50 Millionen Dollar. Das Hayden Planetarium *(siehe S. 216)* grenzt ans Museum.

Eingang an der 77th Street

Nicht versäumen

- ★ **Barosaurier**
- ★ **Blauwal**
- ★ **Haida-Kanu**
- ★ **Star of India**

★ Star of India
Der mit 563 Karat größte blaue Saphir der Welt wurde auf Sri Lanka gefunden und dem Museum 1901 durch J. P. Morgan übereignet.

Kurzführer
Geht man vom Eingang Central Park West aus in den ersten Stock, sieht man dort den gewaltigen Barosaurier. Hier finden sich auch Exponate zu Völkern und Tieren Afrikas, Asiens, Mittel- und Südamerikas. Das Erdgeschoß ist Meteoriten, Mineralien und dem Meeresleben gewidmet. Indianische Objekte sind neben Vögeln und Reptilien im zweiten, Dinosaurier, fossilierte Fische und Säugetiere im dritten Stock vertreten.

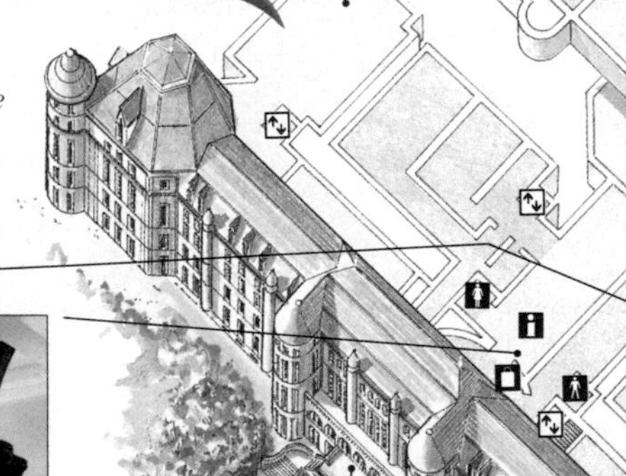

★ Blauwal
Der Blauwal ist das größte Tier, das je auf der Erde lebte. Er kann mehr als 150 Tonnen wiegen. Dieses Modell ist einem weiblichen Tier nachgebildet, das 1925 vor der südlichen Küste der USA gefangen wurde.

★ Haida-Kanu
Dieses 19,5 Meter lange seetüchtige Kriegskanu schnitzten die Haida-Indianer aus einem einzigen Zedernstamm. Es steht im Foyer zur 77th Street.

Eingang an der W 77th St

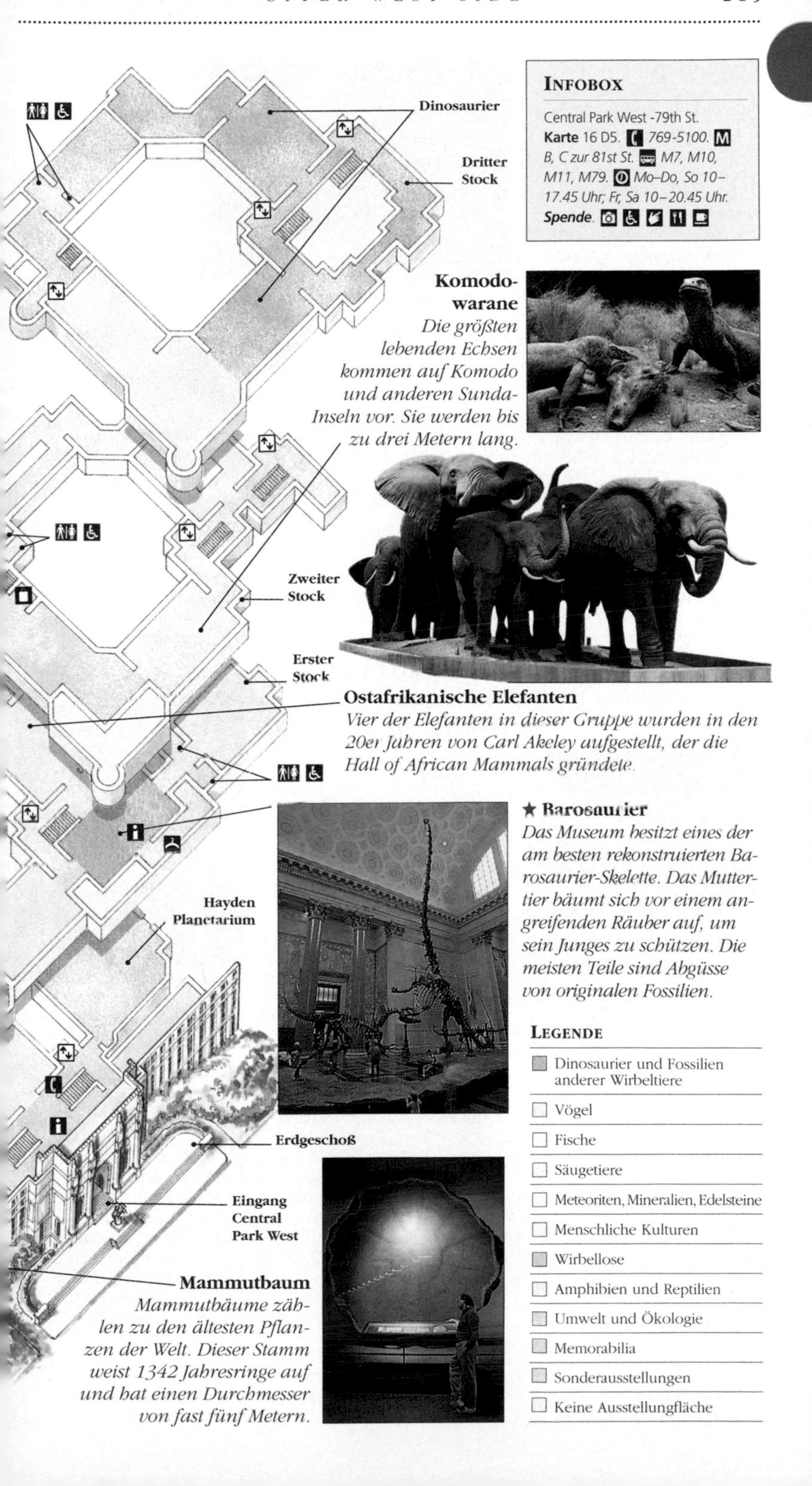

INFOBOX

Central Park West -79th St.
Karte 16 D5. 769-5100. *B, C zur 81st St. M7, M10, M11, M79. Mo–Do, So 10–17.45 Uhr; Fr, Sa 10–20.45 Uhr.*
Spende.

Komodowarane
Die größten lebenden Echsen kommen auf Komodo und anderen Sunda-Inseln vor. Sie werden bis zu drei Metern lang.

Ostafrikanische Elefanten
Vier der Elefanten in dieser Gruppe wurden in den 20er Jahren von Carl Akeley aufgestellt, der die Hall of African Mammals gründete.

★ Barosaurier
Das Museum besitzt eines der am besten rekonstruierten Barosaurier-Skelette. Das Muttertier bäumt sich vor einem angreifenden Räuber auf, um sein Junges zu schützen. Die meisten Teile sind Abgüsse von originalen Fossilien.

Mammutbaum
Mammutbäume zählen zu den ältesten Pflanzen der Welt. Dieser Stamm weist 1342 Jahresringe auf und hat einen Durchmesser von fast fünf Metern.

LEGENDE

- Dinosaurier und Fossilien anderer Wirbeltiere
- Vögel
- Fische
- Säugetiere
- Meteoriten, Mineralien, Edelsteine
- Menschliche Kulturen
- Wirbellose
- Amphibien und Reptilien
- Umwelt und Ökologie
- Memorabilia
- Sonderausstellungen
- Keine Ausstellungfläche

Dakota ⑨

1 W 72nd St. **Karte** 12 D1. M *72nd St.* ***Kein Publikumsverkehr***.

DER NAME DAKOTA deutet darauf hin, wie weit »im wilden Westen« das Gebäude lag, das der Architekt Henry J. Hardenberg entworfen hatte. Das erste Luxus-Appartementhaus New Yorks entstand von 1880 bis 1884 inmitten ärmlicher Hütten und weidender Tiere. Den Auftrag hatte Edward S. Clark gegeben, der Erbe des Singer-Nähmaschinen-Vermögens.

Das Dakota zählt zu den prestigeträchtigsten Adressen der Stadt und hat es auch zu Filmruhm, z. B. in *Rosemary's Baby,* gebracht. In den 65 Luxussuiten lebten Judy Garland, Lauren Bacall, Leonard Bernstein, Boris Karloff (der noch als Gespenst umgehen soll) und John Lennon. Der Ex-Beatle wurde genau vor diesem Haus Opfer eines Attentats, seine Frau Yoko Ono lebt heute noch hier.

Indianerrelief über dem Eingang des Dakota

New York Historical Society ⑩

170 Central Park West.
Karte 16 D5.
☎ *873-3400.* M *81st St.*
⊙ ***Galerien*** *Mi–So 12–17 Uhr;* ***Bibliothek*** *Mi–Fr 12–17 Uhr.* ***Geschl.*** *Feiertage.* ***Eintritt*** *für die Galerien.*

ZU DEN SCHÄTZEN des ältesten New Yorker Museums zählen Vogelbildnisse von Audubon und 150 Tiffany-Lampen. Die 1804 gegründete Gesellschaft hat eine große Sammlung zusammengetragen, die bis ins 17. Jahrhundert zurückreicht: Porträts (Stuarts *George Washington),* schöne Möbel der Federal-Style-Periode, eine außergewöhnliche Silbergalerie und vieles mehr.

Trotz finanzieller Schwierigkeiten und eines Feuers eröffneten die Galerien 1995 nach zwei Jahren wieder ihre Pforten.

Das »Laserium« im Hayden Planetarium

American Museum of Natural History ⑪

Siehe S. 214 f.

Hayden Planetarium ⑫

Central Park West an der 81st St.
Karte 16 D4. ☎ *769-5920, 769-5100 (Vorstellungen).* M *81st St.* ⊙ *So–Do 10–17.45 Uhr, Fr, Sa 10–20.45 Uhr.* ***Geschl.*** *Feiertage, 25. Dez, Thanksgiving.* ***Eintritt****.* *eingeschränkt.*

DAS PLANETARIUM neben dem American Museum of Natural History ist nach dem Bankier Charles Hayden benannt, der die ersten astronomischen Geräte stiftete. Im Sky Theater läßt ein Projektor den Sternenhimmel an einer riesigen Kuppel erstehen. 3-D-Laser-Shows werden von Rock-Musik untermalt. Beeindruckend sind auch die Schwarzlichtgalerie mit lumineszierender Mondlandschaft und das Modell des Sonnensystems im Guggenheim Space Theater (über 12 Meter Durchmesser), mit den Planeten in maßstabsgetreuer Größe und Geschwindigkeit zueinander. Eine weitere Ausstellung befaßt sich mit der Sonne: Hier erfährt man, warum der Himmel blau ist. Figuren aus der *Sesamstraße* oder *Star-Wars*-Roboter moderieren Kinderveranstaltungen.

Pomander Walk ⑬

261–7 W 94th St. **Karte** 15 C2.
M *72nd St.*

DER BLICK DURCH DAS TOR offenbart eine Reihe kleiner Stadthäuser von 1921. Sie sind der Kulisse eines damals beliebten Schauspiels nachempfunden, die Londoner Stallungen darstellte. Dementsprechend wohnten auch viele Schauspieler hier: Rosalind Russell, Humphrey Bogart und die Geschwister Gish.

Stadthaus am Pomander Walk

Riverside Drive und Park ⑭

Karte 15 B4. M *103rd St.*

DER RIVERSIDE DRIVE ist eine der attraktivsten Straßen der Stadt: breit, schattig, mit schönen Ausblicken auf den Hudson River. Er wird von alten Stadtpalais und neueren Appartementgebäuden gesäumt. Die sehenswerten Häuser Nr. 40–46, 74–77, 81–89 und 105–107 entstanden Ende des 19. Jahrhunderts nach Plänen von Clarence F. True. Ihre geschwungenen Giebel, Erker und Bogenfenster scheinen die Biegung der Straße und des Flusses widerzuspiegeln.

Das Haus Nr. 243 trägt den merkwürdigen Namen Cliff Dwellers' Apartments. Ein Fries zeigt denn auch »Felsenbewohner« (Vorfahren der Puebloindianer) mit Masken und Büffelschädeln, Berglöwen und Klapperschlangen.

Der Riverside Park wurde 1880 nach Plänen von Frederick Law Olmsted angelegt, der auch den Central Park gestaltete *(siehe S. 202 ff)*.

Das Soldiers' and Sailors' Monument im Riverside Park

Children's Museum of Manhattan 15

212 W 83rd St. **Karte** 15 C4.
721-1223. M *86th St.*
Sep–Mai Mo, Mi, Do 13.30–17.30 Uhr; Fr–So 10–17 Uhr; Juni–Aug Mi–Mo 10–17 Uhr. ***Geschl.*** *1. Jan, 25. Dez.* ***Eintritt.***

DIESES WUNDERBARE Museum »zum Anfassen« wurde 1973 eröffnet und ist ganz darauf ausgerichtet, daß Kinder im Spiel am besten lernen. Das Wunder des menschlichen Geistes wird im »Brainatarium« in einer vierminütigen Multimedia-Show enthüllt. Anhand von selbst zu bedienenden High-Tech-Systemen können Kinder die fünf Sinne erkunden – die eigenen und auch die von Vögeln, Insekten und anderen Tieren.

Das Time Warner Center for Media bietet Einblicke in ein Fernsehstudio. Kinder können dort in die Rolle von Kameraleuten, Nachrichtensprechern und Technikern schlüpfen. An Wochenenden und in den Ferien treten im 150sitzigen Theater Puppenspieler und Märchenerzähler auf. Eine Spielgalerie steht ebenfalls zur Verfügung.

Eingang des Children's Museum

Ansonia Hotel 16

2109 Broadway. **Karte** 11 C1. M
72nd St. ***Lobby öffentlich zugänglich.***

DIESES BEAUX-ARTS-JUWEL entstand 1899 nach Plänen des französischen Architekten Paul E. M. Duboy im Auftrag von William Earl Dodge Stokes, dem Erben des Vermögens der Phelps Dodge Company, der ein luxuriöses, dem Dakota ebenbürtiges Appartementhotel wünschte.

Der Rundturm und das zweistöckige, gaubengeschmückte Mansardendach sind die auffälligsten Merkmale. Ursprünglich gab es einen Dachgarten (für Dodges Menagerie: Enten, Hühner und ein zahmer Bär) sowie zwei Swimmingpools.

Die schallschluckenden Wände machten das Hotel schnell zum bevorzugten Quartier der musikalischen Prominenz: Florenz Ziegfeld, Arturo Toscanini, Enrico Caruso, Igor Strawinsky und Lily Pons waren hier einst Gäste.

Der charakteristische Eckturm des Ansonia Hotel

Dorilton 17

171 W 71st St. **Karte** 15 C5. M
72nd St. ***Kein Publikumsverkehr.***

IMMENSER DETAILREICHTUM, ein imposantes, hohes Mansardendach und ein neunstöckiger Torbau zur West 71st Street charakterisieren dieses Appartementhaus. Für heutige Begriffe wirkt es ziemlich überzogen, doch 1902 rief es andere Reaktionen hervor, wie etwa im *Architectural Record:* »Sein Anblick läßt starke Männer fluchen und schwache Frauen erschreckt zurückweichen.«

Ein von Skulpturen gestützter Balkon des Dorilton

Was die Kritiker wohl zum Alexandria Condominium einen Block weiter gesagt hätten (West 70th Street Nr. 135)? Das Gebäude wurde 1927 als Pythian Temple errichtet. Es diente als Freimaurerloge und trägt üppige Verzierungen im ägyptischen Stil, von denen sich der heutige Name ableitet. Viele davon wurden im Laufe des Umbaus in Luxus-Appartements entfernt, doch fehlt es auch heute nicht an Lotosblättern, Hieroglyphen, schmuckvollen Säulen und Fabelwesen. Auf dem Dach darüber thronen in majestätischer Pracht zwei Pharaonen.

MORNINGSIDE HEIGHTS UND HARLEM

IN MORNINGSIDE HEIGHTS, am Hudson River, befinden sich die Columbia University und zwei der schönsten Kirchen der Stadt. Etwas weiter östlich, gleich an der Grenze zu Harlem, Amerikas berühmtestem Schwarzenviertel, liegt Hamilton Heights. Da Harlem nicht gerade die sicherste Gegend ist, legen Sie ihren Rundgang am besten auf einen Sonntagmorgen *(siehe S. 351)*. Viele Touren starten in Hamilton Heights, biegen nach Osten zum St Nicholas Historic District ab, machen eine Visite beim Gospelchor der Abyssinian Baptist Church und enden mit einem Brunch oder Lunch im Southern Style in Sylvia's, Harlems bekanntestem Restaurant.

Hl. Franz von Assissi, Museo del Barrio

Ein Buntglasfenster im Cotton Club stellt Louis Armstrong dar

Sehenswürdigkeiten auf einen Blick

Historische Straßen und Gebäude
Columbia University (1)
St Paul's Chapel (2)
Low Library (3)
Grant's Tomb (6)
City College of the City University of New York (7)
Hamilton Grange National Memorial (8)
Hamilton Heights Historic District (9)
St Nicholas Historic District (10)
Mount Morris Historical District (17)

Museen und Galerien
Schomburg Center for Research into Black Culture (12)
Studio Museum in Harlem (16)
Museo del Barrio (19)

Berühmte Theater
Harlem YMCA (13)
Apollo Theater (15)

Kirchen
Cathedral of St John the Divine S. 224f (4)
Riverside Church (5)
Abyssinian Baptist Church (11)

Parks und Plätze
Marcus Garvey Park (18)

Herausragende Restaurants
Sylvia's (14)

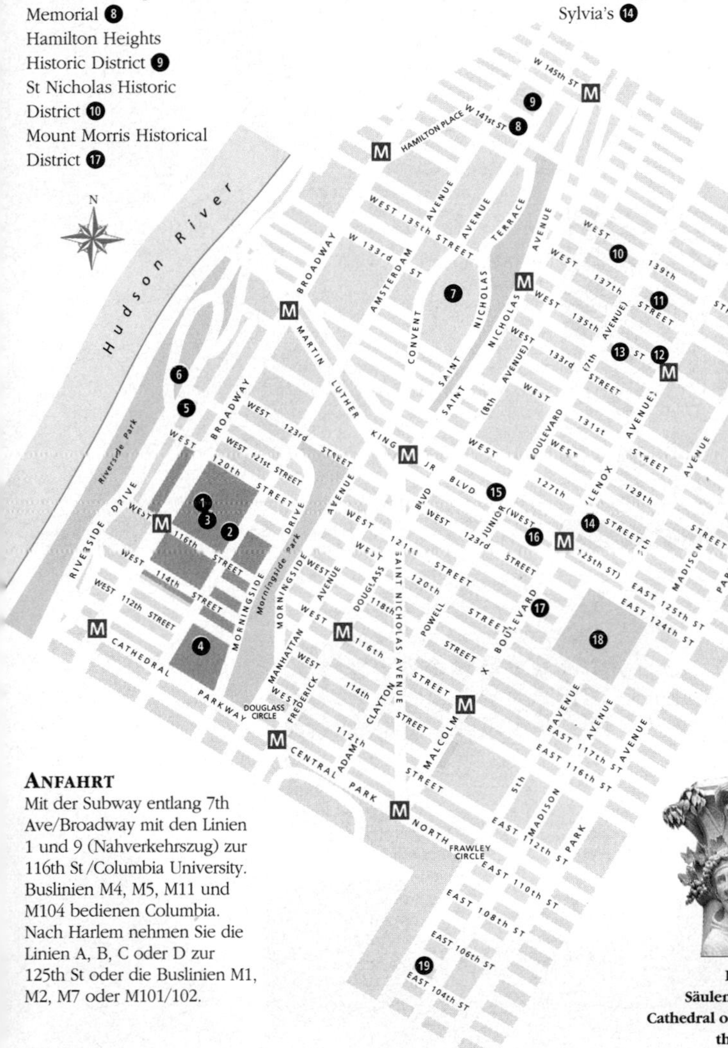

Anfahrt

Mit der Subway entlang 7th Ave/Broadway mit den Linien 1 und 9 (Nahverkehrszug) zur 116th St/Columbia University. Buslinien M4, M5, M11 und M104 bedienen Columbia. Nach Harlem nehmen Sie die Linien A, B, C oder D zur 125th St oder die Buslinien M1, M2, M7 oder M101/102.

Figurales Säulenkapitell, Cathedral of St John the Divine

Siehe auch

- ***Kartenteil*** Karten 19/20
- ***Übernachten*** S. 174f
- ***Restaurants*** S. 290ff

0 Meter 500
0 Yards 500

Legende

Detailkarte
Subway-Station

Im Detail: Columbia University

EINE GROSSE UNIVERSITÄT, das ist nicht nur das Gebäude, sondern auch ihr Geist. Haben Sie erst einmal die Architektur bewundert, so verweilen Sie etwas im Innenhof vor der Low Library, um zu beobachten, wie sich Amerikas zukünftige Elite in Jeans zwischen den Vorlesungen tummelt. Gegenüber dem Campus, sowohl auf dem Broadway als auch in der Amsterdam Avenue, befinden sich die Coffee Houses und Cafés, in denen man sich auf langwierige philosophische Debatten einläßt, das Tagesgeschehen kommentiert oder sich einfach nur entspannt.

ALMA MATER

Die ***Alma Mater***, 1903 von Daniel Chester French geschaffen, überlebte einen Bombenanschlag während der '68er-Studentenrevolte.

Subway-Station 116th Street/Columbia University (Linien 1, 9)

Die **School of Journalism** ist eines der vielen McKim, Mead & White-Universitätsgebäude. Sie wurde 1912 von dem Verleger Joseph Pulitzer gegründet. Der renommierte Pulitzer-Preis für Literatur und Journalismus wird hier vergeben.

Die **Butler Library** ist Columbias Hauptbibliothek.

Low Library

Mit ihrer eindrucksvollen Fassade und der hohen Kuppel dominiert die Bücherei den Innenhof. Sie wurde 1895–97 von McKim, Mead & White entworfen. ❸

★ **Central Quadrangle**

Die älteren Gebäude wurden alle von McKim, Mead & White konzipiert und um einen erhöhten rechteckigen Platz herum angeordnet. Hier der Blick auf die Butler Library. ❶

St Paul's Chapel
Diese Kirche, 1907 von Howells & okes entworfen, ist bekannt für ihre schönen Holzarbeiten und ihr großartiges Gewölbe. Sie ist lichtdurchflutet und hat eine gute Akustik. ❷

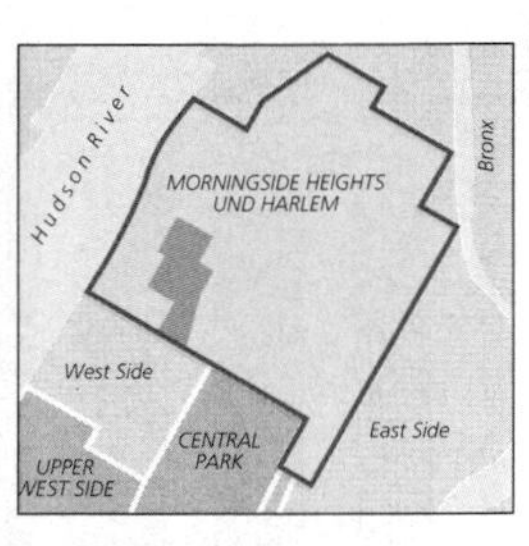

Zur Orientierung
Siehe Übersichtskarte S. 12f

Legende

— — — Routenempfehlung

0 Meter 100
0 Yards 100

Das **Sherman Fairchild Center** wurde 1977 gebaut, um die biowissenschaftlichen Fakultäten aufzunehmen.

116TH ST

MORNINGSIDE DRIVE

Studentenunruhen brachten 1968 die Columbia University in die Schlagzeilen. Der Funke sprang über, als die Universität Pläne für den Bau einer Sporthalle im nahegelegenen Morningside Park publik machte. Die Proteste zwangen sie dann, an einem anderen Ort zu bauen.

Die **Eglise de Notre Dame** wurde für eine französisch sprechende Kongregation gebaut. Hinter dem Altar ist eine Replik der Grotte von Lourdes. Sie wurde gestiftet von einer Frau, die glaubte, ihr Sohn sei dort geheilt worden.

Steinmetzarbeiten zieren die Fassade der Kathedrale.

★ Cathedral of St John the Divine
Sollte diese neugotische Kathedrale jemals vollendet werden, wird sie die größte der Welt sein. Obwohl noch ein Drittel des Bauwerks fehlt, faßt es jetzt schon 10 000 Gläubige. ❹

Nicht versäumen

- ★ **Columbia University**
- ★ **Cathedral of St John the Divine**

Alma-Mater-Statue vor der Low Library, Columbia University

Columbia University ❶

Haupteingang an der W 116th St. **Karte** 20 E3. *854-1754.* M *116th St-Columbia Univ.*

Dies ist bereits der dritte Standort einer der ältesten und renommiertesten Universitäten Amerikas. Sie wurde 1754 als Kings College gegründet, nahe der Stelle, wo heute das World Trade Center steht.

Als die Universität 1814 umziehen wollte, erhielt sie von den Behörden ein Stück Land zugewiesen, das auf 75 000 Dollar veranschlagt wurde. Die Universität baute jedoch nicht auf dem Grund, sondern verpachtete ihn und verbrachte die Jahre zwischen 1857 und 1897 in Nachbargebäuden. 1985 schließlich verkaufte sie den Grund an die Pächter, die Rockefeller Center Inc., für 400 Mio. Dollar.

1897 begannen am einstigen Standort des Bloomingdale Insane Asylum die Bauarbeiten für den heutigen Campus. Der Architekt Charles McKim errichtete die Gebäude über dem Straßenniveau auf einer Terrasse. Die weiten Rasenflächen und Plätze bieten einen reizvollen Kontrast zu der hektischen Metropole.

Zuletzt waren 10 400 männliche und 8900 weibliche Studierende eingeschrieben. Columbia, eine Eliteuniversität, ist bekannt für ihre juristischen, medizinischen und journalistischen Fakultäten. Unter den Ehemaligen finden sich 53 Nobelpreisträger. Berühmte Absolventen sind u. a. Isaac Asimov, J. D. Salinger, James Cagney und Joan Rivers.

St Paul's Chapel ❷

Columbia University. **Karte** 20 E3. *854-6625.* M *116th St-Columbia Univ.* *Mo–Fr 12–16 Uhr (Vorlesungen), 12–14 Uhr (Pause).* ***Gratis-Orgelkonzerte*** *Do 12 Uhr.* *So.*

Backsteinkuppel der St Paul's Chapel

Das vielleicht bemerkenswerteste Gebäude der Universität wurde 1904 gebaut, eine Mischung aus italienischer Renaissance, Gotik und byzantinischer Architektur. Das Guastavino-Gewölbe weist komplexe Backsteinmuster auf; die ganze Kirche wird von Licht durchflutet.

Ihre Akustik und Schönheit können Sie bei den kostenlosen Orgelkonzerten auf der äolischen Skinner-Orgel würdigen.

Der Hauptplatz der Columbia University mit der Low Library

Fassade der St Paul's Chapel

Low Library ❸

Columbia University. **Karte** 20 E3. M *116th St-Columbia Univ.*

Dieser klassische Säulenbau, der sich über drei steinernen Treppenfluchten erhebt, wurde vom ehemaligen Bürgermeister und Präsidenten des Colleges, Seth Low, gestiftet. Die Statue davor, die *Alma Mater* von Daniel Chester French, ist vielen noch vertraut als Hintergrund zu den Bildern von vielen Anti-Vietnam-Demonstrationen von 1968. Heute dient das Gebäude als Bürotrakt. Im Rundbau findet eine Vielzahl akademischer und offizieller Veranstaltungen statt. Der Bibliotheksbestand (an der Universität insgesamt 6 Millionen Bände) wurde in die Butler Library verlagert.

Cathedral of St John the Divine ❹

Siehe S. 224 f.

Riverside Church ❺

490 Riverside Dr, Ecke 122nd St. **Karte** 20 D2. *870-6700.* M *116th St-Columbia Univ.* *Tägl. 9–16 Uhr.* *So 10.45 Uhr.* *mit Erlaubnis des Prior.* ***Glockenspiel*** *So 12, 15 Uhr.* ***Theater*** *864-2929.*

Die Kirche, ein 20stöckiges Stahlgerüst mit gotischer Fassade, ist von der Kathedrale in Chartres inspiriert. Sie wurde 1930 von John D. Rockefeller Jr. finanziert. Das Laura-Spelman-Rockefeller-Glockenspiel zu Ehren von Rockefellers Mutter ist mit seinen 74 Glocken das größte der Welt. Die Stundenglocke wiegt 20 Tonnen und ist die schwerste und größte gestimmte Glocke, die jemals gegossen wurde. Auch die Orgel mit ihren 22 000 Pfeifen ist eine der größten der Welt.

An der Rückseite der zweiten Empore befindet sich eine Figur von Jacob Epstein, *Die Herrlichkeit des Herrn,* aus Gips geformt und ganz mit Blattgold bedeckt. Eine weitere Epstein-Figur, *Madonna mit Kind*, steht im Innenhof neben dem Kreuzgang. Die Tafeln an der Kanzel ehren acht Männer und Frauen, die die Lehren Jesu beispielhaft vorlebten. Dazu gehören Sokrates und Michelangelo ebenso wie Florence Nightingale und Booker T. Washington.

Ruhe findet man in der separaten Christ Chapel, dem Nachbau einer romanischen Kirche aus dem 11. Jahrhundert in Frankreich. Von der zugigen Aussichtsplattform des 120 Meter hohen Glockenturms aus (über Aufzug zum 19. Stock und 140 Treppenstufen erreichbar) können Sie die Aussicht auf Upper Manhattan genießen – sofern nicht gerade die Glocken läuten!

Die 20stöckige Riverside Church, von Norden gesehen

Mosaikwand in Grant's Tomb mit Grant (rechts) und Robert E. Lee

Grant's Tomb ❻

W 122nd St-Riverside Dr.
Karte 20 D2. *666-1640.*
116th St-Columbia Univ. *Tägl. 9–17 Uhr.* ***Geschl.*** *1. Jan, 4. Jul, Thanksgiving, 25. Dez.*

Dieses grandiose Monument wurde zu Ehren des 18. Präsidenten Amerikas und Oberkommandierenden der Unionstruppen im amerikanischen Bürgerkrieg, Ulysses S. Grants, errichtet. Im Mausoleum stehen die Särge von General Grant und seiner Frau, gemäß seinem letzten Wunsch, gemeinsam bestattet zu werden. Nach Grants Tod im Jahre 1885 spendeten mehr als 90 000 Amerikaner insgesamt 600 000 Dollar, um eine Grabstätte zu errichten, die dem Mausoleum bei Halikarnassos, einem der sieben Weltwunder, gleichkommen sollte. Das Grab wurde am 27. April 1897, an Grants 75. Geburtstag, eingeweiht. Die Parade mit 50 000 Menschen und einer Flotte von zehn amerikanischen und fünf europäischen Kriegsschiffen dauerte länger als sieben Stunden. Das Innere ist dem Grab Napoleons im Invalidendom in Paris nachempfunden. Jeder Sarkophag wiegt 8,5 Tonnen. In zwei Räumen gibt es Ausstellungsstücke zu Grants Leben und Laufbahn. Im Norden und Süden wird das Gebäude von 17 sinusförmig gewundenen Mosaikbänken umgeben, die nicht ganz zu der formalen Architektur der Grabstätte passen wollen. Sie wurden in den frühen 70er Jahren von dem in Chile geborenen und in Brooklyn lebenden Künstler Pedro Silva entworfen und von 1200 Freiwilligen unter seiner Aufsicht gebaut. Die farbenfrohen Bänke sind vom Werk Antonio Gaudís in Barcelona inspiriert; die Mosaike haben vielfältige Themen zum Gegenstand, von den Eskimos über New Yorker Taxis bis zu Donald Duck.

General Grant auf einem Feldzug im Bürgerkrieg

Etwas nördlich von Grants Tomb findet sich ein weniger spektakuläres Monument. Eine schlichte Urne auf einem Sockel bezeichnet das Grab eines Kindes, das im 18. Jahrhundert im Fluß ertrunken ist. Der trauernde Vater brachte diese einfache Plakette an: »Aufgestellt zur Erinnerung an ein liebenswertes Kind, St. Clair Pollock, gestorben am 15. Juli 1797 in seinem fünften Lebensjahr.«

Cathedral of St John the Divine ❹

Gotische Westfront, von Cram

DIESER 1892 BEGONNENE Bau ist erst zu zwei Dritteln abgeschlossen. Er wird einmal die größte Kathedrale der Welt sein, 180 Meter lang und 45 Meter breit. Begonnen von Heins und LaFarge im romanischen Stil, entwarf Ralph Adams Cram, der 1911 das Projekt übernahm, das Schiff und die Westfront im gotischen Stil. Noch heute bedient man sich mittelalterlicher Konstruktionsmethoden (z. B. Verwendung von steinernen Strebepfeilern). Die Kathedrale ist auch ein beliebtes Forum für Theater, Musik und Avantgarde-Kunst.

Chor
Jede der Säulen aus grauem Granit ist 17 Meter hoch.

Schiff
Die Stützpfeiler des 30 Meter hohen Kirchenschiffes tragen anmutige steinerne Bögen.

Fensterrosette ★
Das stilisierte Motiv der Rose wurde 1933 fertiggestellt und symbolisiert die vielen Facetten der christlichen Kirche.

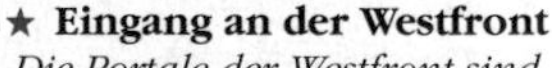
★ Eingang an der Westfront
Die Portale der Westfront sind kunstvoll behauen. Teils sind die Motive Nachschöpfungen mittelalterlicher religiöser Skulpturen, teils verdeutlichen sie, wie etwa diese apokalyptische Darstellung der New Yorker Skyline, die Einbindung der Kathedrale in aktuelle politische und soziale Zusammenhänge.

NICHT VERSÄUMEN

- ★ Fensterrosette
- ★ Eingang an der Westfront
- ★ Seitenaltäre
- ★ Peace Fountain

★ Peace Fountain
Diese Skulptur von Greg Wyatt soll die Natur in ihren vielfältigen Formen repräsentieren. Sie steht in einem Granitbecken südlich der Kathedrale.

INFOBOX

Amsterdam Ave, Ecke W 112th St.
Karte 20 E4. *316-7540.*
Kasse *662-2133.* *1, 9 zu Cathedral Pkwy (110th St).*
M4, M5, M7, M11, M104.
Tägl. 9–17 Uhr (So 20 Uhr).
Spende erbeten.
Konzerte, Lesungen, Theater, Kunstausstellungen.

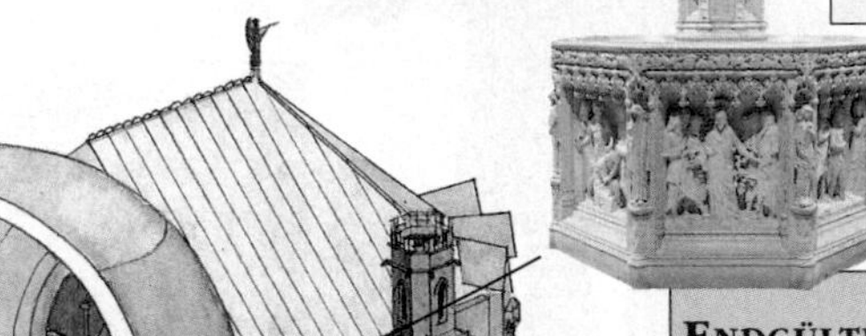

Taufbecken
Gotisches Taufbecken, französisch, spanisch und italienisch beeinflußt.

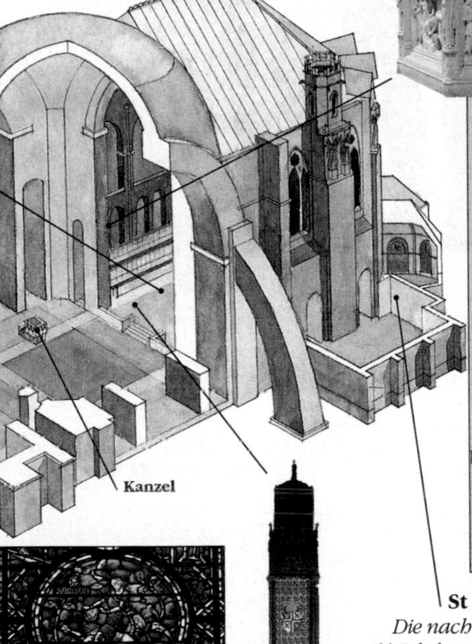

ENDGÜLTIGE GESTALT

Die Fertigstellungskosten werden sich auf ca. 400 Mio. Dollar belaufen. Das südliche Querschiff, der Vierungsturm und die Westtürme sind noch im Bau. Selbst wenn das Geld aufgebracht ist, werden die Arbeiten noch 50 Jahre in Anspruch nehmen.

St Ambrose Chapel
Die nach Bischof Ambrosius (4. Jahrhundert) benannte Kapelle ist mit Eisenarbeiten im Renaissancestil verziert.

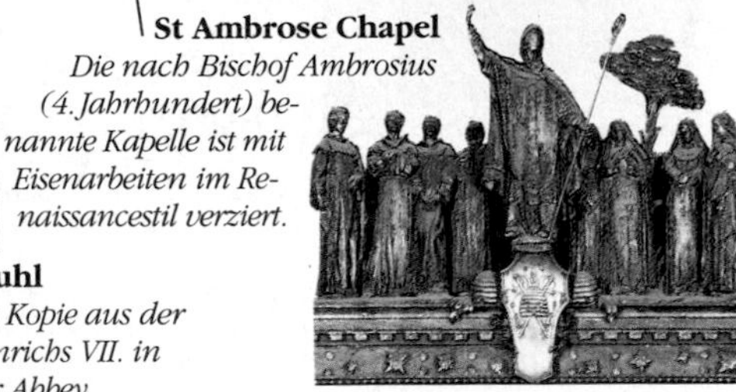

★ Seitenaltäre
Die Altarfenster sind menschlichen Tätigkeiten gewidmet, wie etwa dieses Fenster mit Sportdarstellungen.

Bischofsstuhl
Dies ist eine Kopie aus der Kapelle Heinrichs VII. in Westminster Abbey.

ZEITSKALA

1823 Plan für Kathedrale am Washington Square

1891 Wahl und Benennung des Standortes, Cathedral Parkway

1909 Entwurf der Kanzel von Henry Vaughan

1911 Neuer Entwurf von Cram

1967 Bronzelampen der ehemaligen Penn Station an Vordertreppe installiert

1800 | 1850 | 1900 | 1950

1873 Beurkundung

1888 Heins & LaFarge gewinnen Architektur-Wettbewerb

1892 27. Dezember Grundsteinlegung

1916 Baubeginn für Kirchenschiff

1941 Einstellung der Bauarbeiten (2.Weltkrieg); Wiederaufnahme erst 1978

1978 Beginn der dritten Bauphase und der Steinmetzarbeiten

City College of the City University of New York ⑦

Haupteingang in W 138th St und Convent Ave. **Karte** 19 A2. ☎ *650-7000.* Ⓜ *137th St-City College.*

Das College liegt hoch auf einem Hügel, gleich neben Hamilton Heights. Besonders beeindruckend sind die um einen Innenhof errichteten neugotischen Gebäude, die zwischen 1903 und 1906 entstanden. Als Baumaterial diente Schiefer, der beim Bau der IRT-Untergrundbahn in Manhattan zutage kam. Später kamen moderne Gebäude hinzu.

Das College stand früher allen Einwohnern der Stadt unentgeltlich zur Verfügung, auch heute hat es noch die niedrigsten Studiengebühren. Dreiviertel der 15 000 Studenten gehören Minderheiten an, viele von ihnen sind die ersten in ihrer Familie, die studieren.

Shepard Archway im City College der City University of New York

Hamilton Grange National Memorial ⑧

287 Convent Ave. **Karte** 19 A1. ☎ *283-5154.* Ⓜ *137th St-City College.* ***Kein Publikumsverkehr.***

Eingeklemmt zwischen eine Kirche und Appartements steht eines der geschichtsträchtigsten Gebäude der Stadt: das 1802 aus Holz erbaute Landhaus von Alexander Hamilton. Er war einer der Architekten des föderalistischen Regierungssystems, erster Finanzminister und Gründer der National Bank. Sein Konterfei finden wir auf jedem 10-$-Schein. Hamilton verbrachte hier die letzten zwei Jahre seines Lebens. Er starb 1804 bei einem Duell mit seinem politischen Gegner Aaron Burr. Er hatte in die Luft geschossen.

Statue von Alexander Hamilton in Hamilton Grange

1898 wurde das Haus von der St Luke's Episcopal Church aufgekauft und um zwei Blocks versetzt, wo es heute abgesperrt seines Schicksals harrt.

Hamilton Heights Historic District ⑨

W 141st–W 145th St. **Karte** 19 A1. Ⓜ *137th St-City College.*

In dieser auch als Harlem Heights bekannten Gegend befanden sich ursprünglich die Landgüter der Wohlhabenden. Um 1880 wurde hier im Zusammenhang mit der Verlängerung der Hochbahn *(siehe S. 24)* viel gebaut. Die abgeschlossene Lage auf dem Hügel über Harlem machte Hamilton Heights zu einem begehrten Wohnviertel.

In dem unter dem Namen Sugar Hill bekannten Bezirk versammelte sich die Elite Harlems: Der oberste Richter Thurgood Marshall, Jazz-Musiker wie Count Basie, Duke Ellington und Cab Calloway oder der Boxer Sugar Ray Robinson – alle haben hier gewohnt.

Die properen zwei- und dreistöckigen steinernen Häuser entstanden zwischen 1886 und 1906 in allen möglichen Baustilen, die flämische, romanische und Tudor-Elemente umfassen. Viele der Gebäude werden heute vom nahegelegenen City College genutzt.

Reihenhäuser in Hamilton Heights

St Nicholas Historic District ⑩

202–250 W 138th und W 139th St. **Karte** 19 B2. Ⓜ *135th St (B, C).*

Die zwei Häuserblöcke im St Nicholas Historic District, die »King Model Houses«, wurden 1891 gebaut und bilden heute eine starken Kontrast zu ihrer Umgebung.

Der Erbauer David King wählte drei führende Architekten, die trotz ihrer verschiedenen Stile ein heterogenes und dennoch harmonisches Ensemble schufen. Die Architekten McKim, Mead & White, die auch die Pierpont

Häuser im St Nicholas District

Adam Clayton Powell, Jr. (dunkler Anzug) bei einer Bürgerrechtskampagne

Morgan Library *(siehe S. 162f)* und die Villard Houses *(siehe S. 174)* entwarfen, sind für die nördliche Gruppe im Stil der italienischen Renaissance verantwortlich. Sie entschieden sich für solide Ziegelbauweise, ebenerdige Eingänge, schmiedeeiserne Balkongitter und geschnitzte dekorative Verzierungen über den Fenstern.

Die südliche Gruppe im georgianischen Stil wurde von den Architekten Price und Luce entworfen und besteht aus gelbbraunen Ziegelsteinen mit weißen Steinverzierungen.

Die Gebäude von James Brown Lord, ebenfalls im georgianischen Stil, muten mit ihren roten Ziegelsteinfassaden und Sandsteinfundamenten eher viktorianisch an.

In den 20er und 30er Jahren zog die Gegend viele erfolgreiche Schwarze an, wie die Musiker W. C. Handy oder Eubie Blake. Nach ihnen, den Aufsteigern, wurde die Gegend auch »Strivers' Row« genannt.

Abyssinian Baptist Church ⓫

132 W 138th St. **Karte** 19 C2.
862-7474. 135th St (2, 3).
So 11 Uhr.

DIESE ÄLTESTE schwarze Kirche New Yorks, gegründet 1808, wurde berühmt durch ihren charismatischen Pastor, Adam Clayton Powell, Jr. (1908-72), Kongreßmitglied und Bürgerrechtler. Unter seiner Führung wurde sie die mächtigste schwarze Kirche Amerikas. In einem der Räume gibt es eine Ausstellung über ihn.

In dem gotischen Gebäude von 1923 sind Gäste zum Gottesdienst am Sonntag willkommen. Der Gospelchor ist fantastisch!

Schomburg Center for Research into Black Culture ⓬

515 Lenox Ave. **Karte** 19 C2.
491-2200. 135th St (2, 3).
Mo–Mi 12–20 Uhr, Do–Sa 10–18 Uhr (verschiedene Ausstellungszeiten). **Geschl.** *Feiertage.* *mit vorheriger Erlaubnis.*

IN EINEM GESCHMEIDIGEN neuen Gebäude von 1991 befindet sich das größte Forschungszentrum für schwarze und afrikanische Kultur in den Vereinigten Staaten. Die riesige Sammlung wurde von Arthur Schomburg zusammengetragen, einem Schwarzen puertorikanischer Herkunft, dem ein Lehrer einmal gesagt hatte, es gäbe keine »schwarze Geschichte«. Die Carnegie Corporation kaufte die Sammlung 1926 und übergab sie der New York Public Library; Schomburg wurde dort Kurator. In den 20er Jahren wurde die Bücherei zum inoffiziellen Zentrum der schwarzen literarischen Renaissance, an der Leute wie W. E. B. Du Bois, Zora Neale Hurston und andere wichtige Autoren der Zeit Anteil hatten. Auch literarische Zusammenkünfte und Lesungen fanden hier statt.

Kurt Weill, Elmer Rice und Langston Hughes im Schomburg Center

Die Schomburg Library hat hervorragende Einrichtungen, in denen die Schätze des Archivs bewahrt und zugänglich gemacht werden – seltene Bücher, Kunst und Tonaufnahmen. Die Bücherei ist auch als Kulturzentrum gedacht, und so gibt es auch ein Theater und zwei Galerien mit wechselnden Ausstellungen.

Harlem YMCA ⓭

180 W 135th St. **Karte** 19 C3.
281-4100. *135th St (2, 3).*

Der Soziologe W. E. B. Du Bois

PAUL ROBESON und viele andere standen hier in den 20er Jahren zum erstenmal auf der Bühne. Die Krigqa Players wurden 1928 von W. E. B. Du Bois ins Leben gerufen, um der herabwürdigenden Darstellung von Schwarzen in den Broadway-Musicals dieser Zeit etwas entgegenzusetzen. Das »Y« bot auch namhaften Neuankömmlingen in Harlem, wie dem Schriftsteller Ralph Ellison, eine Bleibe.

Gospelsänger bei ihrem Auftritt zum Sonntagsbrunch bei Sylvia's

Sylvia's ⓮

328 Lenox Ave. **Karte** 21 B1.
996-0660. *125th St (2,3).*
*Siehe **Restaurants** S. 294.*

In Harlems bekanntestem Soul-Food-Restaurant gibt es diverse Südstaaten-Spezialitäten: gebratene und geschmorte Hühnchen, Grünkohl, kandierte Yamswurzeln, Süßkartoffel-Pie und scharf-

Sylvia's

gewürzte Spareribs *(siehe S. 287)*. Zum Brunch am Sonntag kann man Live-Gospelmusik hören.

Nehmen Sie sich Zeit, den Markt an der Ecke 125th Street und Lenox Avenue zu erkunden. Er erstreckt sich etwa über einen Block in beiden Richtungen und bietet afrikanische Kleidung, Schmuck und Kunst unterschiedlicher Qualität.

Apollo Theater ⓯

253 W 125th St. **Karte** 21 A1.
749-5838. *125th St (A, B, C, D).*
Nur bei Veranstaltungen.
*Siehe **Unterhaltung** S. 341.*

Das Apollo öffnete 1914 seine Türen – nur für Weiße. Sein Ruhm setzte ein, als 1934 Frank Schiffman, ein weißer Unternehmer, das Theater übernahm, es auch Schwarzen zugänglich machte und es in Harlems bekannteste Showbühne verwandelte. Legendäre schwarze Künstler wie Bessie Smith, Billy Holliday, Duke Ellington und Dinah Washington traten hier auf. Die Amateurabende mittwochs, bei denen der Publi-

Apollo Theater

kumsapplaus über den Sieg entschied, waren bekannt; es gab eine lange Warteliste. Zu denen, die auf diese Weise ihre Karriere begannen, gehören Sarah Vaughan, Pearl Bailey, James Brown und Gladys Knight. Noch immer hoffen viele auf einen ähnlichen Durchbruch.

Während der Swing-Band-Ära war das Apollo »der« Vergnügungsort schlechthin; nach dem Krieg führte eine neue Generation von Musikern die Tradition fort: Charlie Parker, Thelonius Monk, Dizzy Gillespie und Aretha Franklin. In den 80er Jahren wurde das Apollo renoviert, und nach wie vor spielen hier großartige Blues-, Jazz- und Gospelmusiker.

Studio Museum in Harlem ⓰

144 W 125th St. **Karte** 21 B2.
864-4500. *125th St (2, 3).*
Mi–Fr 10–17 Uhr; Sa, So 13–18 Uhr. ***Geschl.*** *1. Jan, Thanksgiving, 25. Dez.* ***Eintritt.***
Lesungen, Kinderprogamme, Filme.

Dieses Museum wurde 1967 im Loft eines Hauses in der Upper Fifth Avenue gegründet mit dem Ziel, die erste Adresse für Kollektionen und Ausstellungen von afroamerikanischer Kunst zu werden.

Die derzeitigen Räumlichkeiten, ein vierstöckiges Gebäude in Harlems Hauptgeschäftsstraße, wurden 1979 von einer Bank gestiftet. Das neue Museum eröffnete 1982. Auf zwei Ebenen befinden sich Galerien mit wechselnden Ausstellungen, und drei Galerien zeigen eine ständige Ausstellung mit Werken der wichtigsten schwarzen Künstler.

In den Fotoarchiven lagert die größte existierende

Ausstellung im Studio Museum in Harlem

Sammlung von Bildern Harlems zu seiner Blütezeit. Durch eine Seitentür gelangt man in einen kleinen Skulpturengarten.

Neben den ausgezeichneten Ausstellungen gibt es ein Förderprogramm für Künstler sowie regelmäßige Vorträge, Seminare, Kinderprogramme und auch Filmfestivals. In einem kleinen Laden findet man Bücher und afrikanisches Kunsthandwerk.

Mount Morris Historical District ⑰

W 119th–W 124th St. **Karte** 21 B2.
M *125th St (2, 3).*

DIE HÄUSER IM viktorianischen Stil aus dem späten 19. Jahrhundert nahe des Marcus Garvey Park müssen einmal großartig gewirkt haben. Dies war eine bevorzugte Gegend für deutsche Juden, die aus der Lower East Side hierher zogen. Die Zeiten waren nicht gut. Die Gegend ist inzwischen ziemlich heruntergekommen.

Übriggeblieben sind einige eindrucksvolle Kirchen, wie die St Martin's Episcopal Church. Es herrscht ein interessantes Nebeneinander diverser Glaubensrichtungen: die Mount Olivet Baptist Church in 201st Lenox Avenue war ehemals der Temple Israel, eine der größten Synagogen der Stadt; in der Ethiopian Hebrew Congregation in West 123rd Street Nr. 1 singt der Gospelchor samstags auf hebräisch.

St Martin's Episcopal Church an der Lenox Avenue

Marcus Garvey Park ⑱

120th–124th St. **Karte** 21 B2.
M *125th St (2,3).*

Marcus Garvey, der engagierte schwarze Nationalistenführer

DER HÜGELIGE UND felsige Park ist Standort des letzten New Yorker Feuerwachturms, einer offenen, gußeisernen Konstruktion (1856) mit einer Wendeltreppe, die zur Beobachtungsplattform führt. Die darunter befindliche Glocke diente dazu, den Alarm auszulösen. Es empfiehlt sich jedoch, den Turm aus der Ferne zu betrachten – die Gegend ist nicht gerade die sicherste. Ursprünglich hieß der Platz Mount Morris Park, 1973 aber wurde er nach Marcus Garvey benannt. Garvey kam 1916 aus Jamaika nach New York und gründete die Universal Negro Improvement Agency, die Selbsthilfe und Stolz auf die eigene Rasse förderte.

Museo del Barrio ⑲

1230 5th Ave. **Karte** 21 C5.
831-7272. M *103rd St (6).*
Mi–So 11–17 Uhr. ***Spende erbeten.***

DIESES 1969 GEGRÜNDETE Museum ist das einzige in den USA für lateinamerikanische Kunst und hat sich auf puertorikanische Kultur spezialisiert. Es bietet zeitgenössische Malerei und Skulpturen, Folklore und historisches Kunsthandwerk. Die Hauptattraktion sind 240 hölzerne Santos, geschnitzte Heiligenfiguren. Die Ausstellungen wechseln oft, aber einige der Santos sind ständig zu bewundern. Die präkolumbische Sammlung zeigt seltene Stücke aus der Karibik. Am Ende der Museumsmeile gelegen, versucht dieses ungewöhnliche Museum die Kluft zwischen der hochnäsigen Upper East Side und dem El Barrio, Spanish Harlem, zu überbrücken.

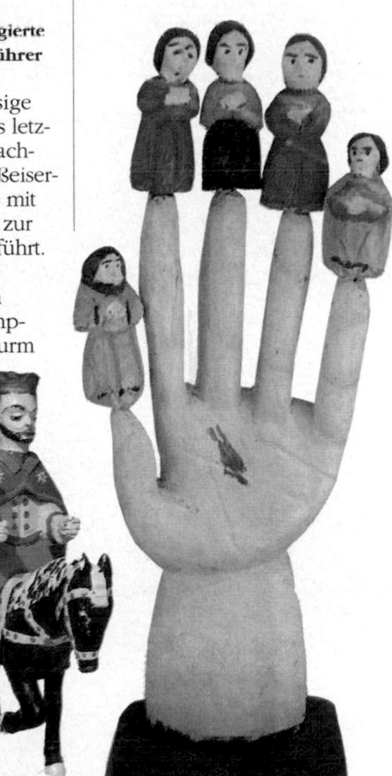

Volkskunst im Museo del Barrio: einer der *Hl. Drei Könige* (links) und die *Allmächtige Hand*

Abstecher

Obwohl die Gemeinden außerhalb Manhattans Teil von New York City sind, haben sie ihre eigene Atmosphäre. Es sind Wohngegenden, und es fehlen die Wolkenkratzer. Der Unterschied wird deutlich in der Art, wie die Einwohner davon reden, »in die Stadt« zu fahren (nach Manhattan!). Dennoch gibt es in den Vororten viele Sehenswürdigkeiten, etwa botanische Gärten, den größten Zoo, Museen und Strände. Einen Vorschlag für einen Spaziergang durch Brooklyn finden Sie auf Seite 264f.

Sehenswürdigkeiten auf einen Blick

Historische Straßen und Gebäude
Morris-Jumel Mansion 2
George Washington Bridge 3
Wave Hill 5
Yankee Stadium 10
Grand Army Plaza 17
Park Slope Historic District 18
Historic Richmond Town 23
Alice Austen House 26

Museen und Galerien
Audubon Terrace 1
Cloisters S. 234ff 4
Van Cortlandt House Museum 6
New York Hall of Science 13
American Museum of the Moving Image and Kaufman Astoria Studio 14
Brooklyn Children's Museum 15
The Brooklyn Museum S. 248ff 20
Jacques Marchais Center of Tibetan Art 24
Snug Harbor Cultural Center 25

Parks und Gärten
New York Botanical Garden S. 240f 8
International Wildlife Conservation Park S. 242f 9
Flushing Meadow-Corona Park 12
Prospect Park 19
Brooklyn Botanic Garden 21

Berühmte Theater
Brooklyn Academy of Music 16

Friedhöfe
Woodlawn Cemetery 7

Strände
City Island 11
Coney Island 22
Jamaica Bay Wildlife Refuge Center 27
Jones Beach State Park 28

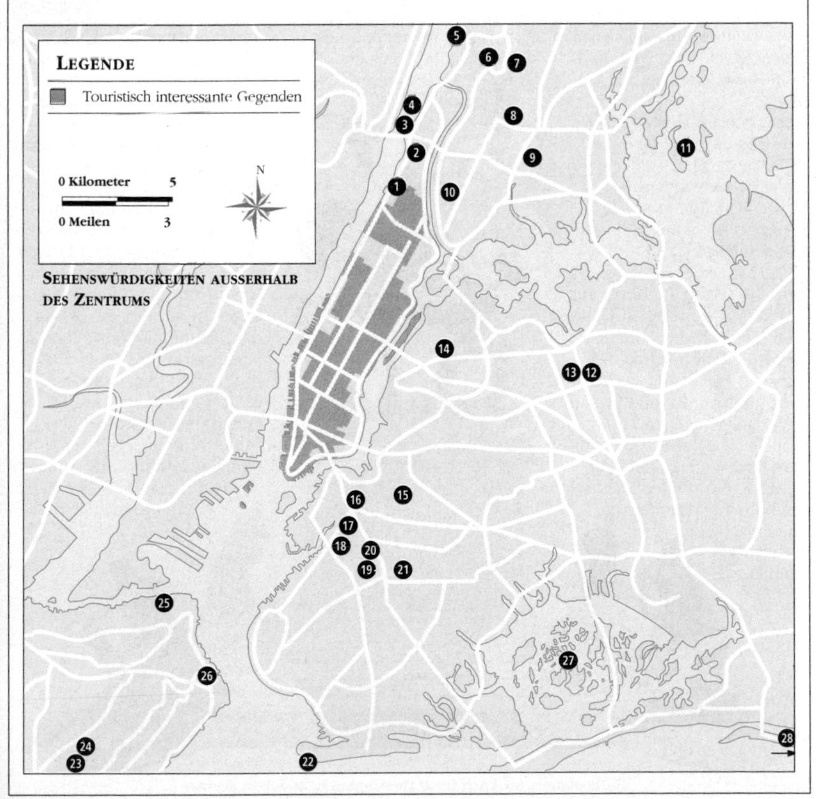

Jamaica Bay

Upper Manhattan

Im 18. Jahrhundert errichteten die holländischen Siedler in Upper Manhattan ihre Farmen. Heute hat die Gegend Vorstadtcharakter. Man kann hier dem Lärm entkommen und in Ruhe ein Museum oder andere Sehenswürdigkeiten besichtigen. Die Cloisters *(siehe S. 234ff)* präsentieren eine wunderbare Kollektion mittelalterlicher Kunst in europäischen Originalgebäuden. Sehenswert ist auch die Morris-Jumel Mansion, das Washington bei der Verteidigung Manhattans 1776 als Hauptquartier diente.

Fassade der American Academy of Arts and Letters

Audubon Terrace ❶

M *157th St.* ***American Numismatic Society*** *234-3130.* *Di–Sa 9–16.30 Uhr, So 13–16 Uhr.*

American Academy of Arts and Letters *368-5900.* *nur bei Ausstellungen.*

Hispanic Society of America *926-2234.* *Di–Sa 10–16.30 Uhr, So 13–16 Uhr.* ***Geschl.*** *Feiertage.* ***Spende erbeten.***

Dieser Gebäudekomplex aus dem Jahre 1908 ist nach dem Naturforscher John James Audubon benannt, zu dessen Anwesen dieses Land einst gehörte. Audubon ist auf dem nahegelegenen Trinity Cemetery begraben. Auf seinem Grabstein, einem keltischen Kreuz, finden Sie die symbolischen Darstellungen seiner abenteuerlichen künstlerischen Karriere: Vögel, die er malte, Palette und Pinsel, Gewehre.

Der Komplex wurde vom Cousin des Architekten, dem öffentlichen Wohltäter Archer Milton Huntington, finanziert. Er sollte ein Zentrum für Kultur und Studien sein. Auf dem Hauptplatz stehen die Skulpturen seiner Frau, der Bildhauerin Anna Hyatt Huntington.

In Audubon Terrace gibt es mehrere Fachmuseen, etwa das der American Numismatic Society, eine der weltbesten Sammlungen von Münzen und Prägungen, mit mehr als einer halben Million Fotos und Illustrationen von Münzen. Eine permanente Ausstellung, »Die Welt der Münzen«, verfolgt die historische und politische Rolle des Geldes, außerdem gibt es eine umfangreiche Bibliothek.

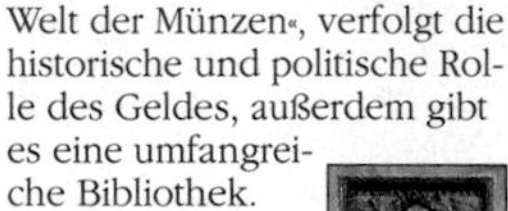

Bronzetür in der Academy

Die American Academy of Arts and Letters wurde zu Ehren amerikanischer Schriftsteller, Künstler und Komponisten sowie von 75 Ehrenmitgliedern aus dem Ausland gegründet. Auf ihrer Mitgliederliste stehen die Schriftsteller Mark Twain und John Steinbeck, die Maler Andrew Wyeth und Edward Hopper und der Komponist Aaron Copland. Werke der Mitglieder sind in Ausstellungen zu sehen. Die Bibliothek umfaßt alte Handschriften und Erstausgaben (Anmeldung erforderlich).

Die Hispanic Society of America ist ein öffentliches Museum mit Bibliothek aus der Sammlung von Archer M. Huntington. Die Galerie im spanischen Renaissancestil zeigt Werke von Goya, El Greco und Velázquez. Das früher hier untergebrachte National Museum of the American Indian befindet sich heute im Custom House *(siehe S. 73)*.

El-Cid-Statue von Anna Hyatt Huntington in Audubon Terrace

Morris-Jumel Mansion ❷

Ecke W 160th St– Edgecombe Ave.
923-8008. *163rd St.*
Mi–So 10–16 Uhr. ***Geschl.*** *Feiertage.*
Eintritt. *nach Vereinbarung.*

DIES IST EINES der wenigen Häuser aus der Zeit vor der Revolution. 1765 für Lt. Col. Roger Morris gebaut, ist es heute ein Museum. Morris' einstiger Kamerad George Washington nutzte das Gebäude als Hauptquartier während der Verteidigung Manhattans 1776.

1820 wurde es von Stephen Jumel, einem Kaufmann französisch-karibischer Herkunft, und seiner Frau Eliza gekauft. Das Paar möblierte das Haus mit den Mitbringseln ihrer vielen Frankreich-Besuche. Im Boudoir stehen Elizas Bett und der angeblich von Napoleon erworbene »Delphinstuhl«. Elizas sozialer Aufstieg und ihre zahlreichen Affären lösten Skandale aus, und man munkelte unter vorgehaltener Hand, sie habe 1832 ihren Ehemann verbluten lassen, um sein Vermögen zu erben. Später ehelichte sie den 77jährigen Aaron Burr, um sich drei Jahre später, am Tage seines Todes, wieder scheiden zu lassen.

Das Äußere dieses georgianischen Hauses mit dem klassischen Portikus und dem achteckigen Flügel, dem ersten in den Kolonien, wurde renoviert. Im Museum sind viele Originalstücke der Jumels ausgestellt.

Die Morris-Jumel Mansion von 1765 mit ihrem originalen Säulenportikus

Die George Washington Bridge hat eine Spannweite von 1065 Metern

George Washington Bridge ❸

175th St.

DER FRANZÖSISCHE ARCHITEKT Le Corbusier nannte sie einmal den »einzigen Ort der Anmut in der zerrütteten Stadt«. Obwohl kein so bekanntes Wahrzeichen wie ihr Gegenstück in Brooklyn, hat diese Brücke von Othmar Ammann und seinem Architekten Cass Gilbert doch ihren eigenen Charakter und ihre Geschichte. Der Plan, Manhattan und New Jersey zu verbinden, bestand bereits mehr als 60 Jahre, bis schließlich die Port of New York Authority die 59 Millionen Dollar aufbrachte, um das Projekt zu verwirklichen. Ammann wollte eine Autobrücke bauen statt einer teureren Eisenbahnverbindung. Die Arbeiten wurden 1927 aufgenommen und die Brücke 1931 eröffnet. Zwei junge Rollerskater aus der Bronx überquerten als erste die Brücke. Heute wäre der Pendlerverkehr ohne die Brücke nicht mehr denkbar.

Der Leuchtturm unter der Washington Bridge

Cass Gilbert wollte die beiden turmartigen Pfeiler mit Mauerwerk versehen lassen. Da die Mittel nicht reichten, entstand eine gerüstartige Struktur, 183 Meter hoch und 1065 Meter lang.

In Ammanns Plänen war auch eine zweite Brückentrasse vorgesehen, die 1962 hinzugebaut wurde. Zur Zeit registriert die Brückenmautbehörde ein Verkehrsaufkommen von 50 Millionen Autos jährlich. Unterhalb des östlichen Turmpfeilers steht ein Leuchtturm, der 1951 aufgrund öffentlichen Protests vor dem Abbruch bewahrt wurde. Der Auslöser für diese Proteste ist heute Teil der Mythologie New Yorks. Viele Tausende kannten und liebten die Gute-Nacht-Geschichte *The Little Red Lighthouse and the Great Grey Bridge* von Hildegard Hoyte Swift und setzten sich in Bittbriefen für die Erhaltung des Leuchtturms ein.

Cloisters ❹

Siehe S. 234 ff.

Cloisters ④

Das Cloisters vom Fort Tryon Park aus gesehen

Dieses weltberühmte Museum für mittelalterliche Kunst residiert in einem Gebäude, das 1934–38 aus mittelalterlichen Klöstern und Kapellen errichtet wurde. Der Bildhauer George Barnard gründete es 1914, nachdem er von seinen Europareisen viele architektonische Bruchstücke und Skulpturen mitgebracht hatte. John D. Rockefeller Jr. finanzierte den Aufkauf durch das Metropolitan Museum of Art 1925 und stiftete das Grundstück im Fort Tyron Park.

Grabbild des Jean d'Alluye
Der Kreuzritter aus dem 13. Jahrhundert ist hier verewigt.

Pontaut-Ordenshaus

★ Einhorn-Gobelins
Die Serie wunderbarer, in Brüssel gewebter Wandteppiche (um 1500) stellt die Suche nach dem mythischen Einhorn und seine Gefangennahme dar.

Nicht versäumen

- **★ Einhorn-Gobelins**
- **★ Belles Heures des Jean, Duc de Berry**
- **★ Altartriptychon Verkündigung Mariae von Robert Campin**

Boppard-Kirchenglasfenster *(1440–47)*
Unter dem Spitzbogen von St. Catherine ist das Wappen der Küfergilde zu sehen, deren Schutzpatronin die hl. Katharina ist.

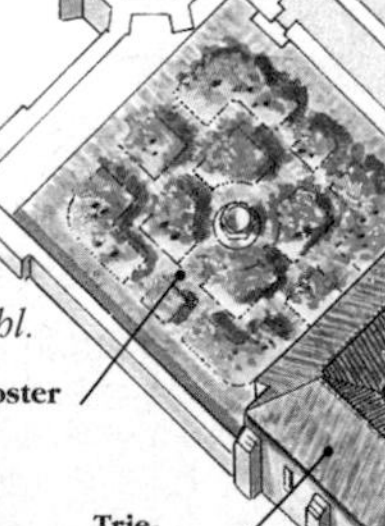

Bonnefont-Kloster

Trie-Kloster

★ Verkündigung Mariae *(um 1425)*
Im Campin-Raum steht dieses kleine Triptychon von Robert Campin aus Tournai, ein großartiges Beispiel der frühen flämischen Schule.

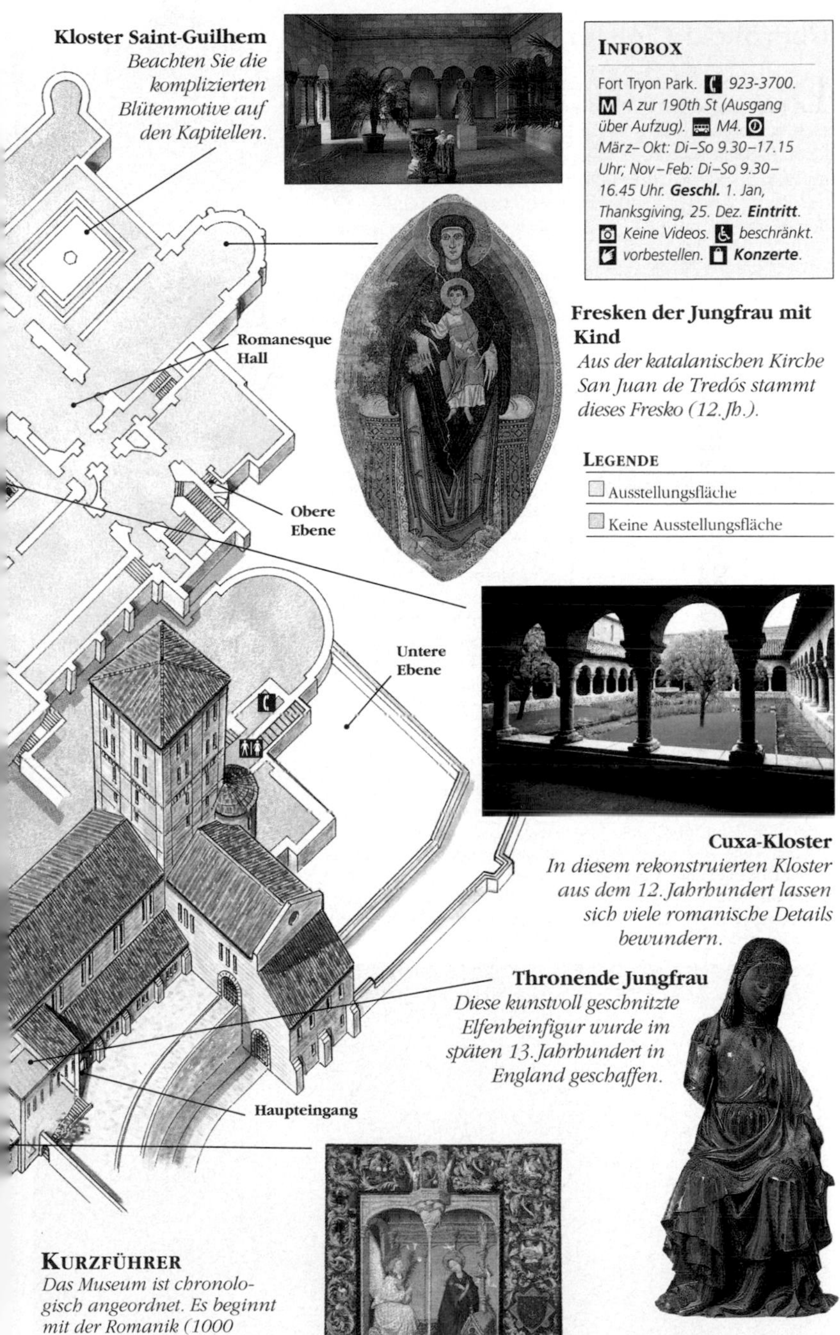

Kloster Saint-Guilhem
Beachten Sie die komplizierten Blütenmotive auf den Kapitellen.

Fresken der Jungfrau mit Kind
Aus der katalanischen Kirche San Juan de Tredós stammt dieses Fresko (12. Jh.).

Cuxa-Kloster
In diesem rekonstruierten Kloster aus dem 12. Jahrhundert lassen sich viele romanische Details bewundern.

Thronende Jungfrau
Diese kunstvoll geschnitzte Elfenbeinfigur wurde im späten 13. Jahrhundert in England geschaffen.

★ Belles Heures
Dieses Stundenbuch, ein Gebetsbuch des Jean, Duc de Berry, ist mit 94 Miniaturen in Tempera und Gold illustriert.

INFOBOX

Fort Tryon Park. 923-3700. *A zur 190th St (Ausgang über Aufzug). M4. März–Okt: Di–So 9.30–17.15 Uhr; Nov–Feb: Di–So 9.30–16.45 Uhr.* **Geschl.** *1. Jan, Thanksgiving, 25. Dez.* **Eintritt.** *Keine Videos. beschränkt. vorbestellen.* **Konzerte.**

LEGENDE

- Ausstellungsfläche
- Keine Ausstellungsfläche

KURZFÜHRER

Das Museum ist chronologisch angeordnet. Es beginnt mit der Romanik (1000 n. Chr.) und schreitet fort bis zur Gotik (1150–1520). Skulpturen, Glasfenster, Gemälde und der Garten sind in der unteren Ebene. Die Unicorn Tapestries *finden sich auf der oberen Ebene.*

Überblick: Cloisters

Die Cloisters sind vor allem für ihre romanischen und gotischen Architekturteile berühmt, aber es gibt dort auch illustrierte Handschriften, Glasmalerei, Metallarbeiten, Emaille, Elfenbein und Gemälde zu sehen. Unter den Exponaten ist auch die berühmte *Einhorn*-Serie. Der großartige mittelalterlich Komplex hat in Amerika nicht seinesgleichen.

Ein Rosenkranz aus Kirschholz, 16. Jahrhundert

Romanische Kunst

Ein lebensgroßes spanisches Kruzifix (12. Jahrhundert) mit Christus als König des Himmels

Phantasietiere, Akanthusblüten und Zierrat schmücken überall in den Cloisters die Säulen. Viele von ihnen sind in romanischem Stil, der seine Blüte im 11. und 12. Jahrhundert hatte. Das Museum birgt eine Unzahl von Exponaten aus Kunst und Architektur dieser Zeit, wie die mächtigen Rundbögen mit ihren filigranen Details. Stark ornamental verzierte Kapitelle und warmer, rosa Marmor charakterisieren das Cuxa-Kloster aus den französischen Pyrenäen. Über dem Narbonne-Bogen thronen ein Greif, ein Drache, ein Kentaur und ein Basilisk. In der Romanesque Hall ist ein goldgekrönter Jesus als Triumphator über den Tod dargestellt.

Feierlicher gibt sich die Apsis der Kirche von St. Martín in Fuentidueña, Spanien, ein massives Rundgewölbe aus 30 000 Kalksteinblöcken, mit einem Fresko der Jungfrau mit Kind aus dem 12. Jahrhundert.

Vor mehr als 800 Jahren saßen noch Benediktiner- und Zisterziensermönche auf den kalten Steinbänken des Ordenshauses von Pontaut; im 19. Jahrhundert wurde es als Stall genutzt. Sein geripptes Gewölbe gibt einen Vorgeschmack auf die sich ankündigende Gotik.

Gotische Kunst

War die romanische Kunst sehr massiv, so erweckt die Gotik mit ihren spitzen Bögen, den leuchtenden Glasfenstern und dreidimensionalen Skulpturen den Eindruck von Offenheit. Gotische Darstellungen der Jungfrau mit Kind zeugen von erlesener Kunstfertigkeit.

Die farbigen Glasfenster der Gothic Chapel zeigen Szenen und Gestalten aus der Bibel. Unter den lebensgroßen Grabdenkmälern findet sich das Abbild des Kreuzritters Jean d'Alluye. Um 1790 wurde der ur-

Gewölbedecke des Pontaut-Ordenshauses

sprüngliche Standort der Statue, die Abtei von Clarté-Dieux in Frankreich, zerstört und das Denkmal als Brücke genutzt.

Im Boppard-Raum sind Heiligenlegenden auf spätgotischen Glasfenstern aus Deutschland dargestellt.

Im Zentrum des Campin-Raumes steht Campins Altartriptychon *Die Verkündigung Mariae*. Der Raum ist mit Möbeln ausgestattet, die einer Familie aus dem 15. Jahrhundert gehört haben mögen.

Mittelalterliche Gärten

In den Klostergärten findet man mehr als 250 Pflanzen, die im Mittelalter angebaut wurden. Im Bonnefont-Kloster wachsen Heilkräuter und Gewürze. Im Trie-Kloster sieht man die Pflanzen der *Einhorn*-Wandteppiche und erhält Auskunft über den Symbolgehalt der Pflanzen: Rosen (für die Jungfrau Maria), Stiefmütterchen (für die Dreifaltigkeit) und Gänseblümchen (für das Auge Christi).

Bonnefont-Kloster

Wandteppiche

Die Wandteppiche der Cloisters sind voll reicher Metaphorik und Symbolik; sie gehören zu den wertvollsten Schätzen des Museums. Die vier Wandteppiche mit den *Neun Helden* tragen das Wappen des Duc de Berry, Bruder des französischen Königs und einer der größten Förderer der Künste im Mittelalter. Sie bilden eine von zwei Serien, die aus dem 14. Jahrhundert noch erhalten sind; die andere Serie gehörte Jeans Bruder Louis, Duc d'Anjou.

Abgebildet sind neun Helden – drei Heiden, drei Juden und drei Christen – mit ihrem mittelalterlichen Hofstaat: Kardinälen, Rittern, Hofdamen, Spielleuten.

Im Raum nebenan hängt die *Jagd nach dem Einhorn*, eine Serie von sieben Wandteppichen, die in Brüssel um 1500 gewebt wurden. Sie stellt die symbolische Jagd und Gefangennahme eines mythischen Einhorns durch eine Jungfrau dar.

Obwohl die Gobelins im 19. Jahrhundert als Kälteschutz für Obstbäume zweckentfremdet wurden, sind sie doch erstaunlich gut erhalten. Höchst bewundernswert sind die unzähligen Details in Form von Hunderten minutiös beobachteter Pflanzen und Tiere. Die Motive können als die Geschichte einer höfischen Liebe gelesen werden, aber sie sind gleichzeitig auch eine Allegorie auf den Tod und die Auferstehung Jesu.

Julius Caesar im Kreis von Hofmusikanten auf einem *Neun-Helden*-Wandteppich

Die Schatzkammer

Im Mittelalter wurden wertvolle Gegenstände in Sanktuarien verwahrt. In den Cloisters findet man sie in der Schatzkammer. Die Sammlung birgt mehrere illustrierte gotische Stundenbücher. Diese dienten dem Adel zur Privatandacht, wie das *Belles Heures*, das die Brüder Limbourg 1410 für den Duc de Berry anfertigten, oder die handtellergroße Version, die Jean Pucelle um 1325 für die französische Königin schuf.

Daneben finden sich weitere religiöse Artefakte wie die elfenbeinerne Jungfrau aus dem England des 13. Jahrhunderts, ein Reliquienschrein aus Silber und Email, angeblich aus dem Besitz Elisabeths von Ungarn, und viele Weihrauchbehälter, Kelche, Leuchter und Kruzifixe.

Zu den Kuriositäten zählen der emaillierte »Affenbecher« von einem burgundischen Hof (15. Jahrhundert), auf dem dargestellt ist, wie Affen einen schlafenden Hausierer ausrauben, ein walnußgroßer geschnitzter Rosenkranz, ein schiffsförmiges, juwelenbesetztes Salzfäßchen aus dem 13. Jahrhundert und eines der ältesten vollständig erhaltenen Kartenspiele.

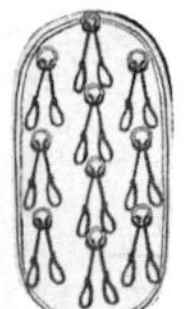

Jagddarstellungen und -symbole auf einem Kartenspiel aus dem 15. Jahrhundert

Das westliche Wohnzimmer des Van Cortlandt House Museum

Bronx

EINST EIN blühender Vorort mit einer berühmten großen Promenade voller teurer Appartementhäuser, ist die Bronx heute das Symbol für städtischen Verfall schlechthin. Wie dem auch sei, es gibt dort noch immer die unterschiedlichsten ethnischen Gemeinschaften und bezaubernde Gegenden wie etwa Riverdale im Norden. Zwei Hauptattraktionen sind der Zoo und der Botanische Garten, und die New Yorker pilgern nach wie vor zum Baseballfeld im *Yankee*-Stadion, das schon 50 Jahre alt und der Bronx treu geblieben ist.

Wave Hill ❺

W 249th St und Independence Ave, Riverdale. *(718) 549-3200.* *231st St, dann Bus Bx7, 10, 24.* *Di–So 9–17.30 Uhr (Mitte Okt bis Mitte Mai 9–16.30 Uhr).* ***Eintritt** Sa, So; Di–Fr freier Eintritt.*

WENN IHNEN der Beton der Metropole über den Kopf wächst, besuchen Sie diese elf Hektar große Oase und genießen Sie die Aussicht über den Hudson auf die Palisaden in New Jersey. Eine Reihe illustrer Persönlichkeiten hat hier residiert: der ursprüngliche Besitzer George W. Perkins, Theodore Roosevelt, Mark Twain und Arturo Toscanini. Perkins baute auf den ihm ebenfalls gehörenden Nachbargrundstücken ein unterirdisches Erholungscenter mit Bowlingbahnen und einem Verbindungstunnel zum Hauptgebäude.

Das Haus und das Grundstück sind öffentlich zugänglich und Schauplatz vieler Konzerte. Sie finden meist in der Armor Hall statt, die 1928 für Bashford Dean gebaut wurde, den damaligen Kurator der Waffensammlung des Metropolitan Museum of Art.

Die Gärten wurden von dem Wiener Landschaftsgärtner Albert Millard angelegt. Sie finden dort Gewächshäuser, einen Kräutergarten und Wäldchen. Hier gibt es auch Ausstellungen, etwa über Kunst oder Gartenkultur.

Im angrenzenden Riverdale Park gibt es weitere Waldflächen und reizende Pfade entlang des Flusses.

Das Innere der großartigen Armor Hall in Wave Hill

Van Cortlandt House Museum ❻

Van Cortlandt Park. *(718) 543-3344.* *242nd St, Van Cortlandt Park.* *Di–Fr 10–16 Uhr, Sa, So 11–16 Uhr (letzter Einlaß: 30 Min. vor Schließung).* ***Geschl.** die meisten Feiertage.* ***Eintritt.***
*Siehe **Die Geschichte der Stadt** S. 18 f.*

Die Fassade des Van Cortlandt House

DIESER Landsitz im georgianischen Kolonialstil, 1748 aus Stein erbaut, war der Wohnsitz Frederick Van Cortlandts, der sehr wohlhabend und mit vielen der einflußreichen Familien seiner Zeit verwandt war.

Das Eßzimmer diente George Washington als Hauptquartier während des Unabhängigkeitskrieges, und der Grund hinter dem Gebäude war Schauplatz eines Scharmützels.

Die Einrichtung besteht aus Möbeln im Stil der Zeit, einer erlesenen Sammlung Delfter Steinguts und einem kompletten holländischen Schlafzimmer aus dem 17. Jahrhundert.

Beachtenswert sind auch die aus Stein gemeißelten Gesichter über den Fensterstöcken.

Woodlawn Cemetery ❼

Jerome und Bainbridge Aves.
(718) 920-0500. *Woodlawn.*
Tägl. 9–16.30 Uhr.
Büro geschl. *Feiertage.*

AUF DIESEM FRIEDHOF sind viele prominente und reiche New Yorker beerdigt, und der Besuch ermöglicht sozialgeschichtliche Einblicke der ganz anderen Art. Gedenk- und Grabsteine stehen in wunderschöner Umgebung. Das Mausoleum F.W. Woolworths und seiner Familie ist kaum weniger verschnörkelt als das Gebäude, das diesen Namen trägt. Der rosa Marmor des Grabgewölbes des Fleischmagnaten Herman Armour erinnert fatal an einen Schinken.

Eingang zum Woolworth-Mausoleum

Weitere Berühmtheiten sind Bürgermeister Fiorello LaGuardia, Roland Macy, Gründer des Kaufhauses, der Schriftsteller Herman Melville und der Musiker Duke Ellington.

New York Botanical Garden ❽

Siehe S. 240 f.

International Wildlife Conservation Park ❾

Siehe S. 242 f.

Yankee Stadium ❿

E 161st St, Ecke River Ave, Highbridge.
(718) 293-6000. *161st St.*
Siehe ***Unterhaltung*** *S. 344 f.*

HIER IST DAS New York *Yankees*-Baseballteam zu Hause. Zu den Helden der *Yankees* zählten zwei der größten Spieler aller Zeiten: Babe Ruth und Joe DiMaggio (auch bekannt durch seine Ehe mit Marilyn Monroe). Das Stadion wurde 1923 von Jacob Ruppert, dem damaligen Besitzer der Mannschaft, gebaut. Es wurde auch bekannt als »das Haus, das Ruth baute«, nach dem berühmten Linkshänder Babe Ruth. Das Stadion wurde Mitte 1970 einer Renovierung unterzogen und faßt heute 54 000 Zuschauer. Sollten Sie zu einem Spiel gehen, nehmen Sie ruhig Ihre Kinder mit.

Joe DiMaggio 1941 in Aktion im Yankee Stadium

City Island ⓫

610 City Island Ave. *6 nach Pelham Parkway, dann Bx12 nach City Island.* ***North Wind Undersea Institute Museum*** *(718) 885-0701.*

CITY ISLAND ist ein kleiner nautischer Vorposten gleich vor dem nordöstlichen Ufer der Bronx, mit einer Atmosphäre wie in Neuengland. Es scheint weit weg von New York City zu sein und hat einen ganz anderen Lebensrhythmus. Überall sieht man Segelboote, und die ausgezeichneten Fischrestaurants lassen das Herz eines Seemannes höher schlagen. In den Werften wurden schon einige Siegerboote des America's Cup gebaut.

Der Eingang des North Wind Undersea Institute Museum besteht aus einem aufgerissenen Walkieferknochen (2,75 Meter). Es birgt eine Ausstellung über die Geschichte des Walfangs und die einzigen Seehunde der Welt, die für die Polizei arbeiten. Sie sind darauf trainiert, versunkene Waffen und Drogen oder auch Leichen aus untergegangenen Autos und Flugzeugen zu bergen. City Island ist heute durch eine Brücke mit dem Rest der Bronx verbunden. Gleich zur Linken auf dem Festland liegt Orchard Beach, ein sehr beliebtes Fleckchen weißen Sandes mit Badehütten aus den 30er Jahren. Die beste Zeit für einen Strandbesuch ist unter der Woche, wenn weniger Rummel herrscht.

Taucherhelm im North Wind Undersea Institute Museum

Ein alter Schlepper im North Wind Undersea Institute Museum

New York Botanical Garden ❽

Hibiskus

ALS EINER DER ÄLTESTEN und größten Botanischen Gärten Amerikas erstreckt sich diese 1891 geschaffene Oase über ein Areal von 101 Hektar. Neben gestalteten Anlagen umfaßt sie einen großflächigen, weitgehend naturbelassenen Waldbereich, der sich an den Ufern des Flusses (Bronx River) ausbreitet und einen der letzten Überbleibsel von New Yorks ursprünglichem Wald darstellt. Sehenswert ist das 1902 erbaute Enid A Haupt Conservatory, das stilistisch von Londons Crystal Palace und dem Palmenhaus in Kew Gardens inspiriert ist. Der Garten ist auch ein Zentrum ökologischer Forschung.

Eingang zum Enid A Haupt Conservatory

Rock Garden

Riesige Geröllblöcke, Felsbänke, Bäche und ein Wasserfall bilden einen alpinen Lebensraum für Pflanzen aus den Fels- und Gebirgsregionen der ganzen Welt. ④

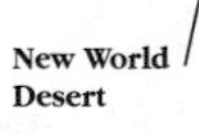

Botanical Garden Forest

Hier wachsen Amerikanische Roteichen, Weißeschen und Schierlingstannen. ⑤

Hardy Pool

Hier können Wasserpflanzen aus aller Welt bewundert werden.

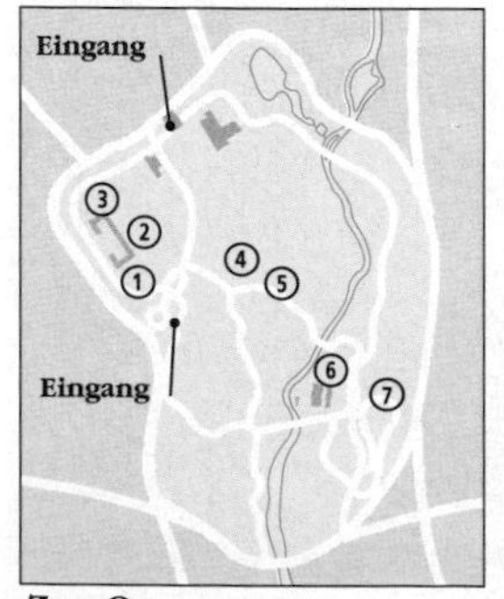

ZUR ORIENTIERUNG

Rose Garden

Der Peggy Rockefeller Rose Garden (2700 Rosenarten) wurde 1988 nach dem Orginalentwurf von 1915 rekonstruiert. ⑦

Palm Court
In einer bis ins Detail nachgebildeten tropischen Umgebung findet man hier ein Viertel der weltweit vorkommenden Palmenarten.

INFOBOX

Southern Blvd. (718) 817-8700. M 4, D zum Bedford Park Blvd. Bx12, Bx19, Bx41. Nov–März Di–So 10–16 Uhr; Apr–Okt Di–So 10–18 Uhr (letzter Einlaß ins Gewächshaus 1 Stunde vor Schließung). Neu renoviertes Gewächshaus öffnet wieder im Frühling 1997. **Eintritt.** **Vorträge.**

Das **Enid A Haupt Conservatory** besteht aus elf Arealen, die jeweils einen eigenen botanischen oder geographischen Komplex darstellen. Temperatur, Licht und Luftfeuchtigkeit entsprechen aufs genaueste den natürlichen Bedingungen. ①

Demonstration Gardens
Farbenprächtige Pflanzenarrangements sollen dem Besucher Anregungen für den eigenen Garten geben. ③

Jane Watson Irwin Perennial Garden
Perennierende Pflanzen bilden, nach Höhe, Farbton und Blütezeit kombiniert, beeindruckende Muster. ②

Snuff Mill Terrace Café
Im Frühling 1997 soll ein neues Café mit Sitzgelegenheiten im Grünen eröffnen. Bis dahin werden auf der Terrasse von Lorillard Snuff Mill am Bronx River kleine Erfrischungen angeboten. ⑥

International Wildlife Conservation Park ⑨

Der im Jahre 1899 gegründete International Wildlife Conservation Park (vormals Bronx Zoo) ist der größte Zoo in den USA, der sich innerhalb einer Stadt befindet. Hier leben 4300 Tiere, die 764 verschiedenen Arten angehören. Der Park ist führend im Hinblick auf die Erhaltung gefährdeter Arten (Rhinozeros, Schneeleopard). Zu dem 107 Hektar großen, aus Wäldern, Wasserläufen und Parkanlagen bestehenden Areal gehört auch ein Kinderzoo. Die Besucher können den Park mit einem Bähnchen oder auch zu Fuß erkunden. Den besten Überblick über die verschiedenen Bereiche des Parks bietet die Skyfari-Kabinenbahn.

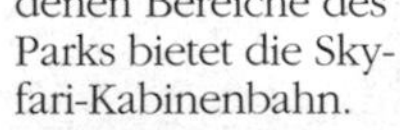

Haupteingang

Wildfowl Marsh

Mouse-House

Skyfari-Seilbahn

World of Darkness
Durch Umkehrung des Tag- und Nachtzyklus können die Besucher Nachttiere wie Fledermäuse und Nachtaffen beobachten.

Carter Giraffe Building

★ African Plains
Zebras, Löwen, Geparden und Gazellen durchstreifen die African Plains. Raub- und Beutetiere sind durch einen Wassergraben getrennt.

Africa
Antilopen finden Schutz unter einer afrikanischen Hütte.

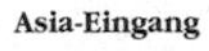

Asia-Eingang

Kamelreiten
Für Kinder bietet der Zoo Kamelritte und andere Attraktionen.

Bengali-Express-Bahn

★ Jungle World
In einem tropischen Regenwald unter Glas leben Säugetiere, Vögel und Reptilien aus Südasien. Sie sind durch Schluchten, Wasserläufe und Klippen von den Besuchern getrennt.

Affen in der Jungle World

Baboon Reserve
Die Besucher durchwandern eine der äthiopischen Gebirgswelt nachgebildete Umgebung.

Children's Zoo
Kinder können durch einen Präriehundetunnel kriechen, auf einem Spinnennetz klettern und die Tiere streicheln und füttern.

INFOBOX

Fordham Rd /Bronx River Pkwy.
(718) 220-5100. M 2, 5 zur *E Tremont Ave.* zur Fordham Station. Bx9, Bx12, Bx19, Bx36, BxM11, Q44.
Okt–Apr tägl. 10–16.30 Uhr; Mai–Sep tägl. 10–17 Uhr (Sa, So 10–17.30 Uhr). **Eintritt**; Mi Eintritt frei (Spende erbeten).

Kinderzoo.

NICHT VERSÄUMEN

★ **Wild Asia**

★ **African Plains**

★ **Jungle World**

★ **World of Birds**

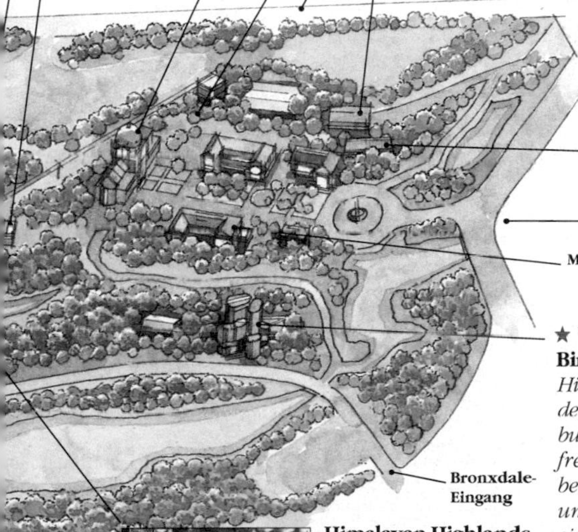

Great Ape House

Zoo Center mit Elefanten, Nashörnern und Tapiren.

Southern-Boulevard-Eingang

World of Reptiles

Aquatic Bird House

Dejur Aviary (Vogelhaus)

Rainey-Gate-Eingang

Monkey House

★ **World of Birds**
Hier lassen sich in der natürlichen Umgebung eines Regenwaldes freifliegende Vögel beobachten. Täglich um 14 Uhr wird ein tropischer Sandsturm simuliert; ein künstlicher Wasserfall ergießt sich über 15 Meter hohe Klippen.

Großer Nashornvogel

Bronxdale-Eingang

Himalayan Highlands
Hier leben bedrohte Tierarten wie Schneeleoparden und Rote Pandas.

★ **Wild Asia**
Der Bengali Express, eine Einschienenbahn, fährt durch asiatisch anmutende Wälder und Wiesen, in welchen Elefanten, Nashörner und Sibirische Tiger umherstreifen.

Queens

Als stark expandierender Stadtbezirk bietet Queens eine Reihe von Attraktionen und besteht aus Wohn- und Geschäftsvierteln wie etwa dem Busineßdistrikt Long Island City. Queens entwickelte sich rasch zu einem aufstrebenden Stadtbezirk – nicht zuletzt durch den Bau der Queensboro Bridge (1909), die bessere Verkehrsverbindungen schuf. Hier befinden sich die beiden Flughäfen der Stadt; hier haben sich aber auch die verschiedensten ethnischen Enklaven – vor allem Griechen und Asiaten – niedergelassen.

Mutoskop (um 1900) im Museum of the Moving Image

Flushing Meadow-Corona Park ⓬

M *Willets Point-Shea Stadium. Siehe* ***Unterhaltung in New York*** *S. 344 f.*

Das Areal, auf dem die beiden Weltausstellungen von New York stattfanden, ist heute ein ausgedehntes, am Wasser gelegenes Picknickgelände, das eine Fülle von Attraktionen bietet. Dazu gehört das 50 000 Zuschauer fassende Shea Stadion der *Mets*, New Yorks Baseball-Mannschaft, das ein beliebter Veranstaltungsort für Rock-Konzerte ist.

In Flushing Meadow befindet sich aber auch das US Tennis Center, in dem das renommierte US Open ausgetragen wird. Für den Rest des Jahres stehen die Plätze den angehenden Agassis, Grafs und Everts offen. In den 20er Jahren war das als Corona Dump bekannte Gelände ein Ort des Grauens, der aus Salzsümpfen und riesigen Bergen schwelenden Mülls bestand. In *Der große Gatsby* bezeichnet es der Autor F. Scott Fitzgerald als »valley of ashes« (Tal der Asche). Robert Moses, Verantwortlicher für die Parkanlagen New Yorks, setzte sich mit viel Engagement für eine Umgestaltung ein. Ganze Müllberge wurden abgetragen und ein neues Bett für den Fluß geschaffen. Sümpfe wurden trockengelegt und Abwasserkanäle gebaut, um das Gelände zu sanieren. Es diente schließlich als Schauplatz für die Weltausstellung im Jahre 1939, bei der eine Welt am Rande des Krieges den vagen Anschein eines Weltfriedens vermittelte.

Die Unisphäre, Symbol der Weltausstellung von 1964, beherrscht noch immer den Schauplatz von damals. Dieser riesige, hohle Ball aus grünem Stahl ist zwölf Stockwerke hoch und 350 Tonnen schwer.

Die Unisphäre im Flushing Meadow-Corona Park

New York Hall of Science ⓭

46th Ave, 111th St Flushing Meadows, Corona Park. *(718) 699-0005.* M *111th St.* *Mi–So 10–17 Uhr.* ***Geschl.*** *Feiertage.* ***Eintritt.***

Der Pavillon der Naturwissenschaften, für die Weltausstellung von 1964 gebaut, ist ein Gebäude mit von Betonplatten eingefaßten bemalten Glasfenstern. Es ist heute ein Wissenschafts- und Technikmuseum zum Anfassen, das Ausstellungen über Farbe, Licht und Naturphänomene bietet. Kinder begeistern sich für die eindrucksvollen Video- und Laser-Shows.

Geschwungene Betonfront der New York Hall of Science

American Museum of the Moving Image and Kaufman Astoria Studio ⓮

35th Ave bei der 36th St, Astoria. ***Museum*** *(718) 784-0077.* ***Studio*** *(718) 392-5600.* M *36th St.* ***Museum*** *Di–Fr 12–16 Uhr, Sa, So 12–18 Uhr.* ***Eintritt. Studio:*** *Kein Publikumsverkehr.*

Zur Blütezeit von New Yorks Filmproduktion traten hier im größten Studio der Stadt – 1920 von Paramount Pictures eröffnet – Rudolph Valentino, W.C. Fields, die Marx Brothers und Gloria Swanson auf. Als die Filmindustrie nach Hollywood abwanderte, übernahm die Armee das Studio und produzierte hier 1941–71 Lehrfilme.

Der Komplex stand bis in die 70er Jahre leer, bis sich Astoria Motion Picture and Television Foundation seine Erhaltung zum Ziel setzte. *The Wiz*, Sid-

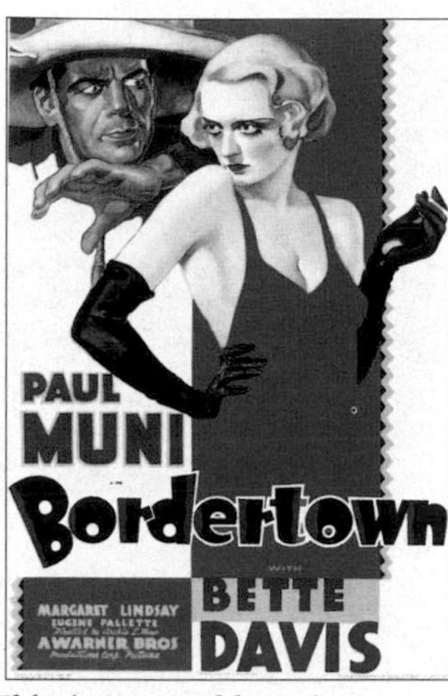

Plakat im Museum of the Moving Image

ney Lumets 24 Millionen Dollar teures Musical mit Michael Jackson und Diana Ross in den Hauptrollen, wurde hier gedreht, um damit auch die Restaurierung zu finanzieren. Heute verfügen die Studios über die umfangreichste Ausrüstung für die Filmproduktion an der Ostküste. Coppolas *Cotton Club* und Woody Allens *Radio Days* wurden hier produziert.

Seit 1981 ist eines der Studiogebäude Sitz des American Museum of the Moving Image, in dem Ausstellungen über Produktion und Werbung stattfinden und Studios mit Requisiten für Film- und Fernsehdreharbeiten eingerichtet werden.

Hier finden sich eine Menge Kitsch und Erinnerungsstücke, angefangen bei Annie Halls Garderobe bis zu den Raumfahrtanzügen aus *Raumschiff Enterprise*. Die Hauptgalerie im ersten Stock steht ganz im Zeichen der Dauerausstellung von über 60 000 Filmrequisiten. Dazu gehören Gags wie etwa ein Spiegel, in dem man sich mit dem Körper von Sylvester Stallone (*Rocky*), Marylin Monroe (*Das verflixte 7. Jahr*) oder Eddy Murphy (*Beverly Hills Cop*) betrachten kann.

»Behind the Screen« beleuchtet sämtliche Phasen der Filmproduktion, einschließlich Drehbuch, Ton und Kostüme. Die Besucher können durch die Originalfilmkulisse von Paul Newmans 1988 gedrehtem Film *Die Glasmenagerie* wandeln. Ein Kino im Hauptgeschoß bietet eine große Auswahl an Filmen.

In der 31st Street, dem Herz von Astorias griechischer Enklave, und entlang Ditmars Boulevard sowie am Broadway finden sich unzählige Konditoreien (*Zacharoplasteia*), Cafés und Tavernen, *Psistarias*, Nachtclubs sowie elf griechisch-orthodoxe Kirchen.

Brooklyn

Der Musikpavillon im Prospect Park *(siehe S. 246)*

Wäre Brooklyn eine Stadt für sich, wäre es die viertgrößte Stadt der USA. Brooklyn hat eine ganz eigene Ausstrahlung. Zahlreiche berühmte Stars wie Mel Brooks, Woody Allen und Neil Simon erweisen ihrem Geburtsort voller Zärtlichkeit und Humor ihre Referenz. Brooklyn ist ein Schmelztiegel, in dem Westinder, Juden, Russen, Italiener, Araber – um nur einige zu nennen – Tür an Tür miteinander leben. Inmitten dieser bunt bevölkerten Viertel befinden sich die historischen Wohnbezirke Park Slope und Brooklyn Heights.

Brooklyn Children's Museum ⓯

145 Brooklyn Ave. *(718) 735-4432.* *Kingston.* *Mi–Fr 14–17 Uhr, Sa, So 12–17 Uhr; Juli, Aug: Mo 12–17 Uhr, Mi–So 12–17 Uhr.* **Geschl.** *1. Jan, Thanksgiving, 25. Dez.* **Spende erbeten.**

Das Brooklyn Children's Museum war das erste eigens für Kinder geschaffene Museum. Es wurde im Jahre 1899 gegründet und hat seither Modellcharakter. Für mehr als 250 Kindermuseen überall in der Welt diente es als Anregung und Vorbild. Es befindet sich in einem 1976 erbauten unterirdischen High-Tech-Gebäude und ist eines der phantasievollsten und fortschrittlichsten Kindermuseen überhaupt.

Das Innere des Gebäudes besteht aus einem Labyrinth miteinander verbundener Gänge, die vom Hauptgang, der »main people tube«, ausgehen und gleich einem riesigen Röhrensystem die vier Ebenen verbinden. Hier stehen die Kinder nicht herum und schauen nur – sie werden in die Thematik miteinbezogen und dürfen die Ausstellungsstücke anfassen. Ringsum gilt es Kurioses zu entdecken, auszuprobieren, zu bauen oder zu spielen. Selbst ein begehbares Klavier ist vorhanden, wie in dem Film *Big*, und Kinder jeden Alters sind fasziniert davon. Mittels Sonderausstellungen und Situationsdarstellungen sollen Kinder etwas über die Erde erfahren, ihre Ängste oder Probleme bewältigen lernen, Einblick in fremde Kulturen erhalten und in die Vergangenheit eintauchen.

Ihr Lachen und ihre Begeisterungsausbrüche sind Beweis genug für den Erfolg dieses gut durchdachten und klug konzipierten Museums, das Kindern und Jugendlichen spielerisch Wissen vermittelt.

Maske aus dem Children's Museum

Vorderansicht der Brooklyn Academy of Music

Brooklyn Academy of Music ⓰

30 Lafayette Ave. *(718) 636-4100.* *Atlantic Ave.* ***Eintritt.*** *Siehe* ***Unterhaltung in New York*** *S. 338 f.*

Die Konzerthalle des Brooklyn Philharmonic, im Jahre 1858 gegründet und allgemein als BAM bekannt, ist Brooklyns renommierteste und älteste Kulturinstitution. Geboten werden hervorragende Aufführungen, häufig von Werken der Moderne und Avantgarde.

Das klassizistische Gebäude wurde 1908 von Herts & Tallant entworfen und mit einer ausgezeichneten Inszenierung von Gounods Oper *Faust* eingeweiht. Star der Aufführung war der legendäre Tenor Enrico Caruso. Unzählige Berühmtheiten sind hier aufgetreten: die Schauspielerin Sarah Bernhardt, die Ballerina Anna Pawlowa, die Musiker Pablo Casals und Sergej Rachmaninow, der Dichter Carl Sandburg und der Staatsmann Winston Churchill. Außerdem haben hier viele internationale Gastspiele stattgefunden, auch solche der Royal Shakespeare Company.

Das BAM Next Wave Festival hat eine Reihe berühmter zeitgenössischer Künstler präsentiert, wie etwa die Musiker Philip Glass und David Byrne, die Performance-Künstlerin Laurie Anderson und die Choreographen Pina Bausch und Mark Morris. Die Brooklyn Academy of Music betreut auch die Tanz-, Schauspiel- und Musikaufführungen im ehemaligen Kino des Majestic Theater.

Grand Army Plaza ⓱

Plaza St bei der Flatbush Ave. *(718) 965-8951.* *Grand Army Plaza.* ***Torbogen*** *geöffnet für gelegentliche Ausstellungen.*

Der Soldiers' and Sailors' Arch an der Grand Army Plaza

Frederick Law Olmsted und Calvert Vaux entwarfen 1870 dieses große Oval als Zugang zum Prospect Park. Der Torbogen (Soldiers' and Sailors' Arch) und seine Skulpturen kamen 1892 als Tribut an die Union Army hinzu. Die Büste John F. Kennedys ist das einzige offizielle Kennedy-Denkmal in New York. Im Juni ist der Platz Austragungsort des Welcome Back to Brooklyn Festivals, das allen in Brooklyn geborenen mehr oder weniger berühmten Leuten gilt.

Vorderansicht der Brooklyn Public Library an der Grand Army Plaza

Park Slope Historic District ⓲

Straßen vom Prospect Park W unterhalb Flatbush Ave bis zu 8th/ 7th/5th Avenues. *Grand Army Plaza.*

Relief am Montauk Club

Diese schöne Enklave herrlicher viktorianischer Bürgerhäuser entstand um 1880 am Rande des Prospect Park. Hier wohnte die obere Mittelschicht, deren Bürger nach Manhattan pendeln konnten, nachdem 1883 die Brooklyn Bridge fertiggestellt war. Die schattigen Straßen sind gesäumt von ein- bis vierstöckigen Häusern, die die unterschiedlichsten Baustile zeigen. Besonders schön sind die mit Rundportalen versehenen Gebäude im neuromanischen Stil.

Der Montauk Club in der Eighth Avenue Nr. 25 fällt durch die Kombination zweier Stile auf; er läßt Anklänge an den venezianischen Ca' d'Oro Palazzo (Goldpalast) sowie Friese und Wasserspeier der Montauk-Indianer erkennen, nach welchen dieser beliebte Treffpunkt des 19. Jahrhunderts benannt ist.

Prospect Park ⓳

(718) 965-8951. *(718) 788-8549.* *Grand Army Plaza.* *(718) 287-3400.*

Den Architekten Olmsted und Vaux gefiel dieser 1867 eröffnete Park besser als ihr zuvor geschaffener Central Park. Die Long Meadow ist mit ihren ausgedehnten Rasenflächen und großartigen Ausblicken die größte zusammenhängende Grünanlage in New York. Olmsted war der Überzeugung, daß »die Besucher ein Gefühl der Erleichterung empfinden, sobald sie – den dichten und überbevölkerten Straßen der Stadt entronnen –

den Park betreten«. Diese Vorstellung ist heute ebenso wahr wie vor hundert Jahren.

Sehenswert sind unter anderem Stanford Whites kolonnadenartiger Croquet-Schuppen sowie die Teiche und Trauerweiden des Cashmere-Tales. Der Musikpavillon läßt deutlichen japanischen Einfluß erkennen; hier finden im Sommer Jazz- und Klassikkonzerte statt.

Ein Anziehungspunkt ist die Camperdown-Ulme, ein im Jahre 1872 gepflanzter, bizarr gewachsener Baum. Diese alte Ulme wird vielfach in Gedichten besungen und in Gemälden dargestellt. Der Prospect Park bietet eine vielfältige Landschaftsarchitektur, von geometrisch angelegten, mit Statuen geschmückten Gärten bis zu felsigen Bergschluchten mit rauschenden Bächen. Den besten Überblick gewinnt man durch eine Führung.

Karussellpferd im Prospect Park

Brooklyn Museum ⓴

Siehe S. 248 ff.

Brooklyn Botanic Garden ㉑

1000 Washington Ave. ☎ (718) 622-4433. Ⓜ *Prospect Pk, Eastern Pkwy.* *Apr–Sep Di–Fr 8–18 Uhr (Sa und So ab 10 Uhr); Okt–März 8–16.30 Uhr (Sa und So ab 10 Uhr).* ***Geschl.*** *1. Jan, Thanksgiving, 25. Dez.* ***Eintritt*** *Sa und So für Japanischen Garten.*

Obwohl dieser Garten mit einer Fläche von 20 Hektar nicht sehr groß ist, bietet er viel Abwechslung. Das Areal wurde 1910 von den Brüdern Olmsted entworfen und umfaßt einen mit Kräutern bepflanzten elisabethanischen »Zier-Kräutergarten« und eine der größten Rosensammlungen Nordamerikas.

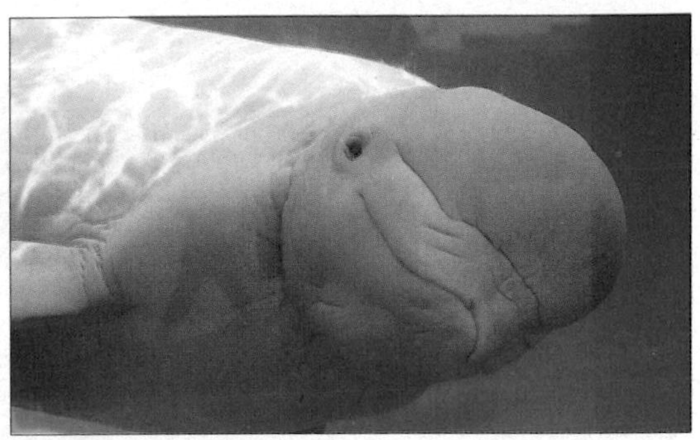

Beluga-Wal im New York Aquarium

Hauptanziehungspunkt ist ein Japanischer Hügel- und Teichgarten mit Teehaus und Shinto-Schreinen. Wenn Ende April/Anfang Mai an der Promenade des Parks die zarten japanischen Kirschblüten leuchten, findet alljährlich ein Festival statt, das typische japanische Kultur, Küche und Musik präsentiert.

Ein weiterer Publikumsmagnet ist im April die Magnolienblüte an der Magnolia Plaza, wo etwa 80 Bäume ihre herrlichen cremeweißen Blüten vor einem Hintergrund aus Narzissen auf Boulder Hill entfalten.

In dem auf erhöhten Beeten angelegten Duftgarten sind alle Namen der intensiv duftenden, strukturierten und aromatischen Pflanzen auch in Blindenschrift verzeichnet.

Im neuen Gewächshaus befinden sich heute eine Bonsai-Sammlung und einige seltene Baumarten aus dem Regenwald, die medizinische Extrakte zur Produktion lebensrettender Medizin liefern.

Seerosenteich im Brooklyn Botanic Garden

Coney Island ㉒

Boardwalk und W 8th St, Coney Island. Ⓜ *Stillwell Ave, Coney Island.* ***New York Aquarium*** ☎ *(718) 265-3400.*

Mitte des 19. Jahrhunderts verfaßte der aus Brooklyn stammende Dichter Walt Whitman unter dem Tosen der Brandung viele seiner Werke auf Coney Island. Zu jener Zeit war Coney Island ein wilder Küstenstreifen am Atlantik, die Nasenspitze des großen »Wals«, mit welchem der Poet Long Island verglich.

Bereits um 1920 begann Coney Island sich als »die größte Spielwiese der Welt« anzupreisen. Entstanden aus drei riesigen, zwischen 1887 und 1904 geschaffenen Rummelplätzen (Luna Park, Dreamland und Steeplechase Park), bot es Gelegenheit zu einem wilden Ritt oder auch zum Baden. 1920 bekam Coney Island eine U-Bahn, und als ein Jahr später die Strandpromenade entstand, war seine Popularität auch über die Zeit der Depression hinweg gesichert. Hier bot sich für ein paar Cents ein Ort der Entspannung fern jeder Großstadthektik.

Sehr beliebt ist das New York Aquarium, das 1955 vom Battery Park hierher verlegt wurde. Heute bietet Coney Islands Strandpromenade Impressionen vom Meer, und bei Nathan's Famous gibt es noch immer die besten »Hot Dogs«.

Das Brooklyn Museum ⑱

Nordfassade, entworfen von Stanford White

DAS BROOKLYN MUSEUM wurde im Jahre 1897 eröffnet; laut Bauplan sollte es der größte Kulturbau der Welt werden – eine Meisterleistung der New Yorker Architekten McKim, Mead & White. Obgleich es nur zu einem Fünftel fertiggestellt wurde, ist das Museum heute eine der eindrucksvollsten Kultureinrichtungen der Vereinigten Staaten mit einer enzyklopädischen Sammlung von etwa 1,5 Millionen ständigen Exponaten.

Chinesisches Gefäß
Mit Fisch und Wasserpflanzen ist ein aus dem 14. Jahrhundert stammendes Keramikgefäß bemalt.

LEGENDE

- Kunst aus Afrika, Ozeanien und der Neuen Welt
- Asiatische Kunst
- Drucke, Zeichnungen und Fotografien
- Klassische u. ägyptische Kunst
- Dekorative Kunst
- Malerei und Plastik
- Williamsburg-Wandmalereien
- Wechselausstellungen
- Keine Ausstellungsfläche

★ Decke aus Paracas
Über 2000 Jahre alte farbenprächtige Webdecke aus Peru.

Mutter und Kind
Geschnitzte Figur aus Zaire. Sie dient als Amulett für schwangere und stillende Frauen.

Zweiter Stock

Erster Stock

Skulpturenterrasse

Westflügel

Erdgeschoß

Portal und Haupteingang

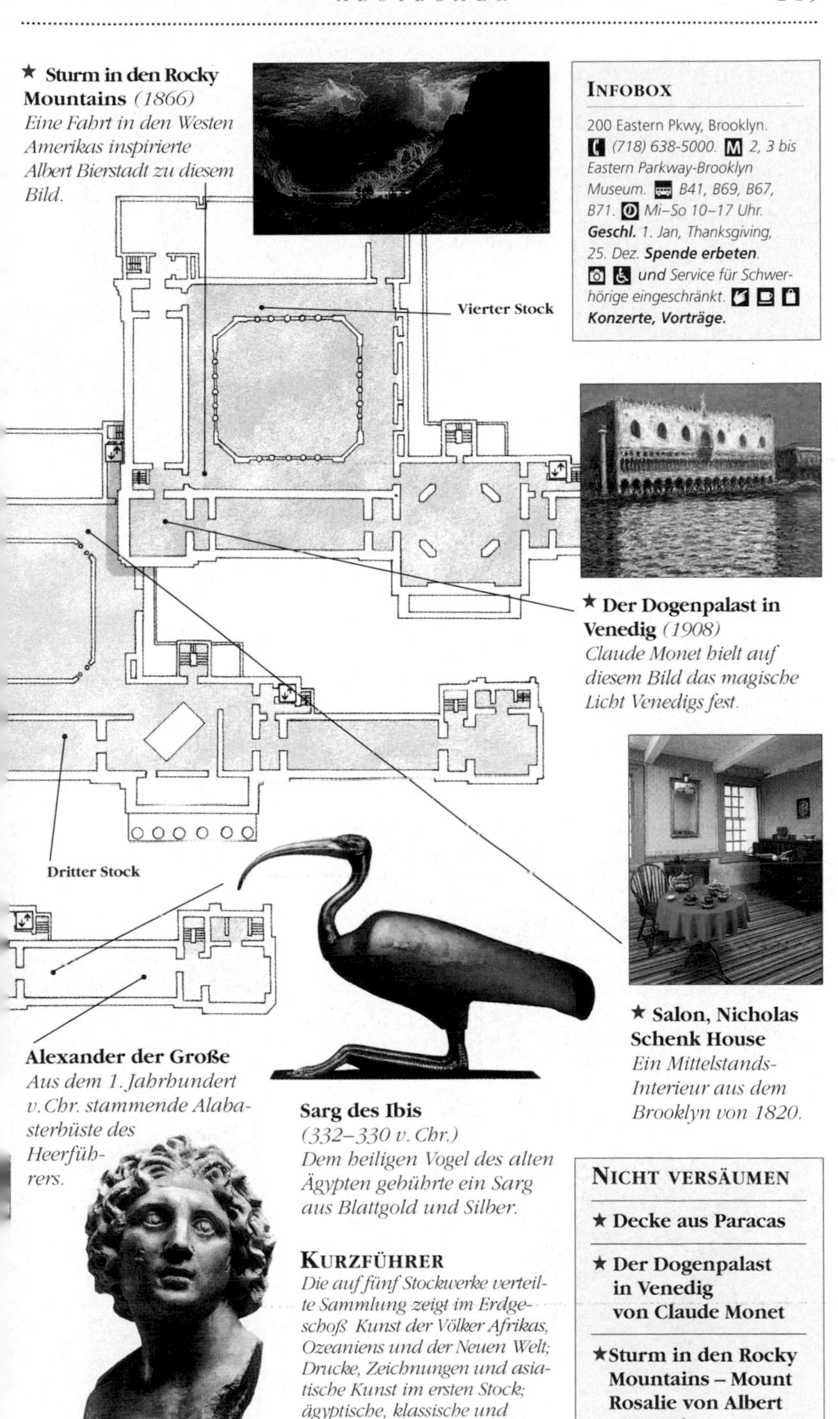

★ **Sturm in den Rocky Mountains** *(1866)*
Eine Fahrt in den Westen Amerikas inspirierte Albert Bierstadt zu diesem Bild.

★ **Der Dogenpalast in Venedig** *(1908)*
Claude Monet hielt auf diesem Bild das magische Licht Venedigs fest.

★ **Salon, Nicholas Schenk House**
Ein Mittelstands-Interieur aus dem Brooklyn von 1820.

Alexander der Große
Aus dem 1. Jahrhundert v. Chr. stammende Alabasterbüste des Heerführers.

Sarg des Ibis
(332–330 v. Chr.)
Dem heiligen Vogel des alten Ägypten gebührte ein Sarg aus Blattgold und Silber.

INFOBOX

200 Eastern Pkwy, Brooklyn.
(718) 638-5000. M 2, 3 bis Eastern Parkway-Brooklyn Museum. B41, B69, B67, B71. Mi–So 10–17 Uhr.
Geschl. 1. Jan, Thanksgiving, 25. Dez. **Spende erbeten.**
und Service für Schwerhörige eingeschränkt.
Konzerte, Vorträge.

KURZFÜHRER

Die auf fünf Stockwerke verteilte Sammlung zeigt im Erdgeschoß Kunst der Völker Afrikas, Ozeaniens und der Neuen Welt; Drucke, Zeichnungen und asiatische Kunst im ersten Stock; ägyptische, klassische und orientalische Kunst im zweiten Stock; dekorative Kunst im dritten Stock; amerikanische und europäische Malerei sowie Gegenwartskunst im vierten Stock.

NICHT VERSÄUMEN

★ **Decke aus Paracas**

★ **Der Dogenpalast in Venedig von Claude Monet**

★ **Sturm in den Rocky Mountains – Mount Rosalie von Albert Bierstadt**

★ **Salon, Nicholas Schenk House**

Überblick: Das Brooklyn Museum

DAS BROOKLYN MUSEUM enthält eine der wertvollsten Kunstsammlungen der Vereinigten Staaten. Schwerpunkte sind seine einzigartige Kunstsammlung indigener Völker aus dem Südwesten der USA, 28 mit amerikanischen Stilmöbeln eingerichtete Zimmer sowie viele bedeutende amerikanische und europäische Gemälde.

In Kalkstein gehauener sitzender Buddha-Torso aus Indien (spätes 3. Jahrhundert n. Chr.)

KUNST AUS AFRIKA, OZEANIEN UND DER NEUEN WELT

DIE AUSSTELLUNG afrikanischer Objekte als Kunstwerke – nicht nur als Gebrauchsgegenstände – im Brooklyn Museum 1923 markierte einen Präzedenzfall in den Vereinigten Staaten. Von da an wurde die afrikanische Kunstsammlung ständig erweitert und gewann an Bedeutung wie an Größe.

Eines der seltenen Exponate ist ein aus dem 16. Jahrhundert stammender kunstvoll geschnitzter Gong aus Elfenbein aus dem Königreich Benin (Nigeria), von dem nur fünf Exemplare existieren.

Außerdem besitzt das Museum eine bedeutende Sammlung von Objekten indigener amerikanischer Völker, wie Totempfähle, Textilien und Keramik. Dokumente alter amerikanischer Handwerkskunst sind peruanische Textilien, zentralamerikanische Goldschmiedearbeiten und mexikanische Skulpturen. Eine aus dem Jahre 600 n. Chr. stammende, sehr gut erhaltene peruanische Tunika ist so dicht gewebt, daß die schillernden Muster wie gemalt wirken.

Die Ozeanien-Sammlung umfaßt Skulpturen von den Salomonen-Inseln, aus Neuguinea und Neuseeland.

Mit Zeichnungen und Glasperlen geschmücktes Hemd aus Rotwildhaut (Blackfoot-Indianer, 19. Jh.)

ASIATISCHE KUNST

DAS MUSEUM BIETET wechselnde Ausstellungen aus seiner Sammlung chinesischer, japanischer, koreanischer, indischer, südostasiatischer und islamischer Kunst. Japanische und chinesische Gemälde, indische Miniaturen und islamische Kalligraphie ergänzen die asiatischen Skulpturen, Textilien und Keramikarbeiten. Beispiele buddhistischer Kunst reichen von einer Vielzahl chinesischer, indischer und südostasiatischer Buddha-Statuen bis zu einem auf das 14. Jahrhundert zurückgehenden Tempelbanner aus Tibet mit seinem leuchtend bunt aufgemalten Mandala-Motiv.

DEKORATIVE KUNST

IM MITTELPUNKT DIESER ABTEILUNG steht eine Suite von 28 im Stil verschiedener Epochen eingerichteten Räumen.

Der älteste Raum stammt aus der holländischen Ära der Kolonialzeit im 17. Jahrhundert. Er diente als Wohn-, Eß- und Schlafstätte mit gegenüber dem Kamin eingebauten Bettkästen. Das maurische Herrenzimmer aus J. D. Rockefellers braunem Sandsteinhaus ist ein Beispiel großzügig eleganter New Yorker Lebensart des ausgehenden 19. Jahrhunderts. Einen krassen Gegensatz dazu bildet ein Art-deco-Studio von 1928-30 aus einem Appartement in der Park Avenue; von der Zeit der Prohibition zeugt eine hinter Paneelen verborgene Bar *(siehe S. 28f)*.

***Normandie*, Henkelkanne aus Chrom von P. Müller-Munk (1935)**

Ausgestellt ist ferner eine große Auswahl von Möbeln und Gebrauchsgegenständen aus Keramik, Glas, Silber und Metall, einschließlich einer Kanne, die in ihrer Form den Schornsteinen des Ozeandampfers *Normandie* ähnelt.

Ägyptische, Klassische und Orientalische Kunst

Zu den grossartigsten Ausstellungen der Welt gehört unbestritten die Sammlung ägyptischer Kunst. Das älteste Zeugnis ist eine Frauengestalt (3500 v. Chr.); es folgen Skulpturen, Statuen, Grabgemälde, Reliefs und Grabbeigaben. Ein ganz besonderes Stück ist der Sarg eines Ibis, der vermutlich in den großen Tiergrabstätten in Tuna el-Gebel in Mittelägypten gefunden wurde. Der Ibis galt als heiliger, den Gott Toth darstellender Vogel; sein Sarg besteht aus massivem Silber und mit Blattgold belegtem Holz, die Augen sind mit Bergkristall markiert. Diese Galerien wurden nach dem neuesten Stand der Technik restauriert.

Unter den kunsthandwerklichen Objekten der griechischen und römischen Antike finden sich Plastiken, Keramik, Bronzearbeiten, Schmuck und Mosaike. Zu den Exponaten alter Kunst aus dem Nahen und Mittleren Osten gehören eine umfassende Keramiksammlung und zwölf Alabasterreliefs aus dem assyrischen Palast des Königs Ashurnasirpal II. (883–859 v. Chr.). Sie stellen den König im Kampf dar, wie er den Blick auf seine Kornfelder richtet und wie er den »heiligen Baum« reinigt.

Malerei und Bildhauerei

Diese Abteilung enthält Werke vom 14. Jahrhundert bis zur Gegenwart, einschließlich einer bekannten und einzigartigen Sammlung französischer Gemälde des 19. Jahrhunderts mit Werken von Degas, Rodin, Monet, Cézanne, Matisse und Pissarro. Sie rühmt sich außerdem, im Besitz einer der größten Bestände spanischer Gemälde aus der Kolonialzeit zu sein sowie der bedeutendsten Sammlung nordamerikanischer Malerei, die in den Vereinigten Staaten zu finden ist. Zur Sammlung des 20. Jahrhunderts gehört selbstverständlich das Bild *Brooklyn Bridge* von Georgia O'Keeffe.

Pierre de Wiessant aus der Gruppe _Die Bürger von Calais_ von Auguste Rodin (um 1886)

Der Skulpturengarten präsentiert eine Sammlung architektonischer Teile aus zerstörten Gebäuden New Yorks.

Drucke, Zeichnungen und Fotografien

Die Abteilung Drucke zeigt Werke vieler Künstler, angefangen bei Dürers bedeutendem Holzschnitt *Der Triumphwagen* über Werke von Piranesi bis zu einer ausgezeichneten Sammlung impressionistischer und nachimpressionistischer Malerei. Sie enthält außerdem Werke von Toulouse-Lautrec und Mary Cassatt, einer der wenigen Frauen und der einzigen Amerikanerin, die zur impressionistischen Bewegung gezählt wird. Sehenswert sind James McNeill Whistlers Lithographien, Winslow Homers Stiche und eine hervorragende Auswahl von Zeichnungen (viele in Schwarz-Weiß) Fragonards, Klees, van Goghs, Picassos und Gorkys.

Rotherhide, eine Radierung von James McNeill Whistler (1860)

Die fotografische Sammlung enthält hauptsächlich Fotografien von US-Künstlern des 20. Jahrhunderts, darunter ein Porträt von Mary Pickford, 1924 aufgenommen von Edward Steichen, und Arbeiten von M. Bourke-White, B. Abbott und R. Mapplethorpe.

Sandsteinreliefs aus Theben in Ägypten (um 760–656 v. Chr.) stellen den Gott Amun-Re und seine Gemahlin Mut dar

Staten Island

Abgesehen von der berühmten Fahrt mit der Fähre, ist Staten Island mit seinen Attraktionen wenig bekannt. Die Bewohner fühlen sich derart übergangen, daß eine Trennung von der City im Gespräch war. Viele Besucher sind jedoch angenehm überrascht über die weiten Hügel, Wiesen und Seen, die großartigen Ausblicke auf den Hafen und die gut erhaltenen Gebäude aus der Gründerzeit New Yorks. Zu den Überraschungen gehört eine Sammlung tibetanischer Kunst in einem authentisch nachgebauten buddhistischen Tempel.

Historic Richmond Town ㉓

441 Clarke Ave. *(718) 351-1611.* *S74 von der Fähre.* *Jan–März Mi–Fr 13–17 Uhr; Apr–Juni und Sep–Dez Mi–So 13–17 Uhr; Juli–Aug Mi–Fr 10–17 Uhr, Sa und So 13–17 Uhr.* ***Eintritt.***

Von bislang 29 Gebäuden in New Yorks einzigem restaurierten Dorf und Freilichtmuseum stehen 14 der Öffentlichkeit zur Besichtigung offen. Das zunächst nach dem heimischen Schellfisch »Cocclestown« genannte Dorf wurde im Volksmund zum Ärger der Bewohner zu »Cuckoldstown«. Gegen Ende des Unabhängigkeitskrieges (1775–83) erhielt es den Namen »Richmondtown«. Es war Kreishauptstadt, bis Staten Island 1898 eingemeindet wurde, und ist ein typisches Beispiel für eine frühe Siedlung in New York.

»Cologne« im General Store

In dem vor 1696 erbauten Voorlezer House – der Name erinnert an die holländische Ära – befindet sich die älteste Elementary School des Landes. Der 1837 eröffnete Stephens General Store diente gleichzeitig als örtliches Postamt. Er wurde authentisch nachgebaut.

Der 42 Hektar große Komplex umfaßt Wagenschuppen, ein 1837 erbautes Herrenhaus, Bürgerhäuser, mehrere Läden und eine Schenke. Hier finden auch Workshops statt, in welchen den Besuchern traditionelle Handwerkstechniken beigebracht werden.

Die St Andrew's Church von 1708 liegt jenseits des Mill Pond Stream, das Historical Society Museum befindet sich im County Clerk's and Surrogate's Office.

Das Voorlezer House in Richmondtown

Jacques Marchais Center of Tibetan Art ㉔

338 Lighthouse Ave. *(718) 987-3500.* *S74 von der Fähre.* *Apr–Nov Mi–So 13–17 Uhr (letzter Einlaß 16.45 Uhr); Dez–März nach Vereinbarung.* ***Geschl.*** *Feiertage.* ***Eintritt.***

Das vom Stadtlärm abgeschottete, auf einem Hügel gelegene Museum enthält eine der größten Privatsammlungen tibetanischer Kunst. Das Hauptgebäude ist ein originalgetreu nachgebildeter Bergtempel mit authentischem dreistöckigen Altar. Ein anderes Gebäude dient als Bibliothek. Im Garten finden sich lebensgroße Buddha-Figuren. Das Museum wurde 1947 von Mrs. Harry Klauber gegründet, einer Kunsthändlerin, die unter dem Namen Jacques Marchais asiatische Kunst vertrieb. 1991 stattete der Dalai Lama dem Museum seinen ersten Besuch ab.

Statue im Jacques Marchais Center of Tibetan Art

Aussichtstürmchen im Snug Harbor Cultural Center

Snug Harbor Cultural Center ㉕

1000 Richmond Terrace. *(718) 448-2500.* *S40 von der Fähre zum Snug Harbor Gate.* *Tägl. Sonnenaufgang–Sonnenuntergang.* ***Geschl.*** *1. Jan, Thanksgiving, 25. Dez.* *eingeschränkt.*

Als Bleibe für pensionierte Seeleute 1801 gegründet, ist Snug Harbor heute ein Kulturzentrum, das sich aus 28 historischen Gebäuden in unterschiedlichem Erhaltungszustand zusammensetzt. Am schönsten sind die fünf von 1831–80 errichteten Prachtbauten im klassizistischen Stil. Der älteste von ihnen, die Main Hall, ist heute das Newhouse Center for Contemporary Art.

Andere Gebäude beherbergen das vorzügliche Staten Island Children's Museum und die Veterans Memorial Hall, eine ehemalige Kapelle. Zu den Parkanlagen gehört der Staten Island Botanical Garden mit seiner namhaften Orchideensammlung und einem sehr schönen Rosengarten.

Snug Harbor ist das Vermächtnis eines schottischen Seemanns namens Robert Richard Randall, der während des Unabhängigkeitskrieges reich geworden war und sein Vermögen bedürftigen Seeleuten zugute kommen ließ – eine Bleibe, die so angelegt wurde, daß sie den Seeleuten den geliebten Blick auf den Hafen gewährte.

»Clear Comfort«, Alice Austens ständiger Wohnsitz

Alice Austen House ㉖

2 Hylan Blvd. *(718) 816-4506.* *S 51 von der Fähre zu Hylan Blvd.* *Do–So 12–17 Uhr.* ***Geschl.*** *Feiertage.* ***Spende erbeten.*** *eingeschränkt.*

CLEAR COMFORT – das um 1710 erbaute kleine Landhaus mit dem hübschen Namen – bietet einen herrlichen Blick auf den Hafen. Hier verbrachte die 1866 geborene Fotografin Alice Austen den größten Teil ihres Daseins. Ihre Fotos dokumentieren das Leben auf der Insel, in Manhattan, aber auch in anderen Landesteilen und in Europa. Beim Börsenkrach 1929 verlor sie ihr ganzes Vermögen, so daß sie mit 84 Jahren völlig mittellos in ein Armenhaus ziehen mußte. Ein Jahr später wurde ihr fotografisches Talent vom Magazin *Life* entdeckt, das einen Artikel über sie veröffentlichte. Die Einnahmen ermöglichten ihr den Umzug ins Altenheim. Sie hinterließ 3500 Negative aus der Zeit von 1880 bis 1930. Heute organisiert der Freundeskreis »Alice Austen House« Ausstellungen ihrer Fotokunst.

Weitere Abstecher

Das Dorf Broad Channel an der Jamaica Bay

Jamaica Bay Wildlife Refuge Center ㉗

Cross Bay Blvd bei Broad Channel. *(718) 318-4340.* *Broad Channel.* *Tägl. 8.30–17 Uhr.*

DIE MARSCHEN und Hochflächen des Naturschutzgebiets nehmen eine Fläche von der Größe Manhattans ein. Mehr als 300 Vogelarten leben hier. Da es direkt an der Vogelflugroute zum Atlantik liegt, besucht man das Naturschutzgebiet am besten im Frühling oder Herbst. Das Aufsichtspersonal bietet Rundfahrten und Wanderungen für Wochenendbesucher an – tragen Sie gutes Schuhwerk und entsprechende Kleidung. Auch Zoom-Objektiv oder Fernglas sollten nicht fehlen. Das einzige Dorf an der Jamaica Bay, Broad Channel, ist eine Ansammlung weniger auf Pfählen erbauter Häuser entlang des Cross Bay Boulevard. Das Naturschutzgebiet und ein 16 Kilometer langer Küstenstreifen mit einem Holzbohlenpfad lassen sich mit der U-Bahn direkt von Manhattan aus erreichen.

Jones Beach State Park ㉘

(516) 785-1600. *Long Island Railroad von Penn Station zu Jones Beach.* ***Verkehrt*** *22. Mai–12. Sep.* *(718) 454-5477.* ***Jones Beach Theater*** *(516) 221-1000.* ***Strandsaison*** *22. Mai–12. Sep.*

ROBERT MOSES, Verantwortlicher für die Parkanlagen New Yorks *(siehe S. 244)*, schuf 1929 Jones Beach und machte diese schmale Landzunge zu Long Islands am besten erreichbarem und beliebtestem Strand. Hier gibt es Sanddünen, Brandungswellen auf der dem Atlantik zugewandten Seite und einen geschützten Badestrand in der Bucht, des weiteren einen Golfplatz, Swimmingpools, Restaurants und das Jones Beach Theater, das im Sommer Freilichtkonzerte offeriert.

Der Robert Moses State Park befindet sich auf Fire Island, der nächstgelegenen Insel im Osten, die über 48 Kilometer lang, aber weniger als 800 Meter breit ist. Teile der Insel sind völlig naturbelassen und nicht besiedelt; die langen weißen Sanddünen eignen sich hervorragend zum Wandern und Radfahren fern der Großstadthektik.

Unterschiedliche Menschen treffen sich hier – Singles, Familien oder Angehörige der großen Gemeinschaft von New Yorks Homosexuellen.

Am Strand von Jones Beach

Fünf Spaziergänge

Auf Spaziergängen lernt man New York von seiner menschlichen Seite kennen. Die folgenden fünf Routen bringen Ihnen den einzigartigen Charme und Charakter der Stadt näher. Sie führen uns auf die Spuren von Literaten und Künstlern in Greenwich Village und SoHo *(siehe S. 260f)* oder etwa über die Brooklyn Bridge, um spektakuläre Ausblicke und das New York des 19. Jahrhunderts zu genießen *(siehe S. 264f).*

Außerdem wird zu jedem der 15 Stadtteile Manhattans im *Führer durch die Stadtteile* auf einer *Detailkarte* ein kurzer Spaziergang vorgeschlagen, der an den wichtigsten Sehenswürdigkeiten vorbeiführt. Verschiedenste Organisationen bieten Touren zu Fuß an, die thematisch von der Architekturgeschichte New Yorks bis zu den Geistern am Broadway reichen. Näheres zu Veranstaltern finden Sie auf Seite 353 und im Magazin *New York.* Wie in jeder Großstadt sollten Sie besonders bei Spaziergängen auf Ihre Wertsachen achten *(siehe S. 356f).* Planen Sie den Weg im voraus und gehen Sie möglichst in Gruppen!

Skulptur am US Custom House, Lower Manhattan

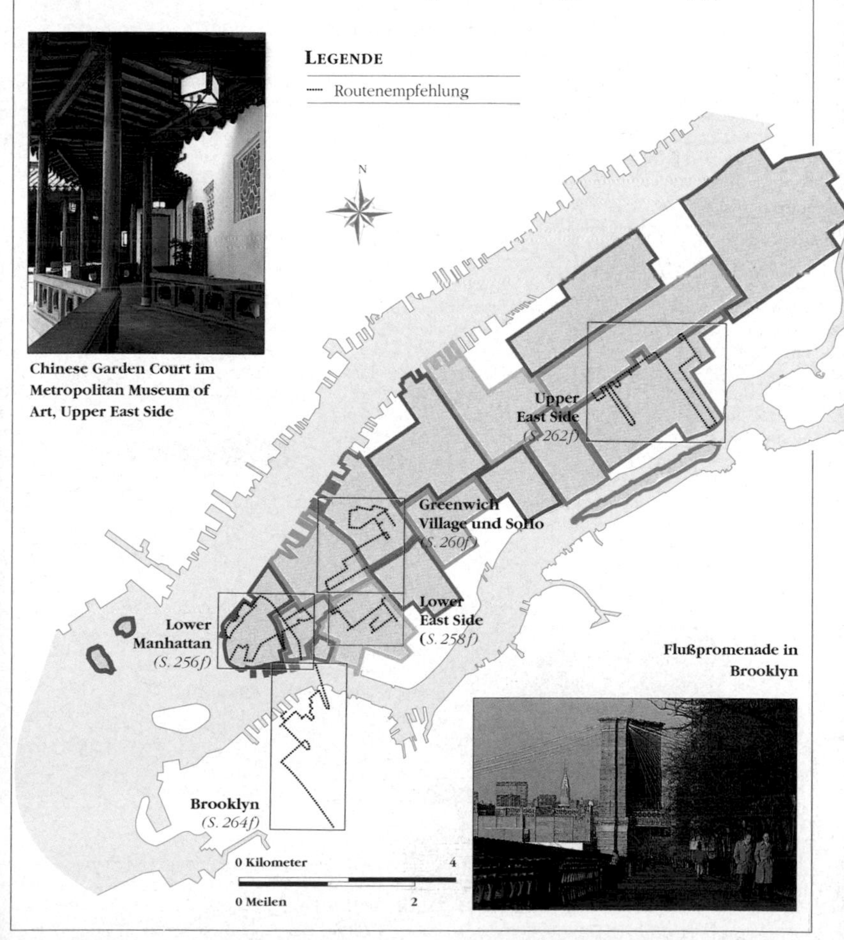

Chinese Garden Court im Metropolitan Museum of Art, Upper East Side

Flußpromenade in Brooklyn

Ruhepause in der Grove Street, Greenwich Village

Zweistündiger Spaziergang durch Lower Manhattan

DIESE ROUTE erschließt die Südspitze Manhattans. Sie führt durch die Hochhausschluchten des Finanzbezirks, zum historischen South Street Seaport und in New Yorks neuestes Viertel: Battery Park City. Näheres zu den Sehenswürdigkeiten von Lower Manhattan finden Sie auf den Seiten 64–79; zu South Street Seaport siehe auch Seiten 80–91.

Battery Park und Federal New York

Ausgangspunkt ist der Battery Park ① an der Südspitze der Insel, wo früher Kanonen den Hafen bewachten. In der Festung Castle Clinton (1807) zeigen Dioramen den Wandel der Stadt. Die Uferlinie hat sich weit ins Wasser vorgeschoben: Der Rand Manhattans inklusive Battery Park liegt zum großen Teil auf aufgeschwemmtem Land.

Der Weg landeinwärts führt an zahlreichen Statuen und Denkmälern vorbei zum US Custom House ②. Das hübsche Beaux-Arts-Gebäude soll das neue Domizil des Museum of the American Indian werden. Ironie des Schicksals: Nicht weit von hier erwarb Peter Minuit 1626 die Insel Manhattan von den hier lebenden Indianern – für Glasperlen im Wert von 24 Dollar.

Gegenüber liegt Bowling Green, der älteste Park New Yorks (1633). Folgen Sie der Whitehall Street nach rechts und biegen Sie links in die Pearl Street ein (wo einst, als hier noch das Ufer verlief, Perlmuscheln herumlagen). Die Straße führt zur rekonstruierten Fraunces Tavern (1719 erbaut) ③, wo George Washington nach dem Unabhängigkeitskrieg seine Offiziere verabschiedete. Das Gebäude beherbergt ein Restaurant mit einem kleinen Museum im Obergeschoß. Der Block bildet das letzte bauliche Relikt im Federal Style im Finanzviertel.

Minuit-Denkmal im Bowling Green

Durch die Wall-Street-Schlucht

Folgen Sie der Broad Street nach Norden. Der Kanal, der die Straße ursprünglich teilte, wurde aufgefüllt, wodurch eine der breiteren Straßen in Downtown entstand.

An der Wall Street fällt der Blick nach links auf die Trinity Church (1846). Die Kirche – mit ihrem 85 Meter hohen Turm bis 1860 das höchste Bauwerk New Yorks – verschwindet fast zwischen den Hochhäusern. Zu den berühmten New Yorkern auf ihrem Friedhof zählt Alexander Hamilton. Er soll noch heute auf dem Grab von Matthew Davis herumgeistern – Aaron Burrs Sekundanten bei dem Duell, das für Hamilton tödlich endete.

An der Kreuzung Broad Street/Wall Street ist die New York Stock Exchange ④. Besucher können den Börsenbetrieb an Wochentagen von einer Empore aus verfolgen. Vor der Federal Hall ⑤, Wall Street Nr. 26, leistete George Washington 1789 seinen Amtseid als Präsident.

Immigrants' Memorial beim Castle Clinton

Von der Nassau Street zur City Hall

Die Nassau Street (Verlängerung der Broad Street) bringt Sie Richtung Uptown zur Chase Plaza ⑥, dem ersten großen Platz im Finanzbezirk. An seinem Nordende, der Liberty Street, ragt das wuchtige, 1924 errichtete Gebäude der Federal Reserve Bank auf ⑦, in deren fünf unterirdischen Stockwerken riesige Mengen von Goldbarren lagern. Das andere Ende des Blocks öffnet sich auf den Legion Memorial Square, der in

Turm der City Hall ⑨

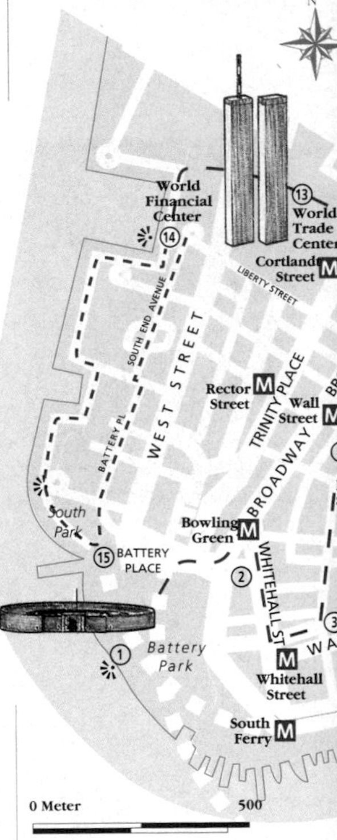

0 Meter 500

0 Yards 500

LEGENDE

— Routenempfehlung

- Abstecher

Aussichtspunkt

M Subway-Station

ROUTENINFO

Ausgangspunkt: *Battery Park.*
Länge: *4 Kilometer.*
Anfahrt: *Subway-Linien 4 oder 5 zum Bowling Green bzw. 1 oder 2 zur South Ferry. Die günstigsten Buslinien sind M1 (Fifth Avenue) und M6 (Seventh Avenue-Broadway).*
Rasten: *Seaport und World Financial Center lohnen einen kurzen Aufenthalt. Am Seaport bietet Pier 17 die beste Aussicht. Im WFC können Sie zwischen einem Café im Winter Garden, dem Gourmet-Restaurant im Hudson River Club oder einem Mitnehm-Snack wählen.*

Louise Nevelson Plaza umbenannt wurde – nach der Künstlerin, von der hier sieben Skulpturen aufgestellt sind. Gegenüber der Südseite der Plaza, Maiden Lane Nr. 90, behauptet sich inmitten der Wolkenkratzer ein kleines Haus von 1815. Seine Gußeisenfassade wurde 1872 angefügt. Gehen Sie nun nördlich zur

St Paul's Chapel ⑪

Der Viermaster *Peking* im South Street Seaport ⑫

Park Row ⑧ und zur eleganten, georgianischen City Hall ⑨, die seit 1812 Sitz der Stadtverwaltung ist.

Die Route führt Sie zurück zum Broadway, wo Sie das architektonisch unübertroffene Woolworth Building ⑩ (Nr. 233) von 1913 mit seinem imposanten Interieur erwartet.

Zwei Blocks südlich erhebt sich die georgianische St Paul's Chapel ⑪, in der George Washington nach seiner Amtseinführung betete. Die Kirche ist das alteste ununterbrochen genutzte Bauwerk der Stadt. Bei ihrem Bau inmitten eines Weizenfeldes floß am Kirchhof noch der Hudson vorbei.

George Washington, Federal Hall ⑤

South Street Seaport

Links hinter der Kirche führt Sie die Fulton Street direkt zum South Street Seaport ⑫, wo Sie zu Mittag essen oder eines der Schiffe besichtigen können. Die renovierten roten Ziegelbauten der Schermerhorn Row im georgianischen bzw. Federal Style sehen wie neu aus, obwohl sie bereits im frühen 18. Jahrhundert als Lager und Kontore dienten. Sloppy Louie's an der South Street ist ein gutes Fischrestaurant, und von den netten Cafés an Pier 17 aus genießt man den Blick aufs Wasser.

Von South Street zur Battery Park City

Zurück folgen Sie der Fulton Street über den Broadway hinweg bis zu den Zwillingstürmen des World Trade Center ⑬, dessen Skulpturenhof Sie überqueren. (Die Aussichtsterrasse im 106. Stock empfiehlt sich für einen Abstecher!) Das gegenüberliegende World Financial Center ⑭ ist der sichtbare Ausdruck der Erneuerung von Lower Manhattan (Überführung vom Nordturm des World Trade Center oder Übergang bei der Vesey Street). Der Wintergarten in Form eines palmenbestandenen Atriums aus Stahl und Glas öffnet sich auf eine Promenade und einen Yachthafen am Hudson River hin. Die Flußpromenade führt an der neuen Battery Park City ⑮ vorbei.

Wintergarten des World Financial Center ⑭

90minütiger Spaziergang durch die Lower East Side

DIESER SPAZIERGANG führt Sie durch einige der alten Einwandererviertel, denen New York seine einzigartige Atmosphäre verdankt: Sie können Charakter, Kultur und Küche der lebendigsten New Yorker Enklaven und Gemeinden kennenlernen. Der Sonntag ist dafür der beste Tag. Näheres zu den Sehenswürdigkeiten der Lower East Side finden Sie auf den Seiten 92–99.

Die Lower East Side

Ausgangspunkt ist das Lower East Side Tenement Museum ①, eine ehemalige Mietskaserne in der Orchard Street Nr. 97 zwischen Delancey- und Broome Street. Es wird derzeit restauriert; seine Ausstellungen zeigen, unter welchen Verhältnissen Einwanderer einst gelebt haben, und stimmen Sie auf Ihren Spaziergang ein.

Die Orchard Street ② war das Zentrum der jüdischen Lower East Side. Die Marktwagen sind zwar längst verschwunden, doch bieten noch viele Läden modische Artikel zu Discount-Preisen feil. Am Samstag, dem jüdischen Sabbat, bleiben die Geschäfte geschlossen: Der traditionelle Einkaufstag ist der Sonntag.

Bügeleisen von 1885 im Lower East Side Tenement Museum ①

Nur wenig erinnert hier an früher. Folgen Sie der Grand Street nach links und der Essex Street nach rechts, so sehen Sie noch eines der wenigen Überbleibsel: die Essex Street Pickle Company ③ (Nr. 35), bekannt aus dem Film *Crossing Delancey*. Wie früher stehen dort Fässer auf der Straße, während die Kunden warten. Die Hester Street führt Sie zu Kadouri Import (Trockenfrüchte, Nüsse, Gewürze) und zu Gertel's, einer alten jüdischen Bäckerei. Der Weg führt zurück über Essex und Delancey Street, dann rechts in die Rivington Street und zur Weinprobe bei Schapiro's Winery ④ (Nr. 126). Streit's Matzoh (Nr. 150) ist New Yorks größter Hersteller ungesäuerten Brotes.

Kulturelle Vielfalt

Auf dem Weg zurück durch die Rivington Street kommen Sie an spanischen *Bodegas* und chinesischen Lebensmittelgeschäften vorbei, die die neuen Restaurants in diesem einst jüdischen Viertel beliefern. Die schäbige Gasse bietet einen guten Einblick in die Lebensverhältnisse heutiger Einwanderer. Die Synagoge an der Ecke Forsyth Street wurde zu einer spanischen Kirche umfunktioniert ⑤. Ein Abstecher zur Forsyth Street Nr. 172 ⑥ bringt Sie zu einem Platz, der sich als Skulpturenpark der Rivington School, einer Gruppe von Avantgarde-Künstlern, entpuppt. Zurück auf der Rivington Street, biegen Sie rechts in die Eldridge Street (typische Mietshäuser) ein. Die Kreuzung Eldridge/Grand Street ist das Zentrum des Textilviertels: Hier können Sie billige Wäsche kaufen. Die Eldridge Street Synagogue ⑦ an der Canal Street ist die erste osteuropäische Synagoge New Yorks.

LEGENDE

— Routenempfehlung
- Abstecher
Aussichtspunkt
M Subway-Station

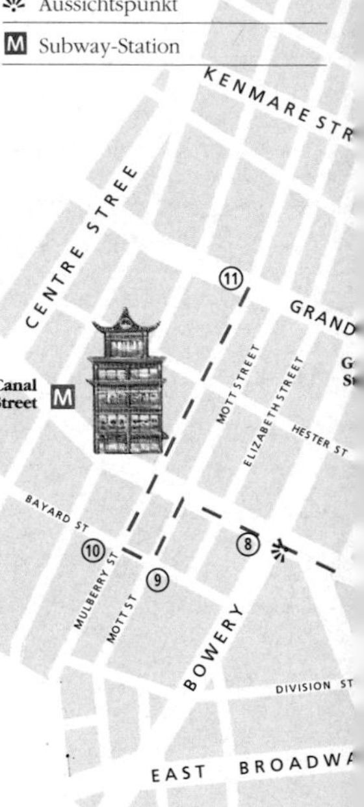

0 Meter
0 Yards 500

ROUTENINFO

Ausgangspunkt: *Orchard Street.*
Länge: *3,2 Kilometer.*
Anfahrt: *Subway-Linie F bis Delancey, B, D oder Q bis Grand Street, J oder M bis Essex Street. Der Bus M15 hält an der Ecke Delancey/Allen Street. Rückfahrt von Chinatown/Little Italy: Subway-Linien 4, 5, 6, N oder R ab Canal Street.*
Rasten: *Die Cafés von Little Italy bieten sich für Kaffee und köstlichen Kuchen an. Falls der Fußmarsch Ihnen Appetit auf etwas Kräftigeres gemacht hat, können Sie chinesische (z. B. Mott Street Nr. 20) oder italienische Küche (z. B. Grotta Azzurra, Broome Street Nr. 387) genießen. Jüdische Milchprodukt-Spezialitäten können Sie in Ratner's Dairy Restaurant, Delancey Street Nr. 138, probieren.*

Marktstände in der Orchard Street ②

Die Essex Street Pickle Company ③

Chinatown

Zurück auf der Canal Street, wenden Sie sich nach links. An der Zufahrt zur Manhattan Bridge sehen Sie zwischen den Mietshäusern in der Ferne das World Trade Center aufragen. Nach Überquerung der Bowery betreten Sie das einstige Diamantenviertel ⑧, von dem noch zahlreiche Juweliergeschäfte zeugen. Je weiter Sie gehen, desto mehr dominieren Gemüsegeschäfte mit exotischem Angebot und Metzgereien mit gebratenen Enten im Schaufenster. Bei Canal Street Nr. 200 erwartet Sie Kam Man Food Products, einer der größten chinesischen Lebensmittelmärkte des Viertels.

An der Mott Street dringen Sie nach links in das Herz von Chinatown vor: überall chinesische Neonzeichen, selbst Telefonhäuschen und Banken sind wie Pagoden gestaltet. Es gibt hier Hunderte von Speiselokalen – von winzigen Imbißstuben bis zu Feinschmekkertempeln. Der Eastern State Buddhist Temple ⑨ sorgt für das geistige Wohl.

Die Bayard Street führt nach links zur Wall of Democracy mit ihren politischen Plakaten und Botschaften (auf chinesisch). Machen Sie kehrt und biegen Sie rechts in die Mulberry Street ein. Mulberry Bend ⑩ am Columbus Park war einst berüchtigter Schaukampf von Bandenkämpfen.

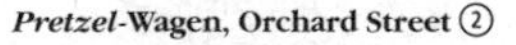

Pretzel-Wagen, Orchard Street ②

Kam Man Food Products in Canal Street Nr. 200

»Deli« in Little Italy ⑪

Little Italy

In umgekehrter Richtung bringt Sie die Mulberry Street nach Little Italy ⑪. Das kleine Viertel gerät zwar zusehends in den Schatten von Chinatown, doch gibt es noch viele europäisch anmutende Restaurants und Läden, die hausgemachte Pasta, Wurst und Backwaren verkaufen. Die italienische Bevölkerung ist geschrumpft, weil viele der Jüngeren wegziehen. Dennoch hält sich die Gemeinschaft so standhaft wie das italienische Flair.

Ein großes Ereignis ist das Fest des San Gennaro (Schutzheiliger von Neapel). Im September drängen sich elf Tage lang Tausende Anwohner und Besucher auf der Mulberry Street zwischen Buden, die Würstchen und italienische Spezialitäten verkaufen.

Littly Italys »Kernland« reicht auf der Hester Street von der Mott- zur Mulberry Street, auf der Mulberry Street von der Hester- zur Grand Street. Die Grand Street Richtung Osten führt Sie bald wieder an chinesischen Geschäften vorbei.

90minütiger Spaziergang durch Greenwich Village und SoHo

Ein Bummel durch Greenwich Village führt Sie in eine Gegend, in der viele berühmte New Yorker Schriftsteller und Künstler gelebt und gearbeitet haben. Nicht minder faszinierend aber sind die Galerien und Museen in SoHo, wo zeitgenössische Künstler ihre Arbeiten präsentieren. Hinweise auf Sehenswürdigkeiten in Greenwich Village und SoHo finden Sie auf den Seiten 100ff.

Mark Twain wohnte in der 10th Street

West 10th Street

An der Kreuzung 8th Street/6th Avenue ① gibt es Bücher,- Platten- und Textilläden. Gehen Sie die 6th Avenue bis zur West 9th Street hinauf; Sie finden dort das Jefferson Market Courthouse ② und Balducci's, einen Feinkostladen.

Biegen Sie nach rechts und folgen Sie der West 10th Street ③ bis zum Alexander Onassis Center for Hellenic Studies. Früher war hier der Tile Club ansässig. Hier versammelten sich die Künstler aus dem 10th Street Studio, wo Augustus Saint-Gaudens, John La-Farge und Winslow Homer lebten und arbeiteten. Mark Twain wohnte in der 10th Street Nr. 10 und Edward Albee im Haus Nr. 50.

Am Milligan Place ④ gibt es Häuser aus dem 19. Jahrhundert. Am Patchin Place ⑤ lebten die Dichter E. E.Cummings und John Masefield. Etwas weiter weg finden Sie die Ninth Circle Bar ⑥. Bei der Eröffnung 1898 hieß das Lokal »Regnaneschi's«. John Sloan verewigte die Bar auf seinem Bild *Regnaneschi's Saturday Night*. Edward Albee entdeckte hier die auf einen Spiegel gekritzelte Frage »Wer hat Angst vor Virginia Woolf?«

Routeninfo

Ausgangspunkt: *8th St/6th Ave.*
Länge: *3,2 Kilometer.*
Anfahrt: *Subway-Linien A, B, C, D, E oder F zur West 4th Street, Washington Square (Ausgang: 8th Street). Fifth-Avenue-Busse M2 und M3 halten an der 8th Street. Gehen Sie von hier einen Block westwärts zur 6th Street. Bus M5 fährt eine Schleife am Washington Square und zurück zur 6th Avenue und 8th Street.*
Rasten: *The Pink Tea Cup, Grove Street Nr. 42, zum Mittagessen; The SoHo Kitchen & Bar, Greene Street Nr. 103, bekannt für ihre gute Weinkarte.*

Der Eingang zum Chumley's ⑩

Greenwich Village

Gehen Sie – vorbei am Three-Lives-Buchladen, einem der Literatentreffs des Village – nach links zur Christopher Street und zum Northern Dispensary hinüber ⑦, einem Ambulanzzentrum. Folgen Sie der Grove Street bis zum Sheridan Square, dem Mittelpunkt des

An den Washington Mews ⑬

Village. Links liegt das Circle Repertory Theater ⑧, in dem die Stücke des Pulitzer-Preisträgers Lanford Wilson uraufgeführt werden. Überqueren Sie die 7th Avenue und gehen Sie die Grove Street entlang. An der Ecke Bedford Street stoßen Sie auf das »Twin Peaks« ⑨, früher ein Künstlerwohnheim. Biegen Sie in die Bedford Street. Im Haus Nr. 86 befindet sich das Chumley's ⑩, eine ehemalige illegale Bar, die sich seit 1928 kaum verändert hat *(siehe S. 28)*. Die Schriftsteller Dylan Thomas, Simone de Beauvoir, John Steinbeck, Ernest Hemingway, William Faulkner, J. D. Salinger, Jack Kerouac u. a. gehörten hier zur Kundschaft. Buchumschläge säumen die Wände. Haus Nr. 75 1/2 ist das schmalste Gebäude des Village. Früher lebte hier die feministische Poetin Edna St Vincent Millay. Gehen Sie durch die Carmine Street zur 6th Avenue hinüber und biegen Sie am Waverly Place rechts ab. Im Haus Nr. 116 ⑪ wohnte früher Charlotte Lynch. Bei ihr trafen sich wöchentlich Leute wie die Schriftsteller Herman Melville und Edgar Allan Poe, der hier aus *Der Rabe* vortrug. Ein Abstecher nach links führt Sie zur MacDougal Alley ⑫, einer kleinen Straße mit Kutschengaragen. Gertrude Vanderbilt Whitney hatte hier ihr Atelier, hinter dem sie 1932 das erste Whitney Museum eröffnete.

Washington Square

Wieder in der MacDougal Alley, wenden Sie sich nach links zum Washington Square North, wo Sie die schönsten klassizistischen Häuser der USA besichtigen können. Der Autor Henry James läßt seinen Roman *Washington Square* im Haus Nr. 18, dem Anwesen seiner Großmutter, spielen. Von der 5th Avenue aus bietet sich Ihnen durch den Torbogen des Washington Square Park hindurch eine gute Aussicht auf die Zwillingstürme des World Trade Center. Gegenüber dem Gebäude 5th Avenue Nr. 2 stoßen Sie auf die Washington Mews ⑬, einen eleganten Komplex früherer Kutschenstallungen. In dem Studio im Haus Nr. 14a haben Leute wie John Dos Passos, Edward Hopper, William Glackens und Rockwell Kent gewohnt.

Nun kommen Sie zum Haus der Autorin Edith Wharton, am Washington Square North Nr. 7. Wenn Sie den Park überquert haben, sehen Sie links die von Stanford White entworfene Judson Memorial Church ⑭ und das Loeb Student Center. Das Center war früher ein als »Haus der Genies« bekanntes Wohnheim; Theodore Dreiser hat dort *Eine amerikanische Tragödie* geschrieben.

Washington Square Park und Torbogen

Greenwich Av
West 12th Street
West 10th Street
Waverly Place
Christopher Street
Grove St
Seventh Avenue
Carmine Street
Avenue of the Americas
West 11th Street
West 10th Street
Fifth Ave
Waverly Pl
University Place
West 8th Street
Washington Mews
East 8th Street
Washington Sq Park
West 4th Street
Bleecker Street
West Broadway
Broadway
Houston Street
Sullivan Street
Thompson Street
West Houston St
Wooster Street
Green Street
Mercer Street
Spring Street
Prince Street
Grand Street
Broome Street
Canal Street

0 Meter 500

0 Yards 500

Legende

— Routenempfehlung

Aussichtspunkt

M Subway-Station

SoHo

Wenden Sie sich nun auf der Thompson Street, einer von Clubs, Cafés und Läden gesäumten typischen Village-Straße, nach Süden. Biegen Sie nach links in die Houston Street und anschließend nach rechts zum West Broadway. Dort finden Sie die besten Galerien der Stadt und ein paar sehr schicke Boutiquen.

An der Spring Street gehen Sie erst links und dann nach rechts in die Green Street ⑮, deren Häuser mit gußeisernem Dekor verziert sind. In einigen Gebäuden sind heute Galerien ansässig. Wenn Sie am Ende der Green Street nach links in die Canal Street einbiegen, erleben Sie, wie abrupt New York sich verändern kann. In dieser lauten Straße gibt es zahlreiche Straßenhändler und preiswerte Elektronikläden. Ein paar Blocks weiter links auf dem Broadway finden Sie das New Museum of Contemporary Art auf Nr. 583 und im Haus Nr. 575 ⑯ das Guggenheim Museum SoHo *(siehe S. 105)*.

Gußeiserne Fassade in SoHo ⑮

Zweistündiger Spaziergang durch Upper East Side

Ein Spaziergang die Upper Fifth Avenue entlang führt Sie zu einigen der schönsten Bauten des New York der Jahrhundertwende. Ein kleiner Umweg durch das deutsche Viertel Yorkville bringt Sie zur Gracie Mansion, seit 1799 offizielle Residenz des Bürgermeisters von New York. Hinweise auf weitere Sehenswürdigkeiten der Upper East Side finden Sie auf den Seiten 180–201.

Vom Frick zur Met

Schauen Sie sich die Frick-Sammlung in der Frick Mansion ① an, 1913/14 vom Kohle-Magnat Henry Clay Frick *(siehe S. 200f)* erbaut. Die reichen New Yorker überboten sich bei der Errichtung solcher an Versailles, die Loire-Schlösser oder venezianische Palazzi erinnernden Villen. Heute sind diese Gebäude oft öffentliche Einrichtungen oder Museen. Gegenüber befindet sich ein typisches Wohnhaus für die betuchten New Yorker. Richtung Osten in der 70th Street sind zwei renommierte Galerien ansässig, die Knoedler Gallery sowie Hirschl & Adler ②. Gehen Sie die Madison Avenue bis zur 72th Street hinauf zum Polo-Ralph Lauren Store ③. In dem 1898 im Stil der französischen Renaissance erbauten Haus lebte Gertrude Rhinelander Waldo. Gehen Sie an der Nordseite der 72nd Street zur Fifth Avenue zurück. Dabei passieren Sie zwei Kalksteinbauten (Ende 19. Jahrhundert), in denen jetzt das Lycée Francais de New York ④ residiert. Folgen Sie der 5th Avenue zur 73rd Street und biegen Sie dort nach rechts. Im Haus Nr. 11 hat einst Joseph Pulitzer gelebt ⑤. Weiter östlich zwischen der Lexington und Third Avenue finden Sie einige schöne Stadthäuser ⑥. Zurück auf der Fifth Avenue, gehen Sie zur 75th Street. Im Haus Nr. 1, einst Wohnsitz von Edward S. Harkness, Sohn des Mitbegründers der Standard Oil, ist heute der Commonwealth Fund ansässig ⑦. Im vom Tabakmillionär James B. Dukes erbauten Haus East 78th Street Nr. 1 befindet sich das New York University Institute of Fine Arts ⑧, im Gebäude des Finanzmagnaten Payne Whitney, Ecke 79th Street/5th Avenue, die französische Botschaft ⑨. In der East 79th Street Nr. 2 sitzt das Ukrainian Institute of America ⑩. An der Ecke 82nd Street liegt das Duke-Semans House ⑪, einer der wenigen Fifth-Avenue-Paläste in Privatbesitz. Für das Metropolitan Museum ⑫ benötigt man mindestens einen Tag.

Church of the Holy Trinity ⑰

Legende

— Routenempfehlung

Aussichtspunkt

Ⓜ Subway-Station

Ukrainian Institute of America ⑩

Carl Schurz Park Promenade

Routeninfo

Ausgangspunkt: *Frick Collection.*
Länge: *4,8 Kilometer.*
Anfahrt: *Subway-Linie 6 zur 68th Street und Lexington Avenue, dann drei Blocks westwärts zur Fifth Avenue. Oder Sie nehmen den Bus M1, M2, M3 oder M4 entlang Madison Avenue zur 70th Street und gehen einen Block westwärts.*
Rasten: *Die Cafés am Whitney- und Guggenheim Museum sind empfehlenswert. Probieren Sie die deutsche Küche im Ideal, East 86th Street Nr. 238, oder im Heidelberg Café, Second Avenue /Ecke 86th Street. Die Madison Avenue zwischen 92nd und 93rd Street bietet zahlreiche Eßlokale, etwa Sarabeth's Kitchen, wo es am Wochenende ein tolles Brunch gibt.*

Yorkville

In der 86th Street stoßen Sie auf die Überreste des deutschen Yorkville, z. B. Bremen House ⑬, die Kleine Konditorei und das »Ideal«. Jenseits der 2nd Avenue liegen auf der rechten Seite das Heidelberg Café und das deutsche Delikatessengeschäft Schaller & Weber ⑭.

East River und Gracie Mansion

Der Henderson Place ⑮ an der East End Avenue wird von zahlreichen Backsteinhäusern im Stil der Queen-Anne-Epoche gesäumt. Der Carl Schurz Park ist nach dem berühmtesten deutschen Immigranten, dem Herausgeber von *Harper's Weekly* und *New York Post*, benannt. Oberhalb des East River Drive schaut man auf Hell Gate, wo sich Harlem River, Long Island Sound und Hafen vereinigen. Vom Gehweg aus sehen Sie Gracie Mansion ⑯, die Residenz des Bürgermeisters. Von Westen hat man einen schönen Blick auf das Anwesen. Durch die 88th Street gehen Sie zur Church of the Holy Trinity ⑰. Biegen Sie an der Lexington Avenue rechts ab bis zur 92nd Street. Dort sehen Sie links zwei der letzten Holzhäuser Manhattans ⑱.

Das Cooper-Hewitt Museum ⑳

Carnegie Hill

Auf der Fifth Avenue sehen Sie rechts die 1908 erbaute Felix Warburg Mansion, das heutige Jewish Museum ⑲. Ein Stück weiter, Ecke 91st Street, befindet sich Andrew Carnegies riesiges Anwesen, das jetzige Cooper-Hewitt Museum ⑳. Die 1902 im Stil eines englischen Herrenhauses erbaute Residenz verlieh der Gegend ihren Namen Carnegie Hill. Gebäude Nr. 7, das James Burden House ㉑, wurde 1915 für die Vanderbilt-Erbin Adele Sloan gebaut. Unter einem farbigen Glasdach befand sich ein Aufgang, der von Besuchern als »Himmelstreppe« bezeichnet wurde. Haus Nr. 9 im italienischen Renaissancestil gehörte dem Finanzmagnaten Otto Kahn. Es besitzt eine überdachte Auffahrt und einen Innenhof. Heute berherbergt es den Convent of the Sacred Heart School.

Holzhäuser in der 92nd Street ⑱

Dreistündiger Spaziergang durch Brooklyn

Die Überquerung der berühmtesten Brücke New Yorks bringt Sie nach Brooklyn Heights, dem ersten Vorort der Metropole. Hier mischen sich 19. Jahrhundert und nahöstliche Kultureinflüsse. Die Flußpromenade bietet unvergleichliche Ausblicke auf Manhattan. Weitere Sehenswürdigkeiten Brooklyns finden Sie auf Seite 244ff.

N
Brooklyn Bridge-Worth Street
550yards/500m
Brooklyn Bridge
East River
FURMAN STREET
BROOKLYN QUEENS EXPRESSWAY
ORANGE
PINEAPPLE
HEIGHTS
COLUMBIA
WILLOW STREET
PIERREPONT STREET
MONTAGUE STREET
REMSEN
JORALE
HENRY STREET
STATE STREET
ATLA

Feuerwache in der Old Fulton Street

Fulton Ferry Landing

Die rund einen Kilometer lange Brooklyn Bridge bietet herrliche Ausblicke auf die New Yorker Skyline und reichlich Fotomotive. Nehmen Sie ein Taxi oder gehen Sie zu Fuß über die Brücke nach Brooklyn.
Folgen Sie auf der anderen Seite dem Tillary-Street-Schild nach rechts, wenden Sie sich am Fuß der Treppe abermals nach rechts, nehmen Sie den ersten Weg durch den Park über den Cadman Plaza West ① und gehen Sie unter dem Brooklyn-Queens Expressway hindurch. Hier beginnt die Old Fulton Street. Während Sie über die Water Street zur Anlegestelle der Fulton-Fähre ② gelangen, sehen Sie rechter Hand die Brücke. Im Unabhängigkeitskrieg flohen George Washingtons Truppen von hier aus nach Manhattan. 1814 legte hier die Fähre Brooklyn-Manhattan an. So wurde aus dem einst bäuerlichen Brooklyn Heights allmählich eine Wohngegend. Der Stadtteil erfreut sich heute noch bei den Menschen, die jenseits des Flusses arbeiten, großer Beliebtheit.

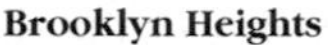

Eagle-Lagerhaus ④

Rechts auf dem Vergnügungsboot ③ finden Kammermusik-Konzerte statt, und das River Café gilt dank seiner Küche und des Ausblicks als eines der besten Restaurants New Yorks.

Brooklyn Heights

Wenden Sie sich von der Anlegestelle aus nach rechts und gehen Sie – am vormaligen Eagle-Lagerhaus ④ vorbei – durch die steile Everitt Street zur Middagh Street und die Straßen von Brooklyn Heights hinauf. Das Gebäude Nr. 24 ⑤ ist eines der ältesten (erbaut 1824). Biegen Sie nun rechts in die Willow- und dann links in die Cranberry Street ein; hier finden sich alte Holzhäuser, Sandsteinhäuser wie auch Federal-Style-Gebäude aus Ziegelstein. Fast könnte man sich ins 19. Jahrhundert versetzt fühlen. Viele berühmte Leute wohnten hier. Im Keller des Hauses Willow Street Nr. 70 schrieb Truman Capote *Frühstück bei Tiffany* und *Kaltblütig*, und Arthur Miller war einmal Besitzer des Hauses Nr. 155. Während seiner Zeit als Herausgeber des *Brooklyn Eagle* wohnte Walt Whitman in der Cranberry Street. Sein *Grashalme* gab er in der Druckerei an der Ecke in Satz. Die jetzt an dieser Stelle stehenden Stadthäuser nennt man »Whitman Close«. Biegen Sie rechts in die Hicks Street und links in die Orange Street ein und spazieren Sie bis zur Plymouth Church ⑥, in der früher Henry Ward Beecher gegen die Sklaverei predigte. Seine Schwester

Eingang des River Café

Truman Capote mit gefiedertem Freund

Harriett Beecher Stowe schrieb *Onkel Toms Hütte*. In der Clark Street erkennen Sie noch die Namenszüge einstiger Luxushotels. Folgen Sie der Clark Street bis Columbia Heights Nr. 142, wo Norman Mailer lebt ⑦. Washington Roebling überwachte die Bauarbeiten an der Brooklyn Bridge mit einem Fernrohr von Haus Nr. 110.

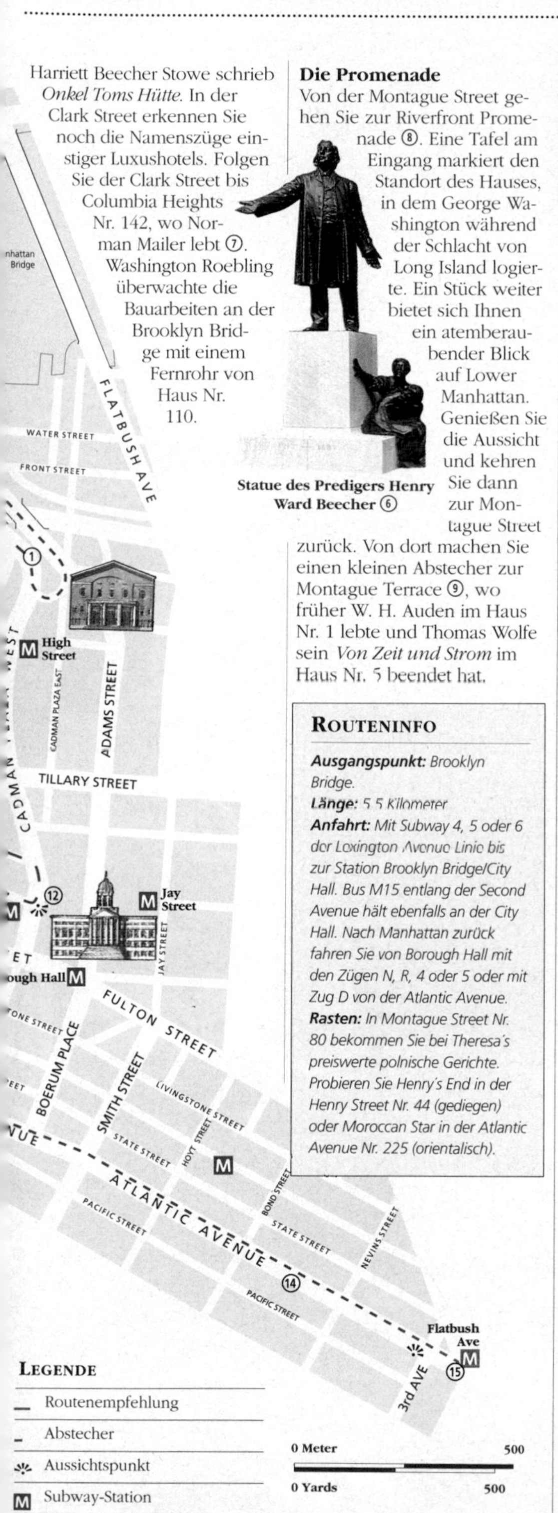

Statue des Predigers Henry Ward Beecher ⑥

Die Promenade

Von der Montague Street gehen Sie zur Riverfront Promenade ⑧. Eine Tafel am Eingang markiert den Standort des Hauses, in dem George Washington während der Schlacht von Long Island logierte. Ein Stück weiter bietet sich Ihnen ein atemberaubender Blick auf Lower Manhattan. Genießen Sie die Aussicht und kehren Sie dann zur Montague Street zurück. Von dort machen Sie einen kleinen Abstecher zur Montague Terrace ⑨, wo früher W. H. Auden im Haus Nr. 1 lebte und Thomas Wolfe sein *Von Zeit und Strom* im Haus Nr. 5 beendet hat.

Routeninfo

Ausgangspunkt: *Brooklyn Bridge.*
Länge: *5,5 Kilometer.*
Anfahrt: *Mit Subway 4, 5 oder 6 der Lexington Avenue Linie bis zur Station Brooklyn Bridge/City Hall. Bus M15 entlang der Second Avenue hält ebenfalls an der City Hall. Nach Manhattan zurück fahren Sie von Borough Hall mit den Zügen N, R, 4 oder 5 oder mit Zug D von der Atlantic Avenue.*
Rasten: *In Montague Street Nr. 80 bekommen Sie bei Theresa's preiswerte polnische Gerichte. Probieren Sie Henry's End in der Henry Street Nr. 44 (gediegen) oder Moroccan Star in der Atlantic Avenue Nr. 225 (orientalisch).*

Die alte Montague-Street-Bahn kämpft sich durch den Verkehr.

Montague und Clinton Street

Von der Montague Street gelangen Sie ins Zentrum von Brooklyn Heights mit seinen Cafés und Boutiquen. Das lokale Baseballteam, *Brooklyn Dodgers*, verdankt seinen Namen der sich früher durch die Straße kämpfenden Straßenbahn. An der Ecke Montague/Clinton Street kann man die farbigen Glasfenster der Church of St. Ann and the Holy Trinity (1834) ⑩ bewundern. Via Clinton Street gehen Sie zur Pierrepont Street, wo die Brooklyn Historical Society ⑪ ansässig ist. Einen Block weiter, in der Court Street, liegen die Borough Hall ⑫ von 1849 und eine Subway-Station.

Brooklyn Dodgers verdanken der Straßenbahn ihren Namen

Atlantic Avenue

Als Alternative bleiben Sie auf der Clinton Street und gehen fünf Blocks entlang zur Atlantic Avenue. Linker Hand stoßen Sie auf eine ganze Reihe orientalischer Märkte ⑬: Sahia Imports auf Nr. 187 hat eine große Lebensmittelauswahl, Rashid im Haus Nr. 191 verkauft arabische Druckerzeugnisse und Schallplatten, und die Damaskus-Bäckerei auf Nr. 195 macht hervorragendes *Filo*-Gebäck. Ein paar Blocks weiter gibt es mehrere Antiquitätenläden ⑭. An der Flatbush Avenue sehen Sie links die Brooklyn Academy of Music ⑮ und die eindrucksvolle Fassade der Williamsburg Savings Bank. Auch eine Subway-Station befindet sich hier.

RENAISSANCE
HOTEL

Enjoy
Coke

Zu Gast in New York

Übernachten

Mit über 70 000 Hotelzimmern hat New York für jeden etwas zu bieten. Spitzenhotels sind noch immer preiswerter als in Paris oder London, aber die beste Nachricht für Besucher ist die Zunahme erschwinglicher Hotels. Zwar sind viele dieser Häuser nicht eben reizvoll, aber sie bieten faire Preise. Man findet aber auch Selbstversorger-Appartements und Privatquartiere. Schließlich gibt es noch Jugendherbergen und die Schlafplätze der YMCA. Nach Besichtigung von über 200 Hotels haben wir die 76 besten in verschiedenen Kategorien ausgewählt. Die Rubrik *Hotelauswahl (S. 274f)* soll die Auswahl eines Ihnen genehmen Hotels erleichtern; detaillierte Angaben finden Sie auf den Seiten 276ff. Die Karte auf Seite 272f führt die insgesamt zehn besten Hotels aus den einzelnen Kategorien aus.

Cole Porters Piano in der Bar des Waldorf-Astoria *(siehe S. 281)*

Bad im Paramount Hotel *(siehe S. 277)*

Orientierungshilfe

Die East Side, also etwa die Gegend zwischen der 59th und der 77th Street, ist der Standort der meisten Luxushotels. Aber die Renovierung etlicher eindrucksvoller Midtown-Residenzen, zum Beispiel des St. Regis, und die Häuser fernöstlicher Hotelketten wie der Peninsula Group haben die Konkurrenz belebt.

Geschäftsreisende bevorzugen meistens die Midtown-Gegend, besonders die erschwinglichen Hotels an der Lexington Avenue unweit des Grand Central Terminal.

Wer in Midtown-Nähe ein relativ ruhiges Plätzchen sucht, sollte sich in der Murray-Hill-Gegend umschauen, während Theaterliebhaber sogleich das Wiedererwachen des Times-Square-Viertels registrieren sollten. Wer sein Hotel vom Theater aus zu Fuß erreichen kann, ist im Vorteil, weil gegen Ende der Vorstellungen der Andrang auf Taxis sehr groß ist.

In der Gegend um den Herald Square findet man Einkaufsmöglichkeiten ebenso wie gute und günstige Hotels.

Auch die Upper West Side ist für preiswerte Hotels bekannt. Von dieser belebten Wohngegend aus ist man gleich am Lincoln Center und hat guten Anschluß an öffentliche Verkehrsmittel.

Das New York Convention and Visitors Bureau berät bei der Hotelsuche und gibt unter dem Titel *The New York Hotel Guide* jährlich ein Verzeichnis heraus, in dem Hotelpreise, Telefon- und Faxnummern aufgeführt sind. Buchungen nimmt das Bureau nicht vor.

Hotelpreise

Manche Hotels bieten saisonal Sonderkonditionen an. Da etwa an Wochenenden kaum Geschäftsreisende in den Hotels anzutreffen sind, offerieren selbst Luxushotels an diesen Tagen nicht selten Sonderangebote *(siehe Sonderangebote S. 270)*.

Auch gibt es in allen Preiskategorien Appartement-Hotels, geräumige Zimmer mit Kochgelegenheit und Kühlschrank. In diesen »Suiten« finden bis zu vier Personen Platz, weshalb sie sich bei Familien großer Beliebtheit erfreuen.

Das Café Botanica im Essex House Hotel *(siehe S. 278)*

Versteckte Preisaufschläge

Wenn Sie den Preis eines Hotelzimmers in New York berechnen wollen, müssen Sie in Betracht ziehen, daß Hotelzimmer schon seit langem mit einer Sondersteuer belegt sind. Zu den Übernachtungspreisen der Hotelliste, die besonders Zimmer unter 100 US-$ berücksichtigt, müssen noch zusätzlich 16,25%, plus 2 US-$ Belegsteuer dazu gerechnet werden.

Telefone in der Halle zum Anrufen von Hotelgästen

Suite im Millenium *(siehe S. 276)*

In einigen Hotels ist das Frühstück im Zimmerpreis enthalten. Ansonsten kostet ein durchschnittliches »Continental Breakfast« ohne Steuern in den preiswerteren Hotels meist pro Person um 5 US-$, in manchen der Spitzenhotels dagegen über 15 US-$. Wer sparen möchte, sollte deshalb in einem Coffee Shop oder Deli frühstücken.

Die Telefongebühren sind in den Hotels meist hoch. Es ist deshalb ratsam, das öffentliche Telefon in der Halle zu benutzen, besonders bei Überseegesprächen.

In den USA erwartet man ein Trinkgeld. Hotelangestellte, die Ihr Gepäck zu Ihrem Zimmer hinauftragen, erhalten meistens pro Gepäckstück mindestens 1 US-$ Trinkgeld – in einem Luxushotel etwas mehr. Für normale Dienstleistungen wie das Bestellen eines Taxis oder eine Restaurantreservierung durch den Portier ist kein Trinkgeld fällig, wohl aber für besondere Serviceleistungen. Wenn Sie etwas über den Zimmerservice bestellen, sollten Sie auf der Karte nachsehen, ob die Bedienung im Preis enthalten ist; wenn nicht, ist ein Trinkgeld von 15% angemessen. Beachten Sie auch, daß Einzelzimmer kaum weniger als Doppelzimmer kosten.

Ausstattung

Obwohl man meinen sollte, daß die New Yorker Hotelzimmer besonders laut sind, sind die meisten Räume mit doppelt oder dreifach verglasten Lärmschutzfenstern ausgestattet. Eine Klimaanlage gehört fast immer zur Grundausstattung. Je nach Lage sind manche Räume ruhiger als andere – erkundigen Sie sich vor dem Buchen.

Fernseher, Radio und Telefon gibt es fast in jedem Zimmer, selbst in bescheidenen Unterkünften – die meisten Zimmer haben überdies ein Bad, in den preiswerten und Mittelklasse-Hotels meistens nur mit Dusche. Mittelklasse-Hotels haben inzwischen auch in jedem Zimmer ein Faxgerät und verfügen über einen Fitneßraum. Hotels der Luxusklasse haben in den Zimmern Minibars und verfügen über einen Anrufbeantworter sowie ein elektronisches Checkout-System.

Im unmittelbaren Umkreis der hier aufgeführten Hotels gibt es viele Läden und Restaurants. Wenige Hotels haben einen eigenen Parkplatz, manche halten einen Service *(valet)* bereit, um Ihren Wagen auf eigens für Gäste reservierten Stellplätzen in nahegelegenen Parkhäusern zu parken. Normalerweise ist dafür eine reduzierte (gleichwohl saftige) Parkgebühr fällig. An der Rezeption erteilt man Ihnen gerne Auskunft.

Die Art-deco-Lobby des Edison Hotel *(siehe S. 277)*

Auf einen Blick

Fremdenverkehrsamt

New York Convention and Visitors Bureau
2 Columbus Circle, NY, NY 10019. **Karte** 12 D3.
☎ *397-8222.* Die Publikationen des Bureaus erhält man auch am JFK-Airport.

Hotel-Suiten

Manhattan East Suite Hotels
Buchen Sie unter:
☎ *465-3690.*

Beekman Tower
3 Mitchell Place.
Karte 13 C5.

Dumont Plaza
150 E 34th St. **Karte** 9 A2.

Eastgate Tower
222 E 39th St. **Karte** 9 B1.

Lyden Gardens
215 E 64th St. **Karte** 13 B2.

Lyden House
320 E 53rd St. **Karte** 13 B4.

Plaza Fifty
155 E 50th St. **Karte** 13 B4.

Shelburne–Murray Hill
303 Lexington Ave.
Karte 9 A2.

Southgate Tower
371 7th Ave. **Karte** 8 E3.

Surrey
20 E 76th St. **Karte** 17 A5.

Reservierungen

A-1 Hotels International Inc
450 7th Ave NY, NY 10123.
Karte 8 E1.
☎ *760-1000.*
FAX *760-1013.*

Accommodations Express
☎ *(609) 645-8688.*

Hotel Reservations A Meegan Services
JFK International Airport, Jamaica, NY 11430.
☎ *(718) 995-9292.*
FAX *(718) 849-5710.*

Travel Planners
114 E 25th St, NY, NY 10010. **Karte** 9 A4.
☎ *473-4688.*
FAX *995-5644.*

Verbilligte Hotelzimmer

Express
3800 Arapahoe Boulder, CO 80303.
☎ *(303) 440-8481.*
FAX *(303) 440-0166.*

Take Time to Travel
49 W 44th St (2nd fl.), NY NY 10036. **Karte** 12 F5.
☎ *840-8686.*
FAX *221-8686.*

Reservierung

Es ist ratsam, Hotels mindestens einen Monat im voraus zu buchen. Zwar wird das Hotel kaum völlig ausgebucht sein, aber womöglich sind die besten Zimmer und die Suiten bereits vergeben, besonders wenn gerade ein Kongreß stattfindet. Am meisten los ist in der Osterzeit, während des New Yorker Marathonlaufs Ende Oktober/Anfang November, an Thanksgiving Ende November und an Weihnachten.

Reservieren Sie per Telefon, Brief oder Fax direkt im Hotel. Eine schriftliche Bestätigung Ihrer telefonischen Reservierung ist nötig, samt einer Vorauszahlung für den Fall Ihres Fernbleibens. Von dieser Summe werden im Fall einer Absage die entsprechenden Kosten abgezogen. Sie können mit Kreditkarte, per Banküberweisung oder mit Dollar-Reiseschecks bezahlen. Teilen Sie mit, ob Sie nach 18 Uhr eintreffen, sonst ist Ihr Zimmer vielleicht anderweitig vergeben, es sei denn, Sie haben mit Kreditkarte im voraus gezahlt.

Sie können Ihre Reservierung auch über Ihr Reisebüro oder Ihre Fluggesellschaft vornehmen. Viele Hotels haben für Gespräche aus den USA einen gebührenfreien Telefonanschluß (allerdings nicht aus Europa möglich). Wenn das Hotel zu einer internationalen Kette gehört, probieren Sie, ob ein entsprechendes Hotel in Ihrem Land für Sie rerservieren kann.

Sonderangebote

Am höchsten belegt sind die Hotels unter der Woche, wenn Geschäftsreisende in der Stadt sind. Die meisten Hotels gewähren deshalb am Wochenende Preisnachlässe, um ihre Kapazitäten besser auszuschöpfen. Man kann dann zum gleichen Preis von einem Standard- in ein Luxuszimmer umziehen.

Preisnachlässe erhalten häufig die Mitarbeiter großer Unternehmen. Aber oftmals gewähren die Hotelangestellten auf Nachfrage auch ohne entsprechenden Nachweis Sonderpreise.

Manche Reservierungsbüros offerieren Sonderpreise. Ein gutes Reisebüro sollte in der Lage sein, die günstigsten Preise auszuhandeln, Sie können die Preise aber auch vergleichen, indem sie einen preisgünstigen Reservierungsdienst wie Quikbook kontaktieren *(siehe S. 269)*. Solche Dienstleister gewähren je nach Jahreszeit Preisnachlässe zwischen 20 und 50 %. Sie buchen per Kreditkarte und erhalten einen Beleg, den Sie dem Hotel vorlegen.

Bei Pauschalreisen werden vielfach Preisnachlässe gewährt. Der Preis schließt häufig den Transport vom Flughafen zum Hotel ein – eine weitere Einsparung. Auch die Fluggesellschaften offerieren Sonderangebote, besonders außerhalb der Hauptreisezeit. Jedes gute Reisebüro kann Sie über die besten Angebote infor-

Lobby des St Regis Hotel ***(siehe S. 282)***

Auf einen Blick

Behinderte Reisende

Mayor's Office for People with Disabilities
52 Chambers St, Room 206, NY, NY 10007.
☎ *788-2830.*

Privatquartiere

Bed & Breakfast Bureau
306 8th Ave, Suite 111, NY, NY 10001.
☎ *645-4555.*

Abode Bed and Breakfast Inc
PO Box 20022, NY, NY 10028. ☎ *472-2000.*

At Home in New York
PO Box 407, NY, NY 10185.
☎ *956-3125.*
FAX *247-3294.*

Bed & Breakfast Network of New York
130 Barrow St, Suite 508, NY, NY 10014.
☎ *645-8134.*

City Lights Bed & Breakfast Ltd
PO Box 20355, Cherokee Stn, NY, NY 10028.
☎ *737-7049.*

New World Bed and Breakfast Ltd
150 5th Ave, Suite 711, NY, NY 10011.
☎ *675-5600.*

Urban Ventures, Inc.
PO Box 426, Planetarium Station, NY, NY 10024.
☎ *594-5650.*

Jugendherbergen und Unterkünfte

American Youth Hostel
891 Amsterdam Ave, Ecke W 103rd St, NY, NY 10025. **Karte** 20 E5.
☎ *932-2300.*

92nd St Y
1395 Lexington Ave, NY, NY 10128. **Karte** 17 A2.
☎ *415-5650.*

YMCA-Vanderbilt
224 E 47th St, NY, NY 10017. **Karte** 13 A5.
☎ *756-9600.*

YMCA-West Side
5 W 63rd St, NY, NY 10023. **Karte** 12 D2.
☎ *787-4400.*

Camping

Battle Row Campground
Claremont Rd, Old Bethpage, NY 11804.
☎ *(516) 572-8690.*

Wohnheime

NYU Summer Housing
8 Washington Place, NY, NY 10003. ☎ *998-4621.*

Flughafenhotels

Siehe S. 364.

mieren, aber auch in vielen Zeitungen gibt es häufig Sonderangebote.

Behinderte Reisende

Neue Hotels sind gesetzlich gehalten, einen behindertengerechten Service anzubieten; auch in vielen älteren Gebäuden sind inzwischen die nötigen Umbauten erfolgt. Blindenhunde sind in den meisten Hotels zugelassen, man sollte sich jedoch vorher erkundigen.

Die in diesem Führer angegebenen Informationen für Behinderte beruhen auf den Angaben der befragten Hotels. Setzen Sie das Hotel bei der Reservierung von etwaigen speziellen Bedürfnissen in Kenntnis. Das **Mayor's Office for People With Disabilities** erteilt weitere Hotelauskünfte.

Mit Kindern reisen

In amerikanischen Hotels sind Kinder in der Regel herzlich willkommen. Kinderbetten und Adressenlisten von Babysittern stehen fast immer zur Verfügung.

Viele Hotels berechnen nichts für Kinder, die im Zimmer ihrer Eltern übernachten, oder verlangen nur einen geringen Aufpreis für ein Extra-Bett. In solchen Fällen sind normalerweise ein oder zwei Kinder pro Zimmer zulässig; meist dürfen Kinder ein bestimmtes Alter – oft 12 Jahre – nicht überschritten haben. Eltern größerer Kinder müssen den vollen Preis zahlen, obwohl die Altersgrenze bisweilen auf 18 Jahre heraufgesetzt ist. Erkundigen Sie sich am besten bei der Reservierung nach den Konditionen.

Privatquartiere

Die Zahl der Bed-and-Breakfast-Übernachtungsmöglichkeiten hat in letzter Zeit stark zugenommen. Das Spektrum reicht vom einzelnen Zimmer bei Anwesenheit des Hauptmieters bis zum unbewohnten Appartement mit Küche und Bad.

Wer in einer Privatwohnung logiert, bekommt mehr vom

Eingang des Peninsula Hotel *(siehe S. 281)*

New Yorker Leben mit und kann in Restaurants an der Ecke essen gehen, die meist preiswerter sind als solche im Zentrum.

Viele freie Vermittlungsdienste bieten Privatquartiere an. Einige Agenturen vermieten nicht unter zwei Nächten. Die Preise unbewohnter Appartements variieren zwischen 90 und 200 US-$, für Doppelzimmer zwischen 60 und 90 US-$ pro Nacht. Luxuriöse Etablissements sind ebenso zu mieten wie eher schäbige Wohnungen. Wenn Sie außerhalb des Zentrums wohnen, steigen Ihre Taxikosten entsprechend. Erkundigen Sie sich bei der Reservierung nach Standort und Infrastruktur.

Jugendherbergen und günstige Unterkünfte

Leute mit wenig Geld finden in der Stadt eine Jugendherberge und **YMCA**-Herbergen. Man kann auch versuchen, für 30–50 US-$ pro Nacht ein ordentliches Zimmer im Wohnheim **92nd St. Y** in der Upper East Side zu bekommen.

Studentenheime bieten nur Platz, wenn Sie Beziehungen zu einer Hochschule haben.

Schwimmbad im 26. Stock des UN Plaza Hotel *(siehe S. 280)*

Zeichenerklärung

Detaillierte Hotelbeschreibungen finden Sie auf den Seiten 276ff. Die Hotels sind nach Lage und Preiskategorie geordnet. Die Symbole hinter der jeweiligen Hoteladresse geben Auskunft über die Ausstattung.

- Alle Zimmer mit Bad und/oder Dusche
- 1 Einzelzimmer vorhanden
- Zimmer für mehr als zwei Personen vorhanden bzw. Extrabett kann gestellt werden
- 24 24-Stunden-Zimmerservice
- TV Alle Zimmer mit TV
- Alle Zimmer mit Minibar
- Nichtraucherzimmer vorhanden
- Zimmer mit Aussicht
- Alle Zimmer mit Klimaanlage
- Fitneßanlage
- Schwimmbad im Hotel
- Für Geschäftsleute: Auftragsdienst, Faxgerät für Gäste, Schreibtisch im Zimmer, Tagungsraum
- Kinderfreundlich: Kinderbetten, Babysitter-Service vorhanden
- Für Rollstuhlfahrer geeignet
- Aufzug
- Haustiere sind im Zimmer erlaubt (bei Reservierung erfragen)
- P Park-Service
- Garten/Terrasse für Gäste zugänglich
- Bar
- Restaurant
- i Auskunft
- Kreditkarten:

AE American Express
DC Diners Club
EC Eurocard/Mastercard
V VISA

Preiskategorien für ein Doppelzimmer mit Bad pro Nacht, einschließlich Steuer und Service während der Hochsaison:

$ unter 150 US-$
$$ 150–220 US-$
$$$ 220–300 US-$
$$$$ 300–400 US-$
$$$$$ über 400 US-$

Highlights: Hotels

Vom Luxushotel bis zur preiswerten Unterkunft hat New York alle Übernachtungsmöglichkeiten zu bieten. Geschäfte, Restaurants und öffentliche Verkehrsmittel sind von ihnen aus leicht zu erreichen. Einige sind in hypermodernen Gebäuden untergebracht, andere sind eher altmodisch und gemütlich. Aus dem Angebot ragen einige Hotels durch Charakter, Komfort oder Service heraus. Die hier abgebildeten Hotels wurden aufgrund ihres Ambientes oder Preisniveaus aus der auf den Seiten 276 ff abgedruckten Liste ausgewählt.

Plaza
Eine Restaurierung hat diesem fast hundertjährigen Wahrzeichen New Yorks den alten Glanz zurückgegeben (siehe S. 281).

Wyndham
Für dieses reizvolle, preiswerte Hotel sollten Sie frühzeitig buchen (siehe S. 280).

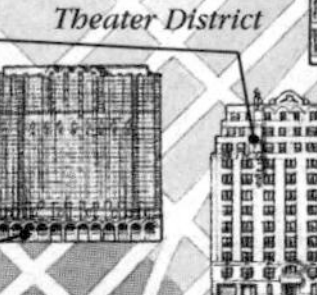

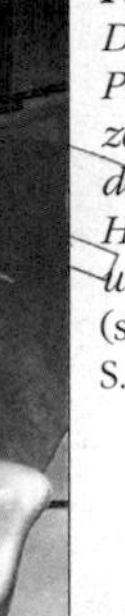

Paramount
Der In-Designer Philippe Starck zeichnet für den Stil dieses Hotels verantwortlich (siehe S. 278).

Box Tree
Dieses luxuriöse Gästehaus mit ausgezeichnetem Restaurant residiert in zwei umgebauten Sandsteinhäusern (siehe S. 281).

Algonquin
Genießen Sie dort einen Cocktail, wo sich in den 20er Jahren Dorothy Parker und ihre Freunde trafen (siehe S. 278 und S. 143).

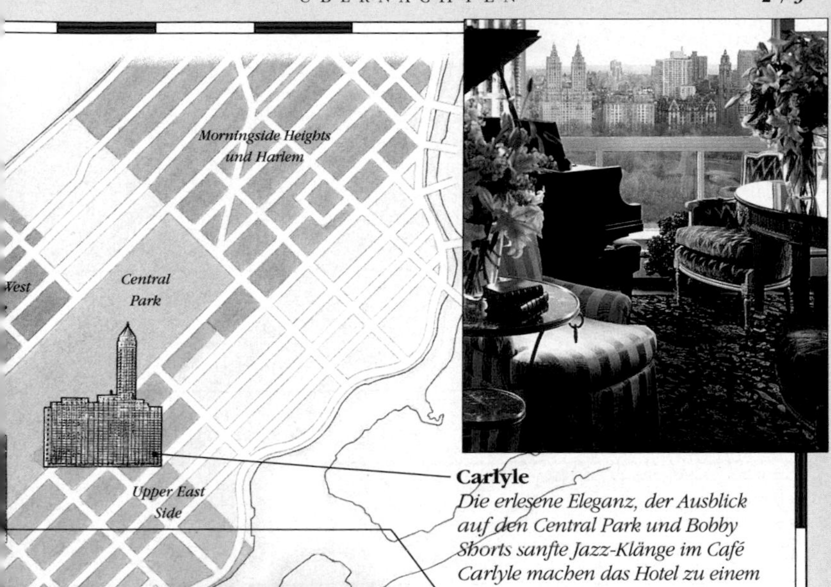

Carlyle
Die erlesene Eleganz, der Ausblick auf den Central Park und Bobby Shorts sanfte Jazz-Klänge im Café Carlyle machen das Hotel zu einem einmaligen Erlebnis (siehe S. 282).

Lowell
Die luxuriösen Suiten bieten höchsten Komfort. Zum Hotel gehören auch zwei Restaurants (siehe S. 282).

Four Seasons
Moderne Ausstattung und ausgezeichneten Service vereint dieses Hotel, das von I. M. Pei entworfen wurde (siehe S. 281).

United Nations Plaza
Die Aussicht von den Zimmern wird allein vom Blick aus dem verglasten Schwimmbad im 26. Stock übertroffen (siehe S. 280).

Pickwick Arms
Im Herzen Manhattans gelegen, bietet dieses preiswerte Hotel unprätentiöse Gastlichkeit. Ein Plus ist auch der schöne Ausblick, der sich von der Dachterrasse aus auf die umliegenden Wolkenkratzer bietet (Siehe S. 280).

Hotelauswahl

Wir haben die aufgelisteten 76 Hotels persönlich inspiziert, um Ihnen eine fundierte Entscheidung zu erleichtern. Alle Hotels liegen in Manhattan, so daß die dortigen Museen, Geschäfte und Restaurants gut zu Fuß zu erreichen sind. Sie sind hier alphabetisch nach Preiskategorien aufgeführt.

Hotel	Preis	Anzahl der Zimmer	Geräumige Zimmer	Für Geschäftsleute	Kinderfreundlich	Gutes Restaurant	Portier	Ruhige Lage	24-Stunden-Zimmerservice
Lower Manhattan *(Siehe S. 276)*									
SoHo Grand Hotel	$$$	367		■					
Millenium	$$$$	561		■	●		●		●
NY Marriott Financial Center	$$$$	504		■	●		●		
Greenwich Village *(Siehe S. 276)*									
Washington Square Hotel	$	180				■		■	
Gramercy und Flatiron District *(Siehe S. 276)*									
Carlton	$	210		■	●			■	
Roger Williams	$	211	●					■	
The Inn at Irving Place	$$$	12	●					■	
Chelsea und Garment District *(Siehe S. 276)*									
Best Western Manhattan	$	147							
Herald Square Hotel	$	120							
Stanford	$	130			●				
Hotel Metro	$$$	157		■					
Theater District *(Siehe S. 277ff)*									
Edison	$	900							
Hampshire Hotel	$	50		■					
Iroquois	$	110		■					
Ramada Milford Plaza	$	1300							
Wellington	$	700		■					
Days Hotel Midtown	$$	366		■					
Hampshire Hotel and Suites	$$	200		■					
Howard Johnson Plaza	$$	300		■	●				
The Mansfield	$$	129					●		
Paramount	$$	610		■	●	■	●		●
Algonquin	$$$	165		■					
Crowne Plaza	$$$	770	●	■	●		●		●
Doubletree Guest Suites	$$$	460		■	●		●		
St Moritz	$$$	680							
Salisbury	$$$	320	●	■					
Essex House	$$$$	593		■	●	■	●		●
Michelangelo	$$$$	178	●	■	●		●		
Millennium Broadway	$$$$	629		■	●				
Le Parker Meridien	$$$$	691		■			●		●
Rihga Royal	$$$$	500	●	■	●		●		●
Royalton	$$$$	167		■	●	■	●		●
Lower Midtown *(Siehe S. 279f)*									
Quality Hotel	$$	189		■					
Doral Court	$$$	199	●	■		■	●	■	
Helmsley Middletowne	$$$	190						■	

Preiskategorien für ein Doppelzimmer pro Nacht incl. Steuer und Service:
$ unter 120 US-$
$$ 120 US-$–180 US-$
$$$ 180 US-$–250 US-$
$$$$ 250 US-$–320 US-$
$$$$$ über 320 US-$

Portier
für Informationen, Reservierungen etc. verfügbar.

Geschäftsleute
Auftragsdienst, Gäste-Fax; Schreibtisch und Telefon in jedem Zimmer; Tagungsraum im Hotel.

Kinderfreundlich
Familienzimmer; Kinderbetten; Babysitter-Service; Kinderportionen; Kinderstühle im Frühstücksraum.

Ruhige Lage
Ruhige Wohngegend oder ruhige Straße in belebtem Viertel.

Hotel	Preis	Anzahl der Zimmer	Geräumige Zimmer	Für Geschäftsleute	Kinderfreundlich	Gutes Restaurant	Portier	Ruhige Lage	24-Stunden-Zimmerservice
Jolly Madison Towers	$$$	246	●	■					
Morgans	$$$	113		■	●		●	■	●
Roger Smith	$$$	130	●	■	●				
Doral Park Avenue	$$$$	188		■		■	●	■	
Doral Tuscany	$$$$	121		■		■	●	■	
Sheraton Park Avenue	$$$$	150	●	■		■	●	■	●
United Nations Plaza	$$$$	428		■	●	■	●		●
Upper Midtown *(Siehe S. 280ff)*									
Pickwick Arms	$	400					●	■	
Hotel Beverly	$$	187	●	■	●		●		
Wyndham	$$	200	●					■	
Doral Inn	$$$	655		■			●		
Fitzpatrick Manhattan Hotel	$$$	92		■			●		
The Elysee	$$$$	99		■	●				
New York Palace	$$$$	600	●	■	●	■	●		●
Plaza	$$$$	812	●	■	●	■	●		●
Waldorf-Astoria	$$$$	1410	●	■	●	■	●		●
Box Tree	$$$$$	13		■		■		■	●
Four Seasons	$$$$$	370	●	■		■	●		●
Peninsula	$$$$$	250	●	■	●	■	●		●
Pierre	$$$$$	206	●	■	●	■	●		●
Ritz-Carlton	$$$$$	428		■	●	■	●		●
St Regis	$$$$$	322	●	■	●	■	●		●
Upper East Side *(Siehe S. 282f)*									
Franklin	$$	53		■	●			■	●
Hotel Wales	$$	95		■			●	■	
Mark	$$$$	180	●	■	●	■	●	■	
Carlyle	$$$$$	175	●	■	●		●	■	●
Lowell	$$$$$	61	●		●	■	●	■	
Plaza Athénée	$$$$$	156		■		■	●	■	●
Regency	$$$$$	384	●	■	●	■	●		●
Stanhope	$$$$$	141	●	■	●	■	●	■	●
Westbury	$$$$$	231	●	■	●	■	●	■	●
Upper West Side *(Siehe S. 283)*									
Beacon	$	100					●	■	
Broadway American	$	200	●						
Excelsior	$	150	●					■	
Milburn	$	90	●	■	●		●	■	●
Radisson Empire	$$	375		■	●	■	●		●
Mayflower	$$$	377	●	■				■	

Lower Manhattan

SoHo Grand Hotel

27 Grand Street, NY, NY 10012. **Karte** 4 D4. *965-3000.* FAX *965-3113. **Zimmer:** 367.* 1 AE, DC, EC, V. $$$

Das erste Hotel im Künstlerviertel SoHo eröffnete 1996. Die zweistöckige Lobby, die die Architektur der Umgebung wiederspiegeln soll, besteht aus massiven Ziegelsteinen, Stahlträgern und einer Treppe aus Glas und Stahl, die von Drahtseilen gehalten wird. Kompakte Gästezimmer, eingerichtet in neutralen Farben, bieten Doppelbetten und Telefon. Die Wände schmücken alte Fotografien von New York. Im Hotel befindet sich ein Fitneß-Center und ein Bistro, in dem amerikanische Kost serviert wird.

Millenium

55 Church St, NY, NY 10007. **Karte** 1 B2. *693-2001.* FAX *571-2317. **Zimmer:** 561.* 1 24 AE, DC, EC, V. $$$$

In dem 58 Stockwerke hohen, eleganten Millenium logieren vornehmlich Wohlbetuchte, die in der Wall Street geschäftlich zu tun haben. Die Zimmer sind nicht sonderlich groß, bieten jedoch mit ihren wie eingebaut wirkenden Möbeln eine optimale Platzausnutzung. Die Bäder sind in schwarzem Marmor gehalten, die Beleuchtungskörper bestechen durch neuestes Design. Die Telefone lassen sich auch für Konferenzschaltungen verwenden; ferner gibt es u.a. ein Videosystem, mit dem man z.B. den Zimmerservice bestellen kann. Die meisten Zimmer haben Blick auf das World Trade Center. Von den unteren Stockwerken aus schaut man auf den Hof, von weiter oben auf den Fluß. Schön ist auch der Blick vom Fitneß-Center und dem Schwimmbad aus auf den Friedhof der St Paul's Chapel.

New York Marriott Financial Center

85 West St, NY, NY 10006. **Karte** 1 B3. *385-4900.* FAX *385-8136. **Zimmer:** 504.* 1 AE, DC, EC, V. $$$$

Zimmer und Ausstattung des neueröffneten Hauses im Finanzviertel entsprechen dem üblichen Standard. Das Hotel hat allerdings auch etwas Besonderes zu bieten: nämlich ein Hallenschwimmbad, ein Fitneß-Center und von den oberen Etagen aus einen herrlichen Ausblick auf den Hudson River. Am Wochenende gewährt das Hotel erhebliche Preisnachlässe.

Greenwich Village

Washington Square Hotel

103 Waverly Pl, NY, NY 10011. **Karte** 4 E2. *777-9515.* FAX *979-8373. **Zimmer:** 180.* *170.* 1 AE, EC, V. $

Dieses unweit des Platzes im Herzen von Greenwich Village gelegene kleine Hotel hat zwar winzige Zimmer, dafür jedoch andere unleugbare Vorzüge. Marmor, Gitterwerk und Pflanzen geben der Lobby einen europäischen Anstrich, die engen Korridore sind mit mexikanischen Kacheln gefliest, die Bäder sind neu. Ferner gibt es einen Coffee Shop und ein kleines Fitneß-Center im Haus. Überdies ist das Hotel das einzige im Zentrum des Village.

Gramercy und Flatiron District

Carlton

22 E 29th St, NY, NY 10016. **Karte** 8 F3. *532-4100.* FAX *889 8683. **Zimmer:** 210.* 1 AE, DC, EC, V. $

In diesem freundlichen, kürzlich renovierten Beaux-Arts-Gebäude am Rande von Murray Hill läßt es sich preiswert absteigen. Die Halle ist frisch herausgeputzt, die Zimmer sind renoviert und die Bäder neu eingerichtet. Neben dem Foyer befindet sich ein Café, und Annehmlichkeiten wie einen Zimmer- und Park-Service findet man in dieser Preisklasse nicht häufig.

Roger Williams

28 E 31st St, NY, NY 10016. **Karte** 8 F3. *684-7500.* FAX *576-4343. **Zimmer:** 211.* 1 AE, DC, EC, V. $

Erwarten Sie keine Extravaganz – die Zimmer könnten eine Renovierung vertragen und die Armaturen in den Bädern ebenfalls. Aber Sie können für relativ wenig Geld angenehm und sicher in einem sauberen Haus in Murray Hill wohnen, mit geräumigen Zimmern samt Kochnische, Fernseher und Telefon. Alles in allem kein schlechtes Angebot.

The Inn at Irving Place

54 Irving Place, NY, NY 10003. **Karte** 9 A5. *533-4600.* FAX *533-4611. **Zimmer:** 12.* AE, EC, V. $$$

Dieses verschwiegene Stadthaus aus dem 19. Jahrhundert erscheint wie aus einem Roman von Jane Austen. Der Aufenthaltsraum mit hoher Decke und Stuckarbeiten und die 12 Gästezimmer sind voll von Antiquitäten, die Atmosphäre ist voll verhaltener Eleganz. In den Zimmern befinden sich *chaise longues* und ein Kamin (wird nicht mehr benutzt). An das 20. Jahrhundert erinnern nur die modernen Telefone, Kabelfernsehen und Videorecorder. Das Frühstück wird in einem hübschen Speiseraum/Bar serviert, am Nachmittag gibt es Fünf-Uhr-Tee. Die Nachbarschaft nahe dem Gramercy Park erinnert an das alte New York.

Chelsea und Garment District

Best Western Manhattan

17 W 32nd St, NY, NY 10001. **Karte** 8 E3. *736-1600.* FAX *563-4007. **Zimmer:** 147.* 1 AE, EC, V. $.

Dieses preiswerte Hotel im »Klein-Korea« New Yorks wurde kürzlich renoviert und erstrahlt nun in frischem Schwarz-Weiß mit hübschen Möbeln und neuer Badezimmereinrichtung. Die Wände schmücken Fotos von Manhattan und in jedem Zimmer findet man eine Lampe in Form der Freiheitsstatue. In komfortablen Suiten können vier Personen unterkommen, das Best Western Manhattan eignet sich deshalb besonders für Familien.

Herald Square Hotel

19 W 31st St, NY, NY 10001. **Karte** 8 F3. *279-4017.* FAX *643-9208. **Zimmer:** 120.* *108.* 1 AE, EC, V. $. *Siehe S. 131.*

Dies tadellose, preiswerte Hotel ist geschmackvoll und hübsch renoviert. Der vergoldete Cherubim über der Eingangstür stammt noch aus der Zeit, als das *Life*-Magazin in diesem von Carrère & Hastings erbauten Beaux-Arts-Gebäude residierte. Alte *Life*-Titelblätter schmücken die Korridore. Die Zimmer sind recht klein, aber in angenehmen Pink-Tönen gehalten. Das Kaufhaus Macy's und das Empire State Builidung sind von hier aus leicht zu erreichen. Das Viertel ist leider nicht eben üppig mit Restaurants ausgestattet, aber »Little Korea« mit seinen interessanten, preiswerten Eßlokalen ist nur einen Block entfernt.

Stanford

43 W 32nd St, NY, NY 10001. **Karte** 8 F3. *563-1480.* FAX *629-0043.* ***Zimmer:*** *130.* *AE, DC, EC, V.* $

Dieses bei Asiaten beliebte saubere, moderne Hotel in »Little Korea« bietet viel für relativ wenig Geld. Neben den üblichen Utensilien wie Telefon, TV und Radio haben sämtliche Zimmer einen Eisschrank. Das Stanford offeriert im Gam Mee Ok-Restaurant gute koreanische Küche; in der Lobby gibt es ein American Café. Wer einkaufen möchte, ist von hier aus rasch am Herald Square, und auch das Javits Convention Center ist nicht weit *(siehe S. 136)*.

Hotel Metro

45 W 3th St, NY, NY 10001. **Karte** 7 C2. *947-2500.* FAX *279-1310.* ***Zimmer:*** *157.* TV *AE, DC, EC, V.* $$$

Die geräumige Eingangshalle des Metro ist mit riesigen Fotos von Greta Garbo und Marlene Dietrich, alten Filmplakaten und Fotos des alten New York dekoriert. Die Gästezimmer mit gestreiften Tapeten sind groß und bieten Annehmlichkeiten wie Kühlschrank und Haarfön. Es gibt einen kleinen Fitneßraum im obersten Stockwerk und auf der Dachterrasse, die einen ausgezeichneten Blick auf das Empire State Building bietet, kann man in den Sommermonaten an der Bar einen Drink zu sich nehmen. Im geräumigen Speiseraum wird das Frühstück serviert, Kaffee gibt es den ganzen Tag. Das Publikum besteht hauptsächlich aus jüngeren Besuchern der Modeindustrie.

THEATER DISTRICT

Edison

228 W 47th St, NY, NY 10036. **Karte** 12 E5. *840-5000.* FAX *719-9541.* ***Zimmer:*** *900.* 1 TV P *AE, DC, EC, V.* $

Das kürzlich renovierte alte Gebäude gehört in punkto Preis-Leistungs-Verhältnis zu den besten preiswerten Hotels des Theaterviertels. Die Art-deco-Lobby, die Messingbeschläge der Durchgänge und die Lampen aus den frühen 30er Jahren sind hübsch restauriert. Auch die Zimmer sind neu hergerichtet und haben modernisierte Bäder und neue Sitzmöbel. Außerdem gibt es ein Café, ein Restaurant und eine Bar.

Hampshire Hotel

132 W 45th St, NY, NY 10036. **Karte** 12 E5. *921-7600.* FAX *719-0171.* ***Zimmer:*** *50.* 1 TV *AE, DC, EC, V.* $

Das Hampshire Hotel ist ein bescheidenes Hotel in guter Lage für Theaterliebhaber. Es gehört zu einer »Kette« preiswerter, unlängst neu möblierter und mit neuen Bädern ausgestatteter Hotels des indischen Restaurateurs Sant Chatwal. Das Haus hat einen Portier und einen Wäscheservice; das »Continental Breakfast« ist im Preis inbegriffen.

Iroquois

49 W 44th St, NY, NY 10036. **Karte** 12 F5. *840-3080.* FAX *398-1754.* ***Zimmer:*** *110.* 1 TV *AE, DC, EC, V.* $

Dieses angenehme und preiswerte Hotel liegt im selben Block wie das Algonquin und das Royalton. Freundliche, sprachkundige Hotelangestellte kümmern sich um die zahlreichen Gäste, einige Suiten haben eine Kochgelegenheit. Einkäufe und Theaterbesuche sind von hier aus völlig unproblematisch.

Ramada Milford Plaza

270 W 45th St, NY, NY 10036. **Karte** 11 C5. *944-8357.* FAX *869-3600.* ***Zimmer:*** *1300.* 1 TV P *AE, DC, EC, V.* $

Dieses große und geschäftige 28stöckige Hotel mit seinen 1300 Zimmern wird gerne von Reisegruppen besucht, die die Lage im Theater District zu schätzen wissen. In diesem einfachen preisgünstigen Hotel gibt es Fitneßgeräte, ein Restaurant und eine Bar, Videos sind auf Anfrage erhältlich.

Wellington

7th Ave, Ecke 55th St, NY, NY 10019. **Karte** 12 E4. *247-3900.* FAX *581-1719.* TX *66297.* ***Zimmer:*** *700.* 1 TV P *AE, DC, EC, V.* $

Nach einer Totalrenovierung verstrahlen die Spiegel und die raffinierte Beleuchtung in der Lobby des Wellington einen wohltuendmilden Glanz. Die ebenfalls renovierten Zimmer sind neu möbliert. Die Suiten und viele Zimmer haben eine Kochnische, die Familienzimmer zwei Bäder. Auch wegen seiner zentralen Lage ist dieses mit Coffee Shop und Restaurant ausgestattete preiswerte Hotel zu empfehlen.

Days Hotel Midtown

790 8th Ave, NY 10019. **Karte** 12 D5. *572-6232.* FAX *974-0291.* ***Zimmer:*** *366.* 1 TV P *AE, DC, EC, V.* $$

Der (Mai bis September geöffnete) Freiluft-Pool auf dem Dach ist die Hauptattraktion dieses nicht weiter überraschenden Hotels der Loews-Kette. Vor kurzem hat man das Hotel renoviert – einschließlich der Lobby mit ihren eleganten Sitzbänken und einem schönen Art-deco-Lüster. Die Preise sind moderat, besonders für Familien, da Kinder unter 18 Jahren umsonst im Zimmer ihrer Eltern übernachten können. Durchaus empfehlenswert.

Hampshire Hotel & Suites

157 W 47th St, NY, NY 10036. **Karte** 12 D5. *768-3700.* FAX *768-3403.* ***Zimmer:*** *200.* 1 TV *AE, DC, EC, V.* $$

Dieses Haus gehört ebenfalls zu den eher bescheidenen, aber preisgünstigen Hotels der Chatwal-Gruppe. Sprachkundige Mitarbeiter betreuen Gäste aus aller Welt. Das für Theaterliebhaber günstig gelegene Haus hat kleine, erst unlängst renovierte Zimmer und Bäder. Auch das Frühstück kann sich sehen lassen. Eine angenehme Unterkunft.

Howard Johnson Plaza

851 8th Ave, NY, NY 10019. **Karte** 12 D4. *581-4100.* FAX *974-7502.* ***Zimmer:*** *300.* 1 TV P *AE, DC, EC, V.* $$

Obwohl es zu einer Motelkette gehört, könnte dieses Hotel Ihre Erwartungen übertreffen. Die komfortablen, geräumigen Zimmer sind erst kürzlich renoviert worden. Viele Zimmer haben eigene Sitzecken und einen Arbeitsplatz. Das Hotel hat ein eigenes Restaurant. Auch eine Parkgarage ist vorhanden. Kinder unter 18 Jahren können kostenlos bei ihren Eltern schlafen. Das Preis-Leistungs-Verhältnis stimmt.

The Mansfield

12 W 44th St, NY, NY 10036. **Karte** 11 B5. *944-6050.* FAX *764-4477.* ***Zimmer:*** *129.* 1 TV *AE, EC, V.* $$

Dieses Schmuckstück, im Jahr 1904 als Unterkunft für wohlhabende Junggesellen erbaut, ist erst kürzlich von der Gotham-Hospitality-Gruppe renoviert worden, die eine Reihe von architektonisch interessanten und preisgünstigen Hotels führt. Die Zimmer sind modern eingerichtet, im Aufenthaltsraum im Erdgeschoß spielt ein Harfenist und es werden Konzerte abgehalten. Die Zimmerpreise enthalten Parkmöglichkeiten, Frühstück, Cappuccino den ganzen Tag und ein Dessert-Buffet nach den Theateraufführungen. Eine Auswahl an Kassetten, CD's und Videos ist vorhanden, Videorekorder und CD-Spieler befinden sind in jedem Zimmer.

Paramount

235 W 46th St, NY, NY 10036. **Karte** 12 E5. *764-5500.* *575-4892.* ***Zimmer:*** *610.* *AE, DC, EC, V.* $$

Die von Philippe Starck konzipierte und von Joan Miró inspirierte schwebende Treppe ist das erste, was im Paramount ins Auge sticht. Ian Schrager hat das Haus für die heutige »Jeunesse dorée« entworfen, um zu beweisen, daß ein preiswertes Hotel nicht langweilig zu sein braucht. Das verspielte Interieur lenkt von der Beengtheit der Zimmer ab. Zur Ausstattung gehören ein Spielzimmer für Kinder und eine Dean & DeLuca-Filiale *(siehe S. 322)*. Es gibt ein Business Center und eine Videothek für die in sämtlichen Zimmern installierten Videogeräte. Die als »Whiskey« bekannte Bar ist einer der aufregendsten Treffpunkte in der Stadt.

Algonquin

59 W 44th St, NY, NY 10036. **Karte** 12 F5. *840-6800.* *944-1419.* TX *66532.* ***Zimmer:*** *165.* *AE, DC, EC, V.* $$$. *Siehe S. 143.*

Der runde Tisch aus den 20er Jahren ist zwar nicht mehr da, aber das Algonquin hält sich noch immer etwas auf seine literarische Tradition zugute. Hier logieren vornehmlich Autoren sowie Verlags- und Theaterleute – sogar der freundliche Barkeeper soll angeblich gerade seinen zweiten Roman vollenden. Das Dekor und die Badinstallationen sind unlängst renoviert worden, gleichwohl ist es der Leitung des Hauses gelungen, die altmodische Atmosphäre der Zimmer zu bewahren.

Crowne Plaza

1605 Broadway, NY, NY 10019. **Karte** 12 E4. *977-4000.* *333-7393.* ***Zimmer:*** *770.* *AE, DC, EC, V.* $$$

Wer in einem wirklich großen Hotel am Broadway logieren möchte, der ist in diesem Haus gut aufgehoben. Die öffentlichen Räume sind ansprechend gestaltet, die Zimmer sind geräumig, und von den oberen Etagen aus bieten sich teilweise herrliche Ausblicke auf New York und den Hudson River. Der Gast kann zwischen drei Restaurants wählen und das gut ausgerüstete Business Center ebenso wie den Fitneß-Club und das größte Hotel-Schwimmbecken New Yorks in Anspruch nehmen.

Doubletree Guest Suites

1568 Broadway, NY, NY 10036. **Karte** 12 E5. *719-1600.* *921-5212.* ***Zimmer:*** *460.* *AE, DC, EC, V.* $$$

Geschäftsleute sowie Familien finden in dieser ruhigen Oase mit ihren geräumigen Zimmer Ruhe vor dem lärmenden Treiben draußen. Die Anlage befindet sich über dem Palace Theater und ist Teil eines 43stöckigen Bürogebäudes. Der Empfangsraum ist passend zur Lage im Theater District auffällig eingerichtet, lichtdurchflutet mit elegant-spielerischem Décor. Die gut ausgestatteten Zwei-Zimmer-Suiten bieten drei Telefonanschlüsse mit Stimmwahl, zwei Fernsehapparate, eine Bar, Kühlschrank, Mikrowelle, Kaffeemaschine und Bügelbrett. Im Zimmerpreis enthalten ist die Benutzung des Fitneß Centers, für Kinder gibt es ein Spielzimmer. Es gibt ein Café und Zimmerservice fast rund um die Uhr von 6–4 Uhr. Als Betthupferl stehen jedem Gast Doubletree Chocolate Chip Cookies zur Verfügung.

St Moritz

50 Central Park S, NY, NY 10019. **Karte** 12 E3. *755-5800.* *319-9658.* ***Zimmer:*** *680.* *AE, DC, EC, V.* $$$

Das am Central Park gelegene Hotel mit einem der besten Straßencafés ist vor kurzem neu renoviert worden. Die Einrichtung ist zweckmäßig, und die meisten Bäder entsprechen dem üblichen Standard eines Mittelklassehotels. Die Zimmer mit Parkaussicht sind allemal ihr Geld wert. Rumplemeyer's, der berühmte Eissalon, liegt gleich neben der Lobby.

Salisbury

123 W 57th St, NY, NY 10019. **Karte** 12 E3. *246-1300.* *977-7752.* ***Zimmer:*** *320.* *AE, DC, EC, V.* $$$

Das gemütlich altmodische Salisbury ist ein wirklich gutes Haus in wundervoller Lage. Es liegt gegenüber der Carnegie Hall, und die besten Fifth-Avenue-Geschäfte sind von hier aus in fünf Minuten zu Fuß zu erreichen. Die Zimmer sind nicht spektakulär, aber geräumig, viele von ihnen sind mit Kochnischen ausgestattet und deshalb besonders familientauglich. Das Ambiente ist angenehm und heimelig; die Umgebung bietet alles Nötige.

Essex House

160 Central Park S, NY, NY 10019. **Karte** 12 E3. *247-0300.* *315-1839.* ***Zimmer:*** *593.* *AE.* $$$$

Das renovierte elegante Haus der japanischen Nikko-Hotelkette ist innen in einem spektakulären Art-deco-Stil gehalten. Die große Lobby beeindruckt durch ein prachtvolles Interieur. Die großen Fenster bieten schöne Ausblicke auf den Central Park. Die Zimmer sind nicht sehr groß, was Gäste mit Parkblick kaum bemerken werden. Alle Zimmer sind im traditionellen englischen Stil eingerichtet. Das Haus hält für seine Gäste Bademäntel bereit und bietet einen Schuhputz- und 24-Stunden-Zimmerservice. Außerdem gibt es ein Heilbad und ein Business Center.

Michelangelo

152 W 51st St, NY, NY 10019. **Karte** 12 E4. *765-1900.* *541-6604.* ***Zimmer:*** *178.* *AE, DC, EC, V.* $$$$

Das erste in Broadway-Nähe eröffnete Luxushotel hat jetzt mit der italienischen Star-Hotels-Gruppe einen neuen Besitzer. Die neue Leitung möchte den gehobenen Status des Hauses beibehalten und hat bereits Fitneß-Einrichtungen installieren lassen und ein Gratis-»Continental Breakfast« eingeführt. Die Zimmer sind durchschnittlich 40 m² groß und haben ein Marmor-Foyer. Man kann bei der Möblierung zwischen Empire, französischem Landhausstil und Art deco wählen. Gleich neben der Lobby bietet Caprianis Bellini erlesene Speisen, und ein Vier-Sterne-Restaurant liegt gegenüber.

Millennium Broadway

145 W 44th St, NY, NY 10036. **Karte** 12 E5. *768-4400.* *768-0847.* ***Zimmer:*** *629.* *AE, DC, EC, V.* $$$$

In diesem schicken, mit allen High-Tech-Finessen ausgerüsteten Hotel werden Sie von Personal in roboterähnlichem Grau empfangen. Die Zimmer sind relativ klein, was jedoch durch die hochmoderne Ausstattung wieder wettgemacht wird. Ein eigener Anrufbeantworter befindet sich in jedem Zimmer. Über das hotelinterne System kann man Flugpläne und Restaurant-Menüs einlesen und Bestellungen von Eintrittskarten und Theaterreservierungen direkt vornehmen. Im Hotel befindet sich ein Fitneß-Center und ein Business-Center. Das Millennium Broadway ist hauptsächlich Geschäftsleuten zu empfehlen, die auch den großen Konferenzsaal in Anspruch nehmen können.

Le Parker Meridien

118 W 57th St, NY, NY 10019. **Karte** 12 E3. *245-5000.* FAX *708-7477.* ***Zimmer:*** *691.* *AE, DC, EC, V.* $$$$

Die zwei Hauptattraktionen im Le Parker Meridien sind die erhabenen Gemeinschaftsräume und die ausgezeichneten Fitneßmöglichkeiten. Auf dem Dach befindet sich ein Swimmingpool, Joggingbahn, Squashplätze und ein gutausgestatteter Gesundheitsclub. Die Eingangshalle ist sehr eindrucksvoll und an der bunten Montparnasse-Bar kann man in aller Ruhe einen Drink zu sich nehmen. Die frisch renovierten Räume sind im neoklassizistischen Stil eingerichtet und bieten Fax, Haartrockner und CD-Spieler.

Rihga Royal

151 W 54th St, NY, NY 10019. **Karte** 12 E4. *307-5000.* FAX *765-6530.* ***Zimmer:*** *500.*

AE, DC, EC, V. $$$$

Unter den zahlreichen Luxushotels in Broadway-Nähe nimmt das Suiten-Hotel Rihga Royal eine Sonderstellung ein: Mit 54 Stockwerken ist es eines der höchsten Hotels in New York. Von den Zimmern in den oberen Etagen aus bietet sich ein spektakulärer Panoramablick. Jede der eleganten Suiten hat ein Wohnzimmer mit einem Erkerfenster, Spiegeltüren und ein oder zwei Schlafzimmer. Das Dekor der Zimmer ist klassisch und luxuriös. Sie sind mit Ankleidenischen, Minibars, drei Telefonen, Fernsehern, einem Videogerät und einem elektronischen Safe versehen. Ferner gibt es ein Busineß- und ein Fitneß-Center, kostenlose Zeitungen, einen Schuhputz-Service und einen Pendeldienst zur Wall Street.

Royalton

44 W 44th St, NY, NY 10036. **Karte** 12 F5. *869-4400.* FAX *869-8965.* ***Zimmer:*** *167.* *AE, DC, EC, V.* $$$$

Ian Schrager und sein damaliger Partner Steve Rubell, die mit dem Nightclub Studio 54 ihren ersten Erfolg landeten und ihren endgültigen Durchbruch mit dem Morgans Hotel erlebten, haben mit dem Royalton ihr exzentrischstes Werk in Szene gesetzt. Philippe Starck gestaltete das Design der Weltraum-Lobby, der geschwungenen Korridore und der Zimmer, die an Erste-Klasse-Kabinen auf einem eleganten Ozeandampfer erinnern. Aber wer fährt denn auf so etwas ab? Zu den berühmten Gästen des Hauses gehören beispielsweise die Regisseure David Lynch und Oliver Stone, die Schauspieler Dudley Moore, Sean Penn und John Malkovich, die Gruppen Manhattan Transfer und die Heavy-Metall-Band Guns 'n' Roses. In dem »44« betitelten Restaurant verkehren mittags erfolgreiche Verlagsleute, und die kleine runde Bar ist nicht weniger populär.

Lower Midtown

Quality Hotel

3 E 40th St, NY, NY 10016. **Karte** 8 F1. *447-1500.* FAX *213-0972.* ***Zimmer:*** *189.* *AE, DC, EC, V.* $$

Dieses saubere, moderne und preisgünstige Haus wird von einem primär für seine Motels bekannten kanadischen Unternehmen geführt. Die Inneneinrichtung erinnert auch an ein Motel, aber die Zimmer sind mit praktischen Arbeitstischen, bequemen Sitzecken, Fernsehern und Radioweckern ausgestattet, und die Gäste können morgens kostenlos Zeitung lesen und Kaffee trinken. In vielen Zimmern steht ein Sofa-Bett für Kinder bereit, die gratis bei ihren Eltern wohnen können. Theater und Geschäfte sind leicht zu Fuß zu erreichen.

Doral Court

130 E 39th St, NY, NY 10016. **Karte** 9 A1. *685-1100.* FAX *889-0287.* ***Zimmer:*** *199.* *AE, DC, EC, V.* $$$

Dies am wenigsten aufwendige der drei im gepflegten Murray-Hill-Viertel gelegenen beliebten Doral-Häuser ist gleichwohl ein angenehmes Hotel. Das Doral Court hat eine kleine holzgetäfelte Lobby und freundliche, helle Zimmer mit einem Foyer und einer Ankleidenische. Ferner gibt es in jedem Zimmer einen Fernseher und ein Videogerät; die Gäste genießen überdies im nahegelegenen Doral Fitneß-Center und im Courtyard Café Vorzugsbehandlung. Fragen Sie nach einem der vier Zimmer im 14. Stock mit Terrasse und Skyline-Blick.

Helmsley Middletowne

148 E 48th St, NY, NY 10017. **Karte** 13 A5. *755-3000.* FAX *832-0261.* ***Zimmer:*** *190.* *AE, DC, EC, V.* $$$

Von den diversen Helmsley-Hotels der Stadt ist das Middletowne Hotel wohl das am wenigsten mondäne. Es empfiehlt sich für all jene, die die Vorzüge eines kleineren Hotels zu schätzen wissen, zugleich jedoch in einer bequemen und sicheren East-Side Lage logieren möchten. Die Zimmer sind klein, haben jedoch eine wohltuende Atmosphäre, da sie erst kürzlich renoviert wurden. Alle Zimmer haben einen Eisschrank, manche eine Kochnische.

Jolly Madison Towers

22 E 38th St, NY, NY 10016. **Karte** 9 A1. *802-0600.* FAX *447-0747.* ***Zimmer:*** *246.* *AE, DC, EC, V.* $$$

Das Madison Towers ist ein Mittelklasse-Hotel mit verhältnismäßig erschwinglichen Preisen. Die relativ geräumigen, eher durchschnittlichen Zimmer könnten allerdings eine Renovierung vertragen. Das Hotel verfügt über ein mit Sauna und Whirlpool ausgestattetes Fitneß-Center. In der angenehmen Whaler Bar gibt es einen Kamin und Wandmalereien mit Seefahrtsmotiven.

Morgans

237 Madison Ave, NY, NY 10016. **Karte** 9 A3. *686-0300.* FAX *779-8352.* ***Zimmer:*** *113.* *AE, DC, EC, V.* $$$

Dieses Hotel von Ian Schrager ist nicht so leicht zu finden, denn kein Schild weist darauf hin. Die schwarz-weiße minimalistische Welt des französischen Designers Andrée Putnam ist sauber und ohne Schnörkel. Die Einrichtung der kleinen Zimmer ist funktional: Klappsofas und Fenstersitze zum Hochklappen, unter denen sich Platz für das Gepäck befindet. Alle Zimmer sind mit Telefon und CD-Spieler ausgestattet, Fax und Computer auf Anfrage. Es gibt kontinentales Frühstück und speisen kann man im Asia-de-Cuba-Restaurant.

Zeichenerklärung *siehe S. 271*

Roger Smith

501 Lexington Ave, NY, NY 10017. **Karte** 13 A1. *755-1400.* *319-9130.* ***Zimmer:*** *130.* *AE, DC, EC, V.* $$$

Seit der Übernahme durch neue Besitzer ist dieses Hotel kaum wiederzuerkennen. Die Halle ist mit Skulpturen geschmückt, und die individuell gestalteten und teilweise sogar mit einem Himmelbett ausgestatteten Zimmer sind ebenfalls renoviert worden. Es gibt »Continental Breakfast«, und in Lily's Restaurant gleich neben dem Foyer erhält man gute Kost.

Doral Park Avenue

70 Park Ave, NY, NY 10016. **Karte** 9 A1. *687-7050.* *949-5924.* ***Zimmer:*** *188.* *AE, DC, EC, V.* $$$$

Dieses Hotel – eine Oase mitten in Murray Hill – ist bei anspruchsvollen Reisenden beliebt, die kleinere Hotels bevorzugen. Das neoklassizistische Dekor wird durch Fresken und kunstvolle Metallarbeiten unterstrichen. Die ruhigen Zimmer bieten Marmorbäder, Minibars und gebührenfreie Videofilme. Die Gäste können überdies das Fitneß-Center benutzen.

Doral Tuscany

120 E 39th St, NY, NY 10016. **Karte** 9 A1. *686-1600.* *779-7822.* ***Zimmer:*** *121.* *AE, DC, EC, V.* $$$$

Dies ist das teuerste der drei Doral-Häuser in Murray Hill. Das Hotel hat eine loyale Klientel, die frische Blumen, begehbare Kleiderschränke, TV und Telefon im Bad und eine mit kostenlosen Softdrinks gut bestückte Minibar zu schätzen weiß. Die Gäste können das Doral-Fitneß-Center auf der anderen Straßenseite benutzen oder sich einen Hometrainer aufs Zimmer kommen lassen. Das »Time and Again« betitelte Restaurant hat einen sehr guten Ruf.

Sheraton Park Avenue

45 Park Ave, NY, NY 10016. **Karte** 9 A2. *685-7676.* *889-3193.* ***Zimmer:*** *150.* *AE, DC, EC.* $$$$

Dieses im englischen Stil gehaltene Haus bietet dem Gast holzvertäfelte Wände, Chippendale-Möbel und eine ganze Bibliothek in Leder gebundener Bücher. Die mit langen geblümten Vorhängen und Stichen aus dem alten New York ausgestatteten Zimmer sind komfortabel, es gibt ein gutes Restaurant, eine Bar, und ein Portier steht immer zur Verfügung. In seiner ruhigen Lage erinnert das Hotel fast an ein gehobenes Landgasthaus.

United Nations Plaza

1 United Nations Plaza, NY, NY 10017. **Karte** 13 C5. *758-1234.* *702-5051.* ***Zimmer:*** *428.* *AE, DC, EC, V.* $$$$. *Siehe S. 156.*

Es gibt in New York kaum einen atemberaubenderen Ort als Kevin Roches die Stadt überragenden Wolkenkratzer, in dem für gewöhnlich eine internationale UN-Klientel anzutreffen ist. In der mit üppigen Blumenarrangements geschmückten eleganten Marmorlobby blitzt hie und da Chrom auf. Die Fluchten der großartige Ausblicke bietenden, sehr komfortablen Zimmer beginnen im 28. Stock. Im 27. Stock gibt es ein Fitneß-Center, einen verglasten Swimmingpool, im 38. Stock den einzigen Hotel-Tennisplatz in Manhattan. Die dem Fundus hoteleigener Wandteppiche aus sämtlichen UN-Mitgliedsländern entnommene Dekoration des Hotels ist einzigartig. Das Hotel hat auch einen eigenen Butler-Service und unterhält einen kostenlosen Fahrdienst in Richtung Wall Street und Theaterviertel.

Upper Midtown

Pickwick Arms

230 E 51st St, NY, NY 10022. **Karte** 13 B4. *355-0300.* *755-5029.* ***Zimmer:*** *400.* *235.* *AE, DC, EC, V.* $

Das Pickwick Arms ist eine schicke Adresse und von den preiswerten Midtown-Hotels gewiß die beste Wahl. Das Haus hat eine attraktive Lobby, die einfachen und angenehmen Zimmer sind mit Fernseher und Radiowecker ausgestattet; auch einen Zimmerservice gibt es. Die Einzelzimmer mit Gemeinschaftsbad sind sehr billig. Die Studios sind geräumig und mit einem Sofa-Bett für Kinder ausgestattet. Im Hotel gibt es einen Coffee Shop und ein spanisches Restaurant. Der Dachgarten bietet einen schönen Ausblick auf die Stadt.

Hotel Beverly

125 E 50th St, NY, NY 10022. **Karte** 13 A4. *753-2700.* *759-7300.* ***Zimmer:*** *187.* *AE, DC, EC, V.* $$

Das Beverly ist ein freundliches Hotel in Familienbesitz. Es verfügt über geräumige Suiten und eine altmodische und bequeme Möblierung. Der Gast zahlt für die Betreuung Preise, die deutlich unter denen der meisten benachbarten Häuser in der Lexington Avenue liegen. Das Hotel ist deshalb eine gute Adresse für preisbewußte Geschäftsleute und für Familien mit kleinen Kindern. Es hat auch ein akzeptables Restaurant und einen lustigen Coffee Shop.

Wyndham

42 W 58th St, NY, NY 10019. **Karte** 12 F3. *753-3500.* *754-5638.* ***Zimmer:*** *200.* *AE, DC, EC, V.* $$

Sie müssen lange im voraus buchen, wenn Sie ein Zimmer in diesem Hotel bekommen wollen, das viele in punkto Preis-Leistung für das beste in New York halten. Die Atmosphäre ist sehr anheimelnd und persönlich – die Betreiber leben selbst im Haus. Die ungewöhnlich großen, teilweise ein wenig abgewohnten Zimmer sind sehr gemütlich. Das Haus wird von Schauspielern bevorzugt, besonders solchen, die für längere Zeit eine Bleibe suchen. Es gibt keinen Zimmerservice, das Hotel verfügt jedoch über ein anständiges Restaurant.

Doral Inn

541 Lexington Ave, NY, NY 10022. **Karte** 13 A5. *755-1200.* *319-8344.* ***Zimmer:*** *655.* *AE, DC, EC, V.* $$$

Das Doral Inn ist eines von mehreren akzeptablen Durchschnittshotels unweit der Grand Central Station und bietet dem Gast für sein Geld eine angemessene Gegenleistung. Es hat hübsche, preiswerte Zimmer und ein Gratis-Fitneß-Center samt Sauna, außerdem Squashplätze, ein 24-Stunden-Café und einen Waschsalon. Das Hotel ist auch bei Reisegruppen beliebt, weshalb es an der Rezeption bisweilen zu Schlangen kommt.

Fitzpatrick Manhattan Hotel

687 Lexington Ave, NY, NY 10022. **Karte** 13 A3. *355-0100.* *355-1371.* ***Zimmer:*** *92.* *AE, DC, EC, V.* $$$

Der grüne Teppichboden, die Waterford-Lüster, die irischen Stiche und die nach ehemaligen Präsidenten der irischen Republik benannten Suiten machen deutlich, daß dieses

Haus von einem in Dublin ansässigen Hotelier betrieben wird. Es handelt sich bei dem Haus um ein renoviertes vormaliges Appartement-Hotel mit nur 92 Zimmern, wobei die Hälfte dieser Zimmer Suiten sind. Zur ihrer Ausstattung gehören ein Fernseher mit Kabelanschluß, Anrufbeantworter sowie ein Computer- und Faxanschluß; weiterhin bietet das Hotel Whirlpool-Bäder. Die Gäste genießen im nahegelegenen Atrium Club, einem exzellenten Fitneß-Center, Mitgliedsstatus. Im Fitzers, dem hauseigenen Restaurant mit Barbetrieb, werden Garnelen aus der Bucht von Dublin und geräucherter Lachs serviert.

The Elysee

60 E 54th St, NY, NY 10022.
753-1066. FAX *980-9278.*
Zimmer: *99.* AE, DC, EC, V. $$$$

Das Elysee hebt sich unter der Vielzahl einheitlicher Hotels hervor. In den mit Namen statt Nummern benannten Zimmern fühlt man sich wie zu Hause. Jedes ist individuell mit bequemen Leseecken und Antiquitäten eingerichtet. Einige Räume haben eine Kochnische und Balkon, in allen befindet sich ein elegantes Marmorbadezimmer. Im Preis enthalten ist ein kontinentales Frühstück ebenso wie der Nachmittagstee, der in einem hübschen Aufenthaltsraum serviert wird. Nach 17 Uhr kann man hier bei Wein und Käse gemütlich beisammen sitzen. Die Wandgemälde in der Monkey Bar sind berühmt, darunter befinden sich Hirschfeld-Karrikaturen von Joe DiMaggio, den Gish Sisters, Tennessee Williams und anderen ehemaligen Gästen des Hotels. In der Piano Suite befindet sich ein Steinway-Flügel von Vladimir Horowitz.

New York Palace

455 Madison Ave, NY, NY 10022.
888-7000. FAX *303-6000.*
Zimmer: *600.* AE, DC, EC, V. $$$$.

Das New York Palace verbindet die Villard Houses von 1882 mit einem modernen 55stöckigen Wohnturm. Die riesigen Gästezimmer sind gründlich renoviert worden und bieten einen Safe, Minibar und ein Fax. Aus den oberen Räumen hat man einen herrlichen Ausblick. Andere Annehmlichkeiten sind ein Fitneß-Center und ein gut ausgestattetes Business-Center. Das Innere der von Stanford White ausgestatteten Villard Houses soll 1997 das La Cirque *(siehe S. 296)* beherbergen, eines der besten und gefeiertesten Restaurants in Manhattan.

Plaza

5th Ave–59th St, NY, NY 10019.
Karte 12 F3. *759-3000.*
FAX *759-3167.* ***Zimmer:*** *812.* AE, DC, EC, V. $$$$. *Siehe S. 179.*

Es gibt gewiß anspruchsvollere Hotels in New York, aber in punkto Lage, Lobby und Geschichte kann kein anderes Haus es mit dem Plaza aufnehmen. Das Hotel ist ein nationales Wahrzeichen, eine Institution, und erfreut sich seit fast 100 Jahren größter Beliebtheit. Das Plaza beherrscht die Grand Army Plaza am Eingang zum Central Park, und die auf den Park hinausgehenden Zimmer bieten einen einzigartigen Ausblick. Das Haus hat ein Business-Center, einen Theaterschalter, Tagungs- und Bankettträume, Läden und einen Friseursalon.

Waldorf-Astoria

301 Park Ave, NY, NY 10022.
Karte 13 A5. *355-3000.*
FAX *759-9209.* ***Zimmer:*** *1410.* AE, DC, EC, V. $$$$. *Siehe S. 175.*

In Wahrheit gibt es zwei Waldorf-Hotels: das am »Big Business« orientierte Hotel und die ultraexklusiven Towers mit eigenem Privateingang, einem feschen Portier und einigen der raffiniertesten und am schönsten möblierten Nachtquartiere der Stadt. In den Towers logieren häufig Präsidenten und höchste Würdenträger. Die Hauptlobby ist einfach grandios. Das Hotel steht heute wieder im Glanze seines Art-deco-Dekors von 1931 da: mit Bas-Relief-Friesen und kunstvollen Metallarbeiten an den wunderbar bemalten Wänden, einer schweren Mahagonivertäfelung und eleganten Marmorsäulen. Die eindrucksvolle Riesenuhr stand früher im alten Hotel in der 34th Street. Das berühmte Peacock Alley erfreut sich noch immer großer Beliebtheit, und Leute, die den Service und das Angebot eines großen Hotelrestaurants zu schätzen wissen, sind hier genau richtig.

Box Tree

250 E 49th St, NY, NY 10017.
Karte 13 B5. *758-8320.*
FAX *308-3899.* ***Zimmer:*** *13.* AE. $$$$$

Nur der rote Teppich auf den Stufen des Eingangs deutet darauf hin, daß diese beiden zwischen den übrigen Sandsteinhäusern nicht weiter auffallenden Stadthäuser New Yorks außergewöhnlichstes Hotel beherbergen. Das Box Tree ist ein luxuriöses 13-Zimmer-Gasthaus mit Restaurant. Die Anlage spiegelt den extravaganten Geschmack des in Bulgarien geborenen Besitzers Augustin Paege wider. Die Zimmer sind klein, aber luxuriös mit Vorhängen, Lüstern und Marmorkaminen ausgestattet. Jedes Zimmer ist individuell gestaltet, sei es chinesisch oder im Stil der englischen Gotik. Die Preise sind hoch, enthalten allerdings einen Bonus für abendliche Besuche des hauseigenen Restaurants. Kinder unter fünf Jahren sind nicht erwünscht.

Four Seasons

57 E 57th St, NY, NY 10022.
758-5700. FAX *758-5711.*
Zimmer: *370.* AE, DC, EC ,V. $$$$$

Dieses schlanke 52stöckige Kalkstein-Gebäude von I. M. Pei ruft Erinnerungen an die Zeit des Art Deco hervor. Zum Gegensatz des vorhersagbaren Stils der Alten Welt, in dem die meisten der New Yorker Luxushotels eingerichtet sind, weicht das Four Seasons von dieser Linie ab. Allein das 10 Meter hohe Foyer ist sehenswert. Die größten Gästezimmer der Stadt sind modern möbliert, viele von ihnen haben Foyers und Umkleideräume und alle besitzen ein Marmorbadezimmer mit riesigen Badewannen und seperater Dusche. Per Knopfdruck lassen sich vom Bett aus die Vorhänge öffnen, schließen oder das Licht bedienen. Alle Annehmlichkeiten sind vorhanden, der Service perfekt. Für alle, die sich höchsten Luxus in einer modernen Großstadt wünschen und sich dies auch leisten können, ist dieses Fünf-Sterne-Hotel die ideale Unterkunft.

Peninsula

700 5th Ave, NY, NY 10019.
Karte 12 F4. *247-2200.*
FAX *903-3949.* ***Zimmer:*** *250.* AE, DC, EC ,V. $$$$$

Seit die bekannte Peninsula-Gruppe aus Hongkong das Haus übernommen hat, geht es bergauf in dem Beaux-Arts-Wahrzeichen von 1905, dem vormaligen Gotham-Hotel. Der Gast betritt das mit Antiquitäten und üppigen Blumenarrangements geschmückte Foyer über eine große Doppeltreppe. Die Art-nouveau-Zimmer sind elegant, einige Bäder warten mit zwei Meter messenden Whirlpool-Wannen auf. Eine Attraktion ist das Fitneß-Center auf dem Dach mit Heilbad und Pool. Wegen der schönen Aussicht sollte man dort im Sommer in der Pen-Top-Bar einen Drink zu sich nehmen.

Zeichenerklärung *siehe S. 271*

Pierre

2 E 61st St, NY, NY 10021.
Karte 12 F3. 838-8000.
FAX 940-8109. *Zimmer:* 206.

AE, DC, EC, V. $$$$$

Vor dem Eingang warten Limousinen auf die in diesem ungemein luxuriösen Hotel logierenden Präsidenten. Das Pierre gehört der renommierten kanadischen Four-Seasons-Gruppe. Die Hälfte der Zimmer sind an Dauermieter vergeben. Halle und Zimmer prunken gleichermaßen mit Antiquitäten. Nach der kürzlichen Renovierung erstrahlt das Haus wieder in exklusivem Glanz. Die Ausstattung und das Leistungsangebot sind erstklassig; das Café Pierre ist eine der ersten Adressen New Yorks für Geschäftsfrühstücke.

Ritz-Carlton

112 Central Park South, NY, NY 10019. **Karte** 12 E3. 757-1900.
FAX 757-9620. *Zimmer:* 228.

AE, DC, EC, V.
$$$$$

Die kürzliche Renovierung machte aus diesem Haus das eleganteste Hotel New Yorks. Die Ausstattung mit kristallenen Kronleuchtern und orientalischen Teppichen ist luxuriös, die Zimmer sind vergrößert worden und ein Fitneß-Center hinzugekommen. Zum herrlichen Blick auf den Central Park muß man nicht mehr viel sagen. Das Restaurant Pantino wird für seine norditalienische Küche hochgelobt und an der Bar versammelt man sich gerne. Reichhaltiges Frühstücksbuffet.

St Regis

2 E 55th St, NY, NY 10022. **Karte** 12 F4. 753-4500. FAX 787-3447.
Zimmer: 322.
AE, DC, EC, V. $$$$$

John Jacob Astors Beaux-Arts-Juwel, kurz nach der Jahrhundertwende der Lieblingstreff der New Yorker Gesellschaft, erstrahlt nach einer 100 Millionen Dollar teuren, drei Jahre währenden Restaurierungsorgie wieder in altem Glanz. Die Wände der hohen Zimmer sind mit Seide bespannt und mit imitierten Louis-XV.-Möbeln ausgestattet. Das Dach des St Regis ist Schauplatz glänzender Gesellschaftsereignisse, und hinter der Bar ist Maxfield Parrishs King-Cole-Wandgemälde zu sehen. Allerdings muß man für diesen Luxus einen der höchsten Zimmerpreise New Yorks zahlen.

Upper East Side

Franklin

164 E 87th St, NY, NY 1028.
369-1000. FAX 369-8000.
Zimmer: 53.
AE, EC, V. $$

Das Franklin wurde von der Gotham-Gruppe in ein preisgünstiges Hotel umgewandelt, in dem die fehlende Geräumigkeit durch Stil kompensiert wird. Große Bouquets und ein Gemälde von Picasso begrüßen den Gast in der Lobby. Kirschholz und weiches schwarzes Leder findet sich überall wieder. In jedem Zimmer stehen ein Fernsehgerät und Videorekorder zur Verfügung, klassische Videofilme kann man sich kostenlos ausleihen. Das Frühstück wird im kontinentalen Stil serviert. In der Nachbarschaft befinden sich viele Museen, Geschäfte und Restaurants.

Hotel Wales

1295 Madison Ave, NY, NY 10128.
Karte 17 A3. 876-6000.
FAX 860-7000. *Zimmer:* 95.
AE, EC, V. $$

Dieses kleine, fast europäisch anmutende Jahrhundertwende-Hotel der Gotham-Gruppe ist nicht gerade luxuriös, aber es strahlt vornehmen Charme aus, insbesondere dank der Restaurierung der Kamine, der Marmortreppen und der Eichenholzvertäfelung des 1901 gebauten Hauses. Die Marmorbecken und die Messingarmaturen in den Bädern sind ebenfalls original. Das Frühstück und den Tee nimmt man im Pied-Piper-Raum ein, einem viktorianischen Salon, dekoriert mit charmanten antiken Illustrationen aus alten Kinderbüchern. Hier finden auch Musikrezitationen und sonntags Kammermusikkonzerte statt. Die Lokalität eignet sich besonders für Museumsbesuche, und in der Nachbarschaft gibt es viele Restaurants.

Mark

25 E 77th St, NY, NY 10021.
Karte 16 F5. 744-4300.
FAX 744-2749. *Zimmer:* 180.
AE, DC, EC, V. $$$$

Seit der unlängst vorgenommenen Luxussanierung gehört das Mark zu den Spitzenhotels der Upper Eastside. In der Lobby mit ihren Biedermeier-Möbeln, den Marmorböden und den Piranesi-Stichen aus dem 18. Jahrhundert herrscht eine Atmosphäre diskreter, zeitgemäßer Eleganz. Es gibt einen 24-Stunden-Portier-Service. Die Schlafzimmer sind mit Pflanzen und alten Stichen ausgestattet, und in den Bädern herrschen Marmor oder schwarz-weiße Keramik-Kacheln vor. Die meisten Räume haben ein kleines Speisezimmer mit Minibar. Überdies gibt es eine luxuriöse Bar, die an einen Salon erinnert. Man kann dort in angenehmer Umgebung Tee oder Drinks zu sich nehmen.

Carlyle

35 E 76th St, NY, NY 10021.
Karte 16 F5. 744-1600.
FAX 717-4682. *Zimmer:* 175.
AE, DC, EC, V. $$$$$

Eine noble, mit Antiquitäten ausgestattete Lobby empfängt den Gast des vielleicht besten New Yorker Hotels. Die Luxusherberge auf der Upper East Side ist berühmt für ihren persönlichen Service. Die Zimmer sind groß und geschmackvoll eingerichtet. Jedes Zimmer hat eine Kochnische, Video-, Stereo- und CD-Anlage, einen Faxanschluß sowie drahtlose Telefone. Manche der Räume haben zudem eine Privatterrasse und ein Eßzimmer. Ein Fitneß-Center und eine Sauna stehen allen Gästen zur Verfügung. Ungeachtet der gedämpft-luxuriösen Atmosphäre ist abends im Carlyle eine Menge los: Man trifft sich dort entweder in Bemelman's Bar oder lauscht im Café Carlyle den Liedern des Cabaret-Stars Bobby Short.

Lowell

28 E 63rd St, NY, NY 10021.
Karte 13 A2. 838-1400.
FAX 838-9194. *Zimmer:* 61.
AE, DC, EC, V.
$$$$$

Dieses intime, luxuriöse Suiten-Hotel wurde 1926 erbaut und hat sich den Charme der zwanziger Jahre erhalten. Der Service ist exzellent, und die 61 Suiten bieten u.a. einen offenen Kamin, eine Bibliothek, Pflanzen, ein Marmorbad und eine voll bestückte Küche. Die Ausstattung besteht aus erlesenen Art-deco- und orientalischen Elementen. Im Pembroke Room im ersten Stock finden 35 Personen Platz. Man kann dort in angenehmer Umgebung Tee trinken oder am Wochenende in diskreter Atmosphäre brunchen. Auch das Post-House-Restaurant hat einen sehr guten Ruf.

Plaza Athénée

37 E 64th St, NY, NY 10021. **Karte** 12 F2. 734-9100. FAX 772 0958.
Zimmer: 156.
AE, DC, EC, V. $$$$$

Die New Yorker Version des Pariser Hotels ist eine exklusive Elite-Enklave mit opulent eingerichteten, kleinen Zimmern, die mit allen nur denkbaren Annehmlichkeiten ausgestattet sind. So findet man frische Blumen, Schuhspanner, einen Safe, eine Kochnische, Bademäntel und Luftbefeuchter. Die Einrichtung ist im Louis-XVI.-Stil gehalten, und in jedem Zimmer gibt es eine Replik der vergoldeten Uhr des berühmten Pariser Hotels. Die Küche des Hotel-Restaurants Le Régence erhält gute Kritiken *(siehe S. 297)*. Im *Institutional Investor Magazine* wurde das Hotel mehrmals als das beste Manhattans bezeichnet.

Regency

540 Park Ave, NY, NY 10021. **Karte** 13 A2. *759-4100.* FAX *826-5674.* ***Zimmer:*** *384.* *AE, DC, EC, V.* $$$$$

Unter den Gästen, die vor dem Regency aus den schweren Limousinen gleiten, sind oft auch Hollywood-Mogule, die den herrlichen Suiten zustreben. Getreu dem Namen des Hauses sind sämtliche Zimmer im Regency-Stil eingerichtet, das Foyer ist verspiegelt und reichlich vergoldet. Im »540«-Restaurant des Regency hat das New Yorker »Power-Frühstück« das Licht der Welt erblickt. Die Hotelgäste können auf einen erstklassigen Service rechnen und genießen alle denkbaren Annehmlichkeiten, einschließlich eines 24-Stunden-Service, eines Fitneß-Center und eines Business-Center.

Stanhope

995 5th Ave, NY, NY 10028. **Karte** 17 A4. *288-5800.* FAX *517-0088.* ***Zimmer:*** *141.* *AE, DC, EC, V.* $$$$$

Das kleine, aber feine Stanhope ist in hervorragender Lage gegenüber dem Metropolitan Museum of Art. Sein im Pariser Stil gehaltenes Terrassen-Café ist eines der beliebtesten der Stadt. Die Publikumsräume sind mit französischen Antiquitäten ausgestattet. In den Zimmern stehen imitierte Louis-XVI.-Möbel. Es gibt CD- und Kassettengeräte. Selbst wenn Sie sich einen Aufenthalt nicht leisten können, sollten Sie zum Tee den »Salon« aufsuchen.

Westbury

15 E 69th St, NY, NY 10021. **Karte** 12 F1. *535-2000.* FAX *535-5058.* ***Zimmer:*** *231.* *AE, DC, EC, V.* $$$$$

Das inmitten exklusiver Boutiquen und Galerien der Madison Avenue gelegene ruhige Westbury verströmt englischen Charme. Die Zimmer sind hübsch, und die Lobby ist eine Oase der Ruhe. Das ganze Hotel erweckt einen höchst kultivierten Eindruck. Auch ein Fitneß-Center gibt es inzwischen, und das beliebte »Polo«-Restaurant ist kürzlich renoviert worden.

Upper West Side

Beacon

2130 Broadway, NY, NY 10023. **Karte** 15 C5. *787-1100.* FAX *724-0839.* ***Zimmer:*** *100.* *AE, DC, EC, V.* $

Dieses schickste Hotel der unteren Preisklasse verdankt seinen Namen dem berühmten Theater gleich nebenan. Die erst unlängst renovierte stilvolle Lobby hat einen mit einem Orientteppich geschmückten schwarz-weißen Kachelboden. Die Möblierung der Zimmer ist nicht gerade einfallsreich, aber komfortabel. Auch haben die Zimmer eine kleine Küche.

Broadway American

2178 Broadway, NY, NY 10024. **Karte** 15 C5. *362-1100.* FAX *787-9521.* ***Zimmer:*** *430.* *40.* *AE, DC, EC, V.* $

Das Broadway American ist ein auffallend preiswertes Hotel. Diese kürzlich renovierte Upper-West-Side-Herberge ist sparsam im Artdeco-Stil gehalten, das Dekor der Zimmer ist bisweilen ein wenig wunderlich. Die Zimmer sind mit Kabel-TV und Eisschrank ausgestattet. Den Gästen stehen Kochgelegenheiten und ein Waschsalon zur Verfügung. Im Gebäude gibt es zudem ein 24-Stunden-Café. Zimmer mit Gemeinschaftsbad sind äußerst günstig.

Excelsior

45 W 81st St, NY, NY 10024. **Karte** 15 D4. *362-9200.* FAX *721-2994.* ***Zimmer:*** *150.* *AE, EC, V.* $

Dieses solide Upper-West-Side-Hotel hat eine geschmackvolle Lobby und große komfortable, altmodische, allerdings nicht sonderlich einfallsreich möblierte Zimmer. Die meisten Räume sind »Suiten«, aber auch die Einzelzimmer haben eine kostensparende Kochnische. Den besten Ausblick bieten die auf der Frontseite zum Museum of Natural History hin gelegenen Zimmer.

Milburn

242 W 76th St, NY, NY 10023. **Karte** 16 D5. *362-1006.* FAX *721-5476.* ***Zimmer:*** *90.* *AE, DC, EC, V.* $

Dieses frisch hergerichtete und hübsch mit Kunstpostern dekorierte, bescheidene West-Side-Hotel hat einige ausreichend große Studios (die günstigste Offerte) anzubieten und ein paar Zwei-Zimmer-Suiten. Alle Räume haben eine voll ausgestattete Küche samt Mikrowellenherd und Eisschrank. Die Bäder sind neu, und es gibt einen Waschsalon. Das Lincoln Center und die vielen Läden und Restaurants des voll im Trend liegenden Broadway und der restlichen Upper West Side befinden sich ganz in der Nähe.

Radisson Empire

44 W 63rd St, NY, NY 10023. **Karte** 12 D2. *265-7400.* FAX *765-4913.* ***Zimmer:*** *375.* *AE, DC, EC, V.* $$

Eine stilvolle Renovierung hat dem betagten Empire neues Leben eingehaucht. In der hohen Eingangshalle fühlt man sich wie in einem alten Tudor-Schloß. Auch die ungewöhnlichen schmiedeeisernen Kandelaber tragen zu dieser Wirkung bei. Die Zimmer sind mit hübschen Blumentapeten dekoriert. Das Haus liegt so nahe am Lincoln Center, daß man fast die dort gesungenen Arien hören kann. Die Zimmer sind außer mit einem Fernseh- und Videogerät auch mit einem Kassettendeck und einem CD-Spieler bestückt. Im Empire-Restaurant läßt es sich angenehm speisen.

Mayflower

15 Central Park West, NY, NY 10023. **Karte** 12 D2. *265-0060.* FAX *265-2026.* ***Zimmer:*** *377.* *AE, DC, EC, V.* $$$

Das am Central Park gelegene und vom Lincoln Center aus leicht zu Fuß erreichbare Mayflower ist ein vornehmes Haus – vielleicht wäre »abgewohnt-vornehm« die bessere Bezeichnung. Die Zimmer könnten nämlich wahrlich eine Renovierung vertragen. Trotzdem ist das Haus komfortabel und unprätentiös. Die Zimmer haben Kochnische und Eisschrank. Das Hotel ist bei vielen Gästen nicht nur wegen seiner Lage sehr beliebt, sondern auch weil man im Conservatory Café immer wieder Künstler aus dem Lincoln Center antrifft. Die höheren Etagen der Vorderseite bieten herrliche Ausblicke auf den Park.

Zeichenerklärung *siehe S. 271*

Restaurants und Bars

In New York liebt man gutes Essen, und es gibt über 25000 Lokale in den fünf Stadtbezirken. Restaurant-Besprechungen in Zeitschriften wie *New York* und *Where* werden eifrig studiert und überaus ernst genommen – eine einzige schlechte Kritik kann zur Schließung eines vormals beliebten Restaurants führen. Die im folgenden aufgelisteten Restaurants wurden als die besten New Yorks ausgewählt. Die *Restaurantauswahl* auf Seite 290ff erleichtert Ihnen die rechte Wahl, und der Lageplan auf Seite 288 enthält die Highlights der Gastronomie. Der Abschnitt *Leichte Mahlzeiten und Snacks* auf Seite 304ff nennt einige der besten Lokalitäten für einen schnellen Imbiß.

Der klassische Manhattan-Cocktail

Speisenfolge

In den meisten Restaurants besteht das Essen aus drei Gängen: Vorspeise *(appetizer/starter)*, Hauptgericht *(entree/main course)* und Dessert. Außer in Fast-Food-Lokalen gehört es praktisch in allen New Yorker Restaurants zum Service, daß Brötchen und Butter gereicht werden, sobald man Platz genommen hat.

Mitunter wird auch unaufgefordert eine kleine Vorspeise serviert, wie etwa ein

Hot-Dog-Verkäufer

Klecks Mousse oder ein winziges Stück Quiche. In Nobelrestaurants sind die Vorspeisen oftmals besonders raffiniert, so daß viele Gäste zwei Vorspeisen und kein Hauptgericht bestellen. Italienische Speisekarten bieten als Zwischengang Pasta an, doch die meisten Amerikaner, die nicht italienischer Abstammung sind, bestellen sie als Hauptgericht. Nach dem Essen wird in allen besseren Lokalen unaufgefordert Kaffee serviert – und zumeist auch unbegrenzt nachgeschenkt.

Käse zum Abschluß einer Mahlzeit gibt es lediglich in einigen französischen Spitzenrestaurants.

Preise

In New York findet man immer ein Lokal, das zum Budget paßt. In Imbißlokalen und Fast-Food-Ketten bekommt man schon für 5 US-$ eine sättigende Mahlzeit. Darüber hinaus gibt es unzählige – mitunter erstklassige – Restaurants, wo man in netter Atmosphäre für etwa 20 US-$ pro Person gut essen kann (Getränke nicht eingeschlossen). In den Spitzenlokalen der New American Cuisine zahlt man hingegen pro Person allein für das Essen 40 bis 60 US-$ oder mehr. Viele Restaurants der gehobenen Preisklasse bieten allerdings auch Tagesmenüs zu einem Festpreis an – allgemein *prix fixe menu* genannt –, die viel billiger sind als ein Menü à la carte. Mittags *(lunch)* ist das Essen ist in solchen Lokalen meist preiswerter als abends *(dinner)*. Da viele der Gäste auf Geschäftskosten essen gehen, herrscht mittags auch der meiste Betrieb.

Typisches New Yorker Deli ***(siehe S. 304)***

Steuern und Trinkgeld

Zu den auf den Speisekarten ausgewiesenen Preisen kommen noch die New Yorker Umsatzsteuer von 8,25% sowie ein Trinkgeld hinzu, das sich in einem Coffee Shop auf etwa 10% und in der gehobenen Gastronomie auf bis zu 25% beläuft. Viele New Yorker verdoppeln den Umsatzsteuerbetrag und passen das Trinkgeld dann dem Service an.

Zen Palate ***(siehe S. 300)***

Die Rechnung heißt in den USA *check*. Die am häufigsten akzeptierten Kreditkarten sind VISA, Mastercard und American Express. Oft werden auch Dollar-Reiseschecks akzeptiert, doch in Imbißlokalen und Coffee Shops zahlt man bar.

Preiswert essen

Trotz der Berichte über Geschäftsessen für 200 US-$ pro Person läßt sich in New York durchaus preiswert essen.

Bestellen Sie weniger Gänge als üblich: Amerikanische Portionen sind riesig, und eine Vorspeise reicht oft schon als leichte Hauptmahlzeit.

Vergleichen Sie bei Tagesgerichten *(dishes of the day)* die Preise: Häufig sind sie teurer als die Gerichte auf der Speisekarte.

Fragen Sie den Kellner, ob es ein verbilligtes *Prix-Fixe*-Menü gibt; viele teure Restaurants haben sie zum Lunch und Dinner auf der Karte – am frühen Abend heißen sie oft *pre-theater menu*. Reichhaltige Lunch-Buffets zu günstigen Festpreisen gibt es in den indischen Lokalen von Manhattan.

Gehen Sie in Bars mit Happy Hours – bestimmte Zeiten, zu denen verbilligte Preise gelten. Häufig gibt es dort Vorspeisen, etwa spanische *Tapas*, die praktisch eine Mahlzeit ergeben. In gute Restaurants geht man am besten zum Lunch: Dann ist es erheblich preiswerter als abends. Wer Luxuslokale nicht nur von außen sehen möchte, nehme dort einen Drink. Die Atmosphäre spielt ohnehin eine größere Rolle als das Essen.

Frühstücken Sie nicht im hoteleigenen Coffee Shop: Er ist teurer als ein Imbißlokal.

Essenszeiten

Frühstückszeit ist gewöhnlich zwischen 7 Uhr und 10.30 oder 11 Uhr. Sonntags ist das Brunch beliebt, das in den meisten besseren Restaurants von etwa 11 bis 15 Uhr serviert wird. Lunch gibt es in den meisten Lokalen von 11.30 oder 12 Uhr bis 14.30 Uhr, wobei der Hauptandrang gegen 13 Uhr herrscht. Dinner wird gewöhnlich ab 17.30 oder 18 Uhr serviert. Die Hauptessenszeit ist gegen 19.30 und 20 Uhr.

Tische im Four Seasons ***(siehe S. 293)***

Wochentags schließen viele Restaurants um 22 Uhr, freitags und samstags um 23 Uhr. Einige Lokale, insbesondere chinesische, sind von 11.30 bis 22 Uhr geöffnet, Imbißlokale oft von 7 bis 24 Uhr.

Kleiderordnung

In besseren Restaurants wird erwartet, daß Herren ein Jackett tragen, in Luxusrestaurants herrscht außerdem Krawattenzwang. Sonst reicht meist gepflegte Straßenkleidung. Viele Frauen ziehen sich für ein Essen in teuren Restaurants besonders schick an. Welche Kleidung erwünscht ist, kann man bei der Tischreservierung erfragen.

Das stilvolle Café im Grand Central Terminal ***(siehe S. 309)***

Tischreservierung

Mit Ausnahme von Imbißstuben und Fast-Food-Lokalen ist eine Tischreservierung empfehlenswert, besonders am Wochenende. Einige Restaurants, in denen sich die Schickeria trifft, nehmen nur Reservierungen für sechs oder mehr Personen an. In Midtown ist eine Reservierung zum Lunch unerläßlich – und selbst dann sitzt man oft nur an der Bar.

Rauchen

Die meisten New Yorker Restaurants haben eine Raucher- und eine Nichtraucherzone; sagen Sie bei der Tischreservierung, wo Sie sitzen möchten.

Kinder

Wer mit Kindern essen geht, sollte fragen, ob es eine spezielle Speisekarte oder verbilligte Kinderportionen gibt. Kinder mit tadellosem Benehmen sind in fast allen New Yorker Restaurants willkommen. Mit lebhaften Kindern geht man besser nach Chinatown oder in italienische Familienlokale, in Burger Bars, Delis, Cafés, Fast-food- oder Imbißlokale. Einige Restaurants der gehobenen Preisklasse sind auch auf Kleinkinder eingerichtet. Luxusrestaurants eignen sich in der Regel nicht für ein Essen mit der ganzen Familie.

Behinderte

Viele Restaurants haben Tische, die sich auch für Gäste im Rollstuhl eignen, doch empfiehlt es sich, dies bereits bei der Reservierung abzuklären. In Imbißlokalen können behinderte Gäste aus Platzmangel zumeist nicht bewirtet werden.

Zeichenerklärung

Legende für den Restaurantführer auf S. 293 ff.

- Telefonnummer
- Nichtraucherzone
- Tagesmenü
- Vegetarisches Lokal oder vegetarisches Essen
- Kinderstühle und/oder Kinderportionen
- Tische im Freien
- Für Rollstuhlfahrer zugänglich
- Jackett und Krawatte erforderlich
- Livemusik
- Besonders gute Weinkarte
- ★ Besonders empfehlenswert
- Kreditkarten:

AE American Express
DC Diners Club
EC Eurocard/Mastercard
V VISA

Preiskategorien für eine Mahlzeit mit drei Gängen inkl. einer halben Flasche Hauswein und aller Zusatzkosten (Umsatzsteuer und Bedienung):

$ unter 25 US-$
$$ 25 US-$–35 US-$
$$$ 35 US-$–50 US-$
$$$$ 50 US-$–70 US-$
$$$$$ über 70 US-$

Spezialitäten

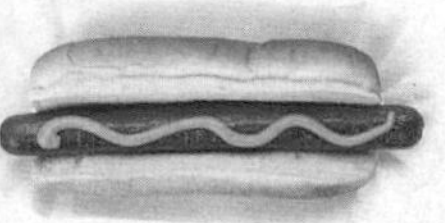

Hot Dog

Das kulinarische Angebot ist ebenso vielfältig wie das kulturelle und ethnische Erscheinungsbild der Stadt; praktisch jede Landesküche ist in New York vertreten. Wer Appetit auf eine einfache, herzhafte Mahlzeit hat, wie etwa eingelegtes Gemüse, Pasta oder Salami, sollte in eines der zahlreichen italienischen Lokale gehen, die man in jedem Stadtviertel findet. Japanische Restaurants bieten raffinierte Sushi und Sashimi, die genauso gut wie in Japan schmecken. Oder probieren Sie traditionelle jüdische Speisen, wie Pastrami, *Blintzes* und *Bagels,* die man in den meisten Imbißlokalen und Delikatessenläden, kurz »Delis« genannt, bekommt. Würzige Curries servieren die vielen indischen Lokale. Sehr Hungrige gehen am besten in ein Steakhouse, wo es saftige Steaks, Fischspezialitäten und leckere Desserts gibt.

Bagel
Dieses jüdische Hefegebäck in Ringform wird gerne mit Räucherlachs und Frischkäse gegessen.

Pancakes
Zu einem richtigen amerikanischen Frühstück gehören dicke, süße Pfannkuchen, meist mit Ahornsirup serviert. Der Teig kann auch frische oder Trockenfrüchte enthalten.

Bacon – Frühstücksspeck – ist zumeist knusprig ausgebraten.
»Home Fries« heißen hier die Bratkartoffeln.
Vollkorntoast
Eggs »over easy« sind beidseitig leicht gebratene Spiegeleier.

Breakfast oder Brunch
Frühstück (oder Brunch am Spätvormittag) kann aus Bratkartoffeln, Eiern, Speck, Toast und süßen Pfannkuchen bestehen – alles in riesigen Portionen, dazu Kaffee, soviel Sie wollen.

French Toast
Brot wird in Ei getaucht, ausgebraten und mit Sirup serviert.

Egg Cream
Das klassische Getränk wird aus eiskalter Milch, Schokoladensirup und Sodawasser zubereitet.

Corned Beef on Rye
Corned Beef wird auf Roggenbrot mit mildem Senf und Dillgurken serviert.

Burger and Fries »To Go«
Burger und Pommes frites zum Mitnehmen gibt es oft mit Zwiebelringen und Salat.

Giant Pretzel
Große Salzbrezeln werden an jeder Straßenecke verkauft.

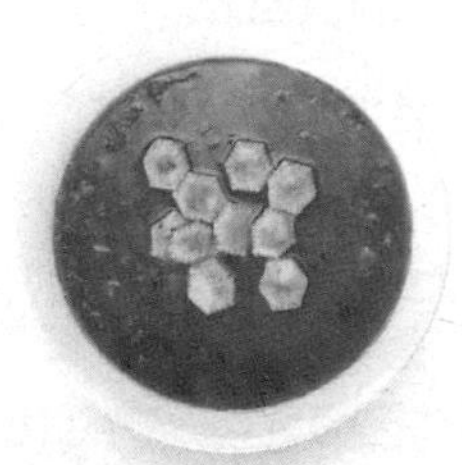

Clam Chowder
Diese Muschelsuppe wird in Manhattan mit Tomaten zubereitet und mit Crackern garniert.

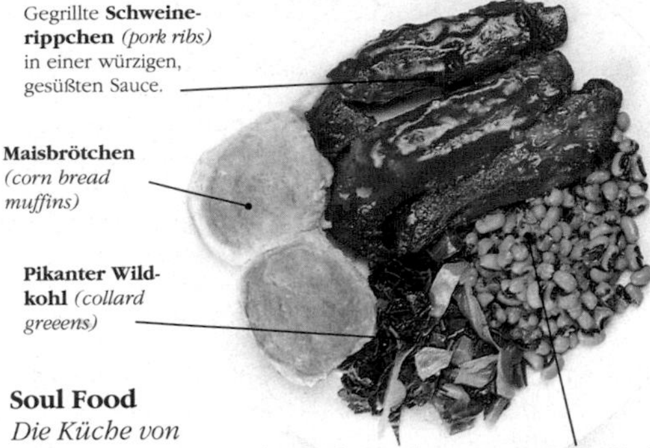

Soul Food
Die Küche von Harlem stammt aus dem tiefen Süden der USA. Die einfachen Gerichte erhalten durch die verwendeten Gewürze einen einzigartigen Geschmack.

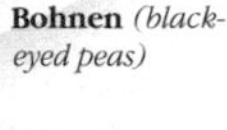

Pizza
Pizza in allen Variationen gibt es nicht nur in Little Italy, sondern überall in der Stadt; diese ist mit Artischockenherzen belegt.

Sushi
Japanische Spezialitäten wie fangfrischer roher Fisch mit Reis sind überaus beliebt.

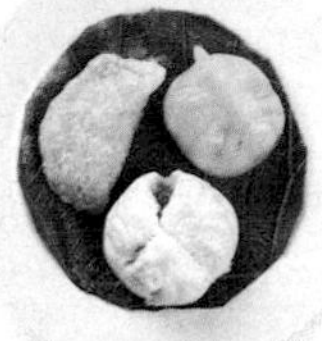

Dim Sum
Gedämpfte Klößchen mit einer Fisch-, Fleisch- oder Gemüsefüllung gelten als Spezialität von Chinatown.

Waldorf Salad
In den 30er Jahren wurde dieser Salat mit Äpfeln und Nüssen im Waldorf Hotel kreiert.

Cappuccino und Cookies
In vielen Cafes wird der Kaffee auf italienische Art mit aufgeschäumter Milch und kleinen Keksen serviert.

Apple Pie à la Mode
Dieses traditionelle amerikanische Dessert muß mit Eis serviert werden.

New York Cheesecake
Das Rezept für den typischen New Yorker Käsekuchen ist jüdischen Ursprungs.

Banana Split
Die Portionen mancher Eisspezialitäten sind für eine ganze Familie bemessen. Fragen Sie nach zusätzlichen Löffeln!

Highlights: Restaurants, Cafés und Bars

RESTAURANTS FÜR JEDEN Geschmack und Geldbeutel findet man überall in New York. In der Vergangenheit spiegelte die New Yorker Eßkultur das ethnische Erbe der Stadt wider, und bis zu einem gewissen Grad gilt dies heute noch – wie die große Zahl von italienischen, chinesischen und japanischen Lokalen sowie die anhaltende Beliebtheit der traditionellen jüdischen Delis zeigen. Andererseits findet man auf 37 Seiten des New Yorker Telefonbuchs praktisch jede Küche der Welt – sei es die New American Cuisine, die Küche der Cajuns, Kaliforniens und der Südstaaten oder die thailändische, vietnamesische, indische, afghanische, birmanische, philippinische Küche. Die hier aufgeführten Lokale wurden aus der Auflistung auf Seite 293 ff als die besten ihrer Sparte ausgewählt.

Carnegie Delicatessen
Typisches Deli mit üppiger pastrami on rye (siehe S. 306).

Zen Palate
Die hier servierte exzellente vegetarische Küche ist eine wohldurchdachte Mischung asiatischer Kochkunst (siehe S. 300).

Union Square Café
Hier gibt es New American Cuisine vom Feinsten. Die Fischgerichte und Nachspeisen sind vorzüglich (siehe S. 295).

Florent
Dieses Bistro ist rund um die Uhr geöffnet und bietet authentische Küche und Atmosphäre (siehe S. 306).

Caffè Vivaldi
Von den vielen netten Cafés in New York ist dieses besonders wegen seines köstlichen Gebäcks beliebt (siehe S. 306).

Golden Unicorn
Die Auswahl an Dim Sum *in Chinatowns bestem chinesischen Restaurant sollte man probieren* (siehe S. 300).

McSorley's Old Ale House
Von allen New Yorker Bars hat McSorley's die beste Atmosphäre – und starkes Bier (siehe S. 309).

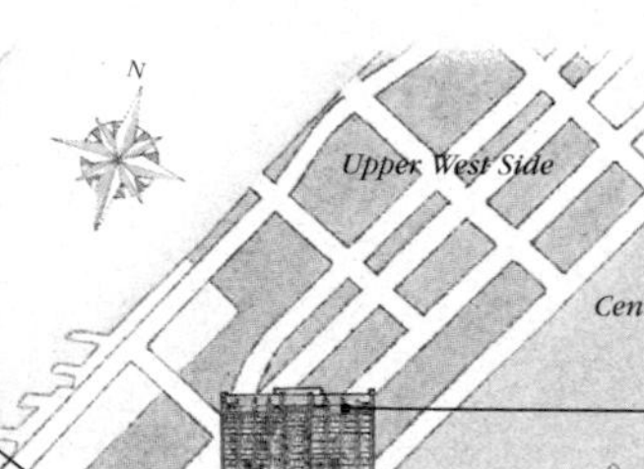

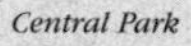

Café des Artistes
Dieser Klassiker ist für seine frechen Wandbilder aus den 30er Jahren wie auch für seine Schokoladendesserts bekannt (siehe S. 296).

Mezzaluna
Unweit der Museumsmeile findet man hier mit die beste Pizza der Stadt (siehe S. 306).

Serendipity 3
Sehenswertes exzentrisches viktorianisches Ambiente, von Kindern eher wegen der köstlichen Eisbecher geliebt (siehe S. 306).

The Four Seasons
Exzellente europäische und amerikanische Gerichte werden hier in zwei wunderschönen Sälen serviert, der eine mit Rosenholztäfelung, der andere mit einem zentralen Pool (siehe S. 293).

Oyster Bar, Grand Central Terminal
Die beste Fischküche in Manhattan bietet dieses Lokal im Untergeschoß des Grand Central Terminal. Auch die Weinkarte mit ihren amerikanischen Weinen ist erlesen (siehe S. 294).

Hatsuhana
Dieses japanische Restaurant zeichnet sich durch außergewöhnlich große Auswahl frischer Sushi aus. An der Sushi-Bar kann man dem Küchenchef bei der Arbeit zuschauen (siehe S. 301).

Kilometer 2

Meilen 1

Restaurantauswahl

GÜNSTIGE PREISE ODER herausragendes Essen waren bei der folgenden Auswahl der Restaurants ausschlaggebend. Die Tabelle bewertet einige Kriterien, um Ihnen die Entscheidung leichter zu machen. Nähere Einzelheiten finden Sie auf S. 293 ff, *Leichte Mahlzeiten und Snacks* auf S. 304 ff, *Bars* auf S. 307 ff.

Restaurant	Preis	Seite	Tagesmenü	Abends lange geöffnet	Kinderfreundlich	Tische im Freien	Ruhiges Restaurant	Vegetarisches Essen	Fisch und Meeresfrüchte
LOWER MANHATTAN									
Hudson River Club *(Amerikanisch)*	$$$$	294	●		●				
Layla *(Mittlerer Osten)*	$$$$	302	●	■	●	■		■	
Windows on the World *(Amerikanisch)* ★	$$$$$	295	●				●		
SEAPORT UND CIVIC CENTER									
Bo Ky *(Chinesisch)*	$	299	●		●				
LOWER EAST SIDE									
Canton *(Chinesisch)*	$$	299							
Oriental Garden *(Chinesisch)*	$$	300		■	●				●
Golden Unicorn *(Chinesisch)*	$$$	299	●	■	●				
Sammy's Famous Roumanian *(Jüdisch/Rumänisch)*	$$$$	303							
SOHO UND TRIBECA									
Penang Malaysian Cuisine *(Malayisch)*	$	301		■				■	
Mekong *(Vietnamesisch)*	$$	301	●			■		■	
Saalam Bombay *(Indisch)*	$$	302	●			■		■	
Savoy *(Mediterran)*	$$	294			●		●	■	●
Honmura An *(Japanisch)*	$$$	300	●				●	■	●
Provence *(Französisch)*	$$$	297		■	●	■			
Alison on Dominick Street *(Französisch)*	$$$$	295					●		●
Chanterelle *(Französisch)* ★	$$$$	296	●				●		
Montrachet *(Französisch)* ★	$$$$	297	●		●				
TriBeCa Grill *(Amerikanisch)*	$$$$	295	●			■		■	
Zoë *(Amerikanisch)*	$$$$	295			●			■	●
GREENWICH VILLAGE									
Moustache *(Mittlerer Osten)*	$	302	●	■				■	
Riodizio *(Brasilianisch)*	$	303		■				■	
Cendrillon *(Malaysisch/Phillipinisch)*	$$	301	●						
Cent' Anni *(Italienisch)*	$$$$	298						■	
Il Mulino *(Italienisch)*	$$$$	298		■	●			■	
La Métairie *(Französisch)*	$$$$	297		■				■	
Nobu *(Japanisch)* ★	$$$$	300	●		●		●	■	●
Gotham Bar & Grill *(Amerikanisch)*	$$$$$	293	●		●			■	
EAST VILLAGE									
Iso *(Japanisch)*	$$$	300	●	■					●
GRAMERCY UND FLATIRON DISTRICT									
An American Place *(Amerikanisch)*	$$$	293			●			■	
Mesa Grill *(Amerikanisch)*	$$$	294					●		●
Verbena *(Amerikanisch)*	$$$	295			●	■	●	■	●
C.T/Claude Troisgrois *(Französisch)*	$$$$	296	●	■	●	■		■	●
Gramercy Tavern *(Amerikanisch)* ★	$$$$	294	●					■	
Lola *(Karibisch)*	$$$$	303		■	●				●
Periyali *(Griechisch)*	$$$$	303				■			
Union Square Café *(Amerikanisch)* ★	$$$$	295			●			■	
The Water Club *(Amerikanisch)*	$$$$$	295	●	■		■			●

Preiskategorien für ein Drei-Gänge-Menü mit einer halben Flasche Hauswein und allen Zusatzkosten (Service und Mehrwertsteuer) pro Person:
$ unter 25 US-$
$$ 25 US-$–35 US-$
$$$ 35 US-$–50 US-$
$$$$ 50 US-$–70 US-$
$$$$$ über 70 US-$

★ Sehr empfehlenswert.

Tagesmenü
Menü zu festem, reduziertem Preis.
Abends lange geöffnet
Letzte Bestellung um/nach 23.30 Uhr (ausgenommen sonntags).
Kinderfreundlich
Kinderportionen und/oder -stühle.
Ruhiges Restaurant
Keine Musikberieselung, intime Atmosphäre.
Vegetarisches Essen
Vegetarisches Restaurant oder Restaurant mit vegetarischen Gerichten.

Restaurant	Preis	Seite	Tagesmenü	Abends lange geöffnet	Kinderfreundlich	Tische im Freien	Ruhiges Restaurant	Vegetarisches Essen	Fisch und Meeresfrüchte
Chelsea und Garment District									
Da Umberto *(Italienisch)*	$$$$	298							●
Le Madri *(Italienisch)* ★	$$$$	298		■		■		■	
Theater District									
Afghan Kebab House *(Afghanisch)*	$	302	●						
Siam Inn *(Südostasiatisch)*	$	301	●		●			■	
Jewel of India *(Indisch)*	$$	302	●					■	
Tang Pavilion *(Chinesisch)*	$$	300	●					■	
Zen Palate *(Südostasiatisch)*	$$	301	●	■	●			■	
B Smith's *(Amerikanisch)*	$$$	293							
Cabana Carioca *(Südamerikanisch)*	$$$	303			●				
Orso *(Italienisch)*	$$$	298		■				■	
Tapika *(Amerikanisch)*	$$$	294	●					■	
Barbetta *(Italienisch)*	$$$$	298	●	■			●		
Osteria del Circo *(Italienisch)* ★	$$$$	298			●			■	
Remi *(Italienisch)*	$$$$	299		■		■			
Trattoria Dell'Arte *(Italienisch)*	$$$$	299		■		■		■	●
Le Bernardin *(Französisch)*	$$$$$	295	●						●
Les Célébrités *(Französisch)*	$$$$$	296	●		●		●		
Palio *(Italienisch)*	$$$$$	298	●					■	
The Rainbow Room *(Amerikanisch)* ★	$$$$$	294	●	■	●			■	●
Russian Tea Room *(Russisch)*	$$$$$	303	●	■				■	●
San Domenico *(Italienisch)* ★	$$$$$	299		■			●	■	●
Lower Midtown									
Ambassador Grill *(Amerikanisch)*	$$$	293	●		●		●	■	●
Grand Central Oyster Bar *(Amerikanisch)* ★	$$$	294			●				●
Tropica Bar and Seafood House *(Karibisch)*	$$$$	303	●		●			■	●
Sparks Steakhouse *(Amerikanisch)*	$$$$$	294							●
Upper Midtown									
Zarela *(Mexikanisch)*	$$	303							
Arizona 206 *(Amerikanisch)*	$$$	293		■	●			■	●
Chin Chin *(Chinesisch)*	$$$	299	●	■	●	■		■	●
Le Colonial *(Südostasiatisch)*	$$$	301	●					■	●
Dawat *(Indisch)*	$$$	302	●					■	●
Hatsuhana *(Japanisch)*	$$$	300	●						●
Il Nido *(Italienisch)*	$$$	298			●			■	
Sushisay *(Japanisch)*	$$$	300							●
Vong *(Thailändisch)* ★	$$$	301	●			■	●	■	●
Bice *(Italienisch)*	$$$$	297				■			
La Caravelle *(Französisch)*	$$$$	296	●				●		
Darbar *(Indisch)*	$$$$	302			●		●	■	
Felidia *(Italienisch)*	$$$$	298						■	
La Grenouille *(Französisch)*	$$$$	296	●		●			■	
Inagiku *(Japanisch)*	$$$$	300							●
Lutèce *(Französisch)*	$$$$	297	●						
Shun Lee Palace *(Chinesisch)*	$$$$	300					●	■	●
Lespinasse *(Französisch)* ★	$$$$	296							

Preiskategorien für ein Drei-Gänge-Menü mit einer halben Flasche Hauswein und allen Zusatzkosten (Service und Mehrwertsteuer) pro Person:
$ unter 25 US-$
$$ 25 US-$–35 US-$
$$$ 35 US-$–50 US-$
$$$$ 50 US-$–70 US-$
$$$$$ über 70 US-$

★ Sehr empfehlenswert.

Tagesmenü
Menü zu festem, reduziertem Preis.
Abends lange geöffnet
Letzte Bestellung um/nach 23.30 Uhr (ausgenommen sonntags).
Kinderfreundlich
Kinderportionen und/oder -stühle.
Ruhiges Restaurant
Keine Musikberieselung, intime Atmosphäre.
Vegetarisches Essen
Vegetarisches Restaurant oder Restaurant mit vegetarischen Gerichten.

		Seite	Tagesmenü	Abends lange geöffnet	Kinderfreundlich	Tische im Freien	Ruhiges Restaurant	Vegetarisches Essen	Fisch und Meeresfrüchte
Aquavit ***(Skandinavisch)***	$$$$$	302	●					■	●
La Côte Basque ***(Französisch)***	$$$$$	296	●				●		
The Four Seasons ***(Amerikanisch)*** ★	$$$$$	293	●				●		●
Le Périgord ***(Französisch)***	$$$$$	297	●				●		●
The '21' Club ***(Amerikanisch)***	$$$$$	295	●				●	■	
Upper East Side									
Bangkok House ***(Thailändisch)***	$$	301							●
Pamir ***(Afghanisch)***	$$	302						■	
Arcadia ***(Amerikanisch)*** ★	$$$$	293	●		●	■			
Coco Pazzo ***(Italienisch)***	$$$$	298						■	
Daniel ***(Französisch)***	$$$$	296	●		●	■		■	
Jo Jo ***(Französisch)***	$$$$	296		■			●		
Aureole ***(Amerikanisch)*** ★	$$$$$	293	●			■	●	■	
Le Cirque ***(Französisch)*** ★	$$$$$	296	●						●
Le Régence ***(Französisch)***	$$$$$	297	●						●
Parioli Romanissimo ***(Italienisch)***	$$$$$	298						■	
Sign of the Dove ***(Amerikanisch)***	$$$$$	294	●			■	●		
Upper West Side									
Lemongrass Grill ***(Thailändisch)***	$	301	●	■				■	
Monsoon ***(Thailändisch/Vietnamesisch)***	$	301	●	■				■	
Barney Greengrass ***(Jüdisch)***	$$	302	●	■	●			■	
Ollie's Noodle Shop & Grill ***(Chinesisch)***	$$	299		■	●				●
Rain ***(Südostasiatisch)***	$$	301			●			■	
Santa Fe ***(Amerikanisch)***	$$	294		■				■	
Carmine's ***(Italienisch)***	$$$	297			●				
Shun Lee West ***(Chinesisch)***	$$$	300		■				■	
Picholine ***(Französisch/Mediterran)***	$$$	303	●	■	●				
Café des Artistes ***(Französisch)*** ★	$$$$	296	●	■					●
Morningside Heights und Harlem									
Sylvia's ***(Amerikanisch)***	$	294			●				
The Terrace ***(Französisch)***	$$$$	297	●			■			●
Brooklyn									
Moroccan Star ***(Marokkanisch)***	$	302	●		●				
Gage & Tollner ***(Amerikanisch)***	$$$	293	●		●				●
Peter Luger ***(Amerikanisch)***	$$$$	294	●		●				
The River Café ***(Amerikanisch)*** ★	$$$$$	294	●			■			
Queens									
The Water's Edge ***(Amerikanisch)***	$$$$$	295			●	■			●

Amerikanisch

Neben der üblichen amerikanischen Küche findet man in New York auch Vertreter der New American Cuisine und verschiedene Regionalküchen Amerikas.

Die übliche Küche bevorzugt gegrilltes Fleisch, Pommes frites, fritierten Fisch und frische Salate. Die Portionen sind üppig, die Preise angemessen, und entsprechende Lokale gibt es in fast allen Stadtteilen.

Die New American Cuisine ist ein Abkömmling der französischen Nouvelle Cuisine. Die Portionen sind eher klein, und die Gerichte zeichnen sich durch interessante Kombinationen aus. Die Abwandlung alter, regionaler Rezepte durch frische einheimische und fernöstliche Zutaten – wie Ingwer, Sojasauce, Knoblauch, Curry und frischer Koriander – ist zu einem wesentlichen Kriterium dieses Stils geworden. Restaurants der New American Cuisine gehören zweifellos zu den besten und teuersten in New York.

Bei der Regionalküche reicht das Angebot von Meeresfrüchten aus New England bis zu gegrillten Spareribs aus den Südstaaten und Soul Food, der traditionellen Küche der Afro-Amerikaner. Die kreolische Küche bietet Fisch, Flußkrebse und Gumbos (Eintöpfe mit Geflügel, Reis, Meeresfrüchten und Tomaten). Die kalifornische Küche verwendet vor allem naturbelassene, frische Zutaten und vereint oftmals asiatische Rezepte mit Techniken der Nouvelle Cuisine. Restaurants mit regionaler US-Küche liegen zumeist in der mittleren Preiskategorie.

Ambassador Grill

United Nations Plaza Hotel, 1 United Nations Plaza. **Karte** 13 C5.
702-5014. Tägl. 7–10.30, 12–14, 18–22.30 Uhr. AE, DC, EC, V.
$$$

Amerikanische Küche mit französischer Note, behagliche Atmosphäre mit Spiegelwänden. Sehr gemischtes Publikum (UN-Beamte ebenso wie Bewohner der East Side). Die Preise sind dem Niveau des Essens und der Örtlichkeit angemessen. Empfehlenswert: Brunch-Buffet am Sonntag, mit Champagner und Hummer zum Sattessen.

An American Place

2 Park Ave. **Karte** 9 A2. *684-2122. Mo–Fr 11.45–15 Uhr, Mo–Sa 17.30–22 Uhr. AE, DC, EC, V.* $$$

Küchenchef und Besitzer Larry Forgione gehört zu den bekannten Vertretern der New American Cuisine. Das Restaurant erinnert an einen Hotel-Speisesaal der 30er Jahre. Einfallsreiche, häufig wechselnde Speisekarte mit Gerichten wie gegrillter Wachtel mit Maisbrotfüllung oder Ente mit knuspriger Wildblütenhonig-Minzglasur. Diverse Biere kleiner US-Brauereien im Ausschank.

Arcadia

21 E 62nd St. **Karte** 12 F2.
223-2900. Mo–Fr 12–14.30 Uhr, Mo–Sa 18–22.30 Uhr. ***Geschl.*** *einige Feiertage. AE, DC, EC, V.*
$$$$

Kleines Nobelrestaurant mit wunderschöner Inneneinrichtung, wo praktisch jedes Essen zu einem unvergeßlichen Erlebnis wird. Für Feinschmecker ein absolutes Muß. Küchenchefin und Mitbesitzerin Anne Rosenzweig zählt zu den Spitzenköchinnen der New American Cuisine. Aufgrund der Beliebtheit leider häufig überfüllt und dann unangenehm laut.

Arizona 206

206 E 60th St. **Karte** 13 B3.
838-0440. Mo–Sa 12–15 Uhr, Fr, Sa 17.30–23.30 Uhr, So 17.30–22.30 Uhr. AE, DC, EC, V.
$$$

Gemütliches Lokal mit weißgetünchten Lehmwänden, offenen Kaminen, Holztischen und Holzfußboden. Die Küche bietet eine phantasievolle Mischung von Rezepten aus dem Südwesten und New American Cuisine, wie etwa gefüllte Paprika, gebratene Wachteln mit Polenta oder gegrillte Gänseleber. Am besten ißt man hier abends, auch wenn es dann sehr voll und laut ist. Im angeschlossenen Café gibt es andere Gerichte zu erheblich günstigeren Preisen als im Restaurant.

Aureole

34 E 61st St. **Karte** 12 F3.
319-1660. Mo–Fr 12–15 Uhr, Mo–Sa 17.30–23 Uhr. AE, DC, EC, V.
$$$$

Die Räume in einem alten, sorgfältig restaurierten braunen Sandsteingebäude schmücken Blumengebinde und Basreliefs. Bei warmem Wetter wird draußen im Garten serviert. Die amerikanisch-französische Speisekarte wechselt oft und bietet vor allem Fischgerichte. Das Tagesmenü bietet ein ausgezeichnetes Preis-Leistungs-Verhältnis.

B Smith's

771 8th Ave. **Karte** 12 D5.
247-2222. Mo–Do 12–23 Uhr, Fr, Sa 12–0.30 Uhr, So 12–22.30 Uhr. AE, DC, V, MC. $$$

Das von Barbara Smith, einem ehemaligen Fotomodell, geführte Lokal zählt zu den Treffpunkten der New Yorker Schickeria. Serviert wird gute New American Cuisine zu angemessenen Preisen. Im Obergeschoß befindet sich das Rooftop Café – ein riesiger, verglaster Dachgarten, wo den Gästen abends Live-Musik geboten wird.

The Four Seasons

99 E 52nd St. **Karte** 1 3A.
754-9494. Mo–Fr 12–14 Uhr, Mo–Sa 17–23.15 Uhr. ***Geschl.*** *einige Feiertage. bisweilen Musik. AE, DC, EC, V.*
$$$$$

Im Grill Room des seit 1961 bestehenden Restaurants verabreden sich Manager regelmäßig zu Geschäftsessen. Romantischer ist der weitläufige Pool Room mit Marmorbecken, der auch das geeignete Ambiente für ein Abendmenü vor dem Theater bietet. Die Speisekarte umfaßt Köstlichkeiten der New American und der europäischen Küche. Keinesfalls versäumen sollte man die herrlichen, wenn auch teuren Desserts. Tischreservierung erforderlich.

Gage & Tollner

372 Fulton St, Brooklyn.
(718) 875-5181. Mo–Fr 11.30–22 Uhr, Sa 15.30–22 Uhr. AE, DC, EC, V. $$$

Der Weg nach Brooklyn lohnt allemal für dieses ausgezeichnete Fischrestaurant. Zu den Spezialitäten gehören Austern und gegrillte Muscheln genauso wie Gerichte aus South Carolina, etwa die »Charleston she-crab soup« (Suppe aus Krebsfleisch, Krebsrogen, Sahne, Zwiebeln und Sherry). Abends verkehrt hier eine eklektische Klientel, zur Mittagszeit hört man meist politische Gespräche. Abends unbedingt ein Taxi nehmen.

Gotham Bar & Grill

12 E 12th St. **Karte** 4 E1.
620-4020. Mo–Fr 12–14.30 Uhr, Mo–Do 17.30–22 Uhr, Fr, Sa 17.30–23 Uhr, So 17.30–21.30 Uhr. AE, DC, EC, V. $$$$$

In neoklassizistischem Ambiente mit Säulen, hohen Decken und einer Bar aus rosa Marmor findet man hier in einem ehemaligen Lagerhaus wohl die beste Küche dieses Stadtteils. Der junge, talentierte, in Frankreich ausgebildete Chefkoch Alfred Portale zaubert herrliche Fisch- und Wildgerichte auf den Teller. Das Essen hat zwar seinen Preis, ist aber ein unvergeßliches Erlebnis auf dem Sektor der New American Cuisine.

Zeichenerklärung *siehe S. 285*

Gramercy Tavern

42 E 20th St. **Karte** 8 F5. *477-0777. Mo–Do 12–23 Uhr, Fr, Sa 12–23.30 Uhr, So 17–23 Uhr.* ★ *AE, DC, EC, V.* $$$$

Diese neue Kreation von Danny Meyer, dem Besitzer des Union Square Cafés, bietet innovative New American Küche in der Atmosphäre eines französischen Landhauses. Geröstete Muscheln mit Trüffel-*coulis* oder marinierter Lachs mit Minz-*Couscous* und Creme Fraîche sind zu empfehlen. Die Desserts sind einfach köstlich.

Grand Central Oyster Bar

Grand Central Station, Untergeschoß. **Karte** 9 A1. *490-6650. Mo–Fr 11.30 – letzte Platzreservierung um 21.30 Uhr.* ***Geschl.*** *einige Feiertage.* ★ *AE, DC, EC, V.* $$$

Zu den besten Fischküchen der Stadt zählt die schlichte Oyster Bar im Untergeschoß von Grand Central Station. Zur Mittagszeit bewirkt die Schallreflexion, daß man kaum sein eigenes Wort versteht, aber die leckeren Fischgerichte sind immer frisch zubereitet – und erstaunlich preiswert. Umfangreiche Weinkarte mit kalifornischen Weinen.

Hudson River Club

250 Vesey St. **Karte** 1 A2. *786-1500. Mo–Fr 11.30–15, Mo–Sa 17–22 Uhr, So 11.30–15.30 Uhr.* ***Geschl.*** *einige Feiertage.* *AE, DC, EC, V.* $$$$

Das clubähnliche Restaurant befindet sich in einem der Türme des World Financial Center im ersten Stock und bietet einen herrlichen Blick auf den Hafen und die Statue of Liberty. Auf der originellen Speisekarte dominieren erstklassige Gerichte und Weine aus dem Hudson-Tal.

Mesa Grill

102 5th Ave. **Karte** 8 F5. *807-7400. Mo–Fr 12–14.15 Uhr, Sa, So 11.30–15 Uhr, Mo–Do 17.30–22 Uhr, Fr, Sa 17.30–22.30 Uhr.* *AE, DC, EC, V.* $$$

Phantasievolle Abwandlungen beliebter Gerichte aus dem Südwesten der USA, vor allem aus Arizona und New Mexico, sowie ausgefallene Kombinationen gegrillter Speisen werden hier zu angemessenen Preisen serviert. Das geräumige Lokal, ein ehemaliger Ausstellungsraum, ist eine farbenfrohe Hommage an den amerikanischen Westen. Treffpunkt der Schickeria.

Peter Luger Steakhouse

178 Broadway, Brooklyn. *(718) 387-7400. Mo–Do 11.45–22 Uhr, Fr, Sa 11.45–23 Uhr, So 13–22 Uhr.* $$$$

Kenner halten dieses Lokal für das beste Steakhouse der Stadt und nehmen gerne die Fahrt mit dem Taxi in Kauf, um hier ein riesiges gegrilltes Porterhouse-Steak oder köstliche Lammkoteletts zu genießen. An den Umgang mit zahlreichen Stammgästen und Horden von Touristen gewöhnt, behandeln die Kellner ihre Gäste mit herzlichem, derbem Humor.

The Rainbow Room

65. Etage, GE Building, 30 Rockefeller Plaza. **Karte** 12 F5. *632-5000. Di–Sa 17.30–1 Uhr, So 18–21 Uhr.* ★ *AE, EC.* $$$$$

Das Restaurant für besondere Anlässe. Von hier aus kann man den Fluß und die Stadt überblicken. Ausgezeichnetes amerikanisches, französisches und kontinentales Essen, live gespielte Tanzmusik – und entsprechend hohe Preise.

The River Café

1 Water St, Brooklyn. **Karte** 12 F5. *(718) 522-5200. Tägl. 12–23 Uhr.* *AE, DC, EC, V.* $$$$$

Das River Café bietet nicht nur einen spektakulären Blick auf die Skyline von Manhattan, sondern auch eine gute, kreative New American Cuisine. Zum Lunch oder Brunch bekommt man eher einen Fensterplatz als am Abend – der Zeit der Liebespaare.

Santa Fe

72 W 69th St. **Karte** 11 C1. *724-0822. Mo–Fr 11–24 Uhr, Sa, So 10–24 Uhr.* *AE, DC, EC, V.* $$

Für Besucher des Lincoln Center ist dieses dekorative Restaurant im Stil des Südwestens seit Jahren eine gute Gelegenheit, von den Speisen der guten und scharfen neuen mexikanischen Küche zu kosten.

Savoy

70 Prince St. **Karte** 4 D3. *219-8570. Tägl. 12–15 Uhr, Mo–Do 18–22.30 Uhr, Fr, Sa, 18–23 Uhr, So 18–22 Uhr.* *AE, DC, EC, V.* $$$

Mit seinem gemütlichen Kamin ist das Savoy für die Künstler von SoHo, die es sich leisten können, ein Hit. In der Küche herrscht manchmal etwas zu viel Kreativität, indem versucht wird, zu viele verschiedene Geschmacksrichtungen miteinander zu kombinieren. Aber die Zutaten sind immer frisch und es werden Gerichte wie *penne* mit Kaninchen, Pfifferlingen, Mais und Walnüssen serviert.

Sign of the Dove

1110 3rd Ave. **Karte** 13 B2. *861-8080. Di–Fr 12–14.30 Uhr, Sa, So 11.30–14.30 Uhr, Mo–Fr 18–23 Uhr, Sa 17.30–23.30 Uhr, So 18–22 Uhr.* *AE, DC, EC, V.* $$$$$

Verliebte Pärchen zieht es in dieses zauberhafte Lokal mit seinen abgeschirmten Tischen, Mauerbögen und Spiegeln. In klaren Sommernächten sitzt man auch herrlich im Wintergarten, dessen Dach sich öffnen läßt. Eines der besten Restaurants der Stadt mit amerikanischer/französischer Küche und Gerichten wie Rinderfilet mit Gänseleber.

Sparks Steakhouse

210 E 46th St. **Karte** 13 B5. *687-4855. Mo–Fr 12–15 Uhr, Mo–Do 17–23 Uhr, Fr, Sa 17–23.30 Uhr.* *AE, DC, EC, V.* $$$$$

Die gute Midtown-Lage dieses Macho-Lokals, bei dem einem *Der Pate* in den Sinn kommt, hat es zu einer beliebten Adresse für Geschäftsleute gemacht – mit entsprechendem Geräuschpegel. Auf der Speisekarte findet man vor allem Steaks, aber auch die Hummer sind gut. Die Weinkarte ist erstklassig, die Bedienung schroff – wie in vielen New Yorker Steakhäusern.

Sylvia's

328 Lenox Ave. **Karte** 21 B1. *996-0660. Mo–Sa 7.30–22.30 Uhr, So 13–19 Uhr.* ***Geschl.*** *Weihnachten.* *AE.* $ *(Siehe S. 228.)*

Ein kulinarisches Erlebnis besonderer Art bietet dieses Soul-Food-Restaurant in Harlem (es empfiehlt sich, ein Taxi zu nehmen). Spareribs, gebackenes Huhn, weiße Bohnen, Wildkohl und Schinken sind einige der Spezialitäten, die man in diesem gemütlichen Außenposten der Küche von South Carolina probieren kann. Der Sunday Gospel Brunch ist köstlich.

Tapika

950 8th Ave. **Karte** 13 D5. *397-3737. Tägl. 12–14 Uhr, Mo–Fr 17.30–23 Uhr, Sa, So 17–23.30 Uhr.* *AE, DC, EC, V.* $$$

Das bunte Décor dieses Restaurants an der Carnegie Hall wurde ebenso wie das des Nobu von David Rockwell entworfen. Die innovative Küche des Südwestens kreiert Gerichte wie Thunfisch in Korianderkruste oder Lachs, gebeizt mit Tequila. Der Brunch ist zu empfehlen.

TriBeCa Grill

375 Greenwich St. **Karte** 4 D5.
941-3900. Mo–Fr 11.30–15 Uhr, So–Do 17.30–22.45 Uhr, Fr, Sa 17.30–23.15 Uhr, So 11.30–15 Uhr. AE, DC, EC, V. $$$$

Mit etwas Glück entdeckt man hier Miteigentümer Robert De Niro und andere Berühmtheiten an der großen runden Bar, die den Mittelpunkt dieses rustikalen Bistros bildet. Aber auch die phantasievolle amerikanische Küche hat einiges zu bieten, trotz der eher turbulenten Atmosphäre. Eine Spezialität des Hauses sind die zahlreichen köstlichen Nachspeisen.

The '21' Club

21 W 52nd St. **Karte** 12 F4.
582-7200. Mo–Fr 12–14.30, 17.30–22.30 Uhr; Sa 17.30–23.15 Uhr. ***Geschl.*** *Sa im Mai–Aug.* AE, DC, EC, V. $$$$$

Ehemalige illegale Bar aus der Prohibitionszeit, die schon bessere Tage gesehen hat, mit schwarzem Eisenzaun, Standbildern vor der Tür und dem kühlen Ambiente eines New Yorker Stadthauses. Treffpunkt eines erlesenen Kreises aus Showgeschäft und Politik. Die amerikanische Küche ist allerdings überteuert und von unbeständiger Qualität.

Union Square Café

21 E 16th. **Karte** 8 F5. *243-4020. Mo–Sa 12–14.30 Uhr, Mo–Do 18–22.30 Uhr, Fr, Sa 18–23.30 Uhr, So 17.30–22 Uhr.* ★ AE, DC, EC, V. $$$$

Eines der besten New Yorker Restaurants, bekannt für seine einfallsreiche internationale Küche. Für das, was geboten wird, noch erstaunlich preiswert. Probieren sollte man die Fischgerichte, wie fritierte Kalamari, gegrillter schwarzer Zackenbarsch oder Thunfisch. Auch die Desserts – Zitronen-Pie und heiße Apfel- und Birnen-Tarts – sind ausgezeichnet, ebenso wie der freundliche Service.

Verbena

54 Irving Place. **Karte** 9 A5. *260-5454. Tägl. 12–14.30 Uhr, 17–22.30 Uhr.* AE, DC, EC, V. $$$

Dieses Restaurant mit einem hübschen Kräutergarten wird von Diane Forley geleitet. Für die kreativ zubereiteten Speisen der neuen amerikanischen Küche werden nur beste Zutaten verwendet. Empfehlenswert: Brunch im Garten.

The Water Club

500 E 30th St. **Karte** 9 C3.
683-3333. Tägl. 12–23.30 Uhr. AE, DC, EC, V. $$$$$

Dieses Restaurant befindet sich auf einem verglasten Pier, der zwei riesige Flußboote miteinander verbindet und einen herrlichen Blick auf den Fluß gestattet. Die Speisekarte bietet hervorragende Fischgerichte, wie Lachssteak mit Pesto-Kruste auf gedämpftem Spinat.

The Water's Edge

44th Drive & East River, Long Island City. *(718) 482-0033. Mo–Fr 12–15 Uhr, Mo–Sa 18–23 Uhr.* AE, DC, EC, V. $$$$$

Die Fenster dieses Lokals geben den Blick auf das MetLife- und Chrysler Building frei sowie auf andere markante Gebäude von Midtown Manhattan. New American Cuisine, zubereitet mit einem gewissen Maß an Fingerspitzengefühl, und Live-Musik tragen zu einer außergewöhnlichen Atmosphäre bei. Von der East 34th Street gibt es eine kostenlose Fähre zur Anlegestelle des Restaurants.

Windows on the World

1 World Trade Center, 106. Stock, West St. **Karte** 1 B2. *938-1111. Mo–Do 17–22.30 Uhr, Fr, Sa 17–23.30 Uhr, So 11–15 u. 17–22 Uhr.* ★ AE, DC, EC, V. $$$$$

Windows on the World befindet sich im 107. Stockwerk des World Trade Center. Von hier hat man einen herrlichen Rundblick auf die Stadt. Hier ist der beste Platz, um Hafenereignisse wie Regatten oder Schiffskorsos am Nationalfeiertag (4. Juli) zu verfolgen. Das Essen ist teuer und nicht so gut wie die Aussicht; am besten wählt man ein Tagesmenü. Mittags kann man hier als Nichtmitglied nur gegen eine zusätzliche Gebühr essen.

Zoë

90 Prince St. **Karte** 4 E3. *966-6722. Di–So 12–15, 18–22.30 Uhr.* AE, DC, EC, V. $$$$

Dieses SoHo-Lokal hat sich einen guten Namen für seine gegrillten Fleisch- und Fischgerichte und seine einfallsreiche New American Cuisine gemacht. Der lange Speisesaal, mit extrem hohen Wänden, Säulen und offener Küche, zieht seit der Eröffnung des Lokals Anfang 1992 viele Künstler und Jungunternehmer an.

Französisch

Die französische Küche ist in New York der Inbegriff guten Essens. Die beliebten, etablierten Restaurants sind zumeist teuer und servieren Haute Cuisine in stilvoller Atmosphäre. Sie befinden sich vorwiegend in Midtown und auf der Upper East Side. Einige neuere Lokale – teilweise sehr kostspielig – haben sich der Nouvelle Cuisine verschrieben. Viele Restaurants der West Side und im Theaterviertel sind weniger prunkvoll eingerichtet, bieten aber dennoch preiswerte, klassisch französische Speisen.

Bistros erfreuen sich in jüngster Zeit großer Beliebtheit, da sie dem Trend zu einfachen, gesunden Mahlzeiten in ungezwungener Atmosphäre und zu niedrigeren Preisen folgen.

Alison on Dominick Street

38 Dominick St. **Karte** 4 D4.
727-1188. Mo–Do 17.30–22.30 Uhr, Fr, Sa 17.30–23 Uhr, So 17.30–21.30 Uhr. AE, DC, EC, V. $$$$

In diesem etwas abgelegenen Restaurant findet man eine gelungene Mischung aus französischer und mediterraner Küche sowie der New American Cuisine in stilvoller Atmosphäre. Die Bar hat ihr eigenes Ambiente, während der dunkle, behagliche Speiseraum zu romantischem Essen zu zweit einlädt.

Le Bernardin

155 W 51st St. **Karte** 10 E4.
489-1515. Mo–Fr 12–14.30 Uhr, Mo–Do 18–22.30 Uhr, Fr, Sa 17.30–23 Uhr. ***Geschl.*** *einige Feiertage.* AE, DC, EC, V. $$$$$

Dieses Fischrestaurant ist jedem New Yorker Feinschmecker ein Begriff. In dem großen, schönen Lokal, mit Teakholzdecke, hellblauen Wänden und gobelinbespannten Stühlen, wird der Fisch nicht ganz durchgegart und mit sehr wenig Sauce serviert, so daß seine Frische wundervoll zur Geltung kommt. Empfehlenswert sind auch die Karameldesserts. Das Essen ist zwar sehr teuer, aber sein Geld wert.

Zeichenerklärung *siehe S. 285*

Café des Artistes

1 W 67th St. **Karte** 12 D2. *877-3500. Mo–Sa 12–15, 17.30–24 Uhr, So 10–15, 17–23 Uhr.* ***Geschl.*** *Weihnachten. nach 17 Uhr. AE, DC, EC, V.* $$$$

Dieses gutbesuchte Café ist bei jedermann beliebt. Die Fresken mit übermütigen Nymphen, die Howard Chandler Christy 1934 schuf, erzeugen eine heitere, beschwingte Atmosphäre, die durch das ausgezeichnete französische Essen noch verstärkt wird. Aber auch die zahlreichen Gäste aus der Theater-, Fernseh- und Verlagsbranche tragen zu dem bunten Treiben bei. Süßspeisen sind eine Spezialität des Hauses, darunter auch köstliche ungarische Törtchen und üppige Schokodesserts.

La Caravelle

33 W 55th St. **Karte** 12 F4. *586-4252. Mo–Fr 12.30–14.30 Uhr, Mo–Sa 17.30–22.30 Uhr. AE, DC, EC, V.* $$$$

Seit über 30 Jahren bedient diese Bastion französischer Haute Cuisine in ihrem noblen, dezent beleuchteten Speisesalon eine exklusive Klientel. In jüngster Zeit greift man in der Küche auch einige neue Ideen auf, doch werden die frische Gänseleber und die meisten Fischgerichte noch immer auf klassische Art zubereitet – und schmecken auch immer vorzüglich. Tagesmenüs gibt es mittags und abends.

Les Célébrités

Essex House Hotel, 160 Central Park South. **Karte** 12 E3. *484-5113. Di–Sa 18–22 Uhr. AE, DC, EC, V.* $$$$$

Dieses französische Restaurant – neu, luxuriös und überladen mit riesigen vergoldeten Säulen, dicken Teppichen und Gemälden von Leuten aus dem Showgeschäft – hat lediglich 14 Tische und befindet sich im Essex House Hotel. Das Essen ist erstaunlich gut, mit starken asiatischen Akzenten und der Handschrift des früheren Chefkochs vom Maurice. Fisch schmeckt hier ebenso köstlich wie alles andere auf der Speisekarte.

Chanterelle

2 Harrison St (Ecke Hudson). **Karte** 4 D5. *966-6960. Die–Sa 12–14.30, 18–22.30 Uhr.* ***Geschl.*** *einige Feiertage. AE, DC, EC, V.* $$$$

Das kleine TriBeCa-Lokal bietet Platz für 60 Gäste – und ein exzellentes Tagesmenü. Die Atmosphäre wird durch holzverkleidete Wände, Säulen, wunderschöne Blumenarrangements und makellose Tischtücher bestimmt, und die Nouvelle Cuisine schmeckt ebenso gut, wie sie aussieht. Die Fischgerichte sind erstklassig, und die Käseauswahl ist wirklich erstaunlich. Für ein romantisches Luxusessen kaum zu überbieten.

Le Cirque

58 E 65th St. **Karte** 13 A2. *794-9292. Mo–Sa 12–14.30, 17.45–22.15 Uhr. AE, DC, EC, V.* $$$$$

Viele Einheimische halten dieses Restaurant für das beste in New York, auch wenn es hier sehr eng ist und man sich wie auf dem Präsentierteller vorkommt. Das sanfte Licht, die Blumen, das Limousiner Email und die Wandgemälde dienen lediglich als Staffage für die hervorragend zubereiteten französischen und italienischen Gerichte. Probieren Sie den Risotto und eine Nachspeise, wie etwa die berühmte Crème brûlée. Mittags gibt es ein verbilligtes Tagesmenü.

La Côte Basque

5 E 55th St. **Karte** 12 F4. *688-6525. Mo–Sa 12–14, Mo–Fr 18–22.30 Uhr, Sa 17.30–23 Uhr.* ***Geschl.*** *einige Feiertage. AE, DC, EC, V.* $$$$$

In diesem Außenposten der traditionellen französischen Küche werden klassische Gerichte wie *cassoulets* ebenso wie moderne Kreationen in stilvollem, wenngleich rustikalem Ambiente serviert, zu dem auch ein wunderschönes Wandgemälde der französischen Küste gehört. Das elegante, weltläufige Publikum schätzt die Weinkarte, die zu den umfangreichsten in New York zählt.

C.T./Claude Troisgrois

111 E 22nd St. **Karte** 9 A4. *995-8500. Tägl. 12–14.30, 17.30–23.30 Uhr. AE, DC, EC, V.* $$$$

In diesem Restaurant am Gramercy Park bietet Claude Troisgrois (ein Nachkomme der bekannten Troisgrois-Familie) einladende Menüs der französischen Küche, manche mit karibischer Note wie z. B. Thunfisch-Carpaccio mit frischen Palmenherzen oder gegrillte Entenbrust in einem Püree aus Passionsfrucht. Tagesgerichte zu festen Preisen und Theatermenüs kann sich auch der kleinere Geldbeutel leisten.

Daniel

Surrey Suite Hotel, 20 E 76th St. **Karte** 16 F5. *288-0033. Mo–Sa 12–14, 17.45–23 Uhr. AE, DC, EC, V.* $$$$

Besitzer Daniel Boulud, ehemals Le Cirque, schuf ein florales Reich, in dem die Bouqets aus Blumen der jeweiligen Jahreszeit den passenden Rahmen für eine der besten modernen französischen Küchen der Stadt bieten. Es fällt schwer, das honig- und kümmelglasierte Wildbret nicht zu probieren. Oder wie wäre es mit Reh, sautiert mit sonnengetrockneten Tomaten, gerösteten Mandeln und schwarzen Oliven? Die Speisekarte ist eine Mischung aus ungewöhnlichen und einfallsreichen Kreationen, allesamt hübsch garniert. Das Tagesgericht ist zwar auch nicht billig, im Vergleich zu anderen sehr teuren Restaurants aber immer noch günstig. Die Weinkarte ist ausgezeichnet.

La Grenouille

3 E 52nd St. **Karte** 12 F4. *752-1495. Di–Sa 12–15, 17.45–23 Uhr, So 12–14, 17.45–22 Uhr. AE, DC, EC, V.* $$$$

Das La Grenouille besitzt alles, was man von einem ausgezeichneten französischen Restaurant erwartet: herrliche Blumenbouqets, unaufdringlichen Service, professionell zubereitete Speisen und eine reichhaltige Weinkarte. Zur Mittagszeit trifft man hier vor allem Gäste aus der Modebranche.

Jo Jo

160 E 64th St. **Karte** 13 A2. *223-5656. Mo–Fr 12–14.30, 18–23.30 Uhr, Sa 18–23.30 Uhr. AE, EC, V.* $$$$

Jo Jo, in einem Stadthaus im Pariser Stil, wird vom früheren Chefkoch des Lafayette, Jean-Georges Vongerichten, geführt. Für ein ungestörtes Essen empfiehlt sich ein Tisch im viktorianisch angehauchten Obergeschoß. Im Untergeschoß geht es weitaus lebhafter zu. Vongerichten bietet moderne, phantasievolle Kreationen zu überraschend moderaten Preisen. Auch die Weinkarte und das Tagesmenü (Lunch) sind keineswegs überteuert.

Lespinasse

St Regis Hotel, 2 E 55th St. **Karte** 12 F4. *339-6719. Tägl. 12–14, 18–22 Uhr, Mo–Fr 7–10.30 Uhr, Sa, So 7–11.30 Uhr. AE, DC, EC, V.* $$$$$

Eines der teuersten Restaurants New Yorks, aber auch eines der besten. Die Atmosphäre ist gesetzt und ruhig und wird nur durch ein paar Blumenarrangements aufgelockert. Doch hier zählt einzig und allein das Essen, elegante französische Küche mit asiatischem Akzent. Die raffiniert zubereiteten Speisen sind eigentlich nicht mit Worten zu beschreiben, darunter Wachteln mit Endivien in einer Mandel-Honig-Vinaigrette, Kräuterrisotto mit Pilz-*fricasée* und gebratene Lende und Kaninchen in Rosmarin-Senfsauce. Es gibt ein interessantes, wenn auch teures, vegetarisches Vier-Gänge-Menü. Die Desserts sind einmalig.

Lutèce

249 E 50th St. **Karte** 13 B4.
752-2225. *Di–Fr 12–14, Mo–Sa 18–22 Uhr.* ***Geschl.*** *Aug, einige Feiertage.* *AE, DC, EC.* $$$$

Dies war lange *das* französische »In«-Restaurant New Yorks. Doch nach einem Besitzerwechsel hat es viel von seinem Charme verloren. Der Landhaus-Look bietet jedoch nach wie vor einen attraktiven Rahmen zum Dinieren. Ein verbilligtes Menü ist ebenfalls erhältlich.

La Métairie

189 W 10th St. **Karte** 3 C2.
989-0343. *Tägl. 12–24 Uhr.* *AE, DC, EC, V.* $$$$

Mit seinen quergeteilten Türen, weißen Fensterläden und bäuerlichen Gerätschaften (eine »*métairie*« ist ein kleiner Bauernhof) wirkt das Bistro mit nur 20 Sitzplätzen auf viele allzu überladen. Aber das Essen ist gut, wenn auch nicht spektakulär, und bietet deftige französische Hausmannskost mit viel Knoblauch.

Montrachet

239 W Broadway. **Karte** 4 E5.
219-2777. *Fr 12–14 Uhr, Mo–Do 18–22 Uhr, Fr, Sa 18–23 Uhr.* ★ *AE.* $$$$

Dieses beliebte TriBeCa-Restaurant hat drei große Speisesäle, die hübsch und geräumig, aber wenig beeindruckend sind. Die Speisekarte bietet eine große Auswahl an phantasievollen Kreationen und erstklassige Desserts. Umfangreiche Weinkarte mit angemessenen Preisen.

Le Périgord

405 E 52nd St. **Karte** 13 C4.
755-6244. *Mo–Sa 12–15 Uhr, tägl. 17.30–23.30 Uhr.* ***Geschl.*** *einige Feiertage.* *AE, DC, EC, V.* $$$$$

Dieses renommierte Lokal ist bei UN-Bediensteten beliebt, die sorgfältig zubereitete Gerichte lieben, wie etwa Fasanenbrust auf Kraut mit Wacholderbeeren oder Snapper in Hummersauce. Pastellfarbene Wände, frische Blumen, gedämpftes Licht und ein niedriger Geräuschpegel laden zu einem ungestörten Essen ein.

Provence

38 MacDougal St. **Karte** 4 D3.
475-7500. *Tägl 12–15, 18–23.30 Uhr.* ***Geschl.*** *einige Feiertage.* *AE, EC, V.* $$$

Das Provence ist ein nettes Bistro in Greenwich Village mit angemessenen Preisen. Blaßgelbe Wände, getrocknete Blumen und ein Garten, in dem man bei schönem Wetter essen kann, schaffen eine provenzalische Atmosphäre. Die Speisekarte unterstreicht dies durch Gerichte wie Auberginen-Törtchen, Bouillabaisse, Lammbraten mit Ratatouille und viele andere südfranzösische Spezialitäten.

The Terrace

400 W 119th St. **Karte** 20 F3. *666-9490.* *Di–Fr 12–14.30 Uhr, Di–Sa 18–22 Uhr.* *AE, DC, EC, V.* $$$$

Überteuert und überschätzt – doch der atemberaubende Ausblick entschädigt für alles. Mit seinem Kerzenlicht und der ambitionierten französischen Speisekarte geradezu geschaffen für ein romantisches Essen zu zweit. Da die Gegend nicht unbedingt sicher ist, sollte man dorthin ein Taxi nehmen.

Le Régence

Hotel Plaza Athénée, 37 E 64th St. **Karte** 13 A2. *606-4647.* *Tägl.12–14.30, 18–21.30 Uhr.* *AE, DC, EC, V.* $$$$$

Die Kronleuchter und der Wolkenhimmel an der Decke sind grandios, aber etwas irreführend, denn das Essen wird mit Einfallsreichtum und modernem Flair zubereitet, und man behält das Lokal gerne in Erinnerung. Es ist teuer, abends gibt es aber ein günstiges Menü.

ITALIENISCH

Italienische und chinesische Restaurants wetteifern um den ersten Platz auf der Beliebtheitsskala der New Yorker Gastronomie. In Little Italy und Greenwich Village ist die süditalienische Küche seit jeher stark vertreten, doch hat in den letzten Jahren auch die Küche Norditaliens viele Freunde gefunden. Im Gegensatz zur süditalienischen Küche, die vor allem herzhafte, bodenständige Gerichte umfaßt, zeigt die Küche des Nordens mehr Raffinesse. Ein weiterer Unterschied ist der Preis: Lokale mit süditalienischer Küche bewegen sich in der unteren bis mittleren Preiskategorie, solche mit norditalienischer in der mittleren bis gehobenen Preisklasse. In süditalienischen Lokalen sitzt man häufig an Resopaltischen und es geht lebhaft und laut zu.

Norditalienische Restaurants sind meist eleganter und recht teuer. Sie bieten Pasta-Gerichte mit schweren Sahne- und Käsesaucen, Polenta, Gnocchi, Risotto, Wildbret und Wildgeflügel, Trüffel, unterschiedlichste Pilze und Kräuter sowie Brot, wie etwa *Focaccia* und *Bruschetta*.

Barbetta

321 W 46th St. **Karte** 12 D5.
246-9171. *Mo–Sa 12–14, 17–24 Uhr.* *AE, DC, EC, V.* $$$$

Nach Betreten dieses prächtigen Stadthauses fühlt man sich wie in einer italienischen Villa, und der friedliche Garten mit Springbrunnen ist im Sommer eine Wohltat. Die ambitionierte, delikate Piemonteser Küche hat hohe Preise. Die umfangreiche Weinkarte und ein aufmerksamer Service machen dieses Lokal zu einem der elegantesten Plätze im Theater District.

Bice

7 E 54th St. **Karte** 12 F4. *688-1999.* *Tägl.12–23 Uhr.* *AE, DC, EC, V.* $$$$

Treffpunkt der Reichen und Berühmten mit vornehmem Art-deco-Interieur; Abkömmling des Mailänder Bice und seit der Eröffnung 1987 ständig überfüllt. Norditalienische Speisekarte mit hausgemachter Pasta, wie Hummer-Ravioli oder Pasta mit Wachtel und *arugula*. Die Rechnung ist gewöhnlich ebenso berauschend wie das Ambiente.

Carmine's

2450 Broadway. **Karte** 15 C2.
362-2200. *Mo–Do 17–23 Uhr, Fr, Sa 17–24 Uhr, So 14–22 Uhr.* ***Geschl.*** *Thanksgiving, Weihnachten.* *AE.* $$$

Süditalienische Restaurants wie das Carmine's würde man eher in Little Italy vermuten, und es hat die gleiche ungezwungene Atmosphäre wie seine Nachbarschaft, die Upper West Side. Das Essen in

Zeichenerklärung *siehe S. 285*

diesem lebhaften sizilianischen Lokal schmeckt gut, wird in Portionen serviert, die für eine ganze Armee reichen, und ist verhältnismäßig preiswert.

Cent' Anni

50 Carmine St. **Karte** 4 D3. *989-9494. Mo–Do 12–14.30, 17.30–23 Uhr, Fr 12–14.30, 17.30–23.30 Uhr, Sa17.30–23.30 Uhr, So17–22.30 Uhr.* ***Geschl.*** *Weihnachten, Neujahr, 10 Tage im Juli. AE.* $$$$

Dieses beliebte West-Village-Lokal erntet gute Kritiken für seine deftige Florentiner Küche und seine außergewöhnlichen Weine aus der Toskana – aber weniger gute für die launische Bedienung, die Enge und den hohen Geräuschpegel. Doch für ein klassisches Village-Erlebnis lohnt sich ein Besuch allemal.

Coco Pazzo

23 E 74th St. **Karte** 16 F5. *794-0205. Tägl.12–15, 18–23.30Uhr.* ***Geschl.*** *eine Woche im Aug. AE, EC, V.* $$$$

Diese Schickimicki-Trattoria gehört zu den italienischen Nobelrestaurants von Le Madri. Die Tische stehen eng beieinander, was einen unangenehm hohen Geräuschpegel verursacht, und die Bedienung ist manchmal langsam. Doch all das sollte einen nicht abschrecken, denn die italienische Küche ist erstklassig und bietet neben einem bemerkenswerten Fisch-Risotto eine Vielzahl deftiger Spezialitäten, die zumeist aus Norditalien stammen.

Da Umberto

107 W 17th St. **Karte** 8 E5. *989-0303. Mo–Fr 12–15 Uhr, Mo–Sa 17.30–23 Uhr.* ***Geschl.*** *Weihnachten, Jahreswechsel. AE.* $$$$

Die Speisekarte von Da Umberto bietet herzhafte Gerichte der Florentiner Küche, wobei der kulinarische Schwerpunkt auf Wildgerichten und Braten liegt. Glasscheiben erlauben den Blick in die Küche, so daß man beobachten kann, wie Fasanenbraten mit Kräutern, Kalbskoteletts oder mit Knoblauch gespicktes Schweinefleisch in großen Portionen auf den Tellern angerichtet werden.

Felidia

243 E 58th St. **Karte** 13 B3. *758-1479. Mo–Fr 12–14.30, 17–23 Uhr, Sa 17–24 Uhr. AE, DC, EC, V.* $$$$

Das Dinner in diesem vielgelobten Restaurant, mit auf Hochglanz polierten Kupfertöpfen, halbhohen Backsteinwänden und offenen Weinregalen, ist von rustikaler Eleganz. Die italienische Regionalküche stammt vorwiegend aus Triest, mit Gerichten wie *Gnocchi all'ortolana* (mit frischen Kräutern und Gemüse), frische Pasta mit Pilzen und köstlicher Risotto mit Pilzen.

Le Madri

168 W 18th St. **Karte** 8 E5. *727-8022. Tägl. 12–15 Uhr, Mo–Sa 18–0.30 Uhr, So 17–22.30 Uhr.* ***Geschl.*** *eine Woche im Sep. AE, EC, V.* $$$$

Benannt nach den Köchinnen, »den Müttern«, die mit das beste norditalienische Essen in der Stadt zubereiten, ist Le Madri derzeit eines der beliebtesten New Yorker Restaurants. Der Speisesaal ist sehr zurückhaltend eingerichtet. Spezialitäten sind Risotto, Gourmet-Pizzas und verschiedene Pastas, auch die vegetarischen Gerichte schmecken vorzüglich.

Il Mulino

86 W 3rd St. **Karte** 4 D3. *673-3783. Mo–Fr 12–14.30 Uhr, Mo–Sa 17–23.30 Uhr.* ***Geschl.*** *Juli, einige Feiertage AE.* $$$$

Mittags, wenn es nicht so voll ist, wirkt das dunkle Lokal mit seinen Backsteinwänden und Holzstühlen viel einladender als am Abend. Stammgäste lieben jedoch die *Lagniappe* (kleine Vorspeise) aus gebratenen Zucchini, die serviert werden, sobald man Platz genommen hat. Weniger erfreulich sind die langen Wartezeiten an der Bar, bevor man einen Tisch bekommt – selbst wenn man reserviert hat. Il Mulino ist das beste italienische Lokal in Greenwich Village.

Il Nido

251 E 53rd St. **Karte** 13 B4. *753-8450. Mo-Sa 12-15, 17.30-23 Uhr.* ***Geschl.*** *4. Juli, Thanksgiving, Weihnachten. AE, DC, EC, V.* $$$

Eines der ersten norditalienischen Restaurants in New York, das mittlerweile aber im Schatten neuerer Lokale steht. Dennoch stimmt einen die gemütliche Atmosphäre eines toskanischen Bauernhauses gut auf die vielen Köstlichkeiten ein.

Orso

322 W 46th St. **Karte** 12 D5. *489-7212. So–Di, Do, Fr 12–24 Uhr, , Mi, Sa 11.30–24 Uhr* ***Geschl.*** *Weihnachten. EC, V.* $$$

Das Orso ist bei Journalisten, Theaterleuten und ihren Agenten beliebt. Es liegt in der Nähe des Broadway, hat eine freundliche Ausstattung, eine offene Küche, viel Tageslicht, große Pizzas und andere italienische Gerichte sowie eine respektable italienische Weinkarte. Die Speisekarte ist nicht groß, bietet aber genügend Auswahl.

Osteria del Circo

120 W 55st St. **Karte** 11 B4. *265-3636. Mo–Sa 11.30–14.45 Uhr, tägl. 17.30–23 Uhr. AE, EC, V.* $$$$

Die Söhne von Sirio Maccioni, Besitzer des Le Cirque, führen dieses neueröffnete Restaurant. Das Zirkusmotiv ist schon von weitem zu erblicken, sogar die Tische sind wie in einem großen offenen Zirkuszelt arrangiert. In der offenen Küche kann man die Köche bei der Zubereitung der feinen norditalienischen Speisen beobachten. Rindcarpaccio in einer aromatischen Kräuterkruste und Gnocchi mit Krabben und schwarzen Trüffeln sind nur zwei Gerichte der umfangreichen Speisekarte. Hier sollte man nicht an den Preis denken, sondern sich einfach zurücklehnen, die Prominenz um sich herum beobachten und das gute Essen genießen.

Palio

151 W 51st St. **Karte** 12 E4. *245-4850. Mo–Fr 12–14.30 Uhr, Mo–Sa 17.30–23 Uhr.* ***Geschl.*** *einige Feiertage. AE, DC, EC, V.* $$$$$

Das Palio findet Zuspruch beim exklusiven Broadway-Clan und bei den Angestellten des Equitable Assurance Tower, in dem sich das Lokal befindet. Das Restaurant hat eine beliebte Bar im Erdgeschoß, mit einem fast 38 Meter langen, umlaufenden Wandgemälde von Sandro Chia, das den Palio, das berühmte Pferderennen von Siena, zeigt. Die Qualität des Essens ist unterschiedlich – an einem Abend ausgezeichnet, am nächsten durchschnittlich. Auf das schnelle Lunch an der Bar kann man allerdings immer zählen. Für Theatergänger wird auch ein Abendmenü angeboten.

Parioli Romanissimo

24 E 81st St. **Karte** 16 F4. *288-2391. Mo–Sa 18–23 Uhr. AE, DC, EC, V.* $$$$$

Dieses schöne Restaurant in einem Stadthaus der Upper East Side hat eher die Atmosphäre eines Privatclubs mit einem offenen Kamin. Passend zu dieser Umgebung ist die klassische italienische Cuisine und der Service so einwandfrei, wie man es bei diesen astronomischen Preisen auch erwarten kann. Dies ist wahrscheinlich das teuerste italienische Restaurant New Yorks.

Remi

145 W 53rd St. **Karte** 12 E4.
581-4242. Mo–Fr 11.45–14.30 Uhr, Mo–Sa 17.30–23.30 Uhr, So 17.30–22 Uhr. **Geschl.** *Thanksgiving, Weihnachten. AE, DC, EC, V.* $$$$

In diesem lebhaften, lauten Restaurant essen mittags vor allem Geschäftsleute und abends Theatergänger. Adam Tihani gestaltete die spektakuläre Inneneinrichtung (er entwarf auch das Design für die neue Osteria del Circo). Zur Ausstattung gehören ein Wandgemälde von Venedig, ein Fußboden aus Birke und brasilianischem Ahorn, bequeme Stühle und Sitzbänke sowie eine Glaswand vor einem Atrium mit Blumen, wo man bei warmem Wetter auch essen kann. Die Bedienung ist aufmerksam, die mit Schwung zubereitete norditalienische Küche erstklassig. Die Nudelgerichte wie hausgemachte Ravioli à la Marco Polo, gefüllt mit frischem Thunfisch und Ingwer in einer leichten Tomatensauce sind einfallsreiche Kreationen. Auch die Desserts sind beeindruckend, ebenso wie die umfangreiche italienische Wein- und Getränkekarte, die mehr als vier Dutzend Grappa-Sorten zu bieten hat.

San Domenico

240 Central Park South. **Karte** 12 E3.
265-5959. Mo–Fr 11.30–14.30 Uhr, tägl. 17.30–23.30 Uhr.
★ *AE, DC, EC, V.* $$$$$

Sanftes Licht, Terrakotta-Fliesen, Lederstühle und ein tadelloser Service verleihen diesem Lokal eine elegante, romantische Atmosphäre. Die Küche gehört zur einfallsreichsten in der Stadt, und das San Domenico ist vielleicht das beste italienische Restaurant in New York. Gegrillter Aal in Weinblättern mit Balsamessig ist eine der vielen Spezialitäten. Vor Theaterbeginn gibt es ein preiswertes Abendmenü.

Trattoria dell'Arte

900 7th Ave. **Karte** 12 E3.
245-9800. Tägl.12–14.30 Uhr, Mo–Sa 17–23.30 Uhr, So 17–22.30 Uhr. **Geschl.** *Weihnachten.*
AE, EC, V. $$$$

Regelmäßige Besucher der Carnegie Hall schätzen an diesem Lokal zwei Dinge: die helle Inneneinrichtung von Milton Glaser und die wohl größte Antipasto-Bar New Yorks. Probieren Sie die preiswerten Antipasto-Platten, genießen Sie das Ambiente und gehen Sie dann in die Carnegie Hall auf der anderen Straßenseite. Das übrige Speisenangebot, einschließlich der Pizza, ist einfallslos.

Chinesisch

Chinesische Restaurants sind in New York ebenso zahlreich wie italienische. Das Spektrum reicht von Imbißstuben und kleinen Garküchen – die es beinahe in jedem Stadtviertel, vor allem in Chinatown, gibt – bis zu sehr teuren Lokalen, die sich in Midtown und auf der Upper East Side befinden. Wer preiswert essen möchte, für den ist die chinesische Küche die beste Wahl.

Bei vielen New Yorker China-Restaurants beschränkt sich die Speisekarte weitgehend auf *Chop suey* und *Chow mein* in amerikanisierten Varianten. Die besseren chinesischen Restaurants haben den gleichen Standard wie überall außerhalb von Hongkong und China. Dank der vielen in New York lebenden Chinesen ist ein anspruchsvoller Kundenkreis entstanden. Die authentischste chinesische Küche gibt es in Chinatown; die in den besseren Wohnvierteln gelegenen Restaurants sind meist eleganter und servieren zum Teil »New Chinese Cuisine« mit starken westlichen Einflüssen.

Die Küche der Provinzen Sichuan und Hunan – mit ihren scharfen, sauren Gerichten – hat sich in New York in den frühen 80er Jahren etabliert. In letzter Zeit zeigen die New Yorker jedoch größeres Interesse für die feine kantonesische Küche. Die meisten Restaurants bieten viele Spezialitäten aus verschiedenen Regionen; man kann zwischen pikanten und milden Gerichten wählen. Nachspeisen beschränken sich meist auf Eis und Lychee oder Ananas aus der Dose.

Dim Sum (kleine gedämpfte oder gebratene Klößchen und andere Häppchen) werden am Wochenende in Chinatown als Brunch serviert. Man wählt die Speisen von einem Servierwagen aus, der von Tisch zu Tisch geschoben wird, und trinkt dazu Tee.

Bo Ky

80 Bayard St. **Karte** 4 F5.
406-2292. Tägl. 8–21.30 Uhr. **Geschl.** *2 Tage Chinesisches Neujahr.* $

In diesem China-Lokal geht es laut und hektisch zu; auch wenn man anstehen muß, bekommt man relativ schnell einen Tisch. Die Kellner sprechen nur wenig Englisch. Viele schmackhafte, billige Nudelgerichte mit Fisch und Suppen. Die vietnamesischen Gerichte sind oft am besten.

Canton

45 Division St. **Karte** 5 A5.
226-4441. Mi–Do 12–22 Uhr, Fr, Sa 12–23 Uhr, So 12–21.30 Uhr . **Geschl.** *4 Wochen Mitte Juli – Mitte Aug.* $$

Das Canton hat eine bessere Innenausstattung, Bedienung und Küche als die meisten anderen Lokale in Chinatown, aber auch höhere Preise. Besonders empfehlenswert sind die Fischgerichte. Das Lokal besitzt keine Ausschankgenehmigung für alkoholische Getränke, doch kann man sie selbst mitbringen. Kreditkarten werden nicht akzeptiert.

Chin Chin

216 E 49th St. **Karte** 13 B5.
888-4555. Tägl.11.30–24 Uhr. AE, DC, EC, V. $$$

Elegantes China-Restaurant mit westlicher Inneneinrichtung und großer Auswahl an Speisen aus allen Teilen Chinas. Die Karte enthält auch außergewöhnliche Gerichte, die man probieren sollte – etwa Schnecken in Koriander-Knoblauch-Brühe, Salat mit gebratenem, kleingeschnittenem Entenfleisch oder über Teeblättern geräucherte Ente.

Golden Unicorn

18 E Broadway. **Karte** 5 A5.
941-0911. Tägl. 8–24 Uhr. AE, EC, V. $$$

Großer, attraktiver Prunkbau, wie man ihn aus Hongkong kennt, mit vielen Stammgästen. Köstliche *Dim Sum* und andere Spezialitäten der kantonesischen Küche. Hier essen viele chinesische Familien, was immer ein gutes Zeichen ist. Es ist allerdings laut, voll, und die Kellner sind mit Walkie-Talkies ausgerüstet. Probieren Sie die Suppe mit Haifischflossen-Klößchen.

Ollie's Noodle Shop & Grill

2315 Broadway. **Karte** 15 C4.
362-3111. So–Do 11.30–24 Uhr, Fr, Sa 11.30–1 Uhr. **Geschl.** *Thanksgiving. AE, EC, V.* $$

Einfaches Imbißlokal, das viele deftige, schmackhafte und preiswerte Suppen, Wonton, Gemüse, Fleisch und/oder Fisch bereithält.

Zeichenerklärung *siehe S. 285*

Oriental Garden

14 Elizabeth St. **Karte** 4 F5.
619-0085. *Tägl. 8.30–2 Uhr.*
AE, EC, V. $$

In diesem ständig überfüllten Lokal muß man zusammen mit anderen Gästen an Resopaltischen sitzen, den zuweilen ausfälligen Kellner und die öde Umgebung ertragen, doch bekommt man hier auch den besten Fisch von Chinatown. Die kantonesischen Gerichte sind ebenfalls empfehlenswert.

Shun Lee Palace

155 E 55th St. **Karte** 13 A4.
371-8844. *Tägl. 12–23 Uhr.*
***Geschl.** Thanksgiving.*
AE, DC, EC, V. $$$$

Schickes chinesisches East-Side-Restaurant, das seit mehr als 20 Jahren besteht. Geräumig und elegant, mit unaufdringlichen Landschaftsmalereien; keine vergoldeten Drachen oder dergleichen. Die Speisekarte bietet Gerichte der kantonesischen und der Sichuan-Küche. Die Weinkarte ist für ein chinesisches Restaurant recht umfangreich, die Preise sind für die Gegend eher günstig.

Shun Lee West

43 W 65th St. **Karte** 11 D2.
595-8895. *Tägl. 12–24 Uhr*
***Geschl.** Thanksgiving.*
AE DC, EC, V. $$$

Ableger des Shun Lee Palace in der Nähe des Lincoln Center. Essen und Service allerdings mitunter etwas enttäuschend, insbesondere in Stoßzeiten. Die Sichuan-Küche hat jedoch Schärfe und Biß, mit vielen regionalen Spezialitäten wie Krabben in schwarzer Bohnensauce, Hummer in Sichuan-Sauce und ein köstliches Gericht aus getrocknetem, kleingeschnittenem Rindfleisch.

Tang Pavilion

65 W 55th St. **Karte** 112 B4.
956-6888. *Tägl. 11.45–22.30 Uhr.* *AE, DC, EC, V.*
$$

Dieses preisgünstige neue Restaurant bei der Carnegie Hall ist eine echte Bereicherung. Die Gerichte sind schmackhaft zubereitet, besonders zu empfehlen sind die Shanghai-Spezialitäten.

Japanisch

Japanische Restaurants sind neben den chinesischen die populärsten asiatischen Lokale in New York, und sie servieren die beste japanische Küche diesseits von Tokio. Die meisten befinden sich in Midtown und bieten traditionelle Gerichte, wie *Sukiyaki* (Gemüse und Fleisch, das gebraten und anschließend gedünstet wird), *Tempura* (in Teig fritiertes Gemüse oder Meeresfrüchte) und *Teriyaki* (in Sojasauce, süßem Reiswein und Zucker mariniertes Fleisch oder andere Zutaten, die anschließend gegrillt werden). Viele haben auch eine *Sushi*-Bar, wo man frischen, rohen Fisch selbst auswählen kann. *Sushi* (kleine Häppchen aus gegartem, mit Essig gesäuertem Reis und rohem Fisch oder leicht gegarten Garnelen) und *Sashimi* (roher Fisch, mit Sojasauce, Ingwer und *Wasabi*, japanischem Meerrettich, gewürzt) sind sehr beliebt und werden immer mit Stäbchen gegessen.

Hatsuhana

17 E 48th St. **Karte** 12 F5.
355-3345. *Mo–Fr 11.45–14.45, 17.30–22 Uhr, Sa 17–22 Uhr.*
AE, DC, EC, V. $$$.

Weshalb gerade dieses *Sushi*- und *Sashimi*-Restaurant so beliebt und überfüllt ist, mag einem auf den ersten Blick nicht unbedingt einleuchten. Doch Kenner wissen seit langem, daß die Sushi zu den frischesten und abwechslungsreichsten in der Stadt gehören. Am besten sitzt man hier an der Sushi-Bar, wo man die erfahrenen Köche bei der Arbeit beobachten kann.

Honmura An

170 Mercer St. **Karte** 4 E3.
334-5253. *Mi–Sa 12–14.30 Uhr, Di–Do 18–22 Uhr, Fr, Sa 18–22.30 Uhr, So 18–21.30 Uhr.* ***Geschl.** Erste Woche im Januar, 4. Juli , Labor Day-Wochenende.* *AE, DC, EC, V.* $$$

Honmura An ist ein neues und stilvolles Restaurant mit einem hohen Standard in bezug auf Eleganz, Service und Küche. Die Spezialität des Hauses sind Nudelgerichte *(Soba).*

Inagiku

Waldorf–Astoria Hotel, 301 Park Ave.
Karte 13 A5. *355-0440.*
Mo–Fr 12–14.30 Uhr, tägl. 17.30– 22 Uhr. ***Geschl.** einige Feiertage.* *AE, DC, EC, V.*
$$$$

Das vielleicht schönste Restaurant seiner Art; geschmackvolle japanische Einrichtung. *Tempura* ist hier ausgezeichnet; wer es sich leisten kann, sollte ein zehngängiges *Kaiseki*-Menü bestellen. Dieses Mahl setzt sich aus über einem Dutzend festgelegter Speisen zusammen. Die reichhaltige Zutatenliste ist von der Jahreszeit abhängig.

Iso

175 2nd Ave. **Karte** 4 F1.
777-0361. *Mo–Sa 17.30–24 Uhr.* ***Geschl.** einige Feiertage, eine Woche im Sommer.* *AE, DC, EC, V.* $$$

Das Iso hat die frischesten Sushi und andere Fischspezialitäten sowie ein einladendes Ambiente. Die Bedienung ist freundlich, und die Preise sind nicht zu hoch. Auch *Teriyaki* ist besonders zu empfehlen.

Nobu

105 Hudson St. **Karte** 3 B1.
219-0500. *Mo–Fr 12–14.30, 17.30–23 Uhr, Sa 17.30–24 Uhr, So 17.30–23 Uhr.* ★
AE, DC, EC, V. $$$$

Das Nobu ist bekannt für seine ausgezeichneten Sushi und Sashimi und die ausgefallenen Kreationen seines Chefkochs (in denen auch nicht-japanische Zutaten in klassischen japanischen Gerichten verwendet werden). Die Preise in diesem TribeCa-Lokal sind eher hoch, aber angemessen. Gerichte wie Garnelen-Tempura mit scharfem Chili-Öl oder Kumamoto-Austern mit Zwiebelsalsa geben der japanischen Küche eine ungewöhnliche Note.

Sushisay

38 E 51st St. **Karte** 13 A4.
755-1780. *Mo–Fr 12–14.15, 17.30–22.15 Uhr, Sa 17–21 Uhr.*
AE, DC, EC, V. $$$

Dieses schlichte und ruhige japanische Restaurant befindet sich im Souterrain. Sushi und Sashimi sind hier am besten, vor allem an der ständig überfüllten Sushi-Bar, wo man sich das Gewünschte selbst aussuchen kann. Der Service ist recht freundlich, mitunter allerdings etwas langsam, und die Gerichte auf der regulären Speisekarte sind nichts Besonderes.

Südostasiatisch

Die thailändische Küche erfreut sich in Amerika seit etwa fünf Jahren wachsender Beliebtheit. Die besten thailändischen Restaurants findet man aber in anderen amerikanischen Großstädten wie Los Angeles. Thailändische Lokale in New York sind bescheiden und sehr klein, und es gibt dort authentische Gerichte zu erfreulich niedrigen Preisen. Die Küche Thailands ist bekannt für ihre unterschiedlichen Geschmacksrichtungen – scharf, süß, sauer und salzig –, die in den Gerichten miteinander kombiniert werden. Die am häufigsten verwendeten Zutaten sind Zitronengras, Galgantwurzel (mit Ingwer verwandt), Blätter von Kafir-Limetten, Tamarinde, Knoblauch, frischer Koriander und scharfes Chili-Öl. Die vietnamesische Küche vereint Elemente der thailändischen Küche mit denen der chinesischen. Sie ist delikat, würzig, aber milder als die thailändische Küche.

Bangkok House

1485 1st Ave. **Karte** 17 C5.
249-5700. Mo–Fr 12–15 Uhr, Mo–Do u. So 17–23 Uhr, Fr, Sa 17–23.30 Uhr. AE, EC, V. $$

Günstige authentische und gut gewürzte Thai-Küche wird im Bangkok House in romantischer Umgebung serviert. Das Personal ist sehr hilfsbereit. Die Preise variieren je nach Bestellung von preiswert bis teuer.

Cendrillon

45 Mercer St. **Karte** 4 E2.
343-9012. Di–So 11–16, 18–23 Uhr. AE, DC, EC, V. $$

Luftige ruhige Oase im geschäftigen SoHo. Das Essen wird auf malaysische und phillipinische Weise zubereitet, die Preise sind moderat. Nudeln aus Süßkartoffeln mit scharfem gegrilltem Tintenfisch ist nur ein Gericht auf der reichhaltigen Speisekarte.

Le Colonial

149 E 57th St. **Karte** 13 B3.
752-0808. Mo–Fr 12–15, 17.30–22.30 Uhr, Sa 17.30–24 Uhr, So 17.30–22.30 Uhr. V AE, DC, EC, V. $$$

Raffinierte vietnamesische Küche in einem romantischen Ambiente, das Erinnerungen an *Casablanca* wachruft. Das trendige Restaurant bedient eine modische Klientel, die immer auf der Suche nach neuen Gaumengenüssen ist. Das oftmals scharfe Essen ist immer frisch, kalorienarm und sehr schmackhaft. Versäumen Sie nicht den gedämpften Fisch, vietnamesische Ravioli und Shrimps in Kokosnuß-Curry-Sauce.

Lemongrass Grill

2534 Broadway. **Karte** 15 C4.
666-0888. So–Do 12–23.30 Uhr, Fr, Sa 11.30–24 Uhr. V EC, V. $

In diesem günstigen Thai-Restaurant werden scharfe Speisen und andere Köstlichkeiten wie leckere Suppen und Nudelgerichte in tropischer Umgebung serviert. Weitere Filialen befinden sich in Greenwich Village und Brooklyn.

Mekong

44 Prince St. **Karte** 4 D3.
343-8169. Tägl. 11–23 Uhr. V AE, EC, V. $$

In diesem kleinen freundlichen vietnamesischen Restaurant bekommt man authentische Küche zu moderaten Preisen.

Monsoon

435 Amsterdam Ave. **Karte** 15 C4.
580-8686. Tägl. 11.30–23.30 Uhr. V AE, EC, V. $

Aufgrund seiner erfolgreichen Mischung von thailändischer und vietnamesischer Küche und den günstigen Preisen ist das Monsoon sehr beliebt.

Penang Malaysian Cuisine

109 Spring St. **Karte** 3 C4.
274-8883. Mo–Sa 11.30–24 Uhr, So 19–23 Uhr. V AE, EC, V. $

Populärer Treffpunkt in SoHo, ungewöhnliche malaysische Gerichte in tropischer Umgebung. Die Filiale in Queens ist sogar noch etwas günstiger.

Rain

100 W 82nd St. **Karte** 15 B4.
501-0776. Mo–Fr 12–15 Uhr, Sa, So 12–16 Uhr, Mo–Do 18–23 Uhr, Fr 18–24 Uhr, Sa 17–24 Uhr. V AE, EC, V. $$

Trendy, laut und voll. In diesem neueröffneten Restaurant stehen thailändische, vietnamesische und malaysische Gerichte auf der Speisekarte. Riesige Auswahl an Bier. Die Bedienung ist manchmal etwas langsam.

Siam Inn

916 8th Ave. **Karte** 12 D5.
489-5237. Mo–Fr 11.45–15 Uhr, 17.30–22 Uhr, Sa, So 17–22 Uhr. V AE,DC, EC, V. $$

In diesem kleinen gutbesuchten Restaurant wird authentische Küche zu angemessenen Preisen geboten. Die Gerichte sind heiß, frisch zubereitet und scharf gewürzt und werden von dem freundlichen Personal in großzügigen Portionen serviert. *Plalad prig* (fritierter Seebarsch in Chili-Knoblauch-Sauce) ist nur eine der vielen Köstlichkeiten. Für den kleinen Geldbeutel gibt es das günstige Tagesmenü. Eine weitere Filiale befindet sich ganz in der Nähe. Es ist das Siam Inn Too in 854 8th Avenue (Tel. 757-4006).

Vong

200 E 54th St. **Karte** 13 A4.
486-9592. Tägl. 12–14.15 Uhr, Mo–Fr 18–22.45 Uhr, Sa 18–23.15 Uhr, So 18–21.45 Uhr. V ★ AE, DC, EC, V. $$$

Das »In«-Restaurant der thailändischen Restaurants mit französischem Akzent. Das elegante, ganz in Kupfer gehaltene Vong serviert unvergeßliche Gerichte wie Kalbsbries auf Süßholz-*satay* und sautierte *fois gras* mit Ingwer und Mango. Die Desserts sind köstlich. Gutes Preis-Leistungs-Verhältnis.

Zen Palate

663 9th Ave. **Karte** 12 D3.
582-1669. Mo–Fr 11.30–14.30 Uhr, tägl. 17.30–23.30 Uhr. V AE, DC, EC, V. $$

Das Zen Palate ist ein schickes vegetarisches Restaurant im Theater District. Die Gerichte sind auf thailändische, chinesische oder japanische Art zubereitet. Eine weitere Filiale befindet sich in 34 E Union Square (Tel. 614-9291). Gerichte zum Mitnehmen gibt es in beiden Restaurants.

Indisch und Afghanisch

Die indischen Lokale in New York sind erst in letzter Zeit etwas kühner geworden, erreichen aber noch immer nicht den Standard indischer Restaurants in London. Dennoch bieten sie eine gute und preiswerte Küche, viele Mittagsgerichte sind ausgesprochen günstig. Die billigsten indischen Restaurants findet man in der E 6th Street zwischen 1st und 2nd Avenue. Die Speisekarte besteht meist aus Curries und anderen Gerichte mit Lamm, Huhn, Garnelen und Gemüse. Und da es in New York kaum vegetarische Lokale gibt, sind sie eine ausgezeichnete Alternative. Einige Restaurants haben *Tandoori*-Öfen und sind auf Hühnerfleisch und Brot spezialisiert, die in der trockenen Hitze dieser Erdöfen zubereitet werden. Dazu schmeckt am besten indisches Bier. Wer keinen Alkohol möchte, trinkt statt dessen *Lassi,* ein Joghurtgetränk. Mango-*Lassi* ist eine erfrischende Alternative zu den traditionellen indischen Desserts, die für westliche Gaumen zu süß sind. Es gibt nur sehr wenige afghanische Restaurants in New York: Dort kann man ebenfalls preiswert essen. Die Gerichte ähneln der indischen Küche, sind jedoch nicht so stark gewürzt.

Zeichenerklärung *siehe S. 285*

Afghan Kebab House

764 9th Ave. **Karte** 12 D4.
307-1612. *Tägl. 12–22 Uhr.*
$

Das Lokal gehört zu einer Kette afghanischer Kebab-Restaurants, in denen man zu äußerst niedrigen Preisen ausgezeichnet essen kann. Die Speisekarten der einzelnen Filialen variieren geringfügig, aber eng und nur einfach ausgestattet sind alle Lokale. Keins hat eine Ausschankgenehmigung für Alkohol, doch kann man selbst eine Flasche mitbringen. Die anderen beiden sind: Afghan Kebab House II (2nd Ave Nr. 1345, Tel. 517-2776) und Afghan Kebab House III (West 46th St Nr. 155, Tel. 768-3875).

Darbar

44 W 56th St. **Karte** 12 F3.
265-1850. *Tägl. 12–15 Uhr, Mo–Do 17.30–23 Uhr, Fr, Sa 17.30–23.30 Uhr, So 17.30–22.30 Uhr.* *AE, DC, EC, V.*
$$$$

Schmackhafte, gut gewürzte nordindische Gerichte in angenehm ruhiger Atmosphäre. Das gemütliche Lokal erstreckt sich über mehrere Ebenen. Besonders empfehlenswert ist die feine vegetarische Küche.

Dawat

210 E 58th St. **Karte** 13 B3.
355-7555. *Mo–Sa 11.30–15 Uhr, So–Do 17.30–23 Uhr, Fr, Sa 17.30–23.30 Uhr.* *AE, DC, EC, V.* $$$

Berater des Dawat ist der bekannte indische Gastronomieautor Madhur Jaffrey, was sich deutlich in der Speisekarte niederschlägt, die einfallsreiche, exquisit gewürzte Gerichte und auch ein sehr reichhaltiges Angebot an vegetarischen Gerichten umfaßt. Überraschend sind die Preise vergleichsweise niedrig.

Jewel of India

15 W 44th St. **Karte** 12 F5.
869-5544. *Tägl. 12–15, 17.30–23 Uhr.* *AE, DC, EC, V.* $$

Die günstige Lage – unmittelbar westlich der Fifth Avenue – macht dieses Lokal zu einer beliebten Anlaufstelle für Theaterbesucher oder diejenigen, die in Midtown einkaufen gehen. Die nordindische Küche ist pikant und gekonnt gewürzt. Das DinnerMenü, das Lunch-Buffet und das Business-Lunch bieten das beste Preis-Leistungs-Verhältnis. Während der Happy Hour werden kostenlos köstliche Häppchen serviert.

Pamir

1437 2nd Ave. **Karte** 17 B5.
734-3791. *Di–So 17–23 Uhr.* *EC, V.* $$

Obwohl die afghanische Küche in New York noch zu den kulinarischen Neuheiten gehört, hat dieses bescheidene Lokal schon viele Anhänger gefunden. Serviert werden Lammgerichte, Kebab, Joghurtsaucen und herzhafte Beilagen. Die Bedienung ist freundlich und zuvorkommend, die Atmosphäre behaglich. Am Wochenende muß man mitunter lange auf einen Tisch warten – doch es lohnt sich.

Saalam Bombay

317 Greenwich St. **Karte** 1 B1.
226-9400. *Tägl. 12–15 Uhr, 17.30–23 Uhr.* *AE, DC, EC, V.* $$

Das Essen im Saalam Bombay mit seiner würdigen und eleganten Atmosphäre kann man nur mit indischer Haute Cuisine beschreiben. An Werktagen kann man die verschiedenen Gerichte günstig am Lunch-Buffet probieren.

Europäisch und Mediterran

Wer lange genug sucht, findet in New York vermutlich jede Nationalküche durch Restaurants vertreten, wenn auch nicht unbedingt in großer Zahl. Im folgenden sind einige der besten Lokale mit europäischer oder orientalischer Küche aufgeführt. Die Küche des Mittelmeerraums zeichnet sich im allgemeinen durch frischen Fisch, gegrilltes Fleisch, Tomaten, Oliven, Paprika, Knoblauch, Olivenöl und Kräuter aus. Die marokkanische Küche bietet Gerichte wie *Couscous* (eine Art Grieß mit Gemüse oder Fleisch) oder Huhn und Lamm mit getrockneten Pflaumen oder Feigen und Mandeln.

Nordeuropäische Lokale gibt es nur sehr wenige in New York. Skandinavische Restaurants sind auf Fisch spezialisiert und zumeist elegant und teuer. Russische und jüdisch-rumänische Restaurants sind einfacher, aber nicht billig. (Koschere jüdische Spezialitäten, siehe Delis, S.304).

Aquavit

13 W 54th St. **Karte** 12 F4.
307-7311. *Mo–Fr 12–15, 17.30–22.30 Uhr, Sa 17.30–22.30 Uhr.* *AE, DC, EC, V.* $$$$$

Dieses ehemalige Stadthaus von Nelson Rockefeller, das heute der Unibank gehört, hat sich zu einem der beliebtesten skandinavischen Restaurants in New York entwickelt. Am schönsten sitzt man im Atrium, dem Hauptspeisesaal mit acht Ebenen, einer Glasüberdachung, einem Wasserfall und dekorativen Drachen. Unbedingt probieren sollte man die Schwedenplatte mit Heringssalat, Lachs, Aal oder Sardinen, Rindfleisch, Rentierfleisch oder Leberpastete, Salat, Obst, Käse oder Gemüse. Auch Fisch- und Wildspezialitäten stehen immer auf der Karte. Kleinere, preiswertere Gerichte gibt es im Café Aquavit im Obergeschoß.

Barney Greengrass

541 Amsterdam Ave. **Karte** 15 C3.
724-4707. *So–Fr 11.30–14.30 Uhr, 18–23.30 Uhr.* $$

Dieses ausgezeichnete jüdische Restaurant ist bekannt für seinen geräucherten Fisch. Es gibt auch guten Borscht und einen typischen jüdischen Brunch. Zu Essenszeiten kann es hier sehr voll sein.

Layla

211 Broadway. **Karte** 1 C2.
431-0700. *Mo–Fr 12–14.30 Uhr, tägl. 17.30–24 Uhr.* *AE, DC, EC, V.*
$$$$

Der Besitzer des Nobu und TriBeCa Grills eröffnete nun das Layla, eine Traumvariante der mediterranen Küche. Das Essen in diesem glitzernden »In«-Restaurant ist eine bunte Mischung der verschiedenen Richtungen. Es gibt Falafel und Schwertfisch-Kebabs mit Kreuzkümmel auf Couscous. Probieren Sie unbedingt die *mezes*, eine köstliche Auswahl an Vorspeisen. Bauchtanzvorführungen.

Moroccan Star

205 Atlantic Ave, Brooklyn.
(718)643-0800. *Tägl. 12.30–23 Uhr.* *EC, V.* $

Der »marokkanische Stern« leuchtet in einer Straße, die für ihre preiswerte Küche aus dem Mittelmeerraum bekannt ist. Der Küchenchef hat früher im Four Seasons gearbeitet, so daß man auf der Speisekarte auch europäische Gerichte findet. Obwohl sie gut sind, sollte man lieber *Tajine* (geschmortes Huhn), *B'stilla* (Hühnerpastete), die Lammgerichte und *Humus* probieren. Nette, familiäre Atmosphäre und unglaublich niedrige Preise.

Moustache

90 Bedford St. **Karte** 3 C2.
229-2220. *Tägl. 12–24 Uhr.*
$

In diesem winzigen Restaurant in West Village finden sich köstliche mediterrane Speisen wie Falafel, *ouzi* und *babaganough*, alle zu moderaten Preisen. Dazu gibt es frisches Pitta-Brot.

Periyali

35 W 20th St. **Karte** 8 F5.
463-7890. *Mo–Fr 12–15 Uhr, Mo–Sa 17.30–23 Uhr.* AE, DC, EC, V. $$$$

Mit ihren weiß getünchten Stuckwänden, den gefliesten Fußböden und den dunklen Holzbalken fühlt man sich in dieser Taverne auf eine griechische Insel versetzt, auch wenn die wogende Zeltdecke eher der Phantasie eines Designers entsprungen ist. Die »New Greak Cuisine«, die hier zubereitet wird, ist teurer als in jeder anderen Taverne, aber ausgezeichnet. Probieren sollte man *Spanakopitta* und die leckeren Fischgerichte, wie gegrillter Tintenfisch oder Seebarsch mit Zitrone, Kräutern und Olivenöl.

Picholine

35 W 64th St. **Karte** 11 C2.
724-8585. *Tägl. 12–15 Uhr, Mo–Sa 17.30–23.30 Uhr, So 17.30 22.30 Uhr.* AE, DC, EC, V. $$$

Nahe am Lincoln Center gelegen wird in diesem neuen Restaurant französisch-mediterrane Cuisine gekocht. Die ruhige ansprechende Einrichtung reflektiert die Farben der Oliven wider. Lamm auf marokkanische Art ist eines der einfallsreichen Gerichte, die der Chefkoch Terry Brennan kreiert. Die Weinliste ist preisgekrönt.

The Russian Tea Room

150 W 57th St. **Karte** 12 E3.
265-0947. *Mo–Fr 11.30–24 Uhr, Sa, So 11–24 Uhr.* *abends.* AE, DC, EC, V. $$$$$

Niemand weiß, wie das Essen im Russian Tea Room nach umfangreichen Renovierung zur Wiedereröffnung 1997 sein wird. Der gefeierte Küchenchef Davic Bouley (ehemals Bouley's) garantiert wohl weiterhin für eine einfallsreiche und gute – wahrscheinlich auch teure – Cuisine.

Sammy's Famous Roumanian

157 Chrystie St. **Karte** 5 A4.
673-0330. *So–Do 15.30–22.30 Uhr, Fr–So 15.30–24 Uhr.* AE, EC. $$$$

Hier gibt es kein koscheres, aber jüdisch-rumänisches Essen. Das turbulente Lokal bietet typisch jüdische Gerichte wie gefüllten Kohl, *Kreplach* (mit Käse oder Fleisch gefüllte Maultaschen, oftmals in Brühe serviert), Hühnersuppe und andere Köstlichkeiten. Man muß kein Jude sein, um die ausgelassene Atmosphäre mit Live-Musik, lautstarker Unterhaltung und viel Gelächter zu genießen. Auf jedem Tisch stehen die Zutaten für *Egg Cream*: Milch, Mineralwasser und Schokoladensirup. Die Steak-Vorspeise und die *Derma* (gekochte und gebratene Zwiebelwürste) schmecken traumhaft, während die Desserts recht langweilig sind.

Südamerikanisch und Karibisch

Trotz des Zustroms aus Lateinamerika und der Karibik gibt es in New York nur wenige Restaurants, die sich dieser Landesküchen annehmen. Karibische Lokale kochen mit Zutaten wie Kokosnuß, Banane, Knoblauch, Reis und Bohnen. Und es gibt auch viele pfeffrige Gerichte, wie Eintöpfe mit Meeresschnecken und schwarze Bohnensuppe.

Brasilianische Restaurants bieten eine ausgelassene Atmosphäre und eine authentische Küche zu günstigen Preisen. Halten Sie nach dem Nationalgericht *Feijoada* Ausschau, einem Eintopf aus schwarzen Bohnen und verschiedenem Fleisch und Gemüse.

Die mexikanischen Lokale servieren zumeist die übliche texanisch-mexikanische Küche: *Enchiladas* (mit Hühner- oder Rindfleisch gefüllte Tortillas), *Tamales* (gedünstete gefüllte Maisblätter), *Fajitas* (gegrillte Fleischstreifen), *Frijoles Refritos* (Bohnenpüree) und *Quesadillas* (mit Käse gefüllte Tortillas).

Cabana Carioca

123 W 45th St. **Karte** 12 E5.
581-8088. *So–Do 12–23 Uhr, Fr, Sa 12–24 Uhr.* AE, DC, EC, V. $$$

Es gibt wenige brasilianische Restaurants in New York, aber dieses sehr hübsche, relativ preiswerte ist eines der besten. Aufgedrehte Atmosphäre mit ständig laufender Musik, folkloristischen Wandgemälden und einem hohen Geräuschpegel. Mittwochs und samstags gibt es das brasilianische Nationalgericht *Feijoada* (ein Eintopf aus schwarzen Bohnen und Fleisch), aber auch an anderen Wochentagen werden hier herzhafte Steak-, Hühner- und Fischgerichte serviert. Nach einem großen Schluck *Caipirinha*, des beliebten brasilianischen Getränks, stört einen der Lärm vermutlich weniger, und man läßt sich vermutlich mitreißen.

Lola

30 W 22nd St. **Karte** 8 F4.
675-6700. *Mo–Fr 12–15 Uhr, Mo–Do 18–24 Uhr, Fr, Sa 18–1 Uhr, So 11.45–14.30, 18–22.30 Uhr.* AE, EC, V. $$$$

Schön umgebautes Dachgeschoß eines ehemaligen Lagerhauses. Scharfe, feurige Gerichte der karibischen Küche, aber auch einige amerikanische und italienische Spezialitäten, wie Reh, Pasta und Fisch. Am besten schmeckt jedoch das scharfe karibische Huhn mit 100 Gewürzen. Abends gibt es Blues, Jazz und Reggae live, sonntags ein Brunch mit Gospelmusik, die die Dachbalken erbeben läßt. Die Atmosphäre übertrifft das Essen.

Riodizio

417 Lafayette St. **Karte** 4 F2.
529-1313. *Tägl. 11.30–15, 17.30–23.30 Uhr.* AE, DC, EC, V. $

Diese Rotisserie im brasilianischen Stil ist günstig im Herzen von Greenwich Village am Public Theater gelegen. Für den großen Hunger.

Tropica Bar and Seafood House

MetLife Bldg, 200 Park Ave.
Karte 13 A5. 867-6767. *Mo–Fr 12–15, 17–22 Uhr.* **Geschl.** *einige Feiertage.* AE, DC, EC, V. $$$$

Sehenswertes Restaurant mit tropischem Flair, Palmen, Holzgittern und Korbstühlen. Die karibische Küche ist einfallsreicher, als es die Örtlichkeit und die betriebsame Geschäftsklientel, die hier zu Mittag ißt, verlangen würden. Die Fischgerichte schmecken ausgezeichnet; probieren Sie den gebratenen Kabeljau mit Sake (japanischer Reiswein) und schwarzer Bohnensauce.

Zarela

953 2nd Ave. **Karte** 13 B4.
644-6740. *Mo–Fr 12–15 Uhr, Mo–Do 17–23 Uhr, Fr, Sa 17–23.30 Uhr, So 17–22 Uhr.* AE, DC. $$

Lichtjahre vom Standard anderer Tex-Mex-Lokale entfernt, ist Zarela ein in jeder Hinsicht exklusives Restaurant – was Speisekarte, Publikum (jugendlich) und besonders Preis betrifft. Köstliche authentische *Tamales* und *Enchiladas* gibt es hier nur als Vorspeise. Auf der Speisekarte stehen viele schmackhafte Fischgerichte , die mit der gleichen Raffinesse wie an der mexikanischen Küste zubereitet werden.

Zeichenerklärung *siehe S. 285*

Leichte Mahlzeiten und Snacks

In Manhattan bekommt man fast überall und zu jeder Zeit einen Snack. Die New Yorker scheinen ständig zu essen – an Straßenecken, in Bars, Imbißstuben, Delis, vor und nach der Arbeit und mitten in der Nacht.

Als Imbiß verzehrt man in New York Brezeln von einem Straßenverkäufer, dänisches Blätterteiggebäck, ein Stück Pizza aus einer Pizzeria um die Ecke, ein riesiges Sandwich zum Mitnehmen von einem Deli oder Sandwich-Shop, heiße Maronen, eine griechische *Pita* mit *Gyros*, einen Snack vor dem Theater in einem Café oder etwas Herzhaftes nach einer durchzechten Nacht in einem Coffee Shop. Auch wenn Straßenstände und Snack-Bars im allgemeinen billig sind, unterscheiden sie sich dennoch erheblich voneinander in ihrer Qualität.

Delis

Delis sind eine New Yorker Institution, wo man riesige Sandwiches zum Lunch bekommt. Probieren Sie die Sandwiches mit Corned Beef und Pastrami, die es im berühmten **Carnegie Delicatessen** gibt, für viele das beste Deli in New York.

Einige Delis, wie **Katz's Deli**, bedienen ein älteres Publikum, das traditionelle Speisen mag. Das meiste Geschäft machen Delis mit dem Straßenverkauf: Man reiht sich in die Schlange ein, wartet auf seine Bestellung und geht.

Die Sandwiches der meisten Delis sind noch verhältnismäßig billig, aber das Personal ist oft unhöflich und ungeduldig – nehmen Sie es nicht persönlich. Unhöflichkeit ist ein fester Bestandteil des **Stage Deli**, das heute eher ein Touristenstopp und nicht mehr der beliebte Showbiz-Treff von früher ist.

Snacks nach jüdischer Art gibt es im **Second Avenue Delicatessen**, bekannt für seine hausgemachten Suppen, Pickles, Corned-Beef-Sandwiches, gehackte Leber und andere koschere Speisen.

Koscheres Essen hat auch **Ratner's Dairy Restaurant**. »Dairy Restaurants« servieren im Gegensatz zu Delis koschere Speisen mit Milchprodukten. Ein Besuch bei Ratner's lohnt sich wegen der Zwiebelbrötchen, der *Blintzes* (mit Obst oder Käse gefüllte Pfannkuchen) und des Mohnkuchens, auch wenn die Kellner ziemlich unwirsch sind.

Cafés und Bistros

Cafés gibt es viele, und ihr Stil reicht von rustikal bis chic. In der Regel bekommt man in Cafés ebenso wie in den neuerdings beliebten Bistros Lunch und Dinner, aber auch Snacks und kleine Mahlzeiten.

Zu den besten zählt das **Chefs & Cuisiniers Café**, ein zwangloses Lokal, wo Spitzenköche an ihren freien Tagen einkehren. Die frisch zubereiteten Speisen sind einfach – Fisch, gegrilltes Huhn und in der Saison Weichschalentiere. Am besten geht man abends hin, obwohl es dann auch am vollsten ist.

Fans von Zabar's, dem bekannten Deli und Feinkostgeschäft, machen sich gerne auf den Weg zu Eli Zabar's **E. A. T.**, einem Café nach Pariser Vorbild, wo man jüdische Speisen, Suppen, Salate und einige unwiderstehliche Nachspeisen bekommt. Alles schmeckt erstklassig, und die Preise sind entsprechend hoch.

Ein Künstlertreff ist **Florent**, mit französischer Bistro-Küche und einem riesigen Frühstück. Das nach der Londoner U-Bahn-Station benannte **Elephant and Castle** ist ein gemütliches Café; in dem Lokal in Greenwich Village trifft man sich um zum Lunch Suppe, Salat und Omelett oder andere Snacks zu essen. Ihr Hauptvorzug ist das Frühstück, das in großen Portionen und zu günstigen Preisen serviert wird.

In **Brother's** einer sehr aktuellen West-Side-Bar mit Restaurant, wird südliches Barbecue vom Feinsten serviert: großartiges Fleisch und Hühnchen zu angemessenen Preisen. Vergessen Sie nicht, Cajun Popcorn zu probieren. Strenggenommen widersetzt sich **Sarabeth's Kitchen** jeglicher Kategorisierung, läßt sich aber dennoch wohl als Bistro bezeichnen. Am besten geht man zum Frühstück hin oder am Wochenende zum Brunch, wenn hier ganze Familien Waffeln, Omeletts und Pfannkuchen verdrücken.

Manche Bars fungieren gleichzeitig als Café oder haben kleine Cafés im hinteren Bereich, wo man die üblichen amerikanischen Snacks bekommt.

Pizzerias

Pizza gibt es überall in New York – an Straßenständen, in Fast-Food-Lokalen oder in traditionellen Pizzerias.

Einige Pizzerias bieten noch etwas mehr. **Arturo's Pizzeria** benutzt einen Steinbackofen für seine knusprigen Pizzaböden und bietet zusätzlich Live-Jazz. **Mezzogiorno** hat eine toskanische Speisekarte und Pizzas mit ungewöhnlichem Belag, die viele als »Designer«-Pizzas bezeichnen. Auch **Mezzaluna** hat sich auf Pizzas aus dem Steinbackofen spezialisiert. Restaurants wie **Pizzeria Uno** servieren Pizzas nach Chicagoer Art, die in hohen Formen gebacken und dann üppig belegt werden.

Pizzerias sind der richtige Platz für eine einfache, preiswerte Mahlzeit, gerade mit Kindern. Die meisten Pizzerias nehmen keine Tischreservierungen vor, und in Lokalen wie **John's Pizzeria** gibt es lange Warteschlangen. Gehen Sie ganz früh oder sehr spät.

Hamburger

Billige Burger- und Hot-Dog-Bars findet man gewöhnlich, wenn man einfach der Nase nach geht. Aber es gibt auch viele Orte in New York, wo man Burger von besserer Qualität bekommt, wobei ein sehr guter Burger aus reinem Rindfleisch (125-250 g) bis zu 10 US-$ kosten kann. **Hamburger Harry's** hat große, saftige Burger in vielen Varianten, zu denen frischer Salat serviert wird. Es gibt Burgers bei **Papaya King**, doch dessen Spezialität sind Hot Dogs aus reinem Rindfleisch. Das Essen ist gut und billig. Die fünf Filialen von **Jackson Hole** servieren fette, saftige Burger, bei denen sich Kinder wie auf einer Ranch vorkommen. Erwachsenen gefällt vielleicht die etwas lieblose Einrichtung nicht, dafür aber sicher die niedrigen Preise.

Kinder lieben **Mickey Mantle's** mit seinen Baseball-Memorabilien und Fernsehern. An der Bar gibt es großartige Burger und andere Snacks, mittags und abends ist auch das Lokal im rückwärtigen Bereich geöffnet.

Andere beliebte, aber erheblich teurere Hamburger- und Snack-Lokale sind u. a. **Planet Hollywood**, das den Filmschauspielern Bruce Willis, Arnold Schwarzenegger und Sylvester Stallone gehört, sowie das legendäre **Hard Rock Café**. In beiden gibt es laute Rockmusik, große Portionen und alle möglichen Artefakte aus dem Showgeschäft. Bei Teenagern der absolute Renner – trotz der hohen Preise.

Imbisslokale (Diners, Luncheonettes)

Imbisslokale, die in Amerika »Diners«, »Luncheonettes«, »Sandwich Shops« oder »Coffee Shops« heißen, findet man überall. Das Essen ist mittelmäßig, aber reichlich und billig. Trotz der Bezeichnung »Luncheonette« haben solche Lokale in der Regel von morgens bis spät abends geöffnet, und man bekommt zu jeder Zeit Kaffee und etwas Einfaches zu essen.

Bei den Diners, Nachbildungen von Eisenbahnwaggons, gibt es seit kurzem einige Neuauflagen der alten, billigen Diners aus den 30er Jahren. Diese neuen »Retro-Diners« servieren oftmals gutes, preiswertes Essen.

Einer davon ist der **Empire Diner** *(siehe S.136)*. Der **Broadway Diner**, eine Nachbildung eines Diners der 40er Jahre, bietet ein überdurchschnittliches Frühstück, zu dem dicke Pommes frites und selbstgemachtes Corned-Beef-Haschee mit pochierten Eiern gehören. **Jerry's** zieht eine Künstlerklientel an, die die überdurchschnittlichen, einfallsreichen Sandwiches, Salate und Desserts liebt.

Viele schwören auf das **Viand**, ein Luncheonette mit einfachen Frühstücksgerichten und den besten Truthahn-Sandwiches in der Stadt.

Zu **Les Halles**, wo es französische Speisen gibt, kommt man über den Fleischmarkt. **Kiev Luncheonette** ist bekannt für seine jüdisch-europäischen Spezialitäten.

Veselka ist kein gewöhnlicher Sandwich Shop; man bekommt hier polnische und ukrainische Speisen zu Schleuderpreisen.

Die **Brasserie** hat rund um die Uhr geöffnet. Bei **Mangia** kann man mit die besten Sandwiches, Salate und Pasteten der Stadt kaufen. Mangia liefert auch ins Haus.

Teesalons (Tea Rooms)

Fast der einzige Platz, wo man frischen Tee bekommt, sind die teureren New Yorker Hotels, wo zwischen 15 Uhr und 17 Uhr zum Nachmittagstee gebeten wird.

Im Palm Court des **Plaza Hotel** gibt es Cremetörtchen und kleine Kuchen in allen Ausführungen. Wer seinen Tee auf Chippendale-Möbeln einnehmen möchte, geht ins **Carlyle Hotel.** Im **Hotel Pierre** wird der Tee im »Rotunda Room« gereicht.

Zum Tee im **Waldorf-Astoria** gibt es Sahne aus Devonshire. Den teuersten Tee bekommt man im »Gold Room« des **New York Palace** *(siehe S.174)*. Weniger feudal, aber preiswert ist **Le Train Bleu**, der Nachbau eines Speisewagens des Orient-Expresses, bei Bloomingdale's *(siehe S.179)*. Der »Mayfair Tea« zum Festpreis ist sein Geld wert.

Café Vienna bei Bergdorf Goodman *(siehe S.311)* hat mit den billigsten Nachmittagstee.

Im **Russian Tea Room** *(siehe S.147)* gibt es vier Tee-Menüs zum Festpreis, der von der gewählten Kaviarsorte abhängt. Preiswerterer Nachmittagstee wird im **Book-Friends Café** serviert, das sich in einer Buchhandlung in Chelsea befindet. Jeden zweiten Mittwoch wird bei Tee getanzt.

Kaffee und Kuchen

Eine gute Tasse Kaffee bekommt man oft schon für 75 Cents. Die meisten Kaffeehäuser sind teurer. Auch einige Eisdielen und Konditoreien servieren guten Kaffee, köstliche Kuchen und Gebäck.

Besonders nette Kaffeehäuser gibt es in Little Italy, darunter das **Caffè Biondo**, wo man Cappuccino und gutes Gebäck bekommt, und das **Caffè Vivaldi**, mit preiswertem Kaffee, Tee und Kuchen.

Caffè Ferrara, das seit 1892 besteht, hat italienisches Gebäck, Kaffee und Tische im Freien; die Preise sind nicht zu hoch. **Caffè Dante** ist bei Studenten beliebt, die ihren Kaffee bei schönem Wetter im Freien trinken.

Im **Caffè Bianco** gibt es fabelhaften Kuchen und guten Kaffee zu günstigen Preisen. **Les Délices Guy Pascal** hat französische Backwaren.

Sant' Ambroeus Ltd ist ein nobler Abkömmling der Mailänder *Pasticceria*, mit dekadenten Süßspeisen und einer Espresso-Bar.

Rumpelmeyer's ist der Inbegriff der New Yorker Eisdiele – und der beste Platz für Egg Cream *(siehe S.286)* oder einen Eisbecher. Ebenso beliebt ist **Serendipity 3**, bekannt für sein viktorianisches Ambiente, seine kunstvollen Eisbecher und Nachmittags-Snacks. Im **Coffee Shop** trifft sich die Schickeria bei lauter Musik.

Bei schönem Wetter sollte man seinen Kaffee im **Boathouse Café** im Central Park trinken. Da das Essen nur mittelmäßig ist, beschränkt man sich auf den Kaffee oder nimmt einen Drink an der Bar. **Zabar's Café** hat nichts Besonderes – nur Hocker und erstklassigen Cappuccino.

AUF EINEN BLICK

LOWER EAST SIDE

Delis
Katz's Deli
205 E Houston St.
Karte 5 A3.

Ratner's Dairy Restaurant
138 Delancey St.
Karte 5 B4.

Kaffee und Kuchen
Caffè Biondo
141 Mulberry St.
Karte 4 F5.

Caffè Ferrara
195 Grand St.
Karte 4 F4.

SOHO UND TRIBECA

Pizzerias
Mezzogiorno
195 Spring St.
Karte 4 D4.

Imbißlokale
Jerry's
101 Prince St.
Karte 4 D3.

GREENWICH VILLAGE

Pizzerias
Arturo's Pizzeria
106 W Houston St.
Karte 4 E3.

Cafés und Bistros
Elephant and Castle
183 Prince St.
Karte 4 D3.

Florent
69 Gansevoort St.
Karte 3 B1.

Kaffee und Kuchen
Caffè Dante
79 MacDougal St.
Karte 4 D3.

Caffè Vivaldi
32 Jones St.
Karte 3 C2.

EAST VILLAGE

Imbißlokale
Kiev Luncheonette
117 2nd Ave.
Karte 4 2F.

Veselka
144 2nd Ave.
Karte 4 F1.

Delis
Second Avenue Deli
156 2nd Ave. **Karte** 4 F1.

GRAMERCY UND FLATIRON

Cafés und Bistros
Chefs & Cuisiniers Café
36 E 22nd St.
Karte 8 F4.

Imbißlokale
Les Halles
411 Park Ave.
Karte 9 A3.

Teesalons
Book-Friends Café
16 W 18th St.
Karte 8 F5.

Kaffee und Kuchen
Coffee Shop
29 Union Sq West.
Karte 9 A5.

CHELSEA UND GARMENT DISTRICT

Imbißlokale
Empire Diner
210 10th Ave.
Karte 7 C4.

THEATER DISTRICT

Delis
Carnegie Delicatessen
854 7th Ave. **Karte** 12 E4.

Stage Deli
834 7th Ave.
Karte 12 E4.

Hamburger
Hamburger Harry's
145 W 45th St.
Karte 12 E4.
Eine von mehreren Filialen.

Hard Rock Café
221 W 57th St.
Karte 12 E3.
Eine von mehreren Filialen.

Planet Hollywood
140 W 57th St.
Karte 12 E5.

Imbißlokale
Broadway Diner
1726 Broadway.
Karte 12 E4.

Teesalons
Russian Tea Room
150 W 57th St.
Karte 12 E3.

Kaffee und Kuchen
Rumpelmayer's
St Moritz Hotel,
50 Central Park S.
Karte 12 F3.

UPPER MIDTOWN

Hamburger
Mickey Mantle's
42 Central Park South.
Karte 12 F3.

Imbißlokale
Mangia
50 W 57th St.
Karte 12 F3.

The Brasserie
100 E 53rd St. **Karte** 13 A4.

Teesalons
Le Train Bleu
Bloomingdale's,
1000 3rd Ave. **Karte** 13 A3.

New York Palace
455 Madison Ave.
Karte 13 A4.

Plaza Hotel
Palm Court, 768 5th Ave.
Karte 12 F3.

Waldorf-Astoria
301 Park Ave. **Karte** 13 A5.

UPPER EAST SIDE

Cafés und Bistros
E.A.T.
1064 Madison Ave.
Karte 17 A4.

Pizzerias
John's Pizzeria
408 E 64th St. **Karte** 13 C2.

Mezzaluna
1295 3rd Ave. **Karte** 17 B5.

Hamburger
Jackson Hole
232 E 64th St.
Karte 13 B2.
Eine von mehreren Filialen.

Papaya King
983 3rd Ave.
Karte 13 B3.

Imbißlokale
Viand
673 Madison Ave.
Karte 13 A2.
Eine von mehreren Filialen.

Teesalons
Café Vienna
Bergdorf Goodman,
754 5th Ave.
Karte 12 F3.

Hotel Pierre
2 E 61st St.
Karte 12 F3.

The Carlyle Hotel
35 E 76th St.
Karte 17 A5.

Kaffee und Kuchen
Caffè Bianco
1486 2nd Ave.
Karte 17 B5.

Les Délices Guy Pascal
1231 Madison Ave.
Karte 17 A3.

Sant' Ambroeus Ltd
1000 Madison Ave.
Karte 17 A5.

Serendipity 3
225 E 60th St.
Karte 13 B5.

CENTRAL PARK

Kaffee und Kuchen
Boathouse Café
Central Park, East Park Drive & 72nd St.
Karte 12 F1.

UPPER WEST SIDE

Pizzerias
Pizzeria Uno
432 Columbus Ave.
Karte 16 Dl.
Eine von mehreren Filialen.

Cafés und Bistros
Brother's
2182 Broadway.
Karte 15 C5.

Sarabeth's Kitchen
423 Amsterdam Ave.
Karte 15 C4.

Imbißlokale
Jerry's
450 Amsterdam Ave.
Karte 15 C4.

Kaffee und Kuchen
Zabar's Café
2245 Broadway.
Karte 15 3C.

New Yorker Bars

New Yorker Bars sind eine Institution und spielen eine große Rolle in der Stadtkultur. Für New Yorker ist es normal, den Abend in verschiedenen Bars zu verbringen, denn jede bietet mehr als nur Alkohol – zum Beispiel erstklassiges Essen, Tanz oder Live-Musik. Eine andere Attraktion kann importiertes oder amerikanisches Bier aus kleinen Brauereien sein. Bars gibt es in großer Zahl, und jeder wird das Richtige für seinen Geschmack und Geldbeutel finden.

Praktische Hinweise

Bars haben im allgemeinen von etwa 11 Uhr bis Mitternacht geöffnet. Manche schließen auch erst um 2 Uhr oder um 4 Uhr, der gesetzlichen Sperrstunde.

In vielen Bars gibt es zwischen 17 Uhr und 19 Uhr eine »Happy Hour«, wo man zwei Drinks zum Preis von einem (»twofer«) und kostenlose Snacks bekommt, etwa ein kleines Stück Pizza oder Quiche.

Das Mindestalter für den Genuß alkoholischer Getränke ist 21 Jahre; hält der Barkeeper Sie für jünger, müssen Sie sich ausweisen. Kinder haben in New Yorker Bars gewöhnlich nichts zu suchen.

Üblicherweise werden die Getränke aufgeschrieben, und man bezahlt alles zusammen, bevor man geht. Ein Trinkgeld für den Barkeeper wird erwartet – 10% des Rechnungsbetrags oder etwa 50 Cents für einen einzelnen Drink. Die Drinks werden nicht abgemessen, wenn Sie also etwas mehr im Glas haben wollen, schadet es nicht, dem Barkeeper ein ordentliches Trinkgeld zu geben. Wenn man am Tisch bedient wird, sind die Getränke teurer.

Es kommt erheblich billiger, statt mehrerer Gläser Bier einen ganzen Krug (2,25 Liter) zu bestellen.

Bars vom Typ »Free Drinks for Ladies« sind meistens Aufreißer- und Anmachkneipen. In einigen New Yorker Pubs hatten Frauen keinen Zutritt, bis diese Einschränkung vor einigen Jahren gesetzlich aufgehoben wurde. Hotelbars und Single-Bars bieten sich für alleinstehende Frauen eher an, sexuelle Belästigungen sind auch hier nicht auszuschließen.

Getränke

In den Bars von New York bekommt man beinahe jedes alkoholische Getränk, das man möchte. Am beliebtesten ist allerdings kaltes Bier. Die meisten Bars führen Biere großer Brauereien, etwa Budweiser, Coors und Miller, sowie bekannte europäische Biere, wie Bass Ale, Becks, Heineken und gelegentlich Guinness. In einigen Bars, speziell in den alten Pubs, gibt es eine weitaus größere Auswahl an Biersorten, darunter auch amerikanische Biere aus kleinen Brauereien, wie Samuel Adams, Sierra Nevada und Anchor Steam, sowie New Yorker Brauereierzeugnisse, wie Brooklyn Lager und New Amsterdam Amber.

Andere beliebte Bar-Getränke sind Cocktails während der »Happy Hour«: Cola-Rum, trockener Martini, Scotch oder Bourbon, entweder »straight up« (ohne Eis), »on the rocks« (mit Eis) oder mit Soda; Wodka-Tonic und Gin-Tonic. Wein, insbesondere Weißwein, gibt es ebenfalls in vielen Bars, wenngleich sich reine Weinlokale in New York nicht durchsetzen konnten.

Essen

In den meisten Bars bekommt man den ganzen Tag über etwas zu essen. Gewöhnlich sind es Burger, Pommes frites, Salate, Sandwiches, kleine Snacks wie würzige Hühnerflügel oder dergleichen. Während der »Happy Hour« kann man sich in den besseren New Yorker Bars kostenlos an delikaten Snacks und scharfen Vorspeisen satt essen. Die Küche der meisten Bars schließt kurz vor Mitternacht.

Beliebte Bars

Im **Odeon**, einer schicken Bar im Art-deco-Stil, trifft sich die Kunstszene von SoHo und TriBeCa. Ebenfalls im Stadtzentrum, in einem ehemaligen Lagerhaus, befindet sich die **SoHo Kitchen and Bar**, die farbenfrohe abstrakte Kunst, Sitzbereiche auf mehreren Ebenen, eine lange gemauerte Bar, gute Pizzas und wohl eine der umfangreichsten Weinkarten von New York sowie eine gute Auswahl an Bieren bietet.

Auf der Upper West Side kann man bei **Mortimer's** erleben, was man heute unter High-Society versteht – ohne maßlose Preise für das wenig bemerkenswerte Essen bezahlen zu müssen.

Nach der Arbeit trifft man sich bei **P. J. Clarke's**, dem Saloon mit irischen Barkeepern und unglaublich viel Betrieb, oder in einer der elf Filialen von **Houlihan's**, einer Standard-Bar mit freundlichem Personal, einer großen Auswahl an Bieren und amerikanischen Snacks wie Burgers und Sandwiches.

Eine andere beliebte Bar ist **T.G.I. Friday's**, die in ganz Amerika Filialen unterhält. Sie sind bekannt für anständige Bar-Snacks, vernünftige Preise, guten Service und als Treffpunkt von Yuppies und Singles nach Arbeitsschluß.

Bars mit Ausblick

Einen Blick auf den Hafen bietet die **Hors d'Oeuvrerie** im World Trade Center *(siehe S. 73)*, wo man beim Drink beobachten kann, wie in der Stadt die Lichter angehen. Pianomusik gibt es ab 16.30 Uhr, Tanz von 19.30 Uhr bis 1 Uhr.

Wer Drinks und Aussicht genießen will, geht zu **City Lights**, wo man einen Blick auf die Statue of Liberty sowie 130 Sorten Scotch und 75 Sorten Gin geboten bekommt.

Die **Tavern on the Green** mit Aussicht auf den Central Park und festlichem Ambiente hat eine große Bier- und Weinauswahl und vorzügliches Essen. Bei schönem Wetter kann man im Garten sitzen.

Historische und literarische Bars

Wer nur eine einzige Bar aufsuchen möchte, sollte in **McSorley's Old Alehouse** gehen, einen alten irischen Saloon, der sich seit 1854 an diesem Platz befindet und somit zu den ältesten Bars von New York gehört. Bekannt ist er auch für sein gutes Bier und das »Ploughman's Lunch« (Käse, Brot und Mixed Pickles).

The Ear Inn hat einen Stammbaum, der bis ins Jahr 1812 zurückreicht, als an dieser Stelle erstmals eine Taverne ihre Tore öffnete. Heute ist es ein Treffpunkt von Poeten und Schriftstellern, und die dunkle Inneneinrichtung strahlt nüchterne Authentizität aus.

Pete's Tavern gibt es seit 1864. Hier treffen sich die Leute aus der Gegend rund um den Gramercy Park. Sie ist bis 2 Uhr nachts geöffnet und für ihr viktorianisches Ambiente, ihr hauseigenes Bier der Marke Pete's Ale und die vielen anderen Faßbiere bekannt.

Die **Old Town Bar**, ein typisch irischer Pub, der seit 1892 besteht, ist bei Leuten aus der Werbebranche beliebt.

Eine nette, aber von Touristen bevölkerte Kneipe im Finanzviertel ist **Fraunces Tavern** *(siehe S. 76)*.

In Greenwich Village befinden sich einige der ältesten New Yorker Bars, wie **Chumley's**, die das Ambiente einer illegalen Bar aus der Prohibitionszeit bewahrt hat. Besonders gemütlich ist es hier im Winter, wenn im Kamin ein Feuer brennt.

Lion's Head ist ein anderer Literatentreffpunkt und hat gute Snacks und Burgers. Die unprätentiöse Lieblingskneipe von Dylan Thomas, die **White Horse Tavern**, ist noch immer voller Literaten und College-Typen. Im **Peculier Pub** kann man unter mehr als 360 Biersorten aus aller Welt auswählen, sofern man sich mit der zuweilen schnippischen Bedienung abfindet. Die **Minetta Tavern** mit einem originalen Wandgemälde aus den 30er Jahren gehört zu den ältesten italienischen Village-Kneipen.

Statt der Berühmtheiten von einst finden sich heute bei **Sardi's** die Reporter der *New York Times* ein. Ein Besuch lohnt sich wegen der vielen Karikaturen berühmter Köpfe an den Wänden und der großzügig eingeschenkten Drinks in der Bar im ersten Stock. Jeder, der an der Grand Central Station abfährt oder ankommt, sollte unbedingt ins **Café at Grand Central Station** gehen, das die Bahnhofshalle *(siehe S.285)* überblickt und für seine billigen Snacks bekannt ist. In der Nähe der Carnegie Hall liegt **P. J. Carney's**, seit 1927 ein Treffpunkt von Musikern und Künstlern. Es hat eine U-förmige Bar, wenige Tische, irisches Ale und einen guten »Shepherd's Pie«.

Kneipen für junge Leute

Ein beliebter Pub im englischen Stil, wo man sich nach der Arbeit trifft, ist der **North Star Pub** mit seinen sechs englischen und irischen Faßbieren und mehr als einem Dutzend Flaschenbieren.

Lucky Strike ist eines der beliebtesten Nachtlokale von SoHo – preiswert und mit einem recht gemischten Publikum. **ZIP City Brewing Company** ist der einzige Brauereiausschank in New York. Während man sein Glas leert, kann man zuschauen, wie in den riesigen Kupferkesseln das Bier gebraut wird.

Uptown im **Amsterdam's** ist das Publikum avantgardistischer. In der großartigen Rotisserie ißt man Hühnchen oder Fisch. Kommen Sie rechtzeitig vor den Schönen der Nacht. Bei **Brother Jimmy's BBQ** versammeln sich Leute im College-Alter und solche um die Zwanzig, um hier ihr Bier zu trinken und einige recht alltägliche, traditionelle Grillgerichte aus dem Süden zu verdrücken.

Brewsky's ist bei jungen Leuten »in«, die Biere aus kleinen Privatbrauereien schätzen, von denen hier einige ausgeschenkt werden.

Direkt daneben befindet sich **Burp Castle**, das innen wie ein Refektorium aussieht und wo die Barkeeper Mönchskutten tragen. Hier gibt es bestes belgisches Bier. **Manchester's** weckt nostalgische Erinnerungen bei Briten, die das Heimweh plagt. Es ist ein gemütlicher Pub mit englischen Bieren, die man in New York nur selten findet. Zehn Biersorten gibt es vom Faß, darunter Watneys und Newcastle Brown Ale, weitere 27 Sorten sind als Flaschenbier erhältlich. »Shepherd's Pie«, »Fish and Chips« und andere kleine Gerichte sind nicht schlecht.

Single-Bars

Die beliebten Single-Bars bieten die Möglichkeit, Leute kennenzulernen. Sie befinden sich hauptsächlich in Midtown auf der Ostseite. In solchen Lokalen sollte man auf die Preise achten, denn ein Bier kann mehr als 3 US-$ kosten.

Live Bait ist eine junge Single-Kneipe, in der dürre Fotomodelle verkehren. Trotz der Lautstärke lohnt es sich, hier zu essen, denn die Cajun-Küche ist recht gut. Bei **Lucy's** stehen junge Singles Schlange, um eingelassen zu werden. Die texanisch-mexikanische Küche ist allerdings nicht aufregend.

Bars für Schwule und Lesben

Bars für Schwule findet man in Greenwich Village, SoHo, East Village, Chelsea und Murray Hill. Bars für Lesben befinden sich vor allem in Greenwich Village und East Village. Weitere Adressen stehen in der Zeitschrift *Native* oder können telefonisch beim Gay and Lesbian Switchboard *(siehe S. 343)* erfragt werden.

Hotel-Bars

Die im Stadtzentrum gelegene **Blue Bar** im Algonquin Hotel *(siehe S.143)* war in den 20er und den frühen 30er Jahren ein beliebter Literatentreff. Heute kann man hier vor dem Dinner oder dem Theater seinen Drink nehmen und sich dabei unterhalten. Ganz in der Nähe befindet sich das **Royalton Hotel** mit seiner einladenden Bar, wo man den ganzen Abend über die Schickeria und Theaterleute beobachten kann. Die Midtown-Bar **Whiskey** im

Paramount Hotel, mit ihren Fenstern, die vom Boden bis zur Decke reichen, hat von 16 Uhr bis 4 Uhr geöffnet und ist bei Mode- und Theaterleuten beliebt.

Gemütlich ist es im **Sun Garden**, einer langgestreckten Bar über der Lobby des Grand Hyatt Hotel. Sie hat separate Sitzbereiche, und an Winternachmittagen, wenn die Sonne durch die Scheiben fällt, sitzt man hier besonders schön. **Bull and Bear** im Waldorf-Astoria, eine geschichtsträchtige Bar aus der Prohibitionszeit, strahlt Behaglichkeit aus, bietet exotische Drinks und Bull and Bear Ale vom Faß. In **Harry's New York Bar** im New York Palace kann man an teuren Drinks nippen und dem Pianisten lauschen.

Die Bar im Plaza Hotel, **Oak Room and Bar**, ist ein vornehmer Laden, in dem man einen Drink nimmt und distinguierte Gespräche führt – allerdings zu hohen Preisen. Der renovierte **King Cole Room** im St Regis Hotel ist nach dem Wandgemälde von Maxfield Parrish benannt, das hinter der Bar hängt und dem eleganten, kirschbaumvertäfelten Raum Farbe verleiht.

Gästen aus Großbritannien, die unter Heimweh leiden, und anglophilen New Yorkern bietet **Journeys** im Essex House Hotel ein Club-Ambiente in dunkler Mahagonivertäfelung. Die **Warwick Bar** im Warwick Hotel serviert während der »Happy Hour« (Mo–Fr 17.30–19 Uhr) kostenlos leckere Snacks.

AUF EINEN BLICK

LOWER MANHATTAN

City Lights
1 World Trade Center, 106. Stock, West St.
Karte 1 B2.

Fraunces Tavern
54 Pearl St. **Karte** 1 C4.

Hors d'Oeuvrerie
1 World Trade Center, 106. Stock, West St.
Karte 1 B2.

North Star Pub
93 South St, South St Seaport.
Karte 2 D3.

SOHO UND TRIBECA

The Ear Inn
326 Spring St.
Karte 3 C4.

Lucky Strike
59 Grand St. **Karte** 4 E4.

Odeon
145 W Broadway.
Karte 4 E4.

SoHo Kitchen and Bar
103 Greene St.
Karte 4 E3.

GREENWICH VILLAGE

Chumley's
86 Bedford St.
Karte 3 C2.

Lion's Head
59 Christopher St.
Karte 3 C2.

Minetta Tavern
113 MacDougal St.
Karte 4 D2.

Peculier Pub
145 Bleecker St.
Karte 4 D3.

White Horse Tavern
567 Hudson St.
Karte 3 C1.

EAST VILLAGE

Brewsky's
7th St (2nd/3rd Ave).
Karte 4 F2.

Burp Castle
7th St (2nd/3rd Ave).
Karte 4 F2.

McSorley's Old Alehouse
15 E 7th St. **Karte** 4 F2.

GRAMERCY

Live Bait
14 E 23rd St. **Karte** 8 F4.

Old Town Bar
45 E 18th St. **Karte** 8 F5.

Pete's Tavern
129 E 18th St.
Karte 9 A5.

CHELSEA UND GARMENT DISTRICT

ZIP City Brewing Company
3 W 18th St. **Karte** 8 F5.

THEATER DISTRICT

Blue Bar
Algonquin Hotel, 59 W 44th St.
Karte 12 F5.

Journeys
Essex House Hotel, 160 Central Park S.
Karte 12 E3.

P. J. Carney's
906 7th Ave.
Karte 12 E3.

Royalton Hotel
44 W 44th St. Fifth Ave.
Karte 12 F5.

Sardi's
234 W 44th St.
Karte 12 F5.

Warwick Bar
Warwick Hotel, 65 W 54th St.
Karte 12 F4.

Whiskey
Paramount Hotel, 235 W 46th St.
Karte 12 E5.

LOWER MIDTOWN

Café at Grand Central Station
Grand Central Station, Untergeschoß, E 42nd St, Park Ave.
Karte 9 A1.

Sun Garden
Grand Hyatt Hotel, Grand Central. 42nd St. **Karte** 9 A1.

UPPER MIDTOWN

Bull and Bear
Erdgeschoß. Waldorf-Astoria Hotel, Lexington Ave, Ecke E 49th St.
Karte 13 A5.

Harry's New York Bar
New York Palace, 455 Madison Ave.
Karte 13 A1.

King Cole Room
St Regis Hotel, 2 E 55th St. **Karte** 12 F5.

Manchester's
920 2nd Ave.
Karte 13 B5.

Oak Room and Bar
Plaza Hotel, 768 5th Ave
Karte 12 F3.

P. J. Clarke's
915 3rd Ave. **Karte** 13 B4.

UPPER EAST SIDE

Brother Jimmy's BBQ
1461 1st Ave.
Karte 17 C3.

Mortimer's
1057 Lexington Ave.
Karte 17 A5.

T.G.I. Friday's
21 W 51st St.
Karte 12 F4.
Eine von mehreren Filialen.

UPPER WEST SIDE

Amsterdam's
428 Amsterdam Ave.
Karte 15 C4.

Lucy's
503 Columbus Ave.
Karte 16 D4.

Tavern on the Green
Central Park, W 67th St.
Karte 12 D2.

Einkaufen

Zweifellos gehört zu jeder New-York-Reise auch ein Einkaufsbummel. Die Stadt ist das Konsumzentrum der Welt: ein Einkaufsparadies mit einem überwältigenden Warenangebot. Hier gibt es einfach alles – von der neuesten Mode, seltenen Kinderbüchern und den letzten Elektroniknovitäten bis hin zu einer verlockenden Vielfalt exotischer Nahrungsmittel. Wer unbedingt sein eigenes Hovercraft, eine Nachtlesebrille, ein Designerbett für seine Wüstenspringmaus oder eine Wurlitzer-Jukebox haben muß, für den ist New York die Stadt seiner Träume. Und ob man nun 50 000 oder nur 5 Dollar hat – hier ist der richtige Ort, um sie auszugeben.

Tiffany-Uhr

Einkaufen zu Discountpreisen

New York ist ein Dorado für die Jagd nach Sonderangeboten, denn mit etwas Glück findet man hier alles – von Haushaltswaren bis zur Designermode – zu Discountpreisen. Einige der besten Geschäfte befinden sich in der Orchard Street und der Grand Street auf der Lower East Side. Man bekommt hier Kleidung aller Art, aber auch Geschirr, Schuhe, Einrichtungsgegenstände und Elektronikwaren mit 20–50 % Preisnachlaß. Die Geschäfte dieses Viertels sind am Samstag – dem jüdischen Sabbat – geschlossen, haben aber meist sonntags geöffnet.

Das Kaufhaus Henri Bendel *(siehe S. 311)*

Mode zu Niedrigpreisen gibt es auch im Garment District, der sich etwa zwischen der Sixth und der Eighth Avenue von der 30th bis zur 40th Street erstreckt. Viele Designer und Hersteller haben hier Ausstellungsräume, von denen einige der Öffentlichkeit zugänglich sind. Sonderverkäufe von Musterstücken werden überall in dieser Gegend durch Werbeplakate angekündigt. Die besten Angebote gibt es zumeist kurz vor denjenigen Feiertagen, die mit Geschenken verbunden sind.

Schlussverkauf

Ein Wort, auf das man in New York ständig stößt, ist »Sale«. Es lohnt sich also, erst einmal nach Sonderangeboten Ausschau zu halten. Die besten Angebote gibt es im New Yorker Sommerschlußverkauf, Mitte Juni bis Ende Juli, und im Winterschlußverkauf vom 26. Dezember bis Februar. Einzelheiten finden Sie in der lokalen Presse. Vorsicht ist dagegen bei Billigläden auf der Fifth Avenue geboten, die mit Schildern wie »Lost Our Lease« auf einen Totalausverkauf wegen Geschäftsaufgabe hinweisen. Oft hängen diese Schilder aber schon seit Jahren in den Fenstern.

Bezahlen

Die meisten Geschäfte akzeptieren die gängigen Kreditkarten, doch gibt es oftmals eine Mindesteinkaufssumme. Wer mit Reiseschecks bezahlen will, muß sich ausweisen. Euroschecks werden nicht akzeptiert. Einige Geschäfte nehmen jedoch nur Bargeld.

Reduzierte Designermode im New Yorker Ausverkauf

Der Bulgari-Eingang des Hotel Pierre *(siehe S. 282)*

Öffnungszeiten

Die meisten New Yorker Geschäfte haben von Montag bis Samstag von 10 bis 18 Uhr geöffnet, viele Kaufhäuser zusätzlich den ganzen Sonntag und an mindestens zwei Abenden bis 21 Uhr. Am wenigsten Betrieb ist an Wochentagen vormittags. Mittags (12–14.30 Uhr), Samstag vormittags, während des Ausverkaufs und in den Schulferien ist der Andrang am größten.

Steuern

Alle Waren, unterliegen einer Verkaufssteuer von 8,25%. Bei Überschreiten der Ausfuhrmengen wird zusätzlich Zoll erhoben. Bei Versenden der Waren ins Ausland entfällt die Verkaufssteuer (*siehe S. 352*).

EINKAUFSTOUREN

WER DIE Einkaufsmöglichkeiten in New York nicht auf eigene Faust erkunden möchte, kann sich einer der zahlreichen organisierten Einkaufstouren anschließen. Neben den bekanntesten Warenhäusern stehen u.a. der Besuch von Designer-Ausstellungsräumen, Auktionshäusern und Modenschauen auf dem Programm. Einige Anbieter organisieren auch individuell zugeschnittene Einkaufstouren.

Convention Tours Unlimited
☎ *545-1160.*

Guide Service of New York
☎ *408-3332.*

Doorway to Design
☎ *221-1111.*

The Intrepid New Yorker
☎ *534-5071.*

Schaufensterauslagen bei Bloomingdale's *(siehe S. 179)*

KAUFHÄUSER

DIE MEISTEN NAMHAFTEN Kaufhäuser befinden sich in Midtown Manhattan. Aufgrund ihrer Größe und des riesigen Warenangebots sollten Sie sich für das Kaufhaus Ihrer Wahl genügend Zeit nehmen. Vermeiden Sie jedoch die überfüllten Geschäfte an Wochenenden und in der Ferienzeit. Die Preise sind oftmals recht hoch, doch gibt es im Ausverkauf interessante Sonderangebote.

Kaufhäuser wie Saks Fifth Avenue, Bloomingdale's und Macy's bieten eine Reihe zusätzlicher Dienstleistungen an und besorgen beispielsweise den kompletten Einkauf für Sie. Doch wenn Sie dies in Anspruch nehmen, versäumen Sie möglicherweise das Einkaufserlebnis Ihres Lebens.

Barney's New York ist besonders bei jungen New Yorker Geschäftsleuten beliebt. Es hat sich auf erstklassige, teure Designermode spezialisiert; im World Financial Center gibt es eine Herrenabteilung.

Bergdorf Goodman strahlt Luxus, Eleganz und Understatement aus. Es führt ausgesuchte aktuelle Mode zu entsprechenden Preisen und ist auf europäische Designer spezialisiert.

Bloomingdale's *(siehe S. 179)* steht bei fast allen New-York-Reisenden auf dem Programm. »Bloomies« ist der Hollywood-Star unter den Kaufhäusern, mit vielen außergewöhnlichen Schaufensterauslagen und einem verlockenden Warenangebot. Die Atmosphäre erinnert an einen orientalischen Luxusbasar, in dem wohlhabende, tadellos gekleidete New Yorker auf der Suche nach dem neuesten Modetrend sind. Bloomingdale's ist außerdem für seine hervorragenden Haushaltswaren und Delikatessen bekannt – es gibt eine Abteilung, die ausschließlich Kaviar verkauft. Zum Kaufhaus gehören auch ein bekanntes Restaurant, Le Train Bleu *(siehe S. 306)*, sowie eine Agentur für verbilligte Theaterkarten.

Bei **Henry Bendel** ist jeder Artikel – von Art-deco-Schmuck bis zu wunderbaren handgefertigten Schuhen – wie ein kostbares Kunstwerk ausgestellt. Henry Bendel ist ein exklusives, anspruchsvolles Kaufhaus im Stil der 20er Jahre, das eine gute Auswahl innovativer Damenmode hat.

Lord & Taylor ist bekannt für seine klassische, konservativere Damen- und Herrenbekleidung, wobei der Schwerpunkt auf US-Designern liegt.

Macy's, das sich als größtes Kaufhaus der Welt bezeichnet *(siehe S. 132f)*, erstreckt sich über einen ganzen Häuserblock. Sie finden hier alles, was Sie sich nur vorstellen können – von winzigen Dosenöffnern bis zu riesigen Fernsehgeräten.

Saks Fifth Avenue steht für Stil und Eleganz. Es gilt als eines der besten Kaufhäuser der Stadt und bietet einen entsprechenden Service. Hier wird umwerfende Designermode für die ganze Familie geführt.

Beeindruckende Schaufensterdekoration mit Haushaltswaren

ADRESSEN

Barney's New York
660 Madison Ave. **Karte** 13 A3.
☎ *826-8900.*
Obergeschoß, 2 World Financial Center. **Karte** 1 A2.
☎ *945-1600.*

Bergdorf Goodman
754 5th Ave. **Karte** 12 F3.
☎ *753-7300.*

Bloomingdale's
1000 3rd Ave. **Karte** 13 B3.
☎ *705-2000.*

Henri Bendel
712 5th Ave. **Karte** 12 F4.
☎ *247-1100.*

Lord & Taylor
424 5th Ave. **Karte** 8 F1.
☎ *391-3344.*

Macy's
151 W 34th St. **Karte** 8 E2.
☎ *695-4400.*

Saks Fifth Avenue
611 5th Ave. **Karte** 12 F4.
☎ *753-4000.*

Highlights: Einkaufen

Designerschuhe von der Madison Avenue

In einer Stadt, in der man rund um die Uhr einkaufen kann, übernimmt man am besten die Gewohnheit der New Yorker, die ihre Einkäufe zumeist in ihrem Viertel tätigen – jedes mit seinem eigenen Charakter und typischen Warenangebot. Im folgenden werden die besten Einkaufsgegenden vorgestellt. Weitere Geschäfte finden sich in der ausführlichen Zusammenstellung auf den Seiten 315ff. Wer nur wenig Zeit hat, sollte in eines der großen Kaufhäuser gehen *(siehe S. 311)* oder sich für einen Schaufensterbummel auf der Fifth Avenue entscheiden.

Greenwich und East Village
Im Bereich der Eighth Street und des St Mark's Place findet man Schuhe und avantgardistische Mode, Bücher, Waren aus aller Welt und Flohmärkte. Antiquitäten (auch 20. Jh.) gibt es am unteren Broadway (siehe S. 108f und 116f).

SoHo
Das Viertel zwischen der Sixth Avenue, Lafayette, Houston und Canal Street ist voller Kunstgalerien und Geschäfte mit Antiquitäten, Kunsthandwerk, ausgefallenen Geschenken oder exklusiver Mode. Am Wochenende ist ein Galerienbummel zur Brunch-Zeit sehr beliebt (siehe S. 102f).

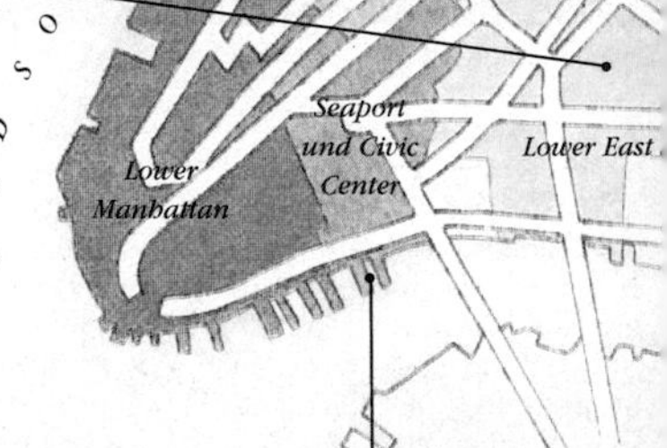

Lower East Side
Sonntags strömen New Yorker und Touristen in die Canal, Delancey, Orchard und Essex Street, um preiswert Kleidung, Schuhe, Schmuck, Elektronik- und Haushaltswaren zu erstehen (siehe S. 94f).

South Street Seaport
Wer hier durch die Geschäfte schlendert, findet Kunsthandwerkliches, Geschenkartikel, Spielwaren, Souvenirs, neue und antiquarische Bücher sowie Antiquitäten mit maritimem Charakter (siehe S. 82f).

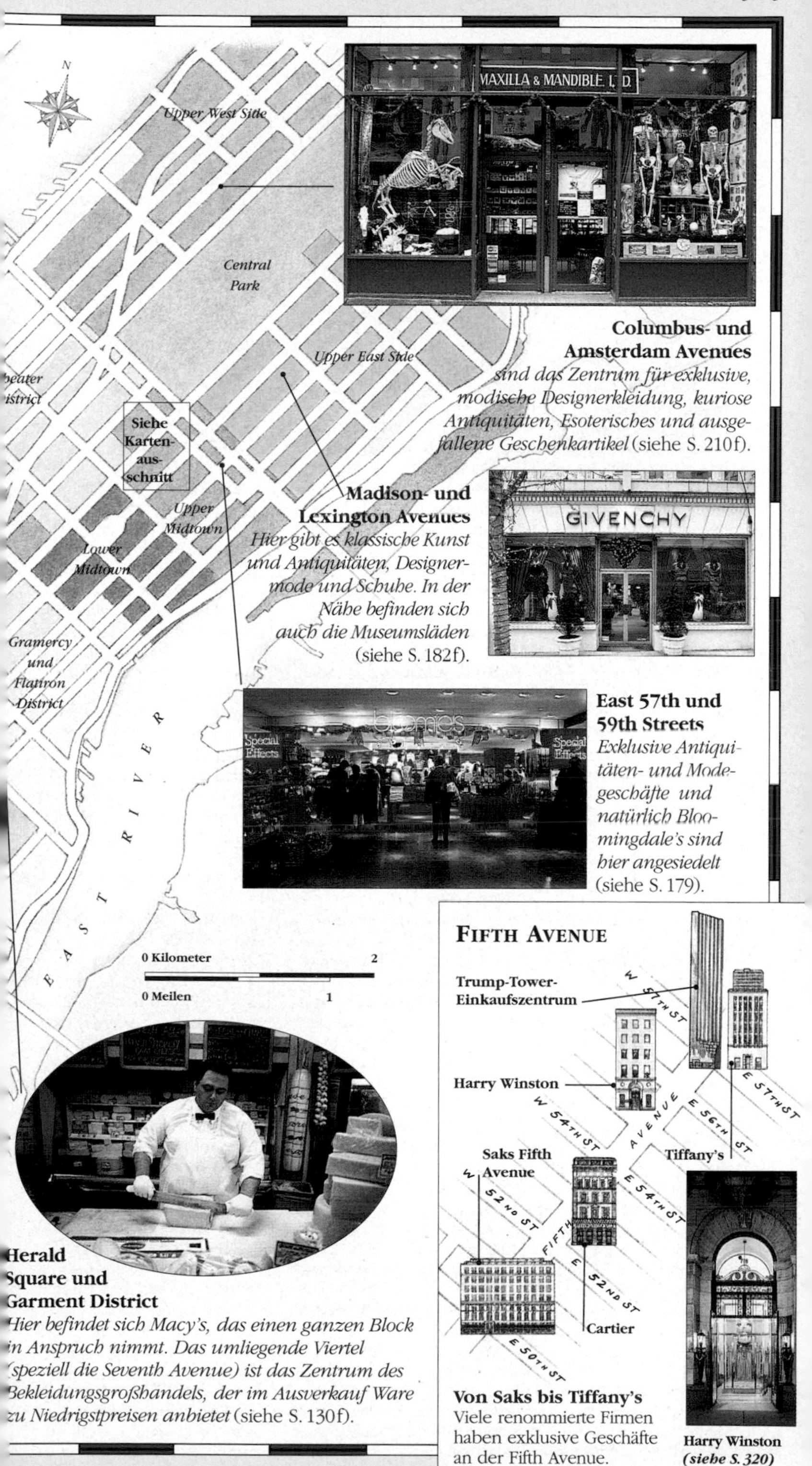

Columbus- und Amsterdam Avenues
sind das Zentrum für exklusive, modische Designerkleidung, kuriose Antiquitäten, Esoterisches und ausgefallene Geschenkartikel (siehe S. 210f).

Madison- und Lexington Avenues
Hier gibt es klassische Kunst und Antiquitäten, Designermode und Schuhe. In der Nähe befinden sich auch die Museumsläden (siehe S. 182f).

East 57th und 59th Streets
Exklusive Antiquitäten- und Modegeschäfte und natürlich Bloomingdale's sind hier angesiedelt (siehe S. 179).

Herald Square und Garment District
Hier befindet sich Macy's, das einen ganzen Block in Anspruch nimmt. Das umliegende Viertel (speziell die Seventh Avenue) ist das Zentrum des Bekleidungsgroßhandels, der im Ausverkauf Ware zu Niedrigstpreisen anbietet (siehe S. 130f).

FIFTH AVENUE

Von Saks bis Tiffany's
Viele renommierte Firmen haben exklusive Geschäfte an der Fifth Avenue.

Harry Winston
(siehe S. 320)

Besondere Geschäfte

NEW YORK IST EINE Stadt, in der wohl jedes Geschäft – und sei es noch so ausgefallen – seine Kunden findet. Dutzende kleiner Läden haben sich auf Warenangebote spezialisiert, die von Schmetterlingen und Gebeinen bis zu tibetanischen Kunstschätzen und Kleeblättern aus Irland reichen. In versteckten Winkeln auf solche Geschäfte zu stoßen – das ist es, was das Einkaufen in New York zu einem wirklichen Vergnügen werden läßt.

Fachgeschäfte

HERRLICHE SCHACHBRETTER aus Messing, Onyx und Zinn sowie die Gelegenheit zu einer Schachpartie bietet der **Chess Shop. Big City Kites and Darts** führt Drachen in den verrücktesten und schönsten Formen – vom furchterregenden Lindwurm bis zum knuddeligen TeddyBären – sowie alles, was man sonst noch braucht, um Drachen steigen zu lassen. Für alle, die etwas mehr Energie aufbringen, verkauft und verleiht **Blades** Rollschuhe, Skateboards und das erforderliche Zubehör.

Wer besondere Knöpfe liebt, für den ist **Tender Buttons** ein absolutes Muß. Ob es nun Knöpfe aus Emaille, Holz oder Navajo-Silber sein sollen – oder daraus angefertigte Ohrringe –, unter den Millionen von Knöpfen, die das Geschäft auf Lager hat, finden Sie genau das, was Sie suchen.

Sollten Sie Briefbeschwerer sammeln, ist **Leo Kaplan Ltd** der richtige Platz zum Stöbern. **Rita Ford's Music Boxes**, ein Laden im Stil des 19. Jahrhunderts, führt wohlklingende Spieldosen. Telefone in jeder nur erdenklichen Form – ob Kußmund, Snoopy oder Hamburger – findet man bei **Phone Booth**.

Der **New York Firefighter's Friend** verkauft alle möglichen Artikel, die mit der Brandbekämpfung in Zusammenhang stehen, etwa Spielzeug-Feuerwehrautos, Feuerwehrjacken, Abzeichen, nachgebildete Uniformen für Kinder, Dalmatiner (Maskottchen der Feuerwehr) aus Plüsch und T-Shirts.

Romantische Naturen finden bei **Only Hearts** alles in Herzform – einschließlich Kissen, Seife und Schmuck. **Magickal Childe** ist ein Laden für Okkultes, angefüllt mit Zaubertränken, Tarotkarten, Räucherstäbchen. Ins Weltraumzeitalter gelangt man hingegen bei **Star Magic**, wo es Himmelskarten, Hologramme, Prismen und technisches Spielzeug gibt.

Speziell für George Washington hergestelltes Kölnisch Wasser sowie die offizielle Seife für das Weiße Haus während der Eisenhower-Ära gehören zu den vielen faszinierenden Artikeln, die man bei **Caswell-Massey Ltd** erhält.

Gitarren-Freaks sollten **Rudy's**, **Manny's** oder **Sam Ash's** Gitarrenladen nicht versäumen. Hier gibt es die größte und beste Auswahl an Instrumenten in New York – und man begegnet womöglich Eric Clapton oder Lou Reed, die ihre Gitarren in dieser Gegend anfertigen lassen.

Für Bücherfreunde sind der **New York Public Library Shop** *(siehe S. 144)* von Interesse, wo man die Steinlöwen, die den Haupteingang flankieren, in Form von Bücherstützen mit nach Hause nehmen kann, sowie der **Pierpont Morgan Library Shop** *(siehe S. 162f)*, der u. a. Lesezeichen und Briefpapier verkauft.

In den Geschenkboutiquen **The Yale Club** und **The Princeton Club** findet man allen möglichen Schnick-Schnack mit Universitätsabzeichen oder in College-Farben.

The Shop at One East (Temple Emanu-El) verkauft alle Arten von Judaica sowie Haushaltsartikel für jüdische Familien. **Hebrew Religious Articles** bietet mit die größte Auswahl an rituellen jüdischen Gegenständen in New York. **The Cathedral Shop** der Cathedral of St John the Divine führt Schmuck und Devotionalien.

Memorabilien

DER **METROPOLITAN OPERA Shop** im Lincoln Center hat Schallplatten, Libretti, Operngläser und viele andere Geschenkartikel, die mit der Oper in Zusammenhang stehen. Der **Performing Arts Shop** im Untergeschoß ist eine Fundgrube für Memorabilien aus dem Bereich Theater, Oper, Ballett und Musik. Alles, was ihr Herz begehrt, von Nurejew-T-Shirts bis zu Schallplatten, finden Ballettfreunde im **Ballet Shop**. Tausende alter und seltener Standfotos und Filmplakate gibt es in **Jerry Ohlinger's Movie Material Store.** Wer eine alte Wurlitzer-Jukebox oder einen Cola-Automaten sucht, sollte zu **Back Pages Antiques** gehen. Der **Carnegie Hall Shop** führt mit musikalischen Motiven versehene Karten, T-Shirts, Spiele, Poster, Tragtaschen und vieles mehr. Originelles und typisch Amerikanisches findet man bei **Lost City Arts** und **Urban Archaeology** in SoHo. Die beiden Geschäfte führen alle möglichen Relikte der amerikanischen Vergangenheit, angefangen bei Barbie-Puppen-Zubehör bis hin zur Ausstattung alter Eisdielen.

Spielwaren, Spiele und Kurioses

DER BEKANNTESTE Spielwarenladen von New York ist zweifellos **FAO Schwarz**. Das riesige Geschäft ist bis unter die Decke mit extravaganten Spielzeugautos, riesigen Plüschtieren und jedem nur erdenklichen elektronischen Spielzeug angefüllt. **Children's General Store** ist einer der neuesten – und intelligentesten – Spielwarengeschäfte New Yorks.

The Enchanted Forest *(siehe S. 102)* versetzt seine großen und kleinen Kunden in eine magische Welt: Die handgefertigten Spielzeuge sind liebevoll inmitten eines Zauberwaldes ausgestellt.

Penny Whistle Toys führt eine riesige Auswahl erstklassiger Spielsachen. Zahllose Spiele für Erwachsene und

Kinder – von Klassikern wie Monopoly bis zum neuesten Yuppie-Spiel – gibt es bei **Game Show**. Ein Paradies für Fans von Modelleisenbahnen ist **Red Caboose**. **Toys 'R' Us** ist weniger stilvoll als **FAO Schwarz,** hat aber über eine Million Spielsachen zu vernünftigen Preisen im Angebot.

Wer sich für einen Kochtopf mit automatischer Umrührvorrichtung oder elektrisch beheizte Socken erwärmen kann, ist bei **Hammacher Schlemmer** richtig aufgehoben. Technische Spielereien gibt es hier zuhauf, und obwohl ihr praktischer Nutzen eher gering ist, kann sich das Geschäft zugute halten, die ersten Dampfbügeleisen und automatischen Toaster verkauft zu haben.

MUSEUMSLÄDEN

EINIGE DER BESTEN Souvenirs sind in den zahlreichen Museumsläden der Stadt erhältlich. Neben dem üblichen Angebot an Büchern, Plakaten und Karten gibt es dort auch Reproduktionen von Ausstellungsstücken, wie Schmuck und Skulpturen. Das **American Craft Museum** *(siehe S. 169)* bietet eine ausgezeichnete Auswahl amerikanischen Kunsthandwerks. Das **American Museum of Natural History** *(siehe S. 214f)* verkauft Dinosauriermodelle, Gummitiere, Mineralien und Steine, die verschiedensten Recyclingprodukte, Geschenke für Umweltbewußte, Poster, Taschen, T-Shirts und indianisches Kunsthandwerk. Es gibt auch einen Laden für Kinder, der Spielsachen, Magnete und dergleichen führt.

Der **Asian Society Bookstore and Gift Shop** *(siehe S. 185)* hat eine große Auswahl an fernöstlichen Drukken, Postern, Kunstbüchern, Schmuck- und Spielwaren. Das **Cooper-Hewitt Museum** *(siehe S. 184)* bietet einiges zum Thema Innenarchitektur. Eine reiche Auswahl jüdischer Kultgegenstände, von Büchern und Schmuck findet man im Laden des **Jewish Museum** *(siehe S. 184)*.

Alle, die sich für Reproduktionen berühmter Gemälde interessieren, sollten die Geschenkboutique des **Metropolitan Museum of Art** *(siehe S. 188ff)* aufsuchen. Das **Museum of American Folk Art** *(siehe S. 213)* rühmt sich seines amerikanischen Kunsthandwerks, zu dem u.a. Holzspielzeug, Quilts und Wetterfahnen gehören. Arbeiten der ausstellenden Künstler werden auch verkauft.

Das **Museum of the City of New York** *(siehe S.197)* ist auf Abbildungen des alten New York spezialisiert. Der **Museum of Modern Art/ MOMA Design Store** *(siehe S. 170ff)* hat eine vielgelobte Auswahl innovativer Einrichtungsgegenstände, Spielsachen und Küchenutensilien, die durch international bekannte Designer wie Frank Lloyd Wright und Le Corbusier inspiriert sind.

Ein reichhaltiges Angebot an nautischen Gegenständen (Seekarten, Schiffsmodelle, Muschelarbeiten) gibt es in den **South Street Seaport Museum Shops** *(siehe S. 82ff)*. Der **Whitney Museum's Store Next Door** *(siehe S. 198f)* führt Artikel amerikanischer Herkunft (Schmuck, Holzspielzeug, ausstellungsbezogene Utensilien). Angehende Astronomen finden im **Hayden Planetarium** *(siehe S. 216)* eine Geschenkboutique, in der Bücher zu allen Aspekten der Astronomie, Himmelskarten, Drucke und dergleichen verkauft werden.

WAREN AUS ALLER WELT

NEW YORK ist ein riesiger Schmelztiegel unterschiedlicher Nationalitäten, Kulturen und ethnischer Gruppen. Die meisten haben die Stadtkultur beeinflußt, und alle sind durch Geschäfte vertreten, die typische Erzeugnisse der jeweiligen Bevölkerungsgruppe verkaufen.

Zu den besonders interessanten Geschäften zählen **Alaska on Madison** mit einer großen Auswahl an Eskimokunst sowie die exquisite **Chinese Porcelain Company**, die Möbel und dekorative Kunst aus China führt. **Back From Guatemala** verkauft Schmuck und dekorative Kunst aus Zentral- und Südamerika, **Himalayan Crafts and Tours** führt tibetanisches Kunsthandwerk, wie Bilder und Teppiche. Eine erstaunliche Auswahl smaragdgrüner Waren aus Irland findet man bei **Shamrock Imports**.

Things Japanese bietet Kunsthandwerk und außergewöhnliche Bücher aus Japan an. **Surma** ist ein ukrainisches Geschäft, das handbemalte Eier und Stoffwaren verkauft. Bei **Common Ground** bekommt man indianische Korb-, Web- und Schmuckwaren. **Tibet West** führt Textilien und Silberschmuck.

ADRESSEN

Alaska on Madison
937 Madison Ave. **Karte** 17 A1.
879-1782.

Back From Guatemala
306 E 6th St. **Karte** 5 A2.
260-7010.

Chinese Porcelain Company
475 Park Ave. **Karte** 13 A3.
838-7744.

Common Ground
19 Greenwich Ave. **Karte** 1 B1.
989-4178.

Himalayan Crafts and Tours
2007 Broadway. **Karte** 11 C1.
787-8500.

Shamrock Imports
Manhattan Mall, 901 6th Ave.
Karte 8 E1.
564-7474.

Surma
11 E 7th St. **Karte** 4 F2.
477-0729.

Things Japanese
127 E 60th St.
Karte 13 A3.
371-4661.

Tibet West
19 Christopher St. **Karte** 3 C2.
255-3416.

AUF EINEN BLICK

FACHGESCHÄFTE

Big City Kites and Darts
1201 Lexington Ave.
Karte 17 A4.
472-2623.

Blades
120 W 72nd St.
Karte 11 C1.
787-3911.
Eine von mehreren Filialen.

Caswell-Massey Ltd
518 Lexington Ave.
Karte 13 A5.
755-2254.

The Cathedral Shop
Cathedral of St John the Divine, 1047 Amsterdam Ave. **Karte** 20 E4.
222-7200.

Hebrew Religious Articles
45 Essex St. **Karte** 5 B4.
674-1770.

Leo Kaplan Ltd
967 Madison Ave.
Karte 17 A5.
249-6766.

Magickal Childe
35 W 19th St. **Karte** 8 F5.
Kein Telefon, unregelmäßige Öffnungszeiten.

New York Firefighter's Friend
263 Lafayette St.
Karte 4 F3. *226-3142.*

New York Public Library Shop
5th Ave, Ecke 42nd St.
Karte 8 F1.
930-0678.

Only Hearts
386 Columbus Ave.
Karte 15 D5.
724-5608.

Phone Booth
12 E 53rd St.
Karte 12 F4.
564-0900.

Pierpont Morgan Library Shop
Madison Ave, Ecke 36th St. **Karte** 9 A2.
685-0610.

The Princeton Club
15 W 43rd St. **Karte** 8 F1.
840-6400.

Rita Ford's Music Boxes
19 E 65th St.
Karte 12 F2.
535-6717.

Rudy's
169 W 48th St.
Karte 12 E5.
391-1699.

The Shop at One East
Temple Emanu-El, 1 E 65th St.
Karte 12 F2.
744-1400.

Star Magic
745 Broadway. **Karte** 4 E2.
228-7770.

Tender Buttons
143 E 62nd St. **Karte** 13 A2.
758-7004.

The Chess Shop
230 Thompson St.
Karte 4 D3.
475-9580.

The Yale Club
50 Vanderbilt Ave.
Karte 13 A5.
661-2070.

MEMORABILIEN

Back Pages Antiques
125 Greene St. **Karte** 4 E4.
460-5998.

Ballet Company
1887 Broadway.
Karte 12 D2.
246-6893.

The Carnegie Hall Shop
881 7th Avenue.
Karte 12 E3.
903-9610.

Jerry Ohlinger's Movie Material Store
242 W 14th St.
Karte 3 C1.
989-0869.

Lost City Arts
275 Lafayette St.
Karte 4 F3.
941-8025.

Metropolitan Opera Shop
Metropolitan Opera House, Lincoln Center, 136 W 65th St.
Karte 11 C2.
580-4090.

Performing Arts Shop
Metropolitan Opera House, Lincoln Center, 136 W 65th St.
Karte 11 C2.
580-4356.

Urban Archaeology
285 Lafayette St.
Karte 4 F3.
431-6969.

SPIELWAREN UND KURIOSES

The Children's General Store
2473 Broadway.
Karte 15 C4.
580-2723.

The Enchanted Forest
85 Mercer St.
Karte 4 E4.
925-6677.

FAO Schwarz
767 5th Ave.
Karte 12 F3.
644-9400.

Game Show
474 6th Ave.
Karte 12 E5.
633-6328.

Hammacher Schlemmer
147 E 57th St.
Karte 13 A3.
421-9000.

Penny Whistle Toys
448 Columbus Ave.
Karte 16 D4.
873-9090.
Eine von mehreren Filialen.

Red Caboose
23 W 45th St.
Karte 12 F5.
575-0155.

Toys 'R' Us
Herald Center, 1293 Broadway.
Karte 8 E2.
594-8697.

MUSEUMSLÄDEN

American Craft Museum
40 W 53rd St. **Karte** 12 F4.
956-6047.

American Museum of Natural History
W 79th St am Central Park West. **Karte** 16 D5.
769-5100.

Asia Society Bookstore and Gift Shop
725 Park Ave.
Karte 13 A1.
288-6400.

Cooper-Hewitt Museum
2 E 91st St. **Karte** 16 F2.
860-6878.

Hayden Planetarium
Central Park West, Ecke W 81st St. **Karte** 16 D4.
769-5900.

Jewish Museum
1109 5th Ave.
Karte 16 F2.
423-3200.

Metropolitan Museum of Art
5th Ave, Ecke 82nd St.
Karte 16 F4.
535-7710.

Museum of American Folk Art
2 Lincoln Sq. **Karte** 12 D2.
496-2966.

Museum of the City of New York
5th Ave, Ecke 103rd St.
Karte 21 C5.
534-1672.

Museum of Modern Art/MOMA Design Store
44 W 53rd St. **Karte** 12 F4.
767-1050.

South St Seaport Museum Shops
207 Front St. **Karte** 2 D2.
748-8600.

The Whitney Museum's Store Next Door
943 Madison Ave.
Karte 13 A1.
606-0200.

Mode

GANZ GLEICH, WAS SIE AUCH SUCHEN – sei es eine »501«-Jeans im Sonderangebot oder ein Abendkleid, wie es Ivana Trump tragen würde –, in New York finden Sie es. Die Stadt ist das Modezentrum Amerikas. Wie die Gastronomie spiegeln unzählige Modegeschäfte die verschiedenen Stile und Kulturen einzelner Stadtbezirke wider. Aus Zeitgründen konzentriert man sich am besten jeweils auf ein bestimmtes Viertel. Sie können auch eines der großen Kaufhäuser aufsuchen, die eine ausgezeichnete Auswahl an Bekleidung bieten.

Amerikanische Modeschöpfer

VIELE US-DESIGNER verkaufen ihre Kreationen in Boutiquen innerhalb der großen Kaufhäuser oder unterhalten eigene exklusive Geschäfte. Zu den berühmtesten gehört Geoffrey Beene, der für das anspruchsvolle Design seiner legeren und bequemen Mode bekannt ist.

Bill Blass ist der König der amerikanischen Modebranche. Er verwendet viele verschiedene Farben, wilde Muster, innovative Formen, und er hat eine Menge Esprit, was sich als überaus erfolgreich erwiesen hat. Die Entwürfe von Liz Claiborne zeichnen sich durch schlichte Eleganz und vernünftige Preise aus. Ihre Kollektion ist breit gefächert und reicht vom Tennisdress bis zum eleganten Bürokleid.

Der Stil von Perry Ellis lebt fort in der Mode von Marc Jacobs, der für seine Sportbekleidung bekannt ist. James Galanos entwirft exklusive Einzelstücke zu astronomischen Preisen für eine reiche, berühmte Klientel. Betsey Johnson ist auf superschlanke extrovertierte Kundinnen abonniert, die wilde Partys und hautenge Garderobe lieben.

Der Name Donna Karan tauchte in den vergangenen Jahren überall auf. Ihre Kollektion bietet Mode für Karrierefrauen ebenso wie preiswertere Sportbekleidung. Calvin Klein ist für bequeme, sinnliche und gutsitzende Unterwäsche, seine Jeans, Kleider, Mäntel und Sonnenbrillen bekannt. Ralph Lauren hat sich einen Namen für seine aristokratische und teure Mode gemacht – ein Look, den die exklusive und vornehme Gesellschaft der pferdebegeisterten Universitätselite bevorzugt. Das Metier von Joan Vass sind aufregende, farbenfrohe und innovative Strickwaren mittlerer Preislage.

Designermode zu Niedrigpreisen

DESIGNERKLEIDUNG ZU reduzierten Preisen findet man bei **Designer Resale**, **Encore** und **Michael's** in großer Auswahl. Oscar de la Renta, Ungaro und Armani sind nur einige der Modeschöpfer, deren Kreationen in diesen Geschäften angeboten werden. In den Verkauf kommen ausschließlich fehlerlose (oder beinahe fehlerlose) Stücke, von denen die meisten noch niemals getragen wurden.

Herrenmode

IM ZENTRUM von Midtown findet man zwei der renommiertesten Herrenausstatter: **Brooks Brothers** und **Paul Stuart**. Brooks Brothers, fast schon eine New Yorker Institution, sind bekannt für elegante, konservative Herrenbekleidung und führen auch eine ultrakonservative Modelinie für Damen. Paul Stuart präsentiert sich betont britisch und verkauft erlesene Herrenbekleidung.

Bei **Bergdorf Goodman Men**, einem führenden Modehaus, findet man außergewöhnlich schöne Hemden von Turnbull & Asser sowie herrliche Anzüge von Gianfranco Ferré und Hugo Boss.

Barney's New York hat eine der größten Herrenabteilungen Amerikas, mit einer riesigen Auswahl an Bekleidung und Accessoires. Eine Filiale im World Financial Center ist auf elegante Mode für Geschäftsleute, Banker und Finanzmogule spezialisiert.

Der Herrenausstatter **Polo/Ralph Lauren** führt ein reichhaltiges Angebot schlichter, zeitloser Mode – sogenannte »King of American Sportswear« – sowie die dazugehörigen Accessoires.

Matsuda verkauft teure, avantgardistische Herren- und Damenbekleidung aus Japan. **Bijan Designer for Men** ist so exklusiv, daß man nur bei Voranmeldung eingelassen wird.

The Custom Shop Shirtmakers ist auf maßgeschneiderte Anzüge und Hemden aus herrlichen Stoffen spezialisiert. Klassische britische Trenchcoats bekommt man bei **Burberry Limited**.

J Press verkauft klassische, konservative Herrenbekleidung. Elegante Designermode aus Europa führt die Boutique **Beau Brummel**. Erstklassige Designerkleidung zu Sonderpreisen gibt es bei **Moe Ginsburg** mit einer riesigen Auswahl an italienischer Herrenmode. Viele der genannten Herrenausstatter haben auch Damenabteilungen.

Kindermode

NEBEN DEM ausgezeichneten Angebot der großen Kaufhäuser gibt es in New York auch einige Kinderbekleidungsgeschäfte. Französischen Charme findet man bei **Bonpoint**.

Gapkids und **BabyGap**, die sich zumeist in den **Gap**-Geschäften befinden, haben strapazierfähige Baumwoll-Overalls, Hosen, Jeansjacken, Sweatshirts und Leggings. **Peanut Butter & Jane** verkauft modische, aber bequeme Kinderkleidung. **Space Kiddets** hat alles von Babylätzchen und -schuhen bis zu Kinderkleidung im Western-Look.

Damenmode

DIE NEW YORKER Damenmode ist mehr statusorientiert als trendbestimmend, wobei der Schwerpunkt auf Designerkleidung liegt. Die meisten exquisiten Modegeschäfte befindet sich im Bereich der Madison Avenue und der Fifth Avenue. Hierzu gehören auch einige der namhaften Kaufhäuser *(siehe S. 311)*, die Kreationen verschiedener US-Designer führen, wie Donna Karan, Ralph Lauren und Bill Blass.

Renommierte internationale Modehäuser wie **Chanel, Fendi** und **Valentino** haben hier ebenfalls Geschäfte, wie auch der herausragende amerikanische Modeschöpfer **Geoffrey Beene**. Darüber hinaus gibt es eine Reihe von beliebten Konfektionsgeschäften wie **Ann Taylor**.

Inmitten dieser Gegend steht der Trump Tower, der zahlreiche exklusive Geschäfte beherbergt.

An der Madison Avenue findet man elegante Modeausstatter in großer Zahl, wie etwa **Givenchy** mit atemberaubenden Kleidern zu unvorstellbaren Preisen, **Valentino** mit klassischer italienischer Mode und **Emanuel Ungaro**, ein vergleichsweise unscheinbarer Laden, der für jeden Geschmack und jede Figur etwas zu bieten hat – von erstklassig verarbeiteten Jacken bis zu Kleidern in kühn gemusterten Stoffen für eher korpulente Damen. **Missoni** ist bekannt für seine reich strukturierten, farbenfrohen Pullover aus edlen Materialien. **Yves St Laurent Rive Gauche** hat Abendkleider, Modelljacken, extravagante Blusen und herrlich geschnittene Hosenanzüge.

Raffinierten Chic aus Italien bieten auch **Giorgio Armani** und **Gianni Versace**. **Romeo Giglis** Mode aus Mailand ist so exklusiv, daß man seinen Namen an der Ladentür vergeblich sucht. **Gucci**, eines der ältesten italienischen Modegeschäfte in Amerika, zieht hauptschächlich Kunden aus der oberen Gesellschaftsschicht an.

Auf der Upper West Side erregen viele Geschäfte durch ihre außergewöhnlichen Kreationen Aufmerksamkeit, darunter auch **Betsey Johnson** mit ihren schrillen, relativ preiswerten Modellen. **Charivari** ist eine sehr erfolgreiche Ladenkette mit salopper, sportlicher Mode. **French Connection** ist für seine erschwinglichen Separates für Freizeit und Büro bekannt. Wenn es um das »kleine Schwarze« geht, ist **Variazioni** *die* Adresse.

Gebrauchte Kleidung und Rock-and-Roll-Mode der 50er Jahre bekommt man im East Village, aber auch in Greenwich Village.

Cheap Jack's hat eine riesige Auswahl gebrauchter Levi's sowie Hunderte von Jeans- und Lederjacken auf Lager. **Dorothy's Closet** führt Kleider aus den 20er bis 60er Jahren. Das »kleine Schwarze« findet man in großer Auswahl bei **Big Drop**. **Screaming Mimi's** wiederum bietet die ausgestellten Samthosen oder Go-Go-Stiefel, von denen Sie schon immer geträumt haben. Alltäglicher ist das Angebot bei **The Gap**, einer Ladenkette, die bequeme Kleidung für die ganze Familie führt.

In bezug auf Boutiquen, die teure, aber interessante Designerkleidung anbieten, hat sich SoHo in jüngster Zeit zu einem ernsthaften Konkurrenten der Madison Avenue entwickelt, wobei die Mode in SoHo avantgardistischer ist. Neben anderen ausgefallenen Läden findet man hier **Yohji Yamamoto**. Japanischen Chic für Minimalisten verkauft **Comme des Garçons**.

Mehr für den breiteren Geschmack ist eines der bekanntesten Geschäfte von SoHo, **Canal Jean Co**, wo man die aktuellen Modehits aus SoHo zu erschwinglichen Preisen bekommt. Bei **What Comes Around Goes Around** bekommt man Jeans der Spitzenklasse. Für »Spandex«-Bekleidung – Textilien aus elastischen Fasern – sollte man zu **Wearable Energy** gehen.

Umrechnungstabelle

Kinderkleidung									
Amerikanisch (Größe)	2-3	4-5	6-6x	7-8	10	12	14	16	
Deutsch (Alter)	2-3	4-5	6-7	8-9	10-11	12	14	14+	
Kinderschuhe									
Amerikanisch	7½	8½	9½	10½	11½	12½	13½	1½	2½
Deutsch	24	25½	27	28	29	30	32	33	34
Damenkleider, -mäntel, -röcke									
Amerikanisch	8	10	12	14	16	18	20		
Deutsch	34	36	38	40	42	44	46		
Damenblusen und -pullover									
Amerikanisch	8	10	12	14	16	18	20		
Deutsch	34	36	38	40	42	44	46		
Damenschuhe									
Amerikanisch	5	6	7	8	9	10	11		
Deutsch	36	37	38	39	40	41	44		
Herrenanzüge									
Amerikanisch	34	36	38	40	42	44	46	48	
Deutsch	44	46	48	50	52	54	56	58	
Oberhemden									
Amerikanisch	14	15	15½	16	16½	17	17½	18	
Deutsch	36	38	39	41	42	43	44	45	
Herrenschuhe									
Amerikanisch	7	7½	8	8½	9½	10½	11	11½	
Deutsch	39	40	41	42	43	44	45	46	

Auf einen Blick

Designermode zu Niedrigpreisen

Designer Resale
324 E 81st St.
Karte 17 B4.
734-3639.

Encore
1132 Madison Ave.
Karte 17 A4.
879-2850.

Michael's
1041 Madison Ave.
Karte 17 A5.
737-7273.

Herrenmode

Barney's New York
669 Madison Ave.
Karte 13 A3.
593-7800.
Eine von mehreren Filialen.

Beau Brummel
421 Broadway.
Karte 4 E2.
219-2666.
Eine von mehreren Filialen.

Bergdorf Goodman Men
754 5th Ave.
Karte 12 F3.
753-7300.

Bijan Designer for Men
699 5th Ave.
Karte 12 F4.
758-7500.

Brooks Brothers
346 Madison Ave.
Karte 9 A1.
682-8800.

Burberry Limited
9 E 57th St.
Karte 12 F3.
371-5010.

The Custom Shop Shirtmakers
618 5th Ave.
Karte 12 F4.
245-2499.
Eine von mehreren Filialen.

J Press
7 E 44th St.
Karte 12 F5.
687-7642.

Matsuda
156 5th Ave.
Karte 8 F4.
645-5151.

Moe Ginsburg
162 5th Ave.
Karte 8 F4.
242-3482.

Paul Stuart
Madison Ave an der 45th St.
Karte 13 A5.
682-0320.

Polo/Ralph Lauren
Madison Ave an der 72nd St.
Karte 13 A1.
606-2100.

Kindermode

Bonpoint
1269 Madison Ave.
Karte 17 A3.
722-7720.

Gapkids
657 3rd Ave.
Karte 9 B1.
697-9007.
Eine von mehreren Filialen.

Peanut Butter & Jane
617 Hudson St.
Karte 3 B1.
620-7952.

Space Kiddets
46 E 21st St.
Karte 8 F4.
420-9878.

Damenmode

Ann Taylor
645 Madison Ave.
Karte 13 A3.
832-2010.
Eine von mehreren Filialen.

Betsey Johnson
248 Columbus Ave.
Karte 16 D4.
362-3364.
Eine von mehreren Filialen.

Big Drop
174 Spring St.
Karte 3 C4.
966-4299.

Canal Jean Co
504 Broadway.
Karte 4 E4.
226-0737.

Chanel
5 E 57th St.
Karte 12 F3.
355-5050.

Charivari 57
18 W 57th St.
Karte 12 F3.
333-4040.

Charivari Madison
1001 Madison Ave.
Karte 17 A5.
650-0078.

Charivari 72
58 W 72nd St.
Karte 12 D1.
787-7272.

Cheap Jack's
841 Broadway.
Karte 4 E1.
777-9564.

Comme des Garçons
116 Wooster Street.
Karte 4 E3.
219-0660.

Dorothy's Closet
335 Bleecker St.
Karte 3 C2.
206-6414.

Emanuel Ungaro
792 Madison Ave.
Karte 13 A2.
249-4090.

Fendi
720 5th Ave.
Karte 12 F3.
767-0100.

French Connection
304 Columbus Ave.
Karte 12 D1.
496-1470.
Eine von mehreren Filialen.

The Gap
354 6th Ave.
Karte 8 E1.
777-2420.
Eine von mehreren Filialen.

Geoffrey Beene
783 5th Ave.
Karte 12 F3.
935-0470.

Gianni Versace
816 Madison Ave.
Karte 13 A2.
744-5572.

Giorgio Armani
815 Madison Ave.
Karte 13 A2.
988-9191.

Givenchy
954 Madison Ave.
Karte 13 A1.
772-1040.

Gucci
685 5th Ave.
Karte 12 F4.
826-2600.

Missoni
836 Madison Ave.
Karte 13 A1.
517-9339.

Romeo Gigli
21 E 69th St.
Karte 10 F1.
744-9121.

Screaming Mimi's
22 E 4th St.
Karte 4 E2.
677-6464.

Valentino
825 Madison Ave.
Karte 13 A2.
772-6969.

Variazioni
309 Columbus Ave.
Karte 16 D2.
874-7474.

Wearable Energy
73 W Houston St.
Karte 4 D3.
475-0026.

What Comes Around Goes Around
351 Broadway.
Karte 4 E2.
343-9303.

Yohji Yamamoto
103 Grand St.
Karte 4 E4.
966-9066.

Yves St Laurent Rive Gauche
855 Madison Ave.
Karte 13 A1.
472-5299.

Accessoires

Neben den hier aufgeführten Geschäften haben alle großen Kaufhäuser in Manhattan ein vielfältiges Angebot an Accessoires, wie Hüte, Handschuhe, Schmuck, Uhren, Handtaschen, Schals, Schuhe und Regenschirme.

Schmuck

Midtown Fifth Avenue ist die Adresse exklusiver Juweliere. Tagsüber glitzern die Juwelen aus aller Welt in den Schaufenstern, des Nachts sind die Auslagen leer, die kostbaren Stücke sind sicher in den Safes verwahrt. Die beeindruckendsten Geschäfte liegen nahe beieinander, darunter **Harry Winston**, wo Schmuckstücke aus aller Welt wie in einem Museum ausgestellt sind. **Buccellati** hat sich einen Namen für seine innovative Goldschmiedekunst aus Italien gemacht. **Bulgari** führt eine Kollektion in Preislagen von einigen hundert bis weit über eine Million Dollar.

Cartier, der in einer Art Renaissance-Palazzo residiert, ist ein Juwel für sich und verkauft seine prachtvollen Edelsteine zu unvorstellbaren Preisen. **Tiffany & Co** erstreckt sich über zehn Etagen, wo Kristalle, Diamanten und andere Juwelen darauf warten, den Besitzer zu wechseln.

Die Diamond Row, ein Häuserblock an der 47th Street (zwischen der Fifth und der Sixth Avenue), ist von Geschäften gesäumt, die wertvolle Diamanten, Goldschmuck und Perlen aus aller Herren Länder verkaufen. Keinesfalls verpassen sollte man **Jewelry Exchange**, einen Gebäudekomplex, in dem 60 verschiedene Goldschmiede ihre Kollektionen anbieten. Ausgiebiges Feilschen gehört hier zum täglichen Ritual.

Hüte

Der älteste New Yorker Hutmacher mit der größten Auswahl in der ganzen Stadt ist **Worth & Worth**. Man bekommt hier jede Art von Kopfbedeckung, angefangen bei australischen Buschhelmen bis hin zu Seidenzylindern und wogenden romantischen Kreationen.

Einzigartige und eigenwillige Hüte findet man bei **Lola Millinery**. **Suzanne Millinery** ist der Hutsalon der Stars und sehr beliebt bei Berühmtheiten wie Whoopi Goldberg und Ivana Trump. Hüte von **Don Marshall Millinery** trägt die feine Gesellschaft seit 1946 überall auf der Welt.

Schirme

Sobald es in New York zu regnen beginnt, scheinen Hunderte von Schirm-Straßenverkäufern wie Pilze aus dem Boden zu sprießen. Ihre Schirme, die nur ein paar Dollar kosten, sind wohl die billigsten in der Stadt, halten aber zumeist auch nicht länger als ein Regenguß. Schirme guter Qualität findet man bei **Worth & Worth**, die ein reichhaltiges Angebot von Briggs of London führen. **Uncle Sam** hat eine große Auswahl unterschiedlichster Modelle – vom kleinen Mickey-Mouse-Design für 10 US-$ bis zu riesigen zeltgleichen Schirmen. **Barney's New York** führt Schirme in modischem Design sowie mit traditionellem Schotten- und Streifenmuster. Bei **Gucci** gibt es passende Regenschirme zu den angebotenen Krawatten. Teure und ausziehbare Schirmmodelle findet man bei **Hanae Mori**. Große Portierschirme in schlichtem Schwarz oder den traditionellen Universitätsfarben Schwarz und Orange hat **The Princeton Club**, blaue Schirme mit einem weißen »Y« als Emblem **The Yale Club**.

Lederwaren

Zweimal im Jahr, während des Ausverkaufs im Januar und August, stehen an der Ecke 48th Street und Madison Avenue die Kunden Schlange, um bei **Crouch & Fitzgerald** eingelassen zu werden. Das alteingesessene New Yorker Geschäft verkauft Handtaschen, Aktentaschen und Koffer renommierter Markenfirmen, wie Judith Leiber, Ghurka, Cooney & Bourke und Louis Vuitton, sowie eine eigene Lederwarenkollektion. Andere exklusive Läden sind **Bottega Veneta** und **Prada**, wo Handtaschen wie wertvolle Kunstwerke ausgestellt sind. Zu den jüngeren und modischeren Geschäften gehören **Furla** mit seinen italienischen Modellen und das elegante Geschäft **Il Bisonte**. Wildledertaschen des Top-Designers Rafé Totengco's gibt es bei **TG 170** und **Big Drop**. **The Coach Store** ist für seine klassisch amerikanischen Handtaschen aus dickem, festem Leder bekannt.

Designerhandtaschen zu reduzierten Preisen bekommt man bei **Fine & Klein**. Und wer Aktenkoffer zu günstigen Preisen sucht, sollte unbedingt der **Altman Luggage Company** einen Besuch abstatten.

Schuhe

Die Schuhgeschäfte von Manhattan sind bekannt für ihre Auswahl an Schuhen und Stiefeln, und man findet fast immer, was man sucht, zu erschwinglichen Preisen.

Auch die meisten großen Kaufhäuser haben Schuhabteilungen, in denen neben ihren eigenen Schuhmarken auch Designermodelle angeboten werden. **Bloomingdale's** *(siehe S. 179)* unterhält eine riesige, gut sortierte Abteilung für Damenschuhe, **Brooks Brothers** hat mit das beste Angebot an klassischen Herrenschuhen.

Besonders exklusive Schuhgeschäfte gibt es in Midtown. **Susan Bennis/Warren Edwards** führt fabelhafte Schuhe aus exotischen und meist ungewöhnlichen Materialien. **Ferragamo** verkauft klassische Schuhmodelle aus Florenz. Ausgefallene Schuhmode findet man bei **Botticelli**, modisches zu angemessenen Preisen bei **Sigerson Morrison** in Little Italy.

Cowboy-Stiefel kauft man bei **Billy Martin's**, wo es eine riesige Auswahl handgefertigter Stiefel gibt – von einfachen *Ropers* ohne Fransen, die richtige amerikanische Cowboys tragen, bis hin zu Stiefeln aus Krokodilleder, die einige tausend Dollar kosten. Wunderschöne maßgefertigte Stiefel sind bei **Buffalo Chips Bootery** erhältlich.

Modische Kinderschuhe bester Qualität erhält man bei **East Side Kids**. **Little Eric** hat ausgefallene Kinderschuhe, **Shoofly** führt Importware jeden Stils. **Stride Rite** bietet von Basketball- bis zu Steptanzschuhen alles, was modebewußte Kinder brauchen, während bei **Harry's** die gute Paßform zählt.

Schuhe zu Discountpreisen findet man in der West 34th Str. und der West 8th Str. zwischen der Fifth und der Sixth Ave. und in der Orchard Str.

Dessous

Teure und exquisite handgefertigte Seidenunterwäsche bekommt man bei **Montenapoleone**.

Preiswerter ist **Victoria's Secret**, wo auf zwei Stockwerken Unterwäsche aus Satin, Seide und anderen reizvollen Materialien angeboten wird.

Auf einen Blick

Schmuck

Buccellati
725 5th Ave.
Karte 12 F3.
308-5533.

Bulgari
730 5th Ave.
Karte 12 F3.
315-9000.

Cartier
Karte 12 F4.
753-0111.

Harry Winston
718 5th Ave.
Karte 12 F3.
245-2000.

Jewelry Exchange
15 W 47th St.
Karte 12 F5.

Tiffany & Co
5th Ave, Ecke 57th St.
Karte 12 F3.
755-8000.

Hüte

Don Marshall Millinery
120 E 56th St.
Karte 13 A3.
758-1686.

Lola Millinery
2 E 17th St.
Karte 8 F5.
366-5708.

Suzanne Millinery
700 Madison Ave.
Karte 13 A3.
593-3232.

Worth & Worth
331 Madison Ave.
Karte 9 A1.
867-6058.

Schirme

Barney's New York
Siehe S. 311.

Gucci
685 5th Ave.
Karte 12 F4.
826-2600.

Hanae Mori
27 E 79th St.
Karte 16 F5.
472-2352.

The Princeton Club
15 W 43rd St.
Karte 8 F1.
596-1200.

Uncle Sam
161 W 57th St.
Karte 12 E3.
582-1976.

Worth & Worth
Siehe Hüte.

The Yale Club
50 Vanderbilt Ave.
Karte 13 A5.
661-2070.

Lederwaren

Altman Luggage Company
135 Orchard St.
Karte 5 A3.
254-7275.

Big Drop
174 Spring St..
Karte 4 F4.
966-4299.

Il Bisonte
72 Thompson St. **Karte** 4 D4. *966-8773.*

Bottega Veneta
635 Madison Ave. **Karte** 13 A3. *371-5511.*

The Coach Store
710 Madison Ave.
Karte 13 A3.
319-1772.

Crouch & Fitzgerald
400 Madison Ave.
Karte 13 A5.
755-5888.

Fine & Klein
119 Orchard St.
Karte 5 A3.
674-6720.

Furla
705 Madison Ave.
Karte 13 A3.
755-8986.
Eine von mehreren Filialen.

Prada
45 E 57th St. **Karte** 12 F3.
308-2332.

TG-170
150 Ludlow St. **Karte** 5 A3. *995-8660.*

Schuhe

Billy Martin's
812 Madison Ave. **Karte** 13 A1. *861-3100.*

Botticelli
612 5th Ave. **Karte** 12 F4.
582-6313.

Bloomingdale's
Siehe S. 311.

Brooks Brothers
Siehe S. 319.

Buffalo Chips Bootery
116 Greene St.
Karte 4 E4.
274-0651.

East Side Kids
1298 Madison Ave.
Karte 17 A2.
360-5000.

Ferragamo
717 5th Ave.
Karte 12 F3.
759-3822.

Harry's
2299 Broadway.
Karte 15 C4.
874-2035.

Little Eric
1331 3rd Ave.
Karte 17 B5.
288-8987.

Shoofly
465 Amsterdam Ave.
Karte 15 C4.
580-4390.

Sigerson Morrison
242 Mott St.
Karte 4 F3.
219-3893.

Susan Bennis/ Warren Edwards
22 W 57th St.
Karte 12 F3.
755-4197.

Dessous

Montenapoleone
789 Madison Ave.
Karte 13 A2.
535-2660.

Victoria's Secret
34 E 57th St.
Karte 12 F3.
758-5592.

Bücher und Musik

Als Verlagszentrum Amerikas ist New York auch landesweit die Stadt mit den meisten Buchhandlungen. Neben den großen Sortimentsbuchhandlungen gibt es Hunderte von kleinen Läden, die sich auf alle nur erdenklichen Fachgebiete spezialisiert haben, sowie zahlreiche Antiquariate. Auch für Musikliebhaber finden sich Klänge jeder Stilrichtung zu erschwinglichen Preisen.

Sortimentsbuchhandel

Ganz oben auf der Liste der Buchläden – für günstige Preise wie auch Auswahl – steht bei den meisten New Yorkern **Barnes & Noble** in der Fifth Avenue – die größte Buchhandlung der Welt mit über drei Millionen Bänden zu jedem Thema. Der »Sales Annex«, eine Filiale auf der gegenüberliegenden Straßenseite, hat Unmengen Sonderangebote.

Einige Blocks weiter liegt das Hauptgeschäft des berühmten New Yorker **Strand Book Store**. »The Strand« hat etwa zwei Millionen antiquarische Bände zugünstigen Preisen auf Lager. Im Obergeschoß befindet sich eine Abteilung für Erstausgaben. Der **Doubleday Book Shop** führt hauptsächlich Bestseller und Reiseliteratur. Im Hauptgeschäft von **B Dalton** in der Fifth Avenue bekommt man die neuesten Bestseller, und **Coliseum Books** hat eine riesige Auswahl an Taschenbüchern.

In Midtown hat **Rizzoli** eine erstaunliche Auswahl an Büchern über Fotografie, Musik und Kunst. **Gotham Book Mart**, eine New Yorker Institution, ist ein kleiner Laden, in dem man längst vergriffene Bücher findet.

Shakespeare & Co bietet eine sensationelle Titelauswahl und ist bis spät abends offen.

Fachbuchhandlungen und Antiquariate

Die beste Auswahl an Kunstbüchern bietet **Hacker Art Books**. **Urban Center Books** hat sich auf Titel zur Stadtplanung und -erhaltung spezialisiert.

Books and Co ist ein Buchladen für Literaten. Die größte Auswahl nicht mehr aufgelegter Titel, speziell in den Bereichen Kunst und Literatur, hat der **Academy Book Store**. Seltene, vergriffene Bücher über New York sind die Domäne des **New York Bound Bookshop**. Der **Biography Bookshop** ist die einzige Buchhandlung in Midtown, die sich auf Tagebücher, Briefe, Biographien und Autobiographien spezialisiert hat. Theaterfreunde finden alles, was ihr Herz begehrt, bei **Applause Theater & Cinema Books**.

Hunderte von Titeln aus Wissenschaft und Wirtschaft gibt es im **McGraw-Hill Bookstore**. Beide Geschäfte führen auch ein gutes allgemeines Sortiment.

Krimis sind das Spezialgebiet folgender Buchhandlungen: **Murder Inc** und **Mysterious Bookshop**. Das richtige Geschäft für alte und brandneue Science-fiction und Comics ist **Forbidden Planet**. Science-fiction- bzw. Comic-Fans sollten auch einen Besuch im **Village Comics** nicht versäumen.

Bank Street Book Store hat die weitaus beste Auswahl an Kinderbüchern. **Books of Wonder** verkauft seltene Kinderbücher.

Den **Travelers' Bookstore** betreiben drei versierte Bücherliebhaber, die jedes Buch kennen, das sie verkaufen (Sachbücher und Romane). Ein breites Sortiment an Reiseliteratur bieten **The Complete Traveler** und **The Civilized Traveler**. Letzterer bietet von technischen Spielereien bis hin zu Ledertaschen auch Reiseutensilien an. Man kann Ländervideos mieten und an Vorträgen und Seminaren, teilweise mit bekannten Weltreisenden, teilnehmen.

Eine ausgezeichnete Auswahl an Landkarten halten der **Rand McNally Map & Travel Store** und der **Hagstrom Map & Travel Store** bereit.

Kochbücher gibt es bei **Kitchen Arts & Letters**, die auch viele vergriffene und Originalausgaben führen.

Radikale Geister sollten **Revolution Books** oder **St Mark's Bookshop** einen Besuch abstatten. Der **Oscar Wilde Memorial Bookshop** ist der größte Buchladen für Homosexuelle.

Schallplatten, Kassetten und CD's

Der beste Schallplattenladen in Manhattan ist **Tower Records**, der jede Musikrichtung von Bebop bis Rap führt. Ähnlich breit ist das Angebot von **HMV** und **Virgin.** Ein Warenhaus für Unterhaltungselektronik ist **J&R Music World**. **Record Explosion** bietet eine große Auswahl an sehr günstigen CD's.

Wer auf der Suche nach längst vergessenen Schallplatten ist, sollte zu **Gryphon Records** gehen, das eine Fundgrube für Plattensammler ist. Der **Academy Book Store** hat eine gute Auswahl an Klassik und Jazz. **Footlight Records** hat Broadway-Musicals und Film-Soundtracks im Sortiment. **House of Oldies** hat ein riesiges Angebot alter Schallplatten jeder Stilrichtung. **Bleecker Bob's Golden Oldies** führt alles von Importen, Rock und Punk bis zu seltenen Jazzaufnahmen. »American Garage Rock« und psychedelische Musik bekommt man bei **Midnight Records**.

Noten

Direkt hinter der Carnegie Hall bietet das **Joseph Patelson Music House Ltd** klassische Partituren an. Ein vergleichbares Sortiment an Notenblättern findet sich in **Frank Music Company**. **Charles Colin Publications** ist auf Jazz spezialisiert. Noten für aktuelle Hits und Popsongs findet man im **Colony Record and Music Center** im Brill Building.

Auf einen Blick

Sortimentsbuchhandel

B Dalton
666 5th Ave.
Karte 12 F4.
247-1740.

Barnes & Noble
105 5th Ave.
Karte 8 F5.
807-0099.
Eine von mehreren Filialen.

Coliseum Books
1771 Broadway.
Karte 12 D3.
757-8381.

Doubleday Book Shop
724 5th Ave.
Karte 12 F3.
397-0550.

Gotham Book Mart
41 W 47th St.
Karte 12 F5.
719-4448.

Rizzoli
31 W 57th St.
Karte 12 F3.
759-2424.
Eine von mehreren Filialen.

Shakespeare & Co
2259 Broadway.
Karte 15 C4.
580-7800.

Strand Book Store
828 Broadway.
Karte 4 E1.
473-1452.

Fachbuchhandlungen und Antiquariate

Academy Book Store
10 W 18th St.
Karte 8 F5.
242-4848.

Applause Theater & Cinema Books
211 W 71st St.
Karte 11 C1.
496-7511.

Bank Street Book Store
610 W 122th St.
Karte 21 A4.
678-1654.

Biography Bookshop
400 Bleecker St.
Karte 3 C2.
807-8655.

Books and Co
939 Madison Ave.
Karte 17 A5.
737-1450.

Books of Wonder
464 Hudson St.
Karte 3 C2.
645-8006.

The Civilized Traveller
2003 Broadway.
Karte 11 C1.
875-0306.

The Complete Traveller
199 Madison Ave.
Karte 9 A2.
685-9007.

Forbidden Planet
840 Broadway.
Karte 4 F1
473-1576.

Hacker Art Books
45 W 57th St.
Karte 12 F3.
688-7600.

Hagstrom Map & Travel Store
57 W 43rd St.
Karte 8 F1.
398-1222.

Kitchen Arts & Letters
1435 Lexington Ave.
Karte 17 A2.
876-5550.

McGraw-Hill Bookstore
1220 6th Ave.
Karte 12 E4.
512-4100.

Murder Inc
2486 Broadway.
362-8905.

Mysterious Bookshop
129 W 56th St.
Karte 12 E3.
765-0900.

New York Bound Bookshop
50 Rockefeller Plaza.
Karte 12 F5.
245-8503.

Oscar Wilde Memorial Bookshop
15 Christopher St.
Karte 3 C2.
255-8097.

Rand McNally Map & Travel Store
150 E 52nd St.
Karte 13 A4.
758-7488.

Revolution Books
W 19th St.
Karte 7 C5.
691-3345.

St Mark's Bookshop
31 3rd Ave.
Karte 5 A2.
260-7853.

Traveller's Bookstore
Time Warner Building,
22 W 52nd St.
Karte 12 F4.
664-0995.

Urban Center Books
457 Madison Ave.
Karte 13 A4.
935-3592.

Village Comics
163 Bleecker St.
Karte 4 D3.
777-2770.

Schallplatten, Kassetten und CD's

Academy Book Store
Siehe Fachbuchhandlungen.

Bleecker Bob's Golden Oldies
118 W 3rd St.
Karte 4 D2.
475-9677.

Footlight Records
113 E 12th St.
Karte 4 F1.
533-1572.

Gryphon Records
251 W 72nd St.
Karte 11 D1.
874-1588.

HMV
2081 Broadway.
Karte 15 C5.
721-5900.

House of Oldies
35 Carmine St.
Karte 4 D3.
243-0500.

J&R Music World
15, 23, 27 & 33 Park Row.
Karte 1 C2.
732-8600.

Midnight Records
263 W 23rd St.
Karte 8 D4.
675-2768.

Record Explosion
384 5th Ave. **Karte** 8 F3.
736-5624.
Eine von mehreren Filialen.

Tower Records
692 Broadway.
Karte 4 E2.
505-1500.
Eine von mehreren Filialen.

Virgin Megastore
45th & Broadway.
Karte 12 E5.
921-1020.

Noten

Charles Colin Publications
315 W 53rd St.
Karte 12 D4.
581-1480.

Colony Record and Music Center
1619 Broadway.
Karte 12 E4.
265-2050.

Frank Music Company
250 W 54th St.
Karte 12 D4.
757-5587.

Joseph Patelson Music House Ltd
160 W 56th St.
Karte 12 E4.
757-5587.

Kunst und Antiquitäten

KUNSTLIEBHABERN BIETET New York Hunderte von Galerien, die einen Besuch lohnen. Für Antiquitätensammler gibt es zahlreiche Flohmärkte, die zum Herumstöbern einladen, sowie Antik-Center mit erlesenen Stücken aus Europa und den USA. Freunde amerikanischer Volkskunst finden in New York ebenfalls ein reichhaltiges Angebot. Einen guten Überblick über das aktuelle Geschehen liefert der *Art Now Gallery Guide*, der jeden Monat kostenlos erscheint und in vielen Galerien und Buchläden ausliegt. Auch die örtlichen Tageszeitungen berichten über die Kunst- und Antiquitätenszene.

KUNSTGALERIEN

ZU DEN GROSSEN NAMEN in SoHo zählt **Leo Castelli**, der in den frühen 60er Jahren ein fanatischer Anhänger der Pop-art war und heute junge Künstler der Öffentlichkeit präsentiert. Die **Mary Boone Gallery** zeigt erfolgreiche Neo-Expressionisten wie Julian Schnabel. Die **Pace Gallery** stellt vorwiegend bekannte Fotokünstler aus, während in der Galerie **Jay Gorney Modern Art** zeitgenössische Kunst und Bildhauerei zu sehen ist. Die **John Weber Gallery** präsentiert neue Talente, ist aber vor allem für ihre Minimalisten und Vertreter der Concept Art bekannt. **Metro Pictures** ist eine Fundgrube für experimentelle Kunst.

Zu den exklusiven Galerien der 57th Street gehört die renommierte **Sidney Janis Gallery**, die Meister des 20. Jahrhunderts präsentiert. Die **Holly Solomon Gallery** zeigt zeitgenössische Gemälde und Skulpturen, in der **Marian Goodman Gallery** findet man europäische Avantgardisten.

Auf der Upper East Side zeigt **Knoedler & Company** zeitgenössische Gemälde moderner Meister. Die **Gagosian Gallery** hat Werke von Lichtenstein und Johns, **Hirschl & Adler Galleries** bietet eine gute Auswahl europäischer und amerikanischer Kunst.

AMERIKANISCHE VOLKSKUNST

WER SICH FÜR amerikanische Volkskunst interessiert, sollte zu **Susan Parrish Antiques** und **Kelter-Malcé** gehen, wo es Häkelteppiche und andere Americana gibt. Ähnlich ist das Angebot von **Brian Windsor**. Eine gute Auswahl an Quilts und indianischer Kunst findet man bei **American Hurrah Antiques**. **Laura Fisher** führt alles von Lockvögeln bis zu Häkelteppichen.

ANTIK-CENTER UND SECOND-HAND-ANTIQUITÄTEN

ZUSÄTZLICH ZU DEN Hunderten von kleinen Läden, die vom Tigerzahn bis zum mehrere Millionen Dollar teuren Gemälde alles verkaufen, beheimatet Manhattan das **Manhattan Arts & Antiques Center** mit Dutzenden von Antiquitätenhändlern unter einem Dach. **Irving Barber Shop Antiques** bietet eine Auswahl an Second-Hand-Stücken zu erstaunlich günstigen Preisen.

AMERIKANISCHE MÖBEL

MÖBEL DES 17., 18. und 19. Jahrhunderts führen **Bernard & S Dean Levy, Eagles Antiques, Leigh Keno American Furniture** und das renommierte Geschäft **Israel Sack**. **Judith James Milne** verkauft alte Landmöbel und schöne Quilts. Eine wirklich phantastische Auswahl an Shaker-Möbeln gibt es bei **Thomas K Woodard American Antiques & Quilts**.

Sammler von Art-deco- und Jugendstilmöbeln sollten **Alan Moss** aufsuchen. **Macklowe Gallery & Modernism** hat eine riesige Auswahl feinster Jugendstilmöbel. **Minna Rosenblatt** und **Lillian Nassau** führen Tiffany-Lampen und viele Jugendstil- und Art-deco-Stücke.

Bei **Depression Modern**, **Mood Indigo** und einigen anderen Nostalgieläden findet man Schätze aus den 30er und 40er Jahren.

INTERNATIONALE ANTIQUITÄTEN

ENGLISCHE ANTIQUITÄTEN bieten **Florian Papp** und **Kentshire Galleries** an. Antike Stücke aus Europa führen **Betty Jane Bart Antiques, Kurt Gluckselig Antiques, The Little Antique Shop, Linda Horn Antiques, La Belle Epoque** und **Pierre Deux**. Antiquitäten aus Fernost findet man u.a. bei **Doris Leslie Blau, E & J Frankel** und **Flying Cranes Antiques**.

FLOHMÄRKTE

NEW YORK HAT eine Reihe von Flohmärkten, die am Wochenende stattfinden und zu denen man am besten schon im Morgengrauen geht. Beginn ist offiziell um 9 oder 10 Uhr, aber das Feilschen um die Preise beginnt oft schon um 6 Uhr. Oft sind Schnäppchen der amerikanischen Volkskunst zu finden.

Auf dem **Annex Antiques Fair and Flea Market** bekommt man fast alles, der **Canal Street Flea Market** bietet Trödel aller Art, der **Columbus Avenue Flea Market** neue und gebrauchte Kleidung und Möbel. Einzelheiten stehen freitags in der *New York Times*.

AUKTIONSHÄUSER

MANHATTAN HAT zwei berühmte Auktionshäuser, **Christie's** und **Sotheby's**, die Sammlerstücke wie Münzen, Schmuck, Jahrgangsweine und Kunstwerke versteigern. Die Gegenstände können gewöhnlich einige Tage vor der Auktion besichtigt werden. Über Besichtigungszeiten und anstehende Auktionen informieren die Freitags- und Sonntagsausgaben der *New York Times*.

AUF EINEN BLICK

KUNSTGALERIEN

Gagosian Gallery
980 Madison Ave.
Karte 17 A5.
744-2313.

Hirschl & Adler Galleries
21 E 70th St. **Karte** 12 F1.
535-8810.
Eine von mehreren Filialen.

Holly Solomon Gallery
172 Mercer St.
Karte 4 E3.
941-5777.

Jay Gorney Modern Art
100 Greene St.
Karte 4 E4.
966-4480.

John Weber Gallery
142 Greene St.
Karte 4 E4.
966-6115.

Knoedler & Company
19 E 70th St.
Karte 13 A1.
794-0550.

Leo Castelli
420 W Broadway.
Karte 4 E4.
431-5160.

Marian Goodman Gallery
24 W 57th St.
Karte 12 F3.
977-7160.

Mary Boone Gallery
417 W Broadway.
Karte 4 E4.
752-2929.

Metro Pictures
150 Greene St.
Karte 4 E4.
925-8335.

Pace Gallery
32 E 57th St.
Karte 12 F3.
421-3292.

Sidney Janis Gallery
110 W 57th St.
Karte 12 E3.
586-0110.

AMERIKANISCHE VOLKSKUNST

American Hurrah Antiques
766 Madison Ave.
Karte 13 A2.
535-1930.

Brian Windsor
272 Lafayette St.
Karte 4 F4.
274-0411.

Kelter-Malcé
74 Jane St.
Karte 3 C1.
675-7380.

Laura Fisher
Manhattan Art & Antiques Center, 1050 2nd Ave.
Karte 13 B4.
838-2596.

Susan Parrish Antiques
390 Bleecker St.
Karte 3 C2.
645-5020.

ANTIK-CENTER UND SECOND-HAND-ANTIQUITÄTEN

Irving Barber Shop Antiques
210 E 21st St.
Karte 9 A4.
Kein Telefon.

The Manhattan Arts & Antiques Center
1050 2nd Ave.
Karte 13 A3.
355-4400.

AMERIKANISCHE MÖBEL

Alan Moss
436 Lafayette St.
Karte 4 E2.
473-1310.

Bernard & S Dean Levy
24 E 84th St.
Karte 16 F4.
628-7088.

Depression Modern
150 Sullivan St.
Karte 4 D3.
982-5699.

Eagles Antiques
1097 Madison Ave.
Karte 17 A5.
772-3266.

Israel Sack
730 5th Ave.
Karte 12 F3.
399-6562.

Judith James Milne
506 E 74th St.
Karte 17 C5.
472-0107.

Leigh Keno American Furniture
19 E 74th St.
Karte 16 F5.
734-2381.

Lillian Nassau
220 E 57th St.
Karte 13 B3.
759-6062.

Macklowe Gallery & Modernism
667 Madison Ave.
Karte 13 A3.
644-6400.

Minna Rosenblatt
844 Madison Ave.
Karte 13 A1.
288-0257.

Mood Indigo
181 Prince St.
Karte 4 E3.
254-1176.

Thomas K Woodard American Antiques & Quilts
506 E 74th St.
Karte 17 A5.
988-2906.

INTERNATIONALE ANTIQUITÄTEN

La Belle Epoque
280 Columbus Ave.
Karte 12 D1.
362-1770.

Betty Jane Bart Antiques
1225 Madison Ave.
Karte 17 A3.
410-2702.

Doris Leslie Blau
724 5th Ave.
Karte 12 F3.
586-5511.
Nur auf Voranmeldung.

E & J Frankel
1040 Madison Ave.
Karte 17 A5.
879-5733.

Florian Papp
962 Madison Ave.
Karte 17 A5.
288-6770.

Flying Cranes Antiques
1050 2nd Ave.
Karte 13 B4.
223-4600.

Kentshire Galleries
37 E 12th St. **Karte** 4 E1.
673-6644.

Kurt Gluckselig Antiques
1050 2nd Ave. **Karte** 13 B4. *758-1805.*

Linda Horn Antiques
1015 Madison Ave.
Karte 17 A5.
772-1122.

The Little Antique Shop
44 E 11th St. **Karte** 4 E1.
673 5173.

Pierre Deux
367 Bleecker St. **Karte** 3 C2. *243-7740.*
Eine von mehreren Filialen.

FLOHMÄRKTE

Annex Antiques Fair and Flea Market
24th bis 27th St an der 6th Ave. **Karte** 8 E4.
243-5343. Sa und So.

Canal Street Flea Market
335 Canal St. **Karte** 4 E5.
März–Dez. an Wochenenden.

Columbus Avenue Flea Market
Columbus Ave, zwischen 76th und 77th St.
Karte 16 D5.
721-0900. Sonntags.

AUKTIONSHÄUSER

Christie's
502 Park Ave. **Karte** 13 A3.
546-1000.

Sotheby's
1334 York Ave. **Karte** 13 C1. *606-7000.*

Lebensmittel und Haushaltswaren

NEW YORKS kulturelle und ethnische Vielfalt spiegelt sich auch im Essen wider – die Lebensmittelgeschäfte der Stadt bieten eine internationale Auswahl. Darüber hinaus findet man ein riesiges Angebot an Haushaltswaren sowie Elektronik- und Fotoartikeln.

FEINKOSTGESCHÄFTE

ES GIBT IN NEW YORK eine Reihe berühmter Feinkostläden, die als Touristenattraktion gelten. Beim Einkauf von Delikatessen sollten Sie aber auch die großen Warenhäuser nicht vergessen, die den Spezialgeschäften oftmals in nichts nachstehen.

Balducci's in Greenwich Village ist ein italienischer Feinkostladen, der Pasta aus eigener Herstellung, Salami und Fisch verkauft. Bei **Dean & Deluca** ist Essen zu einer Kunst geworden – versäumen Sie auf keinen Fall das riesige Angebot an Snacks und Gerichten zum Mitnehmen. **Russ & Daughters** zählt zu den führenden Gourmet-Tempeln. Der vielleicht beste Delikatessenladen der Welt ist **Zabar's**, wo die Kunden geduldig nach vorzüglichem Räucherlachs, Bagels, Kaviar und Käse anstehen.

William Poll hat eine gute Auswahl an Picknick-Körben und fertigen Speisen. Gänseleberpastete, schottischen Räucherlachs, Kaviar und Konfekt aus eigener Herstellung bekommt man bei **Caviarteria**.

SPEZIALITÄTENGESCHÄFTE UND WEINHANDLUNGEN

ERSTKLASSIGE BÄCKEREIEN gibt es in großer Zahl, doch gehört die **Poseidon Greek Bakery**, die für ihren Strudelteig bekannt ist, zweifellos zu den besten. **H & H Bagels** bäckt täglich 60 000 der besten Bagels in Manhattan. **Vesuvio** hat italienisches Brot und exquisite Gewürzkuchen. Köstliches chinesisches Gebäck bekommt man bei **Fung Wong**, sizilianisches Brot bei der **A Zito & Son's Bakery**.

Wer gerne Käse ißt, sollte **Ben's Cheese Shop** nicht versäumen, wo es verschiedensten Frischkäse gibt.

Zu den namhaften Konfiserien gehören **Li-Lac** mit Konfekt aus eigener Herstellung sowie **Mondel Chocolates** mit Schokoladentieren. **Economy Candy** hat eine riesige Auswahl an Trockenfrüchten, **Teuscher** hingegen führt u.a. frische Champagnertrüffel.

Myers of Keswick verkauft englische Lebensmittel. Exotischere Zutaten bietet der asiatische Lebensmittelmarkt **Kam Man Food Products**. Das **Italian Food Center** hat hervorragendes Olivenöl, getrocknete Pasta und italienische Wurst. Fleisch und Fisch kauft man gut im **Jefferson Market**, und **Citarella's** hat ein phantastisches Angebot an Fisch und Meeresfrüchten. **Angelica's Herbs and Spices** führt etwa 2000 verschiedene Kräuter und Gewürze.

Acker, Merrall & Condit hat sich einen Namen für erstklassige Burgunderweine gemacht. Exklusive Weine und Champagner zu Discountpreisen bekommt man bei **Garnet Liquors**. **SoHo Wines and Spirits** hat eine große Auswahl an schottischem Malt-Whisky. **Sherry-Lehmann** ist New Yorks führender Weinhändler.

New York hat auch einige erstklassige Kaffeegeschäfte vorzuweisen: **Oren's, The Sensuous Bean, M Rohrs** und **Porto Rico Importing Company**.

Obst und Gemüse kauft man am besten frühmorgens auf einem Bauernmarkt, beispielsweise an der **City Hall,** auf der **Upper West Side,** bei **St Mark's in-the-Bowery** oder am **Union Square**. Einzelheiten erfährt man unter der Telefonnummer 788-7900.

HAUSHALTSWAREN

DIE MEISTEN KAUFHÄUSER haben ein großes Angebot an Haushaltsartikeln. Ein gutes Spezialgeschäft ist **Broadway Panhandler**, ein Paradies für Köche, mit hervorragendem Backzubehör. **Bridge Kitchenware** ist bei den meisten Gastronomen ein Begriff. **Williams-Sonoma** und **Zabar's** bieten eine ausgezeichnete Auswahl an Küchenutensilien.

Bei **Baccarat, Daum, Lalique** und **Villeroy & Boch** findet man feines Kristall, Porzellan und Silberwaren. Weitere exklusive Läden sind **Orrefors Crystal, Kosta Boda** und **Tiffany & Co**. Kristall und Porzellan ist bei **Avventura** erhältlich Eine günstige Auswahl an amerikanischem Porzellan gibt es bei **Fishs Eddy**. **Ceramica** führt schöne handgefertigte Töpferwaren aus Italien, **La Terrine** und **Steuben Glass** exquisite handbemalte Keramik.

Bettwäsche aus Seide oder anderen edlen Materialien bekommt man bei **Porthault** und **Pratesi**. **ABC Carpet & Home** hat einen guten Ruf für Einrichtungsgegenstände, **Ad Hoc Softwares** für Bettwäsche und Badezimmer-Accessoires. Am preiswertesten kauft man in der Grand Street in Lower East Side ein.

ELEKTRONIK- UND FOTOARTIKEL

DIE AM MEISTEN konkurrierenden Einzelhändler in New York sind wohl die Anbieter von Elektronikprodukten. Preisvergleiche rentieren sich daher in jedem Fall. Die wöchentlichen Sonderangebote stehen dienstags in der *New York Times*. Wer Geräte mit nach Hause nehmen will, sollte unbedingt auf die Netzspannung und die Anschlüsse achten, da in den USA andere Normen gelten als in Europa. Das Angebot von **47th Street Photo** reicht von Kameras bis zu Fax-Geräten. Ein anderer beliebter Laden für Elektroartikel ist **Uncle Steve's**. **J&R Music World** hat ein äußerst preisgünstiges Warenangebot. **Nobody Beats the Wiz** ist eine Ladenkette, die sich rühmt, noch niemals unterboten worden zu sein. Eine breite Auswahl an Computern und Videogeräten hat **Willoughby's.**

AUF EINEN BLICK

FEINKOST-GESCHÄFTE

Balducci's
424 Ave of the Americas. **Karte** 4 D1. *673-2600.*

Caviarteria
29 E 60th St. **Karte** 12 F3. *759-7410.*

Dean & DeLuca
560 Broadway. **Karte** 4 E3. *431-1691.*

Russ & Daughters
179 E Houston St. **Karte** 5 A3. *475-4880.*

William Poll
1051 Lexington Ave. **Karte** 17 A5. *288-0501.*

Zabar's
2245 Broadway. **Karte** 15 C4. *787-2000.*

SPEZIALITÄTEN-GESCHÄFTE UND WEIN-HANDLUNGEN

A Zito & Son's Bakery
259 Bleecker St. **Karte** 3 C2. *929-6139.*

Acker, Merrall & Condit
160 W 72nd St. **Karte** 11 C1. *787-1700.*

Angelica's Herbs and Spices
147 1st Ave. **Karte** 5 A1. *677-1549.*

Ben's Cheese Shop
181 E Houston St. **Karte** 5 A3. *254-8290.*

Citarella's
2135 Broadway. **Karte** 15 C5. *874-0383.*

City Hall Green Market
Centre St und Chambers St. **Karte** 1 C1.

Economy Candy
108 Rivington St. **Karte** 5 A3. *254-1531.*

Fung Wong
30 Mott St. **Karte** 4 F3. *267-4037.*

Garnet Liquors
929 Lexington Ave. **Karte** 13 A1. *772-3211.*

H & H Bagels
2239 Broadway. **Karte** 15 C4. *595-8000.*

Italian Food Center
186 Grand St. **Karte** 15 C4. *925-2954.*

Jefferson Market
450 Ave of the Americas. **Karte** 12 E5. *533-3377.*

Kam Man Food Products
200 Canal St. **Karte** 4 F5. *571-0330.*

Li-Lac
120 Christopher St. **Karte** 3 C2. *242-7374.*

M Rohrs
1692 2nd Ave. **Karte** 17 C3. *427-8319.*

Mondel Chocolates
2913 Broadway. **Karte** 20 E3. *864-2111.*

Myers of Keswick
634 Hudson St. **Karte** 3 C2. *691-4194.*

Oren's
1144 Lexington Ave. **Karte** 17 A4. *472-6830.*

Porto Rico Importing Company
201 Bleecker St. **Karte** 3 C2. *477-5421.*

Poseidon Greek Bakery
629 9th Ave. **Karte** 12 D5. *757-6173.*

St Mark's in-the-Bowery Greenmarket
E 10th St, Ecke 2nd Ave. **Karte** 4 F1.

The Sensuous Bean
66 W 70th St. **Karte** 12 D1. *724-7725.*

Sherry-Lehmann
679 Madison Ave. **Karte** 13 A3. *838-7500.*

SoHo Wines and Spirits
461 W Broadway. **Karte** 4 E4. *777-4332.*

Teuscher
25 E 61st St. **Karte** 12 F3. *751-8482.*

Union Square Greenmarket
E 17th St und Broadway. **Karte** 8 F5.

Upper West Side Greenmarket
Columbus Ave, Ecke 77th St. **Karte** 16 D5.

Vesuvio
160 Prince St. **Karte** 4 E3. *925-8248.*

HAUSHALTS-WAREN

ABC Carpet & Home
888 Broadway. **Karte** 18 D5. *473-3000.*

Ad Hoc Softwares
410 W Broadway. **Karte** 4 E3. *925-2652.*

Avventura
463 Amsterdam Ave. **Karte** 15 C4. *769-2510.*

Baccarat
625 Madison Ave. **Karte** 13 A3. *826-4100.*

Bridge Kitchenware
214 E 52nd St. **Karte** 13 B4. *688-4220.*

Broadway Panhandler
520 Broadway. **Karte** 4 E4. *966-3434.*

Ceramica
59 Thompson St. **Karte** 4 D4. *941-1307.*

Daum
694 Madison Ave. **Karte** 13 A3. *355-2060.*

Fishs Eddy
2176 Broadway. **Karte** 15 C5. *873-8819.*

Kosta Boda
58 E 57th St. **Karte** 12 F3. *(800) 351-9842.*

Lalique
680 Madison Ave. **Karte** 13 A3. *355-6550.*

Orrefors Crystal
58 E 57th St. **Karte** 13 A3. *753-3442.*

Porthault
18 E 69th St.**Karte** 12 F1. *688-1660.*

Pratesi
829 Madison Ave. **Karte** 13 A2. *288-2315.*

Steuben Glass
715 5th Ave. **Karte** 12 F3. *752-1441.*

La Terrine
1024 Lexington Ave. **Karte** 13 A1. *988-3366.*

Tiffany & Co
Siehe S. 321.

Villeroy & Boch
974 Madison Ave. **Karte** 17 A5. *535-2500.*

Williams-Sonoma
20 E 60th St. **Karte** 12 F3. *980-5155.*
Eine von mehreren Filialen.

Zabar's
Siehe Feinkostgeschäfte.

ELEKTRONIK- UND FOTOARTIKEL

47th St Photo
67 W 47th St. **Karte** 13 A5. *921-1287.*
Eine von mehreren Filialen.

J&R Music World
Siehe S. 322.

Nobody Beats the Wiz
212 E57th St. **Karte** 13 A3. *754-1600.*
Eine von mehreren Filialen.

Uncle Steve's
343 Canal St. **Karte** 4 E5. *226-4010.*
Eine von mehreren Filialen.

Willoughby's
110 W 32nd St. **Karte** 8 E3. *564-1600.*

Unterhaltung in New York

New York bedeutet Entertainment der Spitzenklasse nonstop – jeden Tag, das ganze Jahr hindurch. Das kulturelle Programm hält für jeden Geschmack etwas Passendes bereit. Für Theaterliebhaber gibt es auf großen und auf kleinen Bühnen ein schier unerschöpfliches Angebot. Kassenerfolge am Broadway und experimentelles Theater in entlegenen Kellergewölben oder in den Lofts alter Lagerhäuser, glanzvolle Opernaufführungen in der Met und Jazzbands in Village-Clubs, avantgardistische Ballettaufführungen in Cafés, riesige Tanzpaläste und Kinos ohne Zahl – all das gehört zum New Yorker Kulturleben, das es in vollen Zügen auszukosten gilt. Aber vielleicht ist es das Beste von allem, einfach nur durch die gleißenden Straßen zu gehen und die riesige Show mitzuerleben, die New York heißt.

Aufführung des New York City Ballet

Praktische Hinweise

Einen guten Überblick über das aktuelle Kulturangebot geben die »Arts and Leisure«-Beilagen der *New York Times* und der *Village Voice* sowie die Magazine *New York* und *The New Yorker*. Sie liefern Kurzbeschreibungen der Veranstaltungen und führen auf, welche Kreditkarten akzeptiert werden. In den meisten Hotels liegt *Where* aus, ein kostenloses Wochenmagazin mit Veranstaltungshinweisen und Lageplänen.

TKTS-Agentur

Im Hotel wird man Ihnen auch mit Informationsmaterial weiterhelfen können; gute Häuser besorgen auch Eintrittskarten. In manchen Hotels steht ein TV-Info-Kanal für New-York-Besucher zur Verfügung.

Das gut funktionierende **New York Convention and Visitors Bureau** *(siehe S. 352)* ist das offizielle Informationsbüro für Touristen. Neben Veranstaltungskalendern und vielen Broschüren bekommt man hier auch Gratistickets und verbilligte Eintrittskarten wie sogenannte »twofers« (ursprünglich zwei Karten zum Preis von einer). **NYC On Stage** ist eine Telefonauskunft für Theater-, Tanz- und Musikveranstaltungen. **Broadway Line** gibt ausführliche Beschreibungen zu laufenden Veranstaltungen, während bei **Moviephone** Informationen zu allen Kinofilmen vom Band laufen.

Kartenvorverkauf

Beliebte Shows können Wochen im voraus ausverkauft sein, so daß man sich rechtzeitig um Karten bemühen sollte. Theaterkassen haben täglich – außer sonntags – von 10 Uhr bis eine Stunde nach Vorstellungsbeginn geöffnet. Man kann auch bei der Theaterkasse oder einer anderen Vorverkaufsstelle anrufen und die gewünschten Tickets per Kreditkarte ordern. Die größten Ticketagenturen sind **Hit-Tix, Telecharge, Ticketmaster** und **Ticket Central**; alle berechnen eine kleine Bearbeitungsgebühr. Unabhängige Vermittlungsbüros sind **Prestige Entertainment** und **Union Tickets**; andere Anbieter finden Sie in den Gelben Seiten des Telefonbuchs. Das Magazin *New York* hat eine Telefonauskunft (Montag bis Freitag: 10.30 bis 16.30 Uhr), wo man erfährt, für welche Veranstaltungen es noch Karten gibt.

Reduzierte Tickets

Verbilligte Eintrittskarten für Theaterstücke und Musicals bekommt man am Tag der Aufführung bei den nichtkommerziellen **TKTS**-Verkaufsstellen. Die Preisnachlässe liegen zwischen 25 und 50%, wobei eine geringe Bearbeitungsgebühr hinzukommt.

Bobby Short im Café Carlyle ***(siehe S. 343)***

Die TKTS-Agentur am Broadway verkauft am Mittwoch und Samstag von 10 bis 14 Uhr Tickets für Matineen, von 15 bis 20 Uhr Karten für Abendveranstaltungen und am Sonntag von 12 bis 19 Uhr Karten für Sonntagsvorstellungen. Die TKTS-Verkaufsstelle im World Trade Center (Turm 2) hat Montag bis Freitag von 11 bis 17.30 Uhr, am Samstag von 11 bis 15.30 Uhr geöffnet. Tickets für Samstagmatineen bekommt man hier freitags.

Bei Bloomingdale's *(siehe S. 179)* verkauft eine Zweigstelle von **Ticketmaster** im zweiten Stock während der üblichen

Das Booth Theater am Broadway *(siehe S. 333)*

Geschäftszeiten Eintrittskarten für Vorstellungen desselben Tages mit Preisnachlässen von 10 bis 75%. Ticketmaster verkauft jetzt auch über eine eigene Webseite, auf die Sie unter www.ticketmaster.com Zugang bekommen. The **Hit Show Club** verkauft Eintrittskarten, die an der Theaterkasse gegen reduzierte Karten eingetauscht werden können. Einige Shows bieten am Tage der Aufführung auch Karten für Stehplätze an. Für kurz Entschlossene ist das häufig die einzige Möglickeit, eine ausverkaufte Show besuchen zu können.

Schwarzhändler

Wer meint, Tickets auf dem Schwarzmarkt kaufen zu müssen, läuft Gefahr, betrogen zu werden. Falsches Datum, gefälschte Tickets oder unverschämte Preise sind nur einige der damit verbundenen Risiken.

Freikarten

Kostenlose Tickets für TV-Shows, Konzerte und Sonderveranstaltungen bekommt man im **New York Convention and Visitors Bureau**, das Montag bis Freitag von 9 bis 18 Uhr, Samstag und Sonntag von 10 bis 18 Uhr geöffnet hat. In der *Village Voice* findet man unter der Rubrik »Cheap Thrills« Veranstaltungen, die (fast) umsonst sind. Die Gratiskarten für das beliebte New York Shakespeare Festival werden am **Delacorte Theater** im Central Park an den Aufführungstagen ausgegeben und sind auf ein Ticket pro Person begrenzt. Gratistickets für TV Aufzeichnungen kann man schriftlich bei den Sendeanstalten anfordern oder bei ihren Agenturen im **Rockefeller Center** bekommen.

Das Royale Theater *(siehe S. 333)*

Behinderte Besucher

Broadway-Theater haben einige Plätze und verbilligte Tickets für Rollstuhlfahrer und Begleitpersonen. Anfragen sollten Sie an **Ticketmaster** oder **Telecharge**, bei Off-Broadway-Produktionen an die Theaterkasse richten. **TAP** organisiert Zeichensprache für Broadway Theater und **Hands On** für Off-Broadway.

Nützliche Adressen

Broadway Line
☎ *563-2929.*

Delacorte Theater
Eingang an der 81st St. Central Park W.
Karte 16 E4.
☎ *861-7277.*

Hands On
☎ *672-4898.*

Hit Show Club
8. Stock, 630 5th.
Karte 12 D5.
☎ *581-4211.*

Hit-Tix
☎ *239-6200.*

Moviephone
(siehe S. 337)
☎ *777-FILM.*

New York Convention and Visitors Bureau
2 Columbus Circle. **Karte** 12 D3.
☎ *397-8222.*

Prestige Entertainment
☎ *697-7788.*

Network Tickets

ABC
67th St und Columbus Ave.
☎ *456 3537.*

CBS
524 W 57th St.
☎ *975-2476.*

NBC
30 Rockefeller Plaza.
☎ *664-3055.*

NYC On Stage
1501 Broadway
Karte 12 D2.
☎ *768-1818.*

TAP
☎ *221-1103.*
719-4537 (TDD).

Telecharge
☎ *239-6200.*

Ticket Central
☎ *279-4200.*

Ticketmaster
☎ *307-7171.*
Kaufhaus Bloomingdale's.
Lexington Ave, Ecke 59th St.
Karte 13 A3. ☎ *705-2122.*

TKTS
Broadway, Ecke W 47th St.
Karte 12 E5.
2 World Trade Center.
Karte 1 B2.

Highlights: Unterhaltung

Jazzclub in Greenwich Village

New York ist eine der Metropolen des Entertainment. Spitzenstars aller Sparten geben hier Gastspiele. Das Angebot an sportlichen Ereignissen ist ebenfalls breit gefächert, und was das Nachtleben betrifft, so wird New York seinem Ruf als »die Stadt, die niemals schläft« vollauf gerecht. Ausgehend von der Zusammenstellung auf den Seiten 332 ff sind hier einige herausragende Örtlichkeiten und Veranstaltungen aufgeführt, die man nicht versäumen sollte. Aber selbst wenn Sie nur eine besuchen, erleben Sie ein Stück New York, das nicht weniger bedeutsam ist als das Empire State Building.

Limelight
Unter den Diskotheken New Yorks ist diese ehemalige Kirche zu einer festen Institution für die Nachtschwärmer geworden (siehe S. 342).

Madison Square Garden
Der »Garden« bietet Sportveranstaltungen der Spitzenklasse, wie Basketball mit den New York Knicks, *Eishockey mit den* New York Rangers *und das Boxturnier um die »Golden Gloves«* (siehe S. 340).

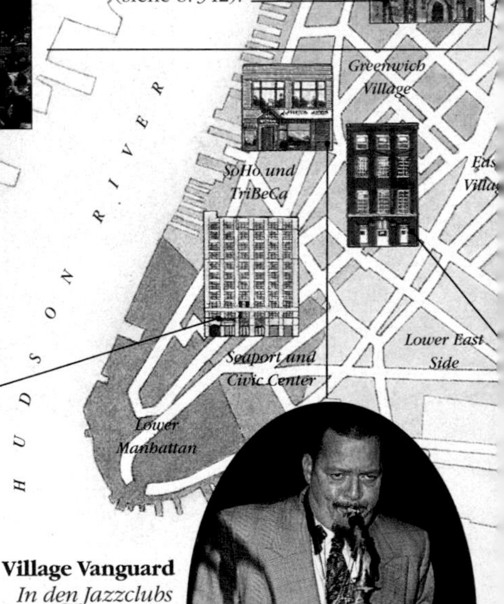

Film Forum
Im elegantesten Programmkino New Yorks kann man die neuesten nichtkommerziellen Produktionen aus Amerika und dem Ausland sehen sowie Filmklassiker unterschiedlichster Gattungen (siehe S. 336).

Village Vanguard
In den Jazzclubs von Greenwich Village gastierten bereits alle Größen der Jazzszene. Im weltberühmten Village Vanguard und Blue Note kann man die Stars von heute und morgen hören (siehe S. 340).

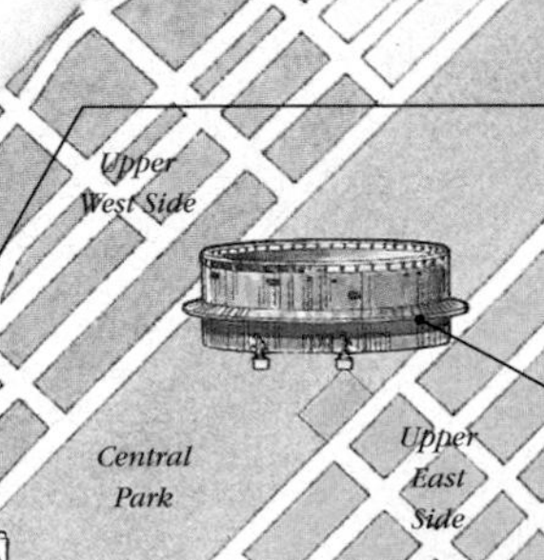

Proben des New York Philharmonic
Die Proben am Donnerstagmorgen in der Avery Fisher Hall sind öffentlich und kosten deutlich weniger als ein Konzert (siehe S. 338).

Metropolitan Opera House
Um die Operngrößen hören zu können, muß man rechtzeitig vorbestellen und tief in die Tasche greifen (siehe S. 338).

Shakespeare im Central Park
Wer New York im Sommer besucht, sollte sich eine Gratiskarte für das Shakespeare-Festival des Delacorte Theater verschaffen, bei dem Schauspieler ersten Ranges auftreten (siehe S.332).

Der Nußknacker
Das Weihnachtsereignis für Kinder jeden Alters wird jedes Jahr im Lincoln Center vom New York City Ballet aufgeführt (siehe S. 334).

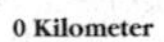

Carnegie Hall
Die im Theater District gelegene Carnegie Hall ist weltberühmt als Auftrittsort der besten Musiker und Sänger. Eine Backstage-Tour vermittelt einen Blick hinter die Kulissen dieses legendären Gebäudes (siehe S.338).

The Fantasticks
Das winzige Sullivan Street Playhouse zeigt seit Mai 1960 das am längsten gespielte Stück der USA. New Yorker, die es in ihrer Jugendzeit gesehen haben, gehen heute mit ihren Kindern hierher (siehe S.332).

Theater und Tanz

New York ist bekannt für seine extravaganten Musicals und seine schonungslosen Kritiker. Die Stadt ist eine der Metropolen von Theater und Ballett und bietet Produktionen jeglicher Art. Ob Sie nun Glanz und Glamour eines Broadway-Kassenschlagers oder etwas Experimentelles suchen – hier finden Sie es.

Broadway

Der Broadway ist seit langem Synonym für den New Yorker Theaterdistrikt, auch wenn sich die meisten Broadway-Theater zwischen der 41st und 53rd Street und der Sixth und Ninth Avenue sowie am Times Square befinden. Fast alle von ihnen wurden zwischen 1910 und 1930 gebaut – der Blütezeit des Vaudeville-Theaters und der berühmten »Ziegfeld Follies«. Das **Lyceum** *(siehe S. 142)* ist das älteste (1903) noch benutzte Theater, das **Majestic** das neueste (1986). Nach dem Theatersterben der 80er Jahre erleben die Broadway-Bühnen heute wieder einen Aufschwung, was auf Einsparmaßnahmen, große Namen und städtebauliche Maßnahmen im Broadway-District zurückzuführen ist.

Hier finden die »Mammutproduktionen« statt von großen, international bekannten Theaterstücken und Musicals sowie Wiederaufführungen mit vielen Hollywood-Stars. Zu den Broadway-Erfolgen der jüngsten Zeit gehören Übernahmen aus dem Ausland wie *Dancing at Lughnasa* und *Les Misérables*, New Yorker Produktionen wie *Falsettos* und *Jelly's Last Jam* sowie großartige Wiederaufführungen wie *Guys and Dolls*.

Off-Broadway und Off-Off-Broadway

Es gibt rund 20 Off-Broadway- und 300 Off-Off-Broadway-Bühnen, wobei für ihre Unterscheidung die Größe ausschlaggebend ist: Off-Broadway-Bühnen haben zwischen 100 und 499 Sitzplätze, Off-Off-Broadway-Theater weniger als 100. Das Spektrum reicht von gut ausgestatteten Theatern bis zu improvisierten Spielstätten, etwa in den Lofts, Kirchen, Garagen. Off-Broadway-Theater wurden in den 50er Jahren populär – als Reaktion auf den kommerziellen Theaterbetrieb. Sie waren auch der ideale Ort für Produzenten, die mit geringerem Kostenaufwand Stücke aufführen wollten, die man als unpassend für den Broadway erachtete. Das Off-Off-Broadway-Theater ist in den letzten zwei Jahrzehnten zum Domizil des experimentellen Theaters geworden.

Off-Broadway-Theater gibt es überall in Manhattan, vom **Sullivan Street Playhouse** in Greenwich Village (wo *The Fantasticks,* die am längsten gespielte Aufführung in New York, läuft) bis zum **Delacorte Theater**, der Freilichtbühne im Central Park. Einige befinden sich sogar im traditionellen Broadway-Viertel. Etwas weiter abseits liegen die **Brooklyn Academy of Music (BAM)** *(siehe S. 246),* der **Manhattan Theater Club** und **92nd Street Y,** die ein Forum für junge Talente und experimentelle, gewagte Produktionen sind.

Die Off-Broadway-Theater brachten als erste in New York Dramatiker wie Sean O'Casey, Tennessee Williams, Eugene O'Neill, Samuel Beckett, Jean Genet, Eugene Ionesco und David Mamet zur Aufführung.

Mitunter eignet sich eine kleinere Off-Broadway-Bühne besser für eine Produktion als ein großes etabliertes Theater, was Dauererfolge wie *The Fantasticks* und die *Dreigroschenoper* belegen.

Performance-Theater

Dieser extrem avantgardistischen Kunstform widmen sich verschiedene Off- und Off-Off-Broadway-Theater. Besucher sollten stets auf Bizarres und Ausgefallenes gefaßt sein. Orte, wo man am ehesten auf diese Form des Theaters trifft, sind **La MaMa, PS 122, CBGB's 313 Gallery, 92nd Street Y, Symphony Space** und das **Public Theater** *(siehe S. 118).* Letztgenanntes übt vermutlich den größten Einfluß auf die New Yorker Theaterszene aus. Es wurde in den 50er Jahren von Joseph Papp gegründet, der Aufführungen in den Stadtvierteln organisierte, um damit Menschen zu erreichen, die niemals zuvor ein Theater besucht hatten.

Das Public Theater kreierte Erfolge wie *Hair* und *A Chorus Line,* hat sich aber vor allem einen Namen mit seinen kostenlosen Shakespeare-Aufführungen gemacht, die im Sommer im Delacorte Theater im Central Park *(siehe S. 206)* stattfinden. Am Tag der Vorstellung bekommt man ab 18 Uhr an der Kasse des Public Theater (pro Person maximal zwei) »Quiktix« genannte verbilligte Eintrittskarten.

Schauspielschulen

Wer das Handwerk eines Schauspielers erlernen will, hat in New York Gelegenheit dazu. Führend unter den Schauspielschulen ist **The Actors' Studio**. Sein Mentor war Lee Strasberg, der das Konzept einer vollständigen Identifizierung mit der Rolle vertrat. Zu seinen Schülern gehörten Dustin Hoffman, Al Pacino und Marilyn Monroe. An der **Neighborhood Playhouse School of the Theatre** hat Sandy Meisner viele Schauspieler ausgebildet, darunter auch Lee Remick. Die dortigen Aufführungen von »Arbeitsstücken« für Schauspielschüler sind meist öffentlich zugänglich. Die **New Dramatists** tragen seit 1949 zur Ausbildung junger Stückeschreiber bei und haben Anteil an der Karriere von Dramatikern wie William Inge. Textlesungen kann man kostenlos beiwohnen.

Broadway-Theater

① **Ambassador**
215 W 49th St.
239-6200.

② **Barrymore**
243 W 47th St.
239-6200.

③ **Belasco**
111 W 44th St.
239-6200.

④ **Booth**
222 W 45th St.
239-6200.

⑤ **Broadhurst**
235 W 44th St.
239-6200.

⑥ **Broadway**
1681 Broadway.
239-6200.

⑦ **Brooks Atkinson**
256 W 47th St.
307-4100.

⑧ **Circle in the Square – Uptown**
1633 Broadway.
239-6200.

⑨ **Cort**
138 W 48th St.
239-6200.

⑩ **Eugene O'Neill**
230 W 49th St.
239-6200.

⑪ **Gershwin**
222 W 51st St.
307-4100.

⑫ **John Golden**
252 W 45th St.
239-6200.

⑬ **Helen Hayes**
240 W 44th St.
307-4100.

⑭ **Imperial**
249 W 45th St.
239-6200.

⑮ **Longacre**
220 W 48th St.
239-6200.

⑯ **Lunt–Fontanne**
205 W 46th St.
307-4100.

⑰ **Lyceum**
149 W 45th St.
239-6200.

⑱ **Majestic**
245 W 44th St.
239-6200.

⑲ **Marquis**
1535 Broadway.
307-4100.

⑳ **Martin Beck**
302 W 45th St.
239-6200.

㉑ **Minskoff**
Broadway, Ecke 45th St.
307-4100.

㉒ **Music Box**
239 W 45th St
239-6200.

㉓ **Nederlander**
208 W 41st St.
307-4100.

㉔ **Neil Simon**
250 W 52nd St.
307-4100.

㉕ **Palace**
1564 Broadway.
307-4100.

㉖ **Plymouth**
236 W 45th St.
239-6200.

㉗ **Richard Rodgers**
226 W 46th St.
307-4100.

㉘ **Roundabout**
1530 Broadway.
869-8400.

㉙ **Royale**
242 W 45th St.
239-6200.

㉚ **St James**
246 W 44th St.
239-6200.

㉛ **Shubert**
225 W 44th St.
239-6200.

㉜ **Virginia**
245 W 52nd St.
239-6200.

㉝ **Walter Kerr**
219 W 48th St.
239-6200.

㉞ **Winter Garden**
1634 Broadway.
239-6200.

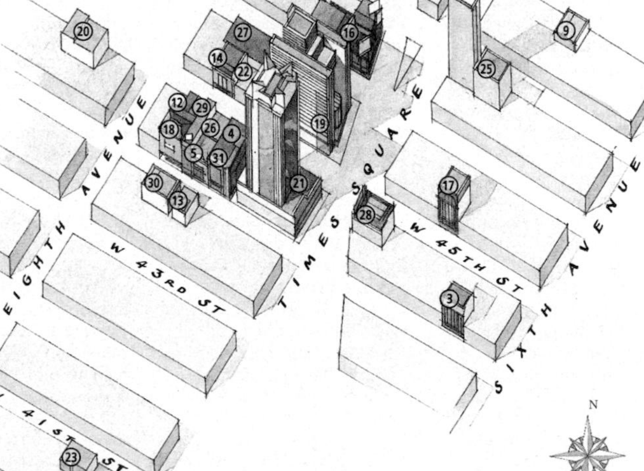

Andere Theater *siehe S. 335.*

Ballett

Der Mittelpunkt der Ballettszene ist das Lincoln Center *(siehe S. 212)*, wo von November bis Februar und von Ende April bis Anfang Juni das New York City Ballet im **New York State Theater** auftritt. Die Tanztruppe wurde von George Balanchine, dem legendären Choreographen *(siehe S. 46)*, ins Leben gerufen und ist vermutlich noch immer die beste der Welt. Ihr jetziger Direktor, Peter Martins, gehörte zu Balanchines besten Tänzern und folgt wie dieser dem Konzept einer homogenen Kompanie. Die Ballettschule am **Juilliard Dance Theater** veranstaltet in jedem Frühjahr einen Workshop, dessen Aufführungen öffentlich zugänglich sind.

Das American Ballet Theater tritt am **Metropolitan Opera House** auf, wo auch zahlreiche Ensembles aus dem Ausland gastieren, wie etwa das Royal Ballet, das Kirow- und das Bolschoi-Ballett. Das Repertoire umfaß t Klassiker des 19. Jahrhunderts wie *Schwanensee* sowie Produktionen moderner Choreographen wie Twyla Tharp und Paul Taylor.

Zeitgenössischer Tanz

New York ist das Zentrum der bedeutendsten Richtungen im Modern Dance. Das **Dance Theater of Harlem** ist weltberühmt für seine Inszenierungen. Auch **92nd Street Y** und das **Merce Cunningham Studio** in Greenwich Village bieten dem experimentellen Tanz ein Forum. Der ungewöhnliche **Dance Theater Workshop** verfügt über ein umfangreiches Programm wie auch eine Kunstgalerie. **The Kitchen, La MaMa, Symphony Space** und **PS 122** bringen das Neueste aus dem Bereich des zeitgenössischen Tanzes, der Performance und der Avantgarde-Musik zur Aufführung. Die Truppe des Choreographen Mark Morris tritt im **Manhattan Center** auf. Das **City Center** *(siehe S. 146)* ist eine beliebte Adresse in der Tanzszene und war früher das Stammhaus des New York City Ballet und des American Ballet Theater. Neben dem Joffrey Ballet sind im City Center schon alle großen Künstler aufgetreten, darunter auch Alvin Ailey sowie die Ensembles der Modern-Dance-Choreographen Merce Cunningham und Paul Taylor. (Wählen Sie nach Möglichkeit keinen Mezzaninplatz, da der Blick hier eingeschränkt ist.)

Die aktivste Einzelbühne für Tanzaufführungen ist vermutlich das **Joyce Theater,** wo etablierte Ensembles, aber auch mutige Neulinge und Gasttruppen auftreten.

Jedes Frühjahr zeigt das Festival of Black Dance in der **Brooklyn Academy of Music (BAM)** *(siehe S. 246)* alles zwischen »Ethnic Dance« und »Hip-Hop«. Im Herbst präsentiert das »Next Wave«-Festival nationale und internationale avantgardistische Tanz- und Musikinszenierungen. Im Winter wird das American Ballet Festival ausgerichtet.

Im Juni hält die **New York University** *(siehe S. 113)* ein Summer Residency Festival ab, wo es Tanzübungen, Proben und Aufführungen zu sehen gibt, und **Dancing in the Streets** organisiert in der ganzen Stadt sommerliche Tanzvorführungen.

Im August präsentiert das **Lincoln Center Out of Doors** auf der Plaza ein Freedance-Programm mit experimentellen Gruppen wie dem American Tap Dance Orchestra. Im Wintergarten des **World Financial Center** *(siehe S. 69)* findet eine Reihe mit Gruppen wie dem National Dance Institute statt.

Die **Radio City Music Hall** bringt im Lauf des Jahres mehrere erstklassige Shows mit internationalen Tanztruppen. Zu Weihnachten und Ostern tritt hier das Rockettes-Ensemble auf.

Bisweilen kann man öffentlichen Proben beiwohnen. Die interessantesten Vorführungen dieser Art bietet das **Alvin Ailey's Repertory Ensemble.** Die **Hunter College Dance Company** zeigt neue Arbeiten ihrer Choreographieschüler, und das **Isadora Duncan International Center for Dance** läßt die Tänze seiner Namensgeberin neu erstehen. Zeitgenössische Choreographie zeigt das **Juilliard Dance Theater.**

Eintrittspreise

Theaterproduktionen sind sehr kostspielig, was sich auf die Eintrittspreise niederschlägt. Selbst Off- und Off-Off-Broadway-Bühnen sind heute kein billiges Vergnügen mehr. Karten für Probeaufführungen kosten genauso viel, sind allerdings erheblich leichter zu bekommen.

Broadway-Theater nehmen zwischen 15 und 50 US-$ Eintritt; bei Musicals bis zu 65 US-$. Off-Broadway-Bühnen verlangen 15 bis 40 US-$. Bei Tanzaufführungen liegt der Preis zwischen 7 und 30 US-$; für das American Ballet Theatre zahlt man bis zu 60 US-$. Wer vor langen Warteschlangen nicht zurückschreckt, bekommt am **Music and Dance Booth** im Bryant Park *(siehe S. 329)* für Vorstellungen desselben Tages Karten zum halben Preis.

Vorstellungsbeginn

Theater sind in der Regel montags geschlossen (mit Ausnahme der meisten Musicals). Mittwochs, samstags und mitunter auch sonntags gibt es Matineen, die gewöhnlich um 14 Uhr anfangen. Abendvorstellungen beginnen zumeist um 20 Uhr. Informieren Sie sich rechtzeitig über Anfangszeiten, Ort und Tag der Aufführung.

Hinter den Kulissen

Wer sich für Bühnentechnik und Star-Anekdoten interessiert, sollte an einer der Backstage-Touren teilnehmen, die **Backstage on Broadway** anbietet. **92nd Street Y** organisiert Diskussionen mit bekannten Regisseuren, Schauspielern und Choreographen. Auch Autoren werden zu Lesungen oder Diskussionen eingeladen. In der **Radio City Music Hall** gibt es ebenfalls Führungen.

AUF EINEN BLICK

OFF-BROADWAY

92nd Street Y
Lexington Ave.
Karte 17 A2.
☎ *415-5420.*

Actors' Playhouse
100 7th Ave S.
Karte 3 C1.
☎ *463-0060.*

American Place
111 W 46th St.
Karte 12 E5.
☎ *840-3074.*

Brooklyn Academy of Music
30 Lafayette Ave.
☎ *(718) 636-4100.*

CBGB's 313 Gallery
313 Bowery.
Karte 4 F2.
☎ *677-0455.*

Circle in the Square – Downtown
159 Bleecker St.
Karte 4 D3.
☎ *254-6330.*

Circle Repertory
99 7th Ave. **Karte** 3 C2.
☎ *400-0177.*

Delacorte Theater
Central Park. (81st St.)
Karte 16 E4.
☎ *861-7277.*

John Houseman
450 W 42nd St.
Karte 7 C1.
☎ *967-9077.*

Lambs Theater
130 W 44th St.
Karte 12 E5.
☎ *997-1780.*

Manhattan Theater Club
City Center, 131 W 55th St. **Karte** 12 E4.
☎ *645-5848.*

Provincetown Playhouse
133 MacDougal St.
Karte 4 D2.
☎ *777-2571.*

Public Theater
425 Lafayette St.
Karte 4 F2.
☎ *539-8500.*

Sullivan Street Playhouse
181 Sullivan St.
Karte 4 D3.
☎ *674-3838.*

Symphony Space
2537 Broadway.
Karte 15 C2.
☎ *864-5400.*

Vivian Beaumont
Lincoln Center.
Karte 11 C2.
☎ *362-7600.*

OFF-OFF-BROADWAY

The Kitchen
512 W 19th St. **Karte** 7 C5.
☎ *255-5793.*

Living Theater
☎ *865-3957.*
Näheres telefonisch erfragen.

Mabou Mines
☎ *254-1109.*
Näheres telefonisch erfragen.

Performing Garage
33 Wooster St.
Karte 4 E4. ☎ *966-3651.*

Theater at St Peter's Church
Citicorp Center, 619 Lexington Ave. **Karte** 13 A4. ☎ *935-2200.*

PERFORMANCE-THEATER

92nd Street Y
Siehe Off-Broadway.

CBGB's 313 Gallery
Siehe Off-Broadway.

La MaMa
74a E 4th St. **Karte** 4 F2.
☎ *475-7710.*

PS 122
150 1st Ave. **Karte** 5 A1.
☎ *477-5288.*

Public Theater
Siehe Off-Broadway.

Symphony Space
Siehe Off-Broadway.

SCHAUSPIEL-SCHULEN

The Actors' Studio
432 W 44th St.
Karte 11 C5.
☎ *757-0870.*

Neighborhood Playhouse School of the Theater
340 E 54th St.
Karte 13 B4.
☎ *688-3770.*

New Dramatists
424 W 44th. **Karte** 11 C5.
☎ *757-6960.*

TANZ

92nd Street Y
Siehe Off-Broadway.

Alvin Ailey American Dance Center
211 W 61st St.
Karte 11 3C.
☎ *767-0940.*

Brooklyn Academy of Music
Siehe Off-Broadway.

City Center
131 W 55th St. **Karte** 12 E4. ☎ *581-7907.*

Dance Theater of Harlem
466 W 152nd St.
☎ *690-2800.*

Dance Theater Workshop
219 W 19th St. **Karte** 8 E5.
☎ *924-0077.*

Dancing in the Streets
131 Varick St. **Karte** 4 D4.
☎ *989-6830.*

Hunter College Dance Company
695 Park Ave. **Karte** 13 A1.
☎ *772-5011.*

Isadora Duncan International Center for Dance
91 Claremont Ave.
Karte 20 D2.
☎ *662-4591.*

Joyce Theater
175 8th Ave, Ecke 19th St.
Karte 8 D5.
☎ *242-0800.*

Juilliard Dance Theater
60 Lincoln Center Plaza, W 65th St.
Karte 11 C2.
☎ *769-7406.*

The Kitchen
Siehe Off-Broadway.

La MaMa
Siehe Performance-Theater.

Lincoln Center Out of Doors
Lincoln Center, Broadway, Ecke 64th St. **Karte** 11 C2. ☎ *362-6000.*

Manhattan Center
311 W 34th St. **Karte** 8 D2. ☎ *307-4100.*

Merce Cunningham Studio
55 Bethune St. **Karte** 3 B2.
☎ *691-9751.*

Metropolitan Opera House
Lincoln Center, Broadway, Ecke 65th St.
Karte 11 C2.
☎ *362-6000.*

Music and Dance Booth
Siehe Seite 329.

New York State Theater
Lincoln Center, Broadway, Ecke 65th St. **Karte** 11 C2. ☎ *870-5570.*

New York University
Tisch Hall, 111 2nd Ave.
Karte 4 F1.
☎ *998-1984.*

PS 122
Siehe Performance-Theater.

Radio City Music Hall
50th St, Ecke Ave of the Americas. **Karte** 12 F4.
☎ *247-4777.*

Symphony Space
Siehe Off-Broadway.

World Financial Center
West St zwischen Vesey und Liberty St. **Karte** 1 B2.
☎ *945-0505.*

HINTER DEN KULISSEN

92nd Street Y
Siehe Off-Broadway.

Backstage on Broadway
☎ *575-8065.*

Radio City Music Hall
☎ *632-4041.*

Kino und TV-Shows

NEW YORK IST EIN PARADIES für Cineasten. Neben brandneuen US-Filmen sind in den New Yorker Kinos auch viele Klassiker und Filme aus dem Ausland zu sehen.

Die Stadt ist seit jeher das Versuchsgelände für neue Entwicklungen im Film und die Wiege junger Talente. Berühmte Regisseure wie Spike Lee, Martin Scorsese und Woody Allen sind in New York geboren und aufgewachsen, und der Einfluß der Stadt wird in vielen ihrer Filme deutlich. Filmemacher wie sie kann man häufig bei Außenaufnahmen in der Stadt sehen – zahlreiche New Yorker Örtlichkeiten sind durch Filme bekannt geworden.

Viele der in New York ansässigen Fernsehstationen bieten kostenlose Eintrittskarten für die Aufzeichnungen ihrer TV-Shows an. Das Miterleben einer Aufzeichnung im Studio, etwa von *The David Letterman Show* oder *Donahue,* ist bei New Yorkern und Touristen gleichermaßen beliebt.

PREMIERENKINOS

DIE NEW YORKER Kritiken und Einspielergebnisse sind so wichtig für den Erfolg eines Kinofilms, daß die Uraufführungen der meisten großen US-Filme in den renommierten Kinos von Manhattan stattfinden. Premierenkinos sind u.a. die Filmtheater von City Cinema, Loews, Guild und Cineplex Odeon. Einige Kinos haben eine Telefonansage, wo Programmhinweise, Spieldauer und Eintrittspreise bekanntgegeben werden.

Die Vorstellungen beginnen um 12 Uhr und werden dann bis Mitternacht alle zwei bis drei Stunden wiederholt. Nach Karten für Abend- und Wochenendvorstellungen beliebter Filme muß man zumeist anstehen. Kartenreservierungen per Kreditkarte sind bei einigen Kinos für einen Aufschlag von etwa 1 US-$ pro Ticket möglich. Karten für Matineen (gewöhnlich vor 16 Uhr) sind leichter erhältlich. Je nach Kino zahlen Senioren über 60, 62 oder 65 Jahre ermäßigte Eintrittspreise.

FILMZERTIFIKATE

Filme werden in den USA folgendermaßen bewertet:
G Für alle Altersstufen geeignet.
PG Einige Passagen für Kinder ungeeignet; Begleitung Erwachsener ratsam.
PG-13 Einige Passagen für Kinder unter 13 Jahren ungeeignet; Begleitung von Erwachsenen dringend empfohlen.
R Kinder unter 17 Jahren nur in Begleitung eines Erwachsenen zugelassen.
NC-17 Für Kinder unter 17 Jahren verboten.

NEW YORK FILM FESTIVAL

DER ALLJÄHRLICHE Höhepunkt für Cineasten ist das New York Film Festival, das bereits seit über zwanzig Jahren stattfindet. Es wird von der **Film Society of Lincoln Center** organisiert, beginnt Ende September und läuft zwei Wochen in den Kinos des Lincoln Center. Gezeigt und ausgezeichnet werden herausragende Filme aus den USA und dem Ausland; es gibt jedoch keine Preisverleihung. Die erfolgreichsten Filme laufen anschließend in einigen New Yorker Kulturinstituten.

AUSLÄNDISCHE FILME UND KULTURINSTITUTE

DIE NEUESTEN ausländischen und nichtkommerziellen Filme zeigt das **Angelika Film Center,** das sechs Vorführräume und eine exklusive Coffee Bar hat. Andere gute Filmtheater sind das noble **Carnegie Hall Cinema, Film Forum** und **Lincoln Plaza Cinema.** Das Plaza zeigt viele Filme aus dem Ausland, ebenso wie das **68th St Playhouse.** Produktionen aus Indien, China und anderen asiatischen Ländern

NEW YORK IM FILM

Viele New Yorker Örtlichkeiten spielen in Filmen eine bedeutende Rolle. Hier einige Beispiele:
Das **Brill Building** (Broadway Nr. 1141) ist Burt Lancasters Penthouse in *Dein Schicksal in meiner Hand.*
Die **Brooklyn Bridge** wird in Spike Lees *Mo' Better Blues* gezeigt.
Brooklyn Heights und die **Metropolitan Opera** sind in *Mondsüchtig* zu sehen.
Der **Central Park** ist in unzähligen Filmen präsent, darunter auch *Love Story* und *Der Marathon-Mann.*
Central Park West Nr. 55 wird als Sigourney Weavers Haus in *Ghostbusters* in Erinnerung bleiben.
Chinatown spielt eine bedeutende Rolle *Im Jahr des Drachen.*
Im **Dakota** wohnt Mia Farrow in dem Filmklassiker *Rosemaries Baby.*
Am **Empire State Building** bestreitet *King Kong* seinen letzten Kampf.
Die **Grand Central Station** ist der Ort, wo sich Robert Walker und Judy Garland in *Die Uhr* treffen und wo die Ballsaalszene in *König der Fischer* spielt.
Harlems heruntergekommene Mietskasernen sind Schauplatz für *Cotton Club.*
Katz's Deli ist die Kulisse der denkwürdigen Café-Szene in *Harry und Sally.*
Little Italy wird in *Der Pate I* und *II* gezeigt.
Madison Square Garden ist der Schauplatz des dramatischen Höhepunkts von *Botschafter der Angst.*
Im **Russian Tea Room** trifft sich in *Tootsie* Dustin Hoffman mit seinem Agenten zum Lunch.
Tiffany & Co ist Audrey Hepburns bevorzugtes Geschäft in *Frühstück bei Tiffany.*
Das **United Nations Building** ist in dem Hitchcock-Thriller *Der unsichtbare Dritte* zu sehen.
Im **Washington Square Park** laufen Robert Redford und Jane Fonda *Barfuß im Park.*

anderen asiatischen Ländern sind bei der **Asia Society** zu sehen. Das **French Institute** bringt französische Filme mit Untertiteln und veranstaltet das Asian American International Film Festival. Das **Cinema 3** im Plaza Hotel zeigt neue Filme in eleganter Umgebung. **Cinema Village** führt besondere Veranstaltungen durch, wie etwa das Festival of Animation.

Im **Walker Reade Theater** ist die Film Society of the Lincoln Center, die Retrospektiven des internationalen Film sowie Festivals der Gegenwartskunst, wie das jährliche Spanish Cinema Now festival, veranstaltet.

Filmklassiker und -Museen

Retrospektiven mit Filmen bestimmter Regisseure oder Schauspieler zeigen das **Public Theater** und das **Whitney Museum of American Art** *(siehe S. 198f)*. **Das Museum of Modern Art** *(siehe S. 170ff)* bietet eine breite Auswahl von Filmklassikern und Stummfilmen, es zeigt aber auch Filme über Kunst und Kultur.

Im **American Museum of the Moving Image** *(siehe S. 244)* sind alte Filme und zahlreiche historische Artefakte aus der Filmindustrie zu sehen. Das **Museum of Television & Radio** *(siehe S. 169)* zeigt regelmäßig Filmklassiker und bietet spezielle Fernseh- und Radioprogramme. Wer sich für klassisches und experimentelles Kino interessiert, findet in den **Anthology Film Archives** eine reiche Materialsammlung.

»Naturemax« im **American Museum of Natural History** zeigt auf riesigen Leinwänden Filme aus dem Bereich Natur und Umwelt und bedient sich dabei der neuesten Technologie wie etwa IMAX, 70-mm-Filme mit einer außergewöhnlichen Bildqualität.

Sonntag vormittags finden bei der **Film Society of Lincoln Center** spezielle Kindervorstellungen statt.

Fernseh-Shows

Eine ganze Reihe von Fernsehprogrammen wird in New York gemacht. Wer sich einige Monate im voraus schriftlich an die Sender wendet, kann vielleicht eine dieser Aufzeichnungen im Studio miterleben, wie etwa die überaus beliebte *Phil Donahue Show* und die *David Letterman Show*. Um Freikarten für Sendungen von **ABC, CBS** und **NBC** zu bekommen, schreibt man an den jeweiligen Sender. Eine gute Quelle für kostenlose Tickets ist auch das **New York Convention and Visitors Bureau** *(siehe S. 352)*. Unter der Woche werden auf der Fifth Avenue im Bereich der **Rockefeller Plaza** Freikarten für einige Fernsehsendungen vom jeweiligen Produktionsteam verteilt. Ob man ein solches Ticket erhält, ist allerdings reine Glückssache und hängt allein davon ab, zur richtigen Zeit am richtigen Ort zu sein.

Für alle, die einen Blick hinter die Kulissen eines Fernsehsenders werfen möchten, organisiert NBC Studioführungen (für gewöhnlich Montag bis Samstag 9-16 Uhr).

Praktische Hinweise

Einen guten Überblick über das aktuelle Kinogeschehen bieten das Magazin *New York*, die *New York Times*, *Village Voice* und *The New Yorker*. »Moviephone«, eine kostenlose Telefonansage, gibt Programmhinweise zu allen neuen Filmen. Bei Erstaufführungen muß man mit Eintrittspreisen von etwa 7,50 US-$ rechnen.

Auf einen Blick

68th St Playhouse
3rd Ave.
Karte 13 B1.
☎ *734-0302.*

ABC
Siehe S. 329.

American Museum of the Moving Image
35th Ave, 36th St
Astoria, Queens.
☎ *(718) 784-0077.*

American Museum of Natural History
Central Park W, Ecke 79th St. **Karte** 16 D5.
☎ *769-5650.*

Angelika Film Center
18 W Houston St.
Karte 4 E3.
☎ *995-2000.*

Anthology Film Archives
32 2nd Ave, Ecke 2nd St.
Karte 5 C2.
☎ *505-5181.*

Asia Society
725 Park Ave.
Karte 13 A1.
☎ *517-2742.*

Carnegie Hall Cinema
7th Ave, Ecke 56th St.
Karte 12 E3.
☎ *265-2520.*

CBS
Siehe S. 329.

Cinema 3
2 W 59th St.
Karte 12 F3.
☎ *752-5959.*

Cinema Village
22 E 12th St. **Karte** 4 F1.
☎ *924-3363.*

Film Forum
209 W Houston St.
Karte 3 C3.
☎ *727-8110.*

French Institute
55 E 59th St.
Karte 12 F3.
☎ *355-6160.*

Moviephone
☎ *777-FILM.*

Museum of Modern Art
11 W 53rd St.
Karte 12 F4.
☎ *708-9480.*

Museum of Television & Radio
25 W 52nd St.
Karte 12 F4.
☎ *621-6600.*

New York Film Festival
☎ *875-5600.*

NBC
Siehe S. 329.

Public Theater
425 Lafayette St.
Karte 4 F4.
☎ *539-8500.*

Rockefeller Plaza
47th–50th St, 5th Ave.
Karte 12 F5.

Walter Reade Theater, Film Society of the Lincoln Center
70 Lincoln Center Plaza
Karte 11 C2.
☎ *875-5600.*

Whitney Museum of American Art
945 Madison Ave.
Karte 13 A1.
☎ *570-3600.*

Klassische und zeitgenössische Musik

New Yorker sind in bezug auf Musik unersättlich. Das ganze Jahr hindurch gastieren weltbekannte Musiker in berühmten Konzerthallen, und junge, neue Künstler aus dem In- und Ausland finden ein interessiertes Publikum.

Praktische Hinweise

Aktuelle Veranstaltungstips findet man in der *New York Times*, der *Village Voice* sowie in den Magazinen *New York*, *Time Out* und *The New Yorker*.

Klassische Musik

Das Stammhaus des New York Philharmonic ist die **Avery Fisher Hall** im Lincoln Center *(siehe S. 213)*. Dort finden jedes Jahr die beliebten Konzertreihen »Mostly Mozart« und Young People's Concerts statt. Ein Meisterwerk der Akustik und Sitz der Chamber Music Society ist die **Alice Tully Hall**, die sich ebenfalls im Lincoln Center befindet.

Zu den führenden Konzertsälen der Welt zählt die **Carnegie Hall** *(siehe S. 146)*. In der Weill Recital Hall finden erstklassige Konzerte zu erschwinglichen Preisen statt. Die **Brooklyn Academy of Music (BAM)** *(siehe S. 246)* ist das Stammhaus des Brooklyn Philharmonic, die seit kurzem mit der Metropolitan Opera kooperiert, um auch weniger bekannte Stücke zur Aufführung zu bringen.

In der **Merkin Concert Hall** gastieren Kammerorchester und Solisten der Spitzenklasse. Eine ausgezeichnete Akustik hat die **Town Hall**. Die **92nd Street Y** Kaufmann Concert Hall hat ebenfalls ein interessantes Musik- und Tanzangebot. Beliebte Veranstaltungsorte in Museen sind der Skulpturengarten im **Museum of Modern Art**, wo Kammermusik und zeitgenössische Musik zu hören sind, sowie die **Frick Collection** und **Symphony Space**, die beide ein breit gefächertes Programm bieten, das von Gospel bis Gershwin und von Klassik bis Ethno-Musik reicht. Im wunderschönen Grace Rainey Rogers Auditorium im **Metropolitan Museum of Art** spielen Kammerorchester und Solisten, während bei **Bargemusic** in Brooklyn Kammerorchester und Solisten vor dem Hintergrund der prachtvollen Skyline von Manhattan auftreten.

Die **Juilliard School of Music** und das **Mannes College of Music** haben einen ausgezeichneten Ruf. Sie veranstalten kostenlose Proben und Gastspiele führender Orchester, Kammermusiker und Opernensembles. Die **Manhattan School of Music** bietet ein Spitzenprogramm mit 400 Veranstaltungen im Jahr.

Für die Konzerte des New York Philharmonic am Donnerstagabend findet um 9.45 Uhr in der **Avery Fisher Hall** im Lincoln Center eine öffentliche Probe statt, für die es preiswerte Tickets gibt. Näheres telefonisch erfragen.

Klassik im Radio

New York hat vier gute FM-Sender, die überwiegend klassische (und ausgewählte andere) Musik ausstrahlen: WQXR (96,3), WKCR (89,9), WNYC (93,9) und WNCN (104,3).

Oper

Der Mittelpunkt des Operngeschehens ist das **Lincoln Center** *(siehe S. 212)*, Sitz der New York City Opera und des **Metropolitan Opera House** mit einem eigenen Ensemble. Die Met ist das musikalische Juwel der Stadt, wird aber häufig als zu bieder und einfallslos kritisiert. Aufgeschlossener und dynamischer ist die **New York City Opera**. Ihre Aufführungen reichen von *Madame Butterfly* bis *South Pacific*. Untertitel an der Bühne helfen dem Publikum, die Handlung zu verstehen. Erstklassige Aufführungen zu niedrigeren Eintrittspreisen bieten die **Village Light Opera Group**, das **Amato Opera Theater**, die **American Chamber Opera Co** und die Studenten am **Juilliard Opera Center** im Lincoln Center.

Zeitgenössische Musik

New York gehört zu den wichtigsten Zentren zeitgenössischer Musik. Exotische, ethnische und experimentelle Musik wird auf vielen erstklassigen Bühnen gespielt. Die **Brooklyn Academy of Music (BAM)** setzt die Maßstäbe für das avantgardistische Musikgeschehen. Jeden Herbst veranstaltet die Akademie das Musik- und Tanzfestival »Next Wave«, dem zahlreiche Musiker, darunter auch Philip Glass, ihre Karriere zu verdanken haben.

Das alljährliche Festival ernster moderner Musik »Bang on a Can« findet in der **Ethical Culture Society Hall** statt und bringt Komponisten wie Pierre Boulez und John Cage zur Aufführung. Der **Dance Theater Workshop** ist ein Forum für Experimentierer, wie etwa Davie Weinstein mit seiner »audio-visual acid test«-Musik, einer Mischung aus CD-Playern, Verstärkern, Keyboards und Klangeffekten.

Andere Veranstaltungsorte sind die **Asia Society** *(siehe S. 185)*, in deren prachtvollem Theater viele Künstler aus Asien gastieren, sowie die **St Peter's Church.**

Führungen

Führungen hinter die Kulissen bieten das **Lincoln Center** und die **Carnegie Hall**, welche auch eine Führung mit anschließendem Besuch im Russian Tea Room *(siehe S. 147)* offeriert.

Sakrale Musik

Wenige Erlebnisse sind beeindruckender als ein Osterkonzert in der **Cathedral of St John the Divine** *(siehe S. 224f)*. Zu kirchlichen Festen wie Ostern und Weihnachten kann man auch an anderen Orten, in Museen, der Grand Central Station *(siehe S. 154f)*, in Foyers von Banken und Hotels geistliche Musik hören. Jazzmessen kann man in **St Peter's Church** *(siehe S. 173)* erleben. Die meisten Konzerte kosten keinen Eintritt, doch wird eine kleine Spende erwartet.

Freiluftkonzerte

Im Sommer gibt es kostenlose Freiluftkonzerte im **Bryant Park**, auf dem **Washington Square** und im **Damrosch Park** des **Lincoln Center**. Im Central Park und im Prospect Park in Brooklyn gastieren jedes Jahr die New York Philharmonic und die Metropolitan Opera. Bei schönem Wetter trifft man im South Street Seaport, vor dem **Metropolitan Museum of Art** *(siehe S. 188ff)* und am Washington Square viele Straßenmusikanten.

Kostenlose Veranstaltungen

Kostenlose Musikveranstaltungen bieten das ganze Jahr hindurch das **Citicorp Atrium** *(siehe S. 173)*, die reizvolle **IBM Garden Plaza** *(siehe S. 169)*, **The Cloisters** *(siehe S. 234ff)* und das Philip Morris Building des **Whitney Museum** *(siehe S. 150)*. Sonntag nachmittag finden Konzerte in der **Dairy** im **Central Park** *(siehe S. 206)* statt. Musik wird auch im Wintergarten und im Atrium des **World Financial Center** *(siehe S. 69)* und in der **Federal Hall** *(siehe S. 68)* geboten. Im **Lincoln Center** sollte man keinesfalls die kostenlosen Aufführungen der **Juilliard School of Music** und des **Library Museum of the Performing Arts** versäumen. Andere beliebte Adressen sind das **Mark Goodson Theater** (für Kammermusik) und das **Theodore-Roosevelt-Geburtshaus** *(siehe S.125)*. Kostenlose Kirchenkonzerte finden u.a. in **St Paul's Chapel** und **Trinity Church** *(siehe S. 68)* statt.

Auf einen Blick

92nd Street Y
1395 Lexington Ave.
Karte 17 A2.
996-1100.

Amato Opera Theater
319 Bowery, Ecke 2nd St.
Karte 4 F2.
228-8200.

American Chamber Opera Co
6 E 87th St. **Karte** 16 F3.
781-0857.

Asia Society
70th St, Ecke Park Ave.
Karte 13 A1.
517-2742.

Backstage Tours
903-9790.

Bargemusic
Fulton Ferry Landing, Brooklyn. **Karte** 2 F2.
(718) 624-4061.

Brooklyn Academy of Music
30 Lafayette Ave, Brooklyn.
(718) 636-4100.

Bryant Park
Karte 8 F1.
983-4143.

Carnegie Hall
881 7th Ave. **Karte** 12 E3.
247-7800.

Cathedral of St John the Divine
Amsterdam Ave, 112th St.
Karte 20 E4.
316-7400.

Citicorp Atrium
Lexington Ave, Ecke 53rd St.
Karte 13 A4.
559-9095.

Cloisters
Fort Tryon Park.
923-3700.

Dairy
Central Park.
Karte 12 F2.
794-6564.

Dance Theater Workshop
Siehe S. 335.

Ethical Culture Society Hall
2 W 64th St.
Karte 12 D2.
874-5210.

Federal Hall
Broad St, Ecke Wall St.
Karte 1 C3.
866-2086.

Frick Collection
1 E 70th St. **Karte** 12 F1.
288-0700.

IBM Garden Plaza
590 Madison Ave.
Karte 13 A3.
745-3500.

Lincoln Center
155 W 65th St.
Karte 11 C2.
875-5400.

Alice Tully Hall
875-5050.

Avery Fisher Hall
875-5030.

Damrosch Park
875-5400.

Juilliard Opera Center
769-7406.

Juilliard School of Music
799-5000.

Library Museum of the Performing Arts
870-1630.

Metropolitan Opera House
362-6000.

Mannhattan School of Music
120 Claremont Ave.
Karte 20 E2.
749-2802.

Mannes College of Music
150 W 85th St. **Karte** 15 D3. *580-0210.*

Mark Goodson Theater
2 Columbus Circle. **Karte** 12 D3. *841-4100.*

Merkin Concert Hall
129 W 67th St. **Karte** 11 D2. *362-8719.*

Metropolitan Museum of Art
5th Ave, Ecke 82nd St.
Karte 16 F4.
570-3949.

Museum of Modern Art
Skulpturengarten
11 W 53rd St. **Karte** 12 F4.
708-9480.

NYC On Stage
1501 Broadway
Karte 12 D2
768-1818.

St Paul's Chapel
Broadway, Ecke Fulton St.
Karte 1 C2.
602-0747.

St Peter's Church
54th St, Ecke Lexington Ave.
Karte 13 A4.
935-2200.

Symphony Space
2537 Broadway.
Karte 15 C2.
864-5400.

Theodore-Roosevelt-Geburtshaus
28 E 20th St.
Karte 8 F5.
260-1616.

Town Hall
123 W 44th St. **Karte** 12 E5. *840-2824.*

Trinity Church
Broadway, Ecke Wall St.
Karte 1 C3.
602-0800.

Village Light Opera Group
227 W 27th St.
Karte 8 E3.
279-4200.

Washington Square
Karte 4 D2.

Whitney Museum
(Philip Morris Building)
Park Ave, Ecke 42nd St.
Karte 9 A1.
878-2550.

World Financial Center
West St, Ecke Vesey St.
Karte 1 A2.
945-0505.

Rock, Jazz und World Music

Von Mainstream Rock bis zum Sound der 60er Jahre, zu Jazz, Soul oder Country-Blues und talentierten Straßenmusikanten ist in New York jede erdenkliche Musikrichtung vertreten. Die Musikszene verändert sich ständig – fast täglich gibt es Neueinsteiger (und Absteiger). Daher sind Informationen, die über einen längeren Zeitraum Gültigkeit haben, an dieser Stelle nicht möglich.

Preise und Örtlichkeiten

In den meisten Clubs muß man eine »cover charge« – also das Gedeck – bezahlen und möglicherweise mindestens ein oder zwei Drinks (zu 5 US-$ oder mehr) bestellen. Die Eintrittspreise für Konzerte liegen zwischen 8 US-$ und 40 US-$, wobei 12 US-$ bis 15 US-$ die Regel sind. Vielerorts gibt es getrennte Sitz- und Tanzbereiche – oftmals mit unterschiedlichen Preisen.

Stars wie Elton John, Bruce Springsteen und David Bowie haben ihre Auftritte gewöhnlich im **Shea Stadium** in Flushing Meadows, im **Meadowlands** oder im **Madison Square Garden** *(siehe S. 133)*. Solche Veranstaltungen sind schnell ausverkauft, so daß man sich sofort um Tickets bemühen sollte – es sei denn, man ist bereit, sie für teures Geld bei einem Agenten oder Schwarzhändler zu kaufen. Im Sommer finden Open-air-Konzerte an der Jones Beach *(siehe S. 253)* und in der **Central Park SummerStage** statt.

Spielstätten mittlerer Größe sind u. a. die **Radio City Music Hall** im Art-deco-Stil und das **Beacon Theater**, der beliebteste Ort für Live-Konzerte auf der Upper West Side.

Bekannte Treffpunkte von Rockfans sind vielfach Bars. Meist treten dort an jedem Abend andere Gruppen auf; man kann sich in der *New York Times*, der *Village Voice*, im Magazin *New York* oder telefonisch informieren, welche Band jeweils spielt.

Rock

In der Rock-Szene sind derzeit die Stilrichtungen Gothic, Industrial, Techno und Psychedelic Rock, Post-Punk Funk und Indie überaus beliebt. Wer mehr von einer Band sehen will als eine riesige Videowand, findet in den folgenden Lokalitäten eine weitaus intimere und freundlichere Atmosphäre. **CBGB**, New Yorks katakombenartige Wiege der New-Wave-Bewegung, brachte in den 70er Jahren Gruppen wie die New York Dolls, Talking Heads und Blondie auf die Bühne und ist noch immer ein Forum für neue Indie-Bands.

Knitting Factory hat Jazz und neue Musik auf dem Programm. **Limelight** bringt aktuellste Sounds und neueste Gruppen. **The Mercury Lounge** präsentiert brandneue Bands mit Zukunft. **Tramps** ist in einem alten Lagerhaus untergebracht, wo unbekannte Rockgruppen spielen, gelegentlich aber auch berühmte Country- und Blues-Musiker. Bruce Springsteen gab sein erstes aufgenommenes Konzert in den 70er Jahren im **Bottom Line**; die Plattenindustrie stellt dort noch immer aufstrebende Bands vor.

Das Spektrum der Musik, die in der **Academy** live zu hören ist, reicht von Indie-Bands wie Ride and the Soupdragons bis zu Ice-T's umstrittenem *Body Count*. Im ehemaligen Schlachthofviertel ist **The Cooler** ist Heimat der Raver. An manchen Abenden legen die DJs auch Rock- und Jazzmusik auf. Auf der riesigen unterirdischen Tanzfläche findet sich ein wildes Publikum ein.

Das **Palladium** ist ein altes Theater, das aufwendig zur Diskothek und zum Live-Club umgebaut wurde. **Roulette** setzt die Tradition New Yorks fort, Wegbereiter neuer innovativer Musikrichtungen zu sein und bringt avantgardistische Gruppen wie etwa Woof, Quack und Miaow.

Jazz

Den ursprünglichen Cotton Club und Connie's Inn, die einstigen Brennpunkte der Jazzszene, gibt es schon lange nicht mehr, ebensowenig die ehemaligen illegalen Bars der Prohibitionszeit in der West 52nd Street. Aber lebende Legenden machen noch immer Musik, und andere Jazzer halten die Erinnerung an Duke Ellington, Count Basie und andere berühmte Big Bands wach.

In Greenwich Village haben die Jazzkneipen aus den 30er Jahren überlebt. Führend ist das **Village Vanguard**, wo alle großen Namen des Jazz aufgetreten sind und neue Gruppen wie das McCoy-Tyner- und das Branford-Marsalis-Trio auch heute Maßstäbe setzen. Im **Blue Note**, das zwar hohe Preise, aber eine ausgezeichnete Atmosphäre hat, spielen Big Bands.

Knitting Factory und **Bottom Line** bringen zeitgenössischen und avantgardistischen Jazz. Bei **Zinno** kann man eine eigentümliche und aparte Mischung aus norditalienischem Essen und Gastauftritten von erstklassigen Musikern erleben.

Das **Birdland** präsentiert Mingus-Schüler und Musiker wie Bud Shank. Dixieland-Jazz oder unbekannte Gruppen erwarten Sie im **Cajun**, einem freundlichen Restaurant im New-Orleans-Stil.

Michael's Pub präsentiert Jazz-Pop-Sänger und Revuen. Die wirkliche Attraktion ist das New Orleans Funeral and Ragtime Orchestra, ein Dixieland-Septett, das an den meisten Montagabenden der letzten 23 Jahre von Woody Allen geleitet wurde.

Hoch her geht es sonntags beim Jazz-Brunch im **Sweet Basil**, wo häufig der Trompeter Doc Cheatham mit seiner Band spielt. Ein neuer Treffpunkt für Jazzfreunde ist der Club und das Restaurant **Iridium**. Das **Time Café** präsentiert an jedem Mittwoch den Mingus Big Band Workshop. Wer im Juni nach New York reist, sollte sich keinesfalls das **JVC Jazz Festival** entgehen lassen, wo Stars wie Oscar Peterson, Nina Simone und B. B. King auftreten. Einzelheiten telefonisch erfragen.

Ende Juli findet die jährliche Classical Jazz Series in der **Alice Tully Hall** im Lincoln Center statt. Das Spektrum reicht von Duke Ellingtons Sound, unter der Leitung von Wynton Marsalis, bis zu Johnny Dodds New-Orleans-Jazz.

Folk und Country Music

Folk, rock und R&B (Rhythm & Blues) findet man im berühmten, heute eher farblosen **Bitter End**, das einst James Taylor und Joni Mitchell auf die Bühne brachte und sich heute auf junge Talente spezialisiert hat. Gleiches gilt für **Kenny's Castaways**, eine Bar für Nachwuchsmusiker.

Die Freunde irischer Folkmusik sollten das **Sin-e** besuchen. Mit etwas Glück gibt Sinead O'Connor gerade ein improvisierten Konzert. Auch im **Sidewalk Café** wird Folk gespielt.

Blues, Soul und World Music

Blues, Soul und World Music bietet u. a. das **Apollo Theater** in Harlem *(siehe S. 228)*. Bei den legendären »Amateur Nights« am Mittwoch werden hier seit 60 Jahren Stars entdeckt– wie James Brown und Dionne Warwick. Im **China Club** wird vorwiegend Soul gespielt; es treten aber auch Rockstars auf, die eigentlich nur als Gäste gekommen sind. Der China Club zählt derzeit zu den beliebtesten Live-Clubs der Stadt.

Der **Cotton Club** ist nicht der Originalschauplatz, bietet aber immer noch Blues und Jazz der Spitzenklasse, und sonntags findet hier, an der Hauptstraße von Harlem, ein richtiges Gospel-Brunch statt. Bei **Manny's Car Wash** stehen Blues, Rock und Soul auf dem Programm, mit Musikern wie Bo Diddley Jr. Tina Gonzales und einer kostenlosen »Blues-Jam« am Sonntag. Nicht versäumen sollte man die »Mambo Mondays« im **SOB** (Sounds of Brazil), das sich auf World Music und auf afro-/lateinamerikanische Rhythmen spezialisiert hat. **Wetlands** bietet klassische Soul-Musik.

Auf einen Blick

Konzerte

Beacon Theater
2124 Broadway. **Karte** 15 C5. 496-7070.

Central Park SummerStage
Rumsey Playfield. **Karte** 12 F1. 360-2777.

Madison Square Garden
7th Ave 33rd St. **Karte** 8 E2. 465-MSG1.

Meadowlands
50 Route 120
East Rutherford, N J.
(201) 935-3900.

Radio City Music Hall
Siehe Tanz, S. 335.

Shea Stadium
126th St, Ecke Roosevelt Ave. Flushing, Queens.
(718) 507-TIXX.

Rock

Academy
234 W 43rd St. **Karte** 8 E1.
249-8870.

Bottom Line
15 W 4th St. **Karte** 4 D2.
228-6300.

CBGB
315 Bowery. **Karte** 4 F2.
982-4052.

Cooler
416 W 14th St. **Karte** 3 B1.
229-0785.

Knitting Factory
47 E Houston St. **Karte** 4 F3. 219-3055.

Limelight
47 W 20th St. **Karte** 8 F4.
473-7171.

Mercury Lounge
217 E Houston St. **Karte** 5 A3. 260-4700.

Palladium
126 E 14th St. **Karte** 4 F1.
473-7171.

Roulette
228 W Broadway. **Karte** 4 E5. 219-8242.

Tramps
45 W 21st St. **Karte** 8 F4.
727-7788.

Jazz

Alice Tully Hall
Siehe S.339.

Birdland
2745 Broadway. **Karte** 22 E5.
581-3080.

Blue Note
131 W 3rd St. **Karte** 4 D2.
475-8592.

Bottom Line
Siehe Rock.

Cajun
129 8th Ave. **Karte** 8 D5.
691-6174.

JVC Jazz Festival
501-1390.

Knitting Factory
Siehe Rock.

Michael's Pub
211 E 55th St. **Karte** 13 B4.
758 2272.

Sweet Basil
88 7th Ave S.**Karte** 8 E5.
242-1785.

Time Café
380 Lafayette St.
Karte 4 F2. 533-7000.

Village Gate
160 Bleecker St.
Karte 3 C2. 475-5120.

Village Vanguard
178 7th Ave South.
Karte 3 C1. 255-4037.

Zinno
126 W13th St.
Karte 3 IC. 924-5182.

Folk und Country Music

Bitter End
147 Bleecker St.
Karte 4 E3.
673-7030.

Kenny's Castaways
157 Bleecker St.
Karte 4 E3.
473-9870.

Sidewalk Café
94 Ave A.
Karte 5 B2.
473-7373.

Sin-e
122 St Mark's Pl.
Karte 5 A2.
982-0370.

Blues, Soul und World Music

Apollo Theatre
253 W 125 St. **Karte** 19 A1. 749-5838.

China Club
2130 Broadway. **Karte** 15 C5. 877-1166.

Cotton Club
666 W 125th St. **Karte** 22 F2. 663-7980.

Manny's Car Wash
1558 3rd Ave. **Karte** 17 B3. 369-2583.

SOB's
204 Varick St.
Karte 4 D3.
243-4940.

Wetlands
161 Hudson St.
Karte 4 D5.
966-4225.

Clubs, Tanzlokale and Pianobars

New York ist für sein Nachtleben und seine Clubs berühmt. Das Angebot ist breit gefächert und hält für jeden Geschmack etwas bereit – seien es Discos, Comedy-Shows oder Melodien von Harry Connick Jr. in einer Pianobar. In den 80er Jahren sprossen viele großen Discos aus dem Boden, von denen wenige den Trend zu gediegenen, stilvollen Supper-Clubs (Musik-Clubs, in denen auch gegessen werden kann) überlebt haben.

Praktische Hinweise

Die beste Zeit, durch die Clubs zu ziehen, ist unter der Woche – dann ist es auch erheblich billiger. Dennoch sollte man Ausweis und genügend Geld einstecken, denn Drinks sind sehr teuer (Alkohol ab 21 Jahre).

Clubs, die gerade »in« sind, haben bis 4 Uhr oder länger geöffnet. Da sich die Clubszene ständig verändert, holt man sich am besten bei Tower Records die neuesten Informationen, liest die *Village Voice* oder die Hinweise in anderen Veranstaltungsblättern *(siehe S. 328)*. Die interessantesten Orte werden zumeist durch Mund-zu-Mund-Propaganda publik gemacht, die man am ehesten in einem Szenetreffpunkt wie dem **Limelight**, wo häufig auch Handzettel anderer Clubs verteilt werden, erfährt.

Discos und Tanzlokale

Die New Yorker lieben Musik und Tanz. Die Tanzlokale reichen von winzigen Kneipen wie der **Hors d'Oeuvrerie** – wo es Jazz, Tanz, einen Blick auf die Stadt aus dem 106. Stock und Hors d'œuvres gibt – bis zu riesigen Tanzpalästen wie dem **Roseland**. Hier steht an jedem Donnerstag und Sonntag Gesellschaftstanz auf dem Programm, und als klassischer Broadway-Ballsaal bietet das Roseland einen faszinierenden Einblick in die Broadway-Kultur vergangener Zeiten. Es verfügt über ein akzeptables Restaurant mit Bar, wo 700 Gäste Platz finden.

Aktuelle Tanzmusik bietet der **Rainbow Room**, Rock 'n' Roll der **China Club**. Wer etwas wirklich anderes sucht, sollte zu **Barbetta** gehen, wo Boris und Yvgeny eine Mischung aus Zigeunermusik und Wiener Walzer spielen. Das **Copacabana**, wo früher Stars wie Dean Martin und Frank Sinatra auftraten, ist heute eine Disco, in der Live-Bands spielen. Am letzten Donnerstag jedes Monats finden dort wilde Parties mit Go-Go-Boys, Transvestiten und Disco-Schönheiten statt.

Das **Limelight**, das in den 80er Jahren als riesige Disco begann, präsentiert sich heute mit einem gemischten Programm. Besondere Veranstaltungen werden öffentlich bekanntgemacht. Kartenvorbestellungen telefonisch bei Ticketmaster *(siehe S. 329)*.

Beliebte Clubs mit Disco-Musik und aktuellen Musikgruppen sind u. a. das Ritz, Academy, Marquee, CBGB, Tramps, Manny's Car Wash und Knitting Factory *(siehe S. 340)*. Einige dieser Lokale bestehen auf einer Clubmitgliedschaft. Spätabends gibt es oft Warteschlangen.

Nightclubs

In den Nightclubs schaut man sich Shows an, die heute jedoch weniger aufwendig als in den 40er und 50er Jahren sind, aber immer noch ein interessantes Programm bieten. Zumeist muß man für das Gedeck bezahlen und wenigstens zwei Drinks bestellen.

The Ballroom ist ein schlichter, aber lebhafter Nachtclub, der an ein spanisches Restaurant angrenzt und in dem häufig Broadway-Musical-Hits gesungen werden. Bei **Maxim's** laufen gewöhnlich in einem Saal Revuen und in einem anderen Live-Auftritte. **Rainbow & Stars** bietet eine herrliche Aussicht, ein elegantes Ambiente, Revuen und Sänger. **Swing Street Café** ist ein sehr empfehlenswerter Theater Supper Club. Im Untergeschoß des smarten **Supper Club** herrschen Big-Band-Klänge vor. Cabaret-Sänger treten im Obergeschoß des **Blue Room** auf. Bei **Tatou** reicht das Programm von Jazz bis Discomusik, doch ist das Essen sehr teuer. Im Chestnut Room der **Tavern on the Green** im Central Park wird derzeit Jazz geboten.

Schwulen- und Lesbenlokale

In den letzten beiden Jahrzehnten haben zahlreiche Clubs und Restaurants für Schwule und Lesben mit unterschiedlichem Unterhaltungsprogramm eröffnet. Travestie-Shows sind dominierend. Obwohl diese Clubs für Heteros offen sind, fühlt man sich in einigen dennoch als Eindringling, wenn man nicht der Szene angehört. Zu den beliebtesten Schwulen-Cabarets gehört derzeit das **Duplex**, mit einer Mischung aus Komikernummern und Sketchen. Treffpunkt für schwule Männer sind außerdem das exklusive **Town House**, eine Pianobar mit Restaurant, und **Julius**, die Bar schlechthin von Greenwich Village. **Don't Tell Mama** ist eine seit langem etablierte Schwulenbar, mit Musical-Revuen und Klamauknummern.

Henrietta Hudson, **Crazy Nanny's** und **Grolier** werden ausschließlich von Lesben besucht. Die Pianobar **Marie's Crisis** hat ein gemischtes Publikum. **Splash** hat jeden Tag eine »Happy Hour« (17–21 Uhr).

Die *Village Voice* und die *Gay Yellow Pages* bieten einen Überblick über die aktuelle Schwulenszene. Weitere Informationen sind telefonisch bei **Gay and Lesbian Switchboard** zu erfragen.

Comedy-Shows

Viele der besten Comedy-Clubs und -Bühnen haben sich aus früheren »Improvisations«-Theatern entwickelt. Führend sind **Boston Comedy Club**, **Improvisation** und

Caroline's.Einen Besuch lohnen **Comic Strip, Stand-Up New York, Rebar, 55 Grove St, Dangerfield's** und **Comedy Cellar**. In allen diesen Clubs treten mehrere Komiker pro Abend auf.

Pianobars und Cabarets

Cabarets sind zu einer New Yorker Institution geworden. Häufig werden diese gemütlichen Kleinbühnen, die sich in Hotels befinden, als »Rooms« bezeichnet. Die meisten haben von Dienstag bis Samstag geöffnet und akzeptieren Kreditkarten (Berechnung des Gedecks oder Mindestanzahl an Drinks).

Im Oak Room des **Algonquin Hotel** sind bereits Sänger wie Michael Feinstein aufgetreten. **Beekman Tower** ist eine klassische Pianobar mit einem prächtigen Ausblick auf Manhattan. Im stimmungsvollen Café Carlyle im **Carlyle Hotel** spielt seit über 25 Jahren der gewandte, kultivierte Pianist Bobby Short seine Melodien. Hier befindet sich auch die mit ausgefallenen Wandgemälden versehene Bemelman's Bar, in der erstklassige Schnulzensänger auftreten.

In der Lounge des **Drake Swissôtel** hört man Pianomusik und ausgezeichnete Songs. Künstler wie Barbara Cook treten im Club 53 im **Hilton Hotel** auf, während sich die Sängerin und Pianistin Kathleen Landis im **Pierre Hotel** feiern läßt. Pianomusik ist in der Ambassador Lounge im **UN Plaza Park Hyatt Hotel** zu hören.

Auf einen Blick

Tanzlokale und Discos

Barbetta
321 W 46th St.
Karte 12 D5.
☎ *246-9171.*

China Club
Siehe S. 341.

Copacabana
617 W 57th St.
Karte 11 B3.
☎ *582-2672.*

Hors d'Oeuvrerie
1 World Trade Center.
Karte 1 B2.
☎ *938-1111.*

Knitting Factory
Siehe S. 341.

Limelight
Siehe S. 341.

Rainbow Room
30 Rockefeller Plaza.
Karte 12 F4.
☎ *632-5100.*

Roseland
239 W 52nd St.
Karte 12 E4.
☎ *247-0200.*

Nightclubs

The Ballroom
253 W 28th St.
Karte 8 E3.
☎ *244-3005.*

Maxim's
680 Madison Ave.
Karte 13 A3.
☎ *751-5111.*

Rainbow & Stars
30 Rockefeller Plaza.
Karte 12 F4.
☎ *632-5000.*

Supper Club
240 W 47th St.
Karte 12 D5.
☎ *921-1940.*

Swing Street Café
253 E 52nd St.
Karte 13 B4.
☎ *754-4862.*

Tatou
151 E 50th St.
Karte 13 A4.
☎ *753-1144.*

Tavern on the Green
Central Park west side, Ecke 67th St. **Karte** 12 D2.
☎ *873-3200*

Schwulen- und Lesbenlokale

Crazy Nanny's
21 7th Ave South.
Karte 3 C1.
☎ *366-6312.*

Don't Tell Mama
343 W 46th St.
Karte 12 D5.
☎ *757-0788.*

Duplex
61 Christopher St.
Karte 3 C2.
☎ *255-5438.*

Gay and Lesbian Switchboard
☎ *777-1800.*

Henrietta Hudson
438 Hudson St.
Karte 3 C3.
☎ *243-9079.*

Julius
159 W 10th St.
Karte 4 D1.
☎ *929-9672.*

Marie's Crisis Café
59 Grove St.
Karte 3 C2.
☎ *243-9323.*

Town House
236 E 58th St.
Karte 13 B4.
☎ *754-4649.*

Comedy-Shows

55 Grove St
Karte 3 C2.
☎ *366-5438.*

Boston Comedy Club
82 W 3rd St.
Karte 4 D2.
☎ *477-1000.*

Catch a Rising Star
1487 1st Ave.
Karte 17 B5.
☎ *794-1906.*

Comedy Cellar
117 MacDougal St.
Karte 4 D2.
☎ *254-3480.*

Comic Strip
1568 2nd Ave.
Karte 17 B4.
☎ *861-9386.*

Dangerfield's
1118 1st Ave.
Karte 13 C3.
☎ *593-1650.*

Improvisation
433 W 34th St. **Karte** 7 C2. ☎ *279-3446.*

Rebar
127 W 16th St. **Karte** 8 E5. ☎ *627-1680.*

Stand-Up New York
236 W 78th St.
Karte 15 C5.
☎ *595-0850.*

Pianobars und Cabarets

Algonquin Hotel
Oak Room, 59 W 44th St.
Karte 12 F5.
☎ *840-6800.*

Beekman Tower
3 Mitchell Pl.
Karte 13 C5.
☎ *355-7300.*

Carlyle Hotel
35 E 76th St.
Karte 17 A5.
☎ *744-1600.*

Drake Swissôtel
440 Park Ave.
Karte 13 A3.
☎ *421-0900.*

Hilton Hotel
Club 53. 53 Ave of the Americas.
Karte 12 E4.
☎ *586-7000.*

Pierre Hotel
Café Pierre, 2 E 61st St.
Karte 12 F3.
☎ *940-8185.*

UN Plaza Park Hyatt Hotel
1 UN Plaza, Ecke 44th St.
Karte 13 C5.
☎ *758-1234.*

Sport und Fitneß

DIE NEW YORKER SIND SPORTBEGEISTERT, und es gibt für jeden Geschmack etwas Passendes. Das Angebot reicht von Fitneß-Training, Reiten und Gewichtheben bis zu Schwimmen, Tennis oder Joggen. Wer lieber zuschaut, kann zwischen zwei Baseball-Teams, zwei Eishockey-Mannschaften, einem Basketball-Team und zwei Football-Mannschaften wählen; für Tennis-Fans gibt es die US Open und die Virginia-Slims-Turniere.

Praktische Hinweise

EINTRITTSKARTEN bekommt man am einfachsten über Ticketron oder Ticketmaster *(siehe S. 329)*. Bei Top-Wettbewerben muß man sie unter Umständen über eine Agentur beziehen.

American Football

DIE BEIDEN New Yorker Profi-Teams sind die New York Giants und die New York Jets. Beide tragen ihre Spiele im **Giants Stadium** in New Jersey aus. Karten für die Giants zu bekommen, ist fast aussichtslos; bei den Jets kann man schon eher Glück haben.

Baseball

UM DAS WESEN dieses US-Volkssports zu erfassen, sollten Zuschauer, die Baseball noch nicht kennen, ins **Yankee Stadium** oder ins **Shea Stadium** (Stadion der Mets) gehen. Die Saison läuft von April bis September.

Basketball

DIE NEW YORK KNICKS spielen von Oktober bis April im **Madison Square Garden**; mit etwas Glück kann man dort auch die beliebten Harlem Globetrotters sehen.

Radfahren

RADFAHREN kann man am besten im Central Park, wenn er am Wochenende für den Autoverkehr gesperrt ist. Fahrräder verleiht **AAA Bicycle Rentals**.

Boxen

PROFI-BOXKÄMPFE sieht man öfter im Fernsehen als live im **Madison Square Garden**.

Fitness-Center

EINRICHTUNGEN wie Jogging-Strecken, Fitneß-Räume und Swimmingpools findet man u.a. in Hotels wie UN Plaza oder Peninsula *(siehe S. 280f)*. Viele kommerziell betriebene Fitneß-Center sind nur für Mitglieder (Jahresmitgliedschaft) geöffnet, doch kann man die Einrichtungen des **YMCA** benutzen, wenn man Mitglied ist oder einen Tagesausweis kauft.

Golf

GOLFER können im **Randalls Island Golf Center** trainieren oder auf dem **Wollman Memorial Rink** Minigolf spielen. New York verfügt über eine Reihe von Golfplätzen, wie **Pelham Bay Park** in der Bronx und **Silver Lake** auf Staten Island. Informationen telefonisch unter 360-8204 erfragen, Reservierungen unter 225-GOLF.

Pferdesport

DER EINZIGE Reitstall in Manhattan ist die **Claremont Riding Academy**. Man kann in der Halle reiten oder einen Ausritt in den Central Park machen.

Trabrennen finden das ganze Jahr über auf dem **Yonkers Raceway** statt. Pferderennen gibt es täglich, außer dienstags, von Oktober bis Mai auf dem **Aqueduct Race Track**, von Mai bis Oktober auf dem **Belmont Park Race Track**.

Eishockey

DAS EIS FLIEGT ebenso wie die Fäuste der Spieler, wenn die New York Rangers im **Madison Square Garden** antreten. Die Saison läuft von Oktober bis April.

Schlittschuhlaufen

IM WINTER läuft man auf dem zauberhaften **Plaza Rink** des **Rockefeller Center**. Der **Lasker Skating (City) Rink** ist im Sommer ein Schwimmbad. Der **Wollman Memorial Rink** ist im Winter ein Eislaufplatz, im Sommer ein Rollschuh- und Minigolfplatz. Eislaufhallen sind der **Rivergate Ice Rink** und das **Ice Studio**.

Hallensport

IN DER Sporthalle **Hackers, Hitters & Hoops** kann man u.a. Baseball, Minigolf, Ping-Pong und Racquetball (ähnlich wie Squash) spielen. Ein ähnliches Angebot hat das **Printing House Fitness & Racquet Center**.

Jogging

MANCHE PARKS sind sicher, am besten fragt man das Personal an der Hotelrezeption. Im Dunkeln oder im Morgengrauen sind alle Parks gefährlich. Die beliebteste Strecke befindet sich im Central Park am Reservoir *(siehe S. 206)*. Das **International Running Center** veranstaltet Lauftraining und Wettkämpfe.

Marathon

WER ZU DEN 25 000 Teilnehmern des New Yorker Marathons gehören will, muß sich sechs Monate vorher anmelden. Der Lauf findet am ersten Sonntag im November statt. Informationen telefonisch unter 860-4455 erfragen.

Sport-Bars

ERSTKLASSIG ist **The Sporting Club**, der eine riesige Anzeigetafel mit Sportergebnissen sowie neun überdimensionale Bildschirme hat. Bei **Mickey Mantle's** kann man Sportveranstaltungen auf zehn riesigen Videowänden verfolgen.

Schwimmen

VIELE HOTELS in Manhattan haben Schwimmbäder,

die von den Hotelgästen kostenlos benutzt werden können. Adressen öffentlicher Hallen- und Freibäder findet man in den Gelben Seiten unter der Rubrik »Government Offices«.

Herrlich ist auch der Jones Beach State Park *(siehe S.253)* auf Long Island.

TENNIS

DAS WICHTIGSTE Tennisereignis sind die US Open, die im August im **National Tennis Center** stattfinden. Interessant sind die Virginia Slims Championships für Damen im November im **Madison Square Garden** *(siehe S.133)*.

Wer selbst spielt, sollte im Telefonbuch unter »Tennis Courts: Public and Private« nachschauen. Auf privaten Plätzen kostet die Stunde bis zu 50 US-$. Für öffentliche Plätze, wie **Crosstown Tennis** und das **Manhattan Plaza Tennis Center**, benötigt man einen Personalausweis und eine Spielerlaubnis, die für 50 US-$ beim **NY City Parks & Recreation Department** erhältlich ist. Der Platz muß mindestens eine Woche im voraus reserviert werden.

LEICHTATHLETIK

DIE MILLROSE GAMES finden gewöhnlich im Februar statt, die Wettkämpfe der Amateur Athletic Union (AAU) mit vielen Spitzensportlern Ende Februar im **Madison Square Garden**.

ANDERE AKTIVITÄTEN

IM CENTRAL PARK kann man beim **Loeb Boathouse** Boote mieten. Zum Schachspielen holt man die Figuren bei der **Dairy** *(siehe S. 206)*. Bowling-Bahnen gibt es im **Leisure Time Recreation Center**. Poolbillard kann man in Bars oder in Billardhallen, wie **Julian Billiard Academy** oder **Chelsea Billiards**, spielen. Von **Sheepshead Bay** aus sind Angeltouren möglich.

AUF EINEN BLICK

AAA Bicycle Rentals
The Boathouse, Central Park. **Karte** 16 F5.
775-1800.

Aqueduct Race Track
Ozone Park, Queens.
(718) 641-4700.

Belmont Park Race Track
Hempstead Turnpike, Long Island.
(718) 641-4700.

Chelsea Billiards
54 W 21st St.
Karte 8 E4.
989-0096.

Claremont Riding Academy
175 W 89th St.
Karte 15 C3.
724-5100.

Giants Stadium
Meadowlands
East Rutherford, N J.
(201) 935-8222.
New York Giants.
(201) 935-8500.
New York Jets.

Hackers, Hitters & Hoops
123 W 18th St. **Karte** 8 E5. *929-7482.*

Ice Studio
1034 Lexington Ave.
Karte 17 A5.
535-0304.

International Running Center
9 E 89th St. **Karte** 17 A3.
860-4455.

Julian Billiard Academy
138 E 14th St. **Karte** 4 F1.
598-9884.

Lasker Skating (City) Rink
110th St, Ecke Lenox Ave.
Karte 21 B4.
996-1184.

Leisure Time Recreation Center
625 8th Ave. **Karte** 8 D1.
268-6909.

Loeb Boathouse
Central Park. **Karte** 16 F5.
517-4723.

Madison Square Garden
7th Ave, Ecke 33rd St.
Karte 8 E2.
465-MSG1.

Manhattan Plaza Tennis Center
450 W 43rdSt.
Karte 7 C1.
594-0554.

Mickey Mantle's
42 Central Park South.
Karte 12 E3.
688-7777.

Randalls Island Golf Center
Randalls Island.
Karte 22 F2.
427-5689.

National Tennis Center
Flushing Meadows Park, Queens.
(718) 760-6200.

NY City Parks & Recreation Department
Arsenal Building
64th St, 5th Ave.
Karte 12 F2.
408-0100.

Pelham Bay Park
Bronx.
(718) 885-1258.

Plaza Rink
Rockefeller Center
1 Rockefeller Plaza, 5th Ave.
Karte 12 F5.
332-7654.

Printing House Fitness & Racquet Center
422 Hudson St.
Karte 3 C3.
243-3777.

Rivergate Ice Rink
401 E 34th St.
Karte 9 C2.
689-0035.

Shea Stadium
126th St, Ecke Roosevelt Ave, Flushing, Queens.
(718) 507-TIXX oder (718) 507-8499.

Sheepshead Bay
(Informationen über Angeltouren in Mike's Tackle & Bait Shop.*)*
(718) 646-9261.

Silver Lake
915 Victory Blvd
Staten Island.
(718) 447-5686 oder (718) 225-4653.

The Sporting Club
99 Hudson St.
Karte 4 D5.
219-0900.

Crosstown Tennis
14 W 31th St.
Karte 8 F3.
947-5780.

Wollman Memorial Rink
Central Park. 5th Ave, 59th St.
Karte 12 F2.
396-1010.

Yankee Stadium
River Ave, 161st St
The Bronx.
(718) 293-6000.

YMCA 47th St
224 E 47th St.
Karte 13 B5.
756-9600.

YMCA 92nd St
1395 Lexington Ave.
Karte 17 A2.
427-6000.

YMCA West Side
5 W 63rd St.
Karte 12 D2.
787-4400.

Yonkers Raceway
Yonkers
Westchester County.
(914) 968-4200.

New York bei Nacht

New York ist in der Tat eine Stadt, die niemals schläft. Wer mitten in der Nacht Appetit auf frisches Brot bekommt, Unterhaltung sucht oder den Sonnenaufgang über der Skyline von Manhattan erleben will, für den hält New York ein vielfältiges Angebot bereit.

Bars und Clubs

Die besten Bars sind meist irische Lokale. Musik zum Mitsingen gibt es jeden Donnerstag bei **Katie O'Toole's** und täglich (außer montags) bei **Tommy Makem's**. Für einen trockenen Martini zu später Stunde bietet sich die **Temple Bar** an. Die besten Pianobars gibt es in den Hotels, wie etwa das Café Carlyle im **Carlyle Hotel** oder der Oak Room im **Algonquin Hotel.**

Heißer Jazz erklingt bis 4 Uhr morgens im **Sweet Basil** oder im **Blue Note**. Im **Rainbow Room** und **Red Blazer Too** werden Jazz und Swing gespielt. Das **Cornelia Street Café** ist eine gemütliche Literatenkneipe. Lyrik, Theater und latein-amerikanische Musik stehen auf dem Programm des **Nuyorican Poets Café**.

Mitternachtsfilme

Mitternachts-Sondervorführungen und ein jugendliches Publikum findet man im **Theater 80**. Spätvorstellungen laufen auch im **Angelika Film Center** und im **Film Forum** *(siehe S. 336f)*.

Geschäfte

Auf der Fifth Avenue hat der **Doubleday Book Shop** bis 22 Uhr geöffnet; **St Mark's Bookshop** und **Shakespeare & Company Booksellers** schließen auch erst spät. Der Upper West Side **HMV** hat bis 24 Uhr, der East Side **HMV** bis 22 Uhr offen. Die Läden von **Tower Records** schließen um 24 Uhr, ebenso wie **Gryphon Records**. **Bleecker Bob's Golden Oldies Record Shop** hat am Wochenende bis 3 Uhr nachts offen *(siehe Einkaufen S. 322f)*. Videoläden mit langen Öffnungszeiten sind u.a. der **Palmer Video Store** und **Mrs Hudson's Video Store**.

Zu den Modegeschäften im Village, die am Wochenende lange offen haben, gehören die **Antique Boutique** (bis 24 Uhr) und **Trash and Vaudeville** (Fr und Sa bis 20 Uhr). Apotheken mit längeren Öffnungszeiten sind **Kaufman Pharmacy** (rund um die Uhr) und **Plaza Pharmacy** (bis 23 Uhr).

Essen zum Mitnehmen und Lebensmittelgeschäfte

Einige Lebensmittelgeschäfte haben 24 Stunden am Tag geöffnet, wie etwa **Delmonico Gourmet Food Market** und der **West Side Supermarket.** Viele koreanische Lebensmittelgeschäfte haben die Nacht hindurch geöffnet. **Food Emporium** ist eine Supermarktkette, die bis 24 Uhr offen hat (die Filiale in der York Avenue rund um die Uhr). **Zabar's** hat samstags bis 24 Uhr geöffnet. Spirituosenläden sind meist bis 22 Uhr geöffnet; viele liefern ins Haus.

Die besten Bagels gibt es bei **H & H Bagels East**, **Bagels On The Square** und **Jumbo Bagels and Bialys**. Viele Pizzerias und China-Restaurants haben bis in die Nacht geöffnet und liefern ins Haus. Viele Eisdielen schließen erst spät abends.

Speiselokale

Nachtschwärmer gehen zu **La Jumelle, Florent** und **Les Halles,** wo es eine gute französische Küche gibt. Im **Coffee Shop** trifft man sich zu brasilianischen Spezialitäten. Köstliche Sandwiches bekommt man im **Carnegie Deli**. **Caffè Reggio** in Greenwich Village ist seit 1927 ein beliebtes Nachtcafé. Eine gute Speisekarte haben auch einige Supper-Clubs. **Le Bar Bat** ist bekannt für seine vietnamesische Küche und die Innenausstattung, die an eine Fledermaushöhle erinnert. **Tatou's** serviert kreolische Küche zu Jazzmusik, der **Rainbow Room** bietet europäische Küche und Atmosphäre der 30er Jahre.

Sport

Billard kann man bei **Chelsea Billiards** rund um die Uhr und im **Billiard Club** bis 5 Uhr morgens spielen. Bier und Burgers – in Gesellschaft von New Yorker Studenten – gibt es auf der Bowling-Bahn von **Bowlmore Lanes.**

Dienstleistungen

In Long Island City holt **Midnight Express Cleaners** bis Mitternacht Kleidungsstücke zum Reinigen ab. Am nächsten Tag sind sie fertig; ausgeliefert wird ebenfalls bis Mitternacht. **Tudor City Flowers** nimmt rund um die Uhr Blumenbestellungen entgegen. Donnerstags hat der Friseursalon **George Michael of Madison Avenue/Madora Inc** bis 22 Uhr geöffnet (auch Hausbesuche).

Touren und Aussichtspunkte

Einer der schönsten Spaziergänge führt am Hudson River entlang durch **Battery Park City** beim World Financial Center und ist zu jeder Tages- und Nachtzeit ungefährlich. Die Piers 16 und 17 im Hafenviertel South Street Seaport sind ein Treffpunkt für Nachtschwärmer, das Restaurant **Harbour Lights** am Pier 17 ist bis 4 Uhr geöffnet. Die Zeit bis zum Morgen kann man auch mit einer zweistündigen Schiffsrundfahrt mit der **Circle Line** verbringen.

Auch die Riverview Terrace am **Sutton Place** ist ein gutes Plätzchen, um die Sonne über East River, Roosevelt Island und Queens aufgehen zu sehen. Einen herrlichen Blick auf Manhattan hat man vom **River Café** (nach Westen) und vom Restaurant **Arthur's Landing** (nach Osten).

Bei einer Fahrt mit der **Staten Island Ferry** *(siehe S. 76)* kann man die Statue of Liberty und die Skyline von Manhattan im

Morgengrauen sehen. Wer mit dem Taxi über die **Brooklyn Bridge** *(siehe S. 86ff)* fährt, kann den Sonnenaufgang über dem Hafen beobachten. Bis 1 Uhr nachts hat man einen herrlichen Blick auf die East Side von der Aussichtsterrasse des **Beekman Tower Hotel**. Den besten Blick auf New York bietet das **Empire State Building**: Die Aussichtsterrasse *(siehe S. 134f)* ist bis 24 Uhr geöffnet. Auch eine gute Aussicht hat das Restaurant **Windows on the World** im 106. Stock des World Trade Centers.

Die **Château Stables** bieten Kutschfahrten an und **Island Helicopter** Hubschrauberflüge über die nächtliche Stadt. Ein Erlebnis anderer Art ist eine **Marvelous Manhattan Tour** – eine Kneipentour unter fachkundiger Leitung –, oder Sie erkunden das nächtliche New York mit **Happy Apple Tours**. Um 6 Uhr kann man dann den **Fulton Fish Market** besuchen; von April bis November bietet das South Street Seaport Museum *(siehe S. 84)* Führungen über den Fischmarkt an.

AUF EINEN BLICK

BARS UND CLUBS

Algonquin Hotel
Siehe Pianobars S. 343.

Blue Note
Siehe Jazz S. 341.

Carlyle Hotel
Siehe Piano Bars S. 343.

Cornelia Street Café
29 Cornelia St.
Karte 4 D2.
989-9318.

Katie O'Toole's
134 Reade St. **Karte** 1 B1.
226-8928.

Nuyorican Poets Café
236 E 3rd St. **Karte** 5 A2.
505-8183.

Rainbow Room
Siehe Discos S. 343.

Red Blazer Too
349 W 46th St. **Karte** 12 D5. *262-3112.*

Sweet Basil
Siehe Jazz S. 341.

Temple Bar
332 Lafayette St. **Karte** 4 F4. *925-4242.*

Tommy Makem's
130 E 57th St. **Karte** 12 E3. *759-9040.*

GESCHÄFTE

Antique Boutique
712–714 Broadway.
Karte 4 E2.
460-8830.

Kaufman Pharmacy
Siehe Grundinformationen S. 355.

Mrs Hudson's Video Store
573 Hudson St.
Karte 3 C2.
989-1050.

Palmer Video Store
470 Hudson St. **Karte** 3 C3.
463-9377.

Plaza Pharmacy
251 E 86th St. **Karte** 17 B3. *427-6940.*

Trash and Vaudeville
4 St. Mark's Pl. **Karte** 5 A2.
982-3590.

ESSEN ZUM MITNEHMEN/LEBENSMITTELGESCHÄFTE

Bagels On The Square
7 Carmine St. **Karte** 4 D3.
691-3041.

Delmonico Gourmet Food Market
55 E 59th St. **Karte** 12 F3.
751-5559.

Food Emporium
1498 York Ave. **Karte** 17 C4. *879-9555.*

H & H Bagels East
1550 2nd Ave. **Karte** 17 B4. *734-7441.*

Jumbo Bagels and Bialys
1070 2nd Ave. **Karte** 13 B3. *355-6185.*

West Side Supermarket
2171 Broadway. **Karte** 15 C5. *595-2536.*

Zabar's
2245 Broadway. **Karte** 15 3C. *787-2000.*

SPEISELOKALE

Caffè Reggio
119 MacDougal St. **Karte** 4 D2. *475-9557.*

Carnegie Deli
Siehe Restaurants S. 306.

Coffee Shop
Siehe Restaurants und Bars S. 306.

Florent
Siehe Restaurants und Bars S. 306.

La Jumelle
55 Grand St. **Karte** 4 E4.
941-9651.

Le Bar Bat
311 West 57th St. **Karte** 12 D3. *307-7228.*

Les Halles
Siehe Restaurants und Bars S. 306.

Rainbow Room
Siehe Restaurants und Bars S. 306.

Tatou
151 East 50th St. **Karte** 13 A4. *753-1144.*

SPORT

Billiard Club
220 W 19th St. **Karte** 8 E5.
206-POOL.

Bowlmore Lanes
110 University Pl. **Karte** 4 E1. *255-8188.*

Chelsea Billiards
Siehe Sport S. 345.

DIENSTLEISTUNGEN

George Michael of Madison Avenue/ Madora Inc
420 Madison Ave.
Karte 13 A5.
752-1177.

Midnight Express Cleaners
25–15 41 Ave,
Long Island City.
921-0111.

Tudor City Flowers
5 Tudor City Place.
Karte 9 B1. *986-1490.*

TOUREN UND AUSSICHTSPUNKTE

Arthur's Landing
Port Imperial Marina,
Pershing Circle,
Weehawken, NJ.
(201) 867-0777.

Battery Park City
West St. **Karte** 1 A3.

Beekman Tower Hotel
1st Ave, 49th St.
Karte 13 C5.
355-7300.

Château Stables
608 W 48th St. **Karte** 15 B3. *246-0520.*

Circle Line
W 42nd St. **Karte** 15 B3
563-3200.

Marvelous Manhattan Tours
(800) 926-8795.

Empire State Building
Siehe S. 134 f.

Fulton Fish Market Tours
748-8590.

Happy Apple Tours
(800) 421-4518.

Harbour Lights
89 Fulton St.
Karte 2 D2.
227-2800.

Island Helicopter
683-4575.

River Café
Siehe Restaurants und Bars S. 306.

Staten Island Ferry
Siehe In New York unterwegs S. 369.

Windows on the World
Siehe Restaurants und Bars S. 295.

New York mit Kindern

Kinder werden von der Stadt schnell in ihren Bann gezogen. Neben unzähligen Attraktionen für Besucher aller Altersgruppen bietet New York vieles, was speziell für Kinder gedacht ist: mehr als ein Dutzend Kindertheater, zwei Zoos, drei einfallsreiche Museen sowie eine bunte Palette von Veranstaltungen in Museen und Parks. Auch der Besuch eines Fernsehstudios bereitet Kindern großes Vergnügen, ebenso wie der New Yorker Big Apple Circus. Auch ohne viel Geld gibt es mehr zu unternehmen, als die Zeit erlaubt, und kein Kind wird je klagen, daß ihm langweilig sei.

Ein kleiner Besucher, der sich in New York bestens amüsiert

Praktische Hinweise

New York ist familienfreundlich. In vielen Hotels können Kinder umsonst im Zimmer der Eltern schlafen. Die meisten Museen sind für Kinder verbilligt oder kostenlos. In Begleitung eines Erwachsenen können Kinder unter 1,12 Meter Größe gratis mit U-Bahn und Bus fahren.

Windeln und dergleichen bekommt man überall; die Kaufman Pharmacy *(siehe S. 357)* hat 24 Stunden geöffnet. Wickeltische in öffentlichen Toiletten zu finden, ist weniger einfach, doch stört sich niemand daran, wenn man einen anderen Tisch zu diesem Zweck umfunktioniert. Die meisten Hotels organisieren auch einen Babysitter; ansonsten kann man sich an die zuverlässige **Baby Sitters' Guild** wenden.

Das aktuelle Angebot für Kinder liefert ein Veranstaltungskalender, den man kostenlos beim New York Convention and Visitors Bureau *(siehe S. 352)* bekommt. Einen Wochenüberblick findet man im Magazin *New York*.

Abenteuer in New York

Für Kinder ist die Stadt ein riesiger Vergnügungspark. Fahrstühle bringen einen in Windeseile auf die höchsten Gebäude der Welt, und man erlebt New York aus der Vogelperspektive. Oder man fährt mit einem Schiff der **Circle Line** rund um die Insel Manhattan, geht an Bord des Segelboots ***Petrel***, besteigt am South Street Seaport *(siehe S. 84)* ein Schiff oder einen Schaufelraddampfer oder nimmt die preiswerte Staten Island Ferry für eine Schiffsrundfahrt *(siehe S. 76)*. Die Roosevelt Island Tram *(siehe S. 179)* ist eine Drahtseilbahn, die in luftiger Höhe über den East River fährt. Im Central Park *(siehe S. 202ff)* kann man Karussell fahren, auf Pferden und auf Ponys reiten. Kinder können hier Rollschuh laufen, wenn der Park am Wochenende für den Autoverkehr gesperrt ist.

Eislaufen im Rockefeller Center

Kleine Abkühlung an einem Brunnen im Central Park

Museen

Neben den New Yorker Museen für alle Altersgruppen gibt es auch spezielle Museen für Kinder. Besonders empfehlenswert ist das **Children's Museum of Manhattan** *(siehe S. 217)*, eine Multi-Media-Welt, in der Kinder ihre eigenen Videos produzieren können. Etwas außerhalb liegen das **Brooklyn Children's Museum** *(siehe S. 245)* sowie das **Staten Island Children's Museum**. Der Flugzeugträger *Intrepid* beherbergt das **Sea-Air-Space Museum** *(siehe S. 147)*, zu dessen Ausstellungsstücken das schnellste Aufklärungsflugzeug der Welt gehört. Und man sollte keinesfalls die Dinosaurier-Ausstellung im **American Museum of Natural History** *(siehe S. 214f)* versäumen.

Spass im Freien

Im Sommer zieht es die New Yorker hinaus ins Freie. Der Central Park ist ein Paradies für Kinder, das zum Rollschuhlaufen, Minigolfspielen, Boot- und Radfahren einlädt. Kostenlose Veranstaltungen gibt es viele: von Parkaufsehern geleitete Führungen (samstags), Wettfahrten mit Spielzeug-Segelbooten und Geschichtenerzählen im Sommer. Der Zoo ist verhältnismäßig klein und daher genau das Richtige für Kinder.

Kleine Kinder werden vom **International Wildlife Conservation Park** *(siehe S. 242f)* begeistert sein, wo es zahme Tiere zum Streicheln gibt.

Coney Island *(siehe S. 247)*, **Orchard** und **Rockaway Beach** sind leicht mit der U-Bahn zu erreichen. Im Winter kann man im Rockefeller Center *(siehe S. 142)* oder im Central Park Schlittschuh laufen.

Theater und Zirkus

Das New Yorker Theaterangebot für Kinder ist ebenso gut und vielseitig wie das für Erwachsene. Besonders beliebte Bühnen sind u. a. **Paper Bag Players** und **Theatreworks, USA**, deren Vorstellungen schnell ausverkauft sind; am besten ist es, sich den Spielplan zu besorgen und frühzeitig Karten vorzubestellen.

Zur Weihnachtszeit tanzt das New York City Ballet im Lincoln Center *(siehe S. 212)* den *Nußknacker*, und ganz in der Nähe schlägt der **Big Apple Circus** sein Zelt auf. **Ringling Brothers and Barnum & Bailey Circus** gastiert jedes Frühjahr für einige Wochen im Madison Square Garden *(siehe S. 133)*.

Spielwarengeschäfte

Kinder haben wohl nichts gegen einen Einkaufsbummel einzuwenden, wenn

Die große Uhr im Spielzeugladen F A O Schwarz

FAO Schwarz, eines der größten und besten Spielwarengeschäfte der Welt, auf dem Programm steht. Ein weiterer beliebter Spielzeugladen ist **Enchanted Forest**. Im Buchladen **Books of Wonder** unterhalten Geschichtenerzähler ihr junges Publikum.

Essen mit Kindern

Die Hamburger- und Pizza-Kette **Ottomanelli's Cafés** ist bei Kindern sehr beliebt; auch Erwachsene haben Mühe, die riesigen Burger aufzuessen. Das **Hard Rock Café** ist ein Hit, und die meisten Kinder mögen das Essen in Chinatown und Little Italy. Für einen Imbiß bieten sich die zahlreichen Pizzerias mit Straßenverkauf an, oder man stillt den größten Hunger mit Brezeln und Hot Dogs von einem Stand. Für Schleckermäuler gibt es die legendären Eisdielen **Rumplemayer's** *(siehe S. 305)* und **Peppermint Park**. Und ist dies nicht das Richtige, findet man allein in Manhattan über 40 Filialen von McDonald's.

Geschichtenerzähler im Hafenviertel South Street Seaport

Auf einen Blick

Babysitter

Baby Sitters' Guild
☎ *682-0227.*

Abenteuer

Circle Line
Pier 83, W 42nd St.
Karte 7 A1.
☎ *563-3200.*

Petrel
Battery Park.
Karte 1 B4.
☎ *825-1976.*

Museen

Staten Island Children's Museum
1000 Richmond Terr, Staten Is.
☎ *(718) 273-2060.*

Spass im Freien

Orchard Beach
☎ *885-2275.*

Rockaway Beach
☎ *(718) 474-4600.*

Theater und Zirkus

Big Apple Circus
☎ *268-0055.*

Paper Bag Players
Broadway, 95th St.
Karte 15 C2.
☎ *864-5400.*

Theatreworks USA
Broadway, 76th St.
Karte 15 C5. ☎ *677-5959.*

Spielwarengeschäfte

Books of Wonder
132 7th Ave. **Karte** 8 E5.
☎ *989-3270.*

Enchanted Forest
85 Mercer St. **Karte** 4 E4.
☎ *925-6677.*

F A O Schwarz
767 5th Ave. **Karte** 12 F3.
☎ *644-9400.*

Essen

Hard Rock Café
221 W 57th St. **Karte** 12 E3.
☎ *459-9320.*

Ottomanelli's Cafés
1370 York Ave. **Karte** 17 C4.
☎ *794-9696.*
Eine von mehreren Filialen.

Peppermint Park
1225 First Ave. **Karte** 13 C2.
☎ *288-5054.*

OFF DUTY 6H52 OFF DUTY
4B40
1L34

Grund-Informationen

Praktische Hinweise

In New York kann man sich als Tourist genauso frei bewegen wie in jeder anderen großen Stadt auch. Wenn Sie die üblichen Vorsichtsmaßnahmen befolgen *(siehe S. 356f)*, so können Sie New York ebenso unbeschwert entdecken, wie es die New Yorker tun. Busse und die Subway *(siehe S. 372ff)* sind zuverlässig und billig; fast überall stehen Geldwechselautomaten *(siehe S. 358f)* zu Verfügung, darüber hinaus können Sie in Banken, Hotels und Wechselstuben wechseln. Ein breites Angebot an Hotels *(siehe S. 274f)*, Restaurants *(siehe S. 290ff)* und Unterhaltung *(siehe S. 328ff)* in allen Preisklassen sorgt dafür, daß Sie sich in New York nicht finanziell ruinieren.

Auf den Stufen zum Metropolitan Museum of Art

Allgemeine Hinweise

Die Hauptverkehrszeiten New Yorks sind Montag bis Freitag 8–10, 11.30–13.30 und 16.30–18.30 Uhr. Während dieser Zeiten ist die Stadt voller Menschen, Busse und Autos. Die Subway ist überfüllt. Planen Sie also Ihren Tag entsprechend.

Um nicht ständig große Distanzen zurücklegen zu müssen, empfiehlt es sich, die jeweils innerhalb eines Viertels befindlichen Sehenswürdigkeiten en bloc zu besichtigen (siehe *Detailkarten* der einzelnen Stadtbezirke). Busse sind zuverlässig und bequem und eine gute Möglichkeit, gleichzeitig etwas von der Stadt zu sehen. Einige Gegenden von New York sollten Sie, vor allem zu bestimmten Zeiten *(siehe S. 356f)*, meiden. Öffentliche Toiletten in Bahnhöfen, Bus- oder Subway-Stationen sollten grundsätzlich tabu sein, sie sind Treffpunkte für Drogensüchtige und Obdachlose, auch wenn sie z. T. bewacht werden.

Hotelportier

Falls Sie einen Rat brauchen, wenden Sie sich am besten an Hotelportiers; man findet sie in fast allen Hotels der Stadt rund um die Uhr vor.

Öffnungszeiten

Bürozeiten sind generell durchgehend von 9 bis 17 Uhr, Banken haben nur bis 15 Uhr, einige jedoch auch von 8 bis18 Uhr sowie Samstag vormittag geöffnet. Viele Museen sind montags und an Feiertagen geschlossen, einige Museen haben bisweilen auch Dienstag oder Donnerstag abend geöffnet (rufen Sie vorher an).

Museen

Als »Museen« werden in New York oft auch Galerien bezeichnet; detailliertere Informationen hierzu finden Sie auf den Seiten 34ff. Der Eintritt kostet etwa 2 Dollar; wird kein Eintritt verlangt, so erwartet man zumindest eine Spende. Für Senioren, Studenten und Kinder gibt es meist Ermäßigungen; große Museen veranstalten zudem kostenlose Führungen.

Die Museum Mile *(siehe S. 166f)* an der Fifth Avenue vereinigt eine ganze Reihe von Museen. Die kleineren, wie die Frick Collection oder das Cooper-Hewitt Museum of Design, können in ein paar Stunden besichtigt werden, während die größeren, wie das Guggenheim Museum oder das Whitney Museum, längere Zeit beanspruchen.

Verhaltenshinweise

Rauchen ist in allen öffentlichen Räumen und auf öffentlichen Plätzen gesetzlich verboten. Manche Restaurants haben separate Raucherzonen eingerichtet. Man sollte sich jedoch vorher telefonisch informieren.

Es wird nicht erwartet, daß Sie Ihrem Gastgeber ein Geschenk machen, wenn Sie geschäftlich nach New York kommen. Bringen Sie dennoch eine Kleinigkeit mit, sollte es etwas Typisches aus Ihrem Heimatland sein.

Folgende Trinkgelder sind in New York üblich: Taxifahrer erhalten 10 bis 15 %, Kellner 20 %, Barkeeper 15 %, Zimmerkellner 10 %, Garderobiere 1 US-$, Zimmermädchen 1 US-$ oder 2 US-$ pro Tag, Gepäckträger 1 US-$ pro Gepäckstück, Friseure 15 bis 20 % (Bartschneiden 10 bis 20 %).

Auskunft

Das **New York Convention and Visitors Bureau** erteilt Auskunft über alles, was das Leben in New York betrifft: Informationen bezüglich Ihres Aufenthaltes in dieser Stadt, außerdem jede Menge Broschüren über Veranstaltungen und Ausstellungen.

Info New York Convention and Visitors Bureau.
2 Columbus Circle. **Karte** 12 D3.
397-8222. *Mo–Fr 9–18 Uhr, Sa, So 10–18 Uhr.*

Broschüren im New York Convention and Visitors Bureau

Veranstaltungskalender

Mehrere, z.T. kostenlose Publikationen informieren über das aktuelle Geschehen in New York; sie sind überall an Zeitungskiosken, in Hotels, Museen und Galerien erhältlich.

Am bekanntesten sind das Magazin *New York* und der Veranstaltungskalender »Goings On About Town« der Zeitschrift *The New Yorker*. Beide informieren über Museen, Clubs, Theater, Galerien, Restaurants, Kinos, Colleges und Bibliotheken und auch Auktionen.

Village Voice gibt Informationen über Veranstaltungen in Soho, TriBeCa und Greenwich Village sowie über die wichtigeren Ausstellungen in der Stadt. Die *New York Times* informiert freitags und sonntags unter den Rubriken »Weekend« und »Arts and Leisure« über Ausstellungen und Veranstaltungen; *Art News*, ein Monatsmagazin, kündigt Wichtiges aus der Welt der Kunst, über Ausstellungen und Auktionen an.

Kostenlos informiert *Where* (an Hotelrezeptionen erhältlich) über die Öffnungszeiten sowie die wichtigsten Sammlungen und Ausstellungen der großen Museen. *Art Now/New York Gallery Guide* liegt jeden Monat neu in Galerien aus und berichtet über aktuelle Ausstellungen.

Das Magazin *New York* informiert umfassend über das kulturelle Angebot der Stadt

Führungen

Wie auch immer Sie New York erkunden wollen – gut vorbereitet zu Fuß, mit der Kutsche, mit dem Boot oder dem Helikopter –, organisierte Stadtbesichtigungen, von Ortskundigen geplant, sparen meist Zeit, Energie und oft auch Geld.

Schiffstouren

Circle Line Sightseeing-Yachten
Pier 83, W 42nd St
Karte 7 A1.
563-3200.
3 Stunden auf dem Schiff um Manhattan.

Circle Line Statue of Liberty Ferry
South Ferry, Battery Park.
Karte 1 C4.
269-5755.

Spirit of New York
99 Wall St.
Karte 2 D3.
741-4266.
Rundfahrt inklusive Mittag- oder Abendessen.

Staten Island Ferry
South Ferry.
Karte 2 D4.
806-6940.
Manhattan–Staten Island.

World Yacht, Inc
Pier 81 W 41st St.
Karte 2 D5.
630-8100.
Rundfahrten inklusive Entertainment, Mittag- und Abendessen.

Kutschfahrten

59th St an der Fifth Ave und entlang Central Park S.
Pferdekutschen warten vor dem Plaza Hotel (**Karte** 12 F3) *tagsüber und abends. Gewöhnlich geht es auch in den Central Park.*

Sightseeing per Helikopter

Bustouren

Allied Tours
165 W 46th St.
Karte 12 E5.
869-5100.

Gray Line of New York
254 W 54th St.
Karte 12 E4.
397-2600.

Short Line Tours/American Sightseeing NY
166 W 46th St.
Karte 12 F5.
(800) 631-8405.

Helikoptertouren

Island Helicopter Sightseeing
E 34th St und East River.
Karte 9 C2. 683-4575.

Liberty Helicopter Tours
Heliport W 30th St/ Twelfth Ave. **Karte** 7 B3.
967-6464.

Zu Fuß

Backstage on Broadway
228 W 47th St.
Karte 20 E3.
439-1090.
Historische und ethnische Viertel.

Big Onion Walking Tours
PO Box 250201.
Columbia University
Karte 20 E3.
439-1090.
Historische Viertel.

CityWalks
410 W 20th St.
Karte 7 C5.
989-2456.
Historische Viertel.

Harlem Spirituals, Inc.
1697 Broadway.
Karte 12 E4.
757-0425.
Eine Tour durch Harlems Geschichte und Kultur.

Museum of the City of New York
103rd St, Fifth Ave.
Karte 21 C5.
534-1672.
Architektur und Geschichte.

NBC Studio Tour
30 Rockefeller Plaza, 49th St, Ecke Sixth Ave.
Karte 12 F5.
664-3055.

92nd Street YMCA
1395 Lexington Ave.
Karte 17 B5.
427-6000.
Kultur und Geschichte.

Talk-a-Walk
30 Waterside Plaza.
Karte 9 C4.
686-0356.
Rundgänge mit Walkman.

Kutschfahrt im Central Park

Behinderte Besucher

New York ist behindertengerechter als viele andere Städte. Viele Stadtbusse haben Rampen für Rollstuhlfahrer bzw. können abgesenkt werden, um den Einstieg zu erleichtern.

Hotels, Kaufhäuser und Bürogebäude sind meist für Rollstuhlfahrer geeignet; einige Museen organisieren Führungen für Taube, Blinde und Gehbehinderte. Einige Theater bieten Hörhilfen für Schwerhörige; mit ebensolchen sind auch immer mehr Telefone ausgestattet. *Access Guide to New York*, gratis bei der **Junior League of the City of New York** erhältlich, informiert über alle behindertengerechten Gebäude.

Info Junior League of the City of New York, 130 E 80th St. **Karte** 17 A4. ☎ *288-6220*.
The Mayor's Office for People with Disabilities. ☎ *788-2830*.

Ein Bus »geht in die Knie« – und erleichtert so den Einstieg

Zoll und Einreise

Im Gegensatz zu früher benötigen New-York-Besucher mit einem deutschen Reisepaß seit 1989 kein Visum mehr für die Einreise in die USA. Die bestehenden Zollbestimmungen müssen jedoch beachtet werden, mit entsprechenden Kontrollen ist zu rechnen.

Erlaubt ist bei der Einreise in die USA pro Person die Einfuhr von 200 Zigaretten, 50 Zigarren, 2 Kilogramm Tabak, 1 Liter Alkohol sowie von Geschenken im Wert von maximal 100 Dollar. Nicht erlaubt ist die Einfuhr von Fleisch bzw. Fleischprodukten, auch nicht als Konserven, sowie die Einfuhr von Pflanzen, Pflanzensamen und Obst.

Nach Ihrer Ankunft an einem der beiden New Yorker Flughäfen folgen Sie den Hinweisschildern »other than American passports«. So gelangen Sie zu den Schaltern der Einreisebehörde, wo Ihr Ausweis kontrolliert wird und Sie einen Einreisestempel für die USA erhalten. Haben Sie Ihr Gepäck an der Gepäckausgabe (siehe Hinweisschilder) bereits in Empfang genommen, so erwartet Sie ein Zollbeamter, der Ihre Zollerklärung, die Sie bereits während des Fluges ausgefüllt haben, kontrolliert – eventuell kotrolliert er auch Ihr Gepäck.

Laut Information der US-Zollbehörden wird bei etwa 5% der Einreisenden das Gepäck kontrolliert, bei allen anderen wird lediglich die Zollerklärung überprüft. Sind Ihre Papiere in Ordnung und haben Sie alles ordnungsgemäß ausgefüllt, so sind nun alle Formalitäten erledigt, und Ihr Aufenthalt in den USA kann beginnen.

Hinweise für Studenten

Viele Museen und Theater gewähren Studentenermäßigungen, jedoch nur gegen Vorlage eines entsprechenden gültigen Ausweises.

Einen internationalen Studentenausweis, die International Student ID Card, erhält man relativ günstig beim **New York Student Center** oder aber beim **Council on International Educational Exchange**. Fragen Sie hier auch nach einem Exemplar des *ISIC Student Handbook*. Es informiert Sie über diejenigen Einrichtungen und Institutionen, die Studenten Ermäßigungen bieten, beispielsweise Museen und Theater, Reiseveranstalter, Nightclubs, Restaurants oder auch Carey Transportation, die Buslinien von Manhattan zu den Flughäfen der Stadt *(siehe S. 363)*.

Normalerweise ist es äußerst schwierig, in den USA eine Arbeitserlaubnis zu bekommen, jedoch gelten für Studenten hier Ausnahmeregelungen. Studenten haben die Möglichkeit, in New York einer Ferienarbeit nachzugehen. Lassen Sie sich bereits vor Ihrer Abreise in die USA bei studentischen Reisevermittlungen über die entsprechenden Möglichkeiten informieren.

Informationen für Studenten

International Educational Exchange
205 E 42nd St.
Karte 9 B1.
☎ *661-1414*.

New York Student Center
895 Amsterdam Ave.
Karte 20 E5.
☎ *666-3619*.

Umrechnungstabelle

US-Maße
1 Inch = 2,5 Zentimeter
1 Foot = 30 Zentimeter
1 Mile = 1,6 Kilometer
1 Ounce = 28 Gramm
1 Pound = 454 Gramm
1 US Pint = 0,5 Liter
1 US Gallon = 4,6 Liter

Deutsche Maße
1 Zentimeter = 0,4 Inch
1 Meter = 3 Feet 3 Inches
1 Kilometer = 0,6 Mile
1 Gramm = 0,04 Ounce
1 Kilogramm = 2,2 Pounds
1 Liter = 2 US Pints

Internationaler Studentenausweis

New Yorker Tageszeitungen

New Yorker Zeitungskasten

Zeitungen, Fernsehen und Radio

Ausländische Zeitungen und Zeitschriften erhalten Sie, in der Regel einen Tag nach Ihrem Erscheinen, bei **Hotalings,** in Hotels, an Flughäfen und Zeitungskiosken, in der Nähe von Finanzplätzen, so zum Beispiel am World Trade Center oder in der Wall Street.

Die zahlreichen Fernsehprogramme können Sie dem Magazin *TV Guide* entnehmen, das einmal in der Woche erscheint. Auch die Sonntagsausgabe der *New York Times* enthält das aktuelle Fernsehprogramm. Das Fernsehangebot ist riesig und sehr breit gefächert. Der Sender CBS sendet auf Kanal 2, NBC auf Kanal 4, ABC auf Kanal 7; PBS bietet auf Kanal 13 Kultur- und Bildungsprogramme und ausländische Produktionen; das Kabelfernsehen bietet Ihnen nahezu alles von der Kultur über Unterhaltungssendungen bis hin zu einem Disney-Kanal.

Aktuelle Nachrichtensendungen gibt es bei WCBS News (880Hz) und WFAN Sports (660Hz); Unterhaltung verschiedenster Sparten bieten die folgenden Sender: WNEW (Rock, 102,7MHz), WBGO (Jazz, 88,3MHz) und WNCN (Klassik, 104,3MHz).

Info Hotalings, 142 W 42nd St. **Karte** 8 E1. ☎ *840-1868.*

Elektrische Anschlüsse

In den USA sind alle Stromanschlüsse standardisiert auf Wechselstrom mit 115–120 Volt. Vergessen Sie also nicht, einen Stromadapter und einen Spannungskonverter mitzunehmen. Außerdem sind Stecker und Steckdosen in den USA anders konstruiert als in Europa.

In den meisten großen Hotels in New York gibt es fest installierte Haartrockner, und einige Hotels bieten auch Stromanschlüsse für 220-Volt-Rasierapparate, nicht aber beispielsweise für Radios. Es kann tatsächlich gefährlich sein, Geräte, die mehr Strom benötigen, hier anzuschließen. Nehmen Sie also möglichst nur Geräte mit, die mit Batterien betrieben werden können, sowie ein Aufladegerät, für das Sie jedoch gleichfalls einen Adapter benötigen.

Standardstecker

In einigen New Yorker Hotels sind die Zimmer mit Bügel-, teilweise sogar mit Kaffee- und Teemaschinen ausgestattet; ansonsten sollten Sie aber in allen Hotels auch ein Bügeleisen bekommen können.

Botschaften und Konsulate

Deutschland
460 Park Ave. **Karte** 13 A3.
☎ *308-8700.*

Österreich
31 E. 69th Street. **Karte** 12 F1.
☎ *737-6400.*

Schweiz
665 Fifth Ave. **Karte** 12 F 4.
☎ *758-2560.*

Gottesdienste

In New York gibt es ungefähr 4000 Stätten der Andacht und Besinnung für nahezu alle Religionen der Welt. Viele Hotels bieten entsprechende Informationen; hier nur einige der wichtigsten Gotteshäuser:

Katholische Kirche
St Patrick's Cathedral
Fifth Ave, Ecke 50th St.
Karte 12 F4. ☎ *753-2261.*

Episkopalkirche
St Bartholomew's,
109 E 50th St. **Karte** 13 A4.
☎ *751-1616.*

Jüdische Religion
Reformiert
Temple Emanu-El,
Fifth Ave, Ecke 65th St.
Karte 12 F2. ☎ *744-1400.*

Orthodox
Fifth Avenue Synagogue
5 E 62nd St. **Karte** 12 F2.
☎ *838-2122.*

Lutheraner
St Peter's,
619 Lexington Ave. **Karte** 17 A4.
☎ *935-2200.*

Methodisten
Christ Church United Methodist
520 Park Ave. **Karte** 13 A3.
☎ *838-3036.*

Ohne Denomination
Riverside Church
122nd St, Ecke Riverside Dr.
Karte 20 D2. ☎ 870-6750.

Riverside Church

Sicherheit und Notfälle

Polizeiabzeichen

In der Kriminalstatistik aller Städte der USA, herausgegeben vom Federal Bureau of Investigation (FBI), rangiert New York auf Platz 30. Damit liegt es hinter Boston und Columbus, Ohio; dennoch haben diese Städte einen besseren Ruf als New York. Vor allem in Gegenden, wo viele Touristen unterwegs sind, patroullieren Polizisten zu Fuß. Hier sowie in öffentlichen Verkehrsmitteln und am Flughafen ist Ihre Sicherheit weitgehend gewährleistet. Natürlich gibt es Gegenden, in die man vor allem nachts nicht gehen sollte. Doch wenn Sie einige Grundsätze beachten, können Sie sich auch in New York gefahrlos bewegen.

Curtis Sliwa, der Gründer der Guardian Angels

Sicherheitskräfte

Rund um die Uhr sind New Yorks Polizisten und Polizistinnen zu Fuß, zu Pferd und mit dem Auto unterwegs, verstärkt zu bestimmten Zeiten in Gegenden, die als kritisch im Hinblick auf die öffentliche Sicherheit gelten, so z. B. im Theater District während der Aufführungen. Auch in der Subway und in Bahnhöfen trifft man oft auf Polizeistreifen.

In Midtown oder in der Subway stoßen Sie manchmal auf Jugendliche mit roten Baretts. Dabei handelt es sich, wie es auch auf ihren T-Shirts steht, um Guardian Angels. Sie sind unbewaffnet und ohne offizielle Vollmachten, werden von der Polizei jedoch wohlwollend akzeptiert.

Grundsätze für Ihre Sicherheit

Treten Sie sicher auf und vermeiden Sie Blickkontakt oder gar Konfrontationen mit all jenen, die auf der Straße leben und betteln. Lassen Sie sich von Bettlern nicht in Unterhaltungen verwickeln.

Gehen Sie nicht durch verlassene Gegenden, fahren Sie nachts möglichst mit dem Taxi, oder schließen Sie sich in öffentlichen Verkehrsmitteln anderen Fahrgästen an. Meiden Sie die Lower East Side, Chinatown, Gegenden westlich des Broadway (ausgenommen Lincoln Center Plaza) und generell die Region nördlich der 82nd Street. Der Financial District (ausgenommen das World Financial Center) ist nach Büroschluß wie ausgestorben; und in einigen Straßen TriBeCas und SoHos ist es nachts durchaus riskant, alleine herumzulaufen.

Parks sind beliebte Treffpunkte für Drogensüchtige und Dealer; am sichersten sind Sie, wenn viele Menschen dort sind, z. B. bei einem Konzert oder einer Sportveranstaltung.

Zwei bewaffnete New Yorker Polizisten

Wollen Sie joggen, fragen Sie im Hotel nach sicheren Wegen sowie einem entsprechenden Plan. Verstauen Sie alles, was Sie bei sich haben, sicher und unauffällig, und halten Sie stets ein paar Münzen zum Telefonieren oder für den Bus griffbereit. So müssen Sie nicht Ihre Brieftasche öffnen und nach dem Geld suchen, wenn Sie in einer Schlange stehen. Zählen Sie nie größere Summen auf offener Straße. Tragen Sie Ihre Wertsachen so eng wie möglich an Ihrem Körper, und der Verschluß Ihrer Tasche sollte zum Körper zeigen. Wertsachen sollten Sie im Hotel lassen und dort in einem Safe verschließen. Lassen Sie Ihr Gepäck nur von Hotel- oder Flughafenpersonal transportieren.

Berittene Polizei

Verlorene Gegenstände

Wenn Sie irgend etwas in New York verlieren, so sind die Chancen, dies wie-

Mütze und Abzeichen der Polizei

derzubekommen, äußerst gering; es gibt kein Fundbüro für ganz New York. Fragen Sie im Hotel, wo Sie mit der Suche nach verlorenen Gegenständen am besten beginnen.

Nützliche Adressen

Fundbüros
Busse und Subway
(718) 625-6200.

Taxis
222-8294.

Verlorene Kreditkarten
American Express
(800) 528-4800 (gebührenfrei).

Diners Club
(800) 234-6377 (gebührenfrei).

JCB
(800) 366-4522 (gebührenfrei).

Mastercard
(800) 627-8372 (gebührenfrei).

VISA
(800) 336-8472 (gebührenfrei).

Reiseversicherung

Es empfiehlt sich, eine Reise-Krankenversicherung abzuschließen, vor allem deshalb, weil die Kosten für medizinische Versorgung in USA sehr hoch sind. Es gibt eine Vielzahl von Versicherungsangeboten; die Tarife sind unterschiedlich, je nach Versicherungsdauer und Anzahl der versicherten Personen.

Darüber hinaus kann man auch eine Reisegepäck-, Diebstahl- und Unfallversicherung abschließen. Die meisten Agenturen bieten Versicherungspakete an; informieren Sie sich bei Ihrer Versicherung oder im Reisebüro.

Medizinische Versorgung

Krank sein kann teuer werden: Viele der Ärzte in New York zählen zu den besten, die das Land zu bieten hat; die Kosten für medizinische Versorgung sind in den USA nicht geregelt. Einige Ärzte akzeptieren Kreditkarten, jedoch müssen Sie meist bar oder mit Reiseschecks zahlen. Die meisten Krankenhäuser akzeptieren Kreditkarten *(siehe S. 358)*.

Kaufman's Pharmacy hat die ganze Nacht geöffnet

Notfälle

Bei einem medizinischen Notfall sollten Sie möglichst umgehend zu einem **Hospital Emergency Room** gelangen. Benötigen Sie einen Krankenwagen, so rufen Sie die Nummer 911 an.

Haben Sie eine gute Versicherung abgeschlossen oder genügend Geld, so empfiehlt es sich, nicht in ein überfülltes städtisches, sondern in ein privates Krankenhaus zu gehen. Hier ist das Personal weniger überlastet. Eine Liste aller Privatkrankenhäuser finden Sie auf den Blauen Seiten des Telefonbuchs. Sie können auch die Nummer 411 wählen und dort nach dem nächstgelegenen privaten oder öffentlichen Krankenhaus fragen oder in Ihrem Hotel darum bitten, daß ein Arzt oder Zahnarzt zu Ihnen kommt. Darüber hinaus können Sie auch anrufen bei **Doctors Emergency Service** oder **Dental Emergency Service**. Genauere Informationen hierzu erteilt auch **Travelers' Aid**, eine US-Hilfsorganisation für Touristen.

Notfallinfo

Alle Notfälle
911 (oder 0). Rufnummer für Polizei, Feuerwehr und Ambulanz.

Verletzung durch Tiere
566-2068 medizinische Hilfe im Fall eines Tierbisses.

Notfalltelefon für Verbrechensopfer
577-7777.

Zahnärztlicher Notdienst (24 Stunden)
679-3966 (9–20 Uhr); 679-4172 (20–9 Uhr).

Notarzt
(718) 238-2100.

Hospital Emergency Rooms
St Vincent's.
11th St und Seventh Ave.
Karte 3 C1. *604-7998.*

St Luke's Roosevelt.
58th St und Ninth Ave.
Karte 12 D3.
523-6800.

National Organization of Women (NOW)
260-4422.

Apotheke (24 Stunden)
Kaufman's
557 Lexington Ave, Ecke 50th St.
Karte 13 A4.
755-2266.

Vergiftungen
764-7667.

Überfall, Diebstahl
911 für sofortigen Polizeialarm.

Sexualdelikte
267-7273.

Travelers' Aid
944-0013.

New Yorker Ambulanz

Währung und Geldwechsel

New York ist das Bankenzentrum der Nation. Viele lokale, regionale und die wichtigsten nationalen Banken sowie die großen internationalen Bankhäuser haben hier ihren Sitz bzw. ihre Vertretungen. Nahezu alle bedeutenden europäischen Bankinstitute haben in New York Niederlassungen oder zumindest ihre Büros.

Geldumtausch am Chequepoint USA

Währung

New Yorker Banken haben generell werktags von 9 bis 15 Uhr geöffnet, jedoch gibt es auch einige, die früher öffnen und später schließen. Ihr Geld können Sie dort am Schalter wechseln; die meisten Banken akzeptieren Reiseschecks, tauschen aber auch fremde Währung in Dollar um.

Geldautomat (ATM)

Geldautomaten

Geldautomaten – »automated teller machines« (ATM) – bieten in fast allen Banken rund um die Uhr die Möglichkeit, Geld in US-Währung vom eigenen Konto abzuheben. Gewöhnlich erhält man hier sein Geld in 20-Dollar-Noten.

Klären Sie vor Ihrer Abreise in die USA bei Ihrem Geldinstitut, welche Banken in New York bzw. welche ATM-Systeme ihre Bankkarte akzeptieren und wie hoch die Gebühren sind. Die meisten ATM-Automaten arbeiten sowohl mit den Systemen Cirrus wie auch Plus. Sie akzeptieren verschiedene Bankkarten, Mastercard- und Visa-Kreditkarten sowie einige andere. Einer der vielen Vorteile von ATMs ist, daß sie schnell und sicher arbeiten und Sie denselben Wechselkurs bekommen, den auch die Banken bei ihren Millionengeschäften zugrunde legen.

Zugegebenermaßen haben Überfälle auf ATM-Kunden in New York ziemlich zugenommen. Daher ist es am sichersten, wenn Sie ATMs bei Tage und in belebteren Gegenden benützen.

Kreditkarten

Mastercard, American Express, Visa, JCB und Diners werden überall in den USA akzeptiert, egal, welche Bank sie ausgegeben hat. Mit diesen Karten bekommen Sie zudem an den meisten ATM-Automatan Bargeld. In den USA zahlt man praktisch alles mit Kreditkarte, angefangen von Lebensmitteln über Hotel- und Restaurantrechnungen bis hin zu telefonischen Kartenvorbestellungen für Kinos oder Theater. Größere Summen für Rundfahrten und Pauschalreisen oder Leihgebühren begleichen Sie am besten mit Kreditkarte. Vermeiden Sie möglichst, größere Geldsummen mit sich herumzutragen.

Barschecks

Reiseschecks, die in Dollars von American Express oder Thomas Cook ausgestellt sind, werden überall in den USA gebührenfrei angenommen, so auch in den meisten New Yorker Kaufhäusern, Läden, Hotels und Restaurants. Reiseschecks in anderen Währungen werden nicht so gerne akzeptiert. Normalerweise können Sie diese in allen größeren Hotels gegen Bargeld eintauschen, möglicherweise müssen Sie jedoch eine Bank aufsuchen. Die offiziellen Wechselkurse werden täglich in der *New York Times* und im *Wall Street Journal* veröffentlicht; außerdem hängen sie in allen Banken aus, in denen Sie Geld wechseln können. American-Express-Schecks werden in jeder Geschäftsstelle von American Express gebührenfrei getauscht.

Es gibt nur wenige Einrichtungen, die sich auf Geldwechsel spezialisiert haben. Zu den solidesten gehören **Thomas Cook Currency Services** und **MTB Banking Corporation**. Die Adressen der Wechselstuben, die längere Öffnungszeiten haben, finden Sie auf Seite 359. Andere sind im Telefonbuch in den Gelben Seiten unter der Rubrik »Foreign Exchange Brokers« aufgelistet. Meist müssen Sie hier Gebühren zahlen, die je nach Institution sehr unterschiedlich ausfallen können.

In Manhattan gibt es unzählige Wechselstuben, die Bargeld tauschen, aber zumeist keine Reiseschecks oder Schecks, die in ausländischer Währung ausgestellt sind, akzeptieren.

Adressen von Wechselstuben

Thomas Cook Currency Services
Rockefeller Center, 630 Fifth Ave.
Karte 12 F5. ☎ *757-6915.*
Eine von mehreren Fililalen.

MTB Banking Corporation
90 Broad St.
Karte 1 C3. ☎ *958-3300.*

Münzen

US-amerikanische Münzen gibt es im Wert von 25, 10, 5 und 1 Cent. 50-Cent-Stücke und 1-US-$-Münzen werden zwar geprägt, sind aber kaum in Umlauf. Jede Münze hat eine im Volksmund gängige Bezeichnung: 25-Cent-Stücke heißen quarters, *10-Cent-Stücke* dimes, *5-Cent-Stücke* nickels *und 1-Cent-Stücke* pennies.

25-Cent-Münze *(quarter)*

10-Cent-Münze *(dime)*

5-Cent-Münze *(nickel)*

1-Cent-Münze *(penny)*

Amerikanischer Adler auf dem 1-Dollar-Schein

Banknoten

Die Währungseinheiten der Vereinigten Staaten sind Dollars und Cents. 100 Cents sind ein Dollar. Banknoten, bills *genannt, gibt es im Wert von 1 US-$, 5 US-$, 10 US-$, 20 US-$, 50 US-$ und 100 US-$; 2-US-$-Noten werden zwar gedruckt, sind aber kaum in Umlauf. Ein Dollar heißt umgangssprachlich auch* buck.

1-Dollar-Schein ($1)

5-Dollar-Schein ($5)

20-Dollar-Schein ($20)

50-Dollar-Schein ($50)

100-Dollar-Schein ($100)

Wechselmöglichkeiten nach Bankschalterschluss

American Express
Bloomingdale's, 59th St und Lexington Ave. **Karte** 13 A3.
705-3171.
Mo–Sa 10–18 Uhr.
Eine von mehreren Filialen.

Chequepoint USA
551 Madison Ave und 55th St. **Karte** 13 A4. *837-7881.*
Mo–Fr 8–20 Uhr, Sa 10–20 Uhr, So 10–18 Uhr.

Harold Reuter & Co
Grand Central Station. **Kerte** 13 A5. Kein Telefon.
Mo–Fr 7–19 Uhr, Sa, So 8–15 Uhr.

Kara International
1225 Broadway, Suite 813. **Karte** 12 E4.
725-5270. *Mo–Fr 9–18 Uhr, Sa 9–15.30 Uhr.*

Thomas Cook
1590 Broadway. **Karte** 12 E5.
265-6049.
Mo–Sa 9–19 Uhr.
Auch an der 41 E 42nd St.
883-0400. *Mo–Fr 9–17 Uhr, Sa 10–15 Uhr.*

Telefonieren in New York

Symbol für Münztelefone

ÖFFENTLICHE MÜNZTELEFONE findet man an jeder Straßenecke, in Hotels und Bürohäusern, Restaurants, Bars, Theatern und Kaufhäusern. Noch gibt es in New York keine Kartentelefone, und nur wenige Telefone funktionieren mit Kreditkarte. Für Münztelefone braucht man 5-, 10- und 25-Cent-Münzen. Hotels haben ihre eigenen Tarife, und so ist es meist günstiger, anstatt vom Zimmer vom öffentlichen Telefon im Foyer aus zu telefonieren.

Öffentliche Telefone

DIE ÖFFENTLICHEN Telefone sind an der Wand oder auf einem Pfosten installiert und haben zwölf Wähltasten. Es gibt auch Telefone von unabhängen Telefongesellschaften; sie sehen meist genauso aus wie die anderen, jedoch kann das Telefonieren von hier aus teurer sein. Alle öffentlichen Telefone müssen den Benutzer über die Handhabung des Apparates, die Tarife und die gebührenfreien Telefonate mittels eines Schildes informieren.

Münztelefon einer privaten Telefongesellschaft

Achten Sie auf das Firmenlogo oder die Firmenbezeichnung der New York Telephone Company, um sicherzugehen, daß Sie alle Nummern zu den Standardtarifen anwählen können. Weitere Informationen erteilt die **Public Service Commission.**

Telefoninfo Public Service Commission (800) 342-3355 *(gebührenfrei).*

Ortszeit

In New York gilt die Eastern Standard Time. Rufen Sie in Europa an, achten Sie auf die Zeitverschiebung. Bezogen auf Mitteleuropa müssen Sie sechs Stunden zur New Yorker Ortszeit dazurechnen.

Telefongebühren

EIN ORTSGESPRÄCH innerhalb New Yorks kostet 25 Cent für fünf Minuten Gesprächsdauer. Telefonieren Sie länger als fünf Minuten, so werden Sie aufgefordert, weitere Münzen einzuwerfen.

Ferngespräche innerhalb der USA kosten ab 17 Uhr 65% der üblichen Tagestarife, ab 23 Uhr nur noch 40%. Letztgenannter Tarif gilt auch am Wochenende, ausgenommen sonntags zwischen 17 und 23 Uhr. Alle Tarife gelten auch für Gespräche nach Kanada, allerdings verschieben sich die Uhrzeiten hier um ei-

Telefonieren mit dem Münztelefon

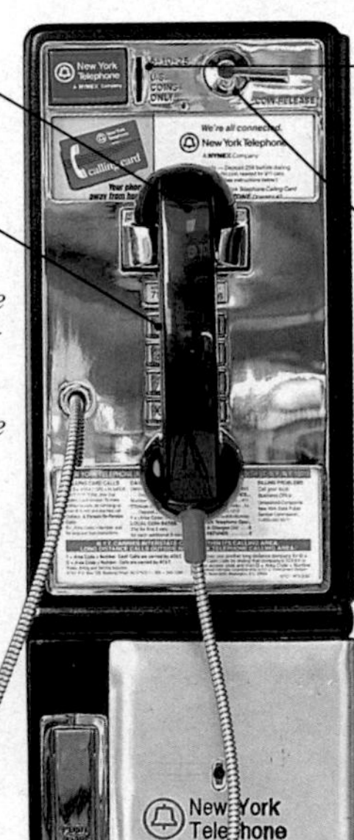

1 Nehmen Sie den Hörer ab.

2 Werfen Sie so viele Münzen ein, wie Sie für Ihr Telefonat brauchen.

3 Wählen Sie die Nummer.

4 Bekommen Sie keine Verbindung oder haben Sie nicht alle Münzen vertelefoniert, drücken Sie auf den Münz-Rückgabeknopf (»coin release«).

5 Telefonieren Sie länger als geplant und reicht das eingeworfene Geld nicht, so wird Ihr Telefonat unterbrochen, und Sie werden aufgefordert, weitere Münzen einzuwerfen.

Münzen
Vergewissern Sie sich, daß Sie genügend Kleingeld dabeihaben, bevor Sie wählen.

5 Cents

10 Cents

25 Cents

Telefon der New York Telephone Company

ne Stunde nach hinten. Ferngespräche ins Ausland kosten unterschiedlich viel, je nachdem, wohin man telefoniert. Auch für diese gibt es Billigtarife, die von 18 Uhr bis 7 Uhr morgens gelten.

TELEFONINFO

Ortsauskunft
411.

General Post Office
967-8585.

Operator (Vermittlung)
0.

Zeitansage
976-1616.

Internationale Auskunft
00.

SO SIND SIE RICHTIG VERBUNDEN

- New York hat zwei Vorwahlnummern: 212 für Manhattan und 718 für Brooklyn, die Bronx, Queens und Richmond (Staten Island). Die Vorwahl 800 bedeutet gebührenfreies Telefonieren.
- Telefonieren Sie nach einem anderen Bezirk, wählen Sie zunächst 1, dann 718 bzw. 212, dann die Rufnummer.
- Bei Ferngesprächen wählen Sie 0, die Ortsnetznummer und die Nummer des Teilnehmers. Die Vermittlung sagt Ihnen dann, wieviel Geld Sie einzuwerfen haben.
- Bei Direktgesprächen ins Ausland wählen Sie 011, dann die Vorwahl des jeweiligen Landes (A: 43, CH: 50, D: 49), dann die der Stadt (ohne die erste 0), dann die Rufnummer.
- Geht das Auslandsgespräch über die Vermittlung, wählen Sie 01, dann die Vorwahl des Landes, der Stadt (ohne die erste 0) und die Rufnummer.
- Die internationale Fernsprechauskunft hat die Nummer 00, die internationale Telefonvermittlung die Nummer 01.
- **In Notfällen wählen Sie 911.**

Briefe und Postkarten

Logo der US-Post

IHRE BRIEFE KÖNNEN SIE IN POSTÄMTERN und an der Rezeption Ihres Hotels abgeben, wo Sie meist auch Briefmarken bekommen. Briefkästen – blau oder rot-weiß-blau – finden Sie in Eingangshallen von Geschäftsgebäuden, in Flughäfen, Bahnhöfen und gelegentlich in den Straßen. Am Wochenende werden sie meist nicht geleert; Hinweise auf Postämter im Kartenregister/Kartenteil *(siehe S. 378f).*

POSTDIENSTE

DAS HAUPTPOSTAMT der Stadt, das **General Post Office**, hat 24 Stunden am Tag geöffnet. Briefmarken können Sie hier kaufen oder am Automaten in Apotheken, Kaufhäusern, Bus- und Zugstationen, doch müssen Sie für Briefmarken, die Sie nicht bei der Post kaufen, einen Aufpreis von 25% zahlen.

Es gibt zwei Sonderbeförderungsarten der Post: **Express Mail**, d. h. Ihre Briefe werden am nächsten Tag zugestellt, und **Priority Mail**, d. h. Zustellung am übernächsten Tag. Beide sind teurer als eine normale Briefzustellung (Informationen hierzu bei jedem Postamt). Express-Mail-Briefe können Sie auch an der Rezeption Ihres Hotels aufgeben bzw. bei einem der Zustelldienste, die Sie im Telefonbuch finden, z. B. bei **DHL** oder **Federal Express.**

Bunte Briefmarken

Info General Post Office, 421 Eighth Ave. **Karte** 8 D2. *967-8585.* Priority Mail und Express Mail *(800) 222-1811.* Federal Express *(800) 238-5355.* DHL *(800) 225-5345.*

POSTLAGERNDE SENDUNGEN

BRIEFE UND PÄCKCHEN werden 30 Tage beim General Post Office aufbewahrt, können aber auch zu anderen Postämtern geschickt werden. Generell gilt als Adresse: Name des Empfängers; Poste Restante, c/o General Delivery, New York, NY 10001.

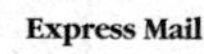

Express Mail

Priority Mail

Briefkästen
In New Yorks Straßen findet man nur wenige Briefkästen, und so ist es oft einfacher, zu einem Postamt zu gehen (siehe Kartenregister/Kartenteil S. 378f). *Da Sie für Express- oder Priority-Mail-Briefe zusätzliches Porto zahlen müssen, geben Sie diese am besten bei einem Postamt auf.*

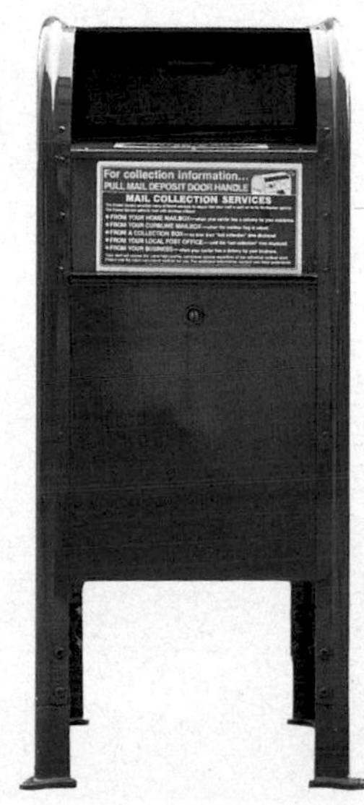

Briefkasten

Anreise nach New York

Viele internationale Fluggesellschaften bieten Direktflüge nach New York; Sie können auch mit Charter fliegen und zudem von New York aus per Inlandflug fast überallhin kommen. Aufgrund der harten Konkurrenz unter den Fluggesellschaften sind Inlandflüge relativ billig und eine echte Alternative zu Bus oder Zug. Schiffe aus aller Welt legen im Hafen von New York an. Fernzüge sind bequem und sauber, wie auch die Überlandbusse, die mit Air-Condition und Toiletten ausgestattet sind. Nähere Informationen über Anreisemöglichkeiten nach New York finden Sie auf den Seiten 366f.

Manhattan aus der Luft

Mit dem Flugzeug

Von mehreren deutschen und europäischen Städten aus gibt es Direktflüge nach New York. Ab Frankfurt dauert der Flug ca. sieben Stunden, entsprechend lange fliegen Sie von München, Wien oder Zürich aus. Neben vielen amerikanischen Fluggesellschaften fliegen sowohl die **Austrian Airlines** als auch **Lufthansa** oder **Swiss Air** direkt nach New York. Alle internationalen Flüge kommen am Flughafen Newark oder am John F. Kennedy Airport an *(siehe S. 364f)*.

APEX-Tickets (Advance Purchase Excursion) für Linienflüge sind normalerweise die preisgünstigste Art zu fliegen. Jedoch müssen Sie relativ früh gebucht werden und sind nur gültig für einen Aufenthalt von mehr als sieben und maximal 30 Tagen. Einige Fluglinien bieten billige Sondertarife an, z.T. auch für Senioren, sofern Sie zu bestimmten, festgelegten Zeiten fliegen.

Fluggesellschaften

American Airlines
0130-4114 (in D gebührenfrei).

Austrian Airlines
0222-505 57 57 (A).

Delta Airlines
0130-2526 (in D gebührenfrei).

Lufthansa
069-255 45 10 (D).

Swiss Air
0411-812 12 12 (CH).

United Airlines
0130-6616 (in D gebührenfrei).

Mit dem Schiff

Den Hafen von New York laufen Schiffe aus vielen Ländern der Welt an, begrüßt von dem wohl bekanntesten Wahrzeichen der USA, der Statue of Liberty. Schiffsreisen sind sicherlich mit die teuerste, exklusivste und aufwendigste, wenn auch erholsamste Art, in die USA zu gelangen. Die Schiffe legen mitten in Manhattan an den Piers des Hudson River an, von wo aus viele Hotels der Stadt schnell mit Taxi oder Bus zu erreichen sind.

Ein Ozeanriese erreicht Manhattan

Greyhound-Bus für Langstrecken

Mit dem Bus

Alle Überlandbusse, wie die **Greyhound Coaches,** fahren in die Stadt zum **Port Authority Bus Terminal**. Von hier gehen auch die Busse zu den drei Flughäfen der Stadt ab, und viele Hotels in Midtown sind von hier aus mit Bussen schnell erreichbar. Etwa 6000 Busse verkehren hier täglich, etwa 172 000 Passagiere steigen an diesem Bahnhof täglich ein und aus, und so scheint am Terminal bisweilen das wahre Chaos auszubrechen.

Info Greyhound Coaches.
(800) 231-2222 (24 Stunden).
Port Authority Bus Terminal. W 40th St und Eighth Ave. **Karte** 8 D1.
564-8484 (24 Stunden).

Mit dem Zug

Alle Amtrak-Züge aus Kanada, dem Staate New York, aus dem Süden, Nordosten und Westen der USA kommen an der Penn Station an *(siehe S. 376)*, die Regionalzüge aus dem Norden des Staates New York sowie die Züge aus Connecticut hingegen am Grand Central Terminal.

New Yorks Flughäfen

Transatlantik-Jet

Die drei grossen Flughäfen New Yorks (Newark, JFK und LaGuardia) haben gute Verkehrsverbindungen nach Manhattan. Schauen Sie nach einem der uniformierten »Skycaps« – Gepäckträger mit scharlachroten Kappen –, die Ihr Gepäck tragen helfen; vertrauen Sie ansonsten niemandem Ihre Koffer an. Sogenannte »Taxi dispatchers« helfen Ihnen, am Taxistand ein lizensiertes Taxi zu bekommen.

Wege nach Manhattan

Im Ground Transportation Centre aller Flughäfen erhalten Sie Auskunft über Möglichkeiten, vom Flughafen in die Stadt zu gelangen. Von LaGuardia und JFK fahren **Carey Airport Express** und **Gray Line Air Shuttle** nach Manhattan. Letzterer läßt Sie dort überall zwischen der 23rd und 63rd Street aussteigen. Sie sind teurer als normale Busse, doch fahren sie sozusagen wie Taxis von Tür zu Tür, sind aber billiger als diese. New-Jersey-Transit-Busse und **Olympia Airport Express** bieten ebenfalls Fahrten in nach Manhattan.

Classic Airport Share Ride und **Westchester Express** bieten an den Flughäfen LaGuardia und JFK eine Art Gruppentaxi an, das Sie sich mit drei weiteren Personen teilen können. Viele Leihwagenfirmen haben Kundentelefone, meist an der Gepäckausgabe. Telefonnummern zur Reservierung eines Leihwagens finden Sie auf Seite 370.

Taxi dispatcher

Hinweis auf Verkehrsverbindungen nach Manhattan in LaGuardia

Busgesellschaften

Carey Airport Express (718) 632-0500/0509.

Classic Airport Share Ride (516) 567-5100.

Gray Line Air Shuttle 315-3006.

Olympia Airport Express 964-6233.

Westchester Express (914) 592-9200.

LaGuardia (LGA)

LaGuardia, vor allem von Geschäftsleuten frequentiert, liegt 13 Kilometer östlich von Manhattan in Queens, im Norden Long Islands.

Sie können Ihr Gepäck einem »Skycap«, einem offiziellen Gepäckträger, anvertrauen, neben der Gepäckausgabe einen Gepäckwagen mieten oder Ihre Koffer im Tele-Trip-Geschäftszentrum in der Abflughalle deponieren. Rund um das Central Terminal sind Banken, in denen Sie Geld wechseln können.

Ein »Taxi dispatcher«, ein uniformierter Dienstmann, hilft Ihnen, eines der gelben, von der Stadt lizensierten Taxis zu bekommen. Zusätzlich zum Fahrgeld (etwa 25–30 Dollar bis Manhattan) sind eine Grundgebühr sowie nach 20 Uhr und an Sonntagen ein Zuschlag zu zahlen.

Telefoninfo Airport Information Service (718) 533 3400.

Abflughalle in LaGuardia

Plan des LaGuardia Airport

Ein kostenloser Bus pendelt zwischen den verschiedenen Terminals und den Parkplätzen. Busse und Taxis in die Stadt fahren von der Hauptebene des Central Terminal ab.

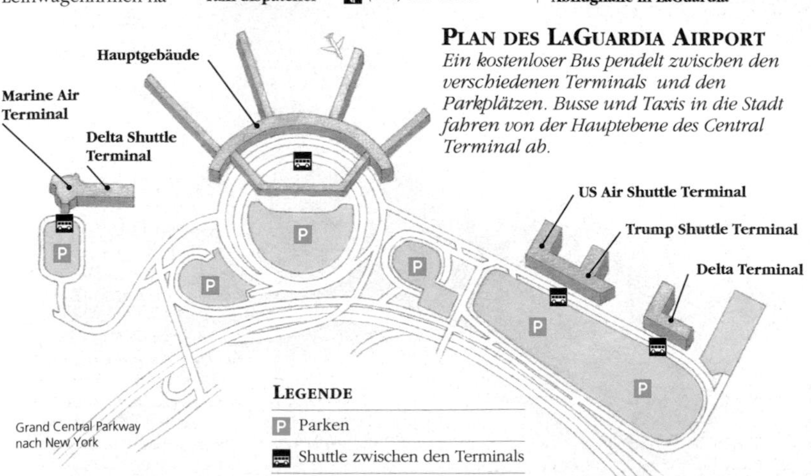

John F Kennedy (JFK) Airport

New Yorks größter internationaler Flughafen, JFK Airport, liegt in Queens, 24 Kilometer südöstlich von Manhattan. Die großen Fluggesellschaften haben hier eigene Ankunftshallen, in denen auch alle Zoll- und Einreiseformalitäten abgewickelt werden.

Bei der Gepäckausgabe können Sie einen Gepäckwagen mieten oder Ihr Gepäck an einem Schalter in der An-

Informationsschilder im JFK

Ankunftshalle für internationale Flüge im JFK

kunftshalle deponieren. Wechselstuben und Banken finden Sie in allen Terminals.

Nahe der Gepäckausgabe ist auch das Ground Transportation Centre, in dem man Ihnen rund um die Uhr den Transport nach Manhattan vermittelt.

Am schnellsten erreichen Sie Manhattan mit dem Helikopter, jedoch zahlen Sie für diesen 15-Minuten-Flug mindestens doppelt so viel wie für ein Taxi. Leihwagenfirmen können Sie von deren Kundentelefonen aus erreichen, die meisten bieten zudem einen kostenlosen Zubringerservice zu ihren Büros. Vor den Terminals stehen Taxis; eine Fahrt nach Manhattan dauert etwa eine Stunde und kostet rund 30 Dollar. Busse brauchen meist länger, aber Carey-Airport-Express-Busse sind zuverlässig, preisgünstig und fahren rund um die Uhr.

Für Reisende, die frühmorgens abfliegen, gibt es nahe dem Flughafen einige Hotels. Hotels in der Stadt können Sie bei Meegan Services buchen.

Nützliche Adressen

Airport Information Service
(718) 244-4444.

Hilton JFK Airport
138–10 135th Ave, Queens.
(718) 322-8700.

Holiday Inn JFK
144–02 135th Ave, Queens.
(718) 659-0200.

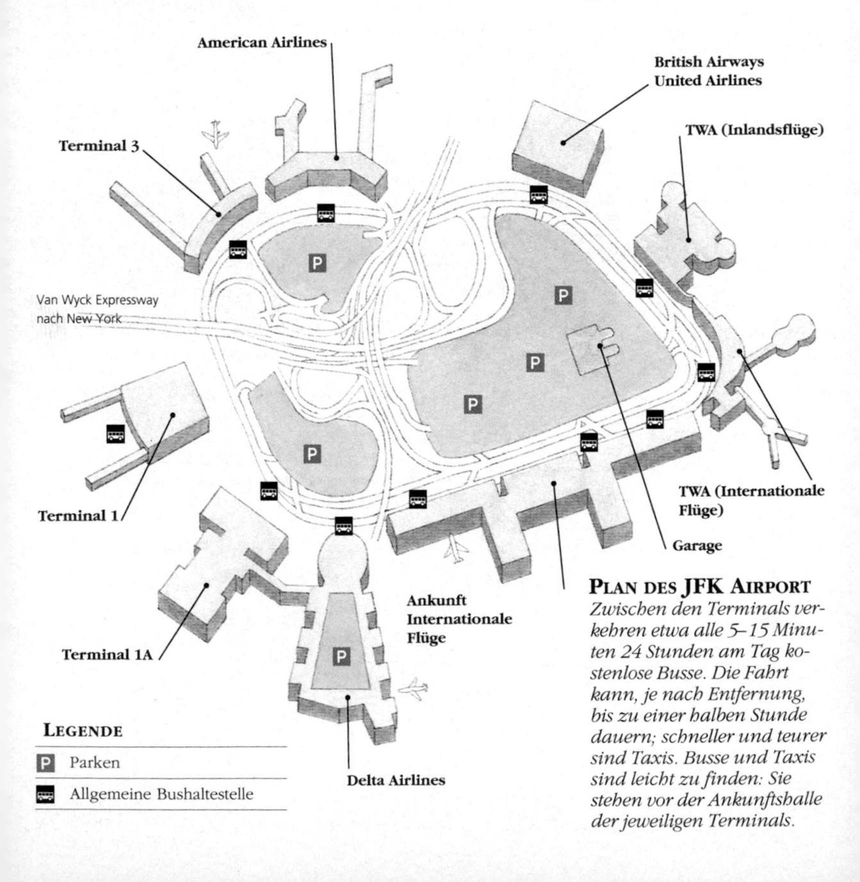

Plan des JFK Airport
Zwischen den Terminals verkehren etwa alle 5–15 Minuten 24 Stunden am Tag kostenlose Busse. Die Fahrt kann, je nach Entfernung, bis zu einer halben Stunde dauern; schneller und teurer sind Taxis. Busse und Taxis sind leicht zu finden: Sie stehen vor der Ankunftshalle der jeweiligen Terminals.

NEWARK AIRPORT

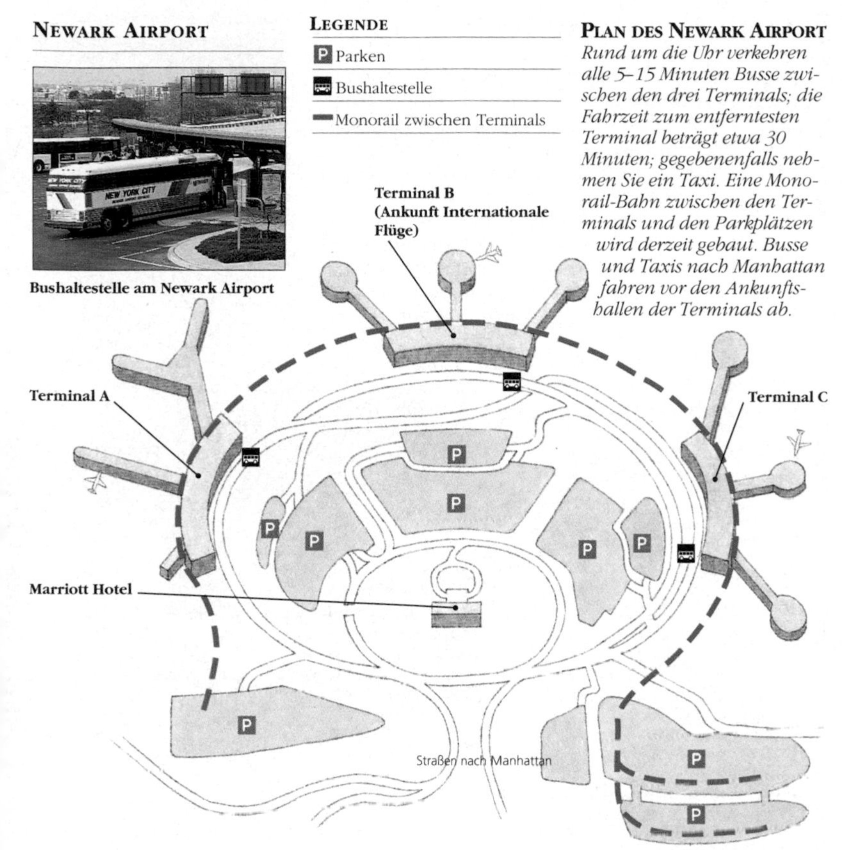

Bushaltestelle am Newark Airport

PLAN DES NEWARK AIRPORT
Rund um die Uhr verkehren alle 5–15 Minuten Busse zwischen den drei Terminals; die Fahrzeit zum entferntesten Terminal beträgt etwa 30 Minuten; gegebenenfalls nehmen Sie ein Taxi. Eine Monorail-Bahn zwischen den Terminals und den Parkplätzen wird derzeit gebaut. Busse und Taxis nach Manhattan fahren vor den Ankunftshallen der Terminals ab.

NEWARK, NEW YORKS zweitgrößter internationaler Flughafen, liegt in New Jersey, 26 Kilometer südwestlich von Manhattan.

Alle internationalen Flüge kommen am Terminal B an. Gepäckwagen für Ihre Koffer können Sie bei der Gepäckausgabe mieten, doch gibt es in Newark keine Möglichkeit, Gepäck zu deponieren. Wechselstuben finden Sie in allen Terminals.

Nahe der Gepäckausgabe sind die Schalter der Ground Transportation Services, die 24 Stunden geöffnet haben. Leihwagenfirmen haben Kundentelefone im Flughafen und bieten zudem einen Zubringerservice zu ihren Büros.

Taxis stehen vor allen Terminals, und zwar vor der jeweiligen Ankunftshalle. Uniformierte Dienstmänner, »Taxi dispatchers«, helfen Ihnen, ein Taxi zu bekommen. Fahren Sie niemals mit jemandem mit, der Ihnen am Flughafen eine Fahrt in die Stadt anbietet; es kann sein, daß diese Autos nicht versichert sind. Die Fahrt nach Manhattan dauert etwa 40 Minuten und kostet um die 30 Dollar.

Busse brauchen etwa 40 Minuten bis eine Stunde, kosten aber auch nur 10 Dollar. Anzeigetafeln in den Ankunftshallen aller Terminals informieren über die Abfahrtszeiten der Buslinien.

Rund um den Flughafen sowie im Flughafen selbst gibt es Hotels für Reisende, die frühmorgens abfliegen müssen. Darüber hinaus können Sie in allen drei Terminals über Kundentelefone direkt Hotels in Manhattan anrufen und buchen.

NÜTZLICHE ADRESSEN

Airport Information Service
(201) 961-2000.

Holiday Inn International
1000 Spring St, Elizabeth, N J.
(800) 465-4329.

Marriott Hotel
Newark-Airport-Gelände.
(800) 228-9290.

Bildschirme im Newark Airport mit Information über Verkehrsverbindungen

Ankunft in New York

DIESE KARTE ZEIGT DIE VERSCHIEDENEN Verbindungen zwischen Manhattan und den drei großen Flughäfen. Zudem sind auch die Zugverbindungen zwischen New York und allen anderen Teilen der USA sowie Kanada aufgeführt. Reiseinformationen, inklusive Fahrzeiten von U-Bahnen, Bussen, Fernbussen und Helikoptern, finden Sie in den Info-Boxen. New Yorks Hafen für Passagierschiffe, einst ersehntes Ziel von Immigranten, liegt unweit vom Zentrum Manhattans. Das Port Authority Bus Terminal, nahe dem Hafen, bietet Busverbindungen durch die Stadt.

Hafen für Passagierschiffe

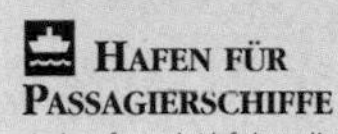

Hafen für Passagierschiffe

Ankunft und Abfahrt aller Schiffe an den Piers 88–92

Legende

- Flughafen *siehe S. 363ff*
- Seehafen *siehe S. 362*
- Zugverbindungen *siehe S. 362*
- Busbahnhof *siehe S. 362*
- Subway-Anschluß *siehe S. 374 f*
- Schiffszubringer
- Helikopter-Service *siehe S. 364*
- Carey Airport Express und Gray Line Air Shuttle *siehe S. 363*
- Schiffszubringer
- Helikopter *siehe S. 364*
- Long Island Rail Road *siehe S. 376f*
- New Jersey Transit *siehe S. 363*
- Olympia Airport Express *siehe S. 363*
- Pendelbus *siehe S. 364*
- Subway Linie A *siehe S. 374*

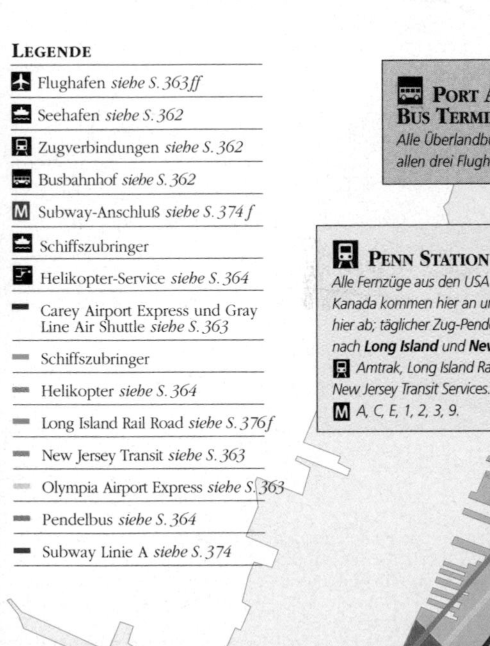

Port Authority Bus Terminal

Alle Überlandbusse; Verbindung zu allen drei Flughäfen

Penn Station

*Alle Fernzüge aus den USA und Kanada kommen hier an und fahren hier ab; täglicher Zug-Pendelverkehr nach **Long Island** und **New Jersey***

Amtrak, Long Island Rail Road und New Jersey Transit Services.

M A, C, E, 1, 2, 3, 9.

Gray Line Air Shuttle-Busse halten überall zwischen 23rd und 63rd Street.

Newark

Alle 20–30 Min Bus nach Manhattan

***Olympia Airport Express** alle 20–30 Min zu **World Trade Center, Penn Station** und **Grand Central Terminal**.*

***New Jersey Transit** Bus alle 15–20 Min zum **Port Authority Bus Terminal**.*

Delta-Schiffszubringer nach LaGuardia

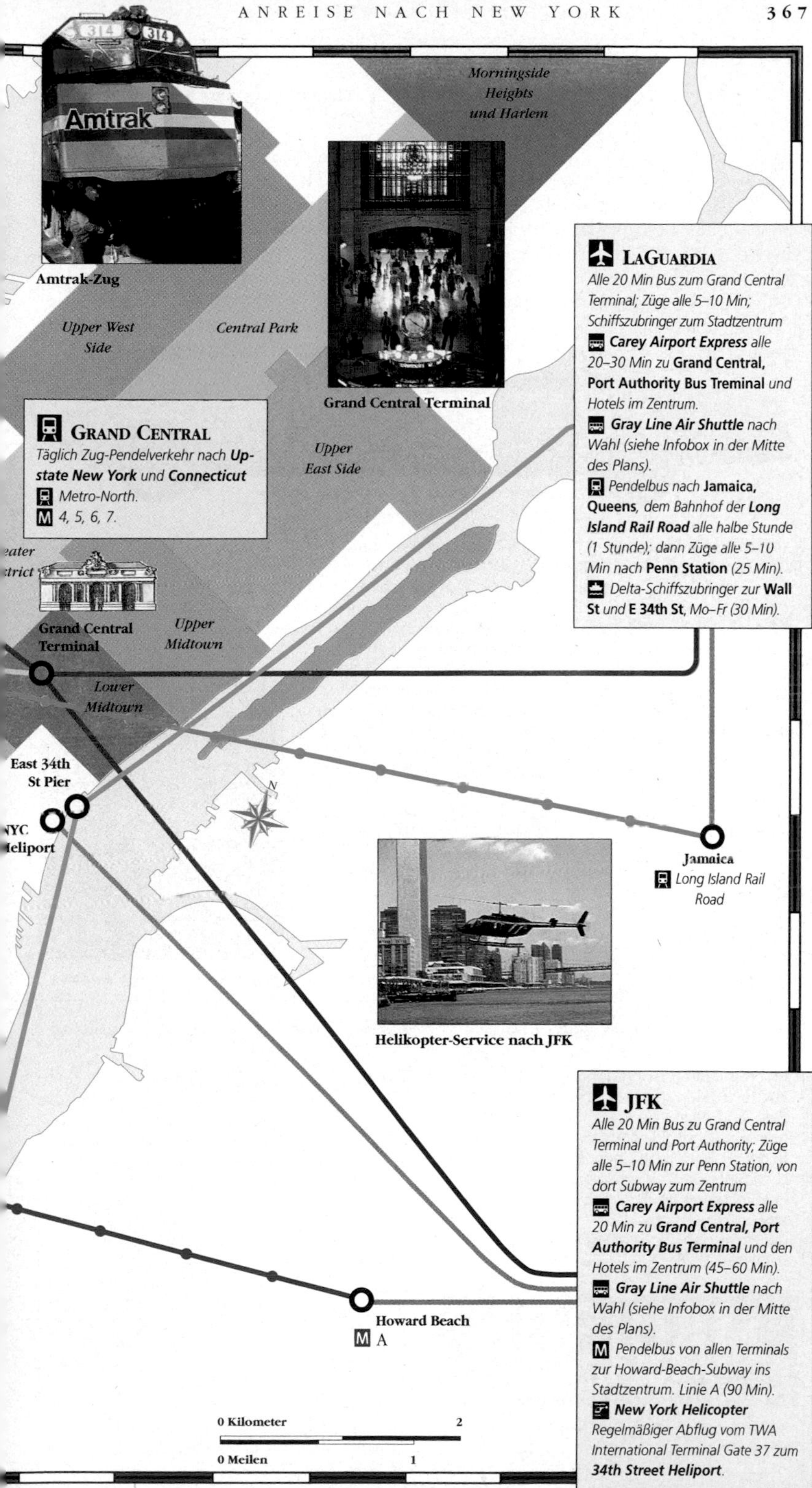
Amtrak
Amtrak-Zug
Morningside Heights und Harlem
Upper West Side
Central Park
Grand Central Terminal
GRAND CENTRAL
Täglich Zug-Pendelverkehr nach Upstate New York und Connecticut
Metro-North.
M 4, 5, 6, 7.
Upper East Side
Grand Central Terminal
Upper Midtown
Lower Midtown
East 34th St Pier
NYC Heliport
N
LAGUARDIA
Alle 20 Min Bus zum Grand Central Terminal; Züge alle 5–10 Min; Schiffszubringer zum Stadtzentrum
Carey Airport Express alle 20–30 Min zu Grand Central, Port Authority Bus Treminal und Hotels im Zentrum.
Gray Line Air Shuttle nach Wahl (siehe Infobox in der Mitte des Plans).
Pendelbus nach Jamaica, Queens, dem Bahnhof der Long Island Rail Road alle halbe Stunde (1 Stunde); dann Züge alle 5–10 Min nach Penn Station (25 Min).
Delta-Schiffszubringer zur Wall St und E 34th St, Mo–Fr (30 Min).
Jamaica
Long Island Rail Road
Helikopter-Service nach JFK
JFK
Alle 20 Min Bus zu Grand Central Terminal und Port Authority; Züge alle 5–10 Min zur Penn Station, von dort Subway zum Zentrum
Carey Airport Express alle 20 Min zu Grand Central, Port Authority Bus Terminal und den Hotels im Zentrum (45–60 Min).
Gray Line Air Shuttle nach Wahl (siehe Infobox in der Mitte des Plans).
M Pendelbus von allen Terminals zur Howard-Beach-Subway ins Stadtzentrum. Linie A (90 Min).
New York Helicopter Regelmäßiger Abflug vom TWA International Terminal Gate 37 zum 34th Street Heliport.
Howard Beach
M A
0 Kilometer 2
0 Meilen 1

In New York unterwegs

New York verfügt über ein Straßennetz von insgesamt knapp 10000 Kilometern, doch ist die Stadt in eine Vielzahl von Distrikten gegliedert, und die wichtigsten Sehenswürdigkeiten sind bequem von Distrikt zu Distrikt zu besichtigen. Am schnellsten kommen Sie mit einem Taxi ans Ziel – sofern Sie nicht im Stau stehen. Busse sind bequem und billig, doch eher langsam; die Subway ist schnell, billig und zuverlässig, am Anfang erscheint ihr Netz jedoch etwas kompliziert. Die diversen Verkehrsmittel haben unterschiedliche Tarifsysteme. Tages-, Wochen- oder Monatskarten gibt es nicht.

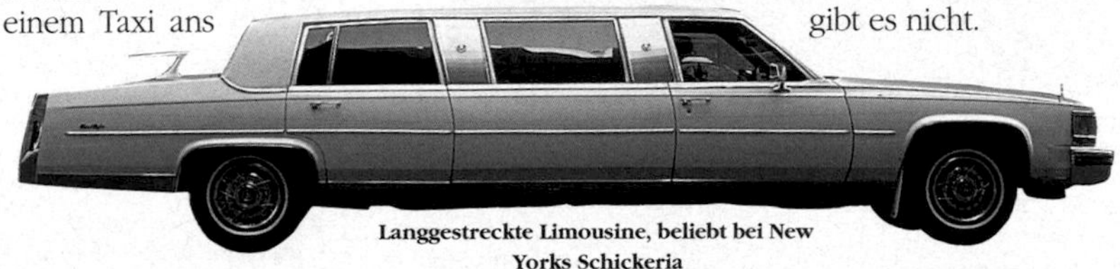

Langgestreckte Limousine, beliebt bei New Yorks Schickeria

Avenues und Streets – die Straßen New Yorks

Manhattans *Avenues* führen von Nord nach Süd, die *Streets* (ausgenommen im alten Zentrum) von Ost nach West. Die Fifth Avenue teilt das Stadtgebiet – eher etwas willkürlich – in Ost und West: So liegt das Haus Nr. 5 West 40th Street nur wenige Schritte westlich, das Haus Nr. 5 East 40th Street nur wenige Schritte östlich der Fifth Avenue in der 40th Street.

Die meisten *Streets* in Midtown sind Einbahnstraßen; generell verläuft der Verkehr in Straßen mit geraden Nummern nach Osten, in Straßen mit ungeraden Nummern nach Westen. Auch *Avenues* sind oft Einbahnstraßen und führen entsprechend von Nord nach Süd und umgekehrt. First, Third – oberhalb der 23th Street –, Madison, Eighth, Avenue of The Americas (6th Ave) und Tenth Avenue verlaufen nach Norden; Second, Lexington, Fifth, Seventh, Ninth Avenue und Broadway unterhalb der 59th Street verlaufen südwärts. Gegenverkehr herrscht auf der York, Park, Eleventh, Twelfth Avenue und am Broadway oberhalb der 60th Street.

Die meisten Häuserblocks nördlich der Houston Street sind rechteckig angelegt; die Ost-West-Seitenlänge ist dabei jedoch drei- bis viermal länger als jene von Nord nach Süd.

Fragen Sie einen New Yorker nach dem Weg, kann dies zu Verwirrungen führen: Die Avenue of the Americas ist eher als Sixth Avenue bekannt, die Seventh Avenue als

Hauptverkehrszeit in Manhattan

Adressen suchen und finden

Eine Formel hilft, in New Yorks *Avenues* eine bestimmte Hausnummer zu finden: Man läßt die letzte Ziffer der Hausnummer weg, teilt den Rest durch 2, addiert oder subtrahiert eine **Schlüsselzahl** (siehe nebenstehende Tabelle) und findet so die dem gesuchten Haus am nächsten gelegene Straßenkreuzung. Beispiel: Lexington Avenue Nr. 826. 6 weglassen; 82 geteilt durch 2 ergibt 41, plus die Schlüsselzahl 22, ergibt nächstgelegene Querstraße: 63rd Street.

MADISON
AVENUE

Straßenschild der Madison Avenue an einer Straßenkreuzung

Avenue	Schlüsselzahl	Avenue	Schlüsselzahl
1st Ave	*+3*	*9th Ave*	*+13*
2nd Ave	*+3*	*10th Ave*	*+14*
3rd Ave	*+10*	*Amsterdam Ave*	*+60*
4th Ave	*+8*	*Audubon Ave*	*+165*
5th Ave, bis 200	*+13*	*Broadway, oberhalb 23rd St*	*–30*
5th Ave, bis 400	*+16*	*Central Park W, ganze Zahl durch 10 teilen*	*+60*
5th Ave, bis 600	*+18*	*Columbus Ave*	*+60*
5th Ave, bis 775	*+20*	*Convent Ave*	*+127*
5th Ave 775–1286, nicht durch 2 teilen	*–18*	*Lenox Ave*	*+110*
5th Ave, bis 1500	*+45*	*Lexington Ave*	*+22*
5th Ave, bis 2000	*+24*	*Madison Ave*	*+26*
(6th) Ave of the Americas	*–12*	*Park Ave*	*+35*
7th Ave, unterhalb 110th St	*+12*	*Park Ave South*	*+08*
7th Ave, oberhalb 110th St	*+20*	*Riverside Drive, ganze Zahl durch 10 teilen*	*+72*
8th Ave	*+10*	*St Nicholas Ave*	*+110*
		West End Ave	*+60*

Fashion Avenue. Dieser Reiseführer weist für Straßen und Plätze die Namen auf, die in New York üblich sind.

Hauptverkehrszeiten

Hauptverkehrszeiten in New York sind Montag bis Freitag zwischen 8 und 10 Uhr, zwischen 11.30 und 13.30 Uhr sowie zwischen 16.30 und 18.30 Uhr. In dieser Zeit ist es besser, zu Fuß zu gehen, als Bus, Subway oder Taxi zu benutzen. Zu anderen Tageszeiten und in der Ferienzeit *(siehe S. 53)* kommen Sie in New York relativ gut voran.

Natürlich gibt es einige Ausnahmen: Die Fifth Avenue sollte vor allem an Feiertagen wie St Patrick's Day oder Thanksgiving Day gemieden werden. Regelmäßige Demonstrationen z. B. verstopfen oft die Gegend um die City Hall *(siehe S. 90)*, und die Gegend um die Seventh Avenue, südlich der 42nd Street, ist den ganzen Tag über voller Handwagen und Lastwagen der New Yorker Bekleidungsfabriken.

Die Staten Island Ferry verläßt Battery Park

Schiff der Circle Line

Fähren

Zwei Fährlinien sind für Besucher interessant *(siehe auch S. 353)*: Die Circle Line fährt mehrmals täglich vom Battery Park an der Südspitze Manhattans zur Statue of Liberty und nach Ellis Island; die Staten Island Ferry (vom Battery Park aus) bietet rund um die Uhr imposante Blicke auf Manhattan und seine Brücken, die Statue of Liberty, Governors Island – und kostet nur 50 Cent. Mit demselben Ticket können Sie von Governors Island aus wieder nach Manhattan zurückfahren.

Zu Fuss

An den meisten Straßenkreuzungen gibt es beleuchtete Straßen- und Straßenhinweisschilder sowie Ampeln, die den Verkehr regeln: »Rot« bedeutet anhalten, »Grün« fahren; Fußgängerampeln zeigen *Walk* für »Gehen« und *Don't Walk* für »Stehenbleiben« an. Doch werden diese Regeln von den meisten New Yorker Fußgängern kaum beachtet. Vergessen Sie trotz der vielen Einbahnstraßen nicht, daß es in Manhattan auch einige Straßen mit Gegenverkehr gibt; seien Sie also vorsichtig beim Überqueren dieser Straßen. Die meisten Straßenkreuzungen sind mit Fußgängerampeln versehen, einige mit Fußgängerunterführungen oder auch Zebrastreifen. Diese zu benutzen ist nicht immer ganz ungefährlich, denn viele Autofahrer mißachten oftmals die Regel »Vorfahrt für Fußgänger«. Achten Sie an Zebrastreifen also immer auf Autos und besonders auf Lastwagen, die gerade um die Kurve kommen und in die Straße einbiegen, die Sie überqueren wollen.

Fußgängerüberweg

Fußgänger: Stehenbleiben

Fußgänger: Gehen

Mit dem Fahrrad

Besucher, die in New York Fahrrad fahren möchten, sollten dies in erster Linie tagsüber und auf Parkwegen tun (im Central Park und entlang des East- und Hudson River). Fahrräder können Sie bei AAA Bicycle Rentals im Central Park mieten.

Telefoninfo AAA Bicycle Rentals. *861-4137.*

Fahrradfahrerin im Central Park

New York mit dem Auto

DICHTER VERKEHR UND HOHE MIETWAGENPREISE lassen das Autofahren in New York zu einem frustrierendem Erlebnis werden. Es besteht Anschnallpflicht. Die zulässige Höchstgeschwindigkeit beträgt 35 mph (56 km/h); sie zu überschreiten ist allein schon wegen der vielen Schlaglöcher und ampelgeregelten Kreuzungen recht schwierig.

Verkehrsstau auf der Sixth Avenue

LEIHWAGEN

UM EINEN LEIHWAGEN zu mieten (in der Stadt günstiger als am Flughafen), müssen Sie älter als 25 Jahre sein, einen gültigen Führerschein besitzen (ein internationaler Führerschein ist nicht notwendig) und eine Kreditkarte vorlegen (oder eine sehr hohe Kaution entrichten).

Sie sollten eine Schadens- und Diebstahlversicherung abschließen; nicht selten werden in New Yorks Straßen Autos beschädigt oder gestohlen. Tanken Sie den Wagen voll, bevor Sie ihn zurückgeben, ansonsten zahlen Sie das Doppelte des normalen Benzinpreises.

PARKEN

PARKEN IN MANHATTAN ist schwierig und teuer; Parkplätze und -garagen zeigen ihre Tarife stets an der Einfahrt an. Die Preise einiger Hotels beinhalten auch Gebühren für den hauseigenen Parkplatz.

Es gibt Kurzzeit-Parkzonen (20–60 Min.); gelbe Straßen- und Bordsteinmarkierungen bedeuten Parkverbot, Verstöße werden geahndet.

»Alternate Side«-Parken ist in vielen Seitenstraßen möglich. Dies bedeutet, daß Sie hier Ihren Wagen zwar parken können, ihn aber bis zum nächsten Morgen um 8 Uhr auf der anderen Straßenseite abgestellt haben müssen. Genauere Informationen erteilt das **Transportation Department.**

STRAFEN

STRAFZETTEL MÜSSEN SIE innerhalb von sieben Tagen bezahlen oder Einspruch dagegen erheben. In Streitfällen wenden Sie sich an das **Parking Violations Bureau**, das täglich von 8.30 bis 19 Uhr geöffnet ist.

New Yorks Abschleppdienste sind äußerst aktiv; etwa 30 % aller Autos werden beim Abschleppen beschädigt. Falls Sie Ihren Wagen nicht wiederfinden, rufen Sie im Transportation Department an, das außer sonntags rund um die Uhr besetzt ist. Sie erhalten Ihren Wagen gegen 150 Dollar Strafe und eine Tagesgebühr von 5 Dollar für die Aufbewahrung zurück. Sie können mit Scheck, Reisescheck oder bar zahlen. Handelt es sich um einen Leihwagen, so müssen Sie die entsprechenden Unterlagen vorweisen; nur derjenige, auf dessen Namen der Vertrag läuft, kann den Wagen auslösen. Falls Sie auch dort Ihr Auto nicht finden, melden Sie den Verlust der Polizei.

Info Polizei ☎ *911*; Parking Violations Bureau ☎ *477-4430*; Traffic Department, Tow Pound (Abschleppabteilung), Pier 76, West 38th St und Twelfth Ave. **Karte** 7 1B. ☎ *788-7800*; Transportation Department ☎ *442-7070*.

New Yorker Verkehrspolizist

LEIHWAGENFIRMEN

DIE ADRESSEN und Telefonnummern der Leihwagenfirmen finden Sie im Telefonbuch unter der Rubrik »Automobile Renting«. Die größten Unternehmen sind:

Avis
☎ *(800) 331-1212.*

Budget
☎ *(800) 527-0700.*

Dollar
☎ *(800) 800-4000.*

Hertz
☎ *(800) 654-3131.*

National
☎ *(800) 227-7368.*

VERKEHRSSCHILDER

Mit Zebrastreifen markierte Fußgängerüberwege an vielen Kreuzungen zeigen an, daß Fußgänger »Vorfahrt« haben. Als Autofahrer dürfen Sie bei roter Ampel – anders als im Staat New York – nicht rechts abbiegen.

Einbahnstraße

Einfahrt verboten

Tempolimit 50 mph (80km/h)

Vorfahrt gewähren

An der Kreuzung halten

New Yorker Taxis

New Yorker Taxi

Alle von der Stadt lizensierten Taxis sind gelb; leuchtet die Nummer auf dem Dach, ist es frei, und Sie können es heranwinken. Bei Taxis, die nicht im Einsatz sind, ist das »Off Duty«-Schild beleuchtet. Nur Taxis, die eine Lizenz haben, dürfen Fahrgäste befördern. Steigen Sie niemals in ein anderes Auto; dies kann teuer und gefährlich werden.

Taxifahren

Alle gelben Taxis sind mit einem Taxameter ausgerüstet, viele können auf Wunsch eine Quittung ausdrucken. Es gibt nicht viele Taxi-Standplätze; am einfachsten finden Sie ein Taxi vor Hotels, an der Penn Station und am Grand Central Terminal; maximal vier Fahrgäste dürfen in einem Wagen mitfahren.

Lizensierte Taxis werden regelmäßigen Inspektionen unterzogen und sind versichert. Nicht-lizensierte Taxis oder »gipsy cabs« weisen diese Sicherheiten meist nicht auf.

Sobald Sie ein Taxi besteigen, beginnt der Taxameter bei einem Stand von 2 US-$ zu laufen. Alle 320 Meter kommen weitere 30 Cent hinzu. Sondergebühren werden zwischen 18 Uhr und 6 Uhr erhoben sowie für von Ihnen erbetene Wartezeiten. Einige Taxifahrer akzeptieren inzwischen Kreditkarten, doch die meisten ziehen Bargeld vor. Geben Sie dem Taxifahrer etwa 15% Trinkgeld!

Taxifahrer ist ein typischer Beruf für neu angekommene Einwanderer. Alle Taxifahrer müssen eine Englisch-Prüfung absolvieren, dennoch kann es zu Sprachproblemen kommen. Vergewissern Sie sich, daß Ihr Chauffeur genau versteht, wo Sie hinwollen.

Taxifahrer sind verpflichtet, Sie überall hinzufahren, es sei denn, das »Off-Duty«-Schild ist beleuchtet und weist somit darauf hin, daß der Fahrer Dienstschluß hat. Der Fahrer darf Sie erst dann nach Ihrem Ziel fragen, wenn Sie eingestiegen sind; auf Ihren Wunsch hin darf er nicht rauchen, muß Fenster öffnen oder schließen, weitere Fahrgäste mitnehmen oder aussteigen lassen. Gibt es Probleme, so können Sie sich an die **Taxi & Limousine Commission** wenden. Neben dem Taxameter müssen ein Foto des Taxifahrers sowie dessen Lizenznummer angebracht sein. Gegebenenfalls notieren Sie diese und tragen Ihre Beschwerde der Polizei vor.

I ♡ NEW YORK
TRIP# 004653
09:11AM 11-15-92
MEDALLION# 6N64
DIST 2.30
FARE $ 6.00
TLC:212-221-TAXI

Die meisten Taxameter drucken Ihnen eine Quittung aus

Eine der vielen Einbahnstraßen von New York

Taxi-Telefoninfo

Taxi & Limousine Commission
302-8294.

Yellow Cab Information
840-4572.

Fundbüro
302-8294.

Wenn Sie ein Funktaxi bevorzugen, rufen Sie:

Bell Radio Taxi
691-9191
oder (800) 344-3974 (gebührenfrei).

Big Apple Car
517-7010
oder (800) 251-5001 (gebührenfrei).

Chris Limousines
(718) 356-3232.

Der **Taxameter** zeigt nur den Fahrpreis an; zusätzliche Gebühren werden extra ausgewiesen.

Die **Dachleuchte** zeigt die Taxinummer sowie gegebenenfalls den »Off-Duty«-Schriftzug an.

Die **Fahrpreise** sind an der Beifahrertür ausgewiesen.

Mit dem Bus unterwegs

Auf mehr als 200 Linien in den fünf Stadtteilen New Yorks verteilen sich 3700 blau-weiße Busse; einige davon sind täglich rund um die Uhr im Einsatz. Die Busse sind modern, sauber und mit Air-Condition ausgestattet. Mit dem Bus zu fahren ist eine gute Gelegenheit, viele Sehenswürdigkeiten New Yorks kennenzulernen. Die Busse sind zudem sicher und meist nicht überfüllt. Rauchen ist verboten, ebenso das Mitnehmen von Tieren.

Fahrscheine

Fahrscheine können Sie mit einer speziellen Münze – *subway token* – lösen, die man am Bahnhof oder auch bei McDonald's *(siehe S. 374)* kaufen kann. Sie können den Fahrpreis auch mit normalen Geldmünzen (nur 5-, 10- und 25-Cent-Münzen, keine Scheine; Wechselgeld wird nicht zurückerstattet) begleichen.

Sollten Sie unterwegs umsteigen, um Ihr Ziel zu erreichen, müssen Sie beim Bezahlen einen entsprechenden Umsteigeschein verlangen. Dieser gilt eine Stunde, Sie können damit jeden Bus Ihrer Wahl benutzen.

Für Senioren und behinderte Fahrgäste gibt es Ermäßigungen. Viele Busse können abgesenkt werden *(siehe S. 354)*, um den Einstieg zu erleichtern.

Subway token

Umsteigekarte

Busfahren

Busse halten nur an den ausgewiesenen Haltestellen. Sie befahren die Nord-Süd-Routen der großen Avenues und halten alle zwei bis drei Häuserblocks. Die Busse der Ost-West-Routen halten etwa an jedem Häuserblock *(siehe S. 368)*. Einige Buslinien fahren rund um die Uhr, andere nur zwischen 7 und 22 Uhr.

Bushaltestellen sind mit roten, weißen und blauen Schildern versehen und außerdem durch gelbe Linien entlang der Bordsteinkante markiert. Oft gibt es Wartehäuschen, und Sie finden an jeder Haltestelle die Routen- und Fahrpläne der Buslinien.

Steigen Sie immer vorne ein und werfen Sie Ihren *token* bzw. das entsprechende Kleingeld in die Fahrpreis-Geldbox. Bitten Sie den Fahrer, die Haltestelle, an der Sie aussteigen wollen, rechtzeitig auszurufen; die meisten Busfahrer New Yorks sind freundlich und helfen gerne.

Wenn Sie aussteigen möchten, ziehen Sie an der vertikalen Schnur, die zwischen den Fenstern angebracht ist; über dem Fahrer leuchtet dann das »Stop Request«-Schild auf. Verlassen Sie den Bus durch die hintere Tür; zwar wird sie vom Busfahrer aktiviert, damit sie sich jedoch öffnet, müssen Sie fest gegen die Türe drücken. Seien Sie dabei nicht zu zaghaft, sonst kann die Türe zurückschwingen und Sie verletzen.

Die **Fahrpreis-Geldbox** befindet sich neben dem Fahrer.

Wartehäuschen haben meist drei Glaswände und ein Dach.

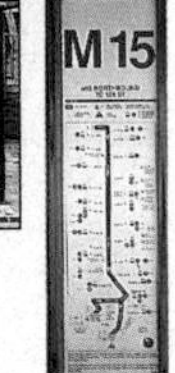

Dieser **Fahrplan** zeigt die Fahrtroute sowie die wichtigsten Haltestellen der Linie M15.

Kennzeichnung der Buslinien

Jede Bushaltestelle wird von mehreren Buslinien angefahren; achten Sie auf die Linien-Nummern an der Front- und Türseite der Busse. Bitten Sie den Busfahrer, Ihre gewünschte Haltestelle auszurufen.

Die **Nummern der Buslinien** stehen an Front- und Türseite.

Der **Ausstieg** erfolgt an der hinteren Doppeltür des Busses.

Der **Einstieg** erfolgt an der vorderen Tür des Busses.

Langstreckenbusse

Busse in alle Teile der USA und nach Kanada fahren vom Port Authority Bus Terminal ab, die Busse in das Umland von New York sowie nach New Jersey vom Bus-Terminal an der George Washington Bridge in Manhattan.

Die Fahrscheine können Sie am Hauptschalter der Ticket Plaza des Terminals kaufen. Greyhound (für Langstreckenbusse) und Short Line (für Kurzstreckenbusse) haben ihre eigenen Fahrkartenschalter. Bei Greyhound ist es nicht möglich, Plätze zu reservieren, Short Line allerdings nimmt Buchungen im voraus entgegen. An den Busbahnhöfen gibt es saubere Toiletten, die von 6 bis 22 Uhr geöffnet sind.

Ein Greyhound-Bus erreicht New York

Bus-Info

Übersichtskarten
Erhältlich bei MTA, 370 Jay St, Brooklyn, NY 11201.

Reiseinformation
(718) 330-1234 (24 Stunden).

Port Authority Bus Terminal
West 40th St und Eighth Ave.
Karte 8 D1.
564-8484.

George Washington Bridge Terminal
178th St und Broadway.
564-1114.

Fundbüro
(718) 625-6200.

Stadtbesichtigung mit dem Linienbus

Zusammen mit New Yorkern New York entdecken: Die Buslinie M1 fährt von der 59th Street über die Fifth Avenue bis nach Battery und von dort zurück über die Gegend um die Wall Street und die Madison Avenue. Die Linie M5 bietet schöne Aussichten auf den Hudson River, da die Busse über den Riverside Drive nach Norden zur George Washington Bridge in der 178th Street fahren. Die Linie M104 führt von den Vereinten Nationen an der First Avenue über 42nd Street und Times Square, Broadway und Lincoln Center nach Norden zur Columbia University in der 125th Street.

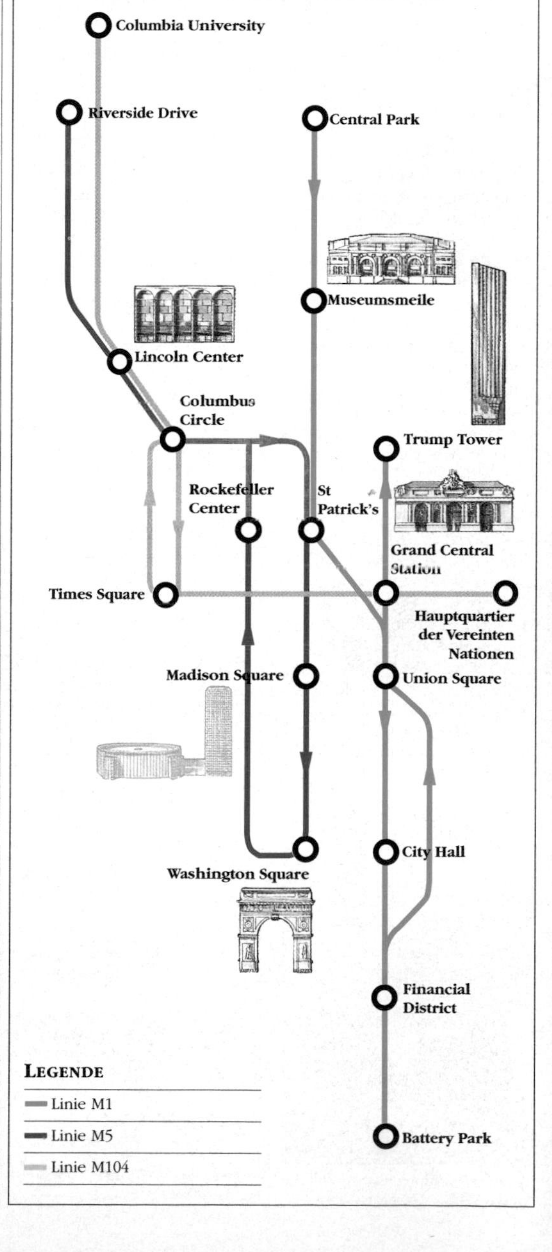

Mit der Subway unterwegs

Logo der Subway

Die Subway ist die schnellste und bequemste Möglichkeit, sich in der Stadt zu bewegen. Das Subway-Netz umfaßt eine Gesamtstrecke von 1142 Kilometern mit 469 Stationen. Die meisten Linien fahren rund um die Uhr, wenn auch nachts und an Wochenenden in größeren Zeitabständen. In den letzten Jahren wurde das gesamte System modernisiert, und die Waggons haben nun alle Klimaanlage.

New Yorks Subway

Viele Stationen der Subway sind durch verschiedene Beleuchtungen gekennzeichnet: In dem Bereich mit grünem Licht können Sie die Münzen für Fahrscheine, die *subway tokens*, kaufen; der rot beleuchtete Bereich verweist auf eingeschränkten Zugang zu den Bahnsteigen. Andere Stationen erkennen Sie am Schild mit dem Namen der Station und den Nummern der Linien, die hier verkehren.

Mit wenigen Ausnahmen fahren die Subways 24 Stunden, allerdings zwischen Mitternacht und 6 Uhr seltener. Es gibt zwei Zugarten: Lokalzüge, *local trains,* die an allen Stationen halten, und Expreßzüge, *express trains,* die zwar nicht überall halten, dafür aber schneller sind. Auf den Subway-Fahrplänen sind beide Züge gesondert ausgewiesen.

Die Sicherheitsvorkehrungen in der Subway wurden extrem verbessert. Während der Hauptverkehrszeiten sind Sie hier absolut sicher. Jedoch sollten Frauen abends nicht alleine fahren, und niemand sollte sich alleine in die Außenbezirke wie Bronx oder Harlem begeben. In einem Notfall wenden Sie sich an die Wache in den Stationen.

Telefoninfo New York City Transit Authority ☎ *(718) 330-1234.* Metrocard Customer Service ☎ *(212) 638-7622.*

Grüne Beleuchtung zeigt an, daß der *Token*-Schalter ständig besetzt ist

Subway Tokens

Egal, wie weit Sie mit der Subway fahren, Fahrpreis und Fahrschein bleiben immer gleich; Ermäßigungen gibt es nicht. Kaufen Sie eine Münze, einen *subway token*, am Schalter der Station, an einem der Automaten oder bei McDonald's. Ab 1997 ersetzt die MetroCard den *Token*. Sie ist an allen Subway-Schaltern erhältlich. Der Preis variiert von $ 5 bis $ 80, je nach Anzahl der Fahrten.

Subway *token* und MetroCard

Subway-Pläne – eine Orientierungshilfe

Alle Subway-Linien sind auf den Plänen sowohl farblich *(siehe innere Umschlagseite, hinten)* als auch durch einen Buchstaben bzw. eine Nummer und mit den Namen der jeweiligen Abfahrts- und Zielbahnhöfe gekennzeichnet; so verbindet die grüne Route Woodlawn mit der Utica Avenue und wird von der Linie 4 befahren. Lokal- und Expreßzüge sowie die Umsteigebahnhöfe sind markiert. Auch die Stationsnamen weisen die Buchstaben bzw. Nummern der Linien auf, die dort verkehren. Fettgedruckte Nummern oder Buchstaben zeigen an, daß die Subway-Linie zwischen 6 und 24 Uhr fährt, normal gedruckte Zeichen bedeuten eingeschränkte Betriebszeiten, eingerahmte Zeichen, daß diese Station Endstation einer Linie ist. Subway-Pläne hängen in allen Stationen und bieten einen Überblick über das gesamte Subway-Netz.

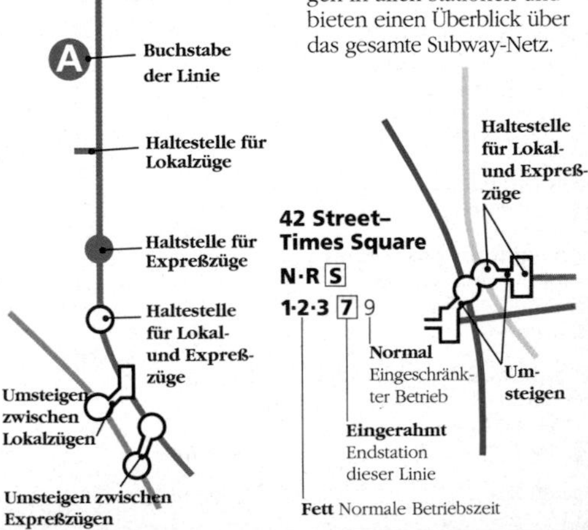

Mit der Subway fahren

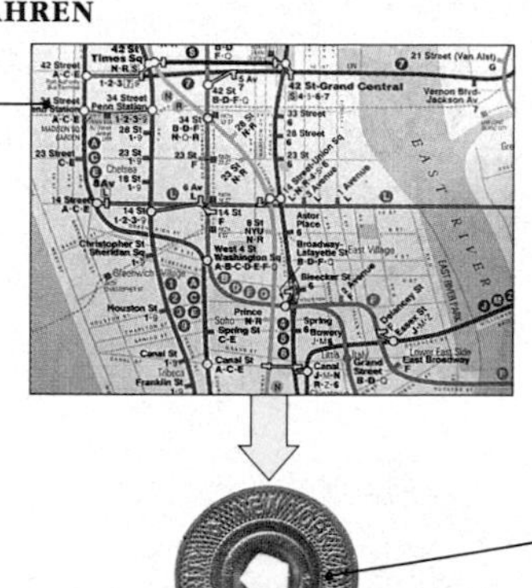

1 Auf der inneren Umschlagseite hinten finden Sie einen Plan der New Yorker Subway. Große Detailpläne hängen außerdem unübersehbar in allen Subway-Stationen.

Subway-Plan

Verkaufsschalter

2 Kaufen Sie einen *Token* am Schalter oder am Automaten.

***Token*-Automat**

3 Werfen Sie die Münze an der Schranke ein, um durchgehen zu können.

Münzeinwurf

4 Folgen Sie den Wegweisern zur gewünschten Subway. Halten Sie sich sicherheitshalber in der Nähe der Schalter bzw. nachts in den gelb markierten Wartezonen auf.

5 Jeder Zug zeigt Nummer bzw. Buchstaben der Linie und den Namen der Endstation an.

Markierte Wartezone am Bahnsteig

Anzeige der Subway-Linie

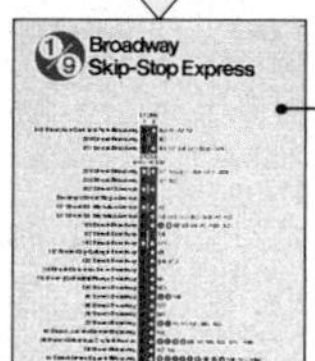

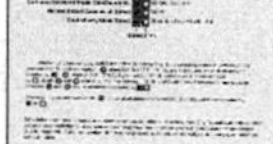

6 Sie finden in jedem Wagen nahe der Türe einen Übersichtsplan der Subway-Linie. Sie können hier die Strecke verfolgen, zudem werden alle Stationen ausgerufen, und auch die Stationen selbst sind gut ausgeschildert. Die Türen werden vom Fahrer geöffnet. Steigen Sie nach Möglichkeit nicht in Zugabteile ein, die leer sind.

7 Sind Sie an der gewünschten Station angekommen, folgen Sie dem Hinweis zum Ausgang, *Exit*, oder, falls Sie umsteigen müssen, den Wegweisern zur nächsten Subway-Linie.

Mit dem Zug unterwegs

NEW YORK HAT ZWEI GROSSE BAHNHÖFE: Grand Central Terminal für Nahverkehrszüge in die nähere Umgebung und nach Connecticut sowie Pennsylvania (Penn) Station für Fernzüge in alle übrigen Teile der USA und nach Kanada. Die Nahverkehrszüge haben meist keine Speisewagen; es ist also empfehlenswert, sich vor dem Besteigen des Zuges mit Proviant zu versorgen. Platzreservierungen werden nur für Fernzüge entgegengenommen.

Amtrak-Zug

Grand Central Terminal

GRAND CENTRAL TERMINAL *(siehe S. 154f)* an der Park Avenue zwischen 41st und 42nd Street ist sozusagen der Hauptbahnhof für alle Metro-North-Züge, d. h. für Nahverkehrszüge (Hudson, New Haven und Harlem), die in den Norden und Osten von New York, nach Connecticut und Westchester County, fahren. Vom Grand Central aus kommen Sie auch zum International Wildlife Conservation Park *(siehe S. 242f)* sowie zum Hyde Park, einem Besitz des ehemaligen amerikanischen Präsidenten Franklin D. Roosevelt. Im Untergeschoß des Bahnhofs verkehren die Subway Nummer 4, 5 und 6 der grünen Linie sowie die Nummer 7 der roten Linie. Zum Times Square gibt es einen Pendelbus, außerdem halten auch viele Busse am Grand Central.

Logo der Long Island Rail Road

Grand Central Terminal

Penn Station

PENN STATION, zwischen Seventh und Eighth Avenue sowie 31st und 33rd Street gelegen, ist ein moderner Bahnhof unterhalb des Madison Square Garden *(siehe S. 133)*, der 1963 vollständig umgebaut wurde. Nahverkehrszüge, die Züge nach New Jersey und die **Amtrak**-Züge in alle Teile der USA und nach Kanada fahren hier ab.

Taxis finden Sie auf der Straße, Busse fahren auf der Seventh Avenue downtown, auf der Eighth Avenue uptown. Die blauen Subway-Linien A, B und C verkehren an der zur Eighth Avenue hin gelegenen Seite des Bahnhofs, die roten Subway-Linien 1, 2, 3 und 4 an der zur Seventh Avenue hin gelegenen Seite. Fahrkartenschalter, Fahrscheinautomaten und Warteräume liegen auf Straßenebene, die Züge fahren jedoch vom Untergeschoß aus ab.

Von Penn Station aus können Sie nach New Jersey und Long Island fahren, mit den Amtrak-Zügen nach Kanada, Philadelphia oder Washington. Neben der Penn Station befinden sich Schalter und Bahnsteige der **Long Island Rail Road** (LIRR), ein Nahverkehrszug, der jedoch auch zu den Ausflugszielen von Long Island fährt, so zu den Hamptons oder zum Montauk Point.

PATH-Züge

PATH TRAINS sind Züge, die rund um die Uhr zwischen New Jersey (Harrison, Hoboken, Jersey City und Newark) und Penn Station verkehren. Sie halten auch in der Christopher Street, am World Trade Center, in der Ninth, 14th, 23rd, 33rd Street und der Avenue of the Americas.

Penn Station: Zug der LIRR

Amtrak

AMTRAK IST DIE STAATLICHE Eisenbahngesellschaft, die zwischen New York und den anderen Städten des Landes und nach Kanada verkehrt. Amtrak-Züge sind sehr bequem und bieten oft Speisesowie Gesellschaftswagen, auf längeren Strecken auch Schlafwagen. Einige Strecken werden von besonders schnellen Zügen befahren, so vom **Metroliner,** der Boston via New York mit Washington verbindet.

Fahrscheine kann man in den Amtrak-Agenturen oder an der Penn Station kaufen; für Fahrscheine, die erst im Zug gelöst werden, muß man eine beträchtliche Strafe zahlen. Senioren, nicht jedoch Studenten, erhalten eine Fahrpreisermäßigung von 15%; Reservierungen müssen bis spätestens zehn Tage vor der Abreise vorgenommen werden.

Amtrak bietet ein »Reisepaket«, das *Great American Vacations package*, und regelmäßig günstige Sondertarife an. Informationen hierzu in allen Amtrak-Agenturen.

Anzeigetafel in der Penn Station

Fahrscheine und -pläne

Die Schalterhallen der New Yorker Bahnhöfe sind immer voller Menschen. Fahrscheine können Sie in der regel auch mit Kreditkarte bezahlen; die angezeigten Preise beziehen sich meist auf eine einfache Fahrt, Rückfahrkarten kosten das Doppelte. Planen Sie verschiedene Reisen oder Ausflüge, erkundigen Sie sich vorher bei LIRR oder Metro-North, die ständig Sonderangebote offerieren.

Große elektronische Anzeigetafeln informieren Sie über ankommende und abfahrende Züge (Uhrzeit, Herkunfts- bzw. Zielort, Bahnsteignummern). An den Bahnsteigzugängen finden Sie den Fahrplan des jeweiligen Zuges und die wichtigsten Halte- und Umsteigebahnhöfe. Um auf den Bahnsteig zu gelangen, müssen Sie durch eine Sperre, die sich automatisch öffnet, sobald der Zug einfährt. Ihre Fahrkarte wird erst im Zug kontrolliert.

Grand Central und Penn Station bieten nur wenige Annehmlichkeiten für Reisende, immerhin gibt es Toiletten.

Zug-Info

Amtrak Travel Centers
12 West 51st St. **Karte** 12 F4.
1 East 59th St. **Karte** 12 F3.
1 World Trade Center. **Karte** 1 B2.
(800) USA-RAIL oder
(800) 872-7245.

Long Island Rail Road (LIRR)
(718) 217-LIRR (Information).
(212) 643-7245 (Fundbüro).

Metroliner
(800) 523-8720.

Metro-North
532-4900 (Information).
340-2555 (Fundbüro).

PATH-Züge
(800) 234-7284.

Tagesausflüge

Es gibt wunderschöne Plätze außerhalb New Yorks, die Sie, sofern es Ihre Zeit erlaubt, besuchen sollten. Im folgenden finden Sie einige Ausflugsziele im Umkreis von 200 Kilometern. Genauere Informationen erhalten Sie beim New York Convention and Visitors Bureau *(siehe S. 352)*.

Blick auf Tarrytown

Stony Brook
Kleiner Ort an der Nordküste. Eingang zum historischen Three Villages District.
58 Meilen (93 Kilometer) östlich. Long Island Rail Road ab Penn Station. 2 Stunden.

Die Hamptons
Die Beverly Hills von Long Island mit schicken Bars und Boutiquen, schön gelegen.
100 Meilen (161 Kilometer) östlich. Long Island Rail Road ab Penn Station. 2 Stunden, 50 Min.

Montauk Point
State Park an der östlichsten Ecke von Long Island mit Blick auf den Ozean.
120 Meilen (193 Kilometer). LIRR ab Penn Station. 3 Stunden.

Westbury House, Old Westbury
1906 von John Phipps im Stil einer englischen Villa gestaltet; wunderschöne englische Gartenanlagen.
24 Meilen (39 Kilometer) östlich. Long Island Rail Road ab Penn Station. 40 Min.

Tarrytown
Washington Irvings Heim »Sunnyside« und Jay Goulds Villa.
25 Meilen (40 Kilometer) nördlich. Metro-North ab Grand Central, dann Taxi. 40–50 Min.

Hyde Park
Besitz von Franklin D. Roosevelt; Vanderbilt-Villa.
74 Meilen (119 Kilometer) nördlich. Metro-North ab Grand Central nach Poughkeepsie, dann Taxi. 2 Stunden.

New Haven, Connecticut
Sitz der Yale University.
74 Meilen (119 Kilometer). Metro-North ab Grand Central Terminal. 1 Stunde, 46 Min.

Hartford, Connecticut
Mark Twains Haus im Riverboat-Style, Atheneum Museum und Old State House.
112 Meilen (180 Kilometer) nördlich. Amtrak ab Penn Station. 2 Stunden, 45 Min.

Winterthur, Delaware
Henry du Ponts Sammlung früher amerikanischer Kunst, Museum und Park.
116 Meilen (187 Kilometer) südlich. Amtrak ab Penn Station nach Wilmington, dann Bus nach Winterthur. 2 Stunden.

Yale University in New Haven, Connecticut

KARTENREGISTER/KARTENTEIL

ALLE KARTENANGABEN zu Sehenswürdigkeiten, Geschäften, Restaurants, Bars, Straßen etc. beziehen sich auf diesen Kartenteil *(siehe* So funktioniert das Verweissystem *auf Seite 379)*. Die Karten decken den gesamten Bereich von Manhattan ab. Ein vollständiges Register der Straßennamen und Sehenswürdigkeiten, die auf den Karten verzeichnet sind, findet sich auf den folgenden Seiten. Die Übersichtskarte *(unten)* zeigt die Bereiche, die der Kartenteil umfaßt. Er beinhaltet alle sehenswürdigen Gegenden Manhattans (farbig markiert) einschließlich aller Straßenzüge, in denen sich Hotels, Restaurants, Geschäfte und Veranstaltungsorte konzentrieren.

Herumstöbern am South Street Seaport

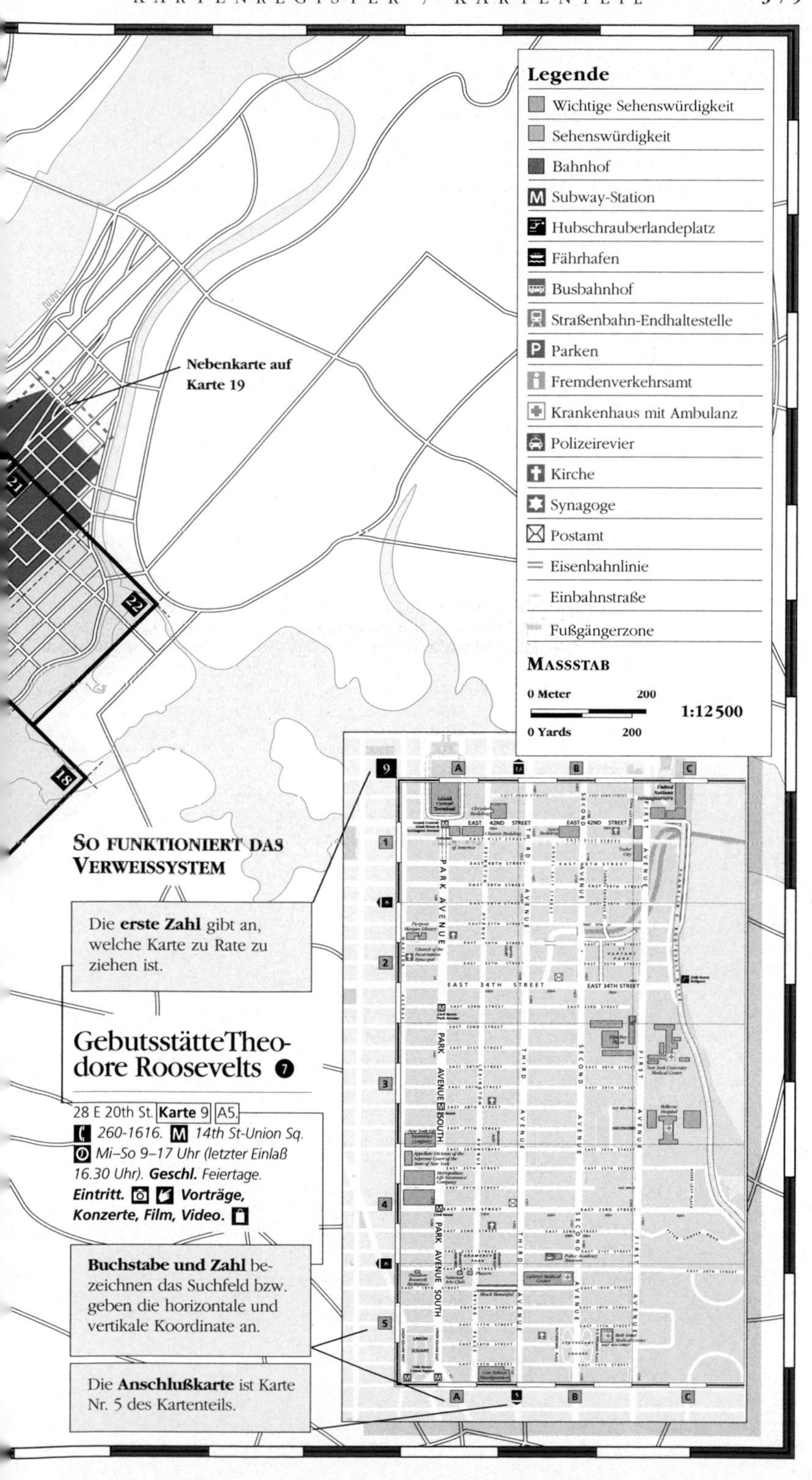
Legende
Wichtige Sehenswürdigkeit
Sehenswürdigkeit
Bahnhof
Subway-Station
Hubschrauberlandeplatz
Fährhafen
Busbahnhof
Straßenbahn-Endhaltestelle
Parken
Fremdenverkehrsamt
Krankenhaus mit Ambulanz
Polizeirevier
Kirche
Synagoge
Postamt
Eisenbahnlinie
Einbahnstraße
Fußgängerzone
MASSSTAB
0 Meter 200
0 Yards 200
1:12500
Nebenkarte auf Karte 19
21
22
18
SO FUNKTIONIERT DAS VERWEISSYSTEM
Die erste Zahl gibt an, welche Karte zu Rate zu ziehen ist.
GebutsstätteTheodore Roosevelts 7
28 E 20th St. Karte 9 A5.
260-1616. 14th St-Union Sq.
Mi–So 9–17 Uhr (letzter Einlaß 16.30 Uhr). Geschl. Feiertage.
Eintritt. Vorträge, Konzerte, Film, Video.
Buchstabe und Zahl bezeichnen das Suchfeld bzw. geben die horizontale und vertikale Koordinate an.
Die Anschlußkarte ist Karte Nr. 5 des Kartenteils.
9
A
B
C
1
2
3
4
5
PARK AVENUE
PARK AVENUE SOUTH
EAST 42ND STREET
EAST 34TH STREET
THIRD AVENUE
SECOND AVENUE
FIRST AVENUE
FRANKLIN D. ROOSEVELT DRIVE

Kartenregister

D

E

Hinter jedem Eigennamen steht der Name des Stadtteils (außer bei Manhattan), gefolgt von der Suchfeldangabe

M

N

O

P

Hinter jedem Eigennamen steht der Name des Stadtteils (außer bei Manhattan), gefolgt von der Suchfeldangabe

Y

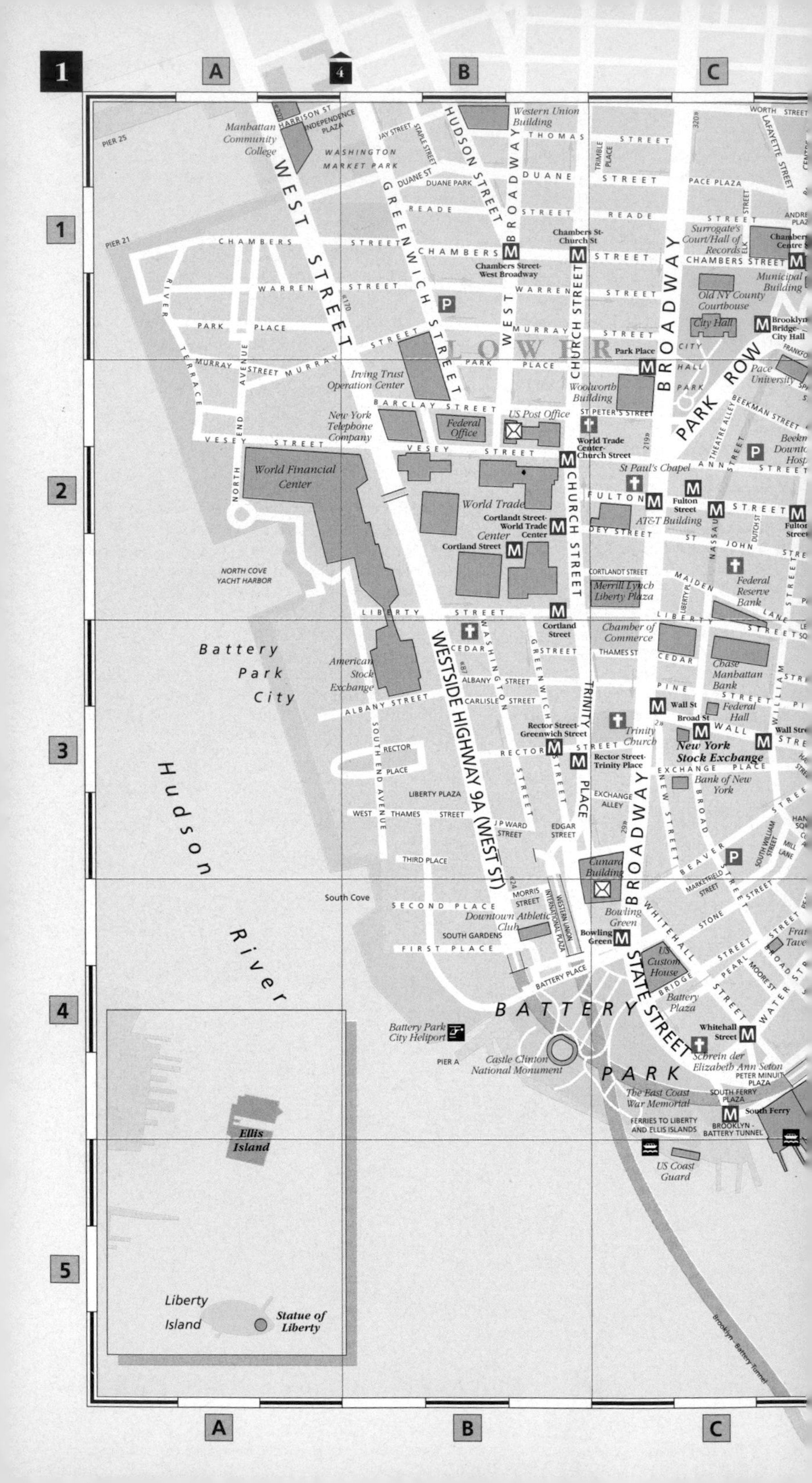
1
A
4
B
C
Western Union Building
Manhattan Community College
HARRISON ST
INDEPENDENCE PLAZA
PIER 25
JAY STREET
STAPLE STREET
WASHINGTON MARKET PARK
DUANE ST
DUANE PARK
HUDSON STREET
THOMAS STREET
TRIMBLE PLACE
WORTH STREET
LAFAYETTE STREET
DUANE STREET
PACE PLAZA
READE STREET
Surrogate's Court/Hall of Records
PIER 21
CHAMBERS STREET
Chambers Street-West Broadway
Chambers St-Church St
Chambers Centre St
Municipal Building
WARREN STREET
Old NY County Courthouse
City Hall
Brooklyn Bridge-City Hall
RIVER TERRACE
PARK PLACE
MURRAY STREET
WEST STREET
GREENWICH STREET
WEST BROADWAY
CHURCH STREET
BROADWAY
LOWER
Park Place
CITY HALL PARK
PARK ROW
Pace University
FRANKFORT
NORTH END AVENUE
Irving Trust Operation Center
Woolworth Building
BARCLAY STREET
New York Telephone Company
Federal Office
US Post Office
ST PETER'S STREET
BEEKMAN STREET
THEATRE ALLEY
VESEY STREET
World Trade Center-Church Street
World Financial Center
St Paul's Chapel
ANN STREET
FULTON STREET
Fulton Street
World Trade Center
Cortlandt Street-World Trade Center
AT&T Building
DEY STREET
JOHN STREET
NASSAU STREET
DUTCH ST
Cortland Street
NORTH COVE YACHT HARBOR
CORTLANDT STREET
Merrill Lynch Liberty Plaza
MAIDEN LANE
Federal Reserve Bank
LIBERTY STREET
Cortland Street
Chamber of Commerce
Battery Park City
CEDAR STREET
THAMES ST
American Stock Exchange
WASHINGTON STREET
Chase Manhattan Bank
PINE STREET
ALBANY STREET
CARLISLE STREET
TRINITY PLACE
Wall St
Federal Hall
Broad St
WALL STREET
Wall Street
WESTSIDE HIGHWAY 9A (WEST ST)
Rector Street-Greenwich Street
Trinity Church
New York Stock Exchange
SOUTH END AVENUE
RECTOR PLACE
RECTOR STREET
Rector Street-Trinity Place
EXCHANGE PLACE
Hudson River
LIBERTY PLAZA
Bank of New York
EXCHANGE ALLEY
NEW STREET
BROAD STREET
WEST THAMES STREET
J P WARD STREET
EDGAR STREET
THIRD PLACE
BEAVER STREET
SOUTH WILLIAM STREET
MILL LANE
Cunard Building
MARKETFIELD STREET
South Cove
MORRIS STREET
SECOND PLACE
Downtown Athletic Club
WESTERN UNION INTERNATIONAL PLAZA
Bowling Green
STONE STREET
SOUTH GARDENS
FIRST PLACE
WHITEHALL
US Custom House
PEARL STREET
MOORE ST
WATER STREET
BATTERY PLACE
BRIDGE STREET
BATTERY PARK
STATE STREET
Battery Plaza
Battery Park City Heliport
Whitehall Street
PIER A
Castle Clinton National Monument
Schrein der Elizabeth Ann Seton
PETER MINUIT PLAZA
The East Coast War Memorial
SOUTH FERRY PLAZA
South Ferry
FERRIES TO LIBERTY AND ELLIS ISLANDS
BROOKLYN-BATTERY TUNNEL
Ellis Island
US Coast Guard
Liberty Island
Statue of Liberty
Brooklyn-Battery Tunnel
2
3
5

D
E
5
F
2
1
2
3
4
5
PARK ROW
US Court House
Polizei-präsidium
ST JAMES PLACE
MADISON
PEARL STREET
OLIVER STREET
HENRY STREET
CATHERINE STREET
JAMES ST
BAXTER ST
CARDINAL HAYES ST
Knickerbocker Village
MONROE STREET
MARKET STREET
MARKET SLIP
CHERRY STREET
WATER STREET
CATHERINE SLIP
SOUTH STREET VIADUCT
SOUTH STREET
AVENUE OF THE FINEST
ROSE ST
MANHATTAN
R F WAGNER SR PLACE
Manhattan Bridge
PIER 35
East River
Brooklyn Bridge
Southbridge Towers
DOVER STREET
PEARL
PECK SLIP
FRONT STREET
WATER STREET
BEEKMAN STREET
South Street Seaport
FULTON STREET
ST JOHN STREET
CLIFF STREET
Fulton Fish Market
PIER 18
PIER 17
PIER 16
PIER 15
PIER 14
PIER 13
Schermerhorn Row
FLETCHER STREET
MAIDEN LANE
GOVERNEUR STREET
OLD SLIP
WALL ST FERRY PIER
FERRIES TO FULTON LANDING
-BAY RIDGE AND ROCKAWAY
-NEWPORT
-PORT LIBERTE
JERSEY CITY
PIER 9
Downtown Manhattan Heliport
PIER 6
SOUTH FERRY
FERRIES TO GOVERNORS ISLAND
Battery Maritime Building
STATEN ISLAND FERRY
FERRIES TO STATEN ISLAND AND WEEHAWKEN
DOCK STREET
WATER STREET
EVERITT ST
OLD FULTON STREET
DOUGHTY STREET
VINE STREET
FURMAN STREET
COLUMBIA
MIDDAGH STREET
CRANBERRY STREET
HEIGHTS
ORANGE STREET
PINEAPPLE ST
CLARK STREET
BROOKLYN - QUEENS EXPRESSWAY 278
PIER 1
PIER 2
PIER 3
PIER 4
PIER 5
PIER 6

3
A
7
B
C
West 14th Street
West 13th Street
Little West 12th Street
Eleventh Ave
Tenth Avenue
Hudson Street
Greenwich Street
Greenwich Avenue
Eighth Avenue
Seventh Avenue South
14th Street-Eighth Avenue
14th Street-Seventh Avenue
Jackson Square
St Vincent's Hospital
Mulry Square
Pier 56
Pier 54
Fire Boat Station
Bloomfield Street
Pier 53
Pier 52
Gansevoort Street
Horatio Street
Jane Street
West 12th Street
Washington Street
Bank Street
Waverly
West 11th Street
4th Street
McCarthy Square
Abingdon Square
Bleecker Street
Pier 51
West Street
Bethune Street
Perry Street
Charles Street
Christopher Street-Sheridan Square
Sheridan Square
Pier 50
West 10th Street
Pier 49
Charles Lane
Christopher Street
Bedford Street
Grove Street
Grove Place
Grove Court
Commerce Street
75 1/2 Bedford Street
Pier 48
Weehawken Street
Pier 46
Barrow Street
St Luke's Place
Pier 45
Morton Street
Hudson Park
Leroy Street
Pier 42
Clarkson Street
West Houston Street
Hudson River
King Street
Charlton
Vandam
Pier 40
Spring
Canal Street
Pier 34
Watts Street
Holland Tunnel
Desbrosses
Pier 32
Vestry
Laight
Pier 29
Pier 28
Pier 27
Pier 26
1
2
3
4
5

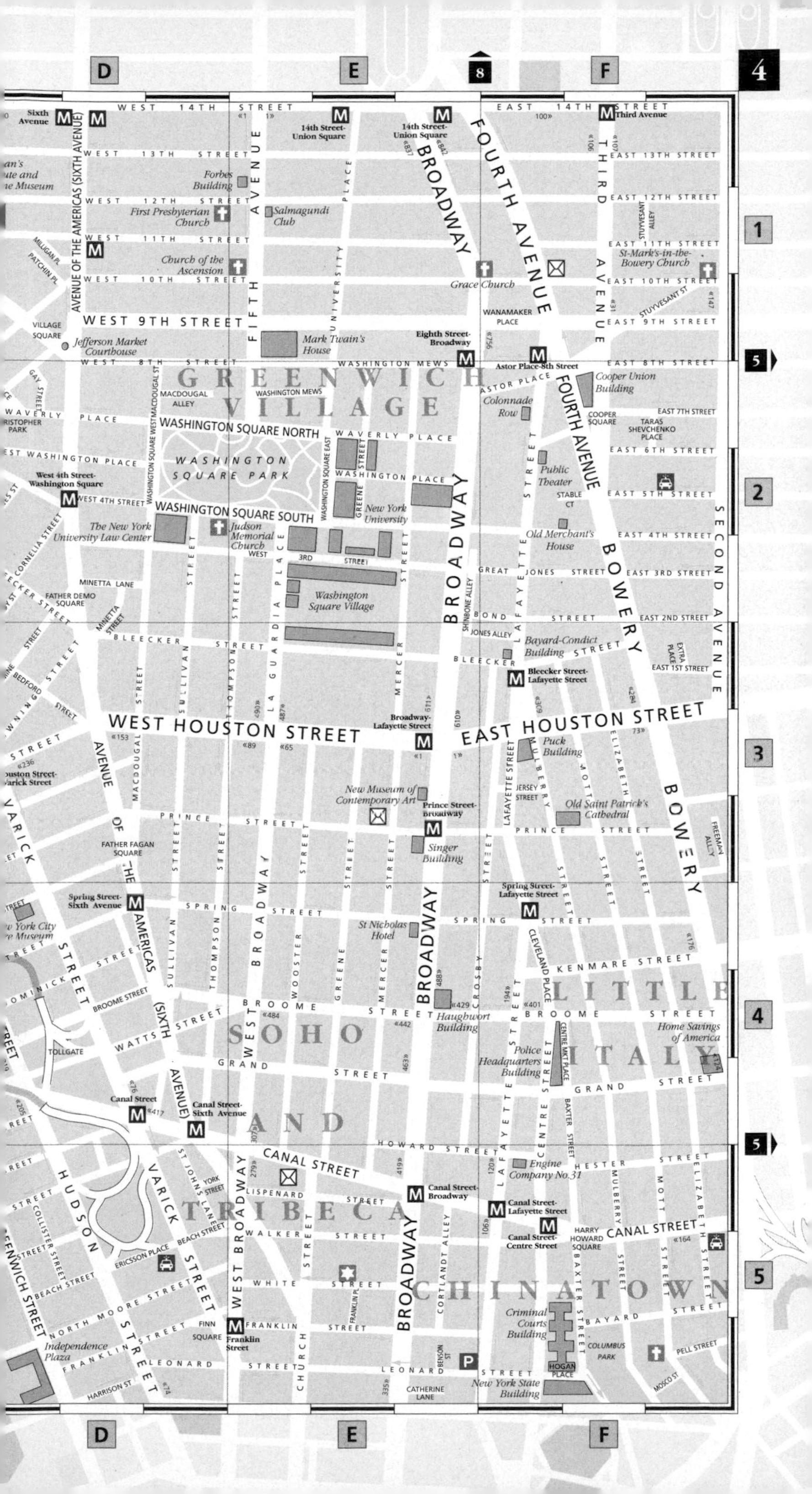

D
E
8
F
4
West 14th Street
Sixth Avenue
14th Street-Union Square
14th Street-Union Square
East 14th Street
Third Avenue
West 13th Street
East 13th Street
Forbes Building
Salmagundi Club
First Presbyterian Church
West 12th Street
East 12th Street
Avenue of the Americas (Sixth Avenue)
Fifth Avenue
University Place
Broadway
Fourth Avenue
Third Avenue
Stuyvesant Alley
West 11th Street
East 11th Street
St-Mark's-in-the-Bowery Church
Church of the Ascension
Grace Church
West 10th Street
East 10th Street
Milligan Pl
Patchin Pl
Stuyvesant St
West 9th Street
East 9th Street
Wanamaker Place
Village Square
Jefferson Market Courthouse
Mark Twain's House
Eighth Street-Broadway
Astor Place-8th Street
West 8th Street
Washington Mews
East 8th Street
Greenwich Village
MacDougal Alley
Washington Mews
Astor Place
Cooper Union Building
Colonnade Row
Cooper Square
East 7th Street
Taras Shevchenko Place
Waverly Place
Christopher Park
Washington Square North
Washington Square West
MacDougal St
Washington Square East
Greene Street
West Washington Place
Washington Place
East 6th Street
Washington Square Park
Public Theater
Lafayette Street
West 4th Street-Washington Square
West 4th Street
Stable Ct
East 5th Street
Washington Square South
New York University
The New York University Law Center
Judson Memorial Church
West 3rd Street
Old Merchant's House
East 4th Street
Second Avenue
Cornelia Street
Minetta Lane
Great Jones Street
East 3rd Street
Father Demo Square
Washington Square Village
Bleecker Street
Shinbone Alley
Bond Street
East 2nd Street
Minetta Street
Jones Alley
Bayard-Condict Building
Bowery
Extra Place
East 1st Street
Bedford Street
Bleecker Street-Lafayette Street
Sullivan Street
Thompson Street
La Guardia Place
Mercer Street
Downing Street
West Houston Street
East Houston Street
Broadway-Lafayette Street
Puck Building
Houston Street-Varick Street
Avenue of the Americas
MacDougal Street
Jersey Street
Mulberry Street
Mott Street
Elizabeth Street
New Museum of Contemporary Art
Prince Street-Broadway
Old Saint Patrick's Cathedral
Varick Street
Prince Street
Father Fagan Square
Singer Building
Freeman Alley
Spring Street-Sixth Avenue
Spring Street-Lafayette Street
Spring Street
New York City Fire Museum
St Nicholas Hotel
West Broadway
Wooster Street
Crosby Street
Cleveland Place
Kenmare Street
Little Italy
Dominick Street
Broome Street
Haughwort Building
Home Savings of America
Soho
Watts Street
Tollgate
Police Headquarters Building
Centre Mkt Place
Grand Street
Canal Street
Canal Street-Sixth Avenue
Baxter Street
And
Howard Street
Canal Street
Hester Street
Engine Company No.31
York Street
Canal Street-Broadway
St Johns Lane
Lispenard Street
Hudson Street
Tribeca
Canal Street-Lafayette Street
Canal Street-Centre Street
Harry Howard Square
Collister Street
Walker Street
Beach Street
Ericsson Place
Church Street
Cortlandt Alley
White Street
Franklin Pl
Chinatown
Greenwich Street
North Moore Street
Criminal Courts Building
Bayard Street
Finn Square
Franklin Street
Columbus Park
Pell Street
Independence Plaza
Leonard Street
Benson St
Hogan Place
Mosco St
Harrison St
Catherine Lane
New York State Building
1
2
3
5

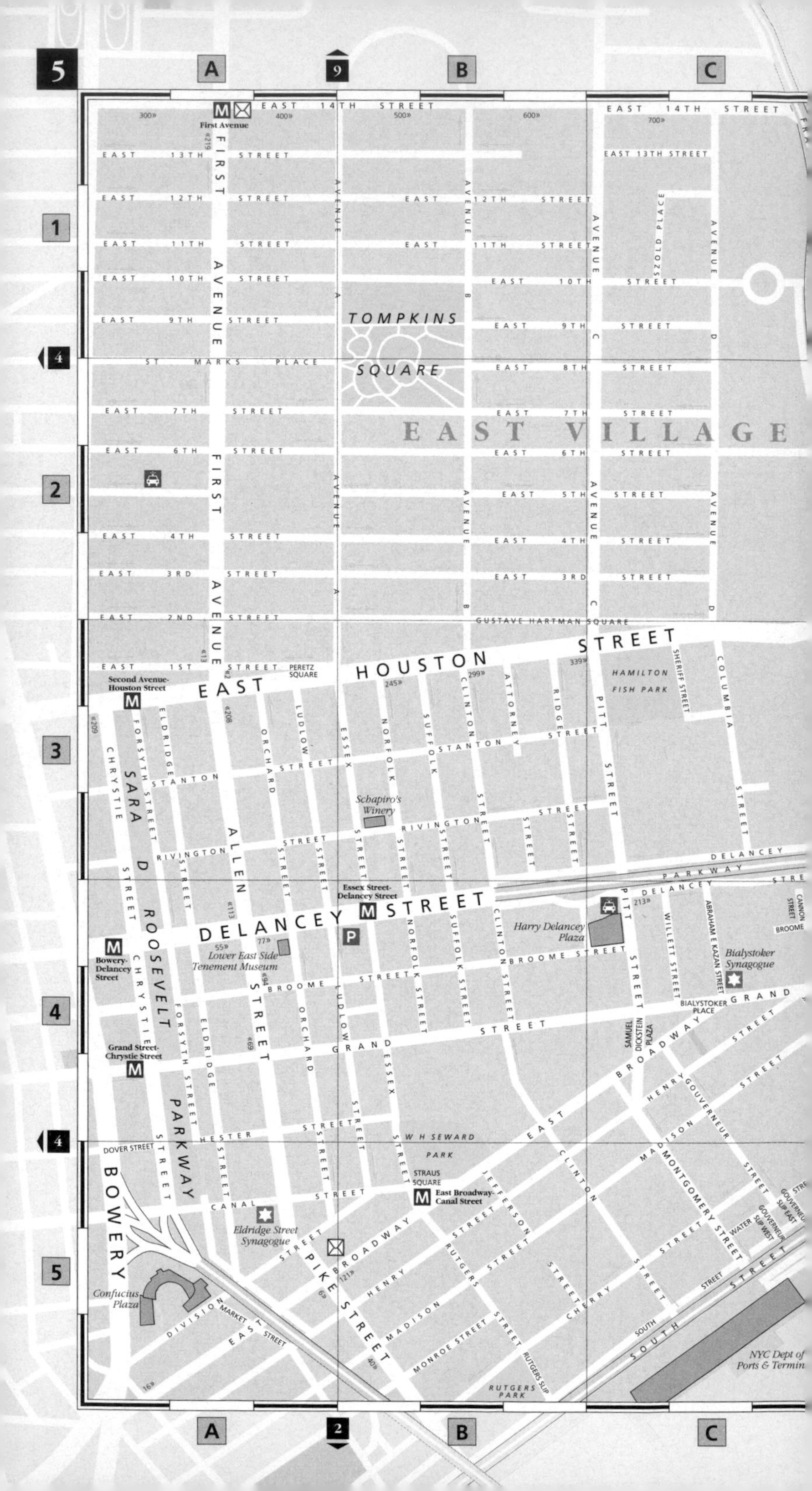
5
A
9
B
C
1
2
3
4
5
4
4
2
EAST 14TH STREET
First Avenue
EAST 13TH STREET
EAST 12TH STREET
EAST 11TH STREET
EAST 10TH STREET
EAST 9TH STREET
ST MARKS PLACE
EAST 8TH STREET
EAST 7TH STREET
EAST 6TH STREET
EAST 5TH STREET
EAST 4TH STREET
EAST 3RD STREET
EAST 2ND STREET
EAST 1ST STREET
FIRST AVENUE
AVENUE A
AVENUE B
AVENUE C
AVENUE D
SZOLD PLACE
TOMPKINS SQUARE
EAST VILLAGE
GUSTAVE HARTMAN SQUARE
EAST HOUSTON STREET
PERETZ SQUARE
Second Avenue-Houston Street
HAMILTON FISH PARK
SHERIFF STREET
COLUMBIA STREET
CHRYSTIE STREET
FORSYTH STREET
ELDRIDGE STREET
ORCHARD STREET
LUDLOW STREET
ESSEX STREET
NORFOLK STREET
SUFFOLK STREET
CLINTON STREET
ATTORNEY STREET
RIDGE STREET
PITT STREET
STANTON STREET
RIVINGTON STREET
Schapiro's Winery
SARA D ROOSEVELT PARKWAY
ALLEN STREET
DELANCEY STREET
DELANCEY PARKWAY
Essex Street-Delancey Street
Bowery-Delancey Street
Lower East Side Tenement Museum
Harry Delancey Plaza
WILLETT STREET
ABRAHAM KAZAN STREET
CANNON STREET
BROOME
BROOME STREET
Bialystoker Synagogue
BIALYSTOKER PLACE
GRAND STREET
SAMUEL DICKSTEIN PLAZA
Grand Street-Chrystie Street
EAST BROADWAY
HENRY STREET
GOUVERNEUR STREET
HESTER STREET
S W H SEWARD PARK
STRAUS SQUARE
East Broadway-Canal Street
DOVER STREET
BOWERY
CANAL STREET
Eldridge Street Synagogue
JEFFERSON STREET
MADISON STREET
MONTGOMERY STREET
GOUVERNEUR SLIP EAST
GOUVERNEUR SLIP WEST
WATER STREET
RUTGERS STREET
PIKE STREET
CHERRY STREET
Confucius Plaza
DIVISION
MARKET STREET
MONROE STREET
RUTGERS SLIP
RUTGERS PARK
SOUTH STREET
NYC Dept of Ports & Termin

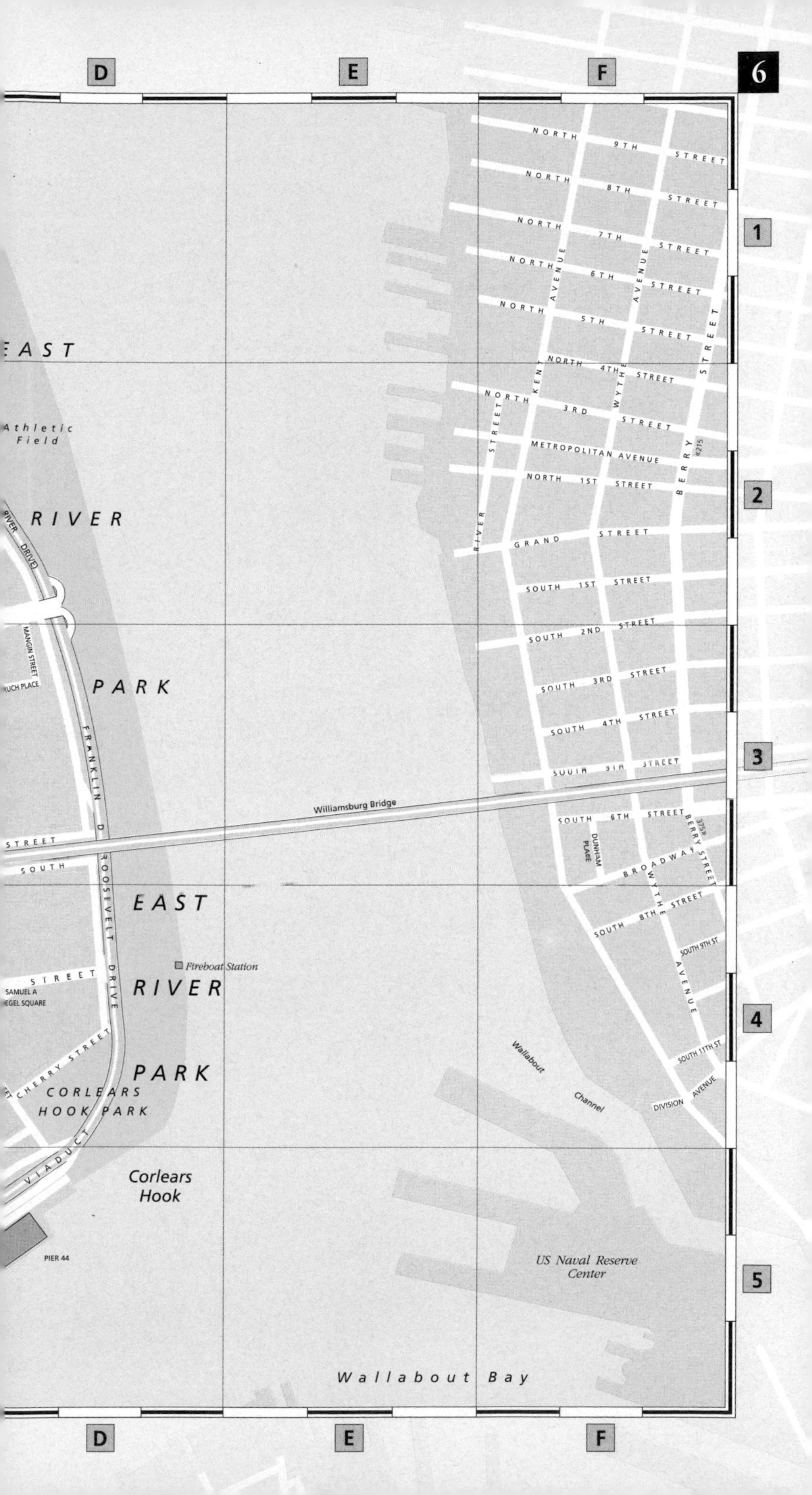
D
E
F
1
2
3
4
5
EAST
RIVER
PARK
Athletic Field
RIVER DRIVE
MANGIN STREET
PARK
FRANKLIN D ROOSEVELT DRIVE
STREET
SOUTH
EAST
RIVER
PARK
Fireboat Station
STREET
SAMUEL A
EGEL SQUARE
CHERRY STREET
CORLEARS HOOK PARK
VIADUCT
Corlears Hook
PIER 44
Williamsburg Bridge
NORTH 9TH STREET
NORTH 8TH STREET
NORTH 7TH STREET
NORTH 6TH STREET
NORTH 5TH STREET
NORTH 4TH STREET
NORTH 3RD STREET
METROPOLITAN AVENUE
NORTH 1ST STREET
GRAND STREET
SOUTH 1ST STREET
SOUTH 2ND STREET
SOUTH 3RD STREET
SOUTH 4TH STREET
SOUTH 5TH STREET
SOUTH 6TH STREET
BROADWAY
SOUTH 8TH STREET
SOUTH 9TH ST
SOUTH 11TH ST
DIVISION AVENUE
KENT AVENUE
WYTHE AVENUE
BERRY STREET
RIVER STREET
DUNHAM PLACE
Wallabout Channel
US Naval Reserve Center
Wallabout Bay

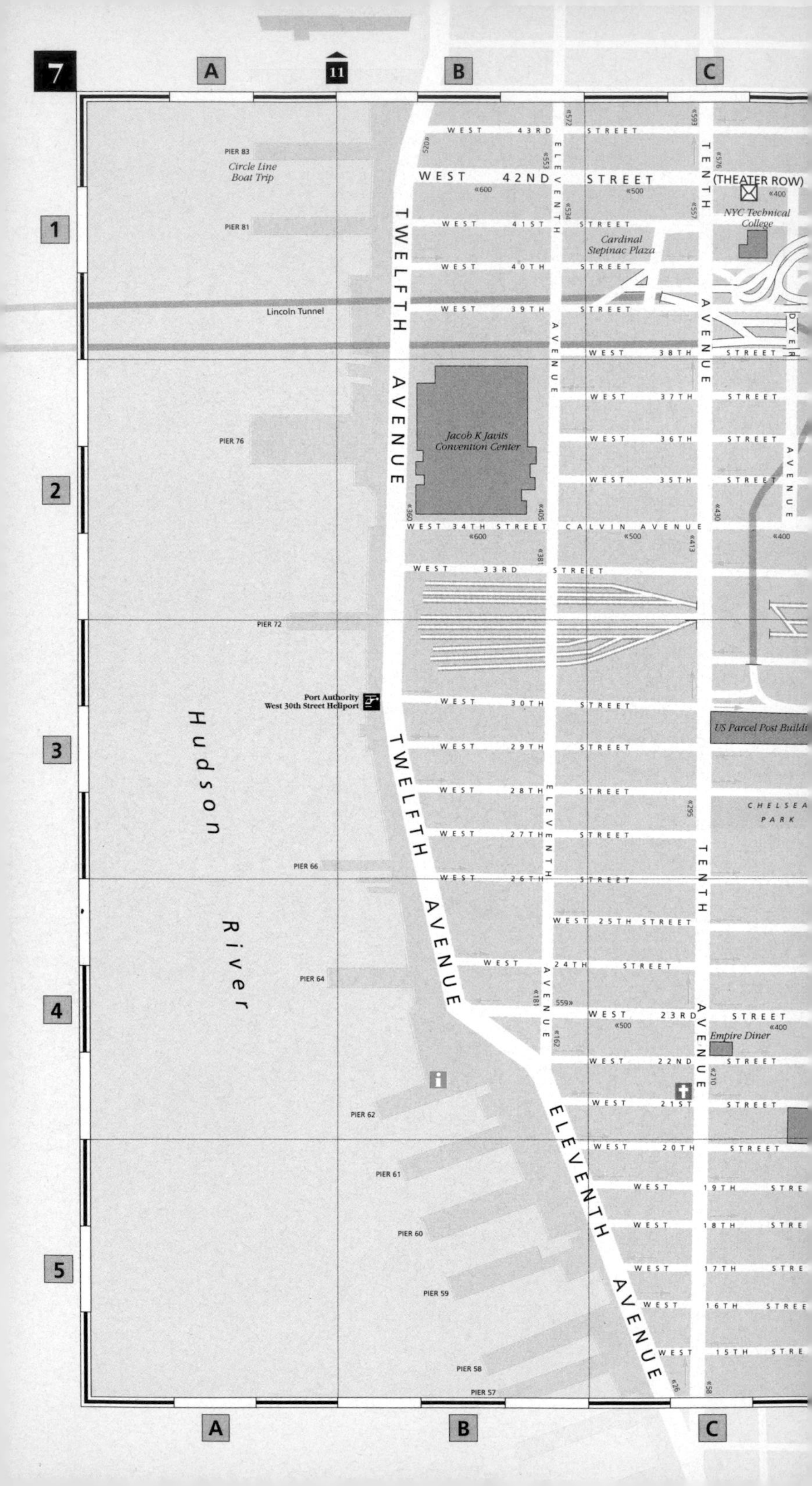
7
A
11
B
C
WEST 43RD STREET
WEST 42ND STREET
(THEATER ROW)
NYC Technical College
PIER 83
Circle Line Boat Trip
PIER 81
WEST 41ST STREET
Cardinal Stepinac Plaza
WEST 40TH STREET
Lincoln Tunnel
WEST 39TH STREET
WEST 38TH STREET
DYER AVENUE
TWELFTH AVENUE
ELEVENTH AVENUE
TENTH AVENUE
WEST 37TH STREET
PIER 76
Jacob K Javits Convention Center
WEST 36TH STREET
WEST 35TH STREET
WEST 34TH STREET
CALVIN AVENUE
WEST 33RD STREET
PIER 72
Port Authority West 30th Street Heliport
WEST 30TH STREET
US Parcel Post Buildi
WEST 29TH STREET
WEST 28TH STREET
CHELSEA PARK
WEST 27TH STREET
Hudson River
PIER 66
WEST 26TH STREET
WEST 25TH STREET
WEST 24TH STREET
PIER 64
WEST 23RD STREET
Empire Diner
WEST 22ND STREET
WEST 21ST STREET
PIER 62
WEST 20TH STREET
PIER 61
WEST 19TH STRE
WEST 18TH STRE
PIER 60
WEST 17TH STRE
PIER 59
WEST 16TH STREE
WEST 15TH STRE
PIER 58
PIER 57
1
2
3
4
5

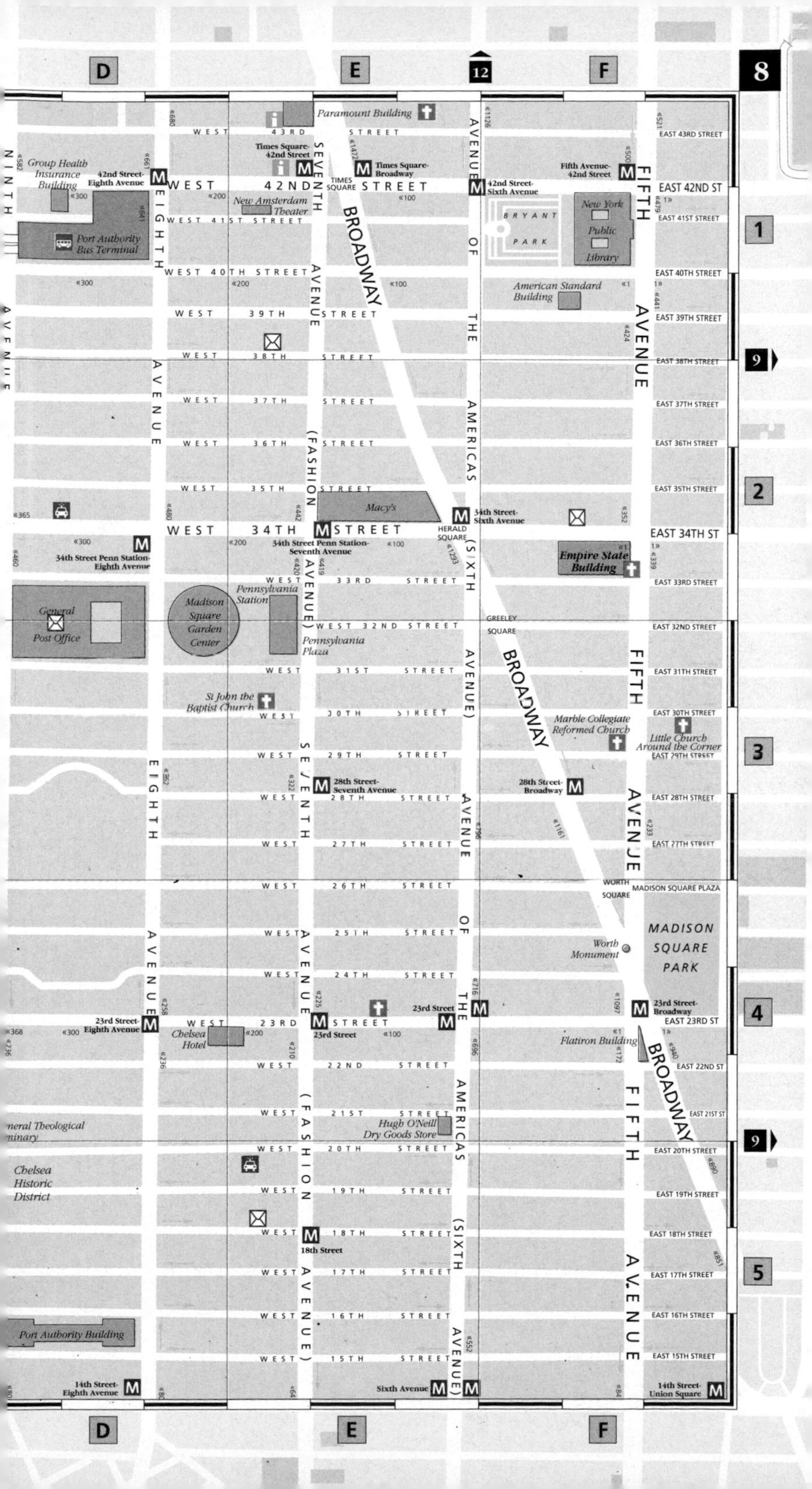

D
E
12
F
8
Paramount Building
WEST 43RD STREET
EAST 43RD STREET
Times Square-42nd Street
Times Square-Broadway
TIMES SQUARE
Fifth Avenue-42nd Street
Group Health Insurance Building
42nd Street-Eighth Avenue
WEST 42ND STREET
42nd Street-Sixth Avenue
EAST 42ND ST
New Amsterdam Theater
WEST 41ST STREET
BRYANT PARK
New York Public Library
EAST 41ST STREET
Port Authority Bus Terminal
1
WEST 40TH STREET
EAST 40TH STREET
American Standard Building
WEST 39TH STREET
EAST 39TH STREET
WEST 38TH STREET
EAST 38TH STREET
9
WEST 37TH STREET
EAST 37TH STREET
WEST 36TH STREET
EAST 36TH STREET
WEST 35TH STREET
EAST 35TH STREET
2
Macy's
34th Street-Sixth Avenue
HERALD SQUARE
WEST 34TH STREET
EAST 34TH ST
34th Street Penn Station-Eighth Avenue
34th Street Penn Station-Seventh Avenue
Empire State Building
WEST 33RD STREET
EAST 33RD STREET
Pennsylvania Station
Madison Square Garden Center
General Post Office
WEST 32ND STREET
GREELEY SQUARE
EAST 32ND STREET
Pennsylvania Plaza
WEST 31ST STREET
EAST 31ST STREET
St John the Baptist Church
WEST 30TH STREET
EAST 30TH STREET
Marble Collegiate Reformed Church
Little Church Around the Corner
WEST 29TH STREET
EAST 29TH STREET
3
28th Street-Seventh Avenue
28th Street-Broadway
WEST 28TH STREET
EAST 28TH STREET
WEST 27TH STREET
EAST 27TH STREET
WEST 26TH STREET
WORTH SQUARE
MADISON SQUARE PLAZA
WEST 25TH STREET
MADISON SQUARE PARK
Worth Monument
WEST 24TH STREET
23rd Street
23rd Street-Broadway
4
23rd Street-Eighth Avenue
WEST 23RD STREET
EAST 23RD ST
Chelsea Hotel
Flatiron Building
WEST 22ND STREET
EAST 22ND ST
WEST 21ST STREET
EAST 21ST ST
Hugh O'Neill Dry Goods Store
WEST 20TH STREET
EAST 20TH STREET
Chelsea Historic District
WEST 19TH STREET
EAST 19TH STREET
WEST 18TH STREET
18th Street
EAST 18TH STREET
WEST 17TH STREET
EAST 17TH STREET
5
WEST 16TH STREET
EAST 16TH STREET
Port Authority Building
WEST 15TH STREET
EAST 15TH STREET
14th Street-Eighth Avenue
Sixth Avenue
14th Street-Union Square
NINTH AVENUE
EIGHTH AVENUE
SEVENTH AVENUE (FASHION AVENUE)
BROADWAY
AVENUE OF THE AMERICAS (SIXTH AVENUE)
FIFTH AVENUE
D
E
F

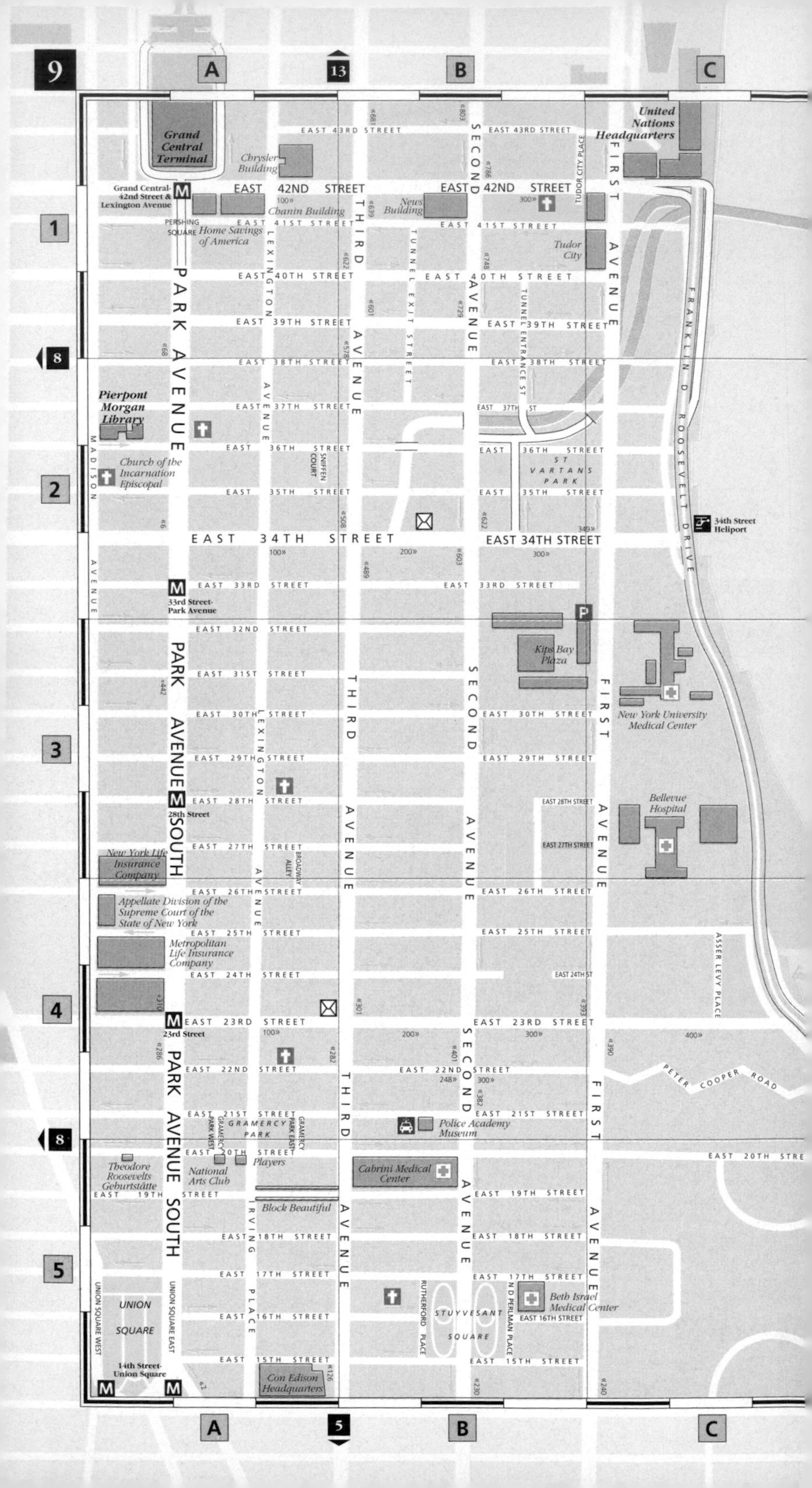
9
A
13
B
C
Grand Central Terminal
Chrysler Building
United Nations Headquarters
Grand Central-42nd Street & Lexington Avenue
EAST 43RD STREET
EAST 42ND STREET
Chanin Building
News Building
Tudor City
TUDOR CITY PLACE
PERSHING SQUARE
Home Savings of America
EAST 41ST STREET
EAST 40TH STREET
EAST 39TH STREET
EAST 38TH STREET
EAST 37TH STREET
EAST 36TH STREET
EAST 35TH STREET
EAST 34TH STREET
EAST 33RD STREET
EAST 32ND STREET
EAST 31ST STREET
EAST 30TH STREET
EAST 29TH STREET
EAST 28TH STREET
EAST 27TH STREET
EAST 26TH STREET
EAST 25TH STREET
EAST 24TH STREET
EAST 23RD STREET
EAST 22ND STREET
EAST 21ST STREET
EAST 20TH STREET
EAST 19TH STREET
EAST 18TH STREET
EAST 17TH STREET
EAST 16TH STREET
EAST 15TH STREET
PARK AVENUE
LEXINGTON AVENUE
THIRD AVENUE
SECOND AVENUE
FIRST AVENUE
MADISON AVENUE
TUNNEL EXIT STREET
TUNNEL ENTRANCE ST
FRANKLIN D ROOSEVELT DRIVE
Pierpont Morgan Library
Church of the Incarnation Episcopal
SNIFFEN COURT
ST VARTANS PARK
34th Street Heliport
33rd Street-Park Avenue
Kips Bay Plaza
New York University Medical Center
Bellevue Hospital
28th Street
PARK AVENUE SOUTH
New York Life Insurance Company
BROADWAY ALLEY
Appellate Division of the Supreme Court of the State of New York
Metropolitan Life Insurance Company
ASSER LEVY PLACE
23rd Street
PETER COOPER ROAD
GRAMERCY PARK
GRAMERCY PARK WEST
GRAMERCY PARK EAST
Police Academy Museum
Players
National Arts Club
Theodore Roosevelts Geburtstätte
Cabrini Medical Center
Block Beautiful
IRVING PLACE
RUTHERFORD PLACE
STUYVESANT SQUARE
N D PERLMAN PLACE
Beth Israel Medical Center
UNION SQUARE
UNION SQUARE WEST
UNION SQUARE EAST
14th Street-Union Square
Con Edison Headquarters
1
2
3
4
5
8
5

D
E
14
F
10
East
Belmont Island
Queens - Midtown Tunnel 495
River
5TH STREET
VERNON BLVD
JACKSON AVENUE
Pulaski Bridge
AVENUE
50TH AVENUE
51ST AVENUE
BORDEN AVENUE
M
Vernon Jackson Boulevard
Long Island City Station
2ND (FRONT) STREET
54TH (FLUSHING) AVENUE
55TH AVENUE
56TH AVENUE
Newton Creek
MANHATTAN AVENUE
BOX STREET
COMMERCIAL STREET
CLAY STREET
DUPONT STREET
FRANKLIN
EAGLE STREET
FREEMAN STREET
WEST STREET
GREEN STREET
HURON STREET
INDIA STREET
JAVA STREET
KENT STREET
GREENPOINT AVENUE
1
2
3
4
5
Manhattan Marina
East
River
PIER 70
PIER 69
PIER 68
PIER 67
FRANKLIN D ROOSEVELT DRIVE (EAST RIVER DRIVE)
AVENUE C
EAST 16TH STREET
EAST 15TH STREET
D
E
6
F

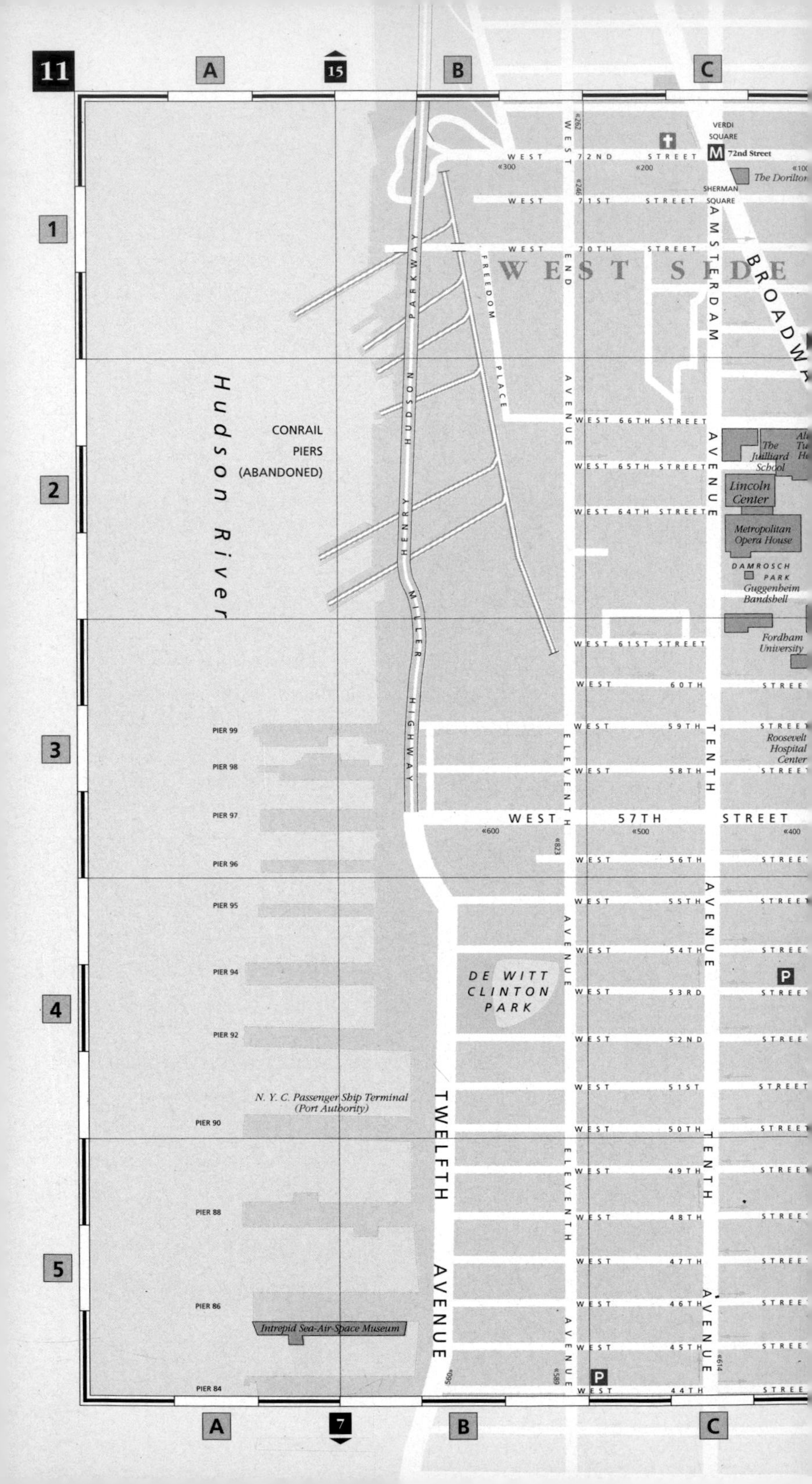

11
A
15
B
C
1
2
3
4
5
7
VERDI SQUARE
72nd Street
The Dorilton
SHERMAN SQUARE
WEST 72ND STREET
WEST 71ST STREET
WEST 70TH STREET
WEST SIDE
BROADWAY
AMSTERDAM AVENUE
WEST END AVENUE
FREEDOM PLACE
HENRY HUDSON PARKWAY
MILLER HIGHWAY
Hudson River
CONRAIL PIERS (ABANDONED)
WEST 66TH STREET
WEST 65TH STREET
WEST 64TH STREET
The Julliard School
Lincoln Center
Metropolitan Opera House
DAMROSCH PARK
Guggenheim Bandshell
Fordham University
WEST 61ST STREET
WEST 60TH STREET
WEST 59TH STREET
Roosevelt Hospital Center
WEST 58TH STREET
WEST 57TH STREET
TENTH AVENUE
ELEVENTH AVENUE
WEST 56TH STREET
WEST 55TH STREET
WEST 54TH STREET
WEST 53RD STREET
WEST 52ND STREET
WEST 51ST STREET
WEST 50TH STREET
WEST 49TH STREET
WEST 48TH STREET
WEST 47TH STREET
WEST 46TH STREET
WEST 45TH STREET
WEST 44TH STREET
DE WITT CLINTON PARK
TWELFTH AVENUE
PIER 99
PIER 98
PIER 97
PIER 96
PIER 95
PIER 94
PIER 92
PIER 90
PIER 88
PIER 86
PIER 84
N. Y. C. Passenger Ship Terminal (Port Authority)
Intrepid Sea-Air-Space Museum
P

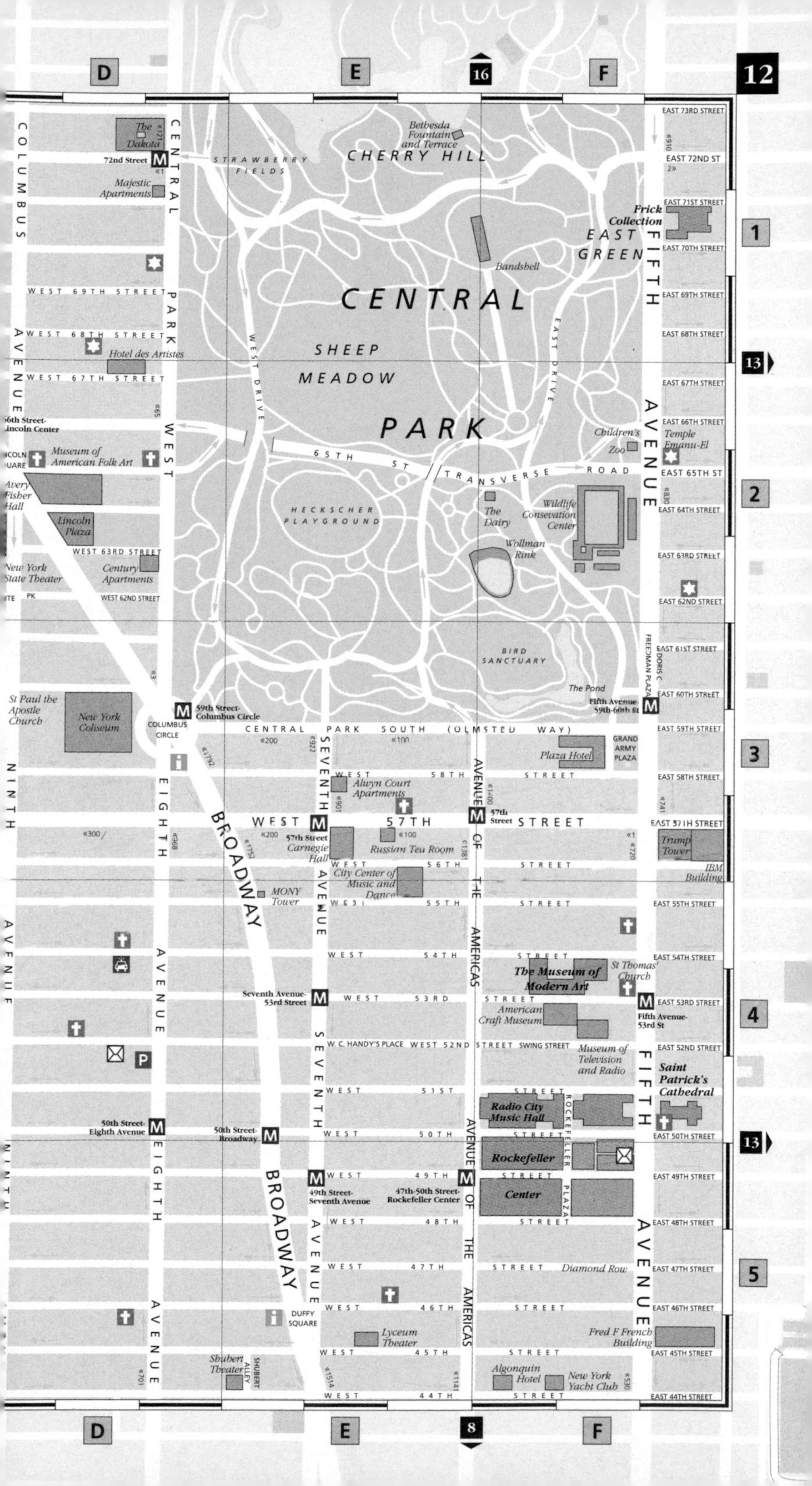

D
E
16
F
12
COLUMBUS AVENUE
CENTRAL PARK WEST
The Dakota
72nd Street
Majestic Apartments
STRAWBERRY FIELDS
Bethesda Fountain and Terrace
CHERRY HILL
EAST 73RD STREET
EAST 72ND ST
EAST 71ST STREET
Frick Collection
EAST GREEN
EAST 70TH STREET
Bandshell
WEST 69TH STREET
CENTRAL
FIFTH AVENUE
EAST 69TH STREET
WEST 68TH STREET
Hotel des Artistes
SHEEP MEADOW
WEST DRIVE
EAST DRIVE
EAST 68TH STREET
13
WEST 67TH STREET
EAST 67TH STREET
PARK
66th Street-Lincoln Center
EAST 66TH STREET
Children's Zoo
Temple Emanu-El
Museum of American Folk Art
65TH ST TRANSVERSE ROAD
EAST 65TH ST
1
2
Avery Fisher Hall
Lincoln Plaza
HECKSCHER PLAYGROUND
The Dairy
Wildlife Consevation Center
EAST 64TH STREET
WEST 63RD STREET
Wollman Rink
EAST 63RD STREET
New York State Theater
Century Apartments
WEST 62ND STREET
EAST 62ND STREET
BIRD SANCTUARY
EAST 61ST STREET
FREEDMAN PLAZA
The Pond
EAST 60TH STREET
St Paul the Apostle Church
New York Coliseum
59th Street-Columbus Circle
COLUMBUS CIRCLE
Fifth Avenue 59th-60th St
CENTRAL PARK SOUTH (OLMSTED WAY)
EAST 59TH STREET
Plaza Hotel
GRAND ARMY PLAZA
3
NINTH AVENUE
EIGHTH AVENUE
BROADWAY
SEVENTH AVENUE
AVENUE OF THE AMERICAS
WEST 58TH STREET
Alwyn Court Apartments
EAST 58TH STREET
WEST 57TH STREET
57th Street
EAST 57TH STREET
57th Street Carnegie Hall
Russian Tea Room
Trump Tower
WEST 56TH STREET
City Center of Music and Dance
IBM Building
MONY Tower
WEST 55TH STREET
EAST 55TH STREET
WEST 54TH STREET
The Museum of Modern Art
St Thomas' Church
EAST 54TH STREET
Seventh Avenue-53rd Street
WEST 53RD STREET
American Craft Museum
Fifth Avenue-53rd St
EAST 53RD STREET
4
W. C. HANDY'S PLACE
WEST 52ND STREET
SWING STREET
Museum of Television and Radio
EAST 52ND STREET
Saint Patrick's Cathedral
WEST 51ST STREET
Radio City Music Hall
ROCKEFELLER PLAZA
50th Street-Eighth Avenue
50th Street-Broadway
WEST 50TH STREET
EAST 50TH STREET
Rockefeller Center
WEST 49TH STREET
EAST 49TH STREET
49th Street-Seventh Avenue
47th-50th Street-Rockefeller Center
WEST 48TH STREET
EAST 48TH STREET
WEST 47TH STREET
Diamond Row
EAST 47TH STREET
5
DUFFY SQUARE
WEST 46TH STREET
EAST 46TH STREET
Lyceum Theater
Fred F French Building
WEST 45TH STREET
EAST 45TH STREET
Shubert Theater
SHUBERT ALLEY
Algonquin Hotel
New York Yacht Club
WEST 44TH STREET
EAST 44TH STREET
D
E
8
F

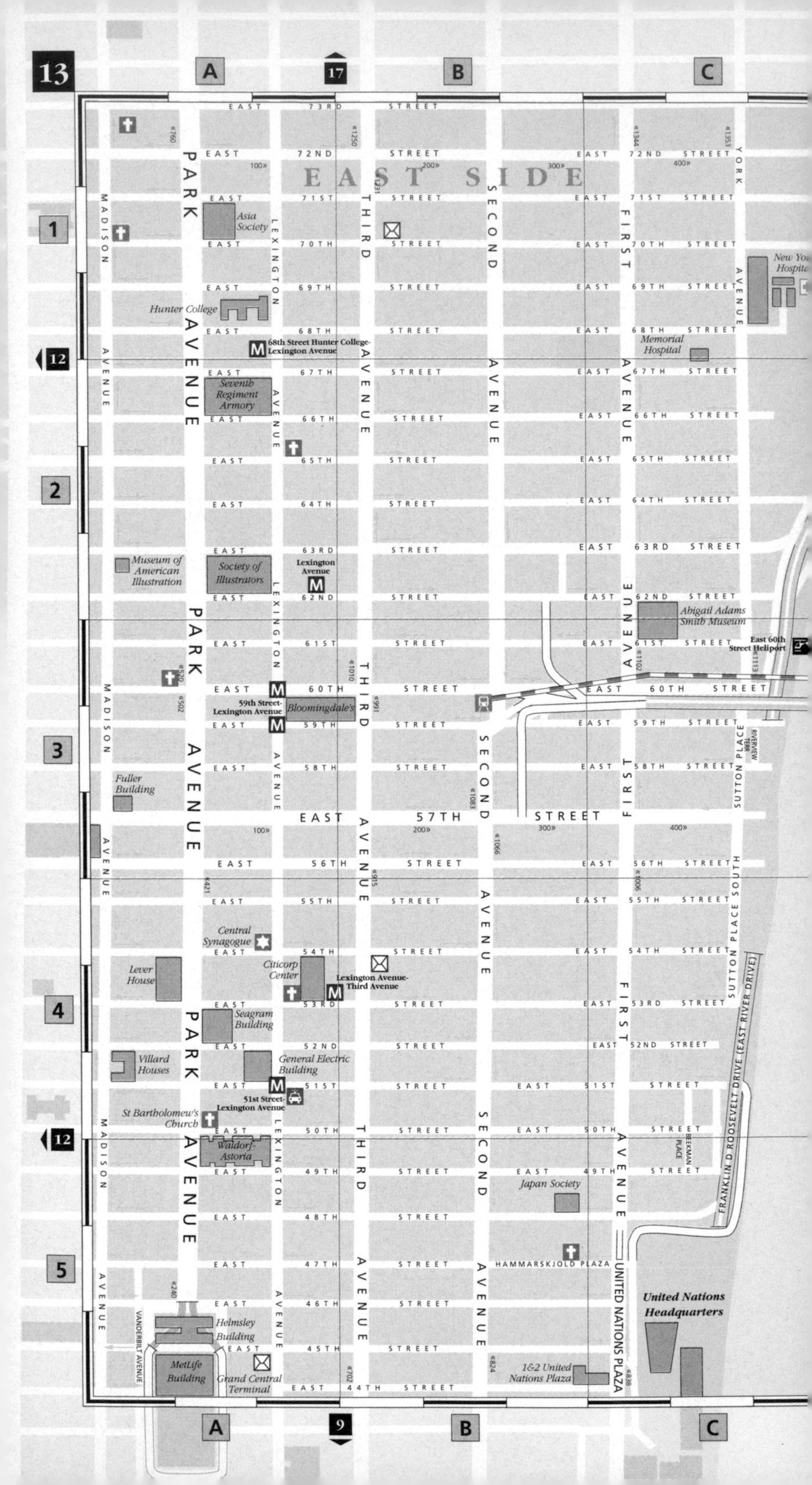

13
A
17
B
C
12
9
1
2
3
4
5
EAST SIDE
PARK AVENUE
MADISON AVENUE
LEXINGTON AVENUE
THIRD AVENUE
SECOND AVENUE
FIRST AVENUE
YORK AVENUE
SUTTON PLACE
SUTTON PLACE SOUTH
RIVERVIEW TERR
BEEKMAN PLACE
VANDERBILT AVENUE
UNITED NATIONS PLAZA
FRANKLIN D ROOSEVELT DRIVE (EAST RIVER DRIVE)
EAST 73RD STREET
EAST 72ND STREET
EAST 71ST STREET
EAST 70TH STREET
EAST 69TH STREET
EAST 68TH STREET
EAST 67TH STREET
EAST 66TH STREET
EAST 65TH STREET
EAST 64TH STREET
EAST 63RD STREET
EAST 62ND STREET
EAST 61ST STREET
EAST 60TH STREET
EAST 59TH STREET
EAST 58TH STREET
EAST 57TH STREET
EAST 56TH STREET
EAST 55TH STREET
EAST 54TH STREET
EAST 53RD STREET
EAST 52ND STREET
EAST 51ST STREET
EAST 50TH STREET
EAST 49TH STREET
EAST 48TH STREET
EAST 47TH STREET
HAMMARSKJOLD PLAZA
EAST 46TH STREET
EAST 45TH STREET
EAST 44TH STREET
Asia Society
Hunter College
68th Street Hunter College-Lexington Avenue
Seventh Regiment Armory
Museum of American Illustration
Society of Illustrators
Lexington Avenue
59th Street-Lexington Avenue
Bloomingdale's
Fuller Building
Central Synagogue
Lever House
Citicorp Center
Lexington Avenue-Third Avenue
Seagram Building
Villard Houses
General Electric Building
51st Street-Lexington Avenue
St Bartholomew's Church
Waldorf-Astoria
Helmsley Building
MetLife Building
Grand Central Terminal
New York Hospital
Memorial Hospital
Abigail Adams Smith Museum
East 60th Street Heliport
Japan Society
1&2 United Nations Plaza
United Nations Headquarters
100»
200»
300»
400»
«760
«1250
«1231
«1344
«1353
«520
«502
«1010
«991
«1083
«1066
«1102
«1113
«421
«915
«1006
«240
«702
«824
«838

14
D
E
F
18
10
1
2
3
4
5
West Channel
East Channel
ROOSEVELT ISLAND
BLACKWELL PARK
Roosevelt Island Bridge
LONG ISLAND CITY
QUEENS COUNTY
QUEENSBRIDGE PARK
AERIAL TRAMWAY
Queensboro Bridge
VERNON BOULEVARD
MAIN STREET
WEST ROAD
EAST ROAD
36TH AVENUE
37TH AVENUE
38TH AVENUE
40TH AVENUE
41ST AVENUE
41ST ROAD
QUEENS PLAZA NORTH
QUEENS PLAZA SOUTH
43RD AVENUE
43RD ROAD
44TH AVENUE
44TH ROAD
44TH DRIVE
44th Drive
45TH AVENUE
45TH ROAD
46TH AVENUE
46TH ROAD
47TH AVENUE
47TH ROAD
48TH AVENUE
5TH STREET
9TH STREET
10TH STREET
11TH STREET
12TH STREET
13TH STREET
21ST STREET
JACKSON AVENUE

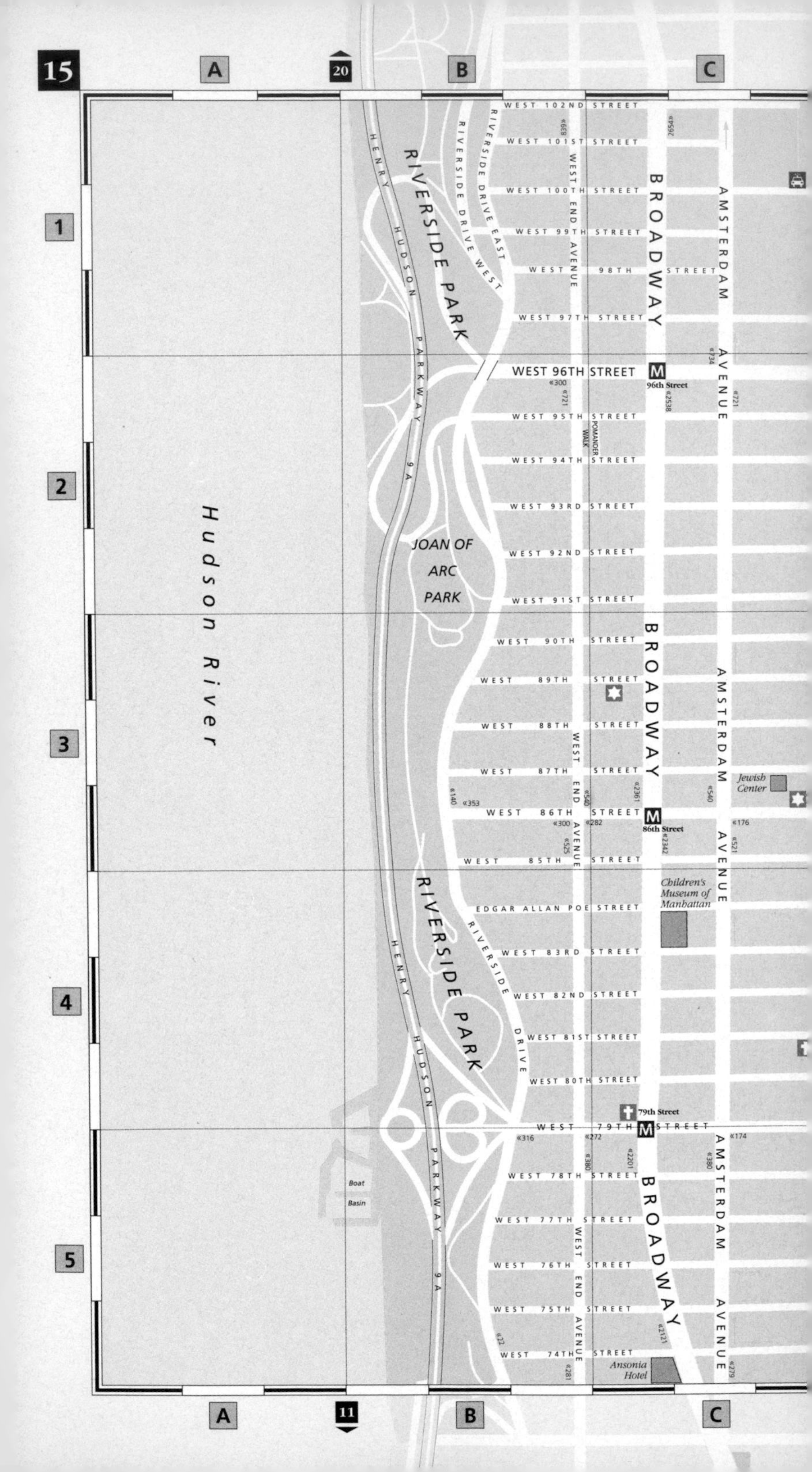

15
A
B
C
20
11
1
2
3
4
5
Hudson River
RIVERSIDE PARK
HENRY HUDSON PARKWAY 9A
RIVERSIDE DRIVE WEST
RIVERSIDE DRIVE EAST
RIVERSIDE DRIVE
JOAN OF ARC PARK
BROADWAY
AMSTERDAM AVENUE
WEST END AVENUE
POMANDER WALK
WEST 102ND STREET
WEST 101ST STREET
WEST 100TH STREET
WEST 99TH STREET
WEST 98TH STREET
WEST 97TH STREET
WEST 96TH STREET
96th Street
WEST 95TH STREET
WEST 94TH STREET
WEST 93RD STREET
WEST 92ND STREET
WEST 91ST STREET
WEST 90TH STREET
WEST 89TH STREET
WEST 88TH STREET
WEST 87TH STREET
WEST 86TH STREET
86th Street
WEST 85TH STREET
EDGAR ALLAN POE STREET
WEST 83RD STREET
WEST 82ND STREET
WEST 81ST STREET
WEST 80TH STREET
WEST 79TH STREET
79th Street
WEST 78TH STREET
WEST 77TH STREET
WEST 76TH STREET
WEST 75TH STREET
WEST 74TH STREET
Jewish Center
Children's Museum of Manhattan
Ansonia Hotel
Boat Basin

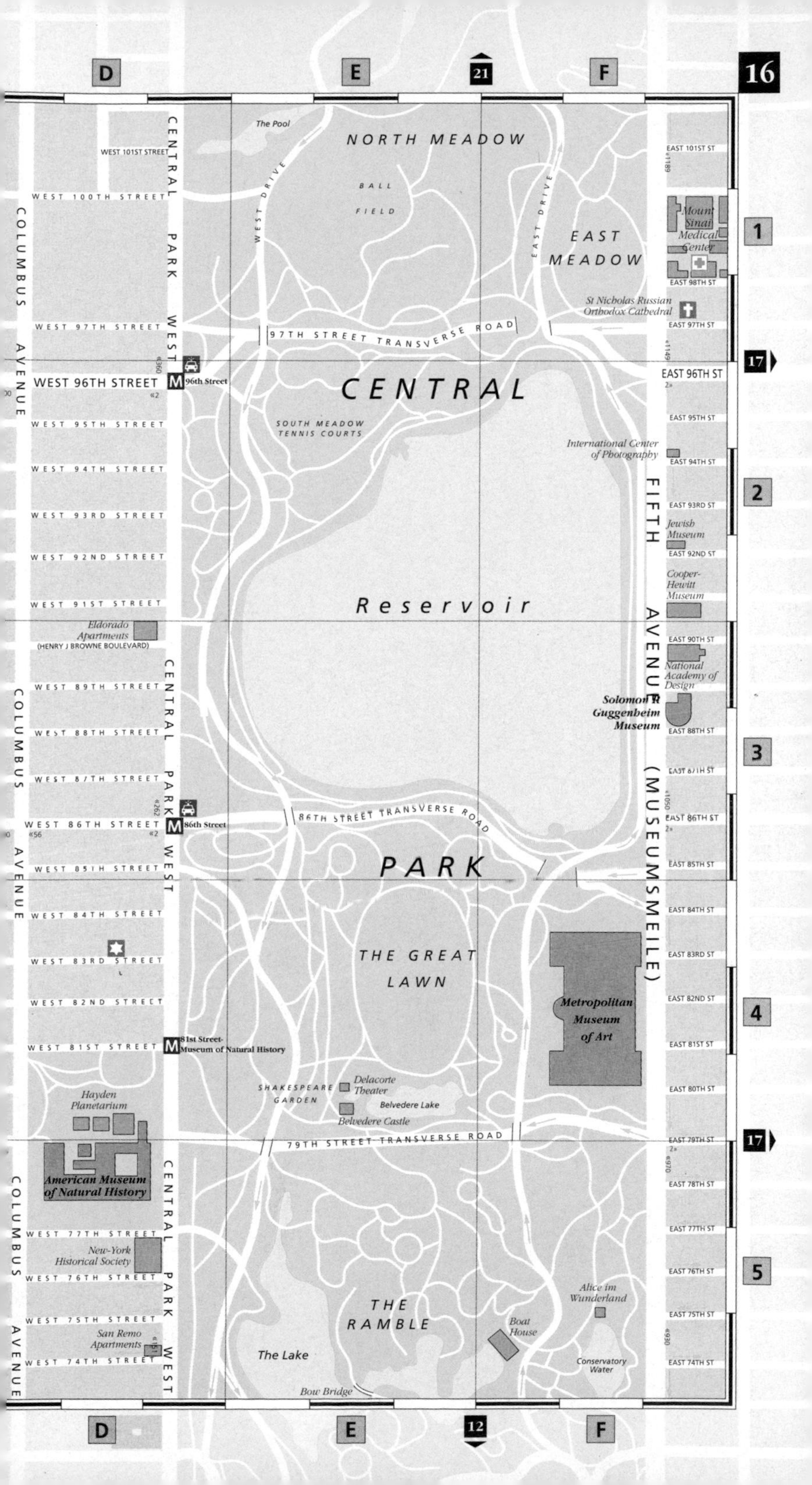

D
E
21
F
16
The Pool
NORTH MEADOW
WEST 101ST STREET
BALL
FIELD
WEST DRIVE
EAST DRIVE
EAST
MEADOW
EAST 101ST ST
Mount Sinai Medical Center
1
WEST 100TH STREET
COLUMBUS AVENUE
CENTRAL PARK WEST
EAST 98TH ST
St Nicholas Russian Orthodox Cathedral
EAST 97TH ST
WEST 97TH STREET
97TH STREET TRANSVERSE ROAD
17
WEST 96TH STREET
96th Street
CENTRAL
EAST 96TH ST
SOUTH MEADOW TENNIS COURTS
WEST 95TH STREET
EAST 95TH ST
International Center of Photography
WEST 94TH STREET
EAST 94TH ST
FIFTH AVENUE (MUSEUMSMEILE)
2
WEST 93RD STREET
EAST 93RD ST
Jewish Museum
WEST 92ND STREET
EAST 92ND ST
Cooper-Hewitt Museum
Reservoir
WEST 91ST STREET
Eldorado Apartments
(HENRY J BROWNE BOULEVARD)
EAST 90TH ST
National Academy of Design
Solomon R Guggenheim Museum
WEST 89TH STREET
WEST 88TH STREET
EAST 88TH ST
3
WEST 87TH STREET
EAST 87TH ST
86TH STREET TRANSVERSE ROAD
WEST 86TH STREET
86th Street
EAST 86TH ST
PARK
WEST 85TH STREET
EAST 85TH ST
WEST 84TH STREET
EAST 84TH ST
THE GREAT LAWN
WEST 83RD STREET
EAST 83RD ST
WEST 82ND STREET
EAST 82ND ST
Metropolitan Museum of Art
4
WEST 81ST STREET
81st Street-Museum of Natural History
EAST 81ST ST
SHAKESPEARE GARDEN
Delacorte Theater
Belvedere Lake
Belvedere Castle
EAST 80TH ST
Hayden Planetarium
79TH STREET TRANSVERSE ROAD
EAST 79TH ST
17
American Museum of Natural History
EAST 78TH ST
WEST 77TH STREET
EAST 77TH ST
New-York Historical Society
WEST 76TH STREET
EAST 76TH ST
5
THE RAMBLE
Alice im Wunderland
WEST 75TH STREET
EAST 75TH ST
San Remo Apartments
Boat House
The Lake
WEST 74TH STREET
EAST 74TH ST
Conservatory Water
Bow Bridge
D
E
12
F

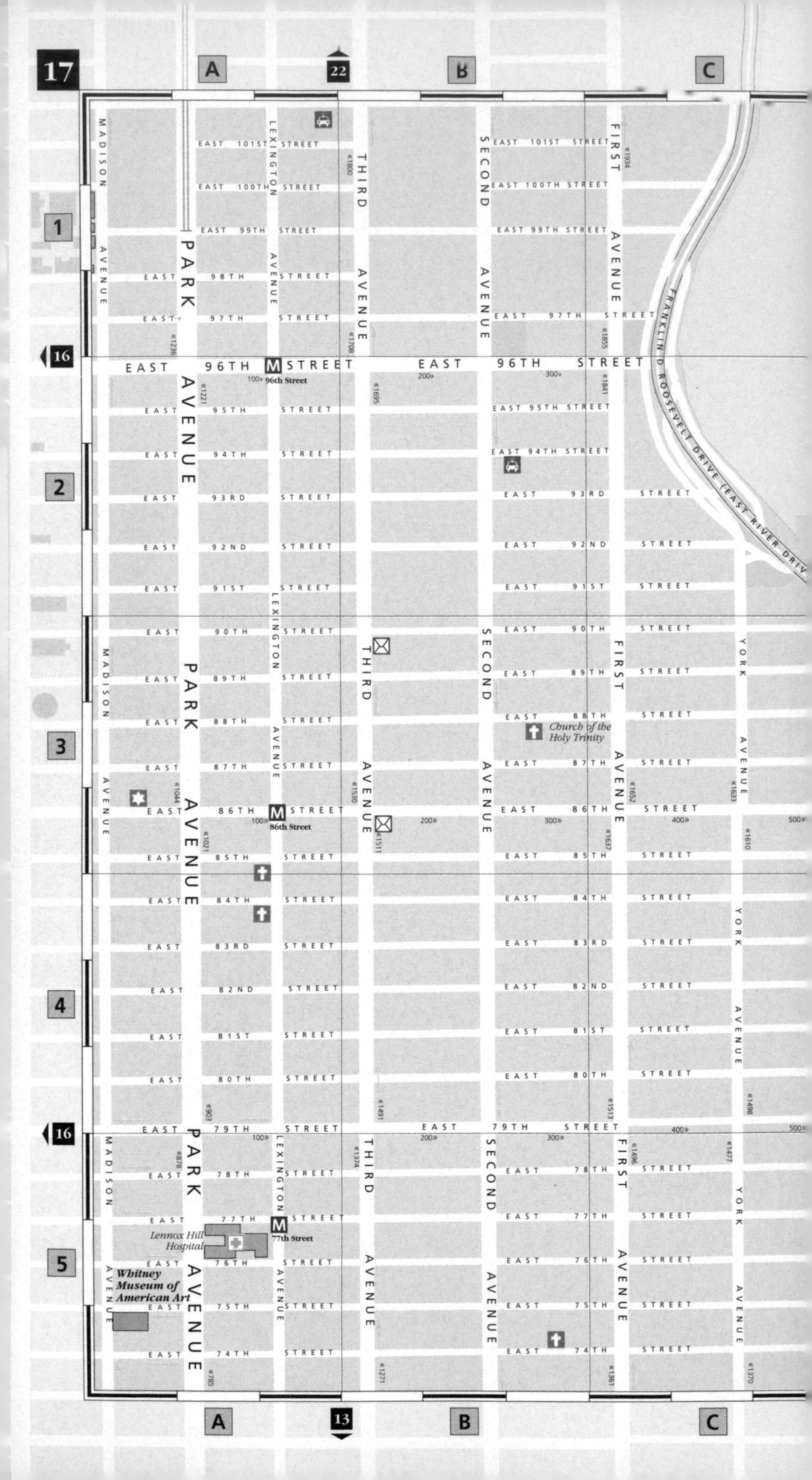
17
A
22
B
C
1
2
3
4
5
16
16
13
MADISON AVENUE
PARK AVENUE
LEXINGTON AVENUE
THIRD AVENUE
SECOND AVENUE
FIRST AVENUE
YORK AVENUE
FRANKLIN D ROOSEVELT DRIVE (EAST RIVER DRIVE)
EAST 101ST STREET
EAST 100TH STREET
EAST 99TH STREET
EAST 98TH STREET
EAST 97TH STREET
EAST 96TH STREET
EAST 95TH STREET
EAST 94TH STREET
EAST 93RD STREET
EAST 92ND STREET
EAST 91ST STREET
EAST 90TH STREET
EAST 89TH STREET
EAST 88TH STREET
EAST 87TH STREET
EAST 86TH STREET
EAST 85TH STREET
EAST 84TH STREET
EAST 83RD STREET
EAST 82ND STREET
EAST 81ST STREET
EAST 80TH STREET
EAST 79TH STREET
EAST 78TH STREET
EAST 77TH STREET
EAST 76TH STREET
EAST 75TH STREET
EAST 74TH STREET
96th Street
86th Street
77th Street
Church of the Holy Trinity
Lennox Hill Hospital
Whitney Museum of American Art
100» 200» 300» 400» 500»
«1800 «1934 «1708 «1855 «1236 «1221 «1695 «1841 «1530 «1652 «1633 «1044 «1021 «1511 «1637 «1610 «903 «1491 «1513 «1498 «878 «1374 «1496 «1477 «785 «1271 «1361 «1370

D
E
F
1
2
3
4
5
Harlem River
East River
Hell Gate
Triborough Bridge
SHORE BOULEVARD
ASTORIA PK SOUTH
Pot Cove
MILL ROCK PARK
26TH AVENUE
27TH AVENUE
28TH AVENUE
1ST STREET
2ND STREET
3RD STREET
4TH STREET
8TH STREET
9TH STREET
12TH STREET
14TH STREET
ASTORIA BOULEVARD
MAIN AVENUE
30TH AVENUE
WELLING STREET
30TH ROAD
30TH DRIVE
31ST AVENUE
31ST DRIVE
BROADWAY
33RD AVENUE
33RD ROAD
34TH AVENUE
35TH AVENUE
10TH STREET
11TH STREET
13TH STREET
VERNON BOULEVARD
Gracie Mansion
CARL SCHURZ PARK
GRACIE SQ
GRACIE TERRACE
FRANKLIN D ROOSEVELT DRIVE (EAST RIVER DRIVE)
LIGHTHOUSE PARK
Hallets Cove
ROOSEVELT ISLAND
MAIN STREET
West Channel
East Channel
RAINEY PARK
BLACKWELL PARK

14

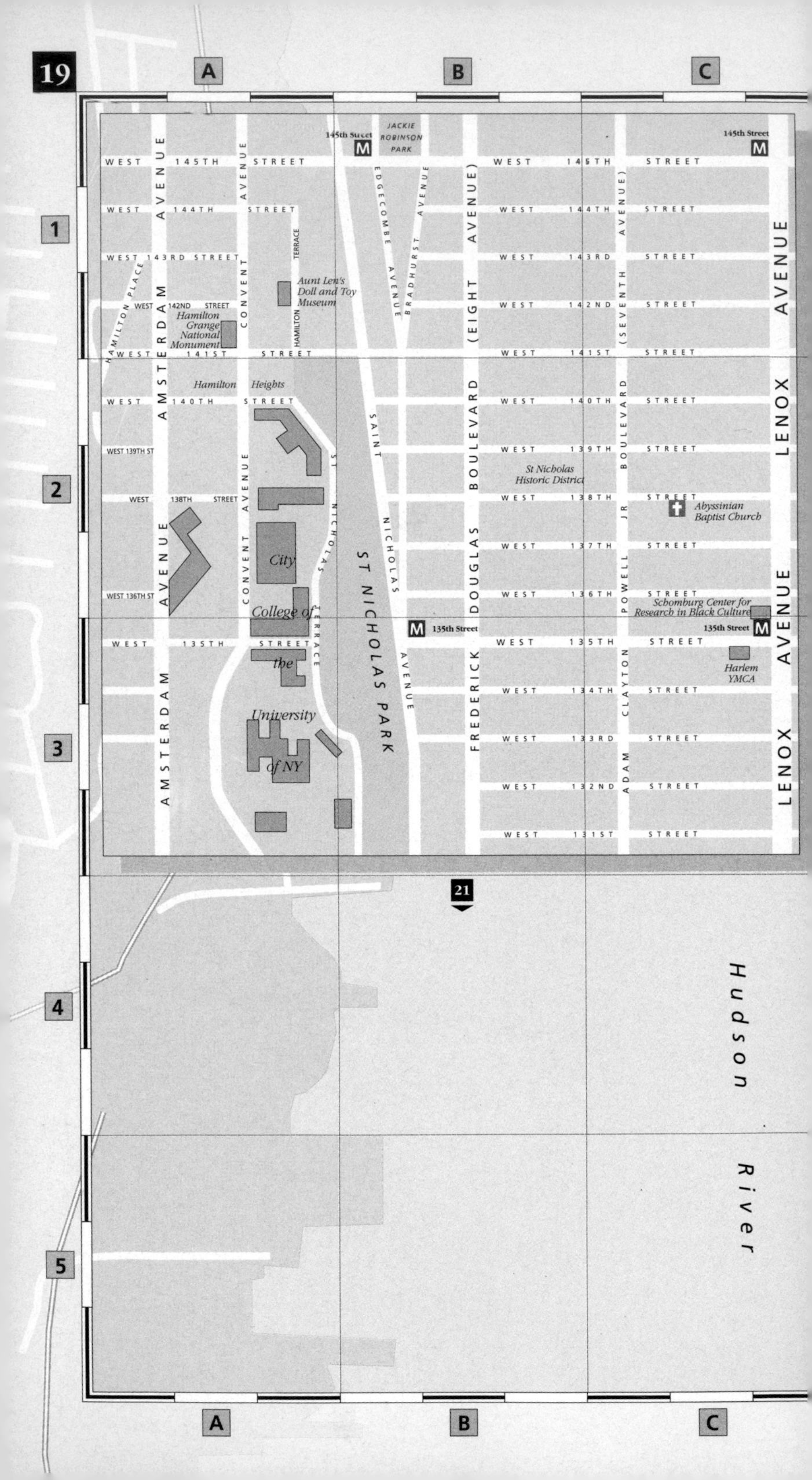
A
B
C
1
2
3
4
5
West 145th Street
West 144th Street
West 143rd Street
West 142nd Street
West 141st Street
West 140th Street
West 139th St
West 138th Street
West 137th Street
West 136th St
West 135th Street
West 134th Street
West 133rd Street
West 132nd Street
West 131st Street
Amsterdam Avenue
Convent Avenue
Hamilton Place
Hamilton Terrace
Edgecombe Avenue
Bradhurst Avenue
Saint Nicholas Avenue
St Nicholas Terrace
St Nicholas Park
Frederick Douglas Boulevard (Eight Avenue)
Adam Clayton Powell Jr Boulevard (Seventh Avenue)
Lenox Avenue
145th Street
135th Street
Jackie Robinson Park
Aunt Len's Doll and Toy Museum
Hamilton Grange National Monument
Hamilton Heights
City College of the University of NY
St Nicholas Historic District
Abyssinian Baptist Church
Schomburg Center for Research in Black Culture
Harlem YMCA
Hudson River
21

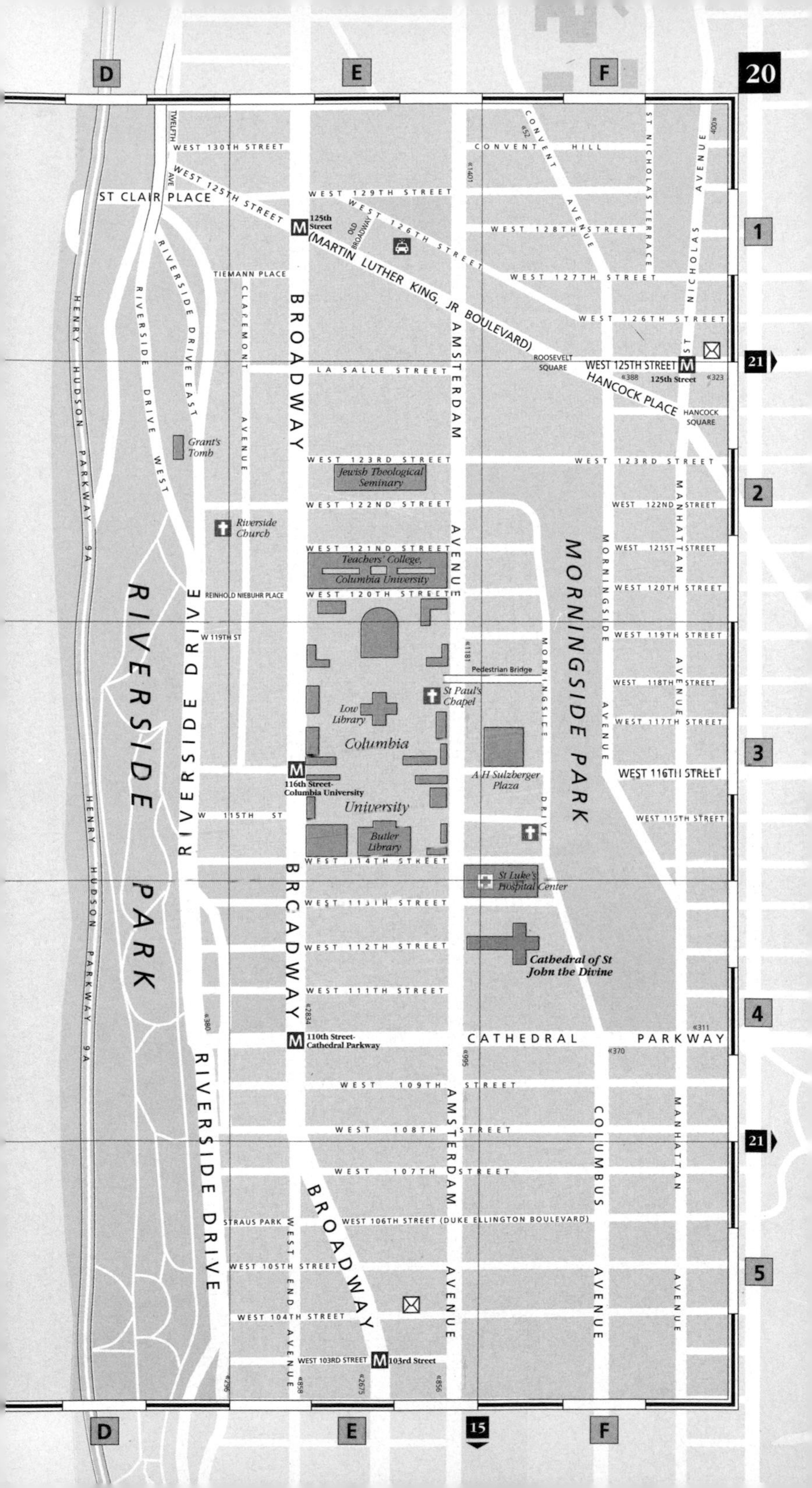

20
D
E
F
1
2
3
4
5
21
15
WEST 130TH STREET
CONVENT HILL
CONVENT AVENUE
ST NICHOLAS TERRACE
ST NICHOLAS AVENUE
WEST 129TH STREET
ST CLAIR PLACE
WEST 125TH STREET
(MARTIN LUTHER KING, JR BOULEVARD)
125th Street
OLD BROADWAY
WEST 126TH STREET
WEST 128TH STREET
WEST 127TH STREET
TWELFTH AVE
TIEMANN PLACE
RIVERSIDE DRIVE EAST
RIVERSIDE DRIVE WEST
HENRY HUDSON PARKWAY 9A
CLAREMONT AVENUE
BROADWAY
AMSTERDAM AVENUE
WEST 126TH STREET
ROOSEVELT SQUARE
WEST 125TH STREET
125th Street
HANCOCK PLACE
HANCOCK SQUARE
LA SALLE STREET
Grant's Tomb
WEST 123RD STREET
Jewish Theological Seminary
WEST 122ND STREET
Riverside Church
WEST 121ND STREET
Teachers' College, Columbia University
REINHOLD NIEBUHR PLACE
WEST 120TH STREET
W 119TH ST
MORNINGSIDE PARK
MORNINGSIDE AVENUE
MANHATTAN AVENUE
WEST 122ND STREET
WEST 121ST STREET
WEST 120TH STREET
WEST 119TH STREET
WEST 118TH STREET
WEST 117TH STREET
WEST 116TH STREET
WEST 115TH STREET
Pedestrian Bridge
MORNINGSIDE DRIVE
St Paul's Chapel
Low Library
Columbia University
116th Street-Columbia University
A H Sulzberger Plaza
W 115TH ST
Butler Library
WEST 114TH STREET
St Luke's Hospital Center
WEST 113TH STREET
WEST 112TH STREET
Cathedral of St John the Divine
WEST 111TH STREET
RIVERSIDE PARK
RIVERSIDE DRIVE
110th Street-Cathedral Parkway
CATHEDRAL PARKWAY
WEST 109TH STREET
WEST 108TH STREET
WEST 107TH STREET
COLUMBUS AVENUE
STRAUS PARK
WEST 106TH STREET (DUKE ELLINGTON BOULEVARD)
WEST END AVENUE
WEST 105TH STREET
WEST 104TH STREET
WEST 103RD STREET
103rd Street
«1401
«52
«400
«388
«323
«1181
«2834
«380
«311
«370
«995
«296
«858
«2675
«856

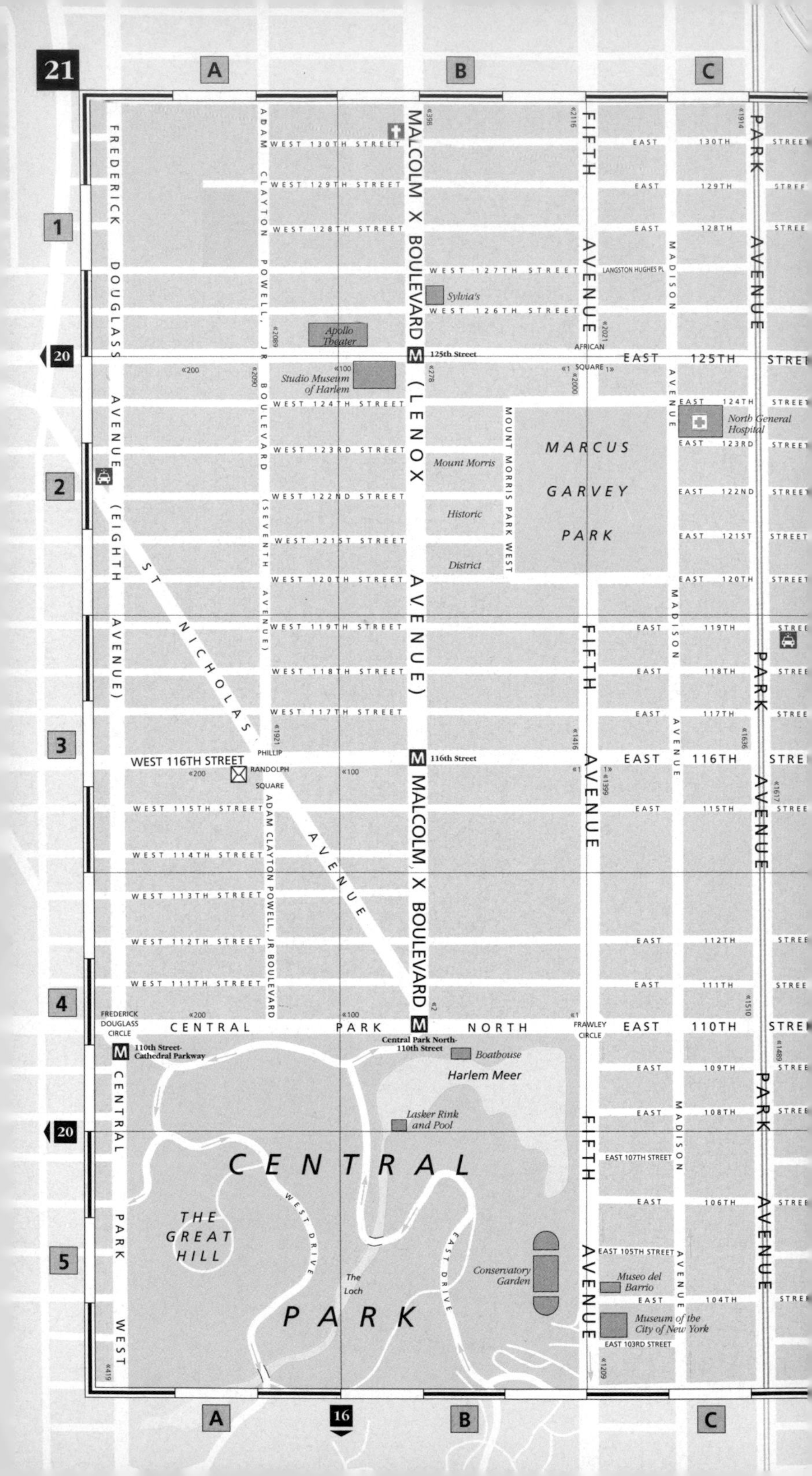

A
B
C
1
2
3
4
5
20
16
FREDERICK DOUGLASS AVENUE (EIGHTH AVENUE)
ADAM CLAYTON POWELL, JR BOULEVARD (SEVENTH AVENUE)
MALCOLM X BOULEVARD (LENOX AVENUE)
FIFTH AVENUE
MADISON AVENUE
PARK AVENUE
ST NICHOLAS AVENUE
MOUNT MORRIS PARK WEST
WEST 130TH STREET
WEST 129TH STREET
WEST 128TH STREET
WEST 127TH STREET
WEST 126TH STREET
WEST 124TH STREET
WEST 123RD STREET
WEST 122ND STREET
WEST 121ST STREET
WEST 120TH STREET
WEST 119TH STREET
WEST 118TH STREET
WEST 117TH STREET
WEST 116TH STREET
WEST 115TH STREET
WEST 114TH STREET
WEST 113TH STREET
WEST 112TH STREET
WEST 111TH STREET
EAST 130TH STREET
EAST 129TH STREET
EAST 128TH STREET
LANGSTON HUGHES PL
EAST 125TH STREET
EAST 124TH STREET
EAST 123RD STREET
EAST 122ND STREET
EAST 121ST STREET
EAST 120TH STREET
EAST 119TH STREET
EAST 118TH STREET
EAST 117TH STREET
EAST 116TH STREET
EAST 115TH STREET
EAST 112TH STREET
EAST 111TH STREET
EAST 110TH STREET
EAST 109TH STREET
EAST 108TH STREET
EAST 107TH STREET
EAST 106TH STREET
EAST 105TH STREET
EAST 104TH STREET
EAST 103RD STREET
CENTRAL PARK NORTH
CENTRAL PARK WEST
Sylvia's
Apollo Theater
Studio Museum of Harlem
125th Street
AFRICAN SQUARE
North General Hospital
MARCUS GARVEY PARK
Mount Morris Historic District
PHILLIP RANDOLPH SQUARE
116th Street
FREDERICK DOUGLASS CIRCLE
FRAWLEY CIRCLE
110th Street-Cathedral Parkway
Central Park North-110th Street
Boathouse
Harlem Meer
Lasker Rink and Pool
CENTRAL PARK
THE GREAT HILL
WEST DRIVE
EAST DRIVE
The Loch
Conservatory Garden
Museo del Barrio
Museum of the City of New York
«398
«2116
«1914
«2089
«2021
«200
«100
«278
«1
«2000
«2090
«1921
«1416
«1636
«1399
«1617
«2
«1510
«1489
«419
«1209

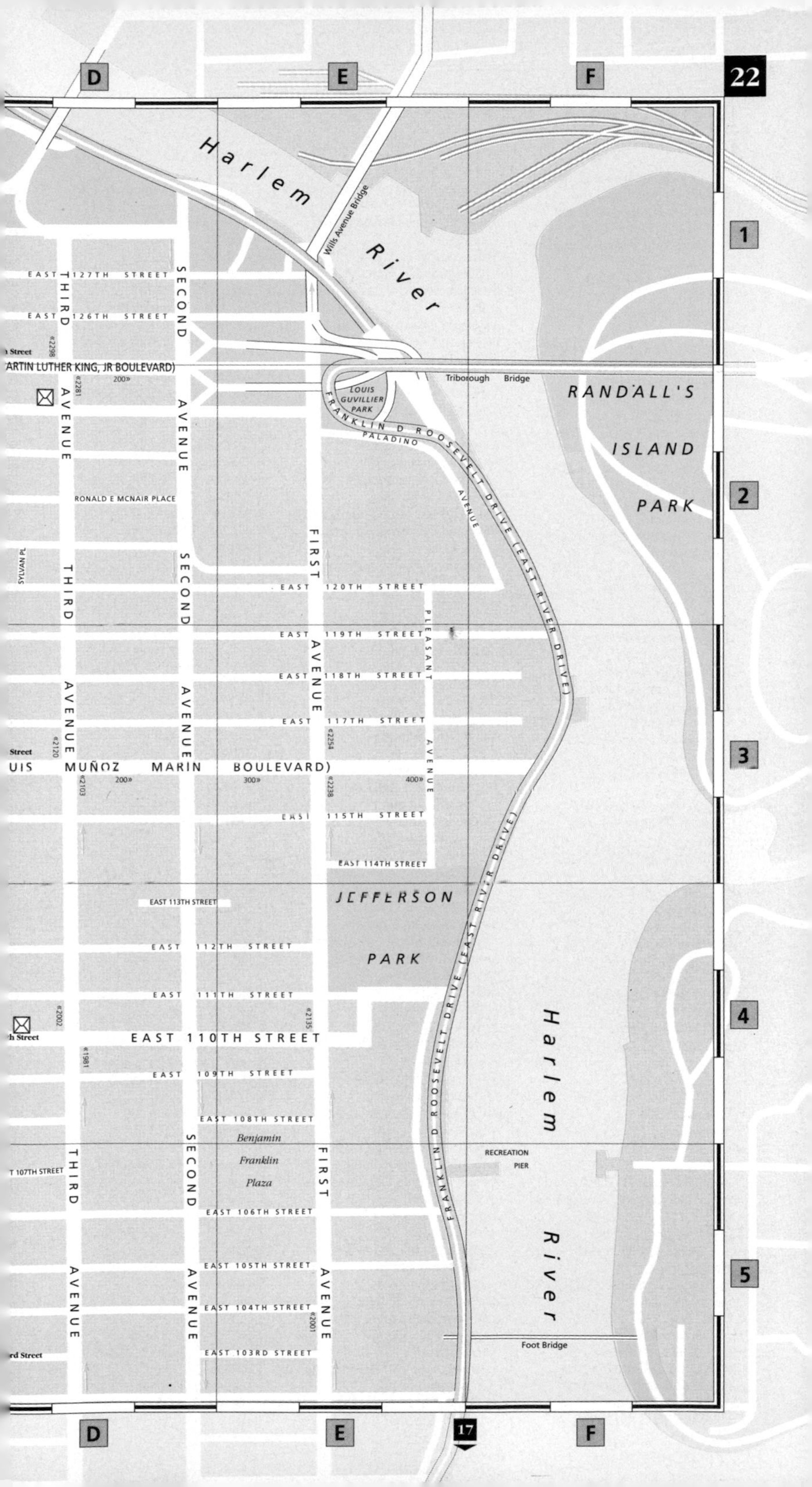
D
E
F
Harlem River
Wills Avenue Bridge
EAST 127TH STREET
EAST 126TH STREET
THIRD AVENUE
SECOND AVENUE
FIRST AVENUE
(MARTIN LUTHER KING, JR BOULEVARD)
Triborough Bridge
LOUIS GUVILLIER PARK
FRANKLIN D ROOSEVELT DRIVE (EAST RIVER DRIVE)
PALADINO AVENUE
RANDALL'S ISLAND PARK
RONALD E MCNAIR PLACE
SYLVAN PL
EAST 120TH STREET
EAST 119TH STREET
EAST 118TH STREET
EAST 117TH STREET
PLEASANT AVENUE
(LUIS MUÑOZ MARIN BOULEVARD)
EAST 115TH STREET
EAST 114TH STREET
EAST 113TH STREET
JEFFERSON PARK
EAST 112TH STREET
EAST 111TH STREET
EAST 110TH STREET
EAST 109TH STREET
EAST 108TH STREET
Benjamin Franklin Plaza
EAST 107TH STREET
EAST 106TH STREET
EAST 105TH STREET
EAST 104TH STREET
EAST 103RD STREET
RECREATION PIER
Foot Bridge
1
2
3
4
5
17

Textregister

A

B

C

F

I

N

O

P

Q

R

S

T

U

Y

Z

Danksagung/Bildnachweis

Der Verlag bedankt sich im folgenden bei allen, die bei der Herstellung dieses Buches tatkräftig mitgewirkt haben.

DIE HAUPTAUTORIN
Eleanor Berman ist eine vielgelesene Reisebuchautorin und lebt in New York. Ihr New-York-Führer *Away for the Weekend: New York* wurde 1982 zum Bestseller. Von ihr sind auch erschienen: *Cape Cod and the Islands*, *Away for the Weekend: New England*, *Away for the Weekend: Mid-Atlantic* und *Reflections of Washington, DC.* Zudem war sie Co-Autorin beim *Penguin Guide to New York.*

WEITERE AUTOREN
Michelle Menendez, Lucy O'Brien, Heidi Rosenau, Elyse Topalian, Sally Williams.

Der Verlag dankt auch den Redakteuren und Dokumentatoren von Websters International Publishers: Sandy Carr, Matthew Barrell, Sara Harper, Miriam Lloyd, Ava-Lee Tanner, Celia Woolfrey.

ERGÄNZENDE FOTOGRAFIEN
Edward Hueber, Eliot Kaufman, Karen Kent, Norman McGrath, Howard Millard, Paul Solomon, Chuck Spang, Chris Stevens.

ERGÄNZENDE ILLUSTRATIONEN
Steve Gyapay, Kevin Jones, Dinwiddie MacLaren, Janos Marffy, Chris D. Orr, Nick Shewring, John Woodcock.

KARTOGRAPHIE
Advanced Illustration (Cheshire), Contour Publishing (Derby), Europmap Ltd (Berkshire). Kartenteil: ERA-Maptec Ltd (Dublin), Überarbeitung der Originalvorlagen mit Genehmigung von Shobunsha (Japan).

KARTOGRAPHISCHE DOKUMENTATION
Roger Bullen, Tony Chambers, Ruth Duxbury, Ailsa Heritage, Jayne Parsons, Laura Porter, Donna Rispoli, Joan Russell, Jill Tinsley, Andrew Thompson.

DOKUMENTATIONSASSISTENTEN
Keith Addison, Ron Boudreau, Linda Cabasin, Carey Combe, Maggie Crowley, Guy Dimond, Tom Fraser, Alex Gray, Marcus Hardy, Sasha Heseltine, Pippa Hurst, Kim Inglis, Jeanette Leung, Helen Partington, Leigh Priest, Nicki Rawson, Marisa Renzullo, Ellen Root, Liz Rowe, Anaïs Scott, Anna Streiffert, Clare Sullivan, Andrew Szudek.

GRAFIK- UND REDAKTIONSASSISTENTEN
Beyer Blinder Belle, John Beatty im Cotton Club, Peter Casey in der New York Public Library, Nicky Clifford, Linda Corcoran im International Wildlife Conservation Park, Susan Ely in der Morgan Library, Jane Fischer, Deborah Gaines im New York Convention and Visitors Bureau, Dawn Geigerich im Queens Museum of Art, Peggy Harrington in St John the Divine, Pamela Herrick im Van Cortlandt House, Marguerite Lavin im Museum of the City of New York, Gary Miller in der New York Stock Exchange, Fred Olsson in der Shubert Organization, Dominique Palermo im Police Academy Museum, Royal Canadian Pancake House, Lydia Ruth im Empire State Building, David Schwartz im American Museum of the Moving Image, Joy Sienkiewicz im South Street Seaport Museum, Pam Snook bei der New York City Transit Authority, Stab im Lower East Side Tenement Museum, Msgr. Anthony Dalla Valla in St Patrick's Cathedral.

WEITERE HILFE GEWÄHRTEN
Christa Griffin, Steve McClure, Sabra Moore, Jeff Mulligan, Marc Svensson, Vicky Weiner, Steven Weinstein.

FOTONACHWEIS
Duncan Petersen Publishers Ltd.

GENEHMIGUNGEN FÜR FOTOGRAFIEN
Der Verlag möchte den folgenden Institutionen für die freundliche Genehmigung von Fotografien danken: American Craft Museum, American Museum of Natural History, Aunt Len's Doll and Toy Museum, Balducci's, Home Savings of America, Brooklyn Children's Museum, The Cloisters, Columbia University, Eldridge Street Project, Federal Hall, Rockefeller Group, Trump Tower.

BILDNACHWEIS
go = ganz oben; gol = ganz oben links; gom = ganz oben Mitte; or = oben rechts; oml = oben Mitte links; om = oben Mitte; omr = oben Mitte rechts; ml = Mitte links; m = Mitte; mr = Mitte rechts; uml = unten Mitte links; mu = Mitte unten; umr = unten Mitte rechts; ul = unten links; u = unten; um = unten Mitte; ur = unten rechts.

Wir haben uns bemüht, alle Urheber zu recherchieren und zu nennen. Sollte dies in einigen Fällen nicht gelungen sein, bitten wir dies zu entschuldigen. In der nächsten Auflage werden wir die Nennung selbstverständlich nachholen.

Kunstwerke wurden mit freundlicher Genehmigung folgender Institutionen reproduziert: © ADAGP, Paris and DACS, London 1993: 67ml (*Four Trees,* April 1971-Juli 1972, von Jean Dubuffet), 105ml, 170ul, 186gol, 187umr, 199umr; *Alice im Wunderland,* 1959 © Jose de Creeft/DACS, London/VAGA, New York 1993: 53ml, 205ml; © DACS 1993: 34or, 113gom, 160or (gestiftet von der Norwegischen Regierung, 1952), 171mu, 172mr, 186ul, 187omr, 187ul, 188oml; © Estate of STUART DAVIS/DACS, London/VAGA, New York 1993: 199mr; © DEMART PRO ARTE BV/DACS 1993: 172ml; *The American Merchant Mariners Memorial,* 1991, © MARISOL ESCOBAR/DACS, London/VAGA, New York 1993: 55um; © JASPER JOHNS/DACS, London/VAGA, New York 1993:

199om; © Roy Lichtenstein/DACS 1993: 140 or (im Auftrag von The Equitable Life Assurance Society of the United States), 173gol, 198uml; © Estate of David Smith/ DACS, London/VAGA, New York 1993: 199ul.

© 1993 The Georgia O'Keeffe Foundation/ARS, New York: 198m; © 1993 Frank Stella/ARS, New York: 190or.

Mit freundlicher Genehmigung von Ellsworth Kelly: 35mr.

Mit freundlicher Genehmigung von E. Jan Nadelman: 199ur.

Abgebildet mit freundlicher Genehmigung von Norman Rockwell Family Trust © 1961 the Norman Rockwell Family Trust: 161ur.

© 1993 The Andy Warhol Foundation for the Visual Arts, Inc: 198oml.

© The Whitney Museum of American Art, NY: 35ur (*The Brooklyn Bridge: Variation on an Old Theme*, 1939, von Joseph Stella), 198ul.

Der Verlag dankt zudem folgenden Museen, Institutionen und Bildbibliotheken für die freundliche Genehmigung zur Reproduktion ihrer Fotografien:

Algonquin Hotel, N.Y: 272ul; Aquarius, UK: 169m; American Museum-Hayden Planetarium, NY: 216gol; American Museum of the Moving Image: Carson Collection © Bruce Polin 246gol; American Museum of Natural History, NY: 37ul, 214om; Ashmolean Museum, Oxford: 15gom, 16m; The Asia Society, NY: 185ml; Avery Architectural and Fine Art Library, Columbia University in der Stadt New York: 135ml; Avery Fisher Hall: © N. McGrath 1976 331or.

© The George Balanchine Trust: *Apollo*, Choreographie von George Balanchine, Foto von P Kolnik 5gom; *Stravinsky Violin Concerto*, Choreographie von George Balanchine, Foto von P. Kolnik 328gom; George Balanchine's *Der Nußknacker*, SM, Foto von P. Kolnik 331mu; The Bettmann Archive, NY: 4ur, 16bml, 17oml, 17mr, 17ul, 18ml, 20umr, 20ul, 20-21, 23ur, 25omr, 26oml, 26omr, 26umr, 26ur, 30oml, 31gol, 40gol, 43uml, 47mr, 47um, 49m, 54um, 71gol, 74ml, 79mr, 79ur, 109ul, 175oml, 183ur, 207go, 210oml, 223mr, 229go, 239or, 265or; Bettmann News-photos/Reuters: 31or; Bettmann/UPI: 27omr, 27um, 28bmr, 29ur, 30omr, 30ul, 30ur, 31om, 31ur, 44ml, 47omr, 48ml, 49ul, 72m, 72om, 78ml, 151m, 161m, 264ur, 265mr; Bloomingdale's: 27umr; BFI: Paramount Pictures 46b; © Roy Export Company Establishment 173or; The British Library, London: 14; Brooklyn Historical Society: (Ausschnitt) 89gol; The Brooklyn Museum: 34ul (*Climbing Into The Promised Land*, 1908, Foto von Lewis Wick Hine), 36ml, 37m, 248omr, 248ul, 249go, 249omr, 249m, 249ul, 250go, 250ur, 251mr, 251ul; The Cantor Collection 251ml; Foto von J. Kerr 248m, 250ul; Foto von P. Warchol: 249mr; Brown Brothers: 67ur, 71ul, 82omr, 90go, 104ur.

Camera Press: 28umr, 28ul, 31mu, 125mr; R. Open 48or; T. Spencer 30mu; The Carlyle Hotel, NY: 273or, 328um; Carnegie Hall: © H. Grossman 331ur; J. Allan Cash: 31ul, 362 mr; CBS Entertainment/Desilu Too: «Vacation from Marriage» 169ur; Colorific!: A. Clifton 373ml; Colorific/ Black Star 47gol, 79 omr; T. Cowell 221mr; R. Fraser 74t; H. Matsumoto 368mr, 371or; D. Moore 29ul; T. Spiegel 13mr, 349gol; Culver Pictures, Inc: 9m, 17umr, 18uml, 19ul, 21gol, 21ur, 24gol, 24ml, 27mu, 27ul, 46or, 47mu, 48ur, 49or, 74ul, 75omr, 75mu, 76gol, 78umr, 83m, 83umr, 119ul, 122gom, 125ul, 135mr, 145m, 147ml, 227go, 227um, 227mr, 257ul, 259umr.

Daily Eagle: (Ausschnitt) 89ml; Daily News: 354gol, 354or.

Essex House, NY: 268mr; Collection The Equitable Life Assurance Society: Foto von G. Gorgoni 140or; Esto: P. Aaron 330ul; Mary Evans Picture Library: 22ur, 46uml, 47ur, 87ur, 104ul.

Chris Fairclough Colour Library: 369uml; The FORBES Magazine Collection, NY: 112gol; Fraunces Tavern Museum, NY: 20 oml; Copyright The Frick Collection, NY: 35ul *(Die Verzückung des hl. Franziskus* von Giovanni Bellini), 200om, 200ml, 200uml, 200u, 201gol, 201om, 201mr, 201um, 201ur.

Garrard The Crown Jewellers: 143c; The Solomon R Guggenheim Museum, NY: *Blue, Green, Yellow, Orange, Red*, 1966, von Ellsworth Kelly, Foto von D. Aronowitz 35mr; Foto von D. Heald 186gol, 186ul, 186um, 186ur, 187go, 187omr, 187umr, 187ul.

Robert Harding Picture Library: 362gom, 362ul; Harpers New Monthly Magazine: 87gol; Harpers Weekly: 351m; Milton Hebald: *Prospero and Miranda* 203go, *Romeo and Juliet* 331mr; The Hotel Millenium, NY: 269gol.

The Image Bank: 89ur; M. Hilaire 75o; P. McConville 377m; M. Melford 10go, 377ur; P. Miller 367or; A. Satterwhite 75ur.

The Jewish Museum, NY: 182or, 184m.

Copyright © 1993 K-III Magazine Corporation: Alle Rechte vorbehalten. Wiedergegeben mit freundlicher Genehmigung des *New York* Magazine 352or; T. Khapa: 252um; The Kobal Collection: 211gom.
Frank Leslie's Illustrated Newspaper: 86ur, 87or, 267c; Library of Congress: 18um,

21oml, 25ul, 25ur; LIFE MAGAZINE © Time Warner Inc/Katz/A. Feininger: 8–9; GEORG JOHN LOBER: *Hans Christian Andersen*, 1956, 204ur; THE LOWELL HOTEL, NY: 273ml; MARY ANN LYNCH: 310um, 356ml.

MADISON SQUARE GARDEN: 132r, 330mr; MAGNUM PHOTOS: © H. Cartier-Bresson 173c; Erwitt 33mr; G. Peres 12ur, 92; JACQUES MARCHAIS CENTER OF TIBETIAN ART: 252um; THE MAYFAIR HOTEL, NY: 273mr; METRO-NORTH COMMUTER RAILROAD: F. English 154or, 154oml; THE METROPOLITAN MUSEUM OF ART, NY: 33ul *(Junge Frau mit einem Wasserkrug* von J. Vermeer), 35umr *(Nilpferd*, Fayence, Ägypten, 12. Dynastie), 180gom, 188oml, 188uml, 188um, 188ur, 189gol, 189or, 189mr, 189ul, (Foto Al Mozell) 189ur, 190or, 190m, 190ul, 190ur, 191gol, 191or, 191m, 191ul, 192gol, 192or, 192m, 192u, (Ausschnitt) 193gol, 193or, 193u, 194go, 194ml, 194mr, 194u, 195gol, 195mr, 195ul, 234or, 234ml, 234mr, 234u, 235om, 235mr, 235ul, 235ur, 236gol, 236or, 237or, 237m, 237b; MORRIS-JUMEL MANSION INC, NY: 17gol; A. Rosario 21umr; THE MUSEUM OF THE CITY OF NEW YORK: 15u, 16omr, 16–17, 17or, 18om, 19umr (Foto J. Parnell), 20gol, 20uml, 22gol (Samuel Lovett Waldo zugeschrieben), 22oml, 22uml, 23mr, 23umr, 23um, 24mu, 25gol, 25umr, 25mu, 26ul, 27or, 28gol, 28mr, 29gom, 29m, 30or, 35or, 87mr; THE MUSEUM OF MODERN ART, NY: 33om *(Sternennacht* von Vincent van Gogh, 1889), 34o *(Die Ziege* von Pablo Picasso, 1950), 6ul (Cisitalia »202« GT), 165gom, 170m, 170ul, 171gom, 171omr, 171umr, 171mu, 171ul, 172ml, 172mr, 172um, 173gol, 173b.

NATIONAL BASEBALL LIBRARY, Cooperstown, NY: 4or, 23ul, 28ml; NATIONAL MUSEUM OF THE AMERICAN INDIAN/SMITHSONIAN INSTITUTION: 16m; NATIONAL PARK SERVICE: Ellis Island Immigration Museum 78om, 78ur; Statue of Liberty National Monument 75ul; THE NEW MUSEUM OF CONTEMPORARY ART, NY: 105ml; NEW YORK CITY TRANSIT AUTHORITY: 374um; Sammlung der THE NEW YORK HISTORICAL SOCIETY: 47or; THE NEW YORKER MAGAZINE INC: Umschlagzeichnung von Rea Irvin, © 1925, 1953, Alle Rechte vorbehalten, 28uml; THE NEW YORK PALACE, NY: 25or; NEW YORK POST: 354gol; NEW YORK PUBLIC LIBRARY: Special Collection Office, Schomburg Center for Research in Black Culture 28om, 29oml; Stokes Collection 21or; NEW YORK STATE DEPARTMENT OF MOTOR VEHICLES: 370u; THE NEW YORK TIMES: 354gol; NPA: © CNES 1993 10b; THE PENINSULA, NY: 271um; PERFORMING ARTS LIBRARY: Clive Barda: 210ul; Sammlung THE PIERPONT MORGAN LIBRARY, NY: 34mr (*Blanche von Kastilien, König Ludwig IX. von Frankreich, der Autor diktiert einem Schreiber.* Bibelhandschrift, um 1230), 162um, 162uml, 162ur, 163gol, 163 m, 163ul, 163ur; POPPERFOTO: 29omr, 29mr, 71umr, 260oml; PLAZA HOTEL, NY: 272or.

COLLECTION OF THE QUEENS MUSEUM OF ART: erworben aus Mitteln der George and Mollie Wolfe World's Fair Fund 29umr; käufliches Souvenir 30umr.

RENSSELAER POLYTECHNIC INSTITUTE: 86-87, 87ul; REX FEATURES LTD: 376gol; Sipa-Press 52or, 52ur; Courtesy of the ROCKEFELLER CENTER © The Rockefeller Group, Inc: 29uml.

LUIS SANGUINO: *Die Einwanderer* 1973, 256b; THE ST. REGIS, NY: 270c; SCIENTIFIC AMERICAN: 18 May 1878 edition 86or; 9 November 1878 edition 88ul; THE SOCIETY OF ILLUSTRATORS: 196gol; SPECTRUM COLOUR LIBRARY: 376ul; FRANK SPOONER PICTURES: Gamma 158ml; Gamma/B. Gysenbergh 367gol; Liaison/Gamma/ Anderson Umschlaginnenseite uml, 158gol, 159oml; Liaison/Levy/Halebian: 42or, 45c; Sygma/A. Tannenbaum 47om.

TURNER ENTERTAINMENT COMPANY: 135ur, 183ur.

UNITED AIRLINES: Goldstag 363gol; UNITED NATIONS, NY: 159omr, 160or, 160um, 161gom, 161oml, 161ur; © US POSTAL SERVICE: 361go, © THE US POSTAL SERVICE 1981: 361om, © US POSTAL SERVICE 1991: 361m. Verwendet mit freundlicher Genehmigung; UN PLAZA HYATT HOTEL, NY: 273ul.

© JACK VARTOOGIAN, NY: 61um, 156t.

JUDITH WELLER: *The Garment Worker* 128o; LUCIA WILSON CONSULTANCY: Ivar Mjell 2-3, 13ur, 164; Collection of THE WHITNEY MUSEUM OF AMERICAN ART, NY: 198oml, 198m, 198uml, 199go, 199om, 199mr, 199umr (Erwerb aus den Mitteln einer Spendensammlung im Mai 1982. Die Hälfte der Gelder wurde gespendet von der Robert Wood Johnson Jr. Charitable Trust. Zusätzliche größere Spenden gingen ein von der Lauder Foundation; der Robert Lehman Foundation, Inc.; der Howard and Jean Lipman Foundation, Inc.; einem anonymen Spender; der TM Evans Foundation, Inc.; MacAndrews & Forbes Group Incorporated; dem DeWitt Wallace Fund, Inc.; Martin & Agnes Gruss; Anne Phillips; Mr. and Mrs. Laurance S. Rockefeller; der Simon Foundation, Inc.; Marylou Whitney; Bankers Trust Company; Mr. und Mrs. Kenneth N. Dayton; Joel und Anne Ehrenkranz; Irvin und Kenneth Feld; Flora Whitney Miller. Über 500 Einzelpersonen aus 26 Staaten und aus dem Ausland trugen ebenfalls zu der Spendenaktion bei), 199ul, 199ur (Erwerb aus Mitteln des Mr. and Mrs. Arthur G. Altschul Purchase Fund, des Joan and Lester Avnet Purchase Fund, des Edgar William and Bernice Chrysler Garbisch Purchase Fund, des Mrs. R. C. Graham Purchase Fund zum Gedenken an John I. H. Baur, des Mrs. Percy Uris Purchase Fund and the Henry Schnakenberg Purchase Fund zum Gedenken an Juliana Force); WHEELER PICTURES: 78o.

YU YU YANG: *Untitled*, 1973, 57ur.

Manhattan Subway

Benutzerhinweise

Das öffentliche Verkehrsnetz ist rund um die Uhr in Betrieb, aber nicht alle Linien verkehren zu jeder Zeit. Die Buchstaben- und Zahlenkennzeichnung der Züge unterhalb der Stationsnamen bezieht sich auf die Verkehrsverbindungen zwischen 6 und 24 Uhr. **Fett** gedruckte Buchstaben oder Zahlen bezeichnen die Züge, die die ganze Woche lang zwischen 6 und 24 Uhr eine Station bedienen. Eine nicht-gefettete Kennzeichnung bedeutet, daß der Zug entweder nicht die ganze Zeit über verkehrt oder nicht immer an der Station Halt macht.

Der Plan umfaßt ausschließlich das Liniennetz von Manhattan. Karten, die das gesamte Subway-System New Yorks abdecken, sind an jeder Subway-Station der Stadt umsonst erhältlich. Des weiteren findet sich in jeder Station ein Übersichtsplan. Weitere Auskünfte erteilt das NYCTA Travel Information Center täglich von 6 bis 21 Uhr unter der Telefonnummer (718) 330-1234.

Zu jeder Sehenswürdigkeit ist die nahegelegene Subway-Station angegeben. Weitere Informationen über das Subway-System entnehmen Sie den Seiten 374f.

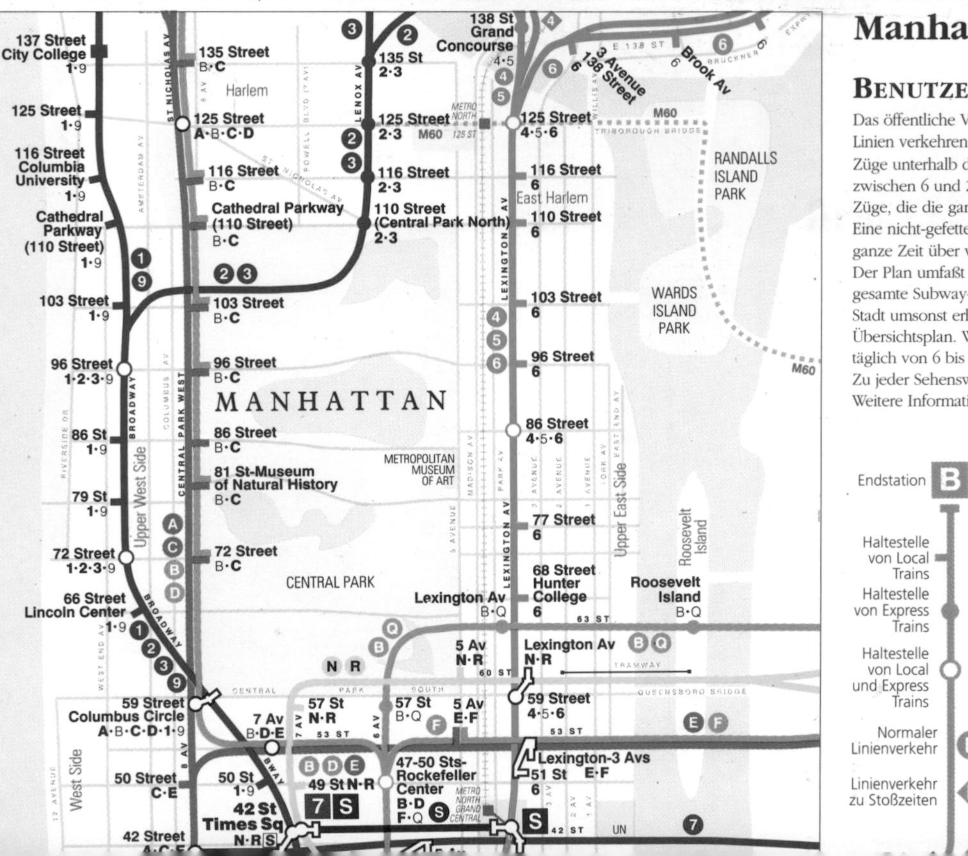